A-Z SOUTH YORK

CW00557469

REFERENCE

Motorway	M1
Primary Route	A61
A Road	A630
B Road	B6059
Dual Carriageway	
One-way Street	
Traffic flow on A Roads is also indicated by a heavy line on the driver's left.	
Road Under Construction	
Opening dates are correct at the time of publication.	
Proposed Road	
Restricted Access	
Pedestrianized Road	
Track / Footpath	
Residential Walkway	
Railway	Station Heritage Sta. Level Crossing Tunnel
Supertram	
The boarding of Supertrams at stops may be limited to a single direction, indicated by the arrow.	Stop
Built-up Area	ALMA ST
Local Authority Boundary	
National Park Boundary	
Posttown Boundary	
Postcode Boundary (within Posttown)	
Map Continuation	16 Large Scale Centres 4

Airport	✈
Car Park (selected)	P
Church or Chapel	†
Cycleway (selected)	🚲
Fire Station	■
Hospital	H
House Numbers (A & B Roads only)	13 8
Information Centre	i
National Grid Reference	430
Park & Ride (Bus or Tram)	Abbeydale P+R
Police Station	▲
Post Office	★
Safety Camera with Speed Limit	40
Fixed cameras and long term road works cameras. Symbols do not indicate camera direction.	
Toilet:	
without facilities for the Disabled	▽
with facilities for the Disabled	▽
Disabled use only	▽
Viewpoint	☀ ☀
Educational Establishment	▢
Hospital or Healthcare Building	▢
Industrial Building	▢
Leisure or Recreational Facility	▢
Place of Interest	▢
Public Building	▢
Shopping Centre or Market	▢
Other Selected Buildings	▢

SCALE

Map Pages 4-5   1:7,454

0 — ⅛ — ¼ Mile
0 — 250 — 500 Metres
8½ inches (21.59 cm) to 1 mile   13.42 cm to 1 km

Map Pages 6-143   1:19,000

0 — ¼ — ½ — ¾ Mile
0 — 250 — 500 — 750 Metres — 1 Kilometre
3⅓ inches (8.47 cm) to 1 mile   5.26 cm to 1 km

A-Z AZ AtoZ
registered trade marks of
Geographers' A-Z Map Company Ltd

www.az.co.uk

EDITION 4 2016
Copyright © Geographers' A-Z Map Co. Ltd.
Telephone: 01732 781000 (Enquiries & Trade Sales)
01732 783422 (Retail Sales)
© Crown copyright and database rights 2015 OS 100017302.
Safety camera information supplied by www.PocketGPSWorld.com.
Speed Camera Location Database Copyright 2015 © PocketGPSWorld.com

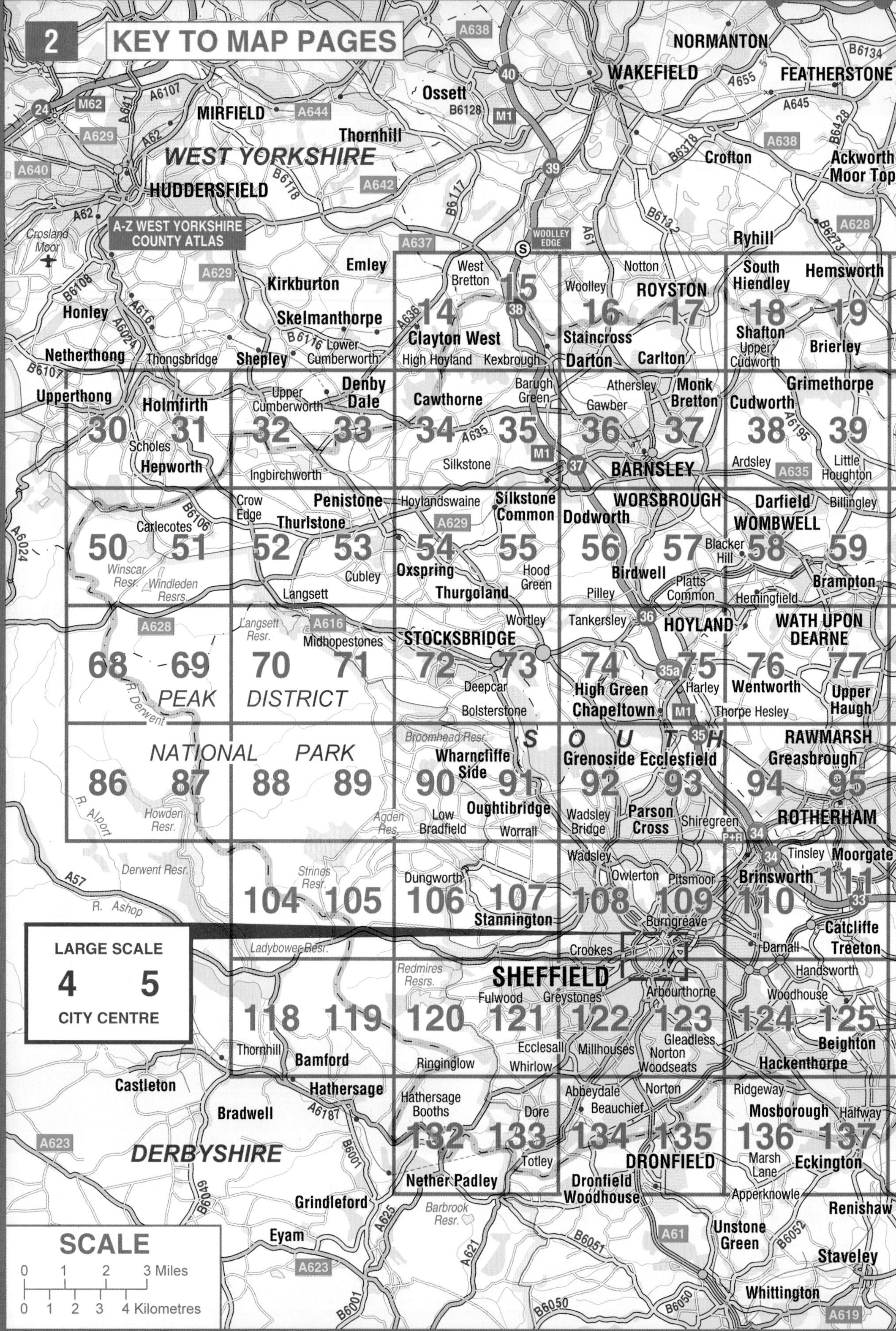

KEY TO MAP PAGES

2

WEST YORKSHIRE

A-Z WEST YORKSHIRE COUNTY ATLAS

30	**31**	**32**
50	**51**	**52**

NORMANTON
WAKEFIELD
FEATHERSTONE
Ossett
MIRFIELD
Thornhill
Crofton
Ackworth Moor Top
HUDDERSFIELD
Ryhill
Honley
Emley
Kirkburton
Skelmanthorpe
South Hiendley
Hemsworth
Netherthong
Thongsbridge
Shepley
Lower Cumberworth
West Bretton
Woolley
ROYSTON
Shafton
Upper Cudworth
Brierley
Upperthong
Holmfirth
Upper Cumberworth
Denby Dale
Clayton West
High Hoyland
Kexbrough
Staincross
Darton
Carlton
Cudworth
Grimethorpe

14	15	16	17	18	19
Clayton West				Shafton	Brierley

Cawthorne
Barugh Green
Athersley
Gawber
Monk Bretton
Ardsley
Little Houghton

34	35	36	37	38	39
Silkstone		BARNSLEY			

Scholes
Hepworth
Ingbirchworth
Penistone
Thurlstone
Hoylandswaine
Silkstone Common
Dodworth
WORSBROUGH
Darfield
WOMBWELL
Billingley

30	31	32	33	34	35	36	37	38	39

Crow Edge
Carlecotes
Cubley
Langsett
Oxspring
Thurgoland
Hood Green
Birdwell
Pilley
Blacker Hill
Platts Common
Hemingfield
Brampton

50	51	52	53	54	55	56	57	58	59

Winscar Resr.
Windleden Resrs.

PEAK   **DISTRICT**

Langsett Resr.
Midhopestones
STOCKSBRIDGE
Wortley
Tankersley
HOYLAND
WATH UPON DEARNE
Deepcar
Harley
Wentworth
Upper Haugh
Bolsterstone
High Green
Chapeltown
Thorpe Hesley

68	69	70	71	72	73	74	75	76	77

NATIONAL   **PARK**

Broomhead Resr.
S O U T H
RAWMARSH
Greasbrough
Wharncliffe Side
Grenoside
Ecclesfield
ROTHERHAM
Low Bradfield
Oughtibridge
Wadsley Bridge
Parson Cross
Worrall
Shiregreen

86	87	88	89	90	91	92	93	94	95

Howden Resr.
Agden Res.
Strines Resr.
Dungworth
Wadsley
Owlerton
Pitsmoor
Brinsworth
Tinsley
Moorgate
Stannington
Burngreave
Darnall
Catcliffe
Treeton

104	105	106	107	108	109	110	111

LARGE SCALE

4   **5**

CITY CENTRE

Ladybower Resr.
Crookes
Handsworth
Woodhouse
Thornhill
Bamford
Redmires Resrs.
SHEFFIELD
Fulwood
Greystones
Arbourthorne
Castleton
Ecclesall
Millhouses
Gleadless
Norton Woodseats
Beighton
Hackenthorpe
Bradwell
Hathersage
Ringinglow
Whirlow
Dore

118	119	120	121	122	123	124	125

Hathersage Booths
Abbeydale
Beauchief
Norton
Ridgeway
Mosborough
Halfway
DERBYSHIRE
Grindleford
Nether Padley
Totley
DRONFIELD
Dronfield Woodhouse
Marsh Lane
Apperknowle
Eckington
Eyam
Barbrook Resr.
Unstone Green
Renishaw
Staveley
Whittington

132	133	134	135	136	137

SCALE

0   1   2   3 Miles

0   1   2   3   4 Kilometres

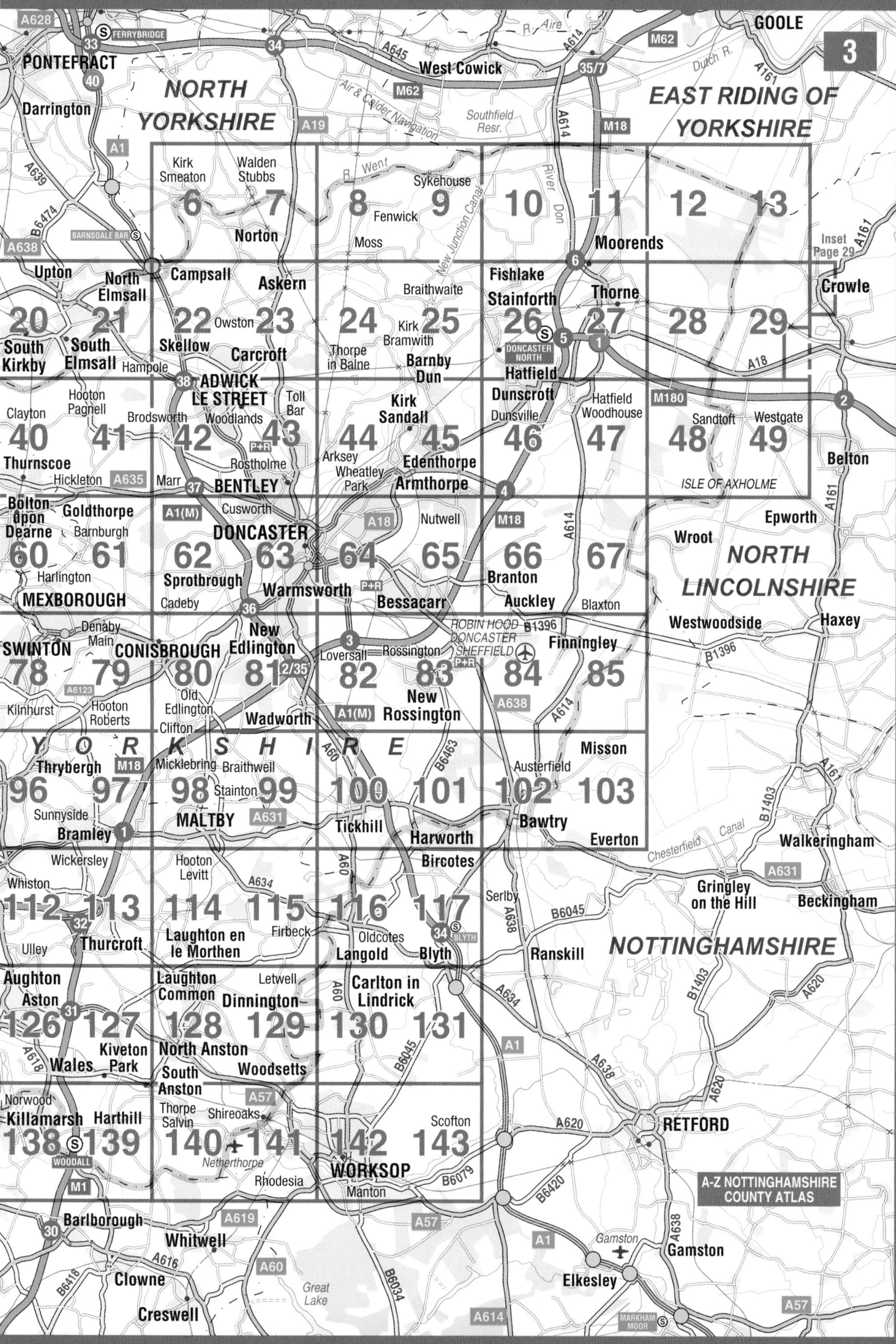
PONTEFRACT
GOOLE
NORTH YORKSHIRE
EAST RIDING OF YORKSHIRE
West Cowick
Darrington
Kirk Smeaton
Walden Stubbs
Sykehouse
Fenwick
Moss
Norton
Moorends
Inset Page 29
Upton
North Elmsall
Campsall
Askern
Braithwaite
Fishlake
Stainforth
Thorne
Crowle
South Kirkby
South Elmsall
Hampole
Skellow
Owston
Carcroft
Thorpe in Balne
Kirk Bramwith
Barnby Dun
Hatfield
ADWICK LE STREET
Toll Bar
Kirk Sandall
Dunscroft
Dunsville
Hatfield Woodhouse
Sandtoft
Westgate
Clayton
Hooton Pagnell
Brodsworth
Woodlands
Thurnscoe
Hickleton
Marr
Rostholme
BENTLEY
Arksey
Wheatley Park
Edenthorpe
Armthorpe
Belton
ISLE OF AXHOLME
Bolton upon Dearne
Goldthorpe
Barnburgh
Cusworth
DONCASTER
Nutwell
Epworth
Wroot
NORTH LINCOLNSHIRE
Harlington
MEXBOROUGH
Sprotbrough
Cadeby
Warmsworth
Bessacarr
Branton
Auckley
Blaxton
Westwoodside
Haxey
SWINTON
Denaby Main
CONISBROUGH
New Edlington
Loversall
Rossington
ROBIN HOOD DONCASTER SHEFFIELD
Finningley
Kilnhurst
Hooton Roberts
Old Edlington
Clifton
Wadworth
New Rossington
YORKSHIRE
Thrybergh
Micklebring
Braithwell
Stainton
Austerfield
Misson
Sunnyside
Bramley
MALTBY
Tickhill
Harworth
Bawtry
Everton
Walkeringham
Wickersley
Hooton Levitt
Bircotes
Chesterfield Canal
Whiston
Serlby
Gringley on the Hill
Beckingham
Ulley
Thurcroft
Laughton en le Morthen
Firbeck
Oldcotes
Langold
Blyth
Ranskill
NOTTINGHAMSHIRE
Aughton
Aston
Laughton Common
Letwell
Dinnington
Carlton in Lindrick
Wales
Kiveton Park
North Anston
South Anston
Woodsetts
Norwood
Killamarsh
Harthill
Thorpe Salvin
Shireoaks
Scofton
RETFORD
Netherthorpe
Rhodesia
WORKSOP
Manton
A-Z NOTTINGHAMSHIRE COUNTY ATLAS
Barlborough
Whitwell
Gamston
Clowne
Great Lake
Elkesley
Creswell
FERRYBRIDGE
BARNSDALE BAR
DONCASTER NORTH
BLYTH
WOODALL
MARKHAM MOOR
Southfield Resr.
Air & Calder Navigation
New Junction Canal
R. Went
R. Aire
Dutch R.
River Don
6 7 8 9 10 11 12 13
20 21 22 23 24 25 26 27 28 29
40 41 42 43 44 45 46 47 48 49
60 61 62 63 64 65 66 67
78 79 80 81 82 83 84 85
96 97 98 99 100 101 102 103
112 113 114 115 116 117
126 127 128 129 130 131
138 139 140 141 142 143

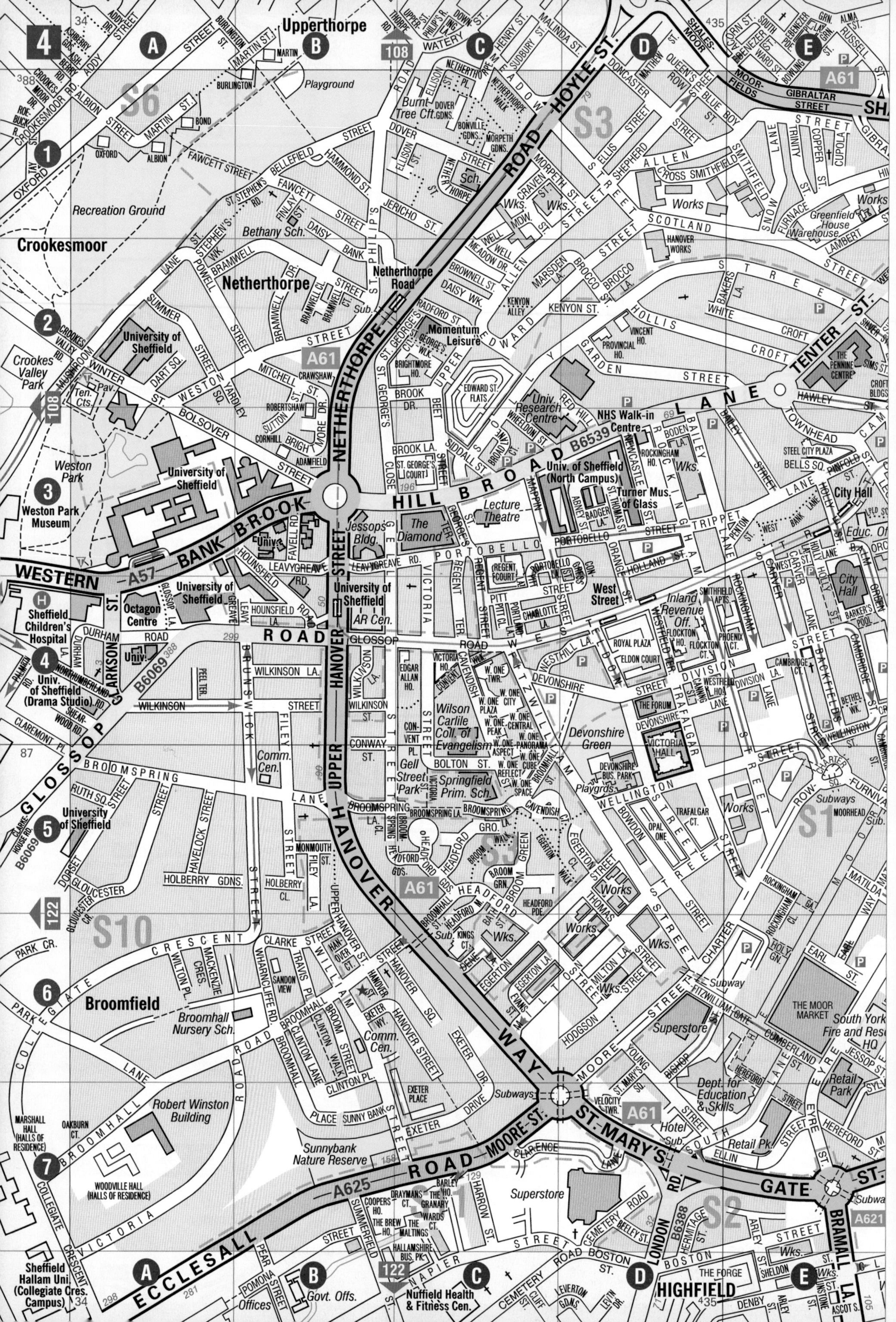

4
A
B
C
D
E
1
2
3
4
5
6
7
108
122
S6
S3
S1
S2
S10
Upperthorpe
Playground
Burnt Tree Cft.
Recreation Ground
Crookesmoor
Bethany Sch.
Netherthorpe
Netherthorpe Road
Momentum Leisure
University of Sheffield
Crookes Valley Park
Ten. Cts.
Pav.
Weston Park
Weston Park Museum
Sheffield Children's Hospital
Univ. of Sheffield (Drama Studio)
Octagon Centre
Univ.
Jessops Bldg.
The Diamond
Lecture Theatre
University of Sheffield AR Cen.
Univ. of Sheffield (North Campus)
Turner Mus. of Glass
Univ. Research Centre
NHS Walk-in Centre
Edward St. Flats
West Street
Inland Revenue Off.
City Hall
Educ. Of
Wilson Carlile Coll. of Evangelism
Gell Street Park
Springfield Prim. Sch.
Devonshire Green
Playgrds.
The Forum
Victoria Hall
Devonshire Bus. Park
Comm. Cen.
Works
Wks.
Subways
Sub.
Subway
Superstore
The Moor Market
South York Fire and Res HQ
Dept. for Education & Skills
Retail Park
Retail Pk.
Hotel
Broomfield
Broomhall Nursery Sch.
Robert Winston Building
Woodville Hall (Halls of Residence)
Marshall Hall (Halls of Residence)
Sheffield Hallam Uni (Collegiate Cres. Campus)
Sunnybank Nature Reserve
Govt. Offs.
Offices
Nuffield Health & Fitness Cen.
Highfield
The Forge
Greenfield House Warehouse
Hanover Works
The Pennine Centre
Steel City Plaza
Bells Sq.
Hawley
Townhead
Scotland Street
Shalesmoor
Moorfields
Gibraltar Street
Netherthorpe Road
Hoyle St.
Upper Hanover Street
Hanover Way
Brook Hill
Broad Lane
Tenter St.
Western Bank
Glossop Road
Clarkson St.
Brunswick Street
Broomspring Lane
Wilkinson Street
Leavygreave Rd.
Portobello
Trippet Lane
West Street
Division Street
Devonshire Street
Wellington Street
Fitzwilliam Street
Rockingham Street
Carver Street
Trafalgar Street
Eldon Street
Milton Street
Egerton Street
Headford Gds.
Clarke Street
Collegiate Crescent
Park Cr.
Collegiate Crescent
Broomhall Road
Victoria Road
Ecclesall Road
Moore St.
St. Mary's Gate
London Rd.
Cemetery Road
Boston Street
Napier St.
Bramall La.
Charter Row
The Moor
Eyre St.
Cumberland Street
Hereford St.
A61
A57
A625
A621
B6539
B6069
B6388

5
Gas Works
Derek Dooley Way
Sheffield Combined Court Cen.
Emergency Services Mus.
Castle Market
LivingWell Health Club
Victoria Quays
Sheffield Parkway
Park Hill
St. Peter & St. Paul's Cathedral
Cathedral
Cutlers Hall
St. Marie's RC Cathedral
Ponds Forge International Sports Centre
Ponds Forge/Fitzalan Sq.
Castle Sq.
Oneleven Bldg.
Mecca Bingo
O2 Academy
Odeon Cinema
The Crucible Theatre
Lyceum Theatre
Library & Gall.
Montgomery Thtre.
Town Hall
Winter Garden
Peace Gardens
Millennium Gallery
Sheffield Interchange
Digital Campus
Electric Works
Sheffield Hallam University (City Campus)
SHEFFIELD
Sheffield Station/Sheffield Hallam University
Sheaf Valley Park
Monument Grounds
Clay Wood
S2
S4
Sheffield Science Pk.
The HUBS
Freeman Coll.
Cantor Bldg.
Site Gallery
BBC Radio Sheffield
UTC Sheffield
Granville Road
A6135
Granville Rd./The Sheffield College
The Sheffield College
Seven Hills Sch.
All Saints Catholic School
Goals Soccer Cen.
Football Pitches
Playing Field
Norfolk Park Hostel
Heritage Park School
Skate Central
PureGym (City Cen.)
Superstore
Queens Road
St. Mary's Road
Shrewsbury Road
Sheaf Street
Suffolk Road
Talbot Street
Duke Street
Bernard Street
Manor Oaks Road
City Rd.
A61
A57
109
123
36
F G H J K
1 2 3 4 5 6 7

Castle Farm
Castle Farm Cottage
Castle Hill Wood
CASTLE HILLS ROAD
The Bungalow
The Rookery
Lady Hawke Wood
WOMERSLEY PARK
Oak Plantation
Beckclose Wood
Belt Plantation
Belt Plantation
CHURCHFIELD LANE
Smeaton Leys
NEW ROAD
SMEATLEY'S LANE
LANE
Smeaton Bridge
Birka Drain
Grove Farm
Grove Bridge
Little Grove Farm
LEYS LANE
BROCKADALE NATURE RESERVE
Long Crag
Smeaton Pasture
LITTLE LA.
VIEWLANDS
River Went
Little Smeaton
QUARRY LA.
AGRICULTURAL HOUSES
CHAPEL LA.
HODGE LA.
CHURCHFIELD ROAD
WINDY RIDGE
MOUNT PLEASANT
Stubbs Bridge
WENT EDGE ROAD
Went Edge Field
Water Mill Farm
Hodge Bri.
Riverside Farm
Manor House Farm
Playing Field
WATER LANE
STUBBS
Sch.
Cemy.
Low Farm
TOP HOUSE CT.
MAIN STREET
RECTORY CT.
MANOR CL.
Manor House
SPRINGFIELD CRES.
Kirk Smeaton
Willow Bridge
Pinfold Cross
PINFOLD LANE
MIDDLEFIELD LANE
NORTON & KIRK SMEATON ROAD
WILLOWBRIDGE
Sewage Works
River Went
Pontefract
WF8
West Field
SPITTLERUSH
Priory Mill
NORTON MILL
FLEA LANE
Westfield House
Broomfield Plantation
Highfield Farm
Westfield Farm
WESTFIELD LANE
NORTON & KIRK SMEATON ROAD
CLIFF HILL ROAD
BACK LANE
RYECROFT
Southfield Plantation
SOUTHFIELD RD. or OLD ACRE LA.
Cliff Hill
TREE LANE
CRAB
Barnsdale Bar Quarry
Cusworth Hill
Old Whin Fox Covert
Windhill Plantation
South Field
Windmill Cotts.
Windmill House
Windmill Fm.
WINDMILL LANE
Black Clump
White Ley Plantation
GREENGATE ROAD
WOODDLE HOLE LA.
Wooddle Hole Plantation
Low Pasture Rein
Campsmount Academy
Playing Fields
Play. Fld.
School Bungalow
FOX COVERT ROAD or WHIN COVERT LANE
Limestone Quarry
Stony Hills Plantation
Middle Pasture Plantation
NORTH PARK
Campsmount Home Farm
Barnsdale Wood
WHITE LEY
BARNSDALE
GT. NORTH ROAD
A1
Barnsdale Bar
NORTON LANE
Warren Plantation
CAMPSMOUNT PARK
Barnsdale Warren House
Barnsdale Cottages
22
Freestone Quarry Plantation
Campsmount Cotts.
SOUTH PARK

7
Goole DN14
Doncaster DN6
NORTON
CAMPSALL
ASKERN
Walden Stubbs
SELBY ROAD
A19
Highfield Lane
Stocking Green Farm
Longcroft Wood
Womersley Beck
Linecroft Wood
Brown Ings Wood
Bradley Drain
Busky Wood
Ox Stocking Wood
Dawland Wood
Dawland House Farm
Dawland Cottage
Harespring House
Blowell Bridge
Woodview Farm
Highfield House Farm
Ash Tree Cottage
Blowell Drain
Neville Pits Lane
Works
Birdspring Wood
Birdspring Farm
Lake Bridge
Lake Drain
Old Lake Drain
Old Lake Bridge
Birka Wood
Birka Drain
Moat
Holtcroft Wood
Stubbs Common Farm
Common Lane
Badger Lane
Fox Covert
Long Rein
Swimpit Wood
Rose Bungalow
Stubbs Hall
Wells Farm
Home Farm
Old House Farm
Stubbs Grange Cottage
Stubbs Grange
River Went
Went Lane
Selby
Doncaster
Wentbank House
Tanpit Lane
Tanpit Bridge
Stubbs Lane
Park Lane
Boisters Road
Park Closes
Low Field
Went Bridge
Stubbs Common
Stream
Norton Priory
Walden Stubbs Road
Sewage Works
Priory Road
Park Close Drain
Dryhurst Drain
Norton Common Farm
Bradley's Spring
Bradley's Well or Town's Quarry
Quarry Road
Dryhurst Closes
Ings
Clough Bridge
Went Lows
River Went (Old Course)
Dike
Great Common Drain
Clough Lane
Norton Common Road
Toll Bar
Norton Common
Gledhill Cotts.
Swan Sike Drain
Askern Greyhound Stadium
Poplar Farm
Norton Inf. & Jun Schools
Playing Field
Norton Ings
Ings Lane
Campsall Cottages
Churchfield Lane
Church Field
Campsall Road
Fenwick Lane
Fenwick Lane
Willow Garth Lane
Willow Garth
Askern Common Drain
Randall Farm
Bath Drain
Sewage Works
Askern Common Bridge
Askern Leisure Cen.
Askern Burial Grd.
Park Plantation
Lodge
Pinetum
Langleys
Vicarage
Firley
23
455
56
57
18
17
16
415
14

Rose Cottage
Ash Tree Farm
Ash Tree Cottage
Woodside View
Highgate
Parkshaw Wood
Chapel Hill
Barn Fall Wood
Four Lane End
Chapel Garth Wood
Wood Farm
Holyrood Farm
Lockgate Farm
Lowgate Crossing
Lowgate Crossing Farm
Cherrytree Farm
Lowgate Farm
Linton House Farm
Belle
The Cottage
Dike
Fir Tree Farm
Woodside Farm
South End
South End Farm
Manor Farm
SELBY DONCASTER
RIVER WENT
Gate Farm
Fenwick
Croft Farm
Went Farm
Crossing House
Shaw Wood
Cricket Field
Tweed Farm
Haggs Farm
Manor Farm
Riddings Farm
Keepers Cottage
Fenwick London Hill
Fenwick Farm
Moat Hill Farm
River Went (Old Course)
Fenwick Common Drain
DN6
Clough Bridge
Went Lows
FENWICK COMMON
Moat Hill
Cemetery
Lady Thorpe
Ladythorpe Farm
Ell Wood & Fenwick Grange Drain
Jet Hall
Moss London Hill
Wood Grove
Moss Farm
Plumtree Cottage
Field House Moss
Moss Farm Bungalow
Moss Farm
Elm Field Farm
Manor Farm
Star Farm
Fish Pond
Wood View
Oak Grange Farm
Grange Farm
Moss
Pear Tree Farm
Fir Tree Farm
Randall Farm
Moss Cottage
Askern Common Bridge
Copley Spring Wood
Heyworth
Moss Common
WESTEND LANE
GORE LANE
NEVILLE PITS LANE
JENNY LA.
PARK LANE
TOADHAM LANE
LITTLE COMMON LANE
LOCKGATE ROAD
LOWGATE
CAT LA.
SOUTH END
LANE
SHAW LANE
LAWN LANE
BUNFOLD LANE
SHAW
FENWICK LANE
FENWICK COMMON
HAGGS LANE
Fenwick Common Drain
MOSS ROAD
OLD LANE
MOSS HAVEN
LONDON LANE
TRUMFLEET LANE
PINFOLD LANE
GREEN
24
7
58
59
460
18
17
16
415
14

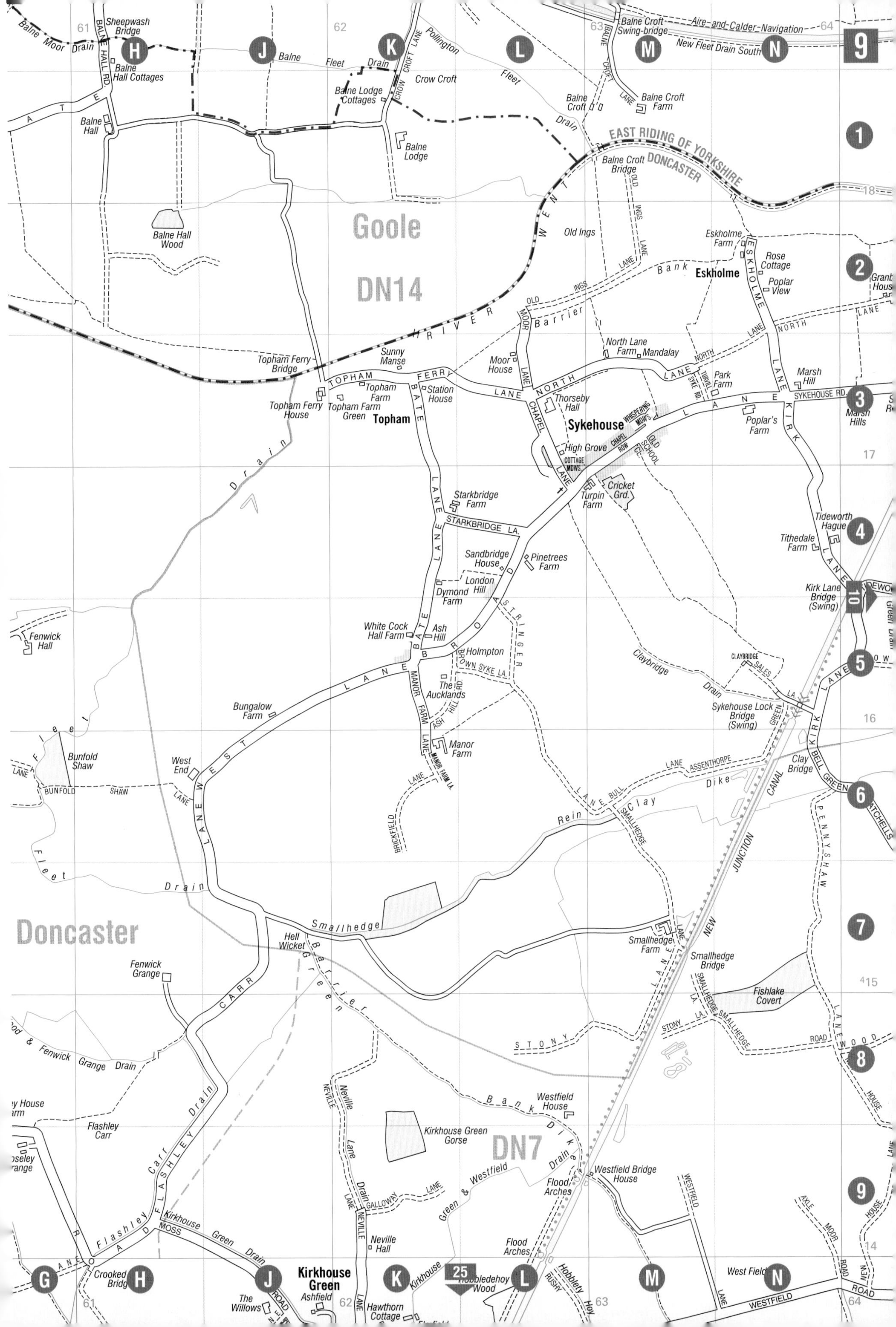
9
Balne Moor Drain
Sheepwash Bridge
BALNE HALL RD.
Balne Hall Cottages
Balne Hall
Balne Fleet Drain
Pollington Fleet Drain
CROW CROFT LANE
Crow Croft
Balne Lodge Cottages
Balne Lodge
Balne Croft Swing-bridge
Aire-and-Calder-Navigation
New Fleet Drain South
BALNE CROFT LANE
Balne Croft
Balne Croft Farm
EAST RIDING OF YORKSHIRE
DONCASTER
Balne Croft Bridge
Balne Hall Wood
Goole
DN14
RIVER WENT
Old Ings
OLD INGS LANE
Eskholme Farm
Eskholme
ESKHOLME LANE
Rose Cottage
Poplar View
OLD INGS Barrier Bank
NORTH LANE
Topham Ferry Bridge
Sunny Manse
Moor House
MOOR LANE
North Lane Farm
Mandalay
TURNPIKE RD.
Park Farm
Marsh Hill
SYKEHOUSE RD.
Marsh Hills
TOPHAM FERRY LANE
Topham Farm
Station House
Topham Ferry House
Topham Farm Green
Topham
Thorseby Hall
CHAPEL LANE
Sykehouse
WHISPERING MDWS.
High Grove
CHAPEL ROW
OLD SCHOOL CT.
COTTAGE MDWS.
Poplar's Farm
KIRK LANE
Drain
BATE LANE
Starkbridge Farm
Cricket Grd.
Turpin Farm
STARKBRIDGE LA.
Tideworth Hague
Tithedale Farm
Sandbridge House
Pinetrees Farm
London Hill
Dymond Farm
BROAD LANE
Kirk Lane Bridge (Swing)
10
White Cock Hall Farm
Ash Hill
Holmpton
STRINGER
BROWN SYKE LA.
Fenwick Hall
Claybridge
CLAYBRIDGE SALES LA.
Drain
Sykehouse Lock Bridge (Swing)
MANOR FARM LANE
The Aucklands
ASH HILL RD.
Bungalow Farm
WEST LANE
Manor Farm
MANOR FARM LA.
Bunfold Shaw
West End
Fleet
LANE
BUNFOLD SHAW LANE
BRICKFIELD LANE
BULL LANE
ASSENTHORPE LANE
Clay Dike
Clay Bridge
BELL GREEN
CANAL
HATCHELLS
PENNYSHAW
SMALLHEDGE
Rein
NEW JUNCTION
Fleet Drain
Smallhedge
Doncaster
Hell Wicket
Barrier Green
Smallhedge Farm
SMALLHEDGE LANE
Smallhedge Bridge
Fenwick Grange
CARR
Fishlake Covert
SMALLHEDGE LA.
STONY LA.
STONY
ROAD WOOD LANE
Fenwick Grange Drain
Westfield House
Bank Dike
Flashley Carr
NEVILLE
Neville Lane Drain
Kirkhouse Green Gorse
DN7
Westfield Bridge House
Flood Arches
Green & Westfield Drain
FLASHLEY CARR Drain
GALLOWAY LANE
WESTFIELD
AXLE MOOR ROAD
HOUSE
NEVILLE LANE
Neville Hall
Kirkhouse Green Drain
MOSS ROAD
Flashley
Crooked Bridge
Kirkhouse Green
Kirkhouse
25
Hobbledehoy Wood
Flood Arches
Hobbley Hoy
RUSHY
West Field
NEW ROAD
WESTFIELD LANE
The Willows
Ashfield
Hawthorn Cottage
61
62
63
64
18
17
16
15
14
G
H
J
K
L
M
N
1
2
3
4
5
6
7
8
9

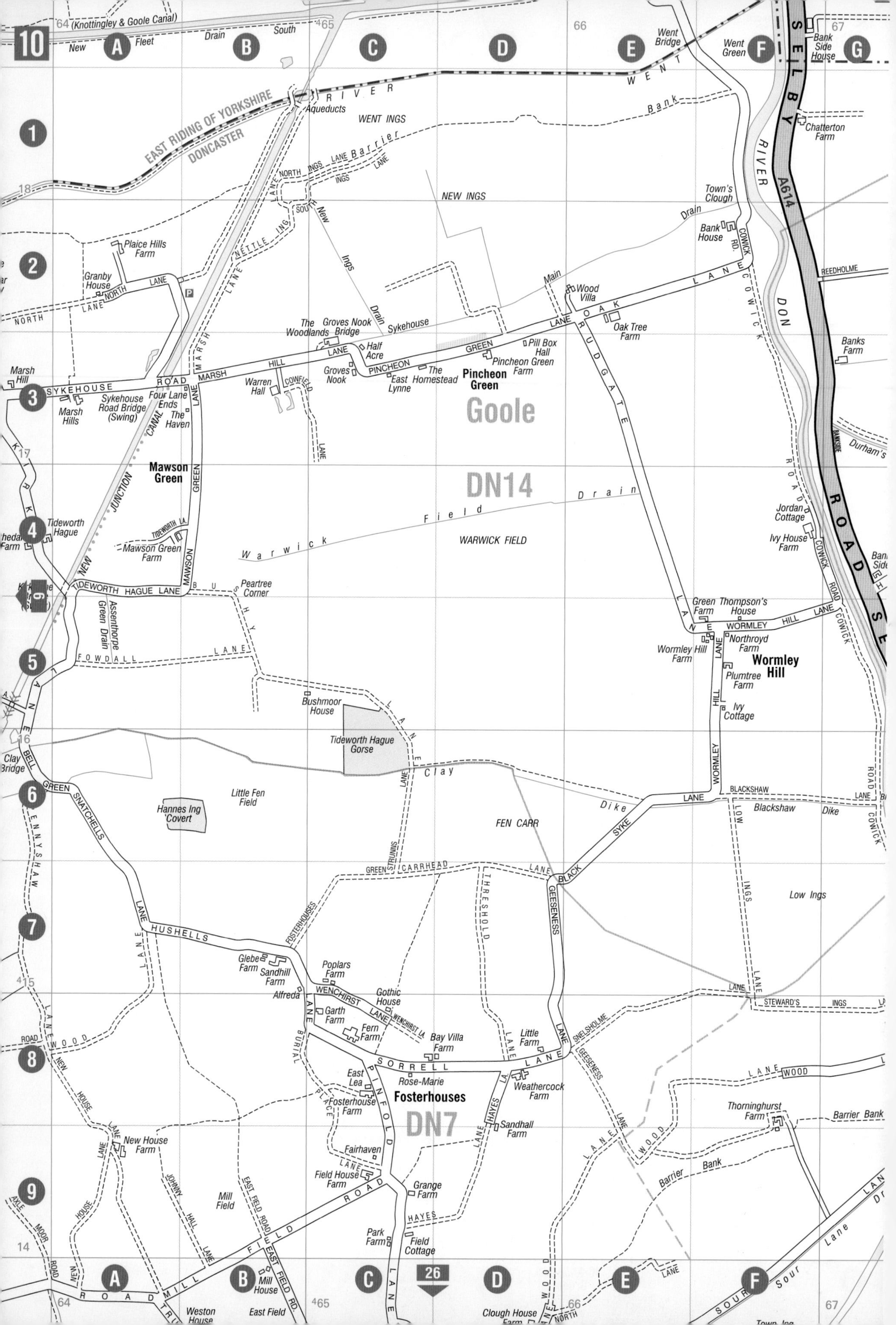

(Knottingley & Goole Canal)
New Fleet Drain
South
Went Bridge
Went Green
Bank Side House
RIVER WENT
EAST RIDING OF YORKSHIRE
DONCASTER
Aqueducts
WENT INGS
Bank
Barrier
NORTH INGS LANE
NEW INGS
New Ings Drain
Town's Clough
Bank House
COWICK RD.
Chatterton Farm
RIVER DON
SELBY ROAD
A614
REEDHOLME
Plaice Hills Farm
Granby House
NORTH LANE
NETTLE ING LANE
Wood Villa
OAK LANE
Oak Tree Farm
Main Drain
Banks Farm
The Woodlands
Groves Nook Bridge
Sykehouse
Half Acre
Groves Nook
PINCHEON GREEN LANE
Pill Box Hall
Pincheon Green Farm
The Homestead
East Lynne
Pincheon Green
Marsh Hill
SYKEHOUSE ROAD
MARSH HILL LANE
Warren Hall
COWFIELD LANE
Sykehouse Road Bridge (Swing)
Four Lane Ends
The Haven
Marsh Hills
Goole
RUDGATE
DN14
Mawson Green
NEW JUNCTION CANAL
MAWSON GREEN LANE
Warwick Field Drain
WARWICK FIELD
Tideworth Hague
TIDEWORTH LA.
Mawson Green Farm
Jordan Cottage
Ivy House Farm
COWICK ROAD
Durham's
TIDEWORTH HAGUE LANE
BUSHY LANE
Peartree Corner
Assenthorpe Green Drain
Green Farm
Thompson's House
WORMLEY HILL LANE
Northroyd Farm
Wormley Hill Farm
Wormley Hill
Plumtree Farm
Ivy Cottage
FOWDALL LANE
KIRK LANE
Bushmoor House
Tideworth Hague Gorse
Clay Bridge
BELL GREEN
Clay Dike
Little Fen Field
Hannes Ing Covert
SNATCHELLS LANE
FEN CARR
BLACKSHAW LANE
Blackshaw Dike
LOW INGS LANE
Low Ings
BLACK SYKE
GREEN STRUMNS
CARRHEAD LANE
THRESHOLD
GEESENESS LANE
HUSHELLS LANE
FOSTERHOUSES
Glebe Farm
Sandhill Farm
Poplars Farm
Alfreda
WENCHIRST LANE
Gothic House
Garth Farm
Fern Farm
Bay Villa Farm
Little Farm
STEWARD'S INGS LANE
SNELSHOLME
WOOD ROAD
SORRELL LANE
East Lea
Rose-Marie
Fosterhouses
Weathercock Farm
WOOD LANE
BURIAL PLACE LANE
Fosterhouse Farm
DN7
HAYES LANE
Sandhall Farm
Thorninghurst Farm
Barrier Bank
NEW HOUSE LANE
New House Farm
JOHNNY HALL LANE
Fairhaven
Field House Farm
Mill Field
EAST FIELD ROAD
PINFOLD LANE
Grange Farm
MILL FIELD ROAD
HAYES
Park Farm
Field Cottage
AXLE MOOR ROAD
Mill House
East Field
Weston House
Clough House Farm
NORTH
SOUR LANE
Sour Lane
Town Ing

9
26

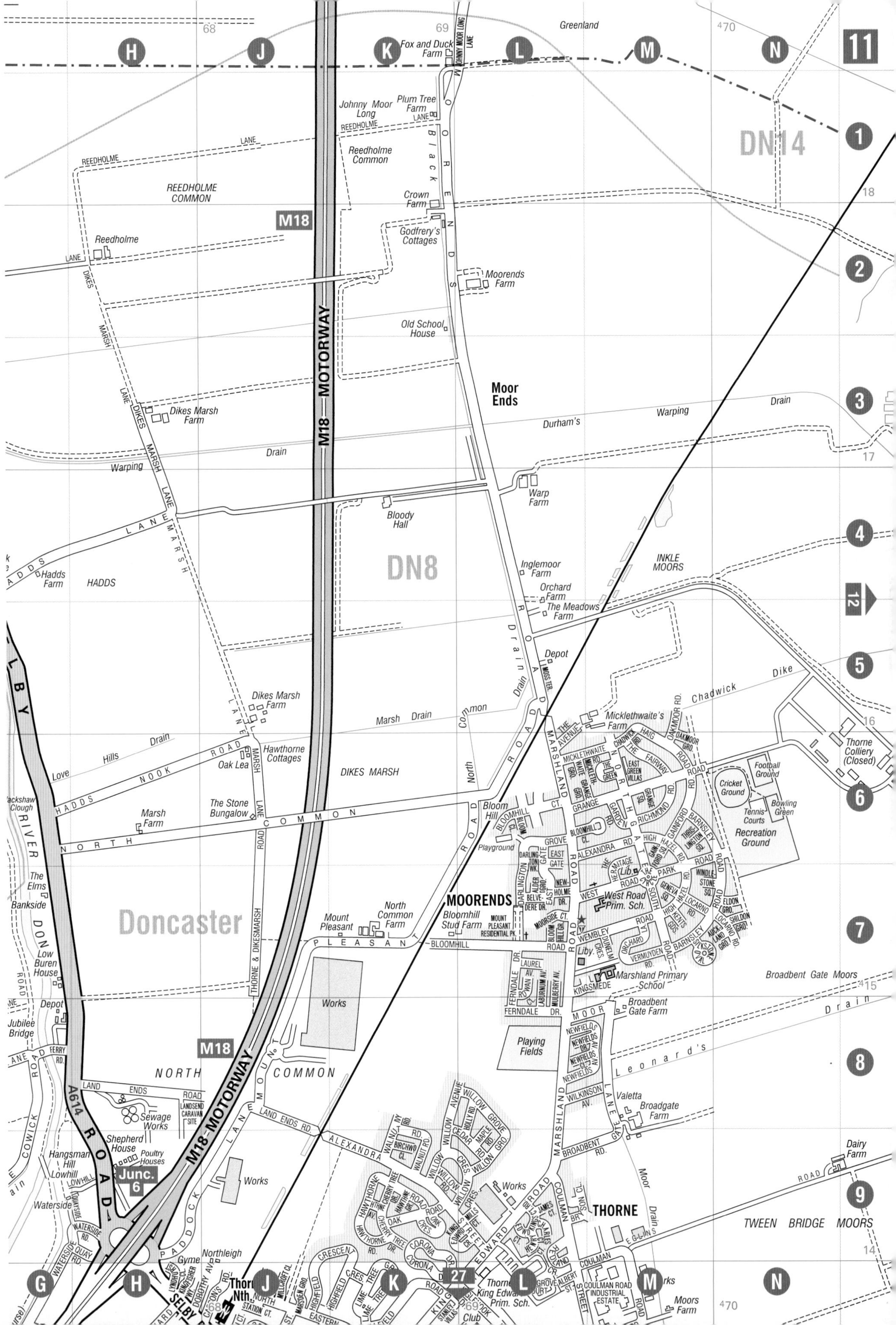

Greenland
Fox and Duck Farm
Johnny Moor Long Lane
Johnny Moor Long
Plum Tree Farm
Reedholme Lane
Reedholme Common
REEDHOLME COMMON
Reedholme
Black Moorends
Crown Farm
Godfrey's Cottages
Moorends Farm
Old School House
M18 MOTORWAY
Moor Ends
Dikes Marsh Farm
Dikes Marsh Lane
Durham's Warping Drain
Warp Farm
Bloody Hall
DN14
DN8
Hadds Lane
Hadds Farm
HADDS
Inglemoor Farm
Orchard Farm
The Meadows Farm
INKLE MOORS
Depot
Moss Ter.
Chadwick Dike
Micklethwaite's Farm
Thorne Colliery (Closed)
Marsh Drain
Common
DIKES MARSH
Hawthorne Cottages
Oak Lea
Hadds Nook Road
Love Hills Drain
Football Ground
Cricket Ground
Tennis Courts
Bowling Green
Recreation Ground
Bloom Hill
Playground
The Stone Bungalow
Marsh Farm
North Common
Jackshaw Clough
River Don
The Elms
Bankside
Doncaster
Low Buren House
MOORENDS
Bloomhill Stud Farm
Mount Pleasant Residential Pk.
Mount Pleasant
North Common Farm
West Road Prim. Sch.
Lib.
Liby.
Marshland Primary School
Broadbent Gate Moors
Works
Thorne & Dikesmarsh Road
Depot
Jubilee Bridge
Ferry Road
Broadbent Gate Farm
Playing Fields
Leonard's Drain
NORTH COMMON
Land Ends Road
Landsend Caravan Site
Sewage Works
A614 ROAD
Shepherd House
Poultry Houses
Hangsman Hill
Lowhill
Junc. 6
Waterside
Cowick
Valetta
Broadgate Farm
Dairy Farm
Works
Paddock Lane
Northleigh
Gyme
THORNE
Moor Drain
TWEEN BRIDGE MOORS
Coulman Road Industrial Estate
Moors Farm
Thorne Nth.
Thorne King Edward Prim. Sch.
Club
Selby
Marshland Road
Coulman Street
Alexandra Road
Edward Road
Bloomhill Road
Wembley Road
Kingsmede
Ferndale Dr.
Laurel Av.
Grange
Richmond
Barnsley Road
Gainford Rd.
Oakmoor Rd.
Haig Rd.
The Fairway
The Avenue
Micklethwaite Grange
East Green Villas
High Park Road
Hazel Rd.
Locarno Rd.
Windlestone Sq.
Eldon Gro.
Shildon Gro.
Newfields Av.
Wilkinson Av.
Broadbent Gate Rd.
Walnut Rd.
Birchwd Cl.
Willow Avenue
Willow Grove
Cedar Rd.
Holly Rd.
Maple Rd.
Hawthorne Av.
Cherry Tree Rd.
Oak Cres.
Corona Dr.
Crescent
Lime Tree
Highfield
Marsden Gro.
Millcroft Cl.
Eastern
H J K L M N
1 2 3 4 5 6 7 8 9
G H J K L M N
68 69 470
18 17 16 15 14

12
27

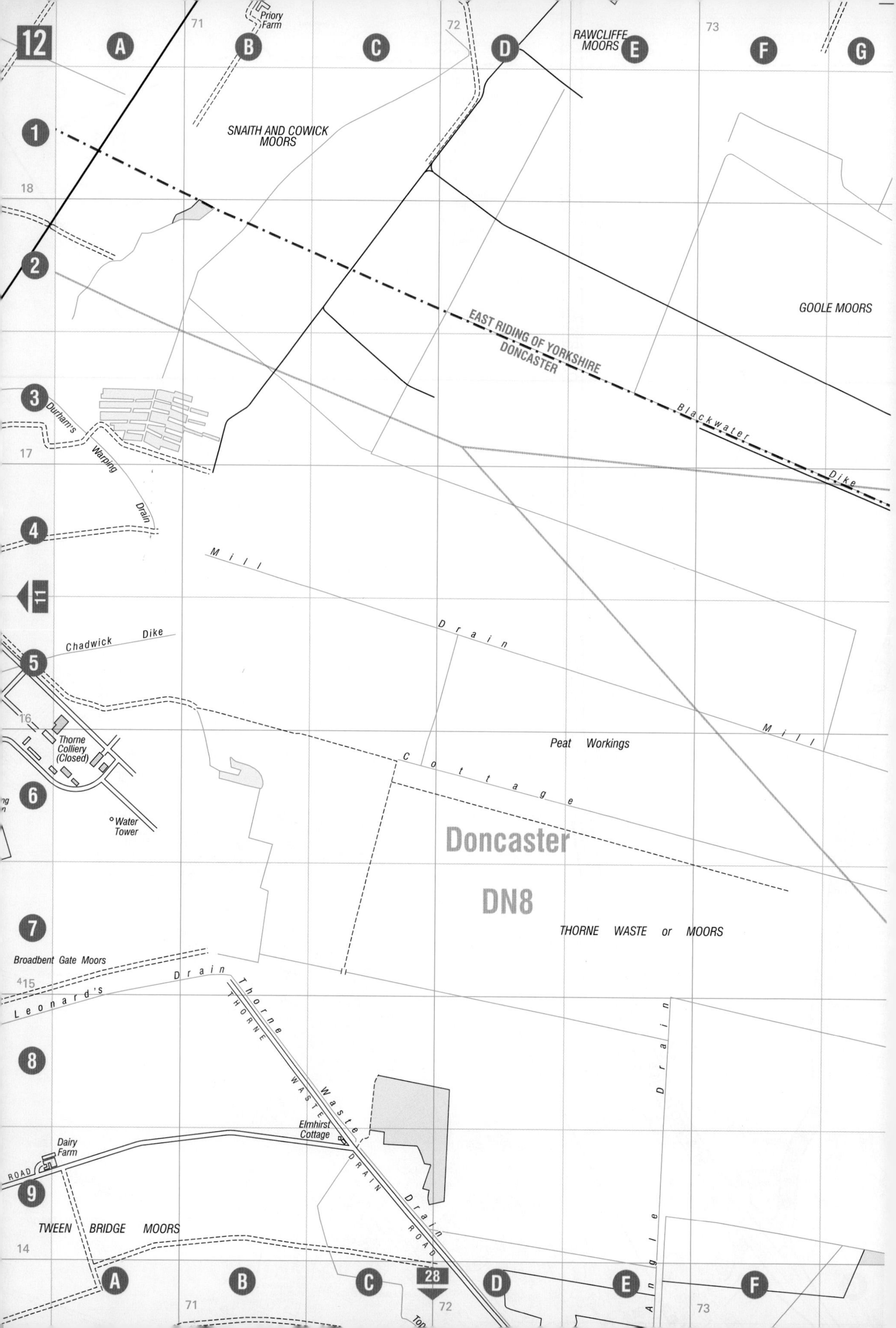

A   B   C   D   E   F   G

Priory
Farm

RAWCLIFFE
MOORS

1

SNAITH AND COWICK
MOORS

18

2

GOOLE MOORS

EAST RIDING OF YORKSHIRE
DONCASTER

3

Durham's

Warping

17

Blackwater   Dike

4

Drain

Mill

11

Drain

Chadwick   Dike

5

Mill

16

Peat   Workings

Thorne
Colliery
(Closed)

Cottage

6

Water
Tower

Doncaster

DN8

7

THORNE   WASTE   or   MOORS

Broadbent Gate Moors

415

Drain

Leonard's

Thorne

Drain

8

Waste

Waste

DRAIN

Drain

Elmhirst
Cottage

Angle

Dairy
Farm

ROAD

9

ROAD

TWEEN   BRIDGE   MOORS

14

A   B   C   28   D   E   F

71   72   73

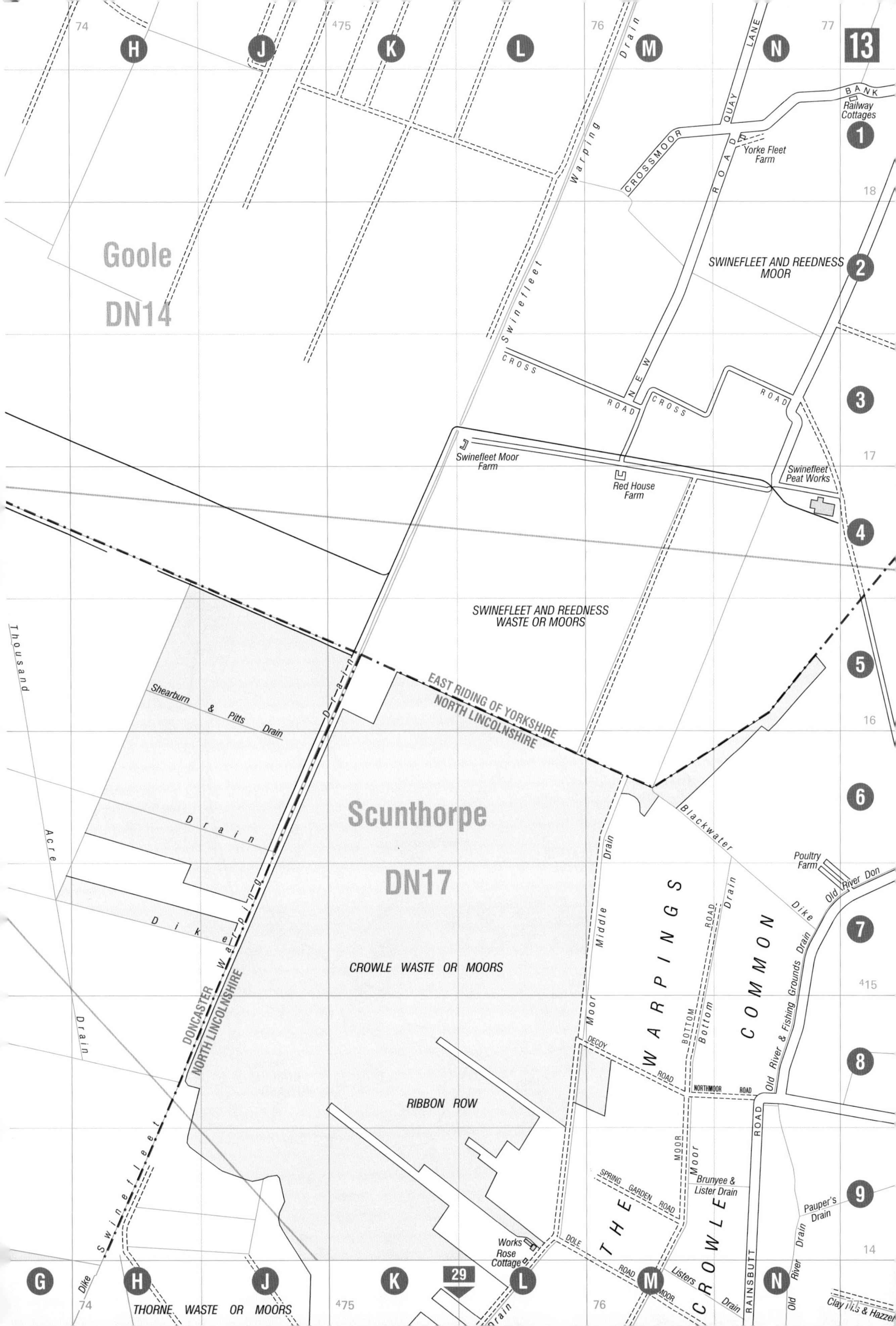

74   475   76   77

H   J   K   L   M   N

1

BANK
Railway
Cottages
Yorke Fleet
Farm

18

Goole
DN14

SWINEFLEET AND REEDNESS
MOOR

2

CROSSMOOR   QUAY   ROAD

Warping

Swinefleet

NEW   CROSS

CROSS   ROAD   ROAD

3

17

Swinefleet Moor
Farm

Red House
Farm

Swinefleet
Peat Works

4

SWINEFLEET AND REEDNESS
WASTE OR MOORS

EAST RIDING OF YORKSHIRE
NORTH LINCOLNSHIRE

5

16

Thousand

Shearburn   &   Pitts   Drain

Drain

Blackwater

6

Acre

Drain

Scunthorpe

DN17

Dik e   Warping   Drain

DONCASTER

NORTH LINCOLNSHIRE

CROWLE WASTE OR MOORS

Drain

Moor   Middle   Drain

WARPINGS   ROAD

BOTTOM   Bottom   Drain

COMMON

Poultry
Farm   Old River Don

Dike

Old River & Fishing Grounds Drain

7

415

DECOY

ROAD

NORTHMOOR   ROAD

8

RIBBON ROW

SPRING   GARDEN   ROAD

MOOR   Moor

THE

CROWLE

Brunyee &
Lister Drain

Pauper's
Drain

Old   River   Drain

RAINSBUTT   ROAD

9

14

Works
Rose
Cottage

DOLE   ROAD

Listers   Drain

MOOR

Clay Pits & Hazzel

G   H   J   K   L   M   N

74   475   76

Dike

Swinefleet

THORNE   WASTE   OR   MOORS

Drain

29

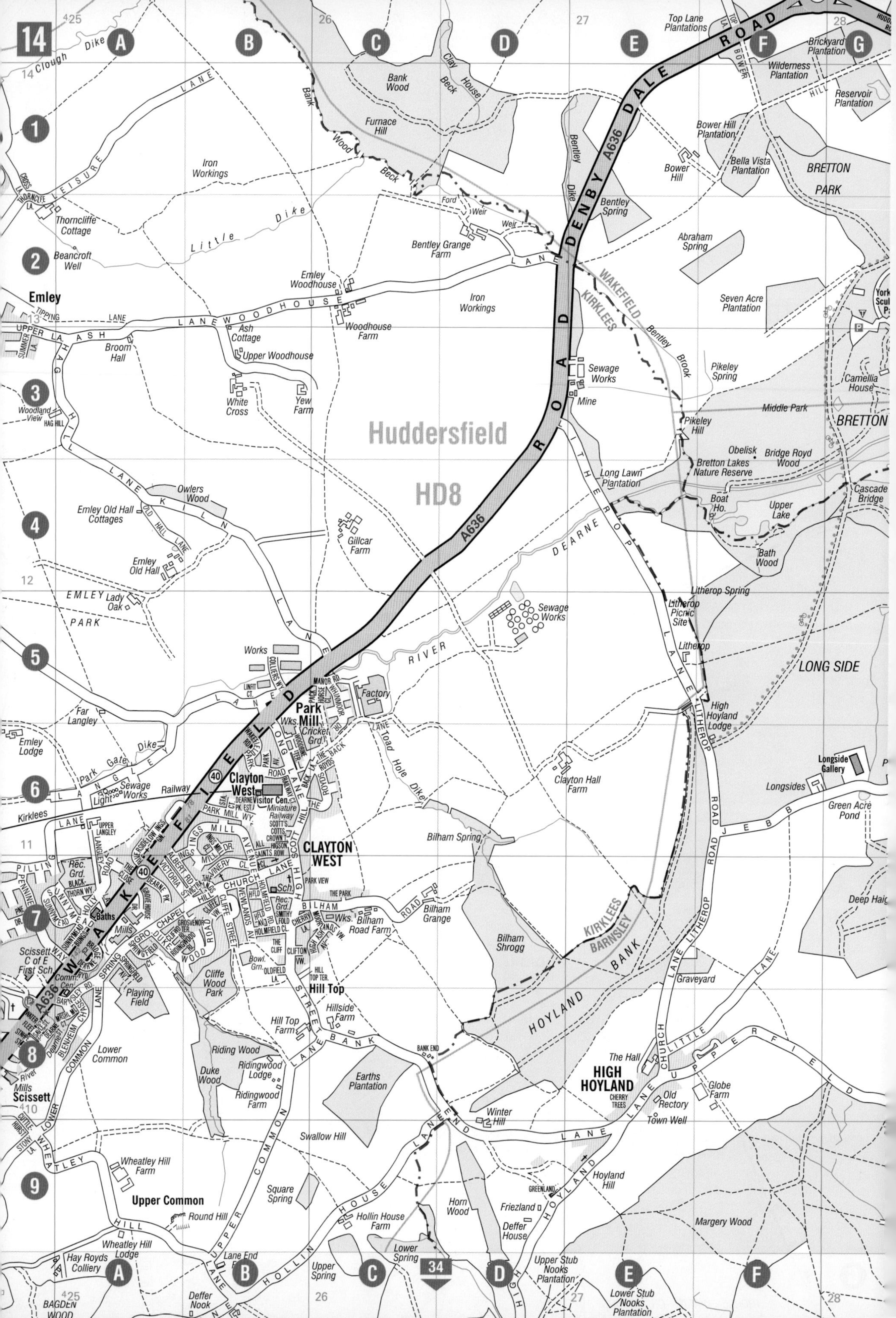
Huddersfield
HD8
Emley
Clayton West
CLAYTON WEST
Park Mill
Scissett
HIGH HOYLAND
BRETTON PARK
BRETTON
LONG SIDE
Upper Common
Hill Top
DENBY DALE ROAD
WAKEFIELD ROAD
A636
Bank Wood
Furnace Hill
Iron Workings
Thorncliffe Cottage
Beancroft Well
Bentley Grange Farm
Emley Woodhouse
Woodhouse Farm
Ash Cottage
Upper Woodhouse
Broom Hall
White Cross
Yew Farm
Sewage Works
Mine
Owlers Wood
Emley Old Hall Cottages
Emley Old Hall
Gillcar Farm
Long Lawn Plantation
Bretton Lakes Nature Reserve
Upper Lake
Bath Wood
Cascade Bridge
Litherop Picnic Site
High Hoyland Lodge
Longside Gallery
Longsides
Green Acre Pond
Clayton Hall Farm
Bilham Spring
Bilham Grange
Bilham Shrogg
Bilham Road Farm
Cliffe Wood Park
Playing Field
Riding Wood
Ridingwood Lodge
Ridingwood Farm
Duke Wood
Earths Plantation
Winter Hill
Swallow Hill
Wheatley Hill Farm
Square Spring
Round Hill
Hollin House Farm
Wheatley Hill Lodge
Hay Royds Colliery
Lane End
Deffer Nook
Upper Spring
Lower Spring
Horn Wood
Friezland
Deffer House
Hoyland Hill
Upper Stub Nooks Plantation
Lower Stub Nooks Plantation
Margery Wood
The Hall
Old Rectory
Town Well
Globe Farm
Graveyard
Top Lane Plantations
Brickyard Plantation
Wilderness Plantation
Reservoir Plantation
Bower Hill Plantation
Bella Vista Plantation
Bower Hill
Bentley Spring
Abraham Spring
Seven Acre Plantation
Pikeley Spring
Pikeley Hill
Camellia House
Middle Park
Obelisk
Bridge Royd Wood
Boat Ho.
Litherop Spring
Deep Haig
HOYLAND BANK
KIRKLEES
BARNSLEY
WAKEFIELD
Lower Common
Far Langley
Emley Lodge
Light Sewage Works
Visitor Cen.
Miniature Railway
Baths
Scissett C of E First Sch.
EMLEY PARK
Lady Oak
Works
Factory
34

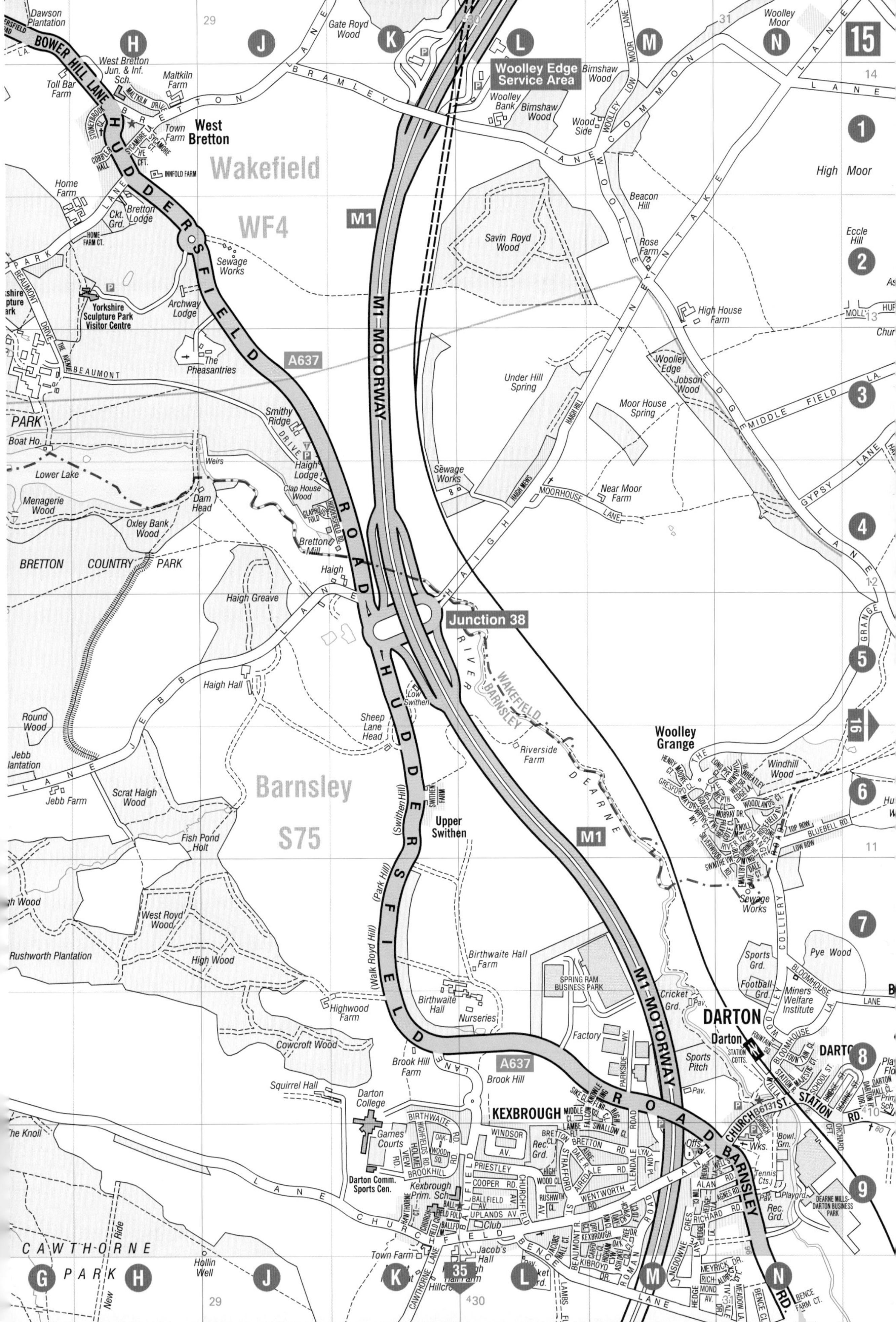

Wakefield
WF4
West Bretton
Woolley Edge Service Area
Bower Hill Lane
Huddersfield Road
Bramley Lane
Bretton Lane
West Bretton Jun. & Inf. Sch.
Maltkiln Farm
Toll Bar Farm
Town Farm
Dawson Plantation
Gate Royd Wood
Woolley Bank
Bimshaw Wood
Wood Side
Woolley Moor
Woolley Low Moor Lane
Common Lane
High Moor
Eccle Hill
Home Farm
Bretton Lodge
Ckt. Grd.
Infold Farm
Beacon Hill
Rose Farm
Savin Royd Wood
Sewage Works
Archway Lodge
Yorkshire Sculpture Park Visitor Centre
The Pheasantries
Beaumont
M1
M1 Motorway
A637
Woolley Edge Lane
High House Farm
Under Hill Spring
Woolley Edge
Jobson Wood
Moor House Spring
Middle Field La.
Gypsy Lane
Smithy Ridge
Park
Boat Ho.
Lower Lake
Menagerie Wood
Weirs
Haigh Lodge
Clap House Wood
Dam Head
Oxley Bank Wood
Bretton Mill
Bretton Country Park
Haigh
Haigh Greave
Haigh Lane
Moorhouse Lane
Near Moor Farm
Haigh Hill
Junction 38
Grange Lane
Haigh Hall
Jebb Lane
Low Swithen
Sheep Lane Head
River Dearne
Wakefield
Barnsley
Riverside Farm
Woolley Grange
Windhill Wood
Round Wood
Jebb Plantation
Jebb Farm
Scrat Haigh Wood
Barnsley
S75
Upper Swithen
(Swithen Hill)
(Park Hill)
(Walk Royd Hill)
Fish Pond Holt
Bluebell Rd.
Top Row
Low Row
Sewage Works
Colliery Road
West Royd Wood
High Wood
Rushworth Plantation
Birthwaite Hall Farm
Spring Ram Business Park
Sports Grd.
Football Grd.
Pye Wood
Miners Welfare Institute
Bloomhouse Lane
Highwood Farm
Birthwaite Hall
Nurseries
Cricket Grd.
Darton
Factory
Cowcroft Wood
Brook Hill Farm
Brook Hill
Brook Hill Lane
Sports Pitch
Station Cotts.
Station Rd.
Squirrel Hall
Darton College
Kexbrough
The Knoll
Games Courts
Darton Comm. Sports Cen.
Kexbrough Prim. Sch.
Church Field Lane
Barnsley Road
Church St
B6131
Dearne Mills Darton Business Park
Rec. Grd.
Bowl. Grn.
Playgrd.
Wks.
Offs.
Cawthorne Park
New Ride
Hollin Well
Town Farm
Jacob's Hall
Cawthorne Lane
Roman Road
Bence Lane
Bence Farm Ct.
Windsor Av.
Priestley Av.
Cooper Rd.
Ballfield Av.
Uplands Av.
Wentworth Rd.
Bretton Rd.
Airedale Rd.
Allendale Road
Birthwaite Rd.
Highfields Rd.
Brookhill
Swallow Ct.
Parkside Wy.
Kexbrough Dr.
Kibroyd Dr.
Alan Rd.
Richard Rd.
Agnes Rd.
Meyrick Dr.
Meadow La.
Lansdowne Cres.
Hedge Lane
Fountain Sq.
School St.
Bloomhouse La.
Darton Hall Ct.
Orchard
Club
14
13
12
11
10
29
430
31
1
2
3
4
5
6
7
8
9
G
H
J
K
L
M
N
16
35

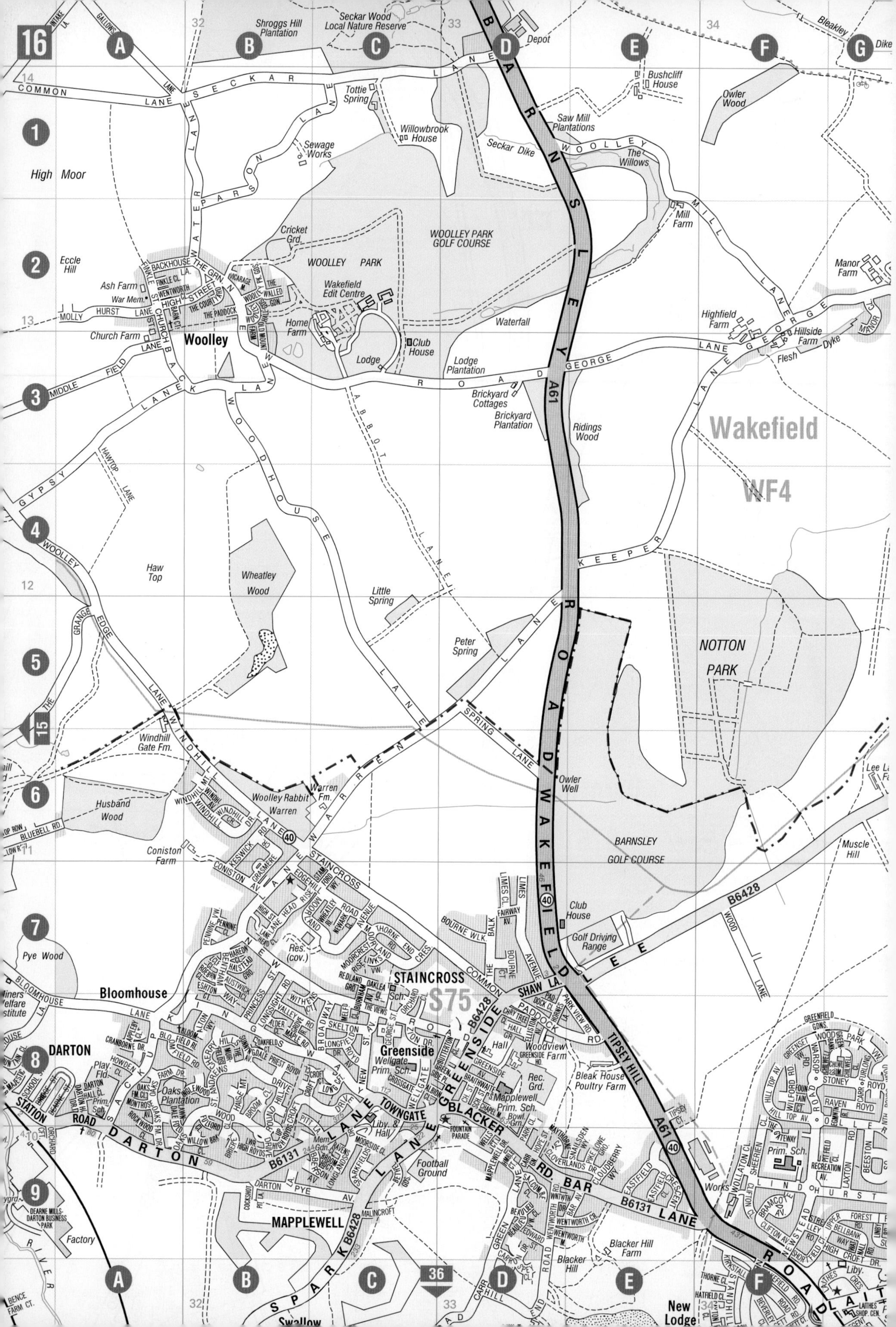
16
Shroggs Hill Plantation
Seckar Wood Local Nature Reserve
Depot
Bleakley
Dike
SECKAR LANE
COMMON LANE
GALLOWS LANE
Tottie Spring
Bushcliff House
Owler Wood
Willowbrook House
Saw Mill Plantations
Seckar Dike
WOOLLEY MILL LANE
The Willows
Sewage Works
PARSON LANE
WATER LANE
High Moor
Mill Farm
Cricket Grd.
WOOLLEY PARK GOLF COURSE
WOOLLEY PARK
Eccle Hill
Manor Farm
Ash Farm
War Mem.
Wakefield Edit Centre
BACKHOUSE LA.
THE GRN.
FINKLE CL.
WENTWORTH ST.
HIGH STREET
THE COURTYARD
THE PADDOCK
VICARAGE M.
THE WALLED GDN.
MOLLY HURST LANE
CHURCH ST.
BARN CT.
Church Farm
Woolley
Home Farm
Waterfall
Highfield Farm
GEORGE LANE
Hillside Farm
Flesh Dyke
MANOR CL.
Club House
Lodge
Lodge Plantation
MIDDLE FIELD LANE
BACK LANE
ROAD
GEORGE
Brickyard Cottages
Brickyard Plantation
A61
Ridings Wood
Wakefield
WF4
ABBOT LANE
WOODHOUSE LANE
HAWTOP LANE
GYPSY LANE
KEEPER LANE
WOOLLEY EDGE
GRANGE
Haw Top
Wheatley Wood
Little Spring
NOTTON PARK
Peter Spring
BARNSLEY ROAD
WAKEFIELD ROAD
THE
15
Windhill Gate Fm.
WINDHILL LANE
SPRING LANE
Owler Well
Husband Wood
Woolley Rabbit Warren
Warren Fm.
WARREN LANE
WINDHILL MT.
WINDHILL AV.
WINDHILL DR.
WINDHILL CR.
BLUEBELL RD.
BARNSLEY GOLF COURSE
Lee Lane Fm.
Muscle Hill
Coniston Farm
KESWICK
GRASMERE
CONISTON AV.
STAINCROSS COMMON
EDGEHILL
STAMFORD WY.
HEAD RISE
WHEATLEY RD.
NEWARK CL.
ROAD
AVENUE
B6428
WOOD LANE
LIMES CL.
LIMES AV.
FAIRWAY AV.
BOURNE WLK.
BALK
BOURNE CT.
Club House
Golf Driving Range
Pye Wood
PENNINE WY.
PENNINE CL.
HIGH ST.
HAREDON CL.
HALSTEAD GRO.
Res. (cov.)
MOORCREST RISE
MOORLAND RD.
THORNE END CRES.
LEE LANE
Miners Welfare Institute
Bloomhouse
BLOOMHOUSE LANE
ESHTON CT.
AUSTWICK CL.
SKIPTON WAY
PRINCESS
LONGSIGHT RD.
WITHENS CT.
REDLAND GRO.
OAKLEA CL.
STAINCROSS
Sch.
ORCHARD
S75
SHAW LA.
GREENSIDE
PADDOCK
PARK VIEW RD.
TIPSEY HILL
DARTON
STATION ROAD
SCHOOL ST.
DARTON HALL CL.
Play. Fld.
Prim. Sch.
KINGSWAY
BROADWAY
SKELTON
GEORGE ST.
LONGFIELD DR.
Greenside
Wellgate Prim. Sch.
CROSSGATE
WELLGATE
Hall
Woodview Farm
Rec. Grd.
Bleak House Poultry Farm
Oaks Plantation
TOWNGATE
Mapplewell Prim. Sch.
Bowl. Grn.
TIPSEY CT.
A61
ROCKWOOD
DARTON
B6131
Liby. & Hall
BLACKER
FOUNTAIN PARADE
BLACKER RD.
BAR
B6131 LANE
LANE
CLOVERLANDS DR.
CLOUDBERRY WY.
Works
Football Ground
DARTON PYE AV.
MALINCROFT
MAPPLEWELL
DEARNE MILLS DARTON BUSINESS PARK
Factory
RIVER
SPARK LANE
B6428
Blacker Hill Farm
Blacker Hill
CARR HILL
ROAD
New Lodge
HILL TOP AV.
Prim. Sch.
RECREATION AV.
FOREST RD.
ROAD
Liby.
LAITHES
A
B
C
D
E
F
G
1
2
3
4
5
6
7
8
9
32
33
34
14
13
12
11
10
36
Swallow

17
18
37
Cold Hiendley
Cold Hiendley Bridge
Cold Hiendley Common
Cold Hiendley Hill
Springfield Farm
Ivy Grange Farm
Bramlocks
West Field
Willow Garth
West Mead
Hodroyd Yard
Sewage Works
Depot
Monckton Manor
Grange Cottages
Notton Grange
Notton Bridge
Notton Bridge Plantation
High Bridge
Ellis Laithe
NOTTON
Applehaigh Wood
Applehaigh Clough
Barnsley Canal (disused)
Common Lane Farm
Playing Fields
Low Common
Windmill Hill
Active Workings
Works
Lund Hill
Sports Ground
Rabbit Ings
Sandybridge
Pools Ings
Pools Dike
Primary Academy
Sports Pitches
Civic Hall
Leisure Cen.
Super-store
Chapel Hill
Royston Welfare Park
Church Hill
Royston Bridge
Pools Lane Bridge
Scot Bridge
Play-ground
ROYSTON
Barnsley
S71
Cronk Hill
Pools Bridge
Boulder Bridge
Carlton Community College
Games Courts
Recreation Ground
Shaw Bridge
Shaw Viaduct
Shaw Dike Bri.
Carlton Picnic Site
Sewage Wks.
Carlton Marsh Nature Reserve
CARLTON
Athersley Memorial Park
ATHERSLEY NORTH
Playing Field
Sports Ground
Carlton Green
Carlton Primary Academy
Bakery
Willow Cott.
WHARNCLIFFE BUSINESS PARK
CARLTON INDUSTRIAL ESTATE
CHEVET LANE
BLEAKLEY LANE
STATION ROAD
MIDLAND ROAD
HIGH STREET
CHURCH STREET
CHURCH HILL
ROYSTON LANE
ROYSTON ROAD
CARLTON ROAD
LUND HILL LANE
NAVVY LANE
NOTTON LANE
CHURCH LANE
COMMON LANE
TEN LANDS LANE
WOOD LANE
SHAW LANE
BOULDER BRIDGE LANE
GRANGE ROAD
B6132
B6428
WAKEFIELD
BARNSLEY

RYHILL
Westfield
West Field
HAVERCROFT
Green Well
Black Hill
Willow Garth
Wakefield
Havercroft Green
WF4
Upper Scholes
Depot
Cross Hill
Upper Hiendley Farm
West Mead
Hodroyd Yard
The Hostel
School House
High Well Hill
High Well School
Hodroyd Farm
SOUTH HIENDLEY
South Hiendley Jun., Inf. & EY Sch.
Cawker Wood
Hodroyd Hall
Hodroyd House
Felkirk
Rushworth Wood
Lodge
HOLGATE HOSPITAL
High Common
Recreation Ground
Chestnut Farm
South Hiendley Common
Low Common
School Farm
Wester Cliff
Old Musgrave Farm
Old Colliery Farm
Folly Hall
Frickley Dike
Hemp Dike
Frickley Plantation
Hawthorn Farm
Sandy Bridge
Works
SANDYBRIDGE LANE INDUSTRIAL ESTATE
Rabbit Ings
Sandybridge Dike
The Bank
Barnsley
Gander Hill
Red House
Pear Tree Farm
Sewage Wks.
S72
A628
SHAFTON
BRIERLEY
North Field
Shafton Primary Academy
Miners' Welfare Rec. Grd.
Playing Field
Hillside
Three Nooks
Outwood Academy Shafton
Works
Piggery
Windmill Hill
Carlton Site
SHAFTON TWO GATES
Hazeldene Farm
Cemetery
Brick Yard Farm
Carlton Marsh Nature Reserve
Prim. Sch.
Upper Cudworth
Grimethorpe Hall
A6195
Sewage Works
Home Farm
GRIMETHORPE
A628
Belle Green
Tipside Farm
Play. Flds.
CUDWORTH PARKWAY
BARNSLEY ROAD
ENGINE LANE
COLLIER

17
38

Kinsley
Hemsworth Water Park
VALE HEAD PARK GOLF COURSE
Hollins Bank
Shaw Hill
Willow Tree Farm
Marsh Farm
Hemsworth Marsh
Marsh Whin Farm
Studley House Farm
Marsh Plantation
Church Field
Pontefract
WF9
Playing Fields
Butcher Wood
Hemsworth Sports Cen.
Hemsworth Arts & Comm. Academy
Hall Fm.
Rugby Football Ground
Low Field
Wheat Royds
Royd Moor House
Cross Hill
Green Hill
Little Hemsworth
Common End
Vissitt Manor House
Vissitt Manor Farm
Arundel
St. Helen's C of E Prim. Sch.
Children's Home
Highfield
Kennels Farm
Windy Nook
HEMSWORTH
Moor Top Farm
Bridge House
Hague Plantation
Hague Hall Farm
Hague Hall Cottages
Riddings Plantation
SOUTH KIRKBY BUSINESS PARK
SOUTH KIRKBY IND. EST.
South Moor
Cob Carr Plantation
Ball Park Wood
Southgate
Hemsworth Gate
Piggery
Brierley Common Flashes
Trickett Head
Linfield
Burntwood Court Health and Fitness Centre
Dunsley
Limphill Green Farm
Ball Park Farm
Hob House
Elms Farm
Pudding Hill
Royd Well
Coppins
Spa Well Plantation
Brierley Common
Hillcrest
The Bungalow
Brierley Gap
Carr Plantation
Kirkby Common Farm
South Kirkby Common
SOUTH KIRKBY
Common Rd. Infants & Nursery Sch.
Cricket Grd.
Football Grd.
Tom Bank Wood
Ringstone Hill Farm
Ringstone Hill
Brierley Manor
Resr. (Cov.)
Reservoir
Addey Bottoms
Avenue Farm
HOWELL WOOD COUNTRY PARK
WAKEFIELD DONCASTER
WAKEFIELD BARNSLEY
Bridge Farm
A628
A6021
B6273
B6422
HEMSWORTH BY-PASS
SOUTHMOOR ROAD
20
39

Royd Moor Farm
ROYD MOOR LANE
DONCASTER ROAD
A638
The Manor
Lodge
Paddock Cottage
Elmsall Lodge Farm
Moortop Cottage
Nursery
Royd Moor House
Royd Moor House Farm
Royd Moor
Aqueduct
Grey Cocks
Bullinger Wood
The Lawn
Long Plantation
Great Breaks
A6021
Upton Beacon
Recreation Ground
Play. Fld.
BEACONFIELD RD
Beacon Covert
BULLENSHAW VILLAS
FERRYMOOR R'BOUT
SOUTH KIRKBY BUSINESS PARK
North Elmsall Common
INCH LANE
MINSTHORPE LA. R'BOUT
Pontefract
Manorcroft Farm
Greystones
Mosley Mires
Minsthorpe
Minsthorpe Community College
Tennis Courts
Playing Field
Kirkby Bri.
Hague Hall Beck
WF9
Reservoirs
Lower North Field
Cemetery
Gallon Croft Field
Depot
Minsthorpe Swimming Pool
Ash Grove Jun. & Inf. Sch.
Street Farm
Mile Stone Farm
Elm Farm
BARNSLEY STREET B6422
Moorthorpe
Prim. Sch.
APRON B6422
WHITE ROAD
Ball Park Farm
SOUTH KIRKBY
PARK ESTATE
LANGTHWAITE GRANGE INDUSTRIAL ESTATE
Cricket Grd.
Football Ground
Langthwaite
Factory
East Farm
West Farm
Stepping Stones
Westfield Rec. Grd.
Langthwaite Common
Playing Field
SOUTH ELMSALL
West Field
Frickley Athletic FC (Westfield Lane)
Sports Ground
Nursing Home
South Elmsall Common
FRICKLEY COUNTRY PARK
South Elmsall
HIGH STREET
DONCASTER ROAD
B6474
B6422 ROAD
Frickley
DN5
Hooton Thorn Covert
Howell Beck

19
40

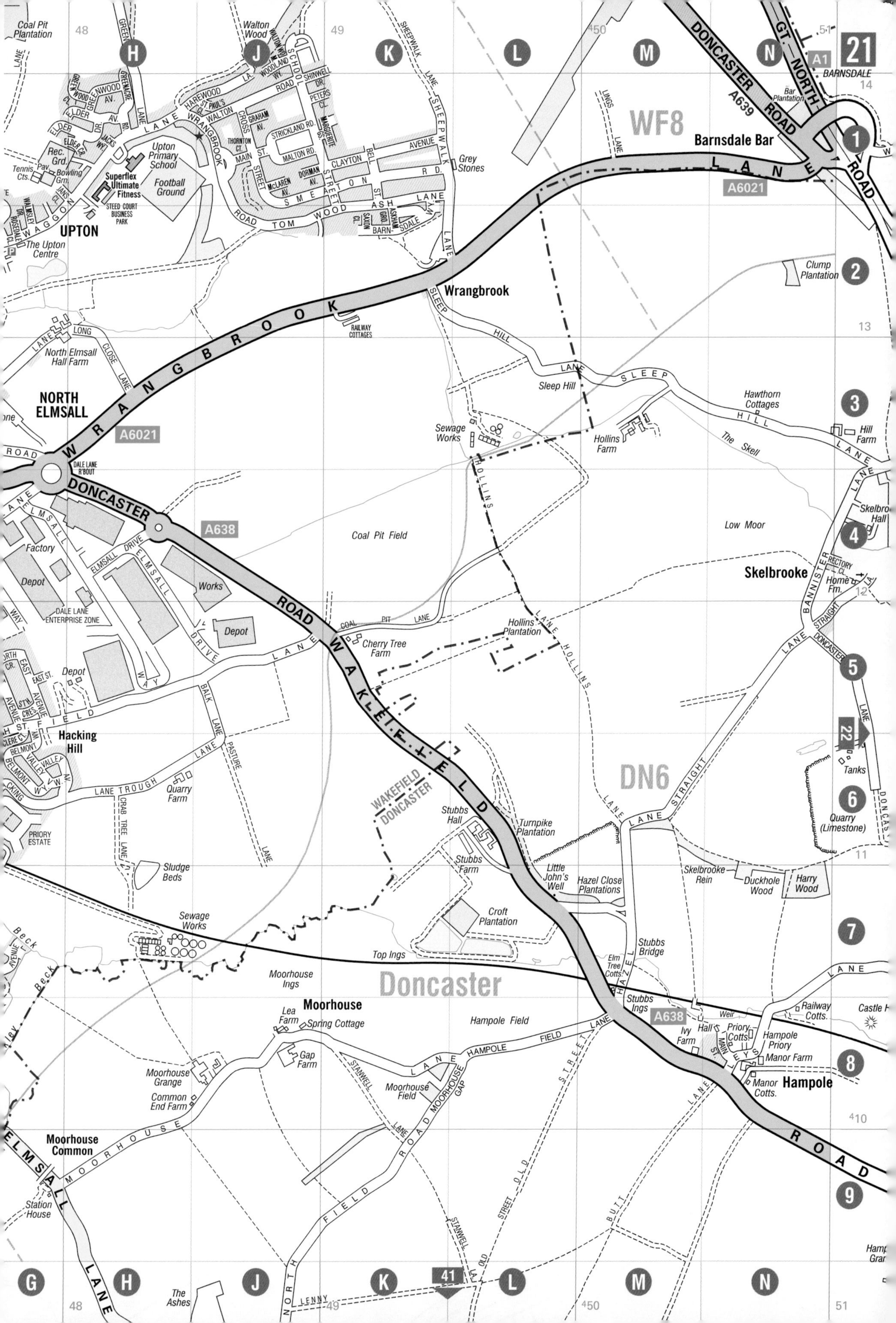

21
WF8
DN6
Doncaster
UPTON
NORTH ELMSALL
Barnsdale Bar
Wrangbrook
Skelbrooke
Hampole
Moorhouse
Hacking Hill
Moorhouse Common
WRANGBROOK LANE
DONCASTER ROAD
WAKEFIELD ROAD
GT. NORTH ROAD
A1
A6021
A638
A639
BARNSDALE
Coal Pit Plantation
Walton Wood
Upton Primary School
Football Ground
Superflex Ultimate Fitness
STEED COURT BUSINESS PARK
The Upton Centre
Rec. Grd.
Bowling Grn.
Tennis Cts.
Pav.
Grey Stones
Bar Plantation
Clump Plantation
RAILWAY COTTAGES
North Elmsall Hall Farm
DALE LANE R'BOUT
Sewage Works
Sleep Hill
Hollins Farm
Hawthorn Cottages
Hill Farm
The Skell
Skelbrooke Hall
Low Moor
Coal Pit Field
Factory
Depot
Works
DALE LANE ENTERPRISE ZONE
Cherry Tree Farm
Hollins Plantation
Home Fm.
Tanks
Quarry (Limestone)
Quarry Farm
PRIORY ESTATE
Sludge Beds
WAKEFIELD
DONCASTER
Stubbs Hall
Turnpike Plantation
Stubbs Farm
Little John's Well
Hazel Close Plantations
Skelbrooke Rein
Duckhole Wood
Harry Wood
Croft Plantation
Stubbs Bridge
Top Ings
Elm Tree Cotts.
Moorhouse Ings
Stubbs Ings
Lea Farm
Spring Cottage
Hampole Field
Weir
Railway Cotts.
Castle H
Ivy Farm
Hall
Priory Cotts.
Hampole Priory
Manor Farm
Manor Cotts.
Gap Farm
Moorhouse Grange
Common End Farm
Moorhouse Field
Station House
The Ashes
HAMPOLE FIELD LANE
MOORHOUSE LANE
NORTH FIELD ROAD
MOORHOUSE GAP
STANWELL LANE
OLD STREET
BUTT LANE
ELMSALL LANE
LENNY
LANE TROUGH
CRAB TREE LANE
PASTURE LANE
BALK LANE
COAL PIT LANE
HOLLINS LANE
SLEEP HILL LANE
SHEEPWALK LANE
LINGS LANE
STRAIGHT LANE
BANNISTER LANE
HAZEL LANE
ELMSALL DRIVE
ELMSALL WAY
SMEATON ST.
TOM WOOD ASH LANE
CLAYTON AVENUE
BELL AVENUE
BARNSDALE WAY
22
41

22
BARNSDALE
Barnsdale Wood
Barnsdale Warren House
Warren Plantation
Barnsdale Cottages
Freestone Quarry Plantation
Campsmount Home Farm
CAMPSMOUNT PARK
SOUTH PARK
Campsmount Cotts.
Bull Close
New Fish Pond
Woodside
Pontefract WF8
WOODFIELD ROAD
WHITE LEY ROAD
LONG LANE
NEW ROAD
BONE LANE
WOOD FIELD
Barnsdale Bar
A639
A1
Woodfield Cottages
Longland Field
Summer House Plantation
Summer House Farm
Woodfield Farm
Woodfield House
Primrose Cottage
CLOSE LANE
LONGLAND
SIXROOD
Wetflat Plantation
Sutton Field
Quarry (Limestone)
SLEEP HILL LA.
Hill Farm
NEW LANE
New Close Farm
Taronga
Quarry Hole
SKELBROOKE PARK
Skelbrooke Hall
Cricket Ground
Pav.
Scorcher Hills Wood
SCORCHER HILLS
Glebe Cott.
Glebe Fm.
BURGHWALLIS
Dower Ho.
The Sycamores
Quarry Plantation
Burghwallis
Robin Hood's Well
Manor Farm
Depot
St. Anne's Convent
Home Farm
War Mem.
Play-ground
CARDINAL GDS.
HOLLY FARM COURT
BURGHWALLIS PARK
Sewage Works
RECTORY CL.
Home Fm.
BANNISTER
STRAIGHT LA.
Skelbrooke
DONCASTER LANE
The Skell
DN6
NORTH
STONY CROFT
SQUIRREL WO
Tanks
Quarry (Limestone)
Burghwallis Grange
The Cottages
The Lodge
GRANGE LANE
GREEN LANE
MILL LANE
Skellow Cross Plantation
Stony Flat Plantation
North
Harry Wood
Playing Fields
Skellow Cross
Skellow Mill
SKELLOW
Owston Park Primary School
LODGE LANE
Priory Farm
Service Area
Cuckoo Plantation
HAMPOLE BALK LA.
B1220
LEYS LANE
Railway Cotts.
Castle Hill
Hampole Ings
Hampole
Hampole Dike
Brookfield
Skellow Bri.
Old Sallow
Skellow Hall
SKELLOW
Playing Fields
Park
The Lymes
Humber Head Ings
Humber Head Bridge
Comm. Cen.
Works
WAKEFIELD ROAD
A638
Grange Cott.
Hampole Ings
Hampole Grange
Size Ing
Adwick Junction
GREAT NORTH ROAD
Old Ea Beck
42
21
6
A B C D E F G
1 2 3 4 5 6 7 8 9
51 52 53 54
14 13 12 11 410

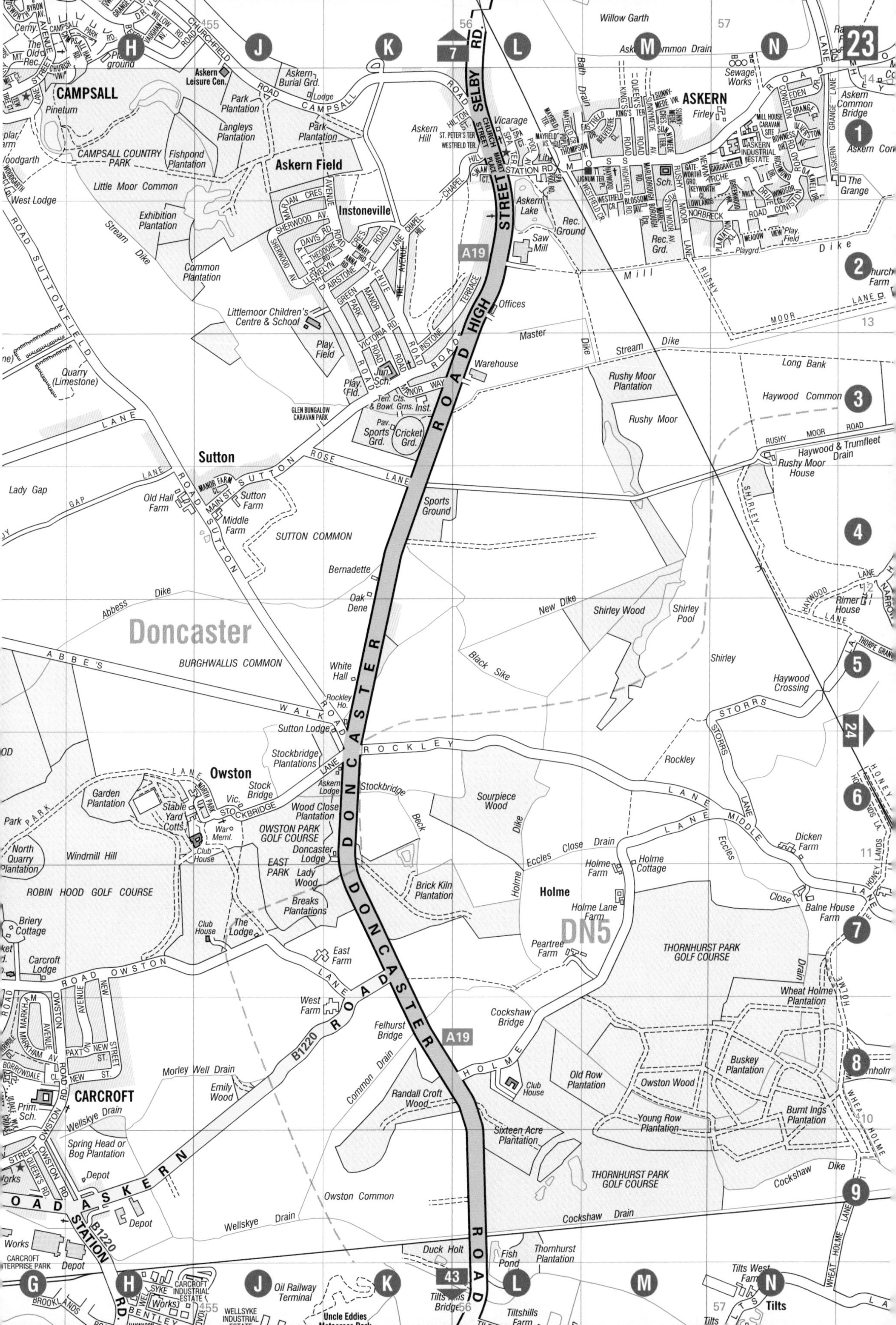
CAMPSALL
ASKERN
Askern Field
Instoneville
Sutton
Owston
Holme
CARCROFT
Doncaster
DN5
Askern Leisure Cen.
Askern Burial Grd.
Park Plantation
Langleys Plantation
Park Plantation
CAMPSALL COUNTRY PARK
Fishpond Plantation
Little Moor Common
Exhibition Plantation
Common Plantation
Littlemoor Children's Centre & School
Willow Garth
Askern Common Drain
Sewage Works
Askern Common Bridge
Askern Lake
Rec. Ground
Saw Mill
Mill Dike
Master Stream Dike
Rushy Moor Plantation
Rushy Moor
Long Bank
Haywood Common
Haywood & Trumfleet Drain
Rushy Moor House
Sutton Farm
Old Hall Farm
Middle Farm
SUTTON COMMON
Lady Gap
Abbess Dike
Bernadette
Oak Dene
New Dike
Shirley Wood
Shirley Pool
Black Sike
Shirley
Haywood Crossing
Rimer House
BURGHWALLIS COMMON
White Hall
Rockley Ho.
Sutton Lodge
Stockbridge Plantations
Rockley
Sourpiece Wood
Garden Plantation
Stable Yard Cotts.
Stock Bridge
Wood Close Plantation
OWSTON PARK GOLF COURSE
Windmill Hill
North Quarry Plantation
ROBIN HOOD GOLF COURSE
EAST PARK
Lady Wood
Breaks Plantations
Brick Kiln Plantation
Eccles Close Drain
Holme Farm
Holme Cottage
Holme Lane Farm
Peartree Farm
Dicken Farm
Balne House Farm
THORNHURST PARK GOLF COURSE
Briery Cottage
Carcroft Lodge
The Lodge
East Farm
West Farm
Felhurst Bridge
Cockshaw Bridge
Wheat Holme Plantation
Buskey Plantation
Old Row Plantation
Owston Wood
Young Row Plantation
Burnt Ings Plantation
Morley Well Drain
Emily Wood
Common Drain
Randall Croft Wood
Sixteen Acre Plantation
Spring Head or Bog Plantation
Wellskye Drain
Owston Common
Cockshaw Drain
Cockshaw Dike
Duck Holt
Fish Pond
Thornhurst Plantation
Oil Railway Terminal
Uncle Eddies Motocross Park
CARCROFT ENTERPRISE PARK
CARCROFT INDUSTRIAL ESTATE
WELLSYKE INDUSTRIAL ESTATE
Tilts West Farm
Tilts
Tiltshills Farm
A19
B1220
SELBY RD.
HIGH STREET
DONCASTER ROAD
ASKERN ROAD
STATION RD.
ROCKLEY LANE
STOCKBRIDGE
OWSTON ROAD
SUTTON ROAD
ABBE'S WALK
CAMPSALL ROAD
7
24
43

Randall Farm
Moss Cottage
Askern Common Bridge
Askern Common
The Grange
ASKERN
Fish Pond
Copley Spring Wood
Heyworth Gates
HEYWORTH LANE
Star Farm
8
Wood View
Moss
Oak Grange Farm
Pear Tree Farm
Fir Tree Farm
Moss Common
BRICK KILN LANE
PINFOLD LANE
TRUMFLEET LANE
Lowlands Farm
Padley House
Hawkhouse Green
Ash Hill Farm
HAWKEHOUSE GREEN LANE
Alder Wood
Moss Carr
Ash Holt
Carrs
Mill Carrs Drain
Hawkehouse Green Dike
Church Farm
RUSHY MOOR LANE
Thistle Goit
Barcroft Gates
Moss Lodge
WRANCARR LANE
BACK LANE
Wrancarr Drain
Long Bank
Haywood Common
Chapel House Farm
Haywood
The Gables
Wrancarr Mill
Wrancarr
DN6
Tune Wood
Darrywillow
RUSHY MOOR ROAD
Haywood & Trumfleet Drain
Highfield Farm
Rushy Moor House
Wrancarr Green Gates
WOOD LANE
CLAY BANK
Wrancarr Farm
Moss Villa
WILLOW
Willowcroft
Mill Dike Bridge
Glebe Farm
Wrancarr
Haywood Farm
HAYWOOD LANE
Trumfleet Grange
MOSS LANE
Doncaster
Wrancarr House Farm
OLD HOUSE LANE
THORPE LANE
Holme Acre
White House Farm
Rimer House
NARROW LA.
Thorpe Grange
THORPE GRANGE LA.
THORPE GRANGE
NOBLE
SLIPPERY GAP LA.
Trumfleet
MARSH
Pit Bridge
Blacker Green
BLACKER
DORMER
Dormer Green Gates
HIGHFIELD LANE
Leek Farm
Manor Farm
Trumfleet Pit
Trumfleet
STORRS
23
Haywood Crossing
HONEY LANDS LA.
GREEN LANE
DN5
Dormer Green
Paitfield Lands
Engine Dike
Wilsick House Farm
Manor House
Wilsick Ferry House
MARSH ROAD
Dicken Farm
MIDDLE
Owston Grange
Balne House Farm
LANDS
PAITFIELD LANE
Thorpe in Balne
Spring Acre Farm
Poplar Farm
Woodyers House
Station House
New Ings
New Ings Drain
AIREY LANE
South Farm House
Riddings Farm
Marsh Lane Bridge
MARSH Drain
THORPE
North Fields
Wheat Holme Plantation
JOAN CROFT
Ash Tree Farm
Wintringham House Farm
CROFT LANE
Thorpe Gates
Joan Croft Junction
Joan Croft
BELL LANE
Engine Dike
Thorpe Marsh
Tumholme Wood
WHEAT HOLME
Sickle Croft
Burnt Ings Plantation
BELL CROFT LANE
APPLEHURST
Applehurst Junction
Shaftholme Junction
Tumholme
Dike
Cockshaw
Applehurst Pond
Sicklecroft
STATION ROAD
FIELDS ROAD
ASH FIELDS ROAD
Railway Pond
Applehurst
STATION ROAD FIELD
ASH
PLANTATION ROAD
LOWER BOUNDARY ROAD
SOUTH RD.
Reedholme
Thorpemere Pond
THORPE MERE VW.
THORPE MERE RD.
Thorpe Marsh
44
Cockshaw
Spoil Heap
Settling Ponds
Cockshaw Bridge
Thorpe Marsh Nature Reserve
TILTS LANE
WHEAT HOLME LANE
Settling
Fish Pond
A B C D E F G
1 2 3 4 5 6 7 8 9
58 59 460
14 13 12 11 410

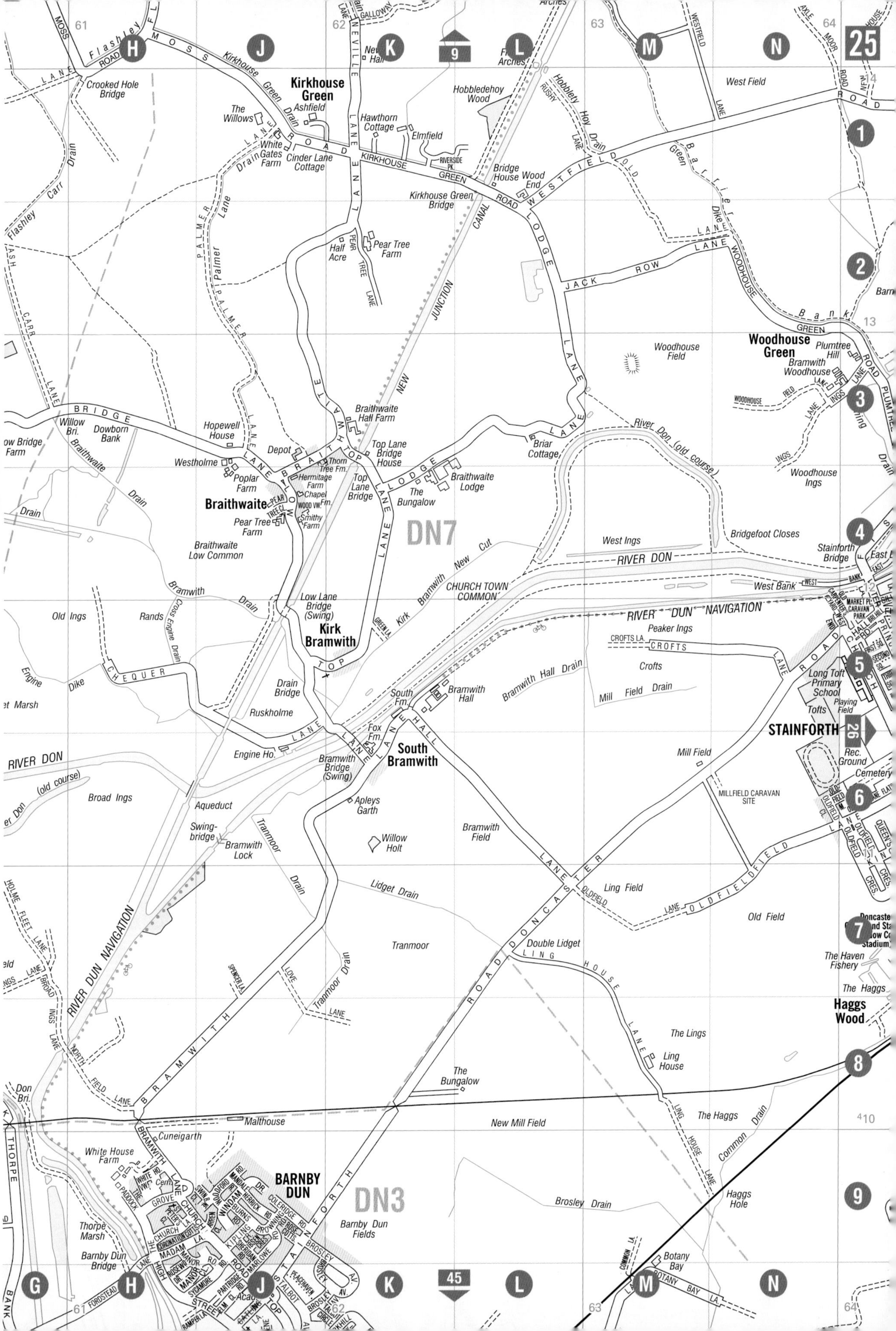
Kirkhouse Green
Braithwaite
Kirk Bramwith
South Bramwith
Woodhouse Green
STAINFORTH
BARNBY DUN
Haggs Wood
DN7
DN3
RIVER DON
RIVER DUN NAVIGATION
NEW JUNCTION CANAL
River Don (old course)
Crooked Hole Bridge
The Willows
Ashfield
White Gates Farm
Cinder Lane Cottage
Hawthorn Cottage
Elmfield
Hobbledehoy Wood
Bridge House
Wood End
Kirkhouse Green Bridge
Half Acre
Pear Tree Farm
West Field
Woodhouse Field
Plumtree Hill
Bramwith Woodhouse
Woodhouse Ings
Braithwaite Hall Farm
Top Lane Bridge House
Braithwaite Lodge
The Bungalow
Briar Cottage
Hopewell House
Westholme
Poplar Farm
Depot
Hermitage Farm
Chapel Fm.
Smithy Farm
Top Lane Bridge
Willow Bri.
Dowborn Bank
Braithwaite Low Common
West Ings
Bridgefoot Closes
Stainforth Bridge
Church Town Common
Low Lane Bridge (Swing)
Old Ings
Rands
Peaker Ings
Crofts
Drain Bridge
Ruskholme
Bramwith Hall
South Fm.
Fox Fm.
Engine Ho.
Bramwith Bridge (Swing)
Long Toft Primary School
Tofts
Playing Field
Mill Field
Rec. Ground
Cemetery
Millfield Caravan Site
Broad Ings
Aqueduct
Swing-bridge
Bramwith Lock
Apleys Garth
Willow Holt
Bramwith Field
Ling Field
Old Field
Double Lidget
Tranmoor
The Haven Fishery
The Haggs
The Lings
Ling House
The Bungalow
Malthouse
New Mill Field
Haggs Hole
Cuneigarth
White House Farm
Thorpe Marsh
Barnby Dun Bridge
Barnby Dun Fields
Brosley Drain
Botany Bay

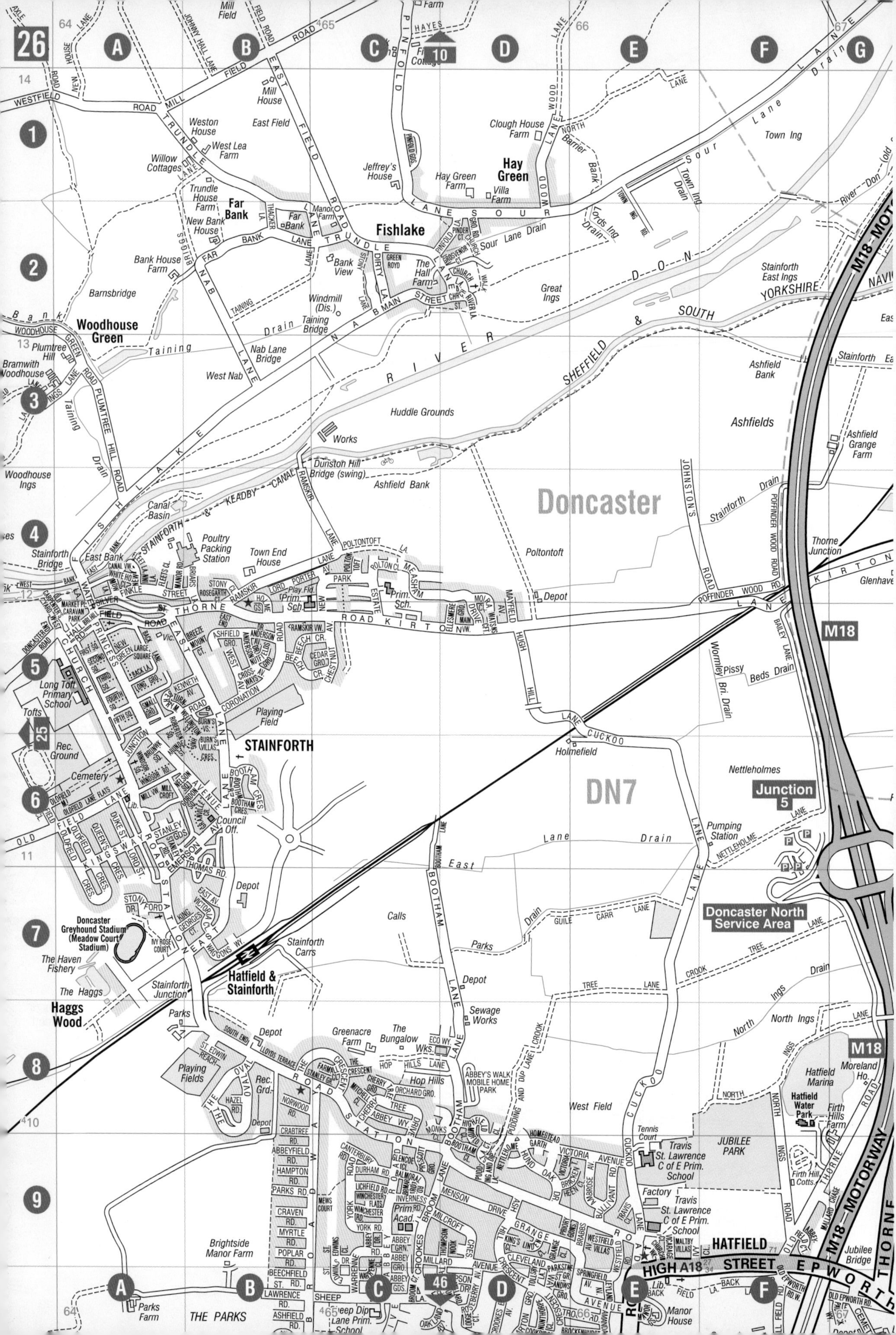

A
B
C
D
E
F
G
1
2
3
4
5
6
7
8
9
10
25
46
64
65
66
67
14
13
12
11
Mill Field
Westfield Road
Mill Field Road
Johnny Hall Lane
East Field Road
Pinfold Lane
Hayes
Mill House
Weston House
West Lea Farm
East Field
Willow Cottages
Trundle Lane
Trundle House Farm
Far Bank
New Bank House
Bank House Farm
Far Bank Lane
Far Bank
Manor Farm
Fishlake
Jeffrey's House
Clough House Farm
Hay Green Farm
Villa Farm
Hay Green
Wood Lane
North Barrier Bank
Sour Lane
Sour Lane Drain
Town Ing
Town Ing Drain
Lords Ing Drain
River Don
Bank View
The Hall Farm
Dirty Lane
Main Street
Nab Lane
Windmill (Dis.)
Taining Bridge
Taining Drain
Barnsbridge
Woodhouse Green
Plumtree Hill
Bramwith Woodhouse
Ings Lane
Plumtree Hill Road
Nab Lane Bridge
West Nab
Great Ings
Stainforth East Ings
Yorkshire
South Yorkshire
Sheffield & South Yorkshire Navigation
River
Ashfield Bank
Ashfields
Ashfield Grange Farm
Huddle Grounds
Works
Dunston Hill Bridge (swing)
Ashfield Bank
Woodhouse Ings
Fishlake
Canal Basin
Stainforth & Keadby Canal
Ramskir Lane
Doncaster
Johnston's Road
Stainforth Drain
Poffinder Wood Road
Thorne Junction
Kirton Lane
Glenhaven
Stainforth Bridge
East Bank
Poultry Packing Station
Town End House
Poltontoft
Poltontoft Lane
Depot
Mayfield Av.
Hugh Hill Lane
Poffinder Wood Rd.
Thorne Road
Kirton Road
Play. Fld.
Prim. Sch.
Bailey Lane
M18
Wormley Bri. Drain
Pissy Beds Drain
Long Toft Primary School
Church Road
Tofts
Rec. Ground
Cemetery
Coronation Road
Playing Field
Stainforth
Cuckoo Lane
Holmefield
DN7
Nettleholmes
Junction 5
Pumping Station
Nettleholme
Lane Drain
East Lane
Council Off.
Lib.
Oldfield Lane
Old Field Lane
Kingsway
Station Road
Thomas Rd.
Depot
Calls
Bootham Lane
Guile Carr Lane
Doncaster North Service Area
Doncaster Greyhound Stadium (Meadow Court Stadium)
The Haven Fishery
The Haggs
Haggs Wood
Stainforth Junction
Stainforth Carrs
Hatfield & Stainforth
Parks
Drain
Depot
Crook Tree Lane
Tree Lane
Sewage Works
North Ings
North Ings Lane
Playing Fields
Rec. Grd.
Depot
Greenacre Farm
The Bungalow
Wks.
Hop Hills Lane
Hop Hills
Abbey's Walk Mobile Home Park
Pudding and Dip Lane
M18
Moreland Ho.
Hatfield Marina
Hatfield Water Park
Firth Hills Farm
Firth Hill Cotts.
West Field
Tennis Court
Travis St. Lawrence C of E Prim. School
Jubilee Park
North Ings Road
Thorne Road
Station Road
Factory
Travis St. Lawrence C of E Prim. School
Mews Court
Prim. Acad.
Manor Road
Hatfield
High Street A18
Epworth Road
M18 Motorway
Jubilee Bridge
Brightside Manor Farm
Parks Farm
The Parks
Sheep Dip Lane Prim. School
Lib.
Back Field La.
Manor House
Old Epworth Rd.

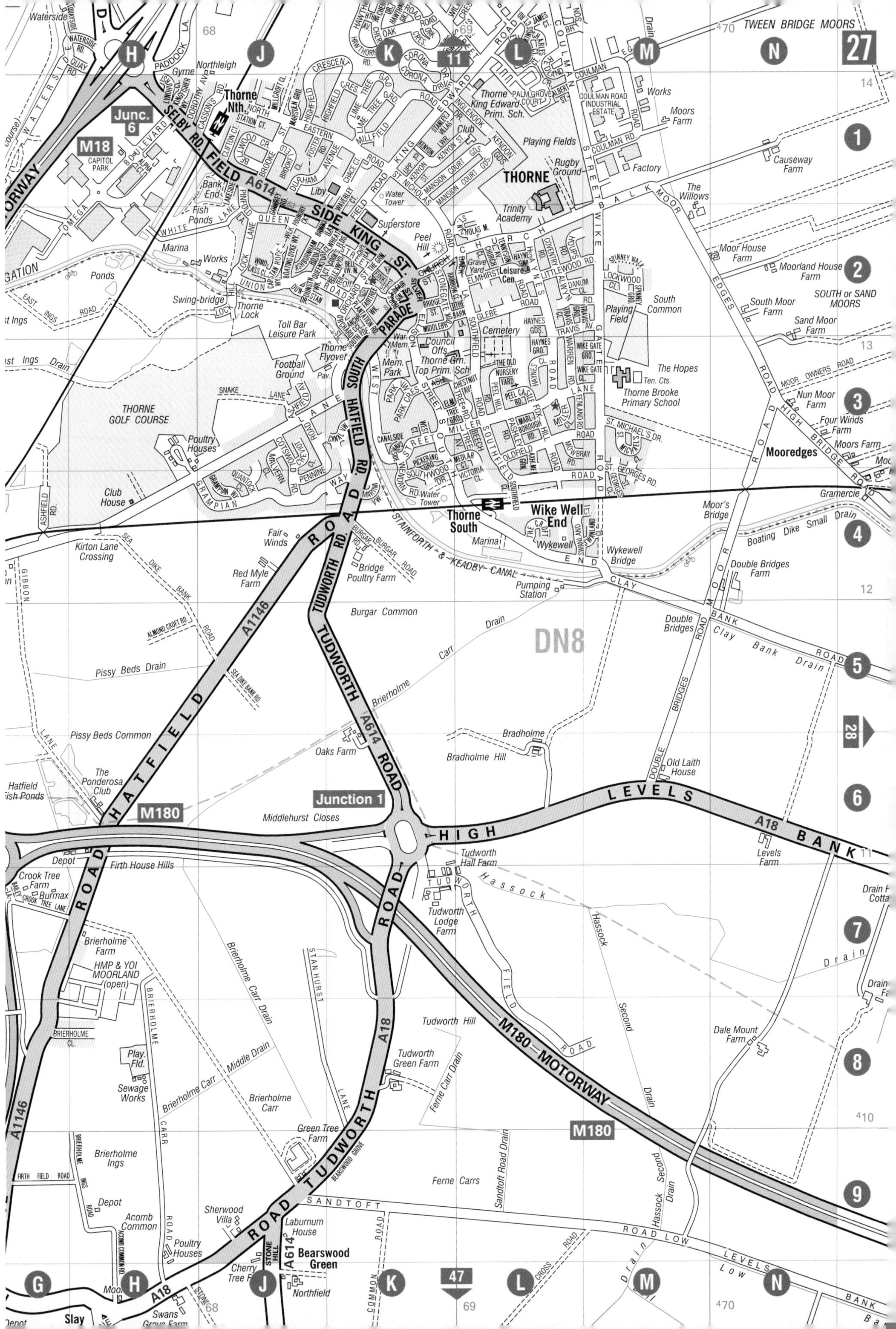

TWEEN BRIDGE MOORS
Waterside
Junc. 6
M18
CAPITOL PARK
Thorne Nth.
Northleigh
Gyme
SELBY RD.
FIELD A614
SIDE KING ST.
Bank End
Fish Ponds
WHITE LANE
Marina
Works
Ponds
Swing-bridge
Thorne Lock
Toll Bar Leisure Park
Thorne Flyover
Football Ground
THORNE GOLF COURSE
Poultry Houses
Club House
Kirton Lane Crossing
Fair Winds
Red Myle Farm
Pissy Beds Drain
Pissy Beds Common
The Ponderosa Club
Hatfield Fish Ponds
M180
Junction 1
Middlehurst Closes
Depot
Firth House Hills
Crook Tree Farm
Burmax
Brierholme Farm
HMP & YOI MOORLAND (open)
Play. Fld.
Sewage Works
Brierholme Ings
Depot
Acomb Common
Poultry Houses
Sherwood Villa
Cherry Tree F.
Laburnum House
Bearswood Green
Northfield
Slay
Swans Grove Farm
THORNE
Thorne King Edward Prim. Sch.
Playing Fields
Rugby Ground
Trinity Academy
Superstore
Peel Hill
Water Tower
Club
Grave Yard
Leisure Cen.
Cemetery
Council Offs.
Thorne Grn. Top Prim. Sch.
War. Mem.
Mem. Park
Thorne South
Wike Well End
Wykewell
Marina
Wykewell Bridge
Pumping Station
STAINFORTH & KEADBY CANAL
Bridge Poultry Farm
Burgar Common
DN8
Brierholme Carr Drain
Bradholme
Bradholme Hill
Oaks Farm
HIGH LEVELS BANK A18
Tudworth Hall Farm
Hassock
Tudworth Lodge Farm
Tudworth Hill
Tudworth Green Farm
Ferne Carr Drain
Green Tree Farm
Ferne Carrs
Sandtoft Road Drain
M180 MOTORWAY
Works
Moors Farm
COULMAN ROAD INDUSTRIAL ESTATE
Factory
Causeway Farm
The Willows
Moor House Farm
Moorland House Farm
SOUTH or SAND MOORS
South Moor Farm
South Common
Playing Field
Sand Moor Farm
The Hopes
Thorne Brooke Primary School
Nun Moor Farm
Four Winds Farm
Moors Farm
Mooredges
Gramercie
Moor's Bridge
Boating Dike Small Drain
Double Bridges Farm
Double Bridges
Clay Bank Drain
Old Laith House
Levels Farm
Dale Mount Farm
Drain
Second Drain
Hassock Second Drain
Low Levels Bank
A1146
A614
A18

11
28
47

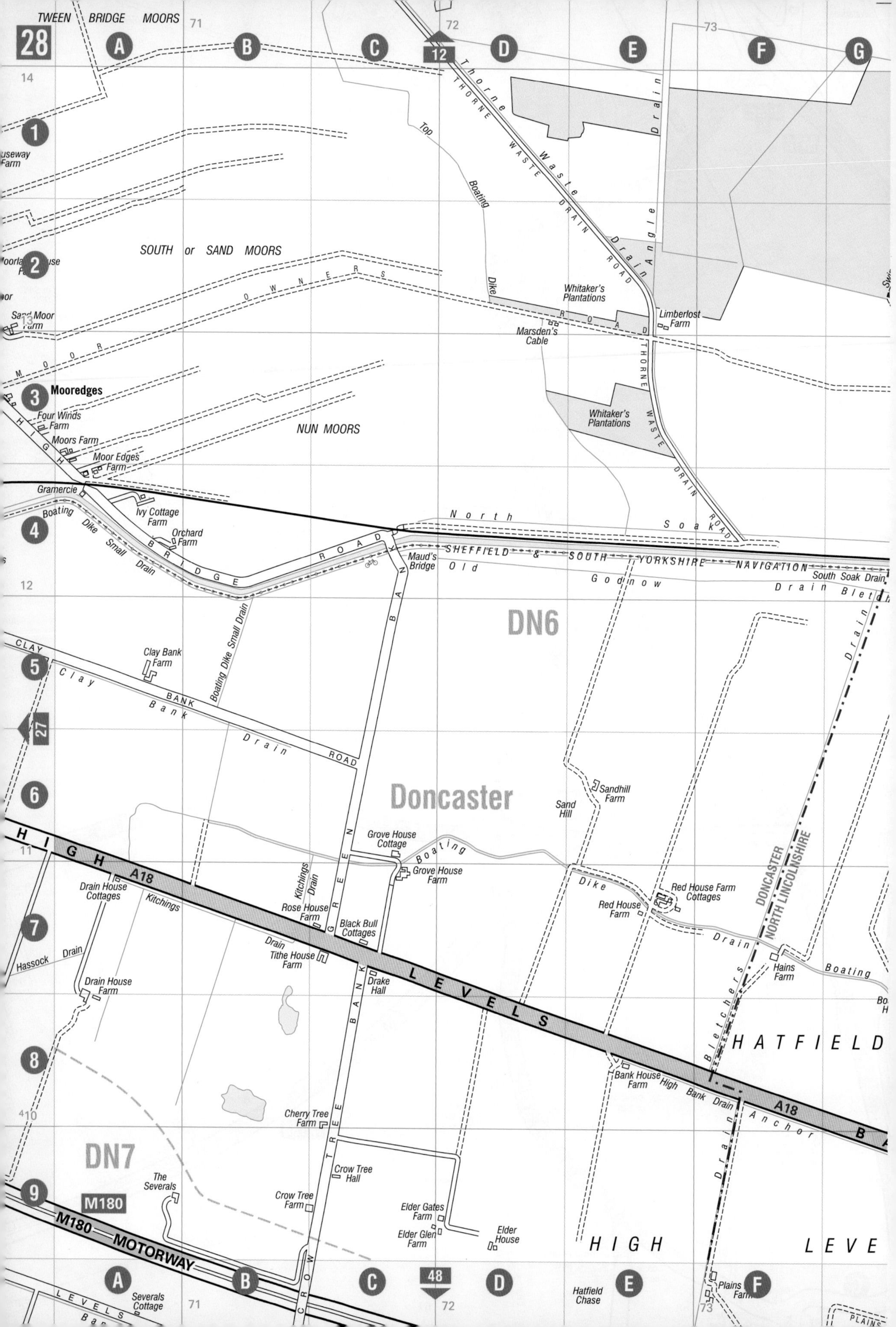

TWEEN BRIDGE MOORS

A B C 12 D E F G

71 72 73

14

1

Causeway Farm

SOUTH or SAND MOORS

2

Moorland House Farm

Moor

Sand Moor Farm

OWNERS

M O O R

3 Mooredges

Four Winds Farm

Moors Farm

Moor Edges Farm

NUN MOORS

HIGH

Gramercie

4

Boating

Ivy Cottage Farm

Orchard Farm

Small Drain

BRIDGE ROAD

Maud's Bridge

North Soak

Whitaker's Plantations

Limberlost Farm

Marsden's Cable

Whitaker's Plantations

THORNE WASTE DRAIN ROAD

Thorne Waste Drain

Top

Boating

Dike

Angle

ROAD

THORNE WASTE DRAIN ROAD

Drain

12

SHEFFIELD & SOUTH YORKSHIRE NAVIGATION

Old Godnow Drain Bletch

South Soak Drain

12

BANK

DN6

5

CLAY

Clay

Clay Bank Farm

BANK

Bank

Drain

ROAD

Boating Dike Small Drain

27

6

Doncaster

Sandhill Farm

Sand Hill

Boating

Grove House Cottage

Grove House Farm

Dike

Red House Farm Cottages

Red House Farm

DONCASTER

NORTH LINCOLNSHIRE

Drain

11

H I G H A18

Drain House Cottages

Kitchings

Kitchings

Drain

GREEN

Rose House Farm

Black Bull Cottages

Drake Hall

L E V E L S

Hains Farm

Boating

HATFIELD

7

Hassock

Drain

Drain House Farm

Drain

Tithe House Farm

BANK

TREE

Bank House Farm

High Bank Drain

Bletchers

A18

Anchor

B

8

410

Cherry Tree Farm

Crow Tree Hall

Drain

DN7

9 M180

The Severals

M180 MOTORWAY

Severals Cottage

Crow Tree Farm

Crow Tree Hall

Elder Gates Farm

Elder Glen Farm

Elder House

H I G H L E V E

Hatfield Chase

Plains Farm

PLAINS

A B C 48 D E F

71 72 73

LEVELS Bar

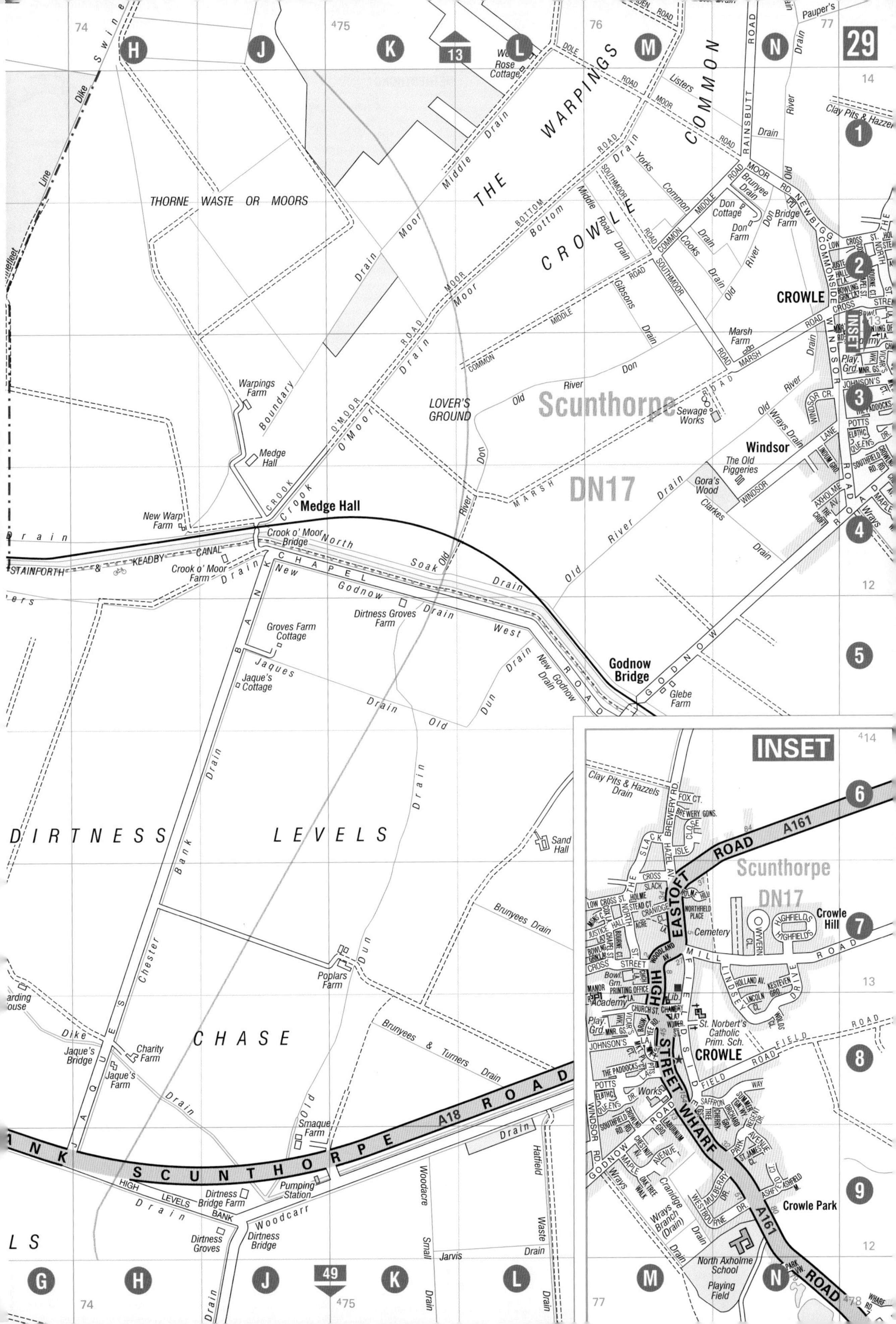
THORNE WASTE OR MOORS
THE WARPINGS
CROWLE COMMON
CROWLE
Scunthorpe
DN17
Windsor
Medge Hall
Godnow Bridge
DIRTNESS LEVELS
CHASE
LOVER'S GROUND
Warpings Farm
Medge Hall
New Warp Farm
Crook o' Moor Bridge
Crook o' Moor Farm
STAINFORTH & KEADBY CANAL
Groves Farm Cottage
Jaque's Cottage
Dirtness Groves Farm
Glebe Farm
Sand Hall
Poplars Farm
Charity Farm
Jaque's Bridge
Jaque's Farm
Smaque Farm
Pumping Station
Dirtness Bridge Farm
Dirtness Groves
Dirtness Bridge
SCUNTHORPE ROAD
A18
Don Cottage
Don Farm
Bridge Farm
Marsh Farm
Sewage Works
The Old Piggeries
Gora's Wood
Rose Cottage
INSET
Clay Pits & Hazzels Drain
Crowle Hill
Cemetery
St. Norbert's Catholic Prim. Sch.
CROWLE
Crowle Park
North Axholme School
Playing Field
A161
EASTOFT ROAD
HIGH STREET
WHARF ROAD
MILL ROAD
FIELD ROAD
13
49

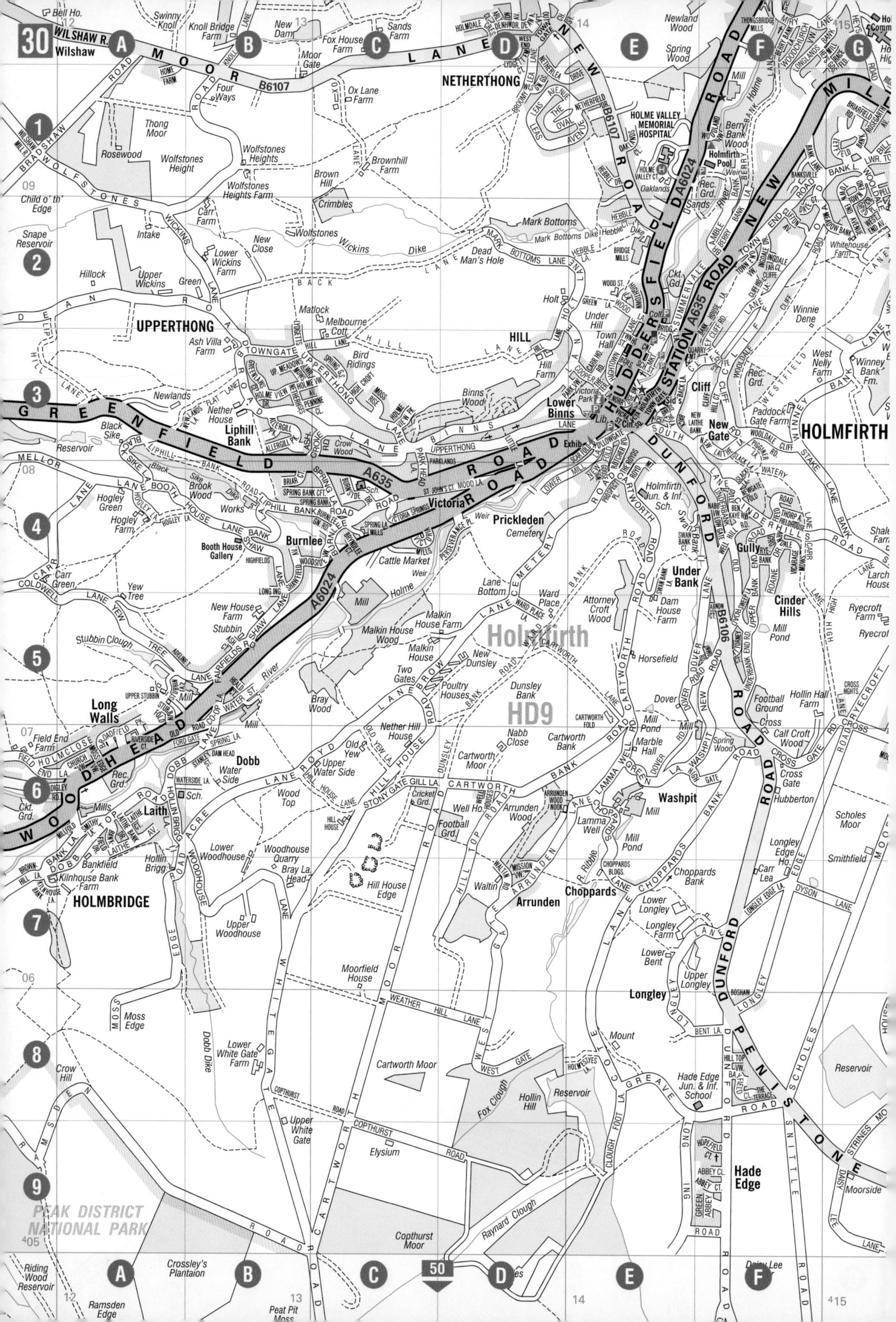
Bell Ho.
Swinny Knoll
Knoll Bridge Farm
New Dam
Sands Farm
Fox House Farm
WILSHAW R.
Wilshaw
MOOR LANE
B6107
Moor Gate
Ox Lane Farm
NETHERTHONG
Newland Wood
Spring Wood
Four Ways
Thong Moor
Rosewood
Wolfstones Height
Wolfstones Heights
Wolfstones Heights Farm
Brownhill Farm
Brown Hill
Crimbles
HOLME VALLEY MEMORIAL HOSPITAL
Holmfirth Pool
Berry Bank Wood
Oaklands
Rec. Grd.
Sands
Child o' th' Edge
Snape Reservoir
Intake
Carr Farm
Wolfstones
Wickins
Dike
New Close
Mark Bottoms
Mark Bottoms Dike
Dead Man's Hole
Lower Wickins Farm
Hillock
Upper Wickins
Green
BACK LANE
Matlock
Melbourne Cott.
UPPERTHONG
Ash Villa Farm
Bird Ridings
Holt
Under Hill
Town Hall
HILL
Hill Farm
Binns Wood
Lower Binns
Victoria Park
Lib.
Cin.
Newlands
Nether House
Liphill Bank
GREENFIELD ROAD
A635
Black Sike
Reservoir
Crow Wood
UPPERTHONG LANE
HUDDERSFIELD ROAD
A6024
STATION ROAD
Cliff
New Gate
HOLMFIRTH
West Nelly Farm
Winney Bank Fm.
Paddock Gate Farm
Winnie Dene
Rec. Grd.
Whitehouse Farm
Brook Wood
Works
Victoria
Hogley Green
Hogley Farm
Booth House Gallery
Burnlee
Prickleden
Cemetery
Cattle Market
Weir
Mills
Holmfirth Jun. & Inf. Sch.
DUNFORD ROAD
Under Bank
Gully
Cinder Hills
Shale Farm
Larch House
Carr Green
Yew Tree
Mill
Holme
Lane Bottom
Ward Place
Attorney Croft Wood
Dam House Farm
New House Farm
Stubbin
Malkin House Farm
Malkin House Wood
Malkin House
Holmfirth
Ryecroft Farm
Ryecroft
Mill Pond
Stubbin Clough
New Dunsley
Two Gates
Horsefield
Poultry Houses
Bray Wood
Dunsley Bank
HD9
Dover
Football Ground
Hollin Hall Farm
Long Walls
UPPER STUBBIN
River
Nether Hill House
Nabb Close
Cartworth Bank
Mill Pond
Marble Hall
Cross
Calf Croft Wood
Field End Farm
Old Yew
Upper Water Side
Cartworth Moor
Spring Wood
Cross Gate
Dobb
Water Side
Rec. Grd.
Washpit
Hubberton
Scholes Moor
Ckt. Grd.
Laith
Mills
Wood Top
Cricket Grd.
Well Ho.
Football Grd.
Arrunden Wood
Lamma Well
Mill Pond
Smithfield
Bankfield
Kilnhouse Bank Farm
Hollin Brigg
Lower Woodhouse
Woodhouse Quarry
Bray La. Head
Hill House Edge
Waltin
Arrunden
Choppards
Choppards Bank
Longley Edge Ho.
Carr Lea
HOLMBRIDGE
Upper Woodhouse
Lower Longley
Longley Farm
Lower Bent
Upper Longley
Longley
Moorfield House
Moss Edge
WEATHER HILL LANE
Mount
Dobb Dike
Lower White Gate Farm
Crow Hill
Cartworth Moor
WEST GATE
Fox Clough
Hollin Hill
Reservoir
Hade Edge Jun. & Inf. School
PENISTONE ROAD
Reservoir
Upper White Gate
Elysium
COPTHURST ROAD
Hade Edge
Moorside
PEAK DISTRICT NATIONAL PARK
Raynard Clough
Copthurst Moor
Riding Wood Reservoir
Crossley's Plantaion
Ramsden Edge
Peat Pit Moss
Daisy Lee
50

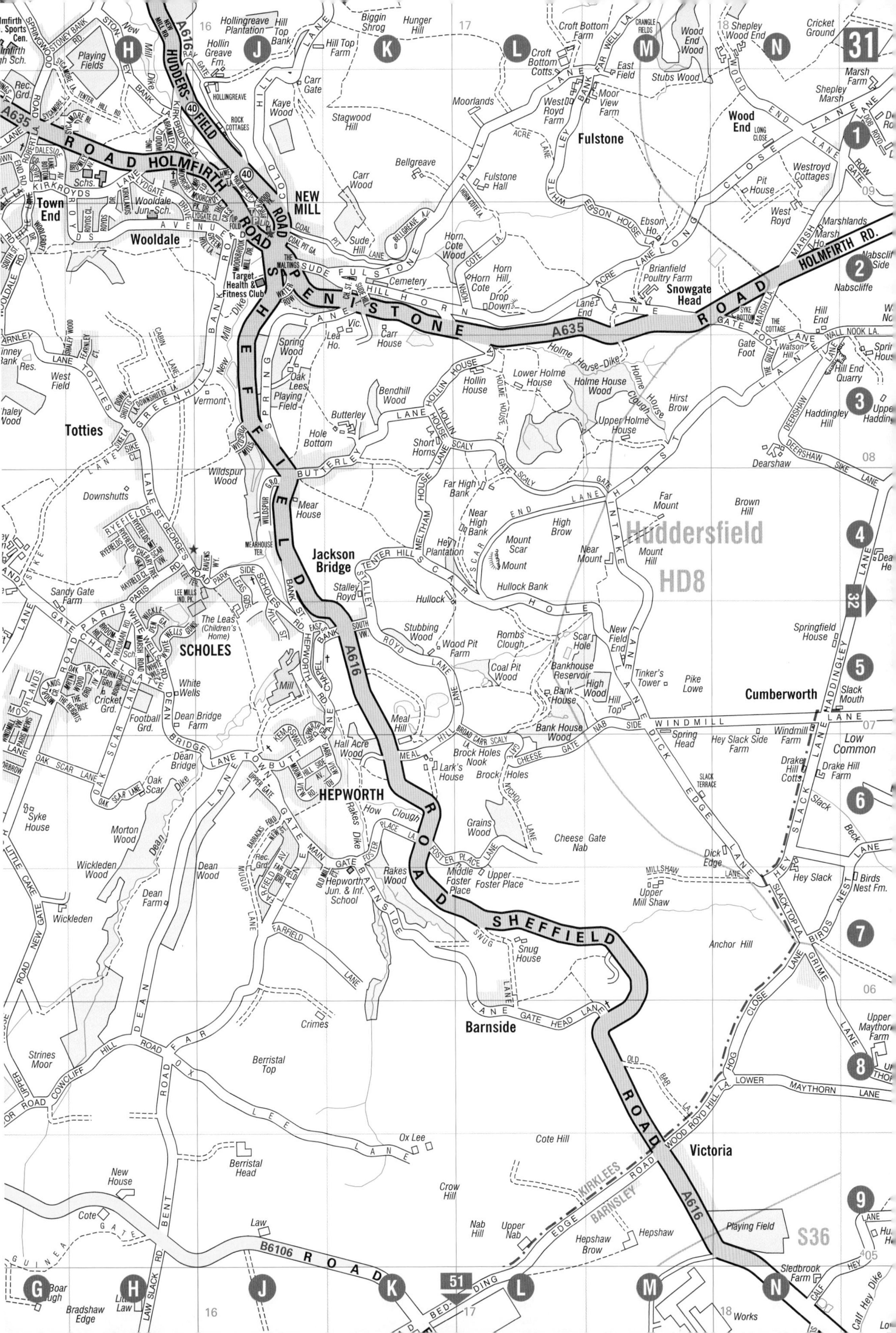

HOLMFIRTH ROAD
A635
A616
HUDDERSFIELD ROAD
NEW MILL
Wooldale
Town End
Totties
SCHOLES
Jackson Bridge
HEPWORTH
Barnside
Victoria
Fulstone
Snowgate Head
Wood End
Cumberworth
Low Common
Huddersfield
HD8
S36
PENISTONE ROAD
SHEFFIELD ROAD
B6106 ROAD
Hollingreave Plantation
Hollin Greave Fm.
Hill Top Bank
Biggin Shrog
Hunger Hill
Hill Top Farm
Carr Gate
Kaye Wood
Stagwood Hill
Carr Wood
Bellgreave
Fulstone Hall
Moorlands
Croft Bottom Farm
Croft Bottom Cotts.
West Royd Farm
Moor View Farm
East Field
Wood End Wood
Stubs Wood
Shepley Wood End
Cricket Ground
Marsh Farm
Shepley Marsh
Westroyd Cottages
Pit House
West Royd
Marshlands
Marsh Ho.
Nabscliffe
Ebson Ho.
Brianfield Poultry Farm
Horn Cote Wood
Horn Cote
Horn Hill
Drop Down
Cemetery
Sude Hill
Target Health & Fitness Club
Playing Fields
Wooldale Jun. Sch.
Schs.
Spring Wood
Oak Lees Playing Field
Lea Ho.
Carr House
Bendhill Wood
Butterley
Hole Bottom
Hollin House
Lower Holme House
Holme House Wood
Upper Holme House
Hirst Brow
Hill End Quarry
Haddingley Hill
Dearshaw
Brown Hill
Far Mount
High Brow
Mount Scar
Mount
Near Mount
Mount Hill
Hullock Bank
Hey Plantation
Near High Bank
Far High Bank
Short Horns
Wildspur Wood
Downshutts
Mear House
Vermont
West Field
Sandy Gate Farm
Stalley Royd
Hullock
Stubbing Wood
Wood Pit Farm
Rombs Clough
Coal Pit Wood
Scar Hole
Bankhouse Reservoir
High Wood
New Field End
Tinker's Tower
Pike Lowe
Springfield House
Slack Mouth
Hill Top
Bank House
Bank House Wood
Spring Head
Hey Slack Side Farm
Windmill Farm
Drake Hill Cotts.
Drake Hill Farm
The Leas (Children's Home)
White Wells
Dean Bridge Farm
Cricket Grd.
Football Grd.
Mill
Meal Hill
Hall Acre Wood
Lark's House
Brock Holes Nook
Brock Holes
Grains Wood
Cheese Gate Nab
Dick Edge
Upper Mill Shaw
Hey Slack
Birds Nest Fm.
Anchor Hill
Dean Bridge
Oak Scar
Syke House
Morton Wood
Wickleden Wood
Dean Wood
Dean Farm
Wickleden
Rakes Wood
Hepworth Jun. & Inf. School
Middle Foster Place
Upper Foster Place
Snug House
Crimes
Upper Maythorn Farm
Strines Moor
Berristal Top
Ox Lee
Cote Hill
Berristal Head
New House
Cote
Law
Crow Hill
Nab Hill
Upper Nab
Hepshaw Brow
Hepshaw
Playing Field
Sledbrook Farm
Works
Boar Clough
Little Law
Bradshaw Edge
KIRKLEES
BARNSLEY
32
51

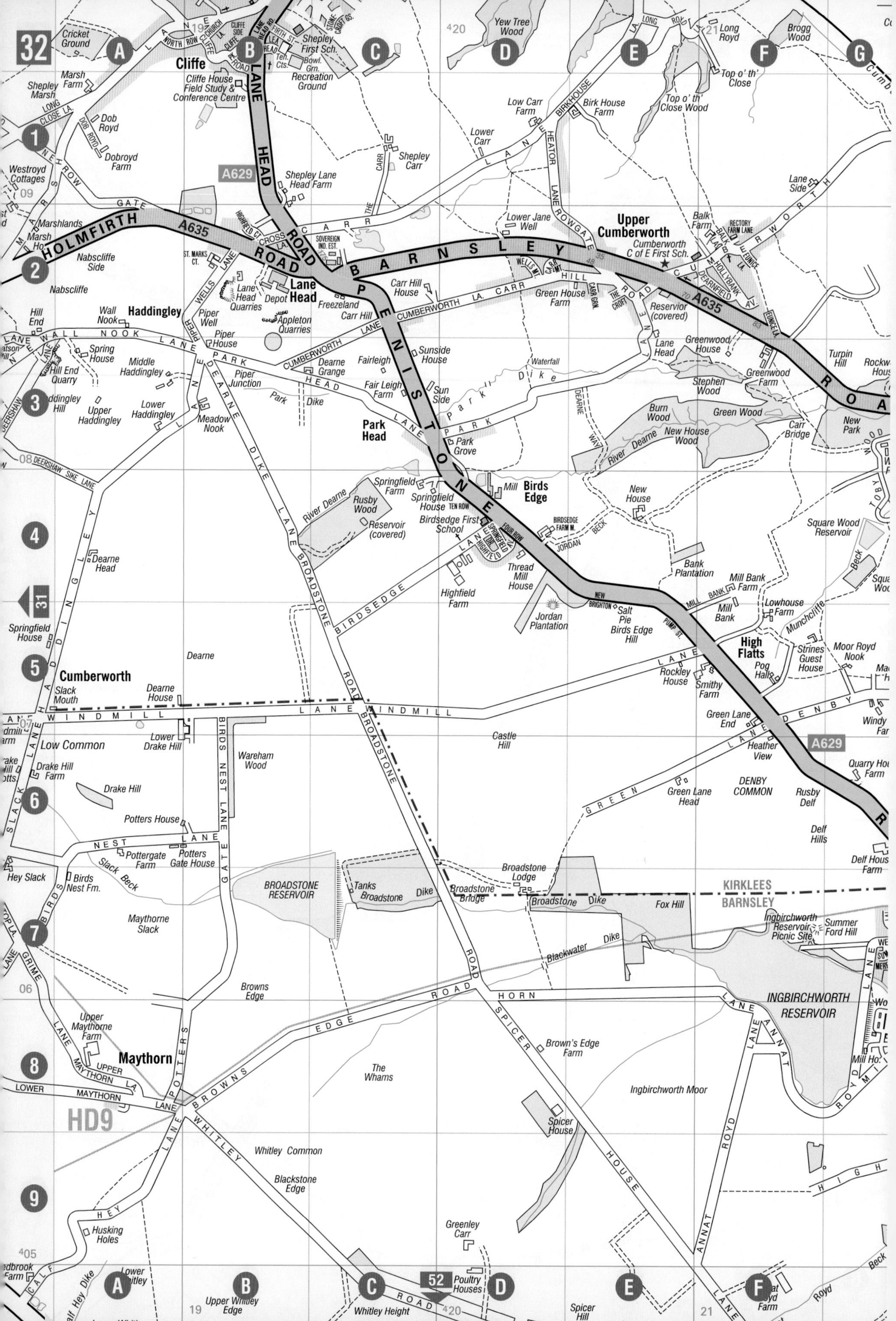
Cliffe
Cliffe House Field Study & Conference Centre
Shepley First Sch.
Recreation Ground
Yew Tree Wood
Long Royd
Brogg Wood
Top o' th' Close
Top o' th' Close Wood
Low Carr Farm
Birk House Farm
Lower Carr
Shepley Carr
Shepley Lane Head Farm
Dob Royd
Dobroyd Farm
Marsh Farm
Shepley Marsh
Westroyd Cottages
Marshlands
Marsh Ho.
Nabscliffe Side
Nabscliffe
HOLMFIRTH ROAD
A635
A629
LANE HEAD ROAD
BARNSLEY ROAD
PENISTONE ROAD
Upper Cumberworth
Cumberworth C of E First Sch.
Lower Jane Well
Lane Side
Balk Farm
Lane Head
Depot
Freezeland
Carr Hill
Carr Hill House
Green House Farm
Reservior (covered)
Haddingley
Wall Nook
Hill End
Spring House
Hill End Quarry
Middle Haddingley
Upper Haddingley
Lower Haddingley
Piper Well
Piper House
Lane Head Quarries
Appleton Quarries
Dearne Grange
Fairleigh
Sunside House
Fair Leigh Farm
Sun Side
Piper Junction
Park Head
Meadow Nook
Greenwood House
Stephen Wood
Greenwood Farm
Turpin Hill
Burn Wood
Green Wood
New House Wood
River Dearne
Carr Bridge
New Park
Park Grove
Springfield Farm
Springfield House
Birdsedge First School
Mill
Birds Edge
Rusby Wood
Reservoir (covered)
New House
Square Wood Reservoir
Dearne Head
Thread Mill House
Highfield Farm
Bank Plantation
Mill Bank Farm
Lowhouse Farm
Mill Bank
Jordan Plantation
Salt Pie Birds Edge Hill
High Flatts
Springfield House
Dearne
Cumberworth
Slack Mouth
Dearne House
Rockley House
Smithy Farm
Pog Hall
Strines Guest House
Moor Royd Nook
WINDMILL LANE
Low Common
Lower Drake Hill
Wareham Wood
Castle Hill
Green Lane End
Heather View
Drake Hill Farm
Drake Hill
Green Lane Head
DENBY COMMON
Rusby Delf
Delf Hills
Quarry House Farm
Potters House
Pottergate Farm
Potters Gate House
Hey Slack
Birds Nest Fm.
Slack Beck
BROADSTONE RESERVOIR
Tanks
Broadstone Dike
Broadstone Lodge
Broadstone Bridge
KIRKLEES
BARNSLEY
Fox Hill
Delf House Farm
Maythorne Slack
Ingbirchworth Reservoir Picnic Site
Summer Ford Hill
Blackwater Dike
Browns Edge
INGBIRCHWORTH RESERVOIR
Upper Maythorne Farm
Maythorn
Brown's Edge Farm
The Whams
Ingbirchworth Moor
Mill Ho.
HD9
Spicer House
Whitley Common
Blackstone Edge
Husking Holes
Greenley Carr
Poultry Houses
Lower Whitley
Upper Whitley Edge
Whitley Height
Spicer Hill
52
31

33
Lower Cumberworth
Oakcliff Hill
Top o' th' Hill
Little Hackings
Lane Hackings
Kitchenroyd
Miry Greaves Shrogg
Perch House Farm
Bagden Hall Golf Course
Bagden Hall
Bagden Hall Farm
Club Ho.
BAGDEN PARK
Hay Royds Colliery
BAGDEN WOOD
Thorpes
Gilthwaites Farm
Denby Dale Nursery Sch.
Putting Hill
Lower Clough House
Playground
Wither Wood
Pingle Dike
DENBY DALE
Works
Leak Hall Farm
Cliff Hill
Stubbin House
Upper Bagden
Pingle Nook Wood
Pingle Nook
River Dearne
Bromleys
East Hill Wood
Cuckstool Bridge
Dobroyd Hill
Pool Hill
Denby Dale
Hartcliffe House
Commonside Farm
Stubbin Common
Black Hill
High Field
Res. (cov.)
Rigley Plantation
Miller Hill
Quarry Hill
Rigley Hill
Dry Hill Farm
Exley Gate
Lodge
Harcliffe Mills
Denby Dale Viaduct
Dunkirk
Tanner Wood
Denby House
Dry Hill
Baycroft Wood
Toby Wood
Munchcliffe Wood
Denby Hall Farm
WAKEFIELD ROAD
BARNSLEY ROAD
A636
A635
Depot
Oakfield
Manor House Farm
Hagg Wood
Norcroft Grange
Nether End
Ward Wood
Ash Well Shrogg
Calverley Wood
Town Field
Lower Denby
Haley Well
Sike House
Broomfield
Papist Hill
White House
Huddersfield
HD8
Rec. Grd.
The Pinfold
Pinfold Ho.
Pinfold Bridge
B6115
Flat Wood Dike
Flat Wood
Cuckold Carr
Denby Delf
Manor Farm
Upper Denby
Denroyd Farm
New Lathe
Moist Holme
Denby C of E First School
Broad Wood
Cuckold Carr Dike
Burnt Cote
Gunthwaite Top
Vicarage
Gunthwaite Gate
Crow Well
Burnt Cote Wood
Ellison Spring
Falledge House
Broad Wood Dike
Low Common
High Flatts
Delf Hill Farm
Fall Edge Cottage
Swift Wood
Margaret Wood
Clough Dike
Gunthwaite Bridge
Gunthwaite
Wilderness
Gunthwaite Hall
Gunthwaite Park
Far Broad Oak
Fall Edge Farm
Oak Wood
Gunthwaite House
Near Broad Oak
Tanyard Brook
Ford
FALLEDGE
Clough Wood
Clough Bridge
Mill Farm
Gunthwaite Bridge
Sheffield
Gunthwaite Spa
Gunthwaite Dam
Ingbirchworth
Park House Farm
Reservoir House
HUDDERSFIELD ROAD
S36
Carr Lane Farm
Cat Hill Foot Farm
Stud Royd Wood
Green Fm.
Willow Fm.
Broadfield Farm
Sewage Works
Cockle Edge
Carr Head Wood
Cherry Tree Farm
Cat Hill Clough Wood
Carr Head
A629
Cat Hill
SCOUT DIKE RESERVOIR
Carr Lodge Farm
Hoyland Moor Plantation
Nether Lea Farm
Walker Ing Wood
Malling Carr Wood
Scout Dike
Scout Dike Outdoor Education Centre
Cat Hill Firs
ROYD MOOR RESERVOIR
Maze
Brook
Hoyland Moor
Crab Tree House
53
34

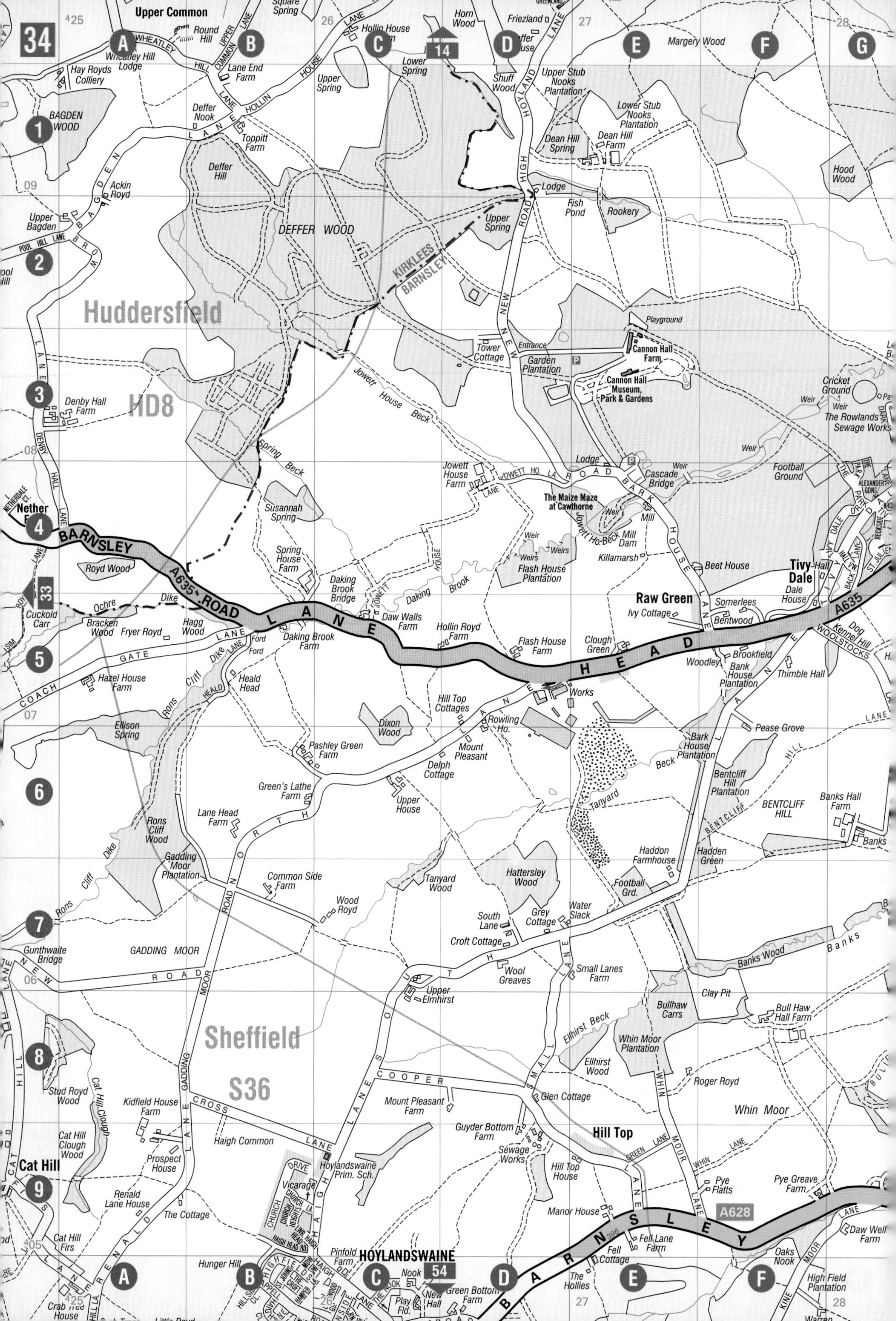
34
Upper Common
Square Spring
Round Hill
Wheatley Hill Lodge
Hay Royds Colliery
BAGDEN WOOD
Lane End Farm
Hollin House
Lower Spring
Upper Spring
14
Horn Wood
Friezland
Shuff Wood
Upper Stub Nooks Plantation
Lower Stub Nooks Plantation
Margery Wood
Deffer Nook
Toppitt Farm
Deffer Hill
Dean Hill Spring
Dean Hill Farm
Hood Wood
Ackin Royd
Upper Bagden
POOL HILL LANE
Lodge
Fish Pond
Rookery
Upper Spring
DEFFER WOOD
KIRKLEES
BARNSLEY
Huddersfield
HD8
Playground
Tower Cottage
Entrance
Garden Plantation
Cannon Hall Farm
Cannon Hall Museum, Park & Gardens
Cricket Ground
The Rowlands Sewage Works
Denby Hall Farm
Jowett House Beck
Spring Beck
Jowett House Farm
Lodge
Cascade Bridge
Football Ground
The Maize Maze at Cawthorne
Nether
Susannah Spring
Mill
Jowett Ho. Beck Mill Dam
Weirs
Flash House Plantation
Killamarsh
Beet House
Tivy Dale
Royd Wood
Spring House Farm
Daking Brook Bridge
Daking Brook
Raw Green
Dale House
33
Cuckold Carr
Ochre Dike
Bracken Wood
Fryer Royd
Hagg Wood
A635 ROAD
BARNSLEY ROAD LANE HEAD
Daw Walls Farm
Hollin Royd Farm
Daking Brook Farm
Ivy Cottage
Somerlees
Bentwood
A635
Dog Kennel Hill
WOOLSTOCKS
Flash House Farm
Clough Green
Brookfield
Woodley
Bank House Plantation
Thimble Hall
COACH GATE LANE
Hazel House Farm
Heald Head
Works
Hill Top Cottages
Rowling Ho.
Dixon Wood
Ellison Spring
Rons Cliff Dike
Pashley Green Farm
Mount Pleasant
Delph Cottage
Pease Grove
Bark House Plantation
Beck
Tanyard
Green's Lathe Farm
Upper House
Bentcliff Hill Plantation
BENTCLIFF HILL
Banks Hall Farm
Lane Head Farm
Rons Cliff Wood
Gadding Moor Plantation
Haddon Farmhouse
Hadden Green
Hattersley Wood
Common Side Farm
Tanyard Wood
Football Grd.
Wood Royd
South Lane
Grey Cottage
Water Slack
Gunthwaite Bridge
GADDING MOOR
NEW ROAD
Croft Cottage
Banks Wood
Wool Greaves
Small Lanes Farm
Upper Elmhirst
Clay Pit
Bullhaw Carrs
Bull Haw Hall Farm
Ellhirst Beck
Whin Moor Plantation
Sheffield
Ellhirst Wood
Stud Royd Wood
Cat Hill Clough
S36
COOPER LANE
Glen Cottage
Roger Royd
Kidfield House Farm
Mount Pleasant Farm
Whin Moor
Cat Hill Clough Wood
Haigh Common
Guyder Bottom Farm
Hill Top
Prospect House
Sewage Works
Hoylandswaine Prim. Sch.
Hill Top House
Cat Hill
Vicarage
Pye Flatts
Pye Greave Farm
Renald Lane House
The Cottage
Manor House
A628
Cat Hill Firs
Fell Lane Farm
Daw Well Farm
Hunger Hill
Pinfold Farm
HOYLANDSWAINE
Fell Cottage
Oaks Nook
High Field Plantation
Nook
54
The Hollies
Crab Tree House
New Hall
Green Bottom Farm
Play Fld.
Warren
BARNSLEY

CAWTHORNE PARK
Hollin Well
KEXBROUGH
Kexbrough Hall Farm
Hillcroft
Jacob's Hall
Town Farm
Mount Pleasant
Pav. Cricket Grd.
CHURCHFIELD
CHURCH LANE
BARNSLEY ROAD
A637
DEARNE MILLS DARTON BUSINESS PARK
RIVER DEARNE
Barugh Low Bri.
Weir
Cawthorne Dike
B6428
DEARNE HALL ROAD
Depot
CLAYCLIFFE ROAD
Cinder Hill
Cinder Farm
Cinder Hill Bridge
Mill House
CAWTHORNE LANE
M1
Silkstone Beck
BARUGH GREEN
WESTFIELD LA.
Barugh Hill
Clay Hall
Tennis Court
CAWTHORNE
Cliff Hill Bridge
Tanyard Beck
DARTON
CHURCH ST.
Mus.
STANHOPE MDWS.
Barnby Hall
Barnby Bridge
HEAD LANE ROAD
A635
CAWTHORNE RD.
BARUGH GREEN ROAD
M1 MOTORWAY
METRO TRADING CEN.
CLAYCLIFFE BUSINESS PARK
Rec. Grd.
Playgrd.
LABURNUM CT. Club
Barnby Green Farm
Barugh Green Primary Sch.
CORONATION RD.
Windmill Hill
Barnsley
S75
BARNBY FURNACE
NORTH LANE
Weir
Furnace Bridge
ROYD LANE
HIGHAM COMMON ROAD
Royd Hill Farm
Cricket Grd.
HIGHAM
36
ll House Farm
Nursery
NORCROFT LANE
Upper Norcroft
Adam Lathe
ADAM LANE
Lower Norcroft Farm
Beck
Low Mill Farm
HUGSET WOOD
Higham Bottom
POG WELL LA.
HERMIT LANE
Play. Fld.
Langford Wood
Sewage Works
Norcroft Bridge
nks Bottom
Dike
ottom
Tanyard Spring
Fall Head Farmhouse
Fall Head Farm
Lees Hall Farm
FALL HEAD LA.
Silkstone Beck
Field Head
Field Head Manor
Club House
SILKSTONE GOLF COURSE
ELMHIRST LA.
Lane Side Farm
A628
DODWORTH BUSINESS PARK
WHINBY ROAD
Glebe Farm
Pot Ho. Bri.
Pot Ho. Mill Farm
BARNSLEY ROAD
SILKSTONE
Roggins
TOWNGATE
Silkstone Primary Sch.
NOBLETHORPE PARK
Silkstone Cross
Red Lodge
Noblethorpe
White Lodge
Bank Ho. Farm
Hollow Spring
Silverwood Camp
SILKSTONE FALL
FALL BANK INDUSTRIAL EST.
Dodworth
B6099
STATION RD.
MITCHELSON AV.
Health Club
Silkstone Cross
Tanyard Wood
Club
Comm. Cen.
Cemetery
Rec. Grd.
Cricket Ground
Woolley Manor Farm
Hill Top Wood
Reservoir (cov
Works
Champ
Hill
55
PARSON LANE
Vicarage
Dodworth Grange
DODWORTH
B6449
Cemy.
HIGH ST.
The Villas
Beck
Hill Top
G H J K L M N
1 2 3 4 5 6 7 8 9
29 430 31
09 08 07 06 05

MAPPLEWELL
16
Swallow Hill
Swallow Hill Farm
Barugh Low Bri.
Barugh Bridge
Low Barugh
Sewage Works
Blacker Hill
Hill End Farm
New Lodge
Stand Hill
Standhill Wood
Hill Top
Depot
Electricity Transformer Station
SOUTH YORKSHIRE (REDBROOK) INDUSTRIAL ESTATE
S75
BARUGH GREEN
CLAYCLIFFE BUSINESS PARK
Redbrook
REDBROOK BUSINESS PARK
WILTHORPE
Wilthorpe Prim. Sch.
Croft Farm
Smithy Green
Gypsy Site
BARUGH GREEN RD.
A635
A637
WILTHORPE ROAD
HUDDERSFIELD ROAD
GAWBER
Redbrook Farm
35
Red Brook Plantation
Craven Wood
Barnsley Hospice
HIGHAM
Vicarage
Hermit House Farm
Gawber Prim. Sch.
Honeywell
Barnsley Coll. Spts. Academy
Barnsley College
Old Town
BARNSLEY DISTRICT GENERAL HOSP.
POGMOOR
St. Mary's Prim. Sch.
Sugden's Rec. Grd.
Recreation Ground
Industrial Estate
Barnsley
M1
A628
Lane Side Farm
Playing Field
Shaw Lands
Horizon Comm. Coll.
BARNSLEY
Junction 37
A6133
Playing Fields
Warehouse
Holy Rood Prim. & Shawlands Prim. Sch.
Joseph Locke Prim. Sch.
KERESFORTH CEN.
Kingstone
M1 MOTORWAY
DODWORTH
Health Club
Primary Academy
Sports Field
Keresforth Prim. Sch.
Greenacre Sch.
Football Grd.
Needlewood Assessment Centre
Keresforth Hill
Locke Park
Worsbrough Common
Highstone Farm
Castle Hill
The Lodge
Broad Acres
Keresforth Hall
Keresforth Hall Farm
Brick House Farm
Hudroyd
Needle Eye Wood
56
DODWORTH ROAD
PARK ROAD
WEST WAY
KERESFORTH HILL ROAD

37
ATHERSLEY NORTH
ATHERSLEY SOUTH
Athersley South Prim. Sch.
Sports Ground
WHARNCLIFFE BUSINESS PARK
CARLTON RD.
CARLTON INDUSTRIAL ESTATE
Holy Trinity Sch.
Warehouse
Warehouses
Depot
Works
17
B6132
LANE
ROTHERHAM ROAD
CARLTON ROAD
Barnsley Bowl
Springwell Special Academy
The Whinns Nature Trail
ST. HELEN'S
S71
St. Helen's Primary Academy
Sports Ground
Monk Bretton Park
MONK BRETTON
Cricket Grd.
Sports Grd.
Burial Grd.
Manor Farm
BURTON ROAD
BURTON ROAD BUSINESS PARK
West Green
WEST GREEN WAY
CUDWORTH
Small Bri.
Bleach Croft Farm
Rose Cott.
Kennels
Westfield
LUNDWOOD
38
A628
Smithies
Burton Bank
Burton Rd. Prim. Sch.
Old Mill
Old Mill Bri.
Superstore
Gasholder
Warehouses
A61
A633
Cemetery
Littleworth
Littleworth Grange Prim. Academy
Sports Grd.
DEARNE VALLEY PARK
Dearne
Valley
Park
Country Park
THE PEEL CENTRE RETAIL PARK
DW Sports Fitness
The Metrodome Leisure Complex
Barnsley
Queen's Road Academy
Football Field
Sports Grd.
Barnsley FC (Oakwell)
Brewery
Beevor Hall
Beevor Bri.
Hoyle Mill
OAKWELL BUSINESS & YOUTH ENTERPRISE CENTRE
MOUNT OSBORNE IND. PARK
OAKS BUSINESS PARK
GRANGE LANE INDUSTRIAL ESTATE
Cherry Trees Nursing Home
Cundy Cross
Monk Bretton Priory (remains)
Grange Lane Events Area
Grange Bri.
Dearne Bri.
Sewage Bridge
Slurry Lagoons
Sewage Works
Filter Beds
Scorah Wood
Ardsley Tunnel
DEARNE VALLEY PARK
TANK ROW
PONTEFRACT ROAD
GRANGE LANE
Measborough Hill
DONCASTER ROAD
CEMETERY RD.
A6133
A635
KENDRAY HOSPITAL
BARNSLEY CEMETERY
Measborough Dike
CAMBIAN OAKS HOSPITAL
S70
Open Space
Football Grd.
Comm. Cen. & Children's Lib.
The Forest Academy
KENDRAY
Kendray Park
B6100
HUNNINGLEY LANE
Hunningley Primary School
Ardsley Cemy.
STAIRFOOT
STAIRFOOT BUSINESS PARK
Superstore
BARNSLEY RETAIL PARK
WOMBWELL LANE
Oakhill Primary Academy
Rec. Grd.
HARBOROUGH HILL RD.
SHEFFIELD ROAD
UPPER SHEFFIELD ROAD
57
H J K L M N G
1 2 3 4 5 6 7 8 9
435 36 37 38
09 08 07 06 405

Cudworth
CUDWORTH
Belle Green
Cudworth Common
Barnsley
GRIMETHORPE
Low Cudworth Green
Dorothy Hyman Sports & Leisure Centre
Birkwood Prim. Sch.
Milefield Prim. Sch.
PARK SPRINGS INDUSTRIAL ESTATE
Warehouse
Brick Works
Clay Pit
Bleach Croft Farm
Kennels
Ring Farm
Burton Abbey Farm
Wood Nook
Sewage Works
Storrs Mill
Storrs Mill Farm
Storrs Mill Bridge
Sunny Bank
Sunny Bank Wood
Sludge Beds
Hollins Wood
Saville Wood
Storrs Wood
Horse Carr Wood
Pearson Wood
Major Wood
Crook House Farm
Fair Winds
Ridgeway House
Tyers Hall Farm
Tyers Hall
Tyers Hill
The Bungalow
Tyers Hill Cotts
Lees Hill
Wood Laithes Farm
S71
EDDERTHORPE
ARDSLEY
Barnsley Crematorium
Hotel
Yew Plantation
Cranford Hall
New Hall Farm
Low Laithes
LOW LAITHES VILLAGE
DARFIELD
Open Space
Playing Field
Upperwood Hall
A628
A6195
A635
CUDWORTH PARKWAY
ENGINE LANE
PARK SPRING
DONCASTER ROAD
SALTERSBROOK ROAD
BARNSLEY ROAD
STORRS MILL LANE
CROOK HOUSE LANE
PRIEST CROFT LANE
NEW HALL LANE
WATERING LANE
MUCKY LANE
LUND LANE
FERRY MOOR LANE
DEEPCAR LA.
RIVER
Small Bridge Dike
Tipside Farm
Crowick Ho.
Home Farm
Grimethorpe Hall
Tennis Courts
Factory
Wks.
Stadium
Playing Field
Ardsley Tunnel

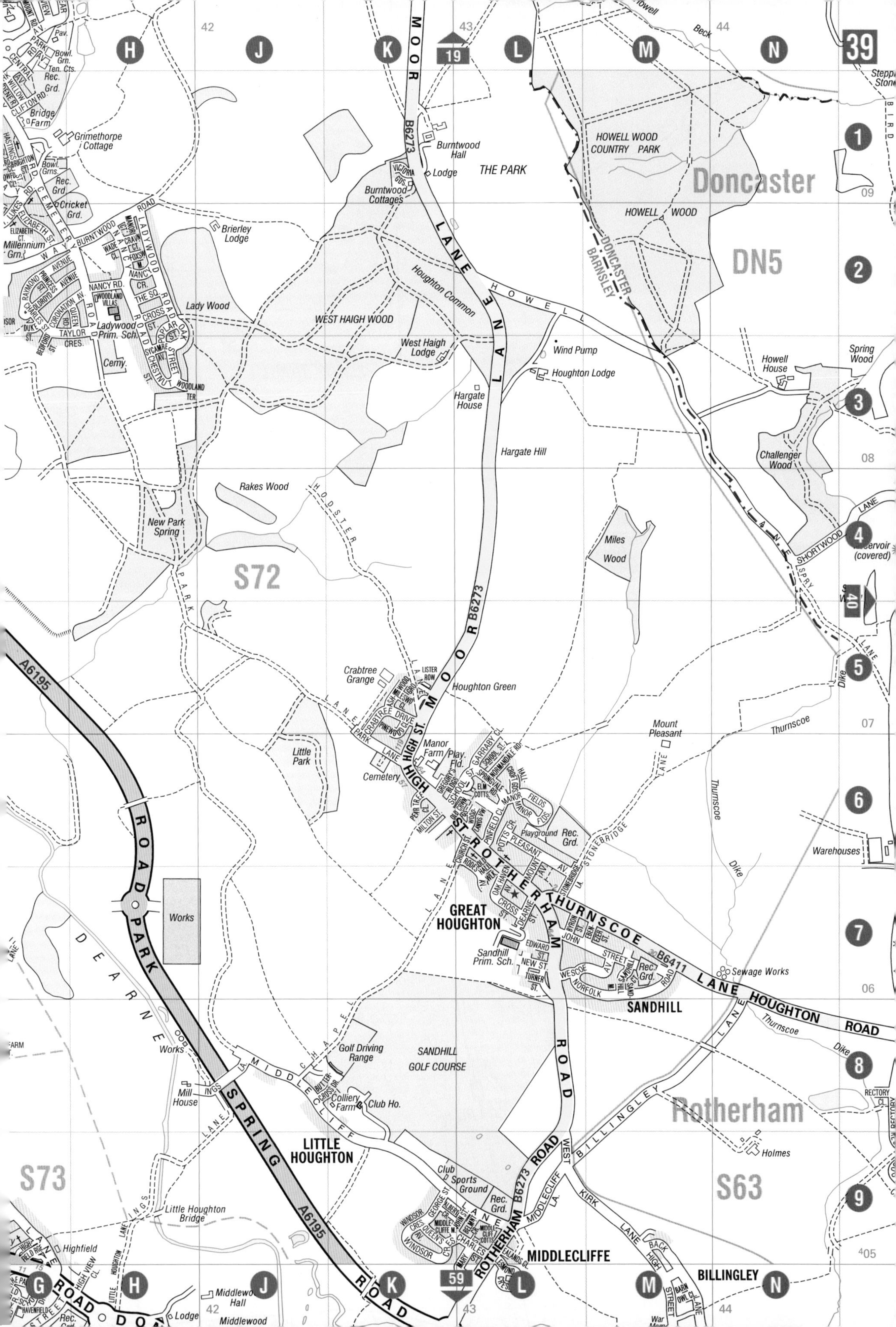
39
H
J
K
L
M
N
G
42
43
44
19
59
40
1
2
3
4
5
6
7
8
9
09
08
07
06
405
Doncaster
DN5
Rotherham
S72
S73
S63
HOWELL WOOD
COUNTRY PARK
HOWELL WOOD
DONCASTER
BARNSLEY
Beck
Stepp Stone
Burntwood Hall
Lodge
THE PARK
Burntwood Cottages
Grimethorpe Cottage
Bridge Farm
Rec. Grd.
Cricket Grd.
Bowl. Grn.
Ten. Cts.
Pav.
Millennium Grn.
Brierley Lodge
Lady Wood
Ladywood Prim. Sch.
Cemy.
WOODLAND VILLAS
WOODLAND TER.
BURNTWOOD ROAD
LADYWOOD ROAD
NANCY RD.
TAYLOR CRES.
CORONATION AV.
Houghton Common
WEST HAIGH WOOD
West Haigh Lodge
MOOR LANE
B6273
HOWELL LANE
Wind Pump
Houghton Lodge
Hargate House
Hargate Hill
Howell House
Spring Wood
Challenger Wood
SHORTWOOD LANE
Reservoir (covered)
SPRY LANE
Rakes Wood
HODSTER
New Park Spring
PARK
Miles Wood
A6195
Crabtree Grange
LISTER ROW
Houghton Green
PARK LANE
HIGH ST.
Manor Farm
Play. Fld.
Cemetery
Little Park
Mount Pleasant
Thurnscoe
Thurnscoe Dike
Warehouses
Playground
Rec. Grd.
STONEBRIDGE LA.
ROTHERHAM ROAD
THURNSCOE LANE
B6411
GREAT HOUGHTON
Sandhill Prim. Sch.
SANDHILL
Sewage Works
HOUGHTON ROAD
Works
PARK ROAD
DEARNE
SPRING ROAD
Works
Mill House
INGS LANE
MIDDLECLIFF LANE
CHAPEL LANE
Golf Driving Range
SANDHILL GOLF COURSE
Colliery Farm
Club Ho.
LITTLE HOUGHTON
Club
Sports Ground
Rec. Grd.
ROTHERHAM ROAD
MIDDLECLIFF LA.
WEST
BILLINGLEY LANE
Holmes
KIRK LANE
BACK LANE
HIGH STREET
MIDDLECLIFFE
BILLINGLEY
Little Houghton Bridge
Highfield
HIGH VIEW CL.
Middlewood Hall
Lodge
Middlewood
ROAD
RECTORY CL.

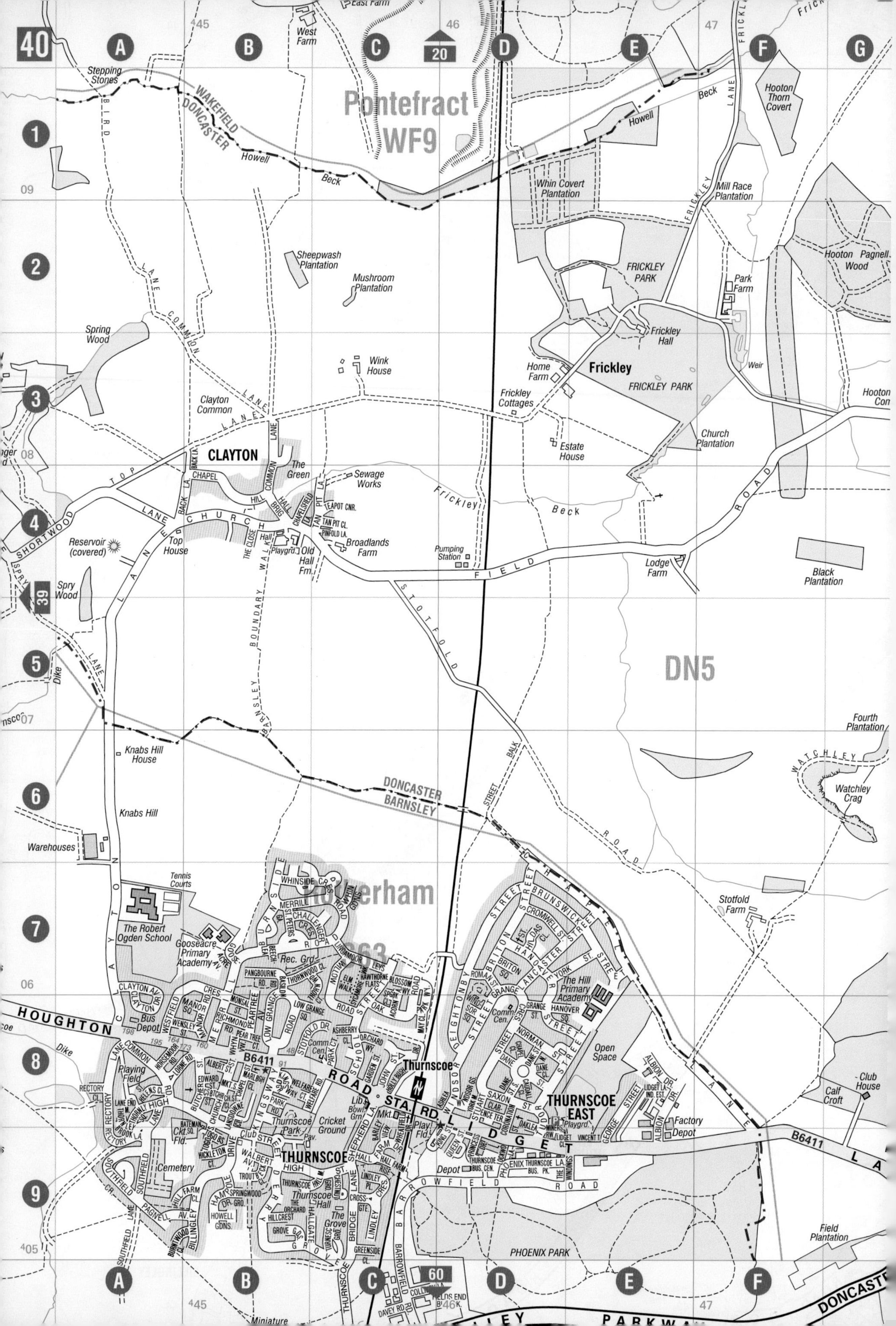
Pontefract
WF9
DN5
Rotherham
S63
Stepping Stones
West Farm
Wakefield
Doncaster
Barnsley
Howell Beck
Bird Lane
Common Lane
Sheepwash Plantation
Mushroom Plantation
Spring Wood
Wink House
Clayton Common
Clayton
The Green
Sewage Works
Top House
Reservoir (covered)
Spry Wood
Old Hall Fm.
Broadlands Farm
Pumping Station
Field Road
Stotfold Road
Barnsley Boundary Walk
Shortwood Top Lane
Church Lane
Chapel Hill
Back La.
Tan Pit La.
Teapot Cnr.
Tan Pit Cl.
Pinfold La.
Chapelsfield
Hall Brig
The Close
Whin Covert Plantation
Mill Race Plantation
Frickley Lane
Frickley Park
Frickley Hall
Frickley
Home Farm
Frickley Cottages
Estate House
Church Plantation
Frickley Beck
Lodge Farm
Black Plantation
Hooton Thorn Covert
Hooton Pagnell Wood
Park Farm
Weir
Fourth Plantation
Watchley Lane
Watchley Crag
Street Balk
Stotfold Farm
Knabs Hill House
Knabs Hill
Warehouses
Tennis Courts
The Robert Ogden School
Goosacre Primary Academy
Clayton Lane
Houghton Road
Dike
Bus Depot
Playing Field
Rectory Cl.
Cemetery
Southfield Lane
Pagnell Av.
Billingley
Howell Gdns.
Springwood
Hill Farm Cl.
Hickleton Cl.
Kingsway
Thurnscoe
Thurnscoe Park
Cricket Ground
Thurnscoe Hall
The Grove
High Street
Houghton Road
B6411
Station Road
Lidget Lane
Mkt.
Lib.
Bowl. Grn.
Rec. Grd.
Whinside Cres.
Merrill
Challenger Cres.
Pangbourne Rd.
Thornwood Cl.
Low Grange Sq.
Stotfold Dr.
Comm. Cen.
Thurnscoe East
The Hill Primary Academy
Open Space
Brunswick St.
Cromwell St.
Lancaster St.
York St.
Briton Sq.
Hanover Sq.
Windsor St.
Leightonby
Saxon St.
Dane St.
Norman St.
Factory Depot
Albion Dr.
Lidget Ind. Est.
Thurnscoe Bus. Pk.
Phoenix Park
Barrowfield Road
Depot
Club House
Calf Croft
Field Plantation
Doncaster
Greenside Cl.
Hillcrest
Bridge
Lindley Cres.
Grove
Hallgate
Davey Rd.
Fields End
Miniature
Parkway
Lane
445
46
47
09
08
07
06
405
20
39
60

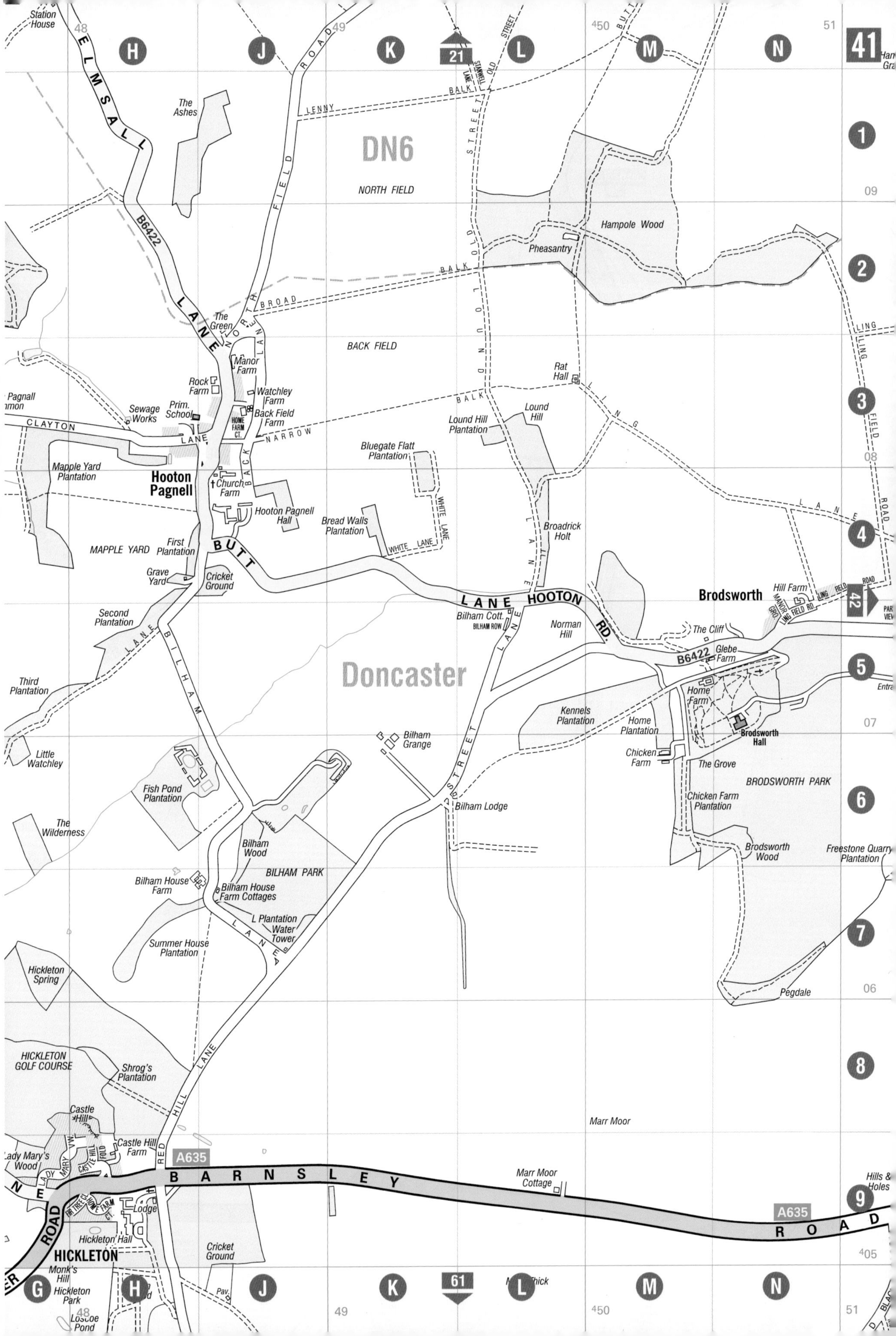
DN6
NORTH FIELD
Doncaster
Hooton Pagnell
Brodsworth
HICKLETON
The Ashes
Hampole Wood
Pheasantry
BACK FIELD
Rat Hall
Lound Hill Plantation
Lound Hill
Bluegate Flatt Plantation
Manor Farm
Rock Farm
Watchley Farm
Back Field Farm
Sewage Works
Prim. School
Mapple Yard Plantation
Church Farm
Hooton Pagnell Hall
Bread Walls Plantation
Broadrick Holt
MAPPLE YARD
First Plantation
Grave Yard
Cricket Ground
Second Plantation
Third Plantation
Little Watchley
Fish Pond Plantation
The Wilderness
Bilham Cott.
Norman Hill
The Cliff
Glebe Farm
Hill Farm
Home Farm
Kennels Plantation
Home Plantation
Chicken Farm
Brodsworth Hall
The Grove
BRODSWORTH PARK
Chicken Farm Plantation
Bilham Grange
Bilham Lodge
Bilham Wood
BILHAM PARK
Bilham House Farm
Bilham House Farm Cottages
L Plantation
Water Tower
Summer House Plantation
Brodsworth Wood
Freestone Quarry Plantation
Pegdale
Hickleton Spring
HICKLETON GOLF COURSE
Shrog's Plantation
Castle Hill
Castle Hill Farm
Lady Mary's Wood
Marr Moor
Marr Moor Cottage
Hills & Holes
Lodge
Hickleton Hall
Cricket Ground
Monk's Hill
Hickleton Park
Loscoe Pond
Station House
ELMSALL LANE
B6422
NORTH FIELD ROAD
LENNY BALK
STANWELL LANE
OLD STREET
BROAD BALK
BACK LANE
NORTH LANE
CLAYTON LANE
NARROW BALK
LING LANE
LING FIELD ROAD
WHITE LANE
BUTT LANE
HOOTON ROAD
LOUND LANE
BILHAM LANE
BILHAM ROW
STREET LANE
RED HILL LANE
A635
BARNSLEY ROAD
MANOR GRO.
LING FIELD RD.
21
42
61
H J K L M N
G H J K L M N
1 2 3 4 5 6 7 8 9
48 49 450 51
09 08 07 06 405

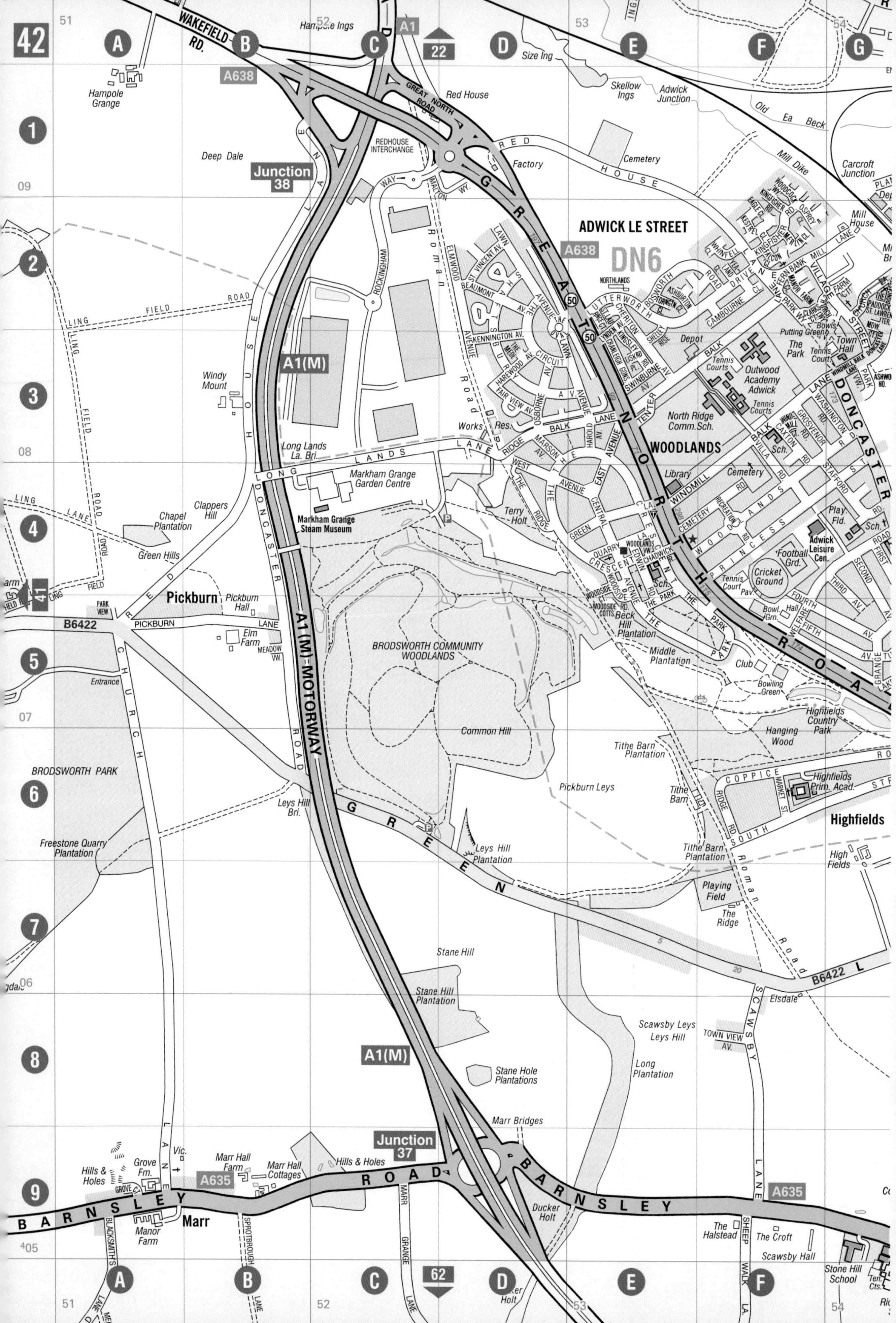

WAKEFIELD RD.
A638
A1
22
Hampole Ings
Hampole Grange
Size Ing
Skellow Ings
Adwick Junction
Old Ea Beck
Red House
GREAT NORTH ROAD
REDHOUSE INTERCHANGE
Junction 38
Deep Dale
Cemetery
Factory
RED HOUSE
Mill Dike
Carcroft Junction
ADWICK LE STREET
DN6
A638
Mill House
LING FIELD ROAD
A1(M)
Windy Mount
Outwood Academy Adwick
North Ridge Comm.Sch.
WOODLANDS
Library
Cemetery
Depot
The Park
Town Hall
DONCASTER
Long Lands La. Bri.
LONG LANDS LANE
Markham Grange Garden Centre
Markham Grange Steam Museum
Clappers Hill
Chapel Plantation
Terry Holt
Green Hills
Pickburn
Pickburn Hall
PICKBURN LANE
B6422
Elm Farm
Football Grd.
Cricket Ground
Adwick Leisure Cen.
BRODSWORTH COMMUNITY WOODLANDS
A1(M) MOTORWAY
Beck Hill Plantation
Middle Plantation
Club
Bowling Green
Highfields Country Park
Hanging Wood
Common Hill
Tithe Barn Plantation
BRODSWORTH PARK
Pickburn Leys
Tithe Barn
Highfields Prim. Acad.
Highfields
Leys Hill Bri.
GREEN
Leys Hill Plantation
Freestone Quarry Plantation
Tithe Barn Plantation
High Fields
Playing Field
The Ridge
Roman Road
Stane Hill
Stane Hill Plantation
B6422
Elsdale
Scawsby Leys Leys Hill
TOWN VIEW AV.
Long Plantation
A1(M)
Stane Hole Plantations
Marr Bridges
Junction 37
Hills & Holes
Grove Fm.
Marr Hall Farm
Marr Hall Cottages
A635
BARNSLEY ROAD
BARNSLEY
Marr
Manor Farm
Ducker Holt
The Halstead
The Croft
Scawsby Hall
Stone Hill School
62

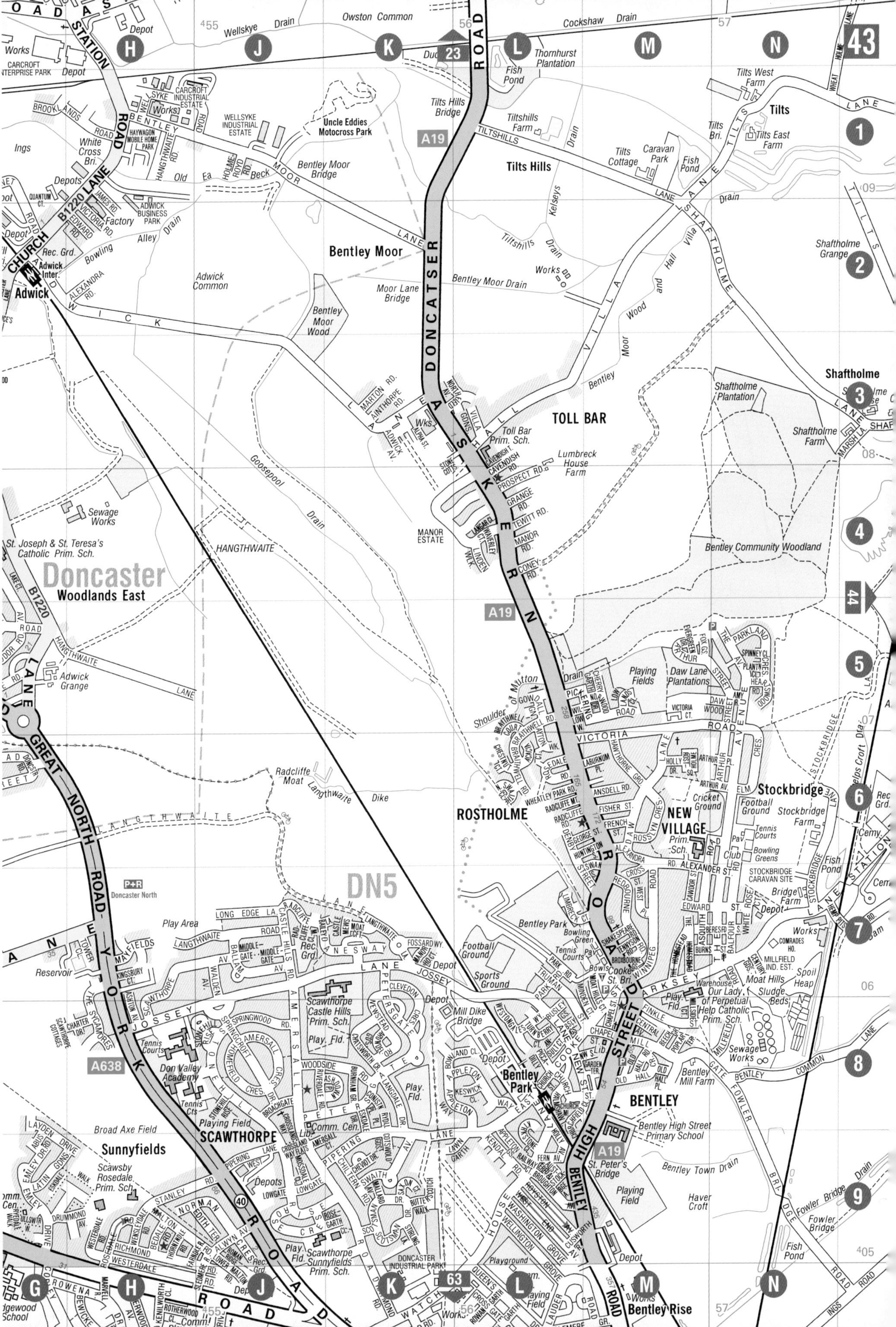
Doncaster
DN5
Bentley Moor
TOLL BAR
ROSTHOLME
NEW VILLAGE
Stockbridge
BENTLEY
SCAWTHORPE
Sunnyfields
Woodlands East
Adwick
Tilts
Tilts Hills
Shaftholme
Bentley Rise
Bentley Park
Carcroft Enterprise Park
Carcroft Industrial Estate
Wellsyke Industrial Estate
Adwick Business Park
Uncle Eddies Motocross Park
Bentley Community Woodland
Doncaster Industrial Park
Manor Estate
Doncaster North
Don Valley Academy
Scawthorpe Castle Hills Prim. Sch.
Scawthorpe Sunnyfields Prim. Sch.
Scawsby Rosedale Prim. Sch.
Bentley High Street Primary School
Our Lady of Perpetual Help Catholic Prim. Sch.
St. Joseph & St. Teresa's Catholic Prim. Sch.
Toll Bar Prim. Sch.
Doncaster Road
Askern Road
Great North Road
York Road
High Street
A19
A638
B1220
23
63
44

Thorpe Marsh
Power Station
Settling Ponds
Spoil Heap
Thorpemere Pond
Thorpe Marsh Nature Reserve
Smallholme
Cockshaw
Cockshaw Bridge
Applehurst
Railway Pond
Reedholme
Smallholme and Tilts Drain
Norwood
Thorpe Marsh Drain
Shaftholme Grange
Carr Gap
Fox Covert
Shaftholme
Shaftholme House
Cottage Farm
Shaftholme Farm
ALMHOLME
White House Farm
Almholme House
Almholme Field
Norwood and Sandall Nooking Drain
Hurst Pit Drain
Grumble Hurst
Grumble Hurst Bridge
Long Sandall Ings
ALMHOLME CARR
Doncaster
Shaftholme Field
Wood Field
Willow Garth Fishing Pond
WITTSEND PARK CARAVAN SITE
DN5
ARKSEY COMMON
Almholme Ings
Round About Moat
Arksey Hall
ARKSEY
Stockbridge
Rec. Grd.
Cemy.
Fish Pond
Cemetery
Arksey Prim. Sch.
Dam Hill
Mastall
Arksey Ings
Dock Hills
Common Lane Bridge
Bentley Common
RIVER DON
SHEFFIELD & SOUTH YORKSHIRE NAVIGATION
Sewage Works
Sludge Beds
Factories
Long Sandall
Works
Warehouse
Curlew Centre
LITTLE LANE INDUSTRIAL ESTATE
WHEATLEY HALL ROAD
A630
DN2
Wheatley Park
Gala Bingo Club
Goals Soccer Centre
Kingfisher Prim. Sch.
Sports Ground
Bowling Green
Miniature Golf Course
Sandall Park
Boating Lake
LEGER WAY
A18
WHEATLEY HILLS
Bentley Ings
Pumping Station
Fowler Bridge
Bentley Junction
INGS ROAD

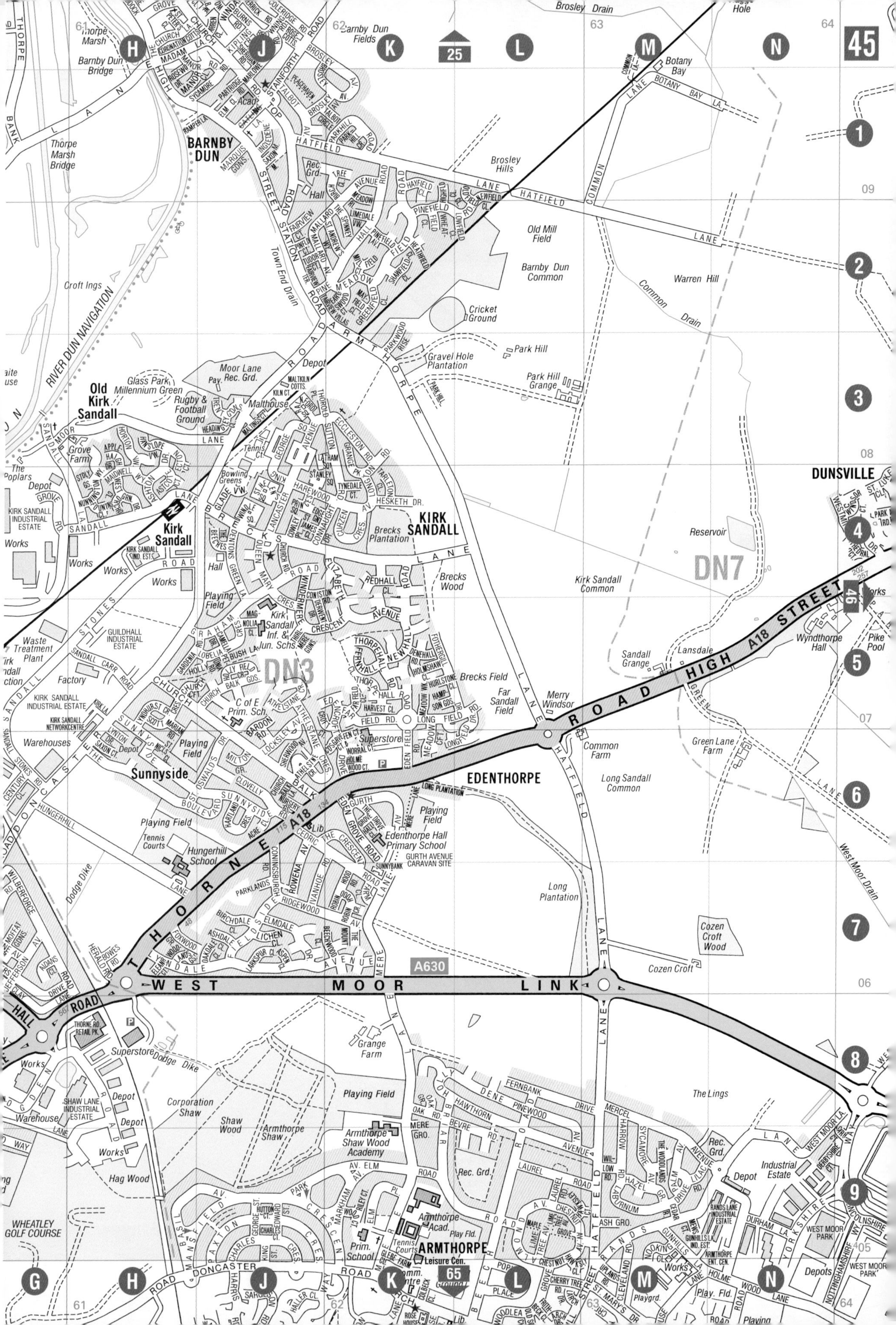
BARNBY DUN
Old Kirk Sandall
Kirk Sandall
KIRK SANDALL
DN3
DN7
DUNSVILLE
EDENTHORPE
Sunnyside
ARMTHORPE
WEST MOOR LINK
A630
THORNE ROAD A18
HIGH STREET A18
RIVER DUN NAVIGATION
Barnby Dun Common
Kirk Sandall Common
Long Sandall Common
WHEATLEY GOLF COURSE
Hag Wood
Corporation Shaw
Shaw Wood
Armthorpe Shaw
Brecks Wood
Brecks Plantation
Long Plantation
Cozen Croft Wood
The Lings
Industrial Estate
West Moor Drain
25
65
46

THE PARKS
Brightside Manor Farm
Parks Farm
Middle Parks Farm
DUNSCROFT
Playing Fields
Ash Hill Academy
Coppice Sch.
Sheep Dip Lane Prim. School
HATFIELD
Manor House
Southview Stud
Cricket Ground
Bow House
The Park
The Leylands
New Mill Field
Old Mill Field
Cemetery
Subway
Tower House
The Lings
Lings Hill Farm
Mill Hill
Fairholme
Balk End Farm
Lings Windmill (Disused)
Round Plantation
DN7
DUNSVILLE
Water Tower
Water Works
Lings Plantation
Moor Hills Fm.
West End
Willow Tree Farm
The Homestead
Holly Farm
Hale Hill
Hale Hill Farm
Lings Farm
Bus Depot
SAND PIT
Depot
Brickhill Farm
Carr Side
Parkdale
Carr Side Farm
Warren Farm
Warren Holt
Works
Sheep Cote Well
Wyndthorpe Hall
Pike Pool
Dutch Dike
Rake Bridge Plantation
Moor Hills
Doncaster
Rake Bridge
Waterton Carr
Rake Bank
WEST MOOR
Pilkington's Drain
Brick Hill Carr
Beech Tree Nurseries
Rake Bank Drain
West Moor Drain
The Huggins
Low Grounds
Low Grounds Farm
Huggin Carr Drain
Holme Wood
LOW GROUNDS OR HUGGIN CARR
West Moor Farm
Holme House Farm
Holme Wood Grange
Holmewood Mink Farm
DN3
Holmewood Piggeries
Diggin Dyke
Huggin Carr
Holme Wood
Greenlands
Distribution Centre
Junction 4
Sparrington Farm
Depots
WEST MOOR PARK
Reservoir
The Pieces
M18 MOTORWAY
A630
A18
HIGH STREET
DONCASTER ROAD
MANOR ROAD
EPWORTH ROAD
THORNE RD.
WOODHOUSE LANE
MOSSCROFT LANE
ANCIENT LANE
WOOD LANE
GREEN LANE
WEST MOOR LANE
RAKE LANE
BRIDGE LANE
HOLME WOOD LANE
WOOD LANE
HIGH ST.
26
45
66

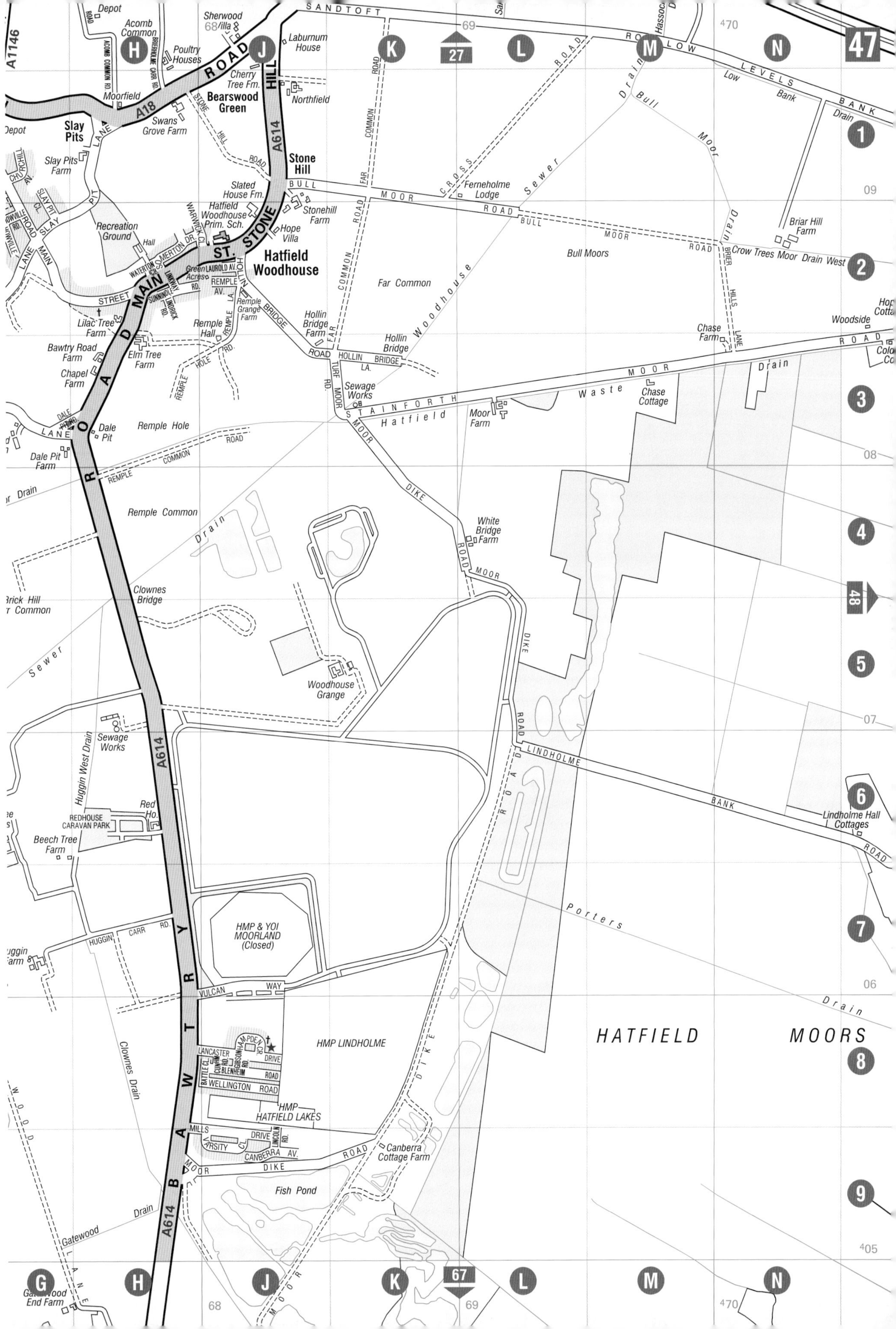

47
27
67
48
H
J
K
L
M
N
G
1
2
3
4
5
6
7
8
9
68
69
470
09
08
07
06
405
A1146
A18
A614
SANDTOFT ROAD
LOW LEVELS BANK
Low Bank
Bull Moor Drain
Depot
Acomb Common
Sherwood Villa
Poultry Houses
Laburnum House
Cherry Tree Fm.
Northfield
Bearswood Green
Moorfield
Slay Pits
Swans Grove Farm
Slay Pits Farm
STONE HILL ROAD
Stone Hill
HILL
FAR COMMON ROAD
CROSS ROAD
Ferneholme Lodge
Sewer
BULL MOOR ROAD
Slated House Fm.
Hatfield Woodhouse Prim. Sch.
Stonehill Farm
Hope Villa
Recreation Ground
Hall
Hatfield Woodhouse
MAIN ST.
STONE
Bull Moors
Briar Hill Farm
Crow Trees Moor Drain West
BRIER HILLS LANE
Far Common
Woodhouse
HOLLIN BRIDGE
Hollin Bridge Farm
Hollin Bridge
HOLLIN BRIDGE LA.
Remple Grange Farm
Remple Hall
REMPLE LA.
STREET
Lilac Tree Farm
Bawtry Road Farm
Elm Tree Farm
Chapel Farm
Chase Farm
Woodside
MOOR ROAD
Drain
Chase Cottage
Waste
Hatfield
STAINFORTH
Moor Farm
Sewage Works
TURF MOOR RD.
Dale Pit
Dale Pit Farm
DALE LANE
Remple Hole
REMPLE COMMON ROAD
Remple Common
MOOR DIKE ROAD
White Bridge Farm
Clownes Bridge
Brick Hill Common
Woodhouse Grange
LINDHOLME BANK ROAD
Lindholme Hall Cottages
Sewage Works
Huggin West Drain
Red Ho.
REDHOUSE CARAVAN PARK
Beech Tree Farm
Porters Drain
HUGGIN CARR RD.
Huggin Farm
HMP & YOI MOORLAND (Closed)
VULCAN WAY
HATFIELD MOORS
HMP LINDHOLME
LANCASTER DRIVE
WELLINGTON ROAD
HMP HATFIELD LAKES
MILLS DRIVE
VARSITY CL.
CANBERRA AV.
LINCOLN RD.
Canberra Cottage Farm
Clownes Drain
MOOR DIKE ROAD
Fish Pond
Gatewood Drain
WOOD LANE
Gatewood End Farm
BAWTRY ROAD

Crow Tree Farm
Elder Gates Farm
Elder Glen Farm
28
M180
M180 MOTORWAY
HIGH LEV
Hatfield Chase
Plains House Farm
PLAINS
Severals Cottage
LOW LEVELS BANK
Low Levels Bank
CROW TREE BANK
LOW LEVELS
Brier Hills
Briar Hill Farm
Crow Trees Moor Drain West
MOOR LANE
Hope Cottage
Green Trees Stables
Woodside
STAINFORTH
Coldstream Cottage
Works
Crow Trees Moor Drain East
MOOR ROAD
Willstan Farm
Holme Farm
Goodcop Cottage
Anchor Drain
Briars Farm
Dendaric
Goodcop Farm
Goodcop Pumping Station
PLAINS LANE
Low Bank Pumping Station
Willow Lodge Farm
Drain
Lindholme Grange Cottages
HATFIELD ROAD
Hatfield Waste
LOW LEV
Lindholme Grange Farm
Waste Drain
Old Catline Drain
Selby Farm
New Ca
DN7
DONCASTER
NORTH LINCOLNSHIRE
Don Farm
WEST
Lindholme Hall Cottages
LINDHOLME BANK RD
LINDHOLME BANK ROAD
Lindholme Hall
Lindholme Lake
ROE CARR
HATFIELD MOORS
Porters Drain
47
A B C D E F G
1 2 3 4 5 6 7 8 9
71 72 73
09 08 07 06 405

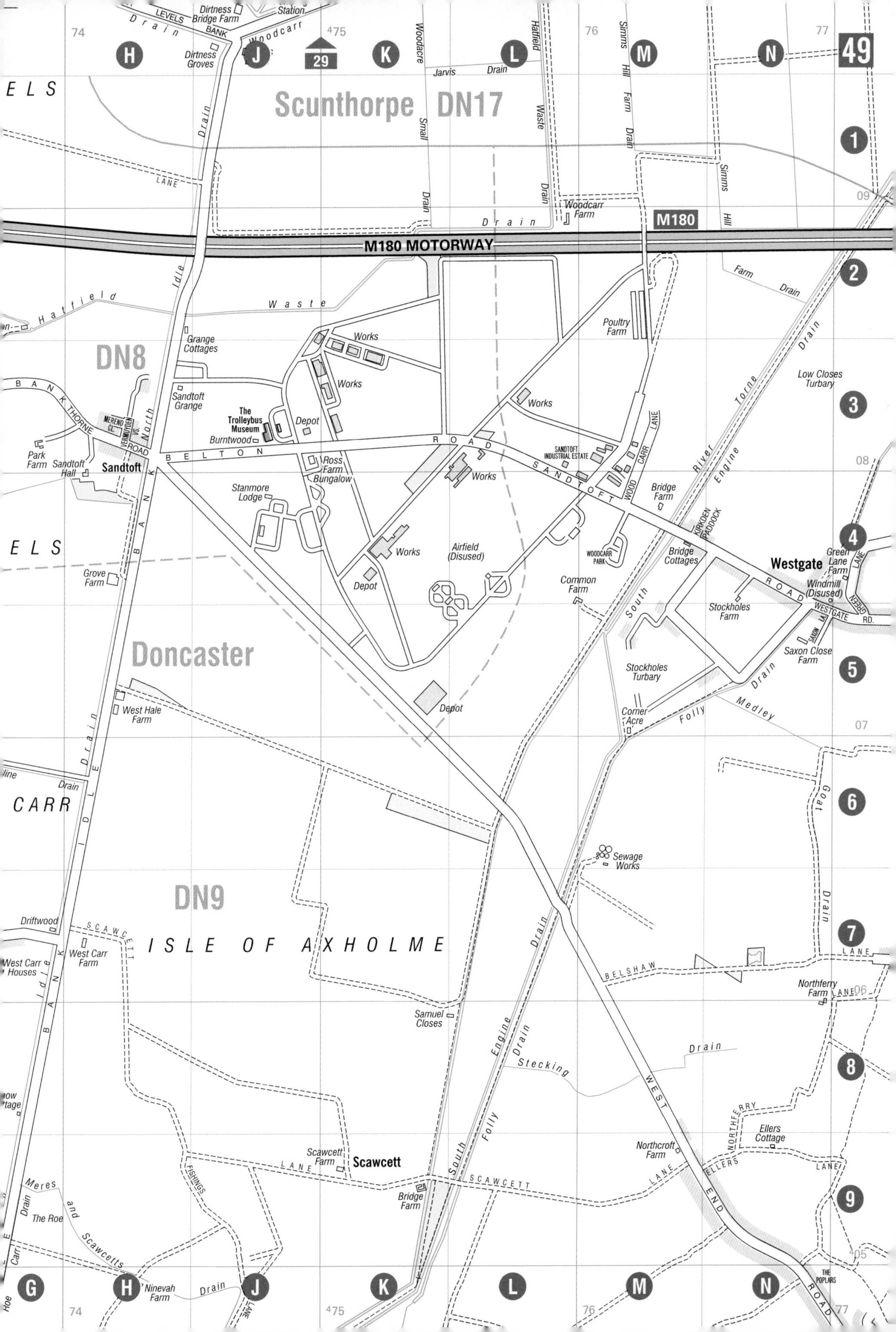

Scunthorpe DN17
DN8
Doncaster
DN9
ISLE OF AXHOLME
M180 MOTORWAY
M180
29
Sandtoft
Westgate
Scawcett
The Trolleybus Museum
Airfield (Disused)
Sandtoft Industrial Estate
Belton Road
Sandtoft Road
Westgate Rd.
Works
Depot
Poultry Farm
Grange Cottages
Sandtoft Grange
Burntwood
Ross Farm Bungalow
Stanmore Lodge
Park Farm
Sandtoft Hall
Grove Farm
West Hale Farm
Bridge Farm
Bridge Cottages
Common Farm
Stockholes Farm
Stockholes Turbary
Corner Acre
Low Closes Turbary
Green Lane Farm
Windmill (Disused)
Saxon Close Farm
Sewage Works
Samuel Closes
Scawcett Farm
Northcroft Farm
Ellers Cottage
Northferry Farm
West Carr Farm
West Carr Houses
Driftwood
The Roe
Ninevah Farm
Dirtness Bridge Farm
Dirtness Groves
Woodcarr Farm
Belshaw Lane
Scawcett Lane
West End Road
Idle Bank
River Torne
Engine Drain
South Folly Drain
Stecking Drain
Medley Drain
Hatfield Waste
Jarvis Drain
Bank Thorne Road
Wood Carr Lane
Woodcarr Park
Kirkden Paddock
Green Lane
Saxon Way
Merend Cl.
Vermuyden Vs.
The Poplars
Fishings
Meres and Scawcetts Drain
Carr
H J K L M N G
1 2 3 4 5 6 7 8 9
74 475 76 77 09 08 07 06 05

50

A B C D E F G

12 RAMSDEN 13 WHITEGATE 14 15

Moorside

Hade Edge

GREEN ABBEY ROAD DUNFORD ROAD SNITTLE

Copthurst Moor

30

Red Clough

Hades

Daisy Lee Moor

1 405 Riding Wood Reservoir

Ramsden Edge

Crossley's Plantaion

Peat Pit Moss

Hades Green

Ellentree Brow

ROUND CLOSE ROAD BARE BONES ROAD DUNFORD ROAD FLIGHT

Snittlegate

2 Green House Hey Wood

Hades Peat Pits

LINSHAWS ROAD

Cook's Study Hill

Linshaws Scar

Junction House

Holmfirth

04 The Rakes

Elbow End

KIRKLEES BARNSLEY

Cook's Study Moss

Snailsden Reservoir

HD9

Harden Clough

3 Ramsden Rocks

Ruddle Clough

Reaps Dike

Upper Snailsden Moss

Harden Reservoir

Ramsden Clough

Ruddle Clough Knoll

Reaps Moss

Snailsden Pike End

Lower Snailsden Moss

Black Hill

4 Lad Clough Knoll

Lad Clough

Snailsden Edge

Snailsden

Wetshaw Edge

Swiner Clough Top

Laund Moss

03 Bailie Causeway Moss

Swiner Dike

Little Shepherd's Castle

Booth Hill Flat

Booth Hill

5 Great Grains

Swiner Clough

Swiner Clough Moss

Don Well

Ford

Dearden Foot Plantation

WINSCAR RESERVOIR

River Don

Grains End

6 Withens Edge

Great Grains Clough

Great Grains Clough

Black Grough

Little Grain Clough

Lower Dead Edge

Pennine Sailing Club

Shepley Ings

02 Grains Moss

Dead Edge Flat

PEAK DISTRICT NATIONAL PARK

Lower Grip Hill

Dunford Brid Picnic Site

7 Dead Edge End

BARNSLEY HIGH PEAK

Upper Dead Edge

Dead Edge Moss

Upper Grip Hill

Wike Head

Dearden Clough

Dearden Moss

Smallden Clough

Bagshaw Ridge

Windle Edge

Windle

Cat Clough

8 Upper Head Moss

Upper Head

Woodhead Tunnel (Disused)

WINDLE

Hyde

01 Red Hole

Upper Wind Reservo

SK14

Upper Head Dike

Smallden Clough Head

Salter's Brook

Wike

Wike Edge

Windleden Edge

9 Round Hill

Longside Moss

A628

Broad Clough

Brown's Clough

Gallows Moss

Uppermost Clough

Woodland Clough

A B C **68** D E F

Netherhead Clough

Salter's Brook Moss

iddlers Green

12 13 Clough 14 415

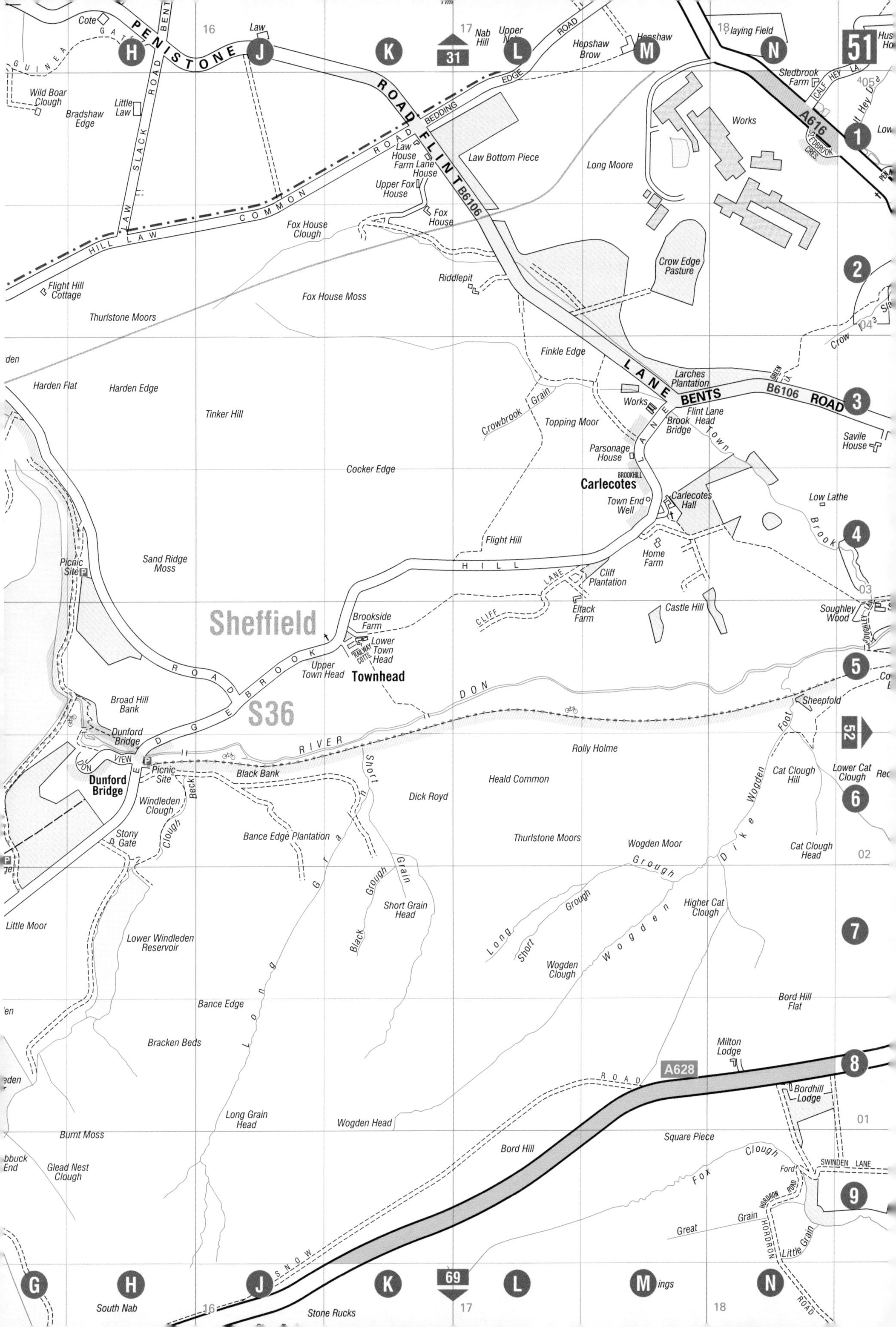
Cote
Penistone Road
Law
Nab Hill
Upper Nab
Hepshaw Brow
Hepshaw
Playing Field
Sledbrook Farm
Calf Hey La.
A616
Wild Boar Clough
Bradshaw Edge
Little Law
Slack Road
Bedding Edge
Flint Road
B6106
Law House Farm
Lane House
Upper Fox House
Fox House
Law Bottom Piece
Long Moore
Works
Hill Law Common Road
Fox House Clough
Riddlepit
Crow Edge Pasture
Flight Hill Cottage
Fox House Moss
Thurlstone Moors
Finkle Edge
Harden Flat
Harden Edge
Larches Plantation
Bents Lane
B6106 Road
Tinker Hill
Crowbrook Grain
Topping Moor
Flint Lane Head
Brook Bridge
Town
Savile House
Parsonage House
Cocker Edge
Carlecotes
Town End Well
Carlecotes Hall
Low Lathe
Brook
Flight Hill
Home Farm
Picnic Site
Sand Ridge Moss
Hill
Cliff Plantation
Cliff Lane
Eltack Farm
Castle Hill
Soughley Wood
Sheffield
Brookside Farm
Lower Town Head
Railway Cotts
Upper Town Head
Townhead
Road
Don
Broad Hill Bank
S36
Sheepfold
Dunford Bridge
Edge Road
River
Rolly Holme
Don View
Picnic Site
Black Bank
Short Grain
Foot
Wogden
Cat Clough Hill
Lower Cat Clough
Dunford Bridge
Windleden Clough
Beck
Dick Royd
Heald Common
Stony Gate
Clough
Bance Edge Plantation
Thurlstone Moors
Wogden Moor
Dike
Cat Clough Head
Grough
Grain
Black Grough
Short Grain Head
Higher Cat Clough
Little Moor
Long Grain
Long Grough
Short Grough
Wogden Clough
Wogden
Lower Windleden Reservoir
Bance Edge
Bord Hill Flat
Bracken Beds
Milton Lodge
A628
Road
Bordhill Lodge
Long Grain Head
Wogden Head
Burnt Moss
Bord Hill
Square Piece
Clough
Fox
Swinden Lane
Ford
Glead Nest Clough
Hordron Road
Great Grain
Little Grain
Snow Road
South Nab
Stone Rucks
31
52
69
16
17
18
01
02
03
04
05

32
51
70
PEAK DISTRICT NATIONAL PARK
Crow Edge
Flouch
Ecklands
Langsett
WHAMS ROAD
A616
A628
B6106
BENTS ROAD
LEE LANE
MANCHESTER ROAD
WHITLEY
SPICER HOUSE ROAD
ROYD LANE
Husking House
Lower Whitley
Upper Whitley Edge
Lower Whitley Edge
Whitley Height
Poultry Houses
Spicer Hill
Annat Royd Farm
Royd Moor Plantation
Windfarm
Calf Hey Dike
Works
Crow Edge
Lower Whitley Farm
Ivy House
Lumb Hills
Shiner Hill
Kiln Hill
Middle Cliff
Small Shaw Bank
Eagle Nest
Whitley House
Upper Shaw Bank
The Lanes
Small Shaw
Carr House Bank
Royd Moor Hill
Carr House
Sewage Works
Middlecliffe Wood
Sledbrook Hill
Bents Farm
Bents Common
Opencast Workings
Illions
Flash House Farm
The Knoll
Royd
Savile House
Sledbrook Bridge
Hall Gates
Copperas House
Catshaw Cross Farm
Works
Rough Brow
Hillside
Moorland View
Low Lathe
Hazlehead House
Catshaw Green Cottage
Catshaw House
Southways
Hazlehead Hall
Hazlehead Bridge
Bullhouse Mill
Corn Mill
Soughley Wood
Soughley
Bracken Wood
Well Spring Holme Wood
Ranah Cote
Ranah
Bullhouse Bridge
Bullhouse Hall Farm
Cote Bank Bridge
Ranah Stones
Bullhouse Hall
Warren House
Ecklands Small Farm
Sheepfold
Works
Ecklands Little Farm
Low Moor Ridge
Ranah Stones Farm
Lower Cat Clough
Reddishaw Knoll
Low Moor
Cranberry Holes
Liley Farmhouse
Works
School Wells
Cat Clough
Pennine View
Green House
Moor Royd
Bank Bottom
Reddishaw Knoll Plantation
Heather Cottages
Fullshaw Farm
Fullshaw Cross Farm
Mary Knoll
Mary Knoll Plantation
Flouch Farm
White Cottages
Acre Head
Swinden Wells
Fullshaw Cross
Daisy House
The Bungalow
Paw Hill Cottage
Paw Hill
Cote
Park Gate
Daisy Ley Hill
Bordhill Lodge
Far Swinden
Fullshaw
Field House
Cliff View
Moor View Farm
Brown's Edge
Crookland Wood
Swinden
Swinden Lodge
Hoodlands
Gilbert Hill
BARNSLEY
SHEFFIELD
Brook House Bridge
Brook House Bank
How Rocher
Fox Holes
Langsett House
Lodge
Water Works
Weirs
Hingcliff Scar
Delf Edge
Little Grain
Bord Hill Flat
Bridge Lane Brook
The Bungalow
Ochre

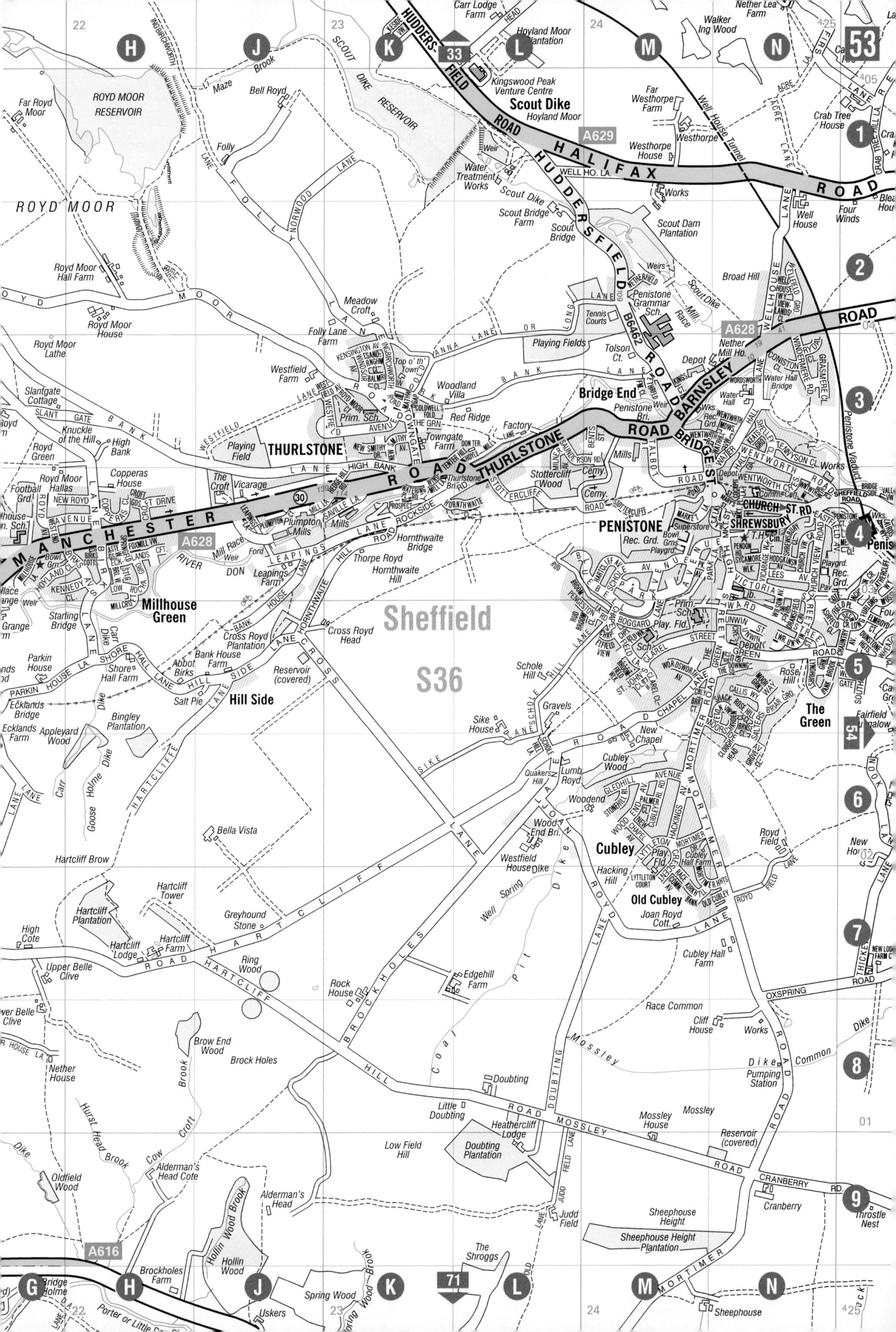

ROYD MOOR RESERVOIR
ROYD MOOR
SCOUT DIKE RESERVOIR
Scout Dike
Hoyland Moor
Kingswood Peak Venture Centre
HUDDERSFIELD ROAD
HALIFAX ROAD
A629
A628
B6462
MANCHESTER ROAD
THURLSTONE ROAD
BARNSLEY ROAD
THURLSTONE
Millhouse Green
PENISTONE
Bridge End
Sheffield
S36
Hill Side
Cubley
Old Cubley
The Green
Penistone Viaduct
Well House Tunnel
Westhorpe
Far Westhorpe Farm
Westhorpe House
Penistone Grammar Sch.
Playing Fields
Tennis Courts
Nether Mill Ho.
Water Hall Bridge
Four Winds
Well House
Broad Hill
Scout Dam Plantation
Scout Bridge
Scout Bridge Farm
Water Treatment Works
Folly Lane Farm
Meadow Croft
Westfield Farm
Woodland Villa
Red Ridge
Towngate Farm
Top o' th' Town
Royd Moor Hall Farm
Royd Moor House
Royd Moor Lathe
Far Royd Moor
Slantgate Cottage
Knuckle of the Hill
High Bank
Royd Green
Copperas House
Royd Moor Hallas
Football Grd.
Starling Bridge
Parkin House
Shore Hall Farm
Abbot Birks
Salt Pie
Bank House Farm
Cross Royd Plantation
Cross Royd Head
Leapings Farm
Thorpe Royd
Hornthwaite Hill
Hornthwaite Bridge
Plumpton Mills
Saville Mills
Factory
Stottercliffe Wood
Cemy.
Mills
Superstore
Rec. Grd.
Bowl. Grns.
Playgrd.
Play. Fld.
Prim. Sch.
Schole Hill
Gravels
Sike House
New Chapel
Cubley Wood
Lumb Royd
Quakers Hill
Woodend
Wood End Bri.
Westfield House
Hacking Hill
Joan Royd Cott.
Cubley Hall Farm
Rose Hill
Royd Field
Race Common
Cliff House
Works
Dike Pumping Station
Mossley
Mossley House
Reservoir (covered)
Cranberry
Throstle Nest
Sheephouse Height
Sheephouse Height Plantation
Sheephouse
The Shroggs
Judd Field
Doubting
Doubting Plantation
Little Doubting
Heathercliff Lodge
Low Field Hill
Edgehill Farm
Rock House
Ring Wood
Greyhound Stone
Hartcliff Tower
Hartcliff Plantation
Hartcliff Lodge
Hartcliff Farm
High Cote
Upper Belle Clive
Nether House
Brow End Wood
Brock Holes
Oldfield Wood
Alderman's Head Cote
Alderman's Head
Hollin Wood
Brockholes Farm
Bridge Holme
Spring Wood
Uskers
Bella Vista
Hartcliff Brow
Bingley Plantation
Appleyard Wood
Ecklands Bridge
Ecklands Farm
HARTCLIFF ROAD
HARTCLIFF HILL
MOSSLEY ROAD
BROCKHOLES LANE
CROSS LANE
MORTIMER ROAD
OXSPRING ROAD
CRANBERRY RD.
A616
Crab Tree House
Carr Lodge Farm
Hoyland Moor Plantation
Walker Ing Wood
Nether Lea Farm
Bell Royd
Maze
Folly

HOYLANDSWAINE
PENISTONE
OXSPRING
Roughbirchworth
Snowden Hill
Hunshelf
Copster
Four Lane End
Spring Vale
Castle Green
The Green
Sheffield
S36
HALIFAX ROAD
BARNSLEY ROAD
HIGH LEE LANE
OXSPRING LANE
JOCKEY LANE
COPSTER ROAD
THURGOLAND ROAD
SHEFFIELD ROAD
COATES LANE
ROUGHBIRCHWORTH LANE
OXSPRING ROAD
CRANBERRY ROAD
SALTER HILL LANE
BACK LANE
PARK LANE
CROSS LANE
POND COMMON LANE
LONG LANE
A628
A629
B6462
B6449
Hunger Hill
Pinfold Farm
Nook
Green Bottom Farm
Crab Tree House
Crab Tree Hill
Little Royd
Hoyland Swaine Height
Pleasant Rise
Cat Hill Firs
Renald Lane House
The Cottage
Manor House
Fell Lane Farm
Fell Cottage
The Hollies
Oaks Nook
High Field Plantation
Warren Royd
Kine Moor
North Wood
Bleak House
Four Winds
Well House
Briar Cliffe
The Cliffe
Hall Lane Farm
Hall La. Top
Green Top Farm
Bray Wood
Delf House
Delf Wood
Tinker House
Lindley Wood
High Royd Cottages
High Royd Farm
Cliff Plantation
High Lee Farm
Vicar Wood
Lower Storrs Wood
Lower Storrs
Nor Royd Wood
Royd Wood
Gaunt Wood
Shrogg Wood
High Lea Farm
Upper Storrs
Coates Great Wood
Penistone Viaduct
Cricket Ground
Depot
Penistone
Boulder Bridge
Spring Wood
White Field Farm
Clays Wood
Rose Cottage
High Oxspring Farm
Oxspring Tunnel
Tom Hill
Clays Green
Jockey House
Clays House
Far Coates
Wraith House
Jockey Hill
Willow La. Top
Springvale Prim. Sch.
Kirkwood Beck
Kirk Wood
Walk Mill Bank
Works
Wood Bank House
Mills
Kirkwood Bridge
Foundry
Willow Bridge Cottages
Oxspring Viaduct
Willow Bridge
Coates Grn.
Nearcoates Farm
Wayside
The Hawthorns
Manor Ho. (remains of)
Bell Hagg Cottage
Bower Hill
Upper Pickliffes
Bird Lane House
Holmfield
Castle Dike
Shepherd's Castle Farm
Fairfield Bungalow
Castle Hill House
New House Farm
Castle Dam
New House
Oxspring Rocher
Willow Lane Bungalow
Oxspring Croft
Pickliffes Rocher
Lower Pickliffes
Oxspring Bri.
Copster Farm
The Old Barn
Grants Farm
Oxspring Prim. Sch.
Roughbirchworth Lodge
Playing Field
River Don
Sycamore Farm
Norcroft
Westwinds
Thurgoland Bridge
Middle Farm
Roughbirchworth Common
Kon-Tiki
Manor Farm
Birkonbrae
Woodleigh
Tanyard Farm
Rose Cottage
Oil Terminal
Blackmoor Crossing
Common Dike
Roughbirchworth Common
Black Moor
Heath Hall
Cheese Bottom
Sewage Treatment Works
Little Black Moor
Viaduct
Jephroyd Farm
Salter Hill House
Snowden Hill Common
Grudgby Farm
Cloth Hall Farm
Tenter House Farm
Black Moor Common
Pond Common
Throstle Nest
High Wells
Dyson Cote
Chapel Farm
Tenter House
The Outlook
Salter Hill
Salter Hill Plantation
Edgemount
Dean Wood
Mill Race
Weir
Huthwaite Hall Farm
Woodman Farm
Trans Pennine Trail
A B C D E F G
1 2 3 4 5 6 7 8 9
34
53
72

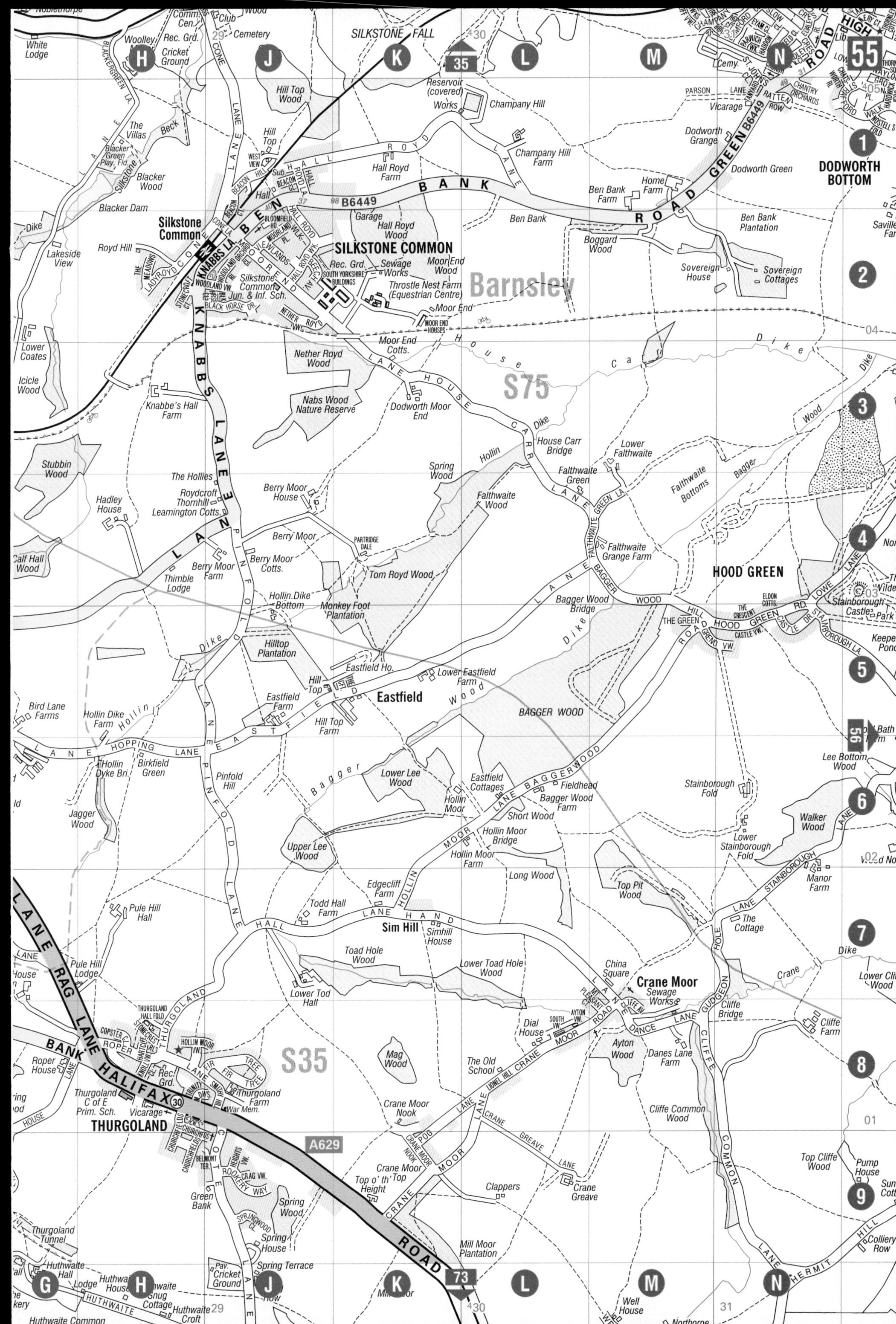
55
35
73
56
Barnsley
S75
S35
SILKSTONE COMMON
Silkstone Common
SILKSTONE FALL
DODWORTH BOTTOM
HOOD GREEN
Eastfield
Crane Moor
THURGOLAND
Sim Hill
BAGGER WOOD
Champany Hill
Champany Hill Farm
Hall Royd Farm
Hall Royd Wood
Hill Top Wood
Nether Royd Wood
Nabs Wood Nature Reserve
Dodworth Moor End
Dodworth Grange
Dodworth Green
Ben Bank Farm
Ben Bank
Ben Bank Plantation
Boggard Wood
Sovereign House
Sovereign Cottages
Throstle Nest Farm (Equestrian Centre)
Moor End Wood
Moor End Cotts.
Lower Coates
Icicle Wood
Knabbe's Hall Farm
Stubbin Wood
Hadley House
Berry Moor House
Berry Moor Farm
Berry Moor Cotts.
Thimble Lodge
Tom Royd Wood
Falthwaite Wood
Falthwaite Green
Falthwaite Grange Farm
Lower Falthwaite
Falthwaite Bottoms
House Carr Bridge
Spring Wood
Monkey Foot Plantation
Hilltop Plantation
Eastfield Farm
Lower Eastfield Farm
Hill Top Farm
Bagger Wood Bridge
Bird Lane Farms
Hollin Dike Farm
Birkfield Green
Pinfold Hill
Lower Lee Wood
Upper Lee Wood
Eastfield Cottages
Fieldhead
Bagger Wood Farm
Short Wood
Hollin Moor Bridge
Hollin Moor Farm
Long Wood
Top Pit Wood
Stainborough Fold
Lower Stainborough Fold
Walker Wood
Lee Bottom Wood
Manor Farm
The Cottage
Jagger Wood
Pule Hill Hall
Pule Hill Lodge
Edgecliff Farm
Todd Hall Farm
Simhill House
Toad Hole Wood
Lower Toad Hole Wood
Lower Tod Hall
China Square
Sewage Works
Cliffe Bridge
Cliffe Farm
Dial House
Ayton Wood
Danes Lane Farm
Cliffe Common Wood
The Old School
Mag Wood
Crane Moor Nook
Crane Moor Top
Top o' th' Top Height
Clappers
Crane Greave
Mill Moor Plantation
Top Cliffe Wood
Pump House
Colliery Row
Well House
Northorpe
Spring Wood
Spring House
Spring Terrace
Green Bank
Thurgoland Tunnel
Huthwaite Hall
Huthwaite Common
Huthwaite Croft
Thurgoland C of E Prim. Sch.
Thurgoland Farm
Roper House
Cricket Ground
Stainborough Castle
Keeper Pond
A629
B6449
HALIFAX ROAD
BANK
ROAD GREEN
BEN BANK
KNABBS LANE
PINFOLD LANE
HOPPING LANE
EASTFIELD
BAGGER WOOD LANE
HOLLIN MOOR LANE
HAND LANE
HALL LANE
CRANE MOOR ROAD
GUDGEON HOLE LANE
CLIFFE COMMON LANE
HERMIT HILL
STAINBOROUGH LANE
HOOD GREEN ROAD
HOUSE CARR LANE
FALTHWAITE GREEN LANE
RAG LANE
THURGOLAND HALL FOLD
White Lodge
Woolley Rec. Grd.
Cricket Ground
Cemetery
The Villas
Blacker Wood
Blacker Dam
Lakeside View
Royd Hill
Reservoir (covered)
Works
Vicarage
Home Farm
Moor End
Hollin Dike Bottom
Eastfield Ho.
Partridge Dale
Berry Moor
Roydcroft
Thornhill
Leamington Cotts.
The Hollies
Hollin Dyke Bri.
Calf Hall Wood
Saville Farm
Lower Cliff Wood
Bath Farm
Hollin Moor
29
30
31
04
03
02
01
H J K L M N G
1 2 3 4 5 6 7 8 9

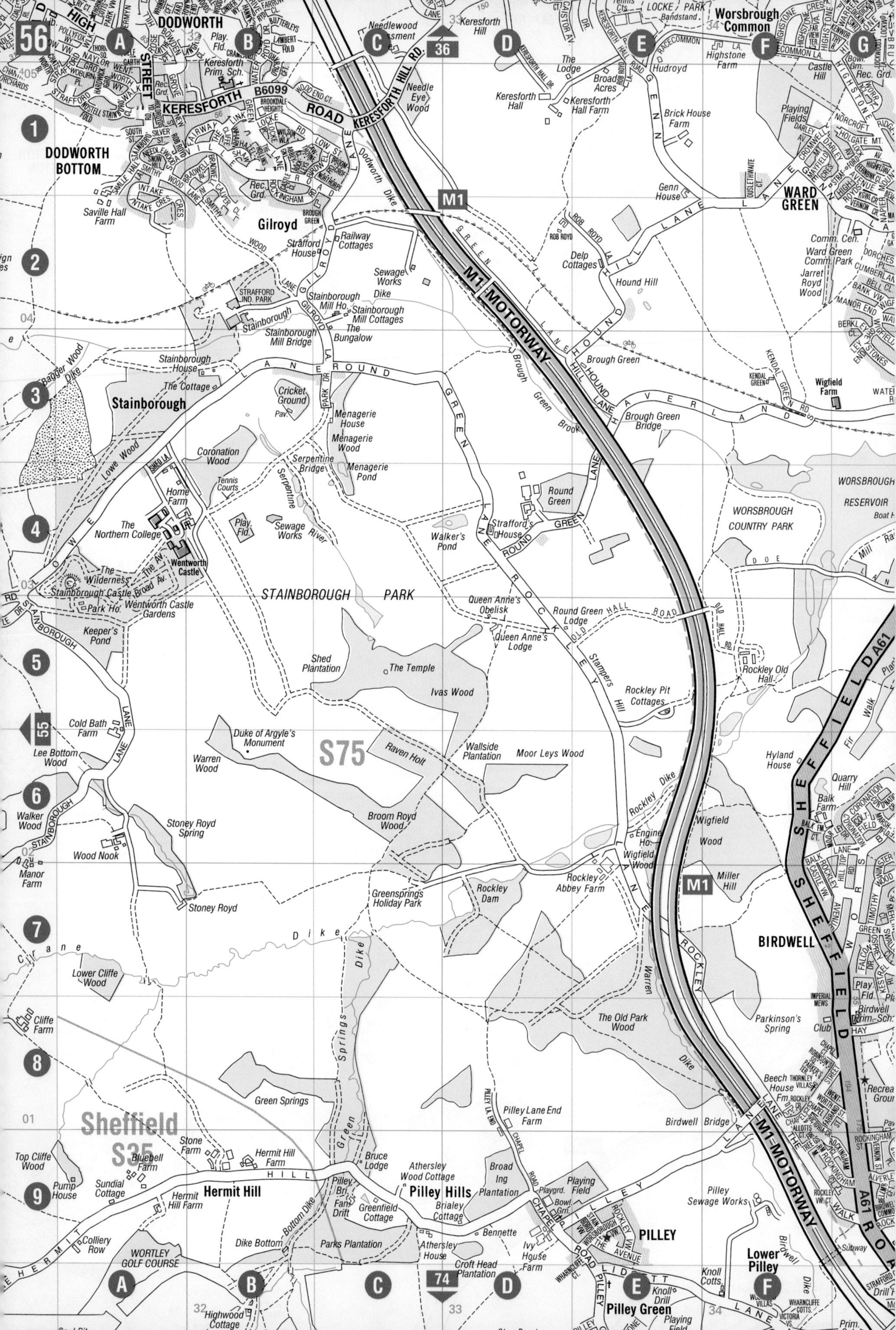
DODWORTH
KERESFORTH ROAD
B6099
HIGH STREET
DODWORTH BOTTOM
Saville Hall Farm
Gilroyd
Strafford House
Railway Cottages
Sewage Works
Stainborough Mill Ho.
Stainborough Mill Cottages
The Bungalow
Stainborough Mill Bridge
Stainborough
Stainborough House
The Cottage
ROUND GREEN LANE
Cricket Ground
Menagerie House
Menagerie Wood
Menagerie Pond
Coronation Wood
Serpentine Bridge
Home Farm
The Northern College
Wentworth Castle
The Wilderness
Stainborough Castle
Wentworth Castle Gardens
Park Ho.
Keeper's Pond
STAINBOROUGH PARK
Shed Plantation
The Temple
Ivas Wood
Queen Anne's Obelisk
Queen Anne's Lodge
Round Green Lodge
Cold Bath Farm
Lee Bottom Wood
Duke of Argyle's Monument
Warren Wood
S75
Raven Holt
Wallside Plantation
Moor Leys Wood
Broom Royd Wood
Stoney Royd Spring
Walker Wood
Wood Nook
Manor Farm
Stoney Royd
Greensprings Holiday Park
Rockley Dam
Rockley Abbey Farm
Lower Cliffe Wood
Cliffe Farm
Green Springs
Sheffield S35
Top Cliffe Wood
Stone Farm
Bluebell Farm
Hermit Hill Farm
Hermit Hill
Sundial Cottage
Pump House
Colliery Row
WORTLEY GOLF COURSE
Dike Bottom
Parks Plantation
Bruce Lodge
Athersley Wood Cottage
Pilley Hills
Brialey Cottage
Greenfield Cottage
Athersley House
Croft Head Plantation
Broad Ing Plantation
Pilley Lane End Farm
Playing Field
PILLEY
Pilley Green
Knoll Drill
Ivy House Farm
Highwood Cottage
Lower Pilley
Knoll Cotts.
Pilley Sewage Works
Birdwell Bridge
M1 MOTORWAY
Needle Eye Wood
Keresforth Hill
Keresforth Hall
Keresforth Hall Farm
The Lodge
Broad Acres
Worsbrough Common
Highstone Farm
Hudroyd
Brick House Farm
Genn House
Rob Royd
Delp Cottages
Hound Hill
Brough Green
Brough Green Bridge
HAVERLANDS LANE
Wigfield Farm
WARD GREEN
Castle Hill
Playing Fields
Ward Green Comm. Park
Jarret Royd Wood
Round Green
Strafford's House
Walker's Pond
WORSBROUGH COUNTRY PARK
WORSBROUGH RESERVOIR
Rockley Old Hall
Rockley Pit Cottages
Stampers Hill
Hyland House
Quarry Hill
Balk Farm
Wigfield Wood
Miller Hill
Engine Ho.
BIRDWELL
Parkinson's Spring
The Old Park Wood
Beech House Fm.
SHEFFIELD ROAD
A61
Birdwell Prim. Sch.
36
55
74

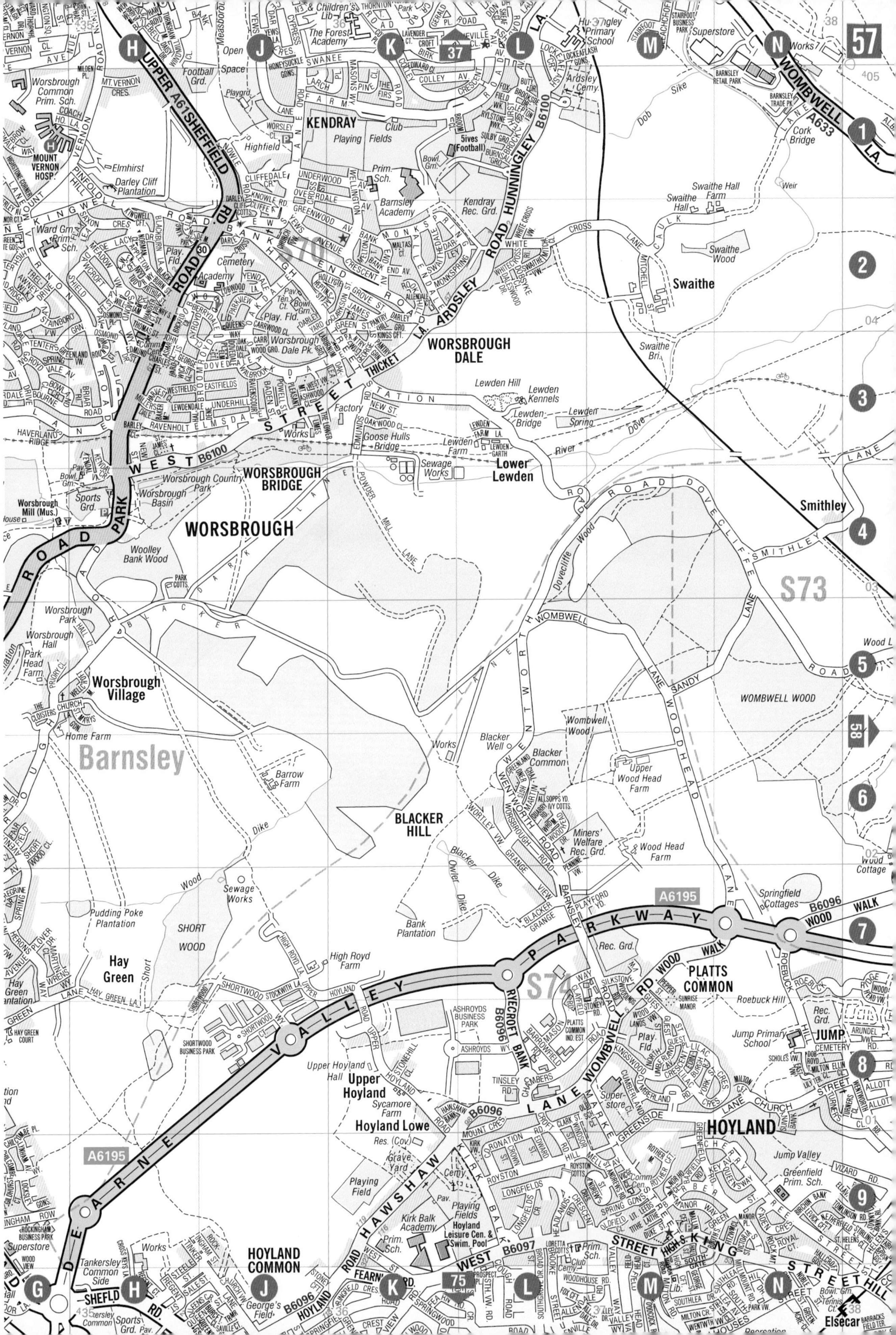
KENDRAY
WORSBROUGH DALE
WORSBROUGH BRIDGE
WORSBROUGH
Worsbrough Village
Barnsley
Swaithe
Smithley
Lower Lewden
BLACKER HILL
WOMBWELL WOOD
PLATTS COMMON
JUMP
HOYLAND
Upper Hoyland
Hoyland Lowe
HOYLAND COMMON
Hay Green
Elsecar
S70
S73
S74
DEARNE VALLEY PARKWAY
A6195
A61 SHEFFIELD ROAD
HUNNINGLEY ROAD B6100
WEST STREET B6100
Worsbrough Country Park
Worsbrough Mill (Mus.)
Wombwell Wood
Blacker Common
Swaithe Hall Farm
Lewden Hill
Barrow Farm
Sewage Works
Pudding Poke Plantation
SHORT WOOD
High Royd Farm
Ashroyds Business Park
Shortwood Business Park
Kirk Balk Academy
Hoyland Leisure Cen. & Swim. Pool
Jump Primary School
Greenfield Prim. Sch.
Mount Vernon Hosp.
Barnsley Academy
Barnsley Retail Park
Worsbrough Common Prim. Sch.
Ward Grn. Prim. Sch.
Hunningley Primary School
The Forest Academy

37
58
75

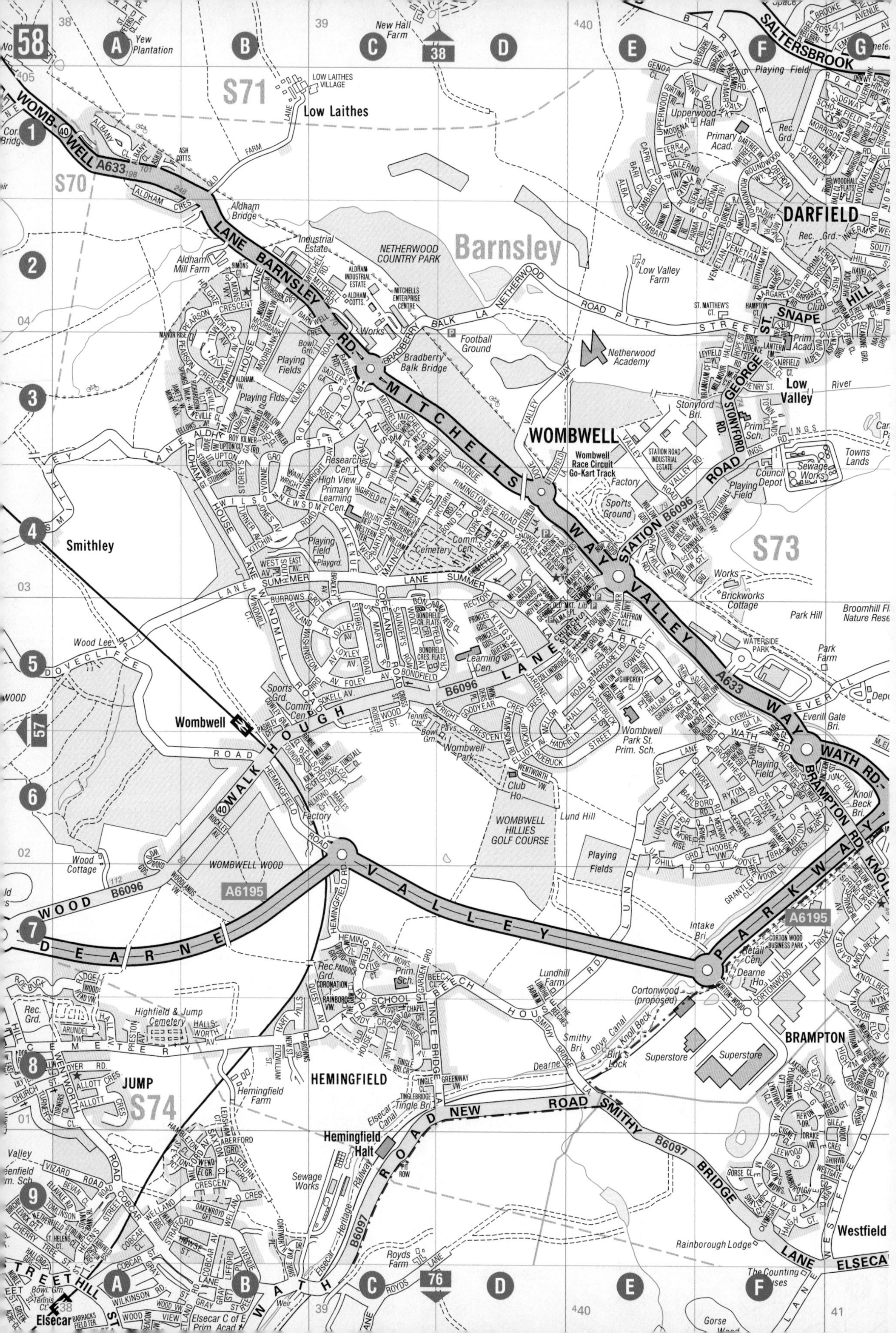

Barnsley
WOMBWELL
DARFIELD
Low Laithes
Low Valley
Smithley
Wombwell
HEMINGFIELD
JUMP
BRAMPTON
Westfield
Elsecar
S71
S70
S73
S74
NETHERWOOD COUNTRY PARK
WOMBWELL HILLIES GOLF COURSE
WOMBWELL WOOD
Netherwood Academy
Wombwell Race Circuit Go-Kart Track
Hemingfield Halt
Football Ground
Superstore
Lundhill Farm
Low Valley Farm
Hemingfield Farm
Aldham Mill Farm
Aldham Bridge
Bradberry Balk Bridge
Stonyford Bri.
Wood Lee
Wood Cottage
Lund Hill
Intake Bri.
Smithy Bri.
Birk's Lock
Tingle Bri.
Royds Farm
Rainborough Lodge
Towns Lands
Park Hill
Park Farm
Brickworks Cottage
Everill Gate Bri.
Knoll Beck Bri.
Highfield & Jump Cemetery
Yew Plantation
New Hall Farm
Upperwood Hall
Dearne & Dove Canal
Elsecar Heritage Railway
A633
A6195
B6096
B6097
38
57
76

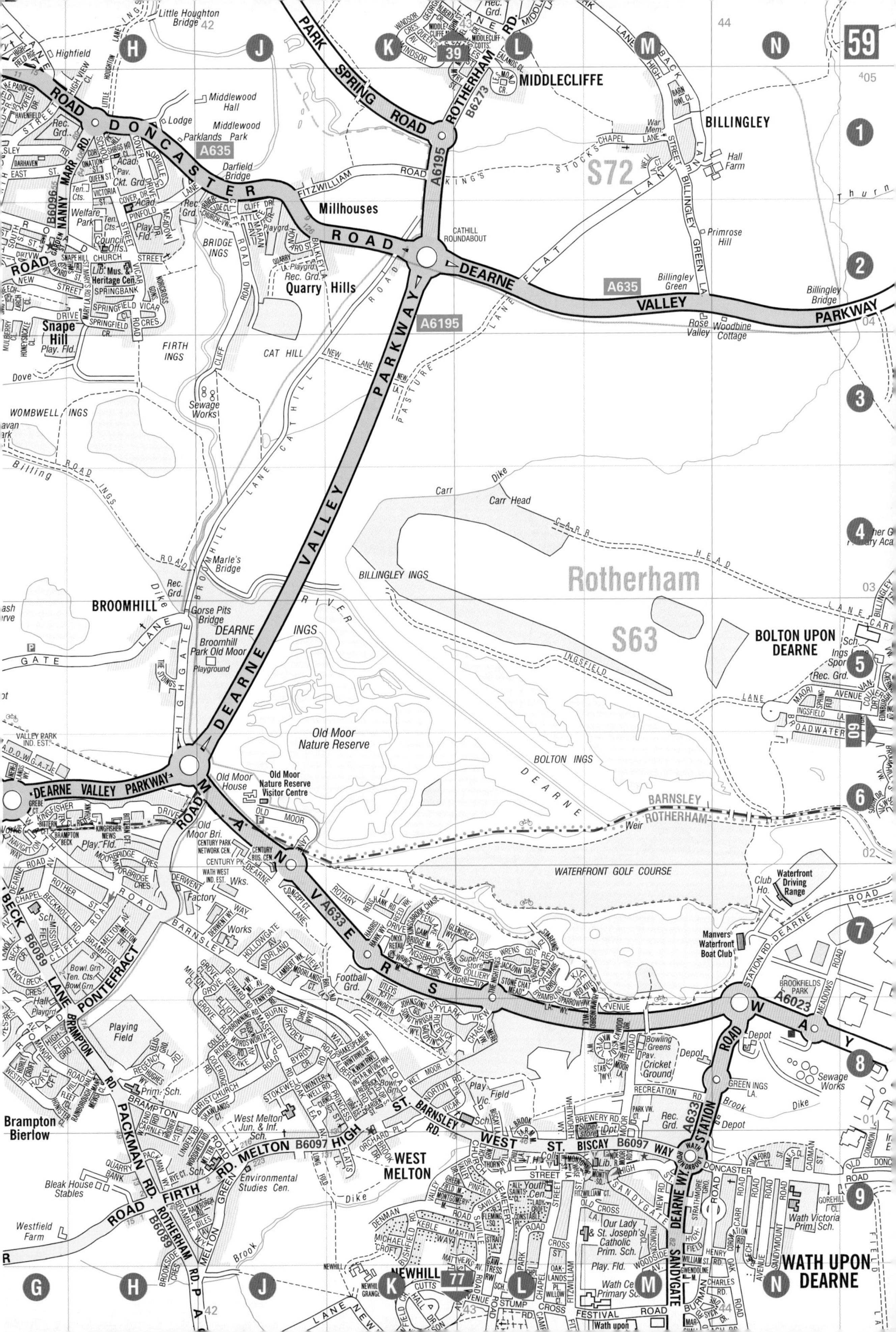
Rotherham
S72
S63
DONCASTER ROAD
DEARNE VALLEY PARKWAY
A635
A6195
A633
B6097
B6089
B6096
B6273
A6023
MIDDLECLIFFE
BILLINGLEY
Millhouses
Quarry Hills
Snape Hill
BROOMHILL
BOLTON UPON DEARNE
WEST MELTON
NEWHILL
WATH UPON DEARNE
Brampton Bierlow
CATHILL ROUNDABOUT
Old Moor Nature Reserve
Old Moor Nature Reserve Visitor Centre
WATERFRONT GOLF COURSE
Manvers Waterfront Boat Club
Waterfront Driving Range
BILLINGLEY INGS
BOLTON INGS
DEARNE INGS
WOMBWELL INGS
FIRTH INGS
BRIDGE INGS
CAT HILL
39
60
77

THURNSCOE
PHOENIX PARK
Field Plantation
DEARNE VALLEY PARKWAY
DONCASTER
A635
Miniature Rifle Range
Highgate Greyhound Racing Track
Thurnscoe
Goldthorpe
Billingley Bridge
Superstore
Bolton House Farm
Highgate
GOLDTHORPE
Sacred Heart Catholic Prim. School
Marist Convent
Vicarage
Harry Ottley Plantation
Coldwell Plantation
BARNSLEY
DONCASTER
BARNBURGH
Works
GOLDTHORPE INDUSTRIAL ESTATE
Dearne Playhouse
Football Grd.
DEARNE
Dearneside Leisure Cen.
The Dearne ALC
Mortuary
Carrfield Primary Acad.
Heather Garth Primary Academy
BOLTON UPON DEARNE
Rotherham
S63
Crane Well Dike
West Moor Dike
Dovecote Farm
Sewage Farm
Sludge Beds
Sewage Beds
West Moor Closes
Ings Lane Sports Club
Rec. Grd.
Bolton-on-Dearne
Lowfield Farm
Mansion Fields
Cemy.
Filter Beds
Sewage Works
Bolton Common
RIVER DEARNE
Adwick Bridge
ADWICK COMMON
Cricket Ground Pav.
Farm Supplies Depot
The Holmes
BARNSLEY
ROTHERHAM
Bolton Bri.
Sedimentation Pond
COMMON LANE
Bolton Viaduct
Brookfield Park
Bolton Mill Bridge
ADWICK UPON DEARNE
Hall
Hound Hill Bridge
BROOKFIELDS PARK
Treatment Works
Sticking Hill
Spring Well Farm
Manor Farm
Mexborough
Warehouse
MANVERS WAY
A6023
Sewage Works
S64
MEXBOROUGH
Playing Fields
Mexborough Academy
PATRICK TOBIN BUS. PK.
Ind. Est.
CALLFLEX BUSINESS PARK
Mexborough Curve
Mexborough Highwoods Primary School
Montagu Academy
MONTAGU HOSPITAL
C of E Prim. Sch.
Wath Victoria Prim. Sch.
Dearne Valley Coll.
Highwoods
Roman Terrace Common
WATH ROAD
BOLTON ROAD
B6098
STICKING LANE
HARLINGTON ROAD
ADWICK ROAD

40
59
78

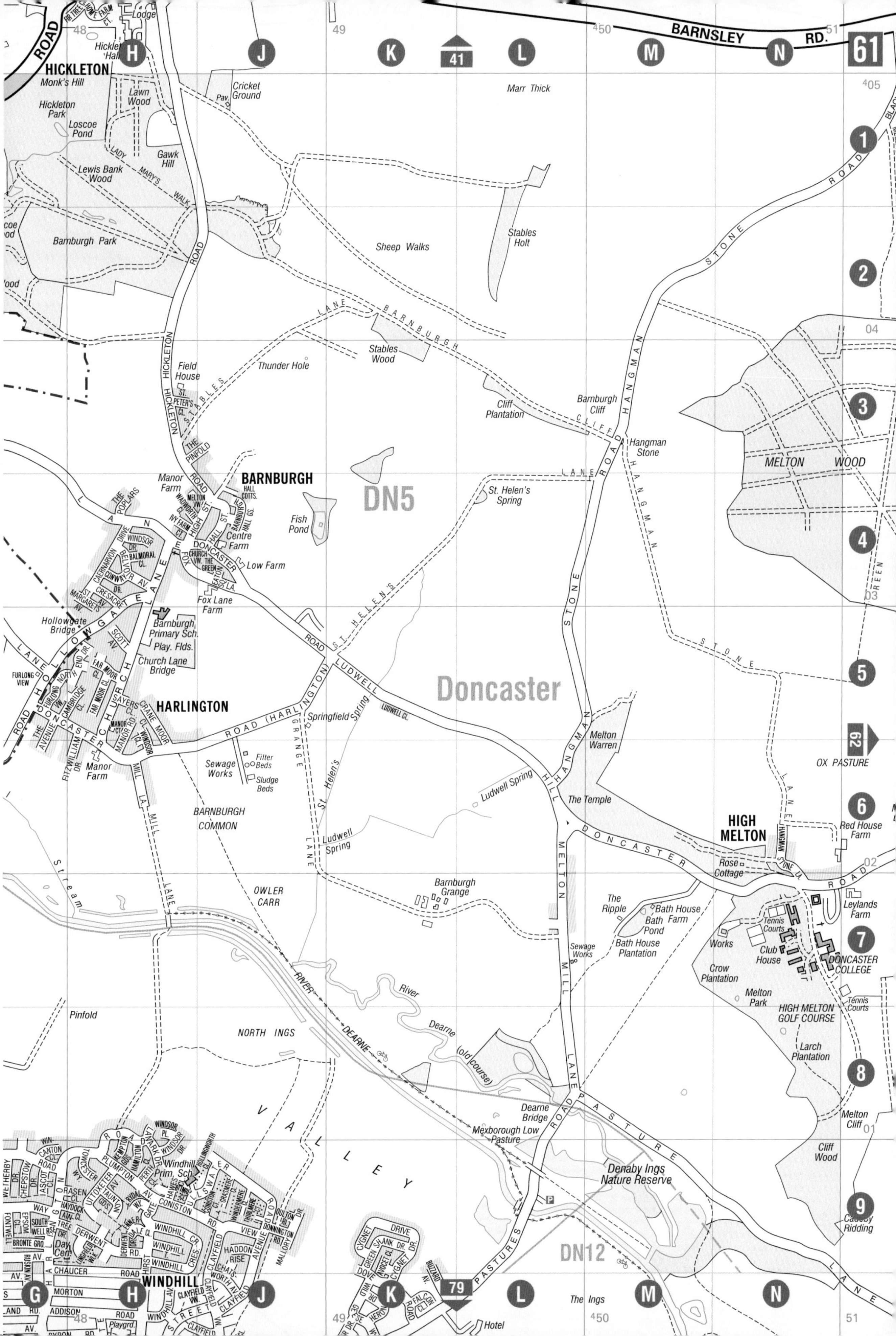

BARNSLEY RD.
HICKLETON
Monk's Hill
Hickleton Park
Loscoe Pond
Lawn Wood
Gawk Hill
Lewis Bank Wood
LADY MARY'S WALK
Barnburgh Park
Cricket Ground
Marr Thick
Sheep Walks
Stables Holt
STONE ROAD
BARNBURGH LANE
Stables Wood
Thunder Hole
Field House
HICKLETON ROAD
Cliff Plantation
Barnburgh Cliff
CLIFF LANE
Hangman Stone
HANGMAN STONE
MELTON WOOD
BARNBURGH
DN5
Fish Pond
St. Helen's Spring
Manor Farm
Centre Farm
Low Farm
Fox Lane Farm
DONCASTER ROAD
Barnburgh Primary Sch.
Play. Flds.
Church Lane Bridge
Hollowgate Bridge
HOLLOWGATE LANE
CHURCH LANE
HARLINGTON
ROAD (HARLINGTON)
Springfield Spring
LUDWELL HILL
Doncaster
Melton Warren
The Temple
OX PASTURE
Sewage Works
Filter Beds
Sludge Beds
Manor Farm
BARNBURGH COMMON
GRANGE LANE
St. Helen's
Ludwell Spring
HIGH MELTON
Red House Farm
Rose Cottage
DONCASTER ROAD
Leylands Farm
Barnburgh Grange
OWLER CARR
The Ripple
Bath House Farm
Bath Pond
Bath House Plantation
Works
Club House
Tennis Courts
DONCASTER COLLEGE
Crow Plantation
Melton Park
HIGH MELTON GOLF COURSE
Larch Plantation
MELTON MILL LANE
Sewage Works
Pinfold
NORTH INGS
RIVER DEARNE
River Dearne (old course)
VALLEY
Dearne Bridge
Mexborough Low Pasture
PASTURE LANE
Denaby Ings Nature Reserve
Melton Cliff
Cliff Wood
Cadeby Ridding
Windhill Prim. Sch.
DN12
WINDHILL
Day Cen.
The Ings
Hotel
CHAUCER ROAD
MORTON
ADDISON ROAD
CYGNET DRIVE
PASTURES ROAD

41
62
79

Marr
Manor Farm
Ducker Holt
Junction 37
42
The Halstead
Croft
Scawsby Hall
Council Off.
Stone Hill School
Ten. Cts.
Play
A1(M) MOTORWAY
Hare Hill
Marr Grange
Marr Grange Cottages
Bare Hill
Long Plantation
A1(M)
Spring Rein
The Rein
Brands
Marr Grange Holt
Ravenhill Wood
Acorn Wood
Cusworth Park Bridge
Spring Rein
Raven Hill
Brandfield Farm
Plaster Pits Wood
Brandfield Cottages
Castle Hill Wood
MELTON WOOD
Sunny Croft Farm
Five Acre Holt
Whin Covert Holt
Burnt Wood
Burnt Wood Farm
Burntwood Grange
Brandstone Farm
Windmill Farm
Melton Brand
Melton Brand Farm
Whin Covert
Staghill Plantation
Stag Hill
Ladyfield Farm
Sheep Lane Farm
Toecroft Little Spring
Fox Flat Plantation
Manor Farm House
Green Roofs
DN5
Toecroft Great Spring
Hezlock Field Plantation
SPROTBROUGH
OX PASTURE
Toecroft Farm
Tennis Court
Melton Lodge
Red House Farm
King Hengist Rein
Leylands Farm
School Lane Bridge
Playing Field
Scabba Wood Cottage
Engine Wood
DONCASTER COLLEGE
Tennis Courts
Wetlands Wood
Copley Junior School
Snow's Wood
Cave
Sprotbrough Lock
Scabba Wood
Cooke's Bower
THE CARAVAN SITE
Sprotbrough Quarries
Sprotbrough Bridge
Madge Wood
Glen Villa
Nursery Lane Bridge
Depot
Tower Cottages
Quarry
Weir
Sprotbrough Boat
Woodside
Sprotbrough Plantation
Lower Sprotbrough
Scabba Wood Quarry
Larch Plantation
Melton Cliff
Levitthagg Wood
Cliff Wood
Sprotbrough Flash Nature Reserve
Station House
Levitt Hagg
Station Bridge
White House Farm
Cadeby Ridding
Pot Ridings Wood
Tunnels
Works
CADEBY
Warmsworth Prim. Sch.
Cadeby Hall Farm
Dolomite Quarry
Grey Stones
Dolomite Quarry
80
61
SHEFFIELD & SOUTH YORKSHIRE NAVIGATION
RIVER DON

63
H
J
K
L
M
N
G
1
2
3
4
5
6
7
8
9
43
81
64
A635
A638
A19
A630
A18
A60
A1(M)
YORK ROAD
BENTLEY ROAD
NEW BRIDGE ROAD
TRAFFORD WY.
CLEVELAND ST.
BALBY RD.
HIGH RD.
WARMSWORTH ROAD
TICKHILL RD.
SANDFORD RD.
A1(M) MOTORWAY
Junction 36
SCAWSBY
CUSWORTH
Doncaster
DONCASTER
Newton
HEXTHORPE
BALBY
Crimpsall
Bentley Rise
Kelham Bank
WARMSWORTH
DN4
Cusworth Hall
CUSWORTH PARK COUNTRY PARK
Sprotbrough Park
Scawthorpe Sunnyfields Prim. Sch.
Scawsby Saltergate Schs.
Kirkby Avenue Primary School
Richmond Hill Primary Academy
CHESWOLD PARK HOSPITAL
HMP DONCASTER
Doncaster Interchange
Doncaster Coll. (The Hub)
Danum Retail Park
Centurion Retail Park
Superstore
Football Ground
Warehouse Sports Ground
Hexthorpe Prim. Sch.
Hexthorpe Business Park
Balby Central Prim. Sch.
Westfield Park
Waverley Prim. Sch.
Rosemead Children's Home
The Cedar Adult Centre
Nursing Home
Mallard Prim. Sch.
TICKHILL ROAD HOSPITAL
St. John's Hospice
City Learning Centre
All Weather Pitches
Balby Carr Comm. Academy
Lambeth Road Caravan Park
Sewage Works
Cricket Ground
Playing Fields
RIVER DON
Sprotbrough Ings
Hexthorpe Ings
Newton Ings
Hexthorpe Flatts
Miniature Golf Course
Viaducts
Don Bridge
Albert Bridge
Guest Bridge
Lady Pitts Bri.
St. Mary's Bridge
North Bridge
Cheswold Hauling Bridge
Newton Lane Bridge
Upper Fish Pond
Middle Fish Pond
Lower Fish Pond
Basin Pond
Long Plantation
New Plantation
Albert Plantation
Richmond Hill
Avenue Field
Warmsworth Burial Ground
Hexthorpe Junc.

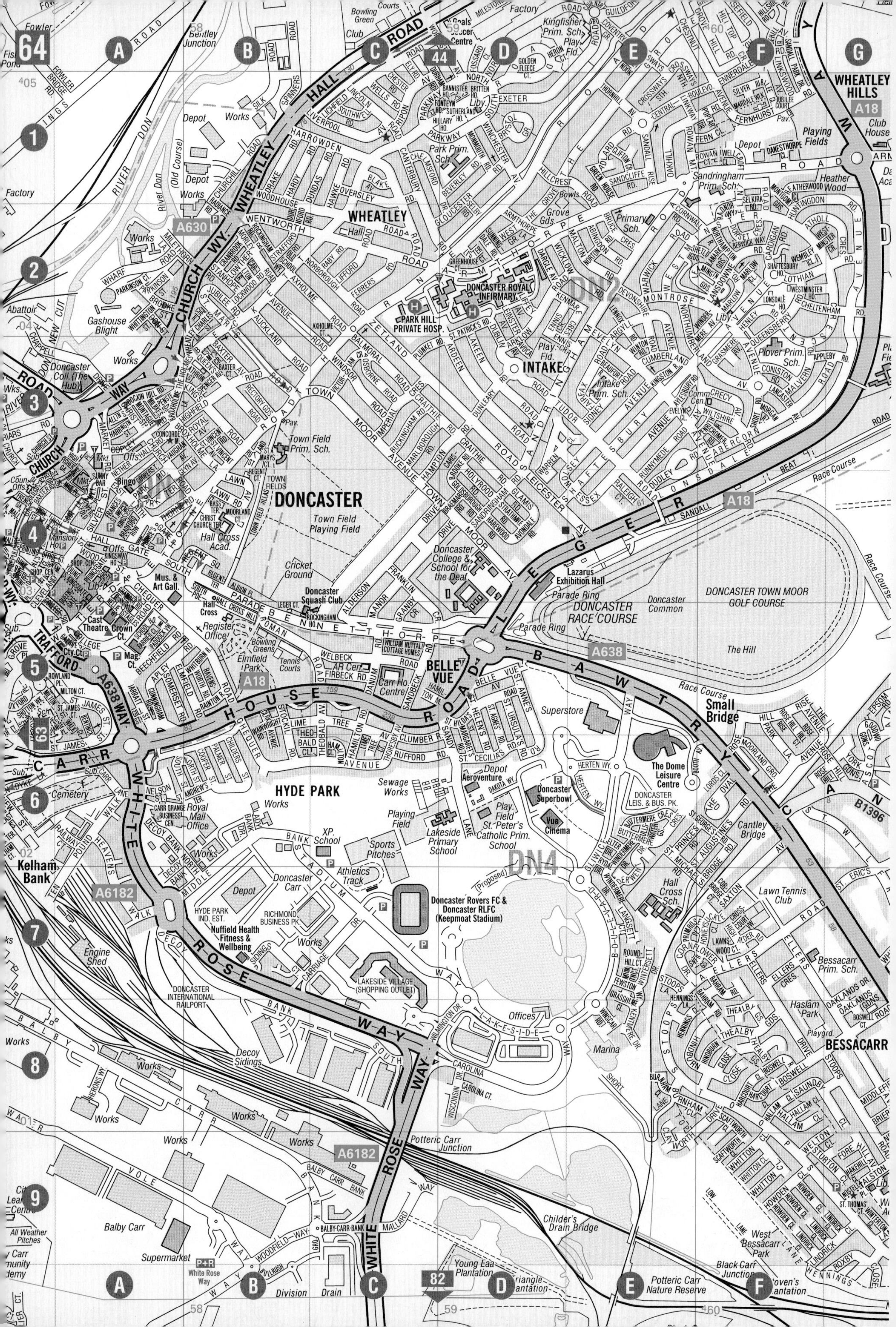
A
B
C
D
E
F
G
1
2
3
4
5
6
7
8
9
44
63
82
WHEATLEY HILLS
WHEATLEY
DOCTASTER
DN2
DN4
INTAKE
DONCASTER
BELLE VUE
HYDE PARK
BESSACARR
Small Bridge
Kelham Bank
Bentley Junction
River Don
Factory
Abattoir
Gashouse Blight
Doncaster Coll. (The Hub)
DONCASTER ROYAL INFIRMARY
PARK HILL PRIVATE HOSP.
Town Field Playing Field
Cricket Ground
Doncaster Squash Club
Doncaster College & School for the Deaf
Lazarus Exhibition Hall
DONCASTER RACE COURSE
DONCASTER TOWN MOOR GOLF COURSE
Doncaster Common
Parade Ring
The Hill
Race Course
Superstore
The Dome Leisure Centre
DONCASTER LEIS. & BUS. PK.
Doncaster Superbowl
Vue Cinema
Aeroventure
Sewage Works
Lakeside Primary School
St. Peter's Catholic Prim. School
Doncaster Rovers FC & Doncaster RLFC (Keepmoat Stadium)
Athletics Track
Sports Pitches
XP. School
Doncaster Carr
HYDE PARK IND. EST.
RICHMOND BUSINESS PK.
Nuffield Health Fitness & Wellbeing
LAKESIDE VILLAGE (SHOPPING OUTLET)
DONCASTER INTERNATIONAL RAILPORT
Engine Shed
Decoy Sidings
Marina
Offices
Royal Mail Office
Hall Cross Acad.
Hall Cross Sch.
Mus. & Art Gall.
Cast Theatre
Crown Ct.
Mag. Ct.
Register Office
Elmfield Park
Bowling Greens
Tennis Courts
Carr Ho. Centre
Potteric Carr Junction
Potteric Carr Nature Reserve
Childer's Drain Bridge
Young Eaa Plantation
Triangle Plantation
Black Carr Junction
West Bessacarr Park
Haslam Park
Bessacarr Prim. Sch.
Lawn Tennis Club
Cantley Bridge
Balby Carr
Supermarket
White Rose Way
Division Drain
Sandringham Prim. Sch.
Plover Prim. Sch.
Intake Prim. Sch.
Park Prim. Sch.
Town Field Prim. Sch.
Kingfisher Prim. Sch.
Playing Fields
Heather Wood
Club House
A18
A630
A638
A6182
B1396
CHURCH WAY
WHEATLEY HALL ROAD
CARR HOUSE ROAD
BAWTRY ROAD
LEGER WAY
WHITE ROSE WAY
BENNETTHORPE
ARMTHORPE ROAD
THORNE ROAD
TOWN MOOR AVENUE
LEICESTER AVENUE
SANDALL BEAT
LAKESIDE
BALBY CARR BANK
CANTLEY LANE
TRAFFORD WAY

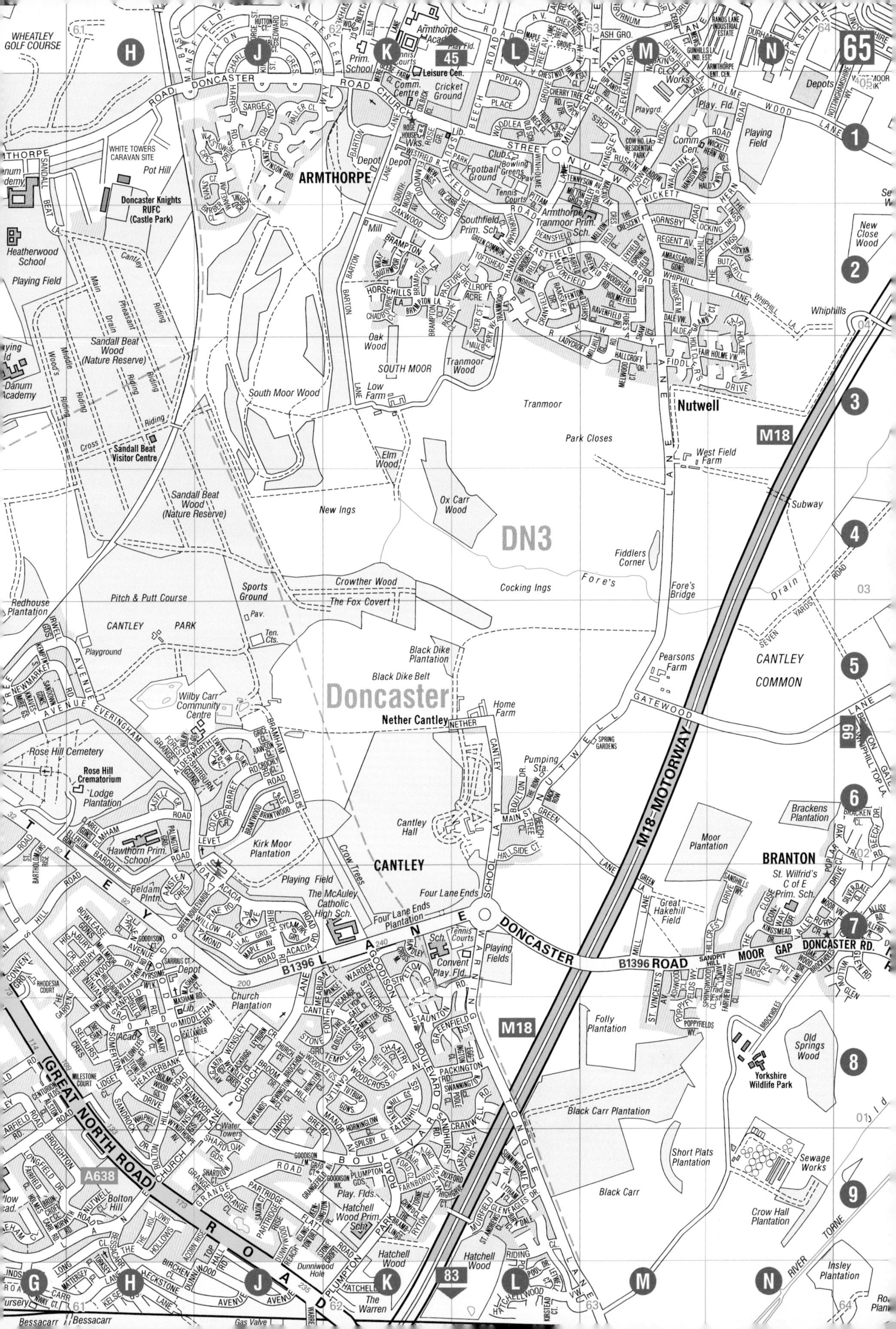
WHEATLEY GOLF COURSE
H
J
K
L
M
N
45
Armthorpe Acad.
Play Fld.
Prim. School
Comm. Centre
Leisure Cen.
Cricket Ground
RANDS LANE INDUSTRIAL ESTATE
GUNHILLS LA. IND. EST.
ARMTHORPE ENT. CEN.
Depots
WEST MOOR PARK
Works
Playgrd.
Play. Fld.
Playing Field
DONCASTER ROAD
CHURCH
HOLME WOOD LANE
WHITE TOWERS CARAVAN SITE
Pot Hill
Doncaster Knights RUFC (Castle Park)
ARMTHORPE
Depot
Lib.
Club
Football Ground
Bowling Greens
Pav.
Tennis Courts
Comm. Cen.
COW HO. LA. RESIDENTIAL PARK
Heatherwood School
Playing Field
Southfield Prim. Sch.
Armthorpe Tranmoor Prim. Sch.
New Close Wood
Mill
Whiphills
WHIPHILL LA.
Sandall Beat Wood (Nature Reserve)
Oak Wood
SOUTH MOOR
Tranmoor Wood
Low Farm
South Moor Wood
Tranmoor
Nutwell
Danum Academy
Sandall Beat Visitor Centre
Park Closes
M18
West Field Farm
Elm Wood
Ox Carr Wood
New Ings
Subway
DN3
Fiddlers Corner
Fore's Bridge
Cocking Ings
Crowther Wood
The Fox Covert
Sports Ground
Redhouse Plantation
Pitch & Putt Course
CANTLEY PARK
Pav.
Ten. Cts.
Playground
Black Dike Plantation
Black Dike Belt
Pearsons Farm
CANTLEY COMMON
SEVEN YARDS
Doncaster
Home Farm
Nether Cantley
GATEWOOD LANE
Wilby Carr Community Centre
Rose Hill Cemetery
Rose Hill Crematorium
Lodge Plantation
Pumping Sta.
SPRING GARDENS
M18-MOTORWAY
66
Brackens Plantation
Moor Plantation
BRANTON
St. Wilfrid's C of E Prim. Sch.
Cantley Hall
Hawthorn Prim. School
Kirk Moor Plantation
CANTLEY
Beldam Plntn.
Playing Field
The McAuley Catholic High Sch.
Four Lane Ends
Four Lane Ends Plantation
Great Hakehill Field
Sch.
Tennis Courts
Convent Play. Fld.
Playing Fields
DONCASTER B1396 ROAD
MOOR GAP
DONCASTER RD.
Depot
Church Plantation
M18
Folly Plantation
Old Springs Wood
Yorkshire Wildlife Park
Acad.
Water Towers
Black Carr Plantation
Short Plats Plantation
Sewage Works
(GREAT NORTH ROAD)
A638
Bolton Hill
Play. Flds.
Hatchell Wood Prim. Sch.
Black Carr
Crow Hall Plantation
Hatchell Wood
Dunniwood Hole
83
The Warren
Insley Plantation
RIVER TORNE
TONGUE LANE
G
Bessacarr
Gas Valve

66
Junction 4
Centre
46
84
65
M18
M18 – MOTORWAY
DN3
WEST MOOR PARK
HOLME WOOD LANE
THORNHAM LANE
Seven Yards Farm
Sewage Works
New Close Wood
Whiphills
Diggin Dyke
SEVEN YARDS ROAD
Reservoir
The Pieces
Little Gate Wood
GREAT GATE WOOD
Gatewood Farm
GATEWOOD LANE
Cock Wood
Cockwood
Cockwood Farm
Thornham Farm
Aldam Drain
Cantley Low Common
Branton Grange
Common Plantation
Northview
Nursery
Firtrees
Common Cottage
Subway
BRANTON GATE ROAD OR WHIPHILL TOP LA.
KILHAM LANE
Kilham Plantation
Kilham Farm
Outam Wood
South Ring Drain
Auckley Common Plantation
Sandath Hill
Sandwith Hill
TORNE
RIVER TORNE
Dike
Sports Ground
AUCKLEY COMMON
Auckley Common Farm
Fortlin Lodge Farm
Long Moor Hill
MOOR LANE
DONCASTER RD.
NEW RD.
BRANTON
Depot
Brackens Plantation
St. Wilfrid's C of E Prim. Sch.
White Stoops Bridge
Mill Dike
Millhouse Farm
Old Springs
Dam End
MAIN
Auckley Bridge
RIVERSIDE GDS.
The Carrs
Old
AUCKLEY
Peat Holes
Auckley School
EASTFIELD LANE
B1396
STREET
SCHOOL LANE
THE HOLLOWS
Brooke Farm
BELL BUTTS LANE
Sewage Works
Lidget
Works
HURST LANE
MOSHAM ROAD
Mosham Farm
Mosham Wood
Nursery Gardens
Mosham
New
Rand
Poor's Land
White House Farm
BLAXTON
MOSHAM ROAD
Insley Plantation
Round Plantation
Mill Hill
Nursery Gardens
64
465
66
67
405
04
03
02
01
A B C D E F G
1 2 3 4 5 6 7 8 9

H
J
K
L
M
N
47
68
69
470
405
Gatewood Drain
GATEWOOD
Gate Wood End Farm
Gate Wood
A614
DN7
DIKE ROAD
Boston Park Farm
MOOR LANE
North Ring Drain
POOR PIECE
Old Moor Drain
Ellerholme Farm
ROAD
04
Middle Ring Drain
1
2
3
Wroot
HIGH ST.
4
Torne Bridge
South Ring Drain
River Torne
Soak Drain
RIVER TORNE
Doncaster
Candy Farm
God's Cross
New House
03
Godscross Drain
Long Plantation
Blaxton Banks
LANE
5
Acomb Farm
Long Plantation
DN9
NORTH LINCOLNSHIRE
DONCASTER
6
Carr Side
CANDY BANK
SAMPSON BANK
02
A614 ROAD
Levels Lane Plantation
Works
LANE
BLAXTON COMMON
LEVELS
Sampson's Levels
7
The Rands
LING OR HIGH COMMON
Eleven Acre Plantation
Gamekeeper's House
Blaxton Common Farm
Sand & Gravel Pit
Shooting Box
NAN ROAD
NINESCORES LANE
Ninescores Farm
8
PEAT CARR BANK
Peat Carr
Woodfields
Foxholme
Fir Tree House
Lynwood
Machin's Plantation
01
The Bungalow
HONEYSUCKLE WLK.
Finningley Grange Farm
9
DONCASTER
BASSETLAW
TORNE
SUMMERFIELDS DR.
PARK LANE
THE CRESCENT
Playing Field
BANK
WROOT
G
H
J
K
85
L
M
Whin Covert
N
68
69
470

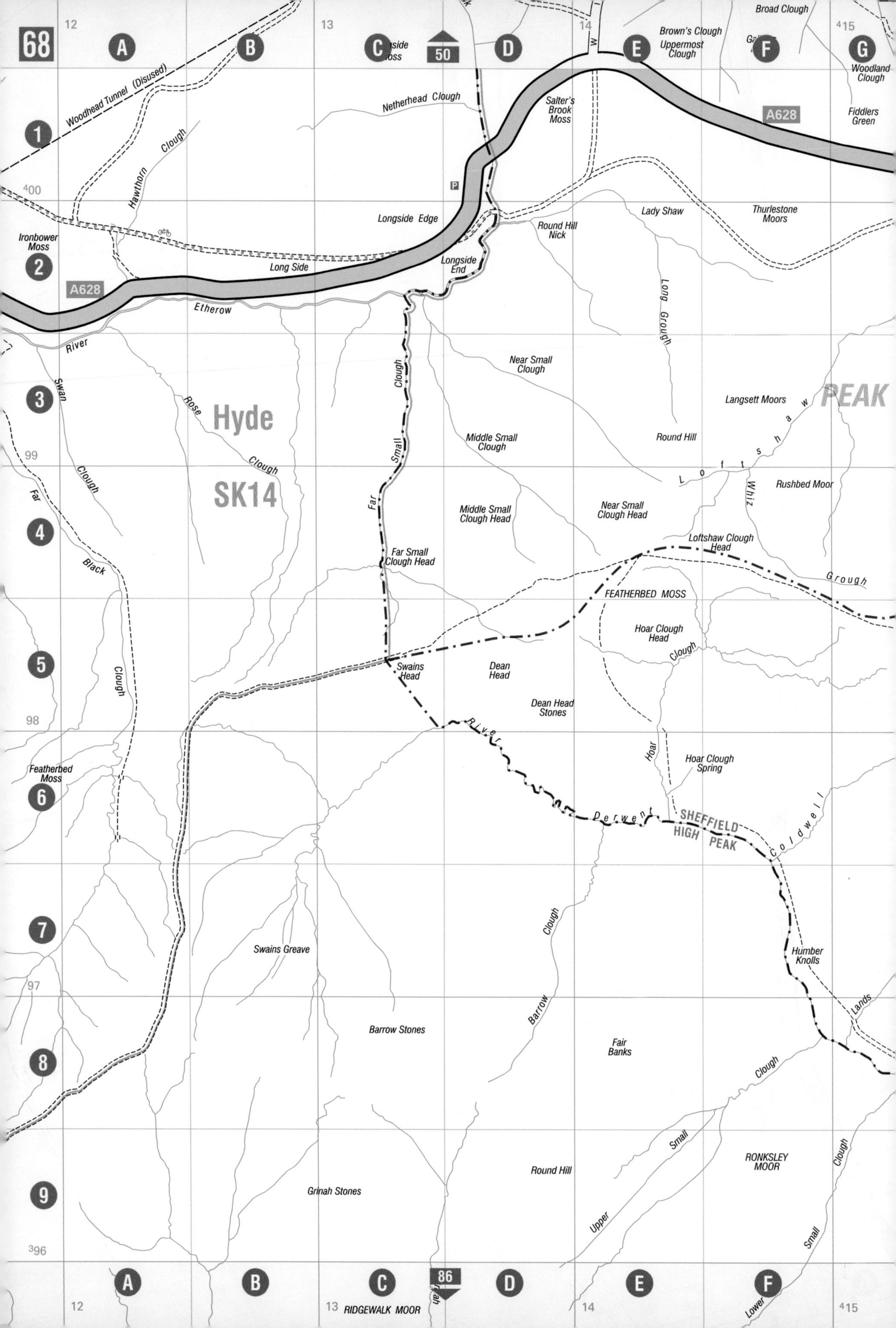

Woodhead Tunnel (Disused)
Hawthorn
Clough
Netherhead Clough
Salter's Brook Moss
Broad Clough
Brown's Clough
Uppermost Clough
Woodland Clough
Fiddlers Green
A628
Ironbower Moss
Longside Edge
Long Side
Longside End
Round Hill Nick
Lady Shaw
Thurlestone Moors
Long Grough
Etherow
River
Swan
Clough
Rose
Clough
Hyde
SK14
Far
Small
Clough
Near Small Clough
Middle Small Clough
Middle Small Clough Head
Near Small Clough Head
Langsett Moors
PEAK
Round Hill
Loftshaw
Whiz
Rushbed Moor
Loftshaw Clough Head
Far Small Clough Head
Grough
Far
Black
Clough
FEATHERBED MOSS
Hoar Clough Head
Clough
Swains Head
Dean Head
Dean Head Stones
Featherbed Moss
River
Derwent
Hoar
Hoar Clough Spring
SHEFFIELD
HIGH PEAK
Coldwell
Swains Greave
Clough
Barrow
Humber Knolls
Lands
Barrow Stones
Fair Banks
Clough
Small
RONKSLEY MOOR
Round Hill
Grinah Stones
Upper
Clough
Small
Lower
RIDGEWALK MOOR
50
86

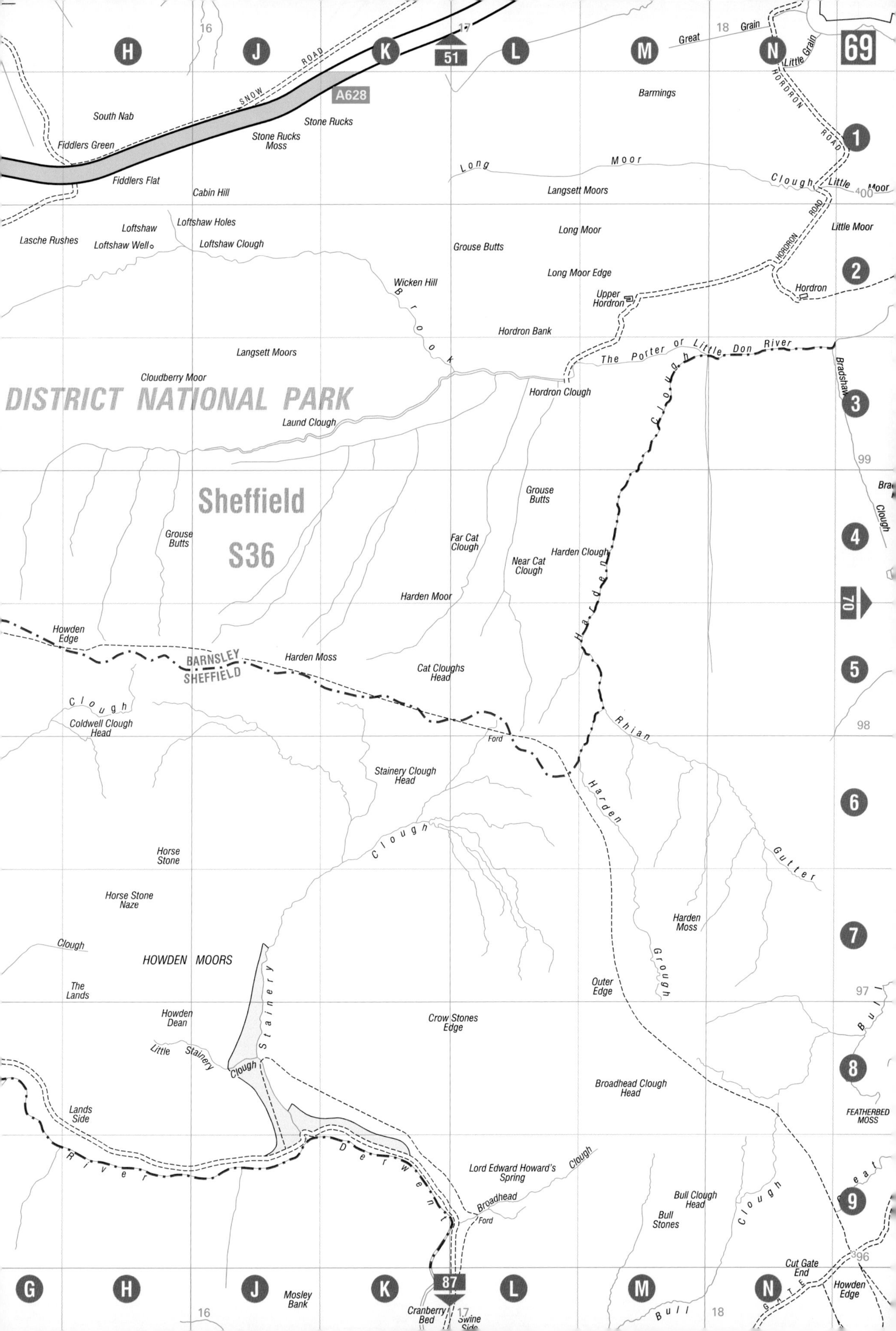

51
A628
SNOW ROAD
South Nab
Fiddlers Green
Fiddlers Flat
Stone Rucks
Stone Rucks Moss
Cabin Hill
Great Grain
Little Grain
HORDRON ROAD
Barmings
Long Moor Clough
Little Moor
Langsett Moors
Long Moor
Long Moor Edge
Lasche Rushes
Loftshaw
Loftshaw Well
Loftshaw Holes
Loftshaw Clough
Grouse Butts
Wicken Hill
Brook
Upper Hordron
Hordron
Hordron Bank
The Porter or Little Don River
Bradshaw
Langsett Moors
Cloudberry Moor
DISTRICT NATIONAL PARK
Hordron Clough
Laund Clough
Sheffield
S36
Grouse Butts
Far Cat Clough
Near Cat Clough
Harden Clough
Harden Moor
Howden Edge
BARNSLEY
SHEFFIELD
Harden Moss
Cat Cloughs Head
Clough
Coldwell Clough Head
Ford
Rhian
Stainery Clough Head
Harden
Clough
Gutter
Horse Stone
Horse Stone Naze
Harden Moss
Clough
HOWDEN MOORS
The Lands
Grough
Outer Edge
Howden Dean
Crow Stones Edge
Stainery
Little Stainery
Clough
Bull
Lands Side
Broadhead Clough Head
FEATHERBED MOSS
River Derwent
Lord Edward Howard's Spring
Clough
Broadhead
Ford
Bull Clough Head
Bull Stones
Clough
Great
Cut Gate End
Howden Edge
GATE
Mosley Bank
87
Cranberry Bed
Swine Side
Bull
70

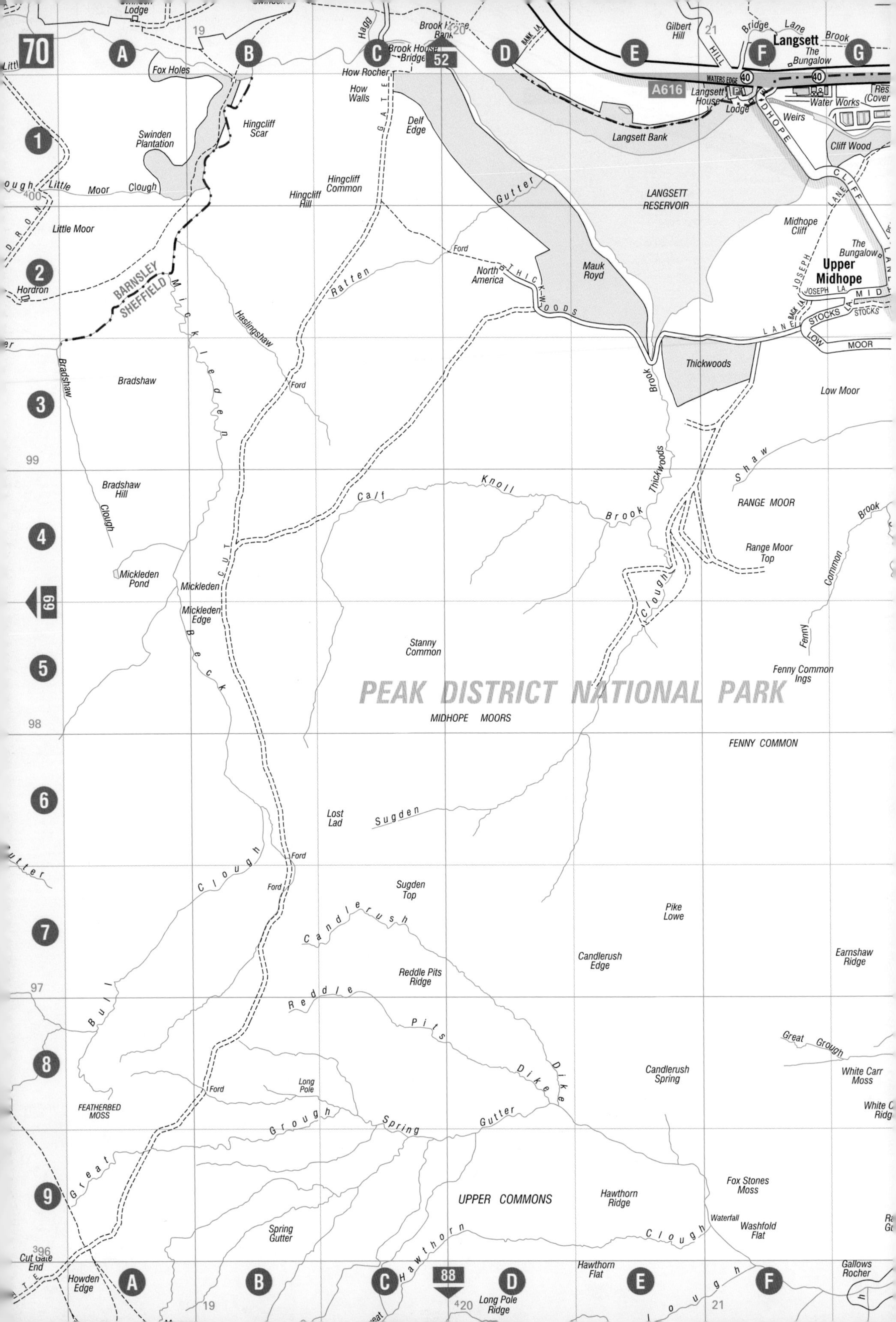
Lodge
Fox Holes
Swinden Plantation
Hingcliff Scar
Little Moor Clough
Little Moor
Hordron
BARNSLEY
SHEFFIELD
Hagg
How Rocher
How Walls
Brook House Bank
Brook House Bridge
52
Delf Edge
Hingcliff Common
Hingcliff Hill
Gutter
Ford
Ratten
North America
THICK WOODS
Mauk Royd
Haslingshaw
Mickleden
Bradshaw
Bradshaw Hill
Clough
Mickleden Pond
Mickleden Edge
Beck
CUT GATE
69
Gilbert Hill
HILL
Bridge Lane
Langsett
Brook
The Bungalow
WATERS EDGE
40
A616
Langsett House
Lodge
Water Works
Weirs
Res Cover
Cliff Wood
Langsett Bank
LANGSETT RESERVOIR
MIDHOPE
CLIFF LANE
Midhope Cliff
The Bungalow
Upper Midhope
JOSEPH LA.
STOCKS LA.
LOW MOOR
Thickwoods
Brook
Low Moor
Shaw
Calf
Knoll
Brook
RANGE MOOR
Range Moor Top
Clough
Thickwoods
Fenny
Common
Brook
Stanny Common
PEAK DISTRICT NATIONAL PARK
MIDHOPE MOORS
Fenny Common Ings
FENNY COMMON
Lost Lad
Sugden
Sugden Top
Clough
Candlerush
Pike Lowe
Candlerush Edge
Earnshaw Ridge
Reddle Pits Ridge
Reddle Pits Dike
Bull
Great Grough
White Carr Moss
Candlerush Spring
Long Pole
FEATHERBED MOSS
Grough
Spring Gutter
Great
UPPER COMMONS
Hawthorn Ridge
Fox Stones Moss
Spring Gutter
Hawthorn Clough
Waterfall
Washfold Flat
Cut Gate End
Howden Edge
88
Hawthorn Flat
Long Pole Ridge
Gallows Rocher
Clough
19
20
21
99
98
97
396
400
A B C D E F G
1 2 3 4 5 6 7 8 9

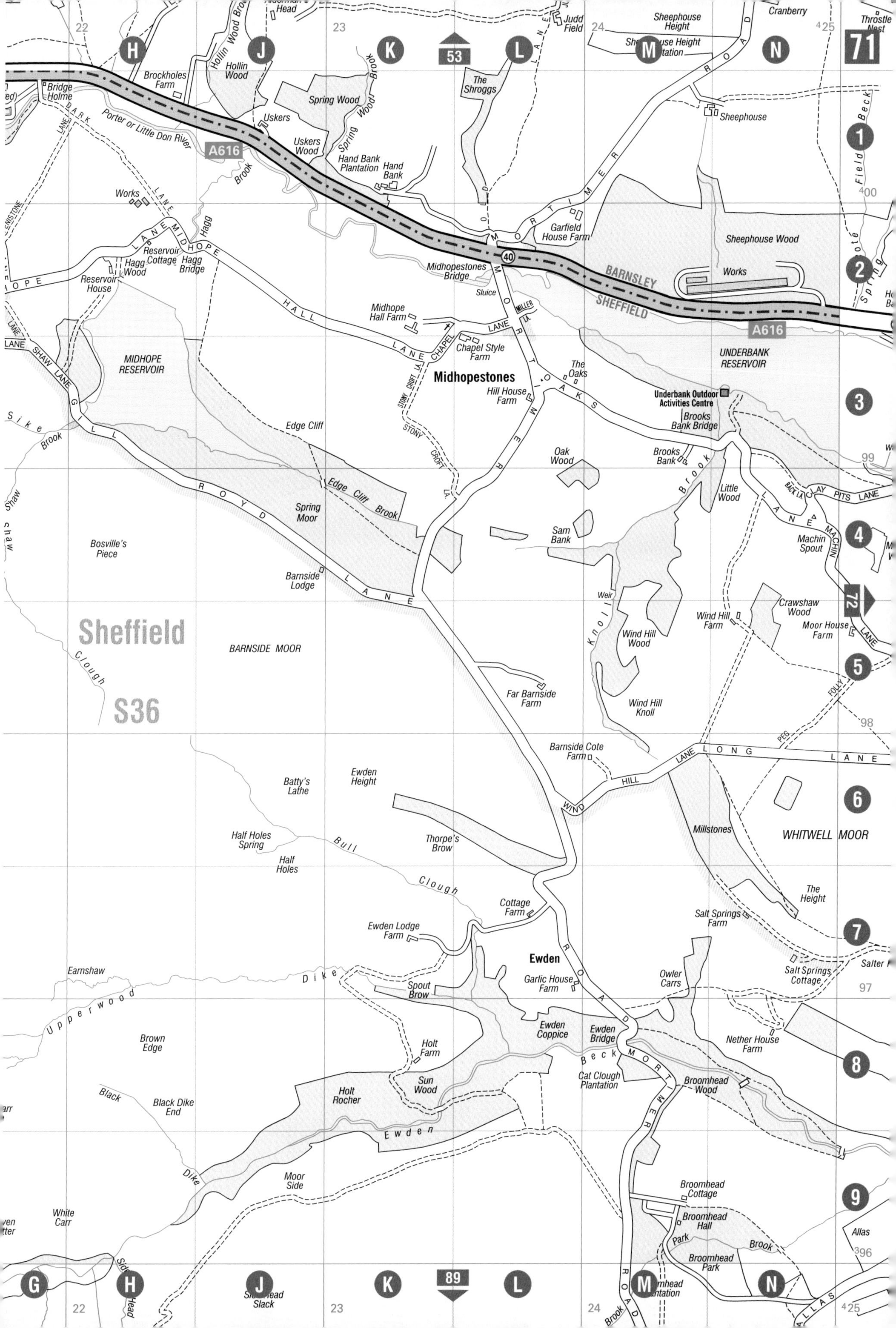
53
89
72
A616
BARNSLEY
SHEFFIELD
Sheffield
S36
Midhopestones
Ewden
MIDHOPE RESERVOIR
UNDERBANK RESERVOIR
Underbank Outdoor Activities Centre
BARNSIDE MOOR
WHITWELL MOOR
Brockholes Farm
Hollin Wood
Bridge Holme
Porter or Little Don River
Uskers
Uskers Wood
Spring Wood
Hand Bank Plantation
Hand Bank
The Shroggs
Judd Field
Sheephouse Height
Sheephouse Height Plantation
Cranberry
Throstle Nest
Sheephouse
Sheephouse Wood
Works
Garfield House Farm
Midhopestones Bridge
Sluice
Midhope Hall Farm
Chapel Style Farm
Hill House Farm
The Oaks
Reservoir Cottage
Hagg Wood
Hagg Bridge
Reservoir House
Edge Cliff
Edge Cliff Brook
Spring Moor
Bosville's Piece
Barnside Lodge
Oak Wood
Sam Bank
Brooks Bank Bridge
Brooks Bank
Little Wood
Machin Spout
Crawshaw Wood
Wind Hill Farm
Moor House Farm
Weir
Wind Hill Wood
Wind Hill Knoll
Far Barnside Farm
Barnside Cote Farm
Batty's Lathe
Ewden Height
Half Holes Spring
Half Holes
Thorpe's Brow
Bull Clough
Millstones
The Height
Salt Springs Farm
Salt Springs Cottage
Cottage Farm
Ewden Lodge Farm
Garlic House Farm
Owler Carrs
Spout Brow
Ewden Coppice
Ewden Bridge
Nether House Farm
Earnshaw
Upperwood
Dike
Brown Edge
Holt Farm
Sun Wood
Holt Rocher
Ewden Beck
Cat Clough Plantation
Broomhead Wood
Black Dike End
Black Dike
Moor Side
White Carr
Broomhead Cottage
Broomhead Hall
Broomhead Park
Allas
MIDHOPE LANE
HALL LANE
CHAPEL LANE
MILLER LA
STONY CROFT LA
MORTIMER ROAD
OAKS
GILL ROYD LANE
SHAW LANE
DARK LANE
CLAY PITS LANE
BACK LA
MACHIN LANE
WIND HILL LANE
LONG LANE
PEG
FOLLY LANE
ALLAS LANE
Field Beck
Sike Brook
Shaw Clough
Hagg Brook
Knoll Brook
Salter
22
23
24
425
400
99
98
97
396
H J K L M N G
1 2 3 4 5 6 7 8 9
40

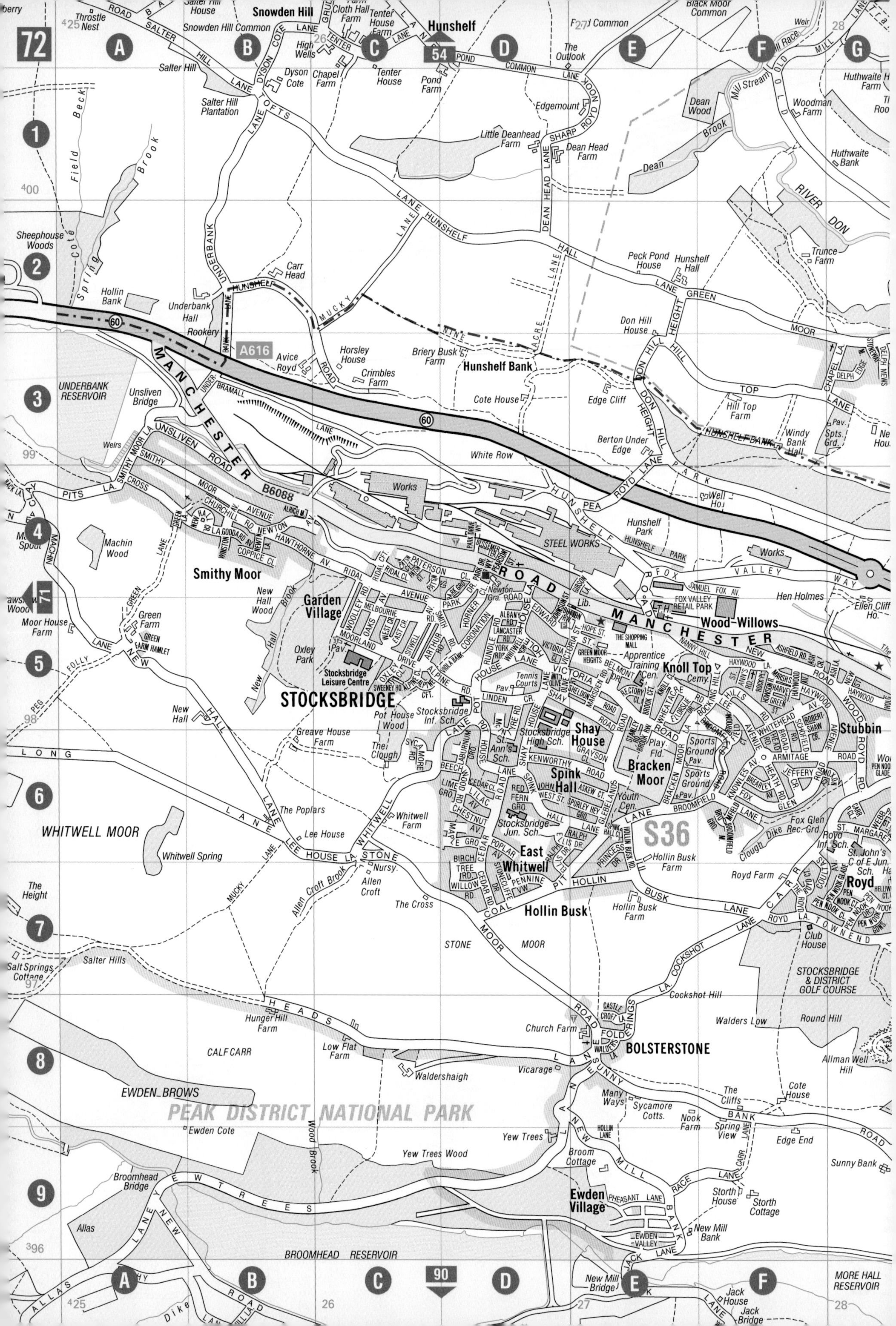

Snowden Hill
Snowden Hill Common
Hunshelf
54
Salter Hill
Salter Hill Plantation
Dyson Cote
Chapel Farm
Tenter House
Pond Farm
High Wells
Cloth Hall Farm
Tenter House Farm
The Outlook
Edgemount
Little Deanhead Farm
Dean Head Farm
Dean Wood
Dean Brook
Mill Stream
Woodman Farm
Huthwaite Farm
Huthwaite Bank
RIVER DON
Trunce Farm
Field Beck
Brook
Sheephouse Woods
Spring Cote
Hollin Bank
Carr Head
Underbank Hall
Rookery
A616
Avice Royd
Horsley House
Crimbles Farm
Briery Busk Farm
Hunshelf Bank
Peck Pond House
Hunshelf Hall
Don Hill House
Cote House
Edge Cliff
Hill Top Farm
Windy Bank Hall
Berton Under Edge
UNDERBANK RESERVOIR
Unsliven Bridge
Weirs
MANCHESTER
B6088
White Row
Works
STEEL WORKS
Hunshelf Park
Well Ho.
Works
FOX VALLEY WAY
SAMUEL FOX AV.
FOX VALLEY RETAIL PARK
Hen Holmes
Ellen Cliff Ho.
Wood-Willows
MANCHESTER ROAD
Machin Wood
Smithy Moor
New Hall Wood
Garden Village
Oxley Park
Stocksbridge Leisure Centre
Green Farm
Moor House Farm
STOCKSBRIDGE
Pot House Wood
Stocksbridge Inf. Sch.
Stocksbridge High Sch.
Shay House
Spink Hall
Bracken Moor
Knoll Top
Apprentice Training Cen.
THE SHOPPING MALL
Lib.
Stubbin
Royd
St. John's C of E Jun. Sch.
Royd Inf. Sch.
Fox Glen Rec. Grd.
Clough Dike
S36
Youth Cen.
Sports Ground
Play. Fld.
Stocksbridge Jun. Sch.
East Whitwell
Hollin Busk
Hollin Busk Farm
Royd Farm
Club House
STOCKSBRIDGE & DISTRICT GOLF COURSE
Round Hill
New Hall
Greave House Farm
The Clough
Whitwell Farm
The Poplars
Lee House
WHITWELL MOOR
Whitwell Spring
Allen Croft
Nursy.
The Cross
STONE MOOR
The Height
Salter Hills
Salt Springs Cottage
Hunger Hill Farm
Low Flat Farm
CALF CARR
Waldershaigh
Church Farm
Vicarage
BOLSTERSTONE
Cockshot Hill
Walders Low
Allman Well Hill
EWDEN BROWS
PEAK DISTRICT NATIONAL PARK
Ewden Cote
Wood Brook
Yew Trees Wood
Yew Trees
Many Ways
Sycamore Cotts.
Nook Farm
Spring View
The Cliffs
Cote House
Edge End
Sunny Bank
Broom Cottage
Broomhead Bridge
Allas
Ewden Village
Storth House
Storth Cottage
New Mill Bank
BROOMHEAD RESERVOIR
New Mill Bridge
Jack House
Jack Bridge
MORE HALL RESERVOIR
90
71

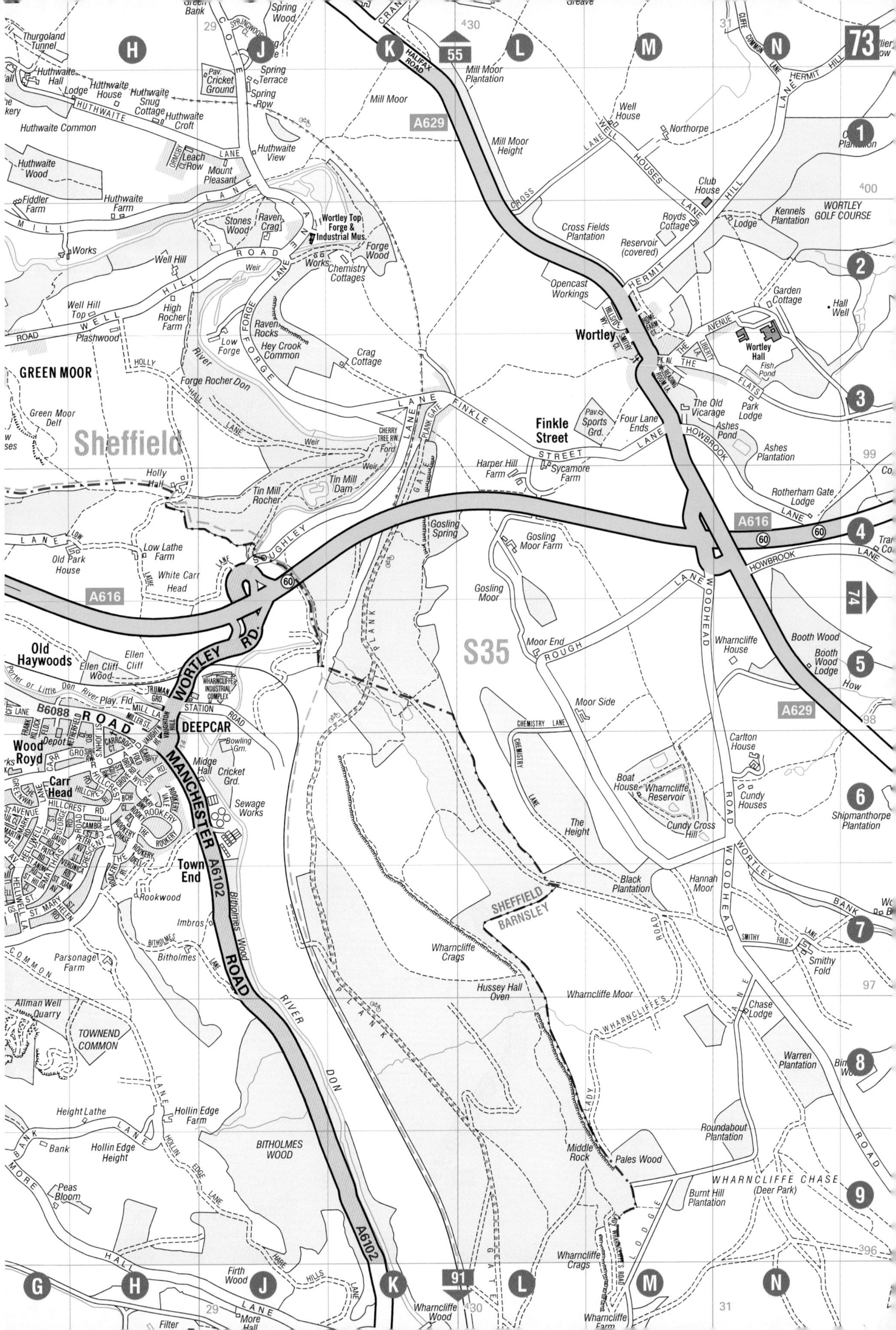
Thurgoland Tunnel
Huthwaite Hall
Lodge
Huthwaite House
Huthwaite Snug Cottage
Huthwaite Croft
HUTHWAITE
Huthwaite Common
Huthwaite Wood
Leach Row
Mount Pleasant
Fiddler Farm
Huthwaite Farm
MILL LANE
Works
Well Hill
WELL HILL ROAD
Well Hill Top
Plashwood
High Rocher Farm
GREEN MOOR
Green Moor Delf
Sheffield
Holly Hall
HOLLY HALL LANE
Low Lathe Farm
Old Park House
White Carr Head
A616
Old Haywoods
Ellen Cliff Wood
Ellen Cliff
Porter or Little Don River
B6088
ROAD
DEEPCAR
Wood Royd
Carr Head
Town End
Rookwood
Imbros
Bitholmes
Parsonage Farm
COMMON
Allman Well Quarry
TOWNEND COMMON
Height Lathe
Hollin Edge Farm
Hollin Edge Height
Bank
Peas Bloom
HALL LANE
Firth Wood
More Hall
Filter
G
H
J
K
L
M
N
29
430
31
Green Bank
Spring Wood
Pav. Cricket Ground
Spring Terrace
Spring Row
Huthwaite View
Stones Wood
Raven Crag
Wortley Top Forge & Industrial Mus.
Forge Wood
Works
Chemistry Cottages
Weir
FORGE LANE
Raven Rocks
Hey Crook Common
Low Forge
Crag Cottage
River Don
Forge Rocher
CHERRY TREE RW.
Ford
Weir
Tin Mill Dam
Tin Mill Rocher
SOUGHLEY
WORTLEY RD.
WHARNCLIFFE INDUSTRIAL COMPLEX
STATION ROAD
Bowling Grn.
Midge Hall
Cricket Grd.
Sewage Works
MANCHESTER ROAD
A6102
Bitholmes Wood
RIVER DON
BITHOLMES WOOD
HARE HILLS LANE
Wharncliffe Wood
55
91
HALIFAX ROAD
Mill Moor Plantation
Mill Moor
A629
Mill Moor Height
CROSS LANE
Well House
Northorpe
WELL HOUSES LANE
Club House
Cross Fields Plantation
Royds Cottage
Reservoir (covered)
HERMIT HILL
Opencast Workings
Wortley
Wortley Hall
Fish Pond
THE FLATS
Park Lodge
The Old Vicarage
Ashes Pond
Ashes Plantation
Finkle Street
FINKLE STREET LANE
Pav. Sports Grd.
Four Lane Ends
HOWBROOK LANE
Harper Hill Farm
Sycamore Farm
PLANK GATE
Gosling Spring
Gosling Moor Farm
Gosling Moor
S35
Moor End
ROUGH LANE
Moor Side
CHEMISTRY LANE
Boat House
Wharncliffe Reservoir
Cundy Cross Hill
The Height
Black Plantation
Hannah Moor
SHEFFIELD
BARNSLEY
Wharncliffe Crags
Hussey Hall Oven
Wharncliffe Moor
WHARNCLIFFE'S ROAD
LADY
Middle Rock
Pales Wood
LODGE LANE
Wharncliffe Crags
Wharncliffe Farm
CLIFFE COMMON LANE
HERMIT HILL
WORTLEY GOLF COURSE
Kennels Plantation
Lodge
Garden Cottage
Hall Well
Rotherham Gate Lodge
A616
60
HOWBROOK LANE
WOODHEAD LANE
Wharncliffe House
Booth Wood
Booth Wood Lodge
74
Carlton House
Cundy Houses
Shipmanthorpe Plantation
WORTLEY ROAD
WOODHEAD ROAD
BANK
SMITHY FOLD LANE
Smithy Fold
Chase Lodge
Warren Plantation
Roundabout Plantation
WHARNCLIFFE CHASE (Deer Park)
Burnt Hill Plantation
400
99
98
97
396
1
2
3
4
5
6
7
8
9

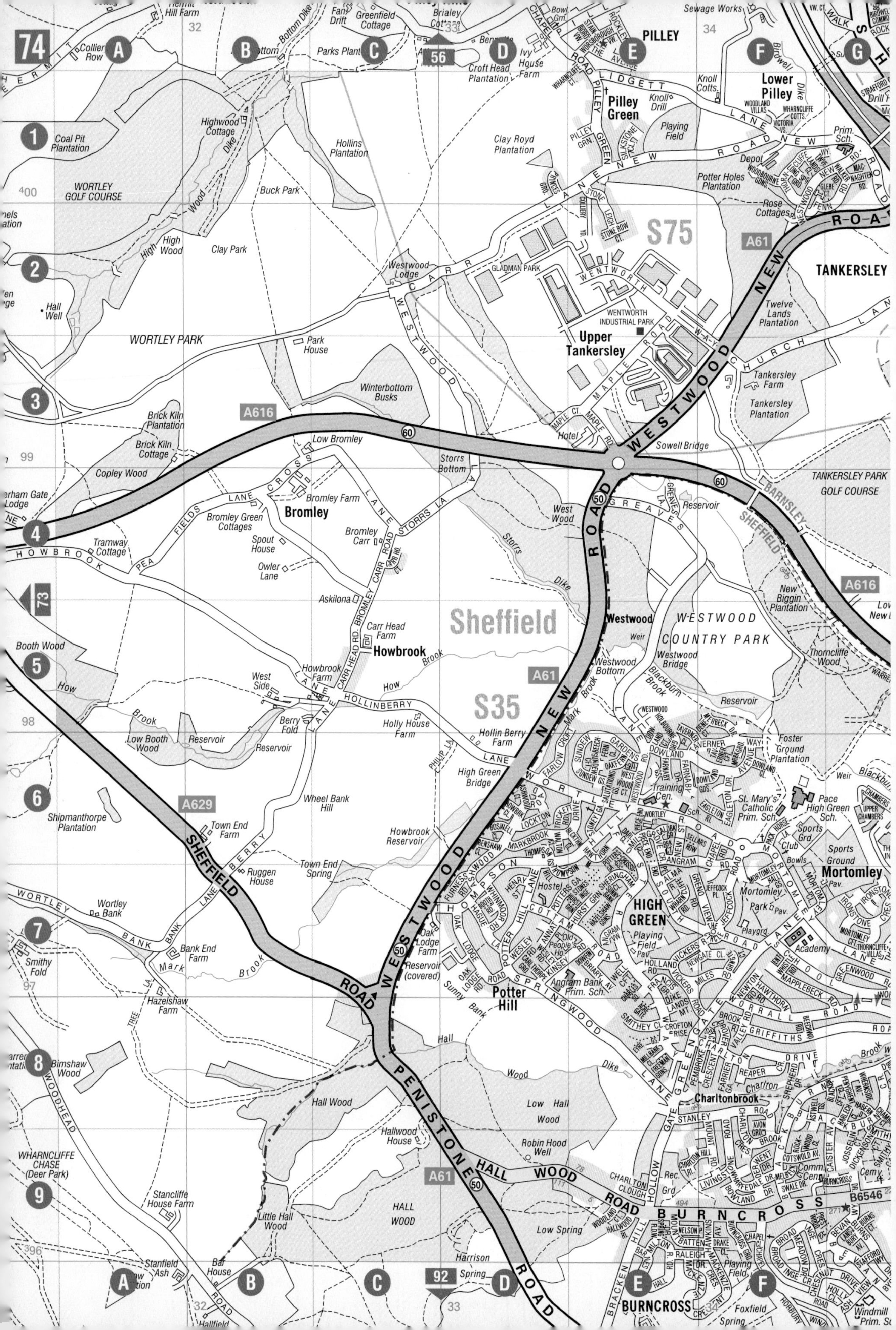

Pilley
Lower Pilley
Pilley Green
Upper Tankersley
Tankersley
Bromley
Howbrook
Westwood
High Green
Mortomley
Potter Hill
Charltonbrook
Burncross
Sheffield
S75
S35
A61
A616
A629
B6546
Wortley Golf Course
Wortley Park
Wentworth Industrial Park
Westwood Country Park
Tankersley Park Golf Course
Wharncliffe Chase (Deer Park)
Coal Pit Plantation
Hollins Plantation
Clay Royd Plantation
Potter Holes Plantation
Twelve Lands Plantation
Tankersley Plantation
Winterbottom Busks
Brick Kiln Plantation
Copley Wood
Booth Wood
Shipmanthorpe Plantation
Howbrook Reservoir
Low Booth Wood
Hall Wood
Low Hall Wood
Hallwood House
Little Hall Wood
Bimshaw Wood
Stancliffe House Farm
Foster Ground Plantation
New Biggin Plantation
Thorncliffe Wood
Westwood New Road
Penistone Road
Sheffield Road
Hall Wood Road
Burncross Road
Wortley Road
Greaves Lane
Hollinberry Lane
Carr Head Lane
Pea Fields Lane
Howbrook Lane
Wentworth Way
Church Lane
Mortomley Lane
Westwood Lane
56
73
92

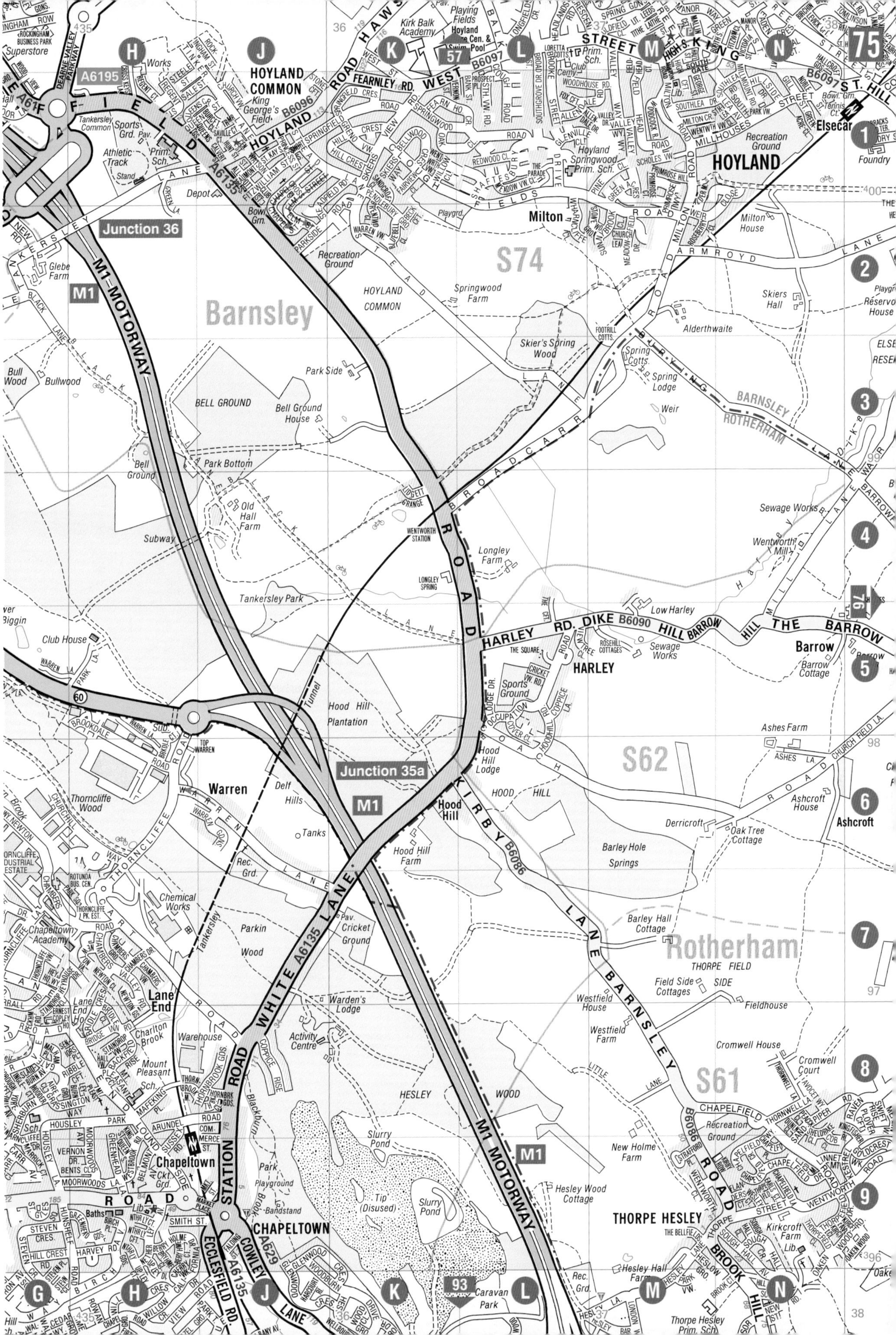
HOYLAND COMMON
HOYLAND
Milton
Elsecar
Barnsley
Rotherham
S74
S62
S61
Junction 36
Junction 35a
M1 MOTORWAY
A6135
A6195
B6096
B6097
B6090
B6086
A629
HARLEY
Barrow
Ashcroft
Hood Hill
Warren
Lane End
Chapeltown
CHAPELTOWN
THORPE HESLEY
Tankersley Park
Skier's Spring Wood
Springwood Farm
Skiers Hall
Alderthwaite
Wentworth Mill
Sewage Works
Low Harley
Hood Hill Plantation
Barley Hole Springs
Barley Hall Cottage
THORPE FIELD
Westfield House
Westfield Farm
Cromwell House
New Holme Farm
Hesley Wood Cottage
Chapeltown Academy
Thorncliffe Wood
Chemical Works
Parkin Wood
Slurry Pond
Tip (Disused)
Caravan Park
Old Hall Farm
Bell Ground House
Glebe Farm
Bull Wood
Bullwood
Club House
Ashes Farm
Derricroft
Oak Tree Cottage
Field Side Cottages
Fieldhouse
Hood Hill Farm
Longley Farm
Wentworth Station
Milton House
Recreation Ground
57
76
93

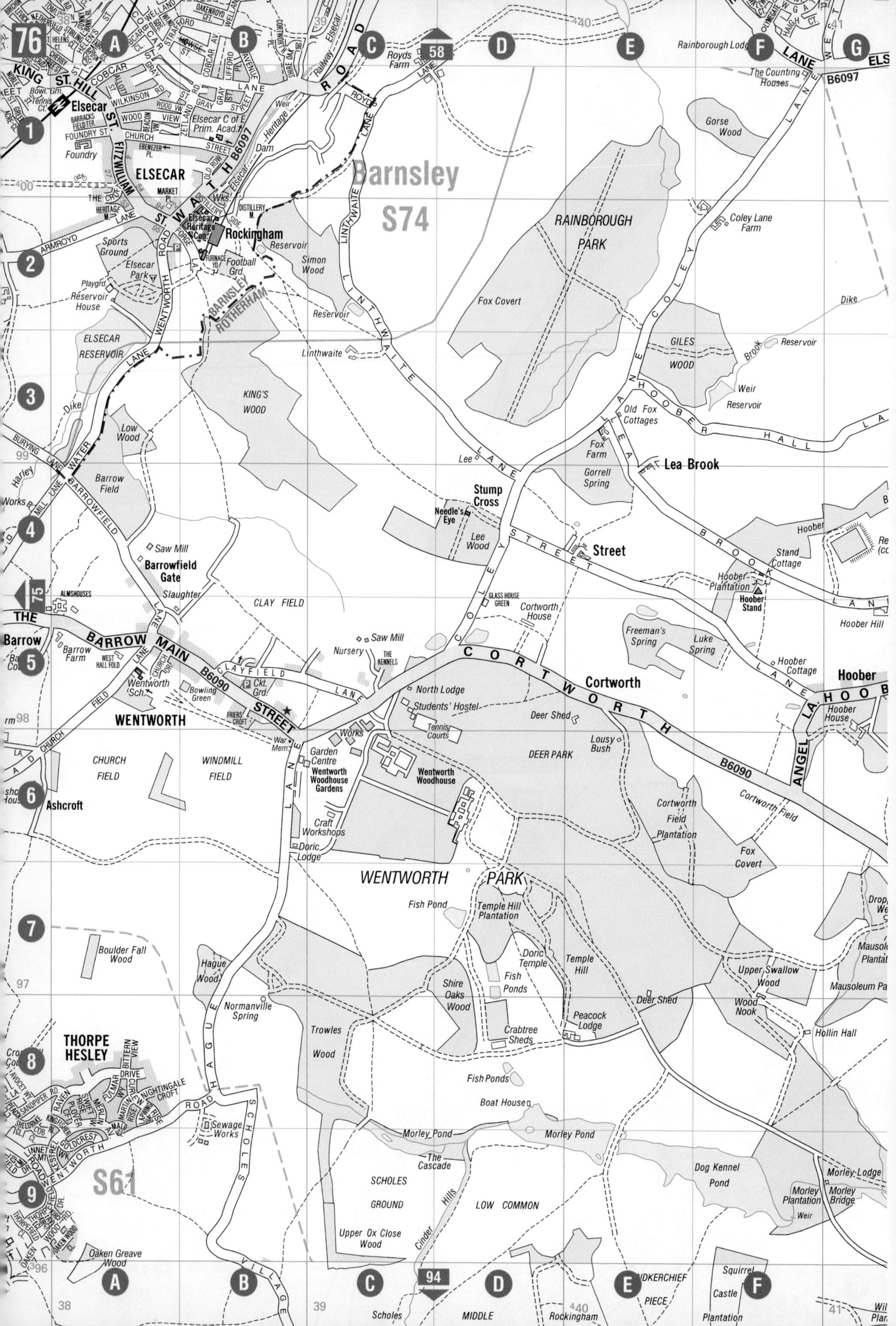
Elsecar
ELSECAR
Rockingham
Barnsley
S74
RAINBOROUGH PARK
Fox Covert
GILES WOOD
KING'S WOOD
Lea Brook
Stump Cross
Street
Barrowfield Gate
CLAY FIELD
WENTWORTH
Cortworth
DEER PARK
Wentworth Woodhouse
WENTWORTH PARK
Hoober
THORPE HESLEY
S61
SCHOLES GROUND
LOW COMMON
Morley Pond
Dog Kennel Pond
58
75
94

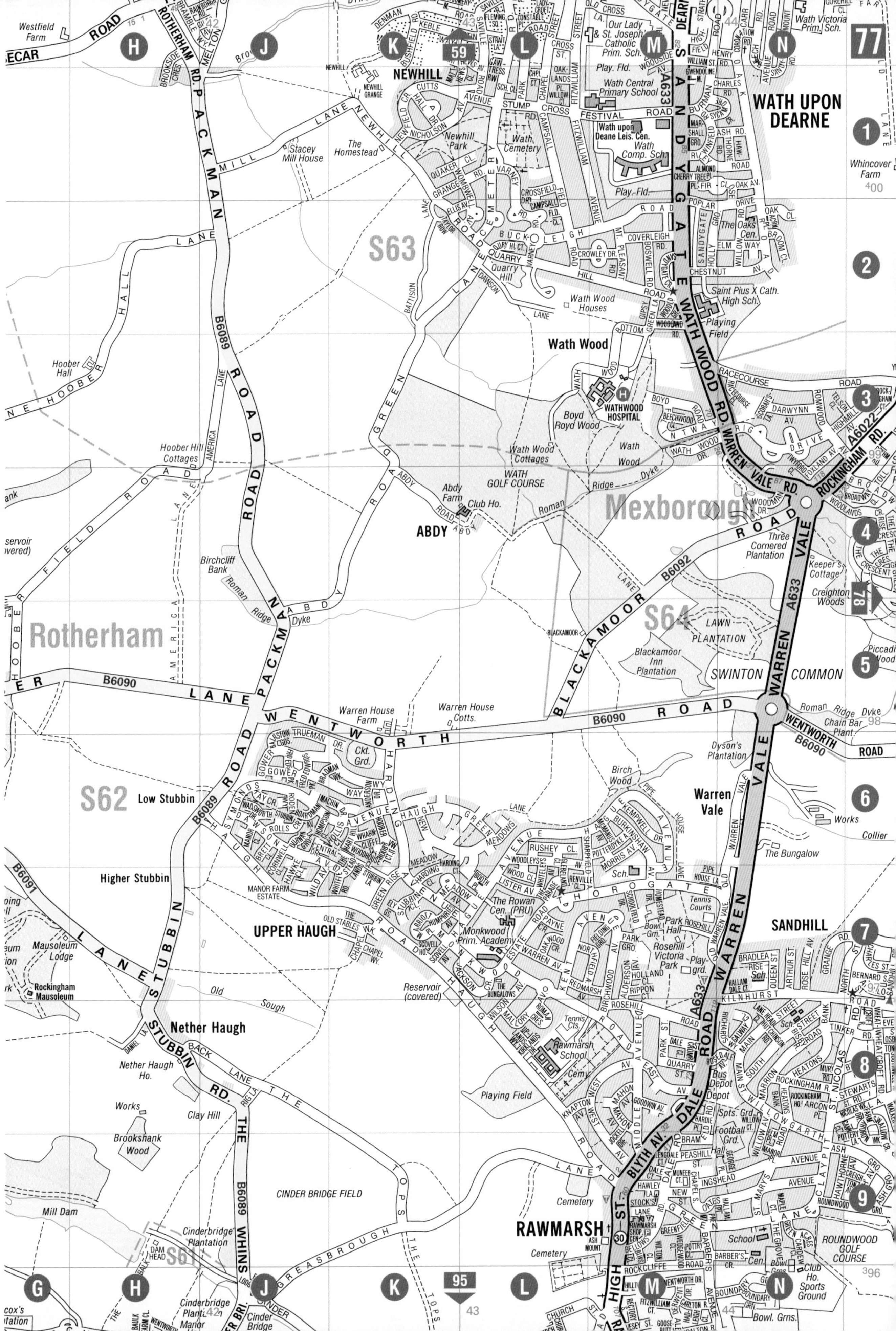
WATH UPON DEARNE
NEWHILL
Newhill Park
Wath Cemetery
Wath Central Primary School
Wath upon Deane Leis. Cen.
Wath Comp. Sch.
Our Lady & St. Joseph's Catholic Prim. Sch.
Saint Pius X Cath. High Sch.
Wath Wood
WATHWOOD HOSPITAL
Boyd Royd Wood
Wath Wood Cottages
WATH GOLF COURSE
Abdy Farm
Club Ho.
ABDY
Mexborough
Three Cornered Plantation
Keeper's Cottage
Creighton Woods
LAWN PLANTATION
Blackamoor Inn Plantation
SWINTON COMMON
Rotherham
Hoober Hall
Hoober Hill Cottages
Birchcliff Bank
Westfield Farm
Stacey Mill House
The Homestead
Quarry Hill
Wath Wood Houses
Warren House Farm
Warren House Cotts.
Dyson's Plantation
Birch Wood
Warren Vale
The Bungalow
Low Stubbin
Higher Stubbin
MANOR FARM ESTATE
UPPER HAUGH
The Rowan Cen. (PRU)
Monkwood Prim. Academy
Rawmarsh School
Rosehill Victoria Park
Park Hall
SANDHILL
Reservoir (covered)
Playing Field
Mausoleum Lodge
Rockingham Mausoleum
Nether Haugh
Nether Haugh Ho.
Clay Hill
Brookshank Wood
CINDER BRIDGE FIELD
Mill Dam
Cinderbridge Plantation
Cinder Bridge
RAWMARSH
Cemetery
ROUNDWOOD GOLF COURSE
Whincover Farm
Piccadilly Wood
Roman Ridge Dyke
Chain Bar Plant.
Works
PACKMAN ROAD
B6089
B6090
WENTWORTH ROAD
B6092
BLACKAMOOR ROAD
A633
WARREN VALE
WATH WOOD RD.
SANDYGATE
A6022
ROCKINGHAM RD.
STUBBIN LANE
B6091
HIGH ST.
S63
S64
S62
S61
59
78
95

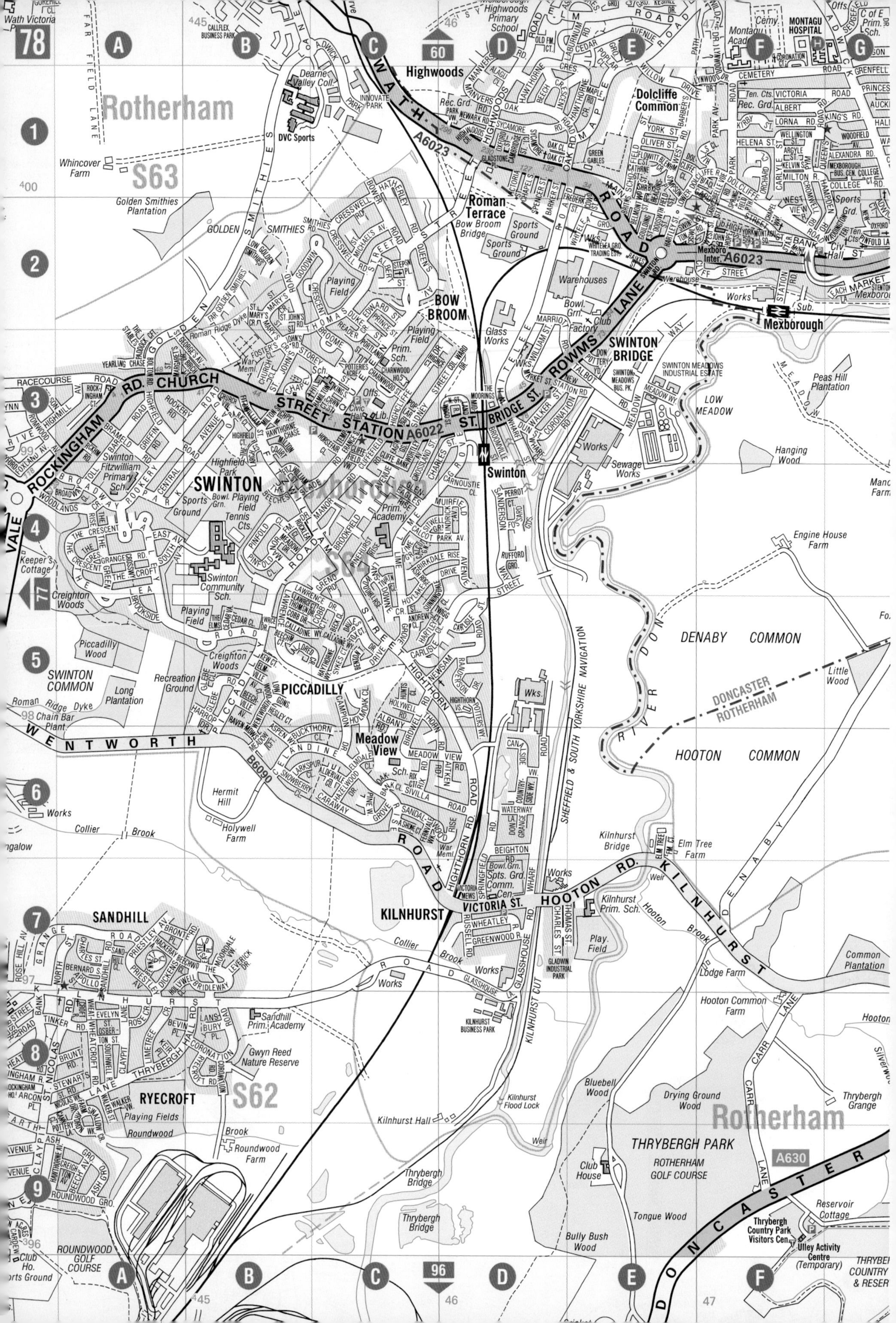
Wath Victoria
Rotherham
S63
Whincover Farm
Golden Smithies Plantation
Dearne Valley Coll.
DVC Sports
Innovate Park
Highwoods
Highwoods Primary School
WATH ROAD
A6023
Dolcliffe Common
Montagu Hospital
Cemetery Road
Roman Terrace
Bow Broom Bridge
Sports Ground
BOW BROOM
Glass Works
Warehouses
Mexboro Inter.
Mexborough
ROWMS LANE
SWINTON BRIDGE
Swinton Meadows Industrial Estate
Peas Hill Plantation
LOW MEADOW
Hanging Wood
RACECOURSE ROAD
CHURCH ST.
STATION STREET
A6022
BRIDGE ST.
ROCKINGHAM RD.
SWINTON
Swinton
Swinton Fitzwilliam Primary Sch.
Swinton Community Sch.
Prim. Academy
S64
Engine House Farm
Keeper's Cottage
Creighton Woods
Piccadilly Wood
SWINTON COMMON
Long Plantation
Recreation Ground
PICCADILLY
Meadow View
DENABY COMMON
DONCASTER
ROTHERHAM
HOOTON COMMON
Little Wood
River Don
Sheffield & South Yorkshire Navigation
WENTWORTH ROAD
B6090
Hermit Hill
Holywell Farm
Works
Collier Brook
Kilnhurst Bridge
Elm Tree Farm
SANDHILL
KILNHURST
VICTORIA ST.
HOOTON RD.
KILNHURST RD.
Kilnhurst Prim. Sch.
Play. Field
Gladwin Industrial Park
Common Plantation
Lodge Farm
Hooton Common Farm
Sandhill Prim. Academy
Gwyn Reed Nature Reserve
Kilnhurst Business Park
S62
RYECROFT
Playing Fields
Roundwood
Roundwood Farm
Kilnhurst Flood Lock
Kilnhurst Hall
Kilnhurst Cut
Bluebell Wood
Drying Ground Wood
Thrybergh Grange
Rotherham
THRYBERGH PARK
ROTHERHAM GOLF COURSE
Club House
Thrybergh Bridge
Tongue Wood
Bully Bush Wood
A630
DONCASTER ROAD
Reservoir Cottage
Thrybergh Country Park Visitors Cen.
Ulley Activity Centre (Temporary)
ROUNDWOOD GOLF COURSE
CARR LANE
60
96
77

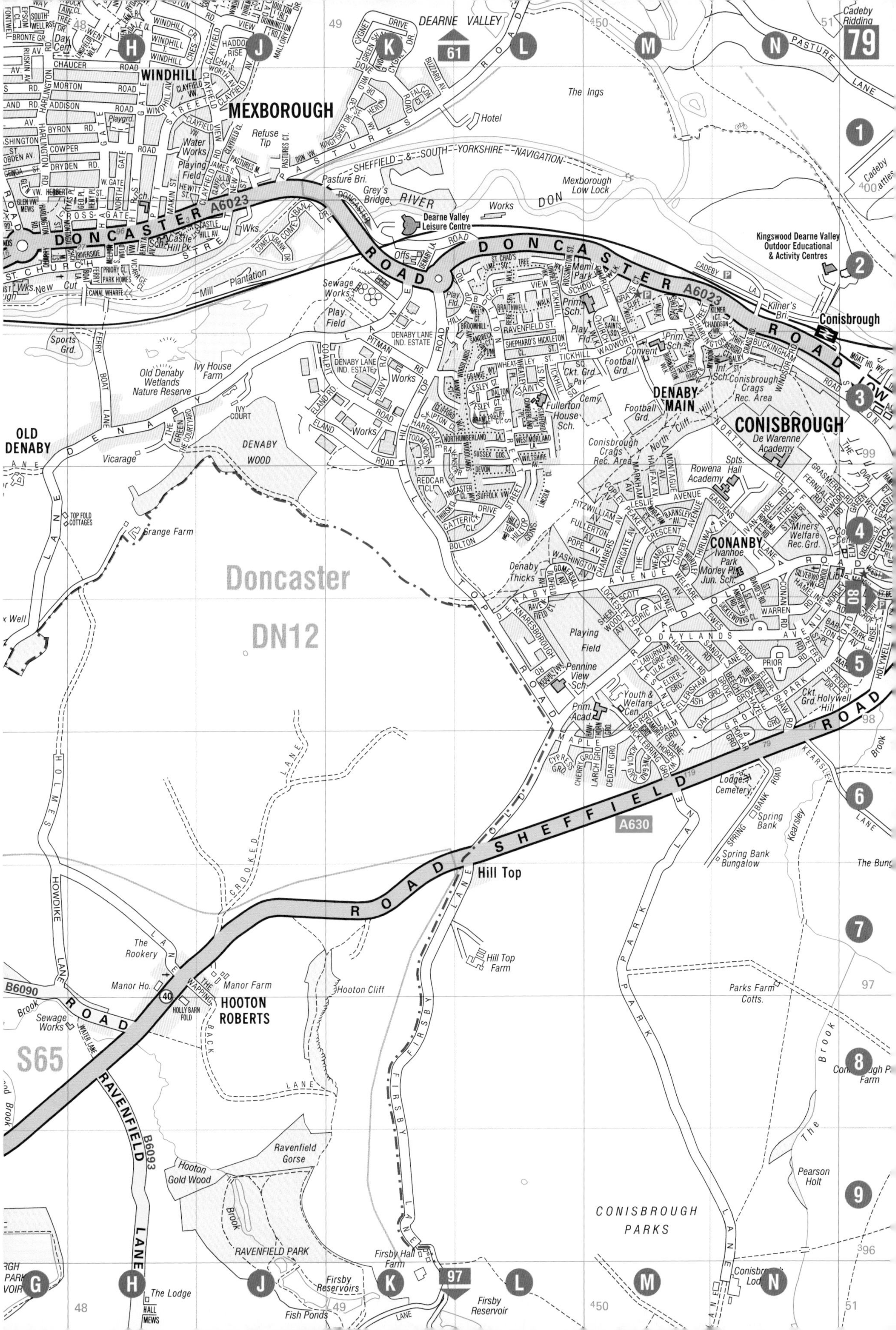
MEXBOROUGH
WINDHILL
DEARNE VALLEY
61
DONCASTER ROAD A6023
SHEFFIELD & SOUTH YORKSHIRE NAVIGATION
RIVER DON
The Ings
Mexborough Low Lock
Dearne Valley Leisure Centre
Kingswood Dearne Valley Outdoor Educational & Activity Centres
Conisbrough
DENABY MAIN
CONISBROUGH
CONANBY
De Warenne Academy
Rowena Academy
OLD DENABY
Old Denaby Wetlands Nature Reserve
Ivy House Farm
DENABY WOOD
Grange Farm
Doncaster
DN12
SHEFFIELD ROAD A630
Hill Top
Hill Top Farm
HOOTON ROBERTS
Hooton Cliff
Manor Farm
B6090
S65
RAVENFIELD LANE B6093
Ravenfield Gorse
Hooton Gold Wood
RAVENFIELD PARK
Firsby Hall Farm
Firsby Reservoirs
Firsby Reservoir
Fish Ponds
97
CONISBROUGH PARKS
Pearson Holt
Parks Farm Cotts.
Spring Bank
Spring Bank Bungalow
Lodge Cemetery
Kearsley
80
48
49
450
51
H J K L M N G
1 2 3 4 5 6 7 8 9
400
399
398
397
396

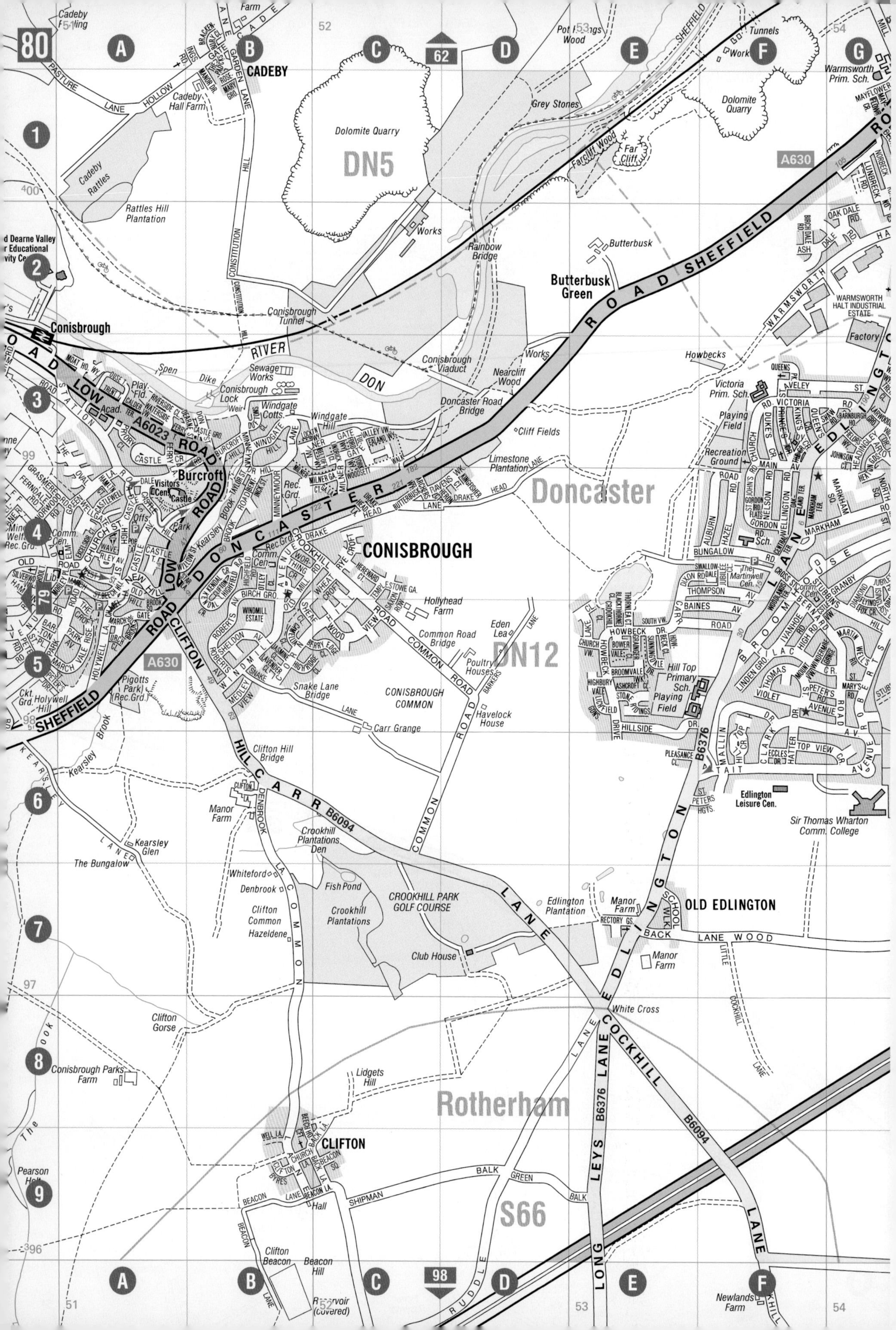
62
98
79
CADEBY
Cadeby Hall Farm
Cadeby Rattles
Rattles Hill Plantation
Dolomite Quarry
DN5
Pot Ridings Wood
Grey Stones
Tunnels
Work
Warmsworth Prim. Sch.
Farcliff Wood
Far Cliff
A630
Works
Rainbow Bridge
Butterbusk
Butterbusk Green
Conisbrough
Conisbrough Tunnel
RIVER DON
Spen Dike
Sewage Works
Conisbrough Lock
Weir
Conisbrough Viaduct
Nearcliff Wood
Doncaster Road Bridge
Cliff Fields
Limestone Plantation
Windgate Cotts.
Windgate Hill
Burcroft
Visitors Cen.
Castle
Doncaster
WARMSWORTH HALT INDUSTRIAL ESTATE
Factory
Howbecks
Victoria Prim. Sch.
Playing Field
Recreation Ground
DONCASTER ROAD
SHEFFIELD ROAD
LOW ROAD
A6023
CONISBROUGH
Hollyhead Farm
Common Road Bridge
Eden Lea
DN12
Poultry Houses
Havelock House
CONISBROUGH COMMON
Snake Lane Bridge
Carr Grange
Pigotts Park (Rec.Grd.)
Holywell Hill
Kearsley Brook
Hill Top Primary Sch.
Playing Field
The Martinwell Cen.
Edlington Leisure Cen.
Sir Thomas Wharton Comm. College
Clifton Hill Bridge
HILL CARR LANE
B6094
Manor Farm
Kearsley Glen
The Bungalow
Crookhill Plantations Den
Whiteford
Denbrook
Clifton Common
Hazeldene
Fish Pond
Crookhill Plantations
CROOKHILL PARK GOLF COURSE
Club House
Edlington Plantation
OLD EDLINGTON
EDLINGTON LANE
B6376
White Cross
Clifton Gorse
Conisbrough Parks Farm
Lidgets Hill
Rotherham
CLIFTON
Pearson Holt
S66
Clifton Beacon
Beacon Hill
Reservoir (covered)
Newlands Farm
LONG LEYS LANE
COCKHILL LANE

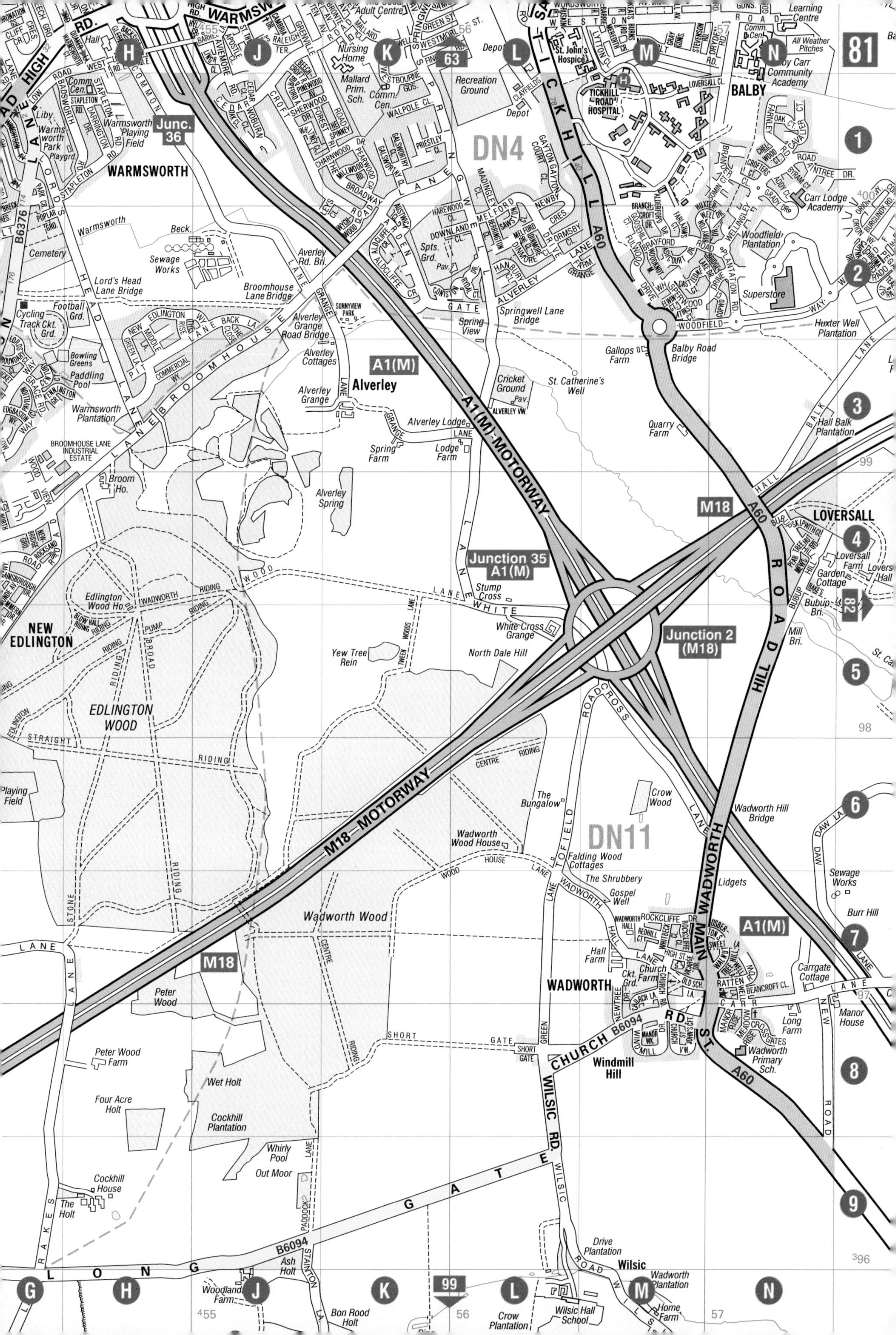

WARMSWORTH
Junc. 36
DN4
BALBY
Balby Carr Community Academy
TICKHILL ROAD HOSPITAL
St. John's Hospice
Recreation Ground
Mallard Prim. Sch.
Alverley
A1(M)
A1(M) MOTORWAY
M18 MOTORWAY
M18
Junction 35 A1(M)
Junction 2 (M18)
LOVERSALL
NEW EDLINGTON
EDLINGTON WOOD
DN11
WADWORTH
Wadworth Wood
Wadworth Primary Sch.
Windmill Hill
Wilsic
Wilsic Hall School
LONG GATE
B6094
A60
Carr Lodge Academy
Woodfield Plantation
Superstore
Hall Balk Plantation
Cricket Ground
St. Catherine's Well
Broomhouse Lane Industrial Estate
Warmsworth Plantation
Peter Wood
Cockhill Plantation

Learning Centre
Balby Carr
Supermarket
P+R White Rose Way
WOODFIELD WAY
CARR BANK
MALLARD
Division Drain
WHITE ROSE WAY
A6182
64
Young Eaa Plantation
Triangle Plantation
Childer's Drain Bridge
Potteric Carr Nature Reserve
Black Carr Junction
Stoven's Plantation
Black Carr
POTTERIC CARR
Beeston Plantation
Littlewoods Plantation
Lodge Academy
Huxter Well Plantation
BALK
Junction 3
Cottage Plantation
Long Walk Plantation
M18 MOTORWAY
M18
Hall Balk Plantation
HALL
Whin Covert
RAKE'S LANE
Lockwell Ings
LOVERSALL CARR
Pond Plantation
LOVERSALL
Loversall Farm
Loversall Hall
Robin's Gap
Garden Cottage
Low Farm
81
Mill Bri.
IPORT
Pheasant Bank
Works
WEST
LITTLE MOOR
Mombrick Wood
Washing Dike Plantation
St. Catherine's Well Stream
Little Carr
Doncaster
Mill Farm
New Ings
Parson's Carr
Holmes Carr Great Wood
DAW LANE
Sewage Works
Burr Hill
WADWORTH CARR
Wadworth Bridge
GRANGE
Cemetery
Rossington Grange Farm
BANK
Carr House
CARR LANE
Carrgate Cottage
Carr Lane Bridge
Manor House
Long Farm
EGG STANCIL LANE
Stancil Bridge
River
Grange Farm
NEW ROAD
A1(M) MOTORWAY
A1(M)
Red Hill
WELLINGLEY LOW GROUNDS
STANCIL
A60
Top Cottage
Wellingley Grange
WELLINGLEY LANE
Wellingley Lane Bridge
BILLY WRIGHT'S LA.
100
Wadworth Bar Farm
Stancil

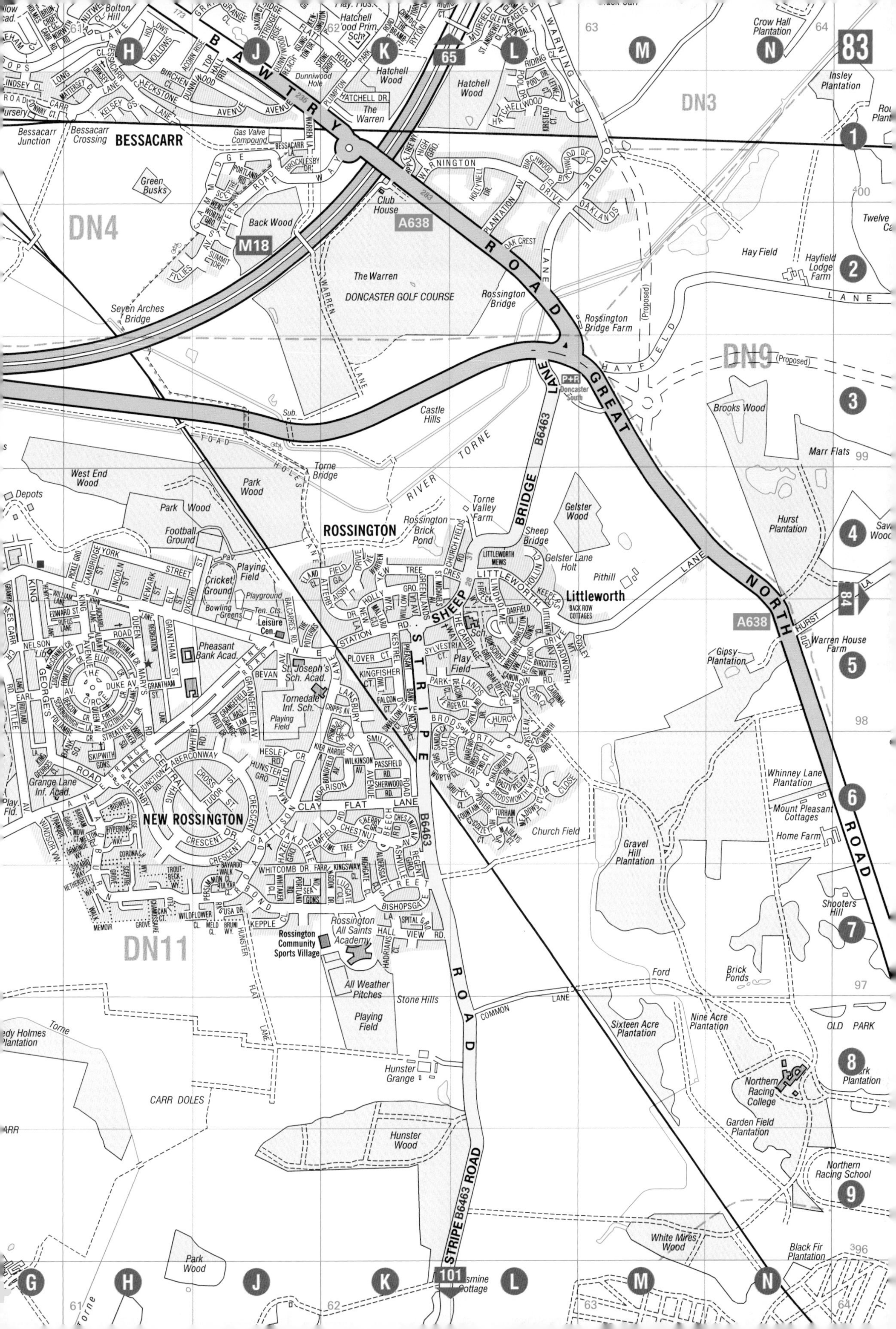

BESSACARR
Bessacarr Junction
Bessacarr Crossing
Gas Valve Compound
Green Busks
DN4
DN3
DN9
DN11
M18
A638
B6463
Back Wood
Seven Arches Bridge
Hatchell Wood
The Warren
Dunniwood Hole
Club House
The Warren
DONCASTER GOLF COURSE
Rossington Bridge
Rossington Bridge Farm
Crow Hall Plantation
Insley Plantation
Hay Field
Hayfield Lodge Farm
Brooks Wood
Marr Flats
Hurst Plantation
Castle Hills
Torne Bridge
West End Wood
Depots
Park Wood
Football Ground
Cricket Ground
Playing Field
Bowling Greens
Leisure Cen.
Pheasant Bank Acad.
St. Joseph's Sch. Acad.
Tornedale Inf. Sch.
ROSSINGTON
Rossington Brick Pond
Torne Valley Farm
Sheep Bridge
Gelster Wood
Gelster Lane Holt
Pithill
Littleworth
Warren House Farm
Gipsy Plantation
NEW ROSSINGTON
Grange Lane Inf. Acad.
Church Field
Gravel Hill Plantation
Whinney Lane Plantation
Mount Pleasant Cottages
Home Farm
Shooters Hill
Rossington Community Sports Village
Rossington All Saints Academy
All Weather Pitches
Stone Hills
Playing Field
Ford
Brick Ponds
Sixteen Acre Plantation
Nine Acre Plantation
Northern Racing College
Garden Field Plantation
Northern Racing School
Hunster Grange
Hunster Wood
CARR DOLES
Park Wood
White Mires Wood
Black Fir Plantation
GREAT NORTH ROAD
BAWTRY ROAD
STRIPE ROAD
SHEEP BRIDGE LANE
HAYFIELD LANE
COMMON LANE
RIVER TORNE
65
84
101

Lidget
66
Mosham Farm
Mosham Wood
Nursery Gardens
White House Farm
BLAXTON
Insley Plantation
Round Plantation
Mill Hill
MOSHAM ROAD
B1396
Nursery
Works
Sand & Gravel Pit
Gate House
Playing Fields
The Hayfield School
Twelve Months Carr
West Barrier
A614 ROAD
Avery House
HAYFIELD LANE
Hayfield La. Prim. Sch.
DN9
SECOND AVENUE
Hanging Carr Farm
Poultry Farm
Hill House School
Marr Flats Plantation
Hotel
Marr Flats
Poplars Farm
Savage Wood
Savage Wood End
Hurst Wood
Terminal
ROBIN HOOD AIRPORT DONCASTER SHEFFIELD
Bus Depot
Depot
83
Warren House Farm
Hag Plantation
Finningley Big Wood
Cadman's Plantation
Doncaster
Great Wood
Crow Wood
Finningley Park
Tinker's Pond
Home Farm
Hammond Elders
Shooters Hill
A638
GREAT NORTH ROAD
HIGH COMMON LANE
Brancroft
OLD PARK
Park Plantation
Partridge Hill Cottages
Partridge Hill Holt
Partridge Hill Farm
Northern Racing School
RSPCA Centre
Blackfirs
CROSS LANE
Austerfield Waterworks
Club House
BAWTRY GOLF COURSE
THORNE RD.
A614
Works
102
Wood Close

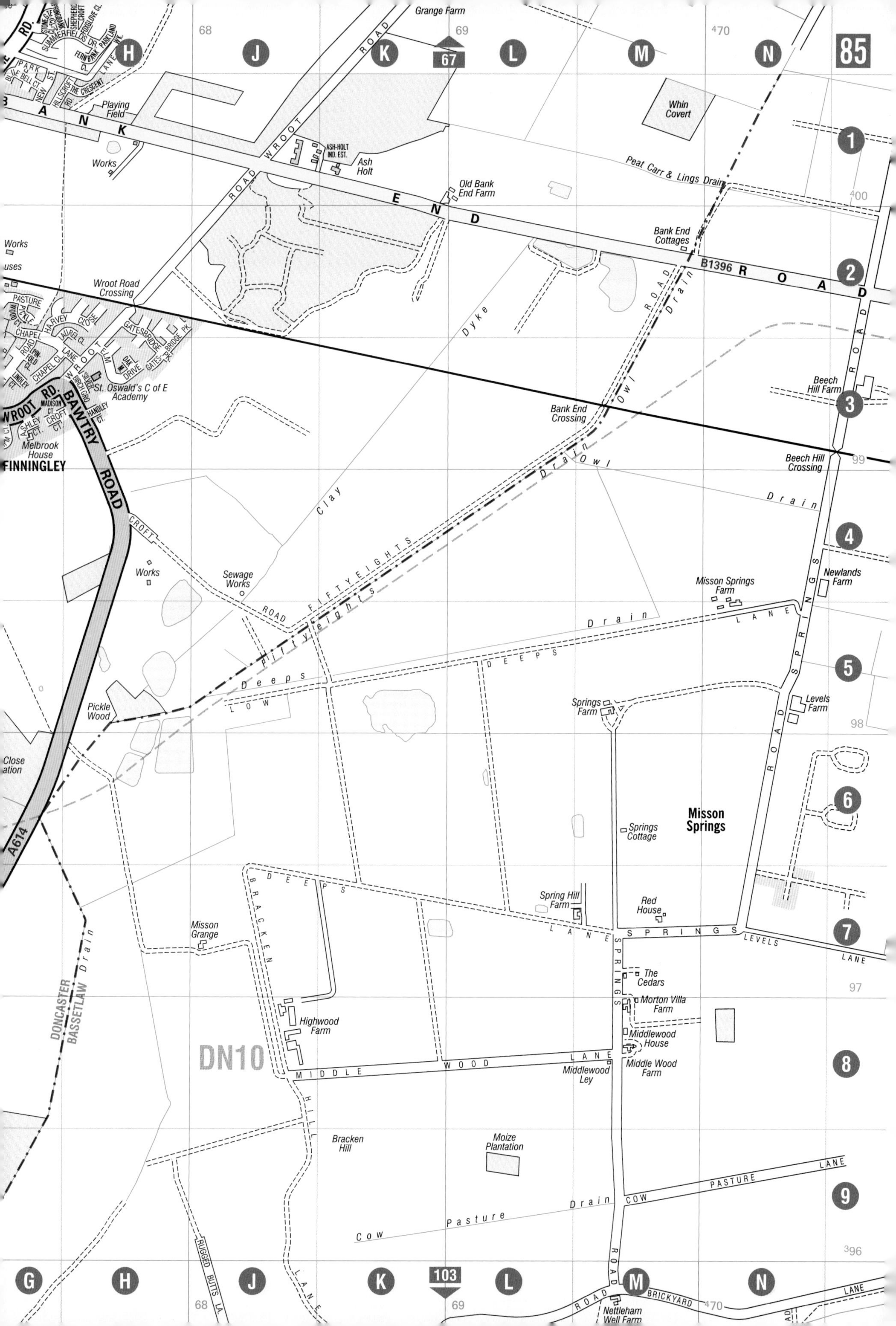
Grange Farm
67
Whin Covert
Playing Field
BANK END
Works
WROOT ROAD
ASH-HOLT IND. EST.
Ash Holt
Old Bank End Farm
Peat Carr & Lings Drain
Bank End Cottages
B1396 ROAD
Works
Wroot Road Crossing
Dyke
Owl Drain
Beech Hill Farm
Bank End Crossing
St. Oswald's C of E Academy
Melbrook House
FINNINGLEY
BAWTRY ROAD
Beech Hill Crossing
Drain
Clay
CROFT
FIFTYEIGHTS ROAD
Works
Sewage Works
Fiftyeights
Misson Springs Farm
Newlands Farm
Drain
DEEPS LANE
Deeps
LOW
Pickle Wood
Springs Farm
Levels Farm
Close
A614
Misson Springs
Springs Cottage
DEEPS
BRACKEN
Spring Hill Farm
Red House
SPRINGS LANE
LEVELS LANE
Misson Grange
DONCASTER
BASSETLAW
Drain
The Cedars
Morton Villa Farm
Highwood Farm
Middlewood House
DN10
MIDDLE WOOD LANE
Middlewood Ley
Middle Wood Farm
HILL
Bracken Hill
Moize Plantation
COW PASTURE LANE
Cow Pasture Drain
RUGGED BUTTS LA.
LANE
103
ROAD
BRICKYARD LANE
Nettleham Well Farm
68
69
470
400
99
98
97
396
H J K L M N
G H J K L M N
1 2 3 4 5 6 7 8 9

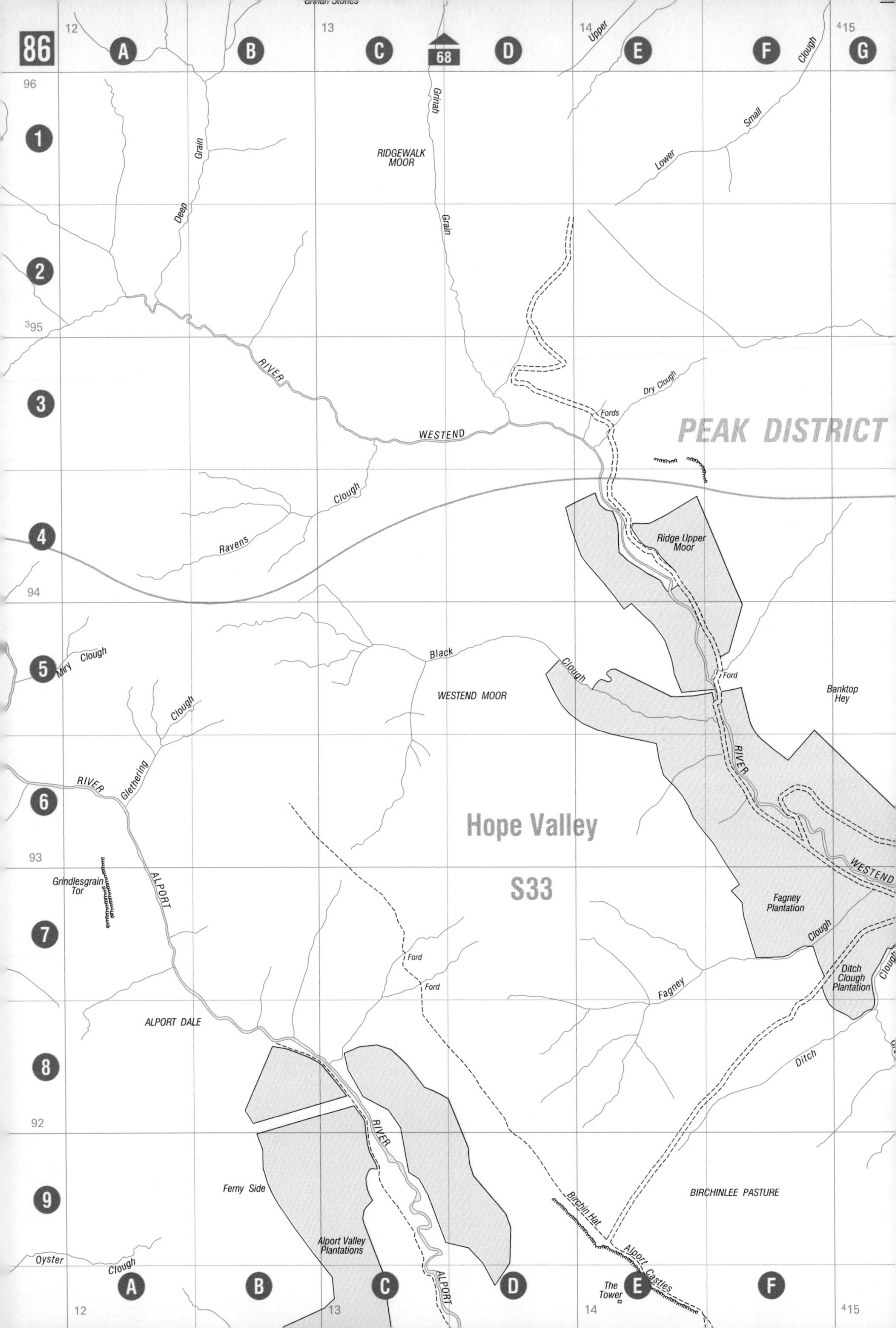
68
RIDGEWALK MOOR
Deep Grain
Grinah Grain
Upper
Lower Small Clough
RIVER WESTEND
Dry Clough
Fords
PEAK DISTRICT
Ravens Clough
Ridge Upper Moor
Miry Clough
Black Clough
WESTEND MOOR
Ford
Banktop Hey
Clough
RIVER Glethering
Hope Valley
S33
RIVER WESTEND
Grindlesgrain Tor
ALPORT
Fagney Plantation
Clough
Ditch Clough Plantation
Ford
Ford
Fagney
ALPORT DALE
Ditch
RIVER
Ferny Side
BIRCHINLEE PASTURE
Birchin Hat
Alport Valley Plantations
Alport Castles
Oyster Clough
ALPORT
The Tower

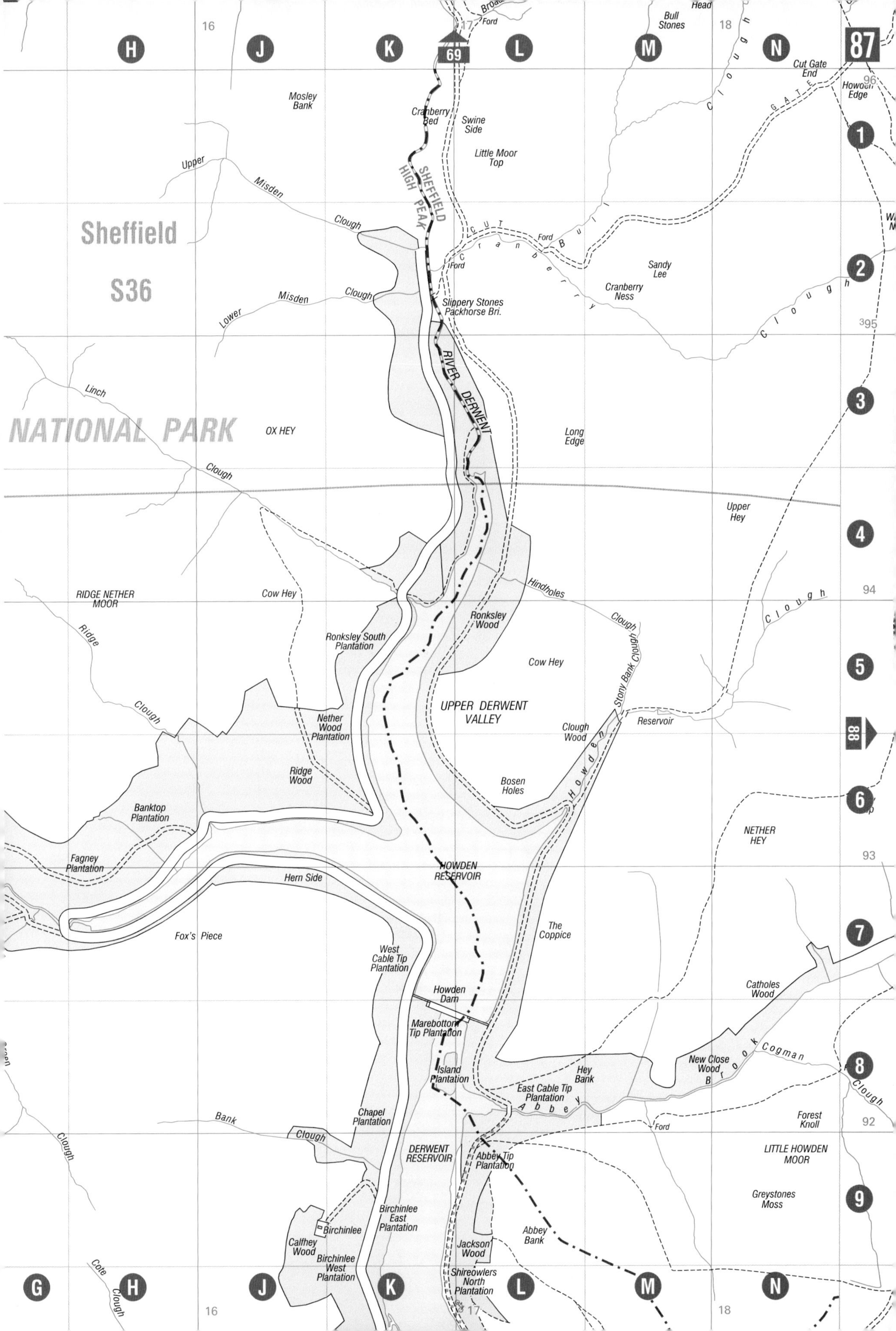

H
J
K
L
M
N
69
Mosley Bank
Cranberry Bed
Swine Side
Little Moor Top
Bull Stones
Cut Gate End
Howden Edge
Upper Misden Clough
Sheffield
S36
SHEFFIELD HIGH PEAK
CUT GATE
Cranberry Clough
Bull Clough
Ford
Sandy Lee
Cranberry Ness
Lower Misden Clough
Slippery Stones Packhorse Bri.
RIVER DERWENT
Linch Clough
NATIONAL PARK
OX HEY
Long Edge
Upper Hey
RIDGE NETHER MOOR
Cow Hey
Hindholes Clough
Ronksley Wood
Ronksley South Plantation
Cow Hey
Ridge Clough
Stony Bank Clough
UPPER DERWENT VALLEY
Nether Wood Plantation
Clough Wood
Reservoir
Ridge Wood
Bosen Holes
Howden
Banktop Plantation
NETHER HEY
Fagney Plantation
Hern Side
HOWDEN RESERVOIR
Fox's Piece
The Coppice
West Cable Tip Plantation
Catholes Wood
Howden Dam
Marebottom Tip Plantation
Cogman Clough
New Close Wood
Brook
Island Plantation
Hey Bank
East Cable Tip Plantation
Abbey
Forest Knoll
Bank Clough
Chapel Plantation
Ford
Clough
DERWENT RESERVOIR
Abbey Tip Plantation
LITTLE HOWDEN MOOR
Greystones Moss
Birchinlee East Plantation
Birchinlee
Abbey Bank
Calfhey Wood
Birchinlee West Plantation
Jackson Wood
Shireowlers North Plantation
Cote Clough
G
16
17
18
96
395
94
93
92
1
2
3
4
5
6
7
8
9
88

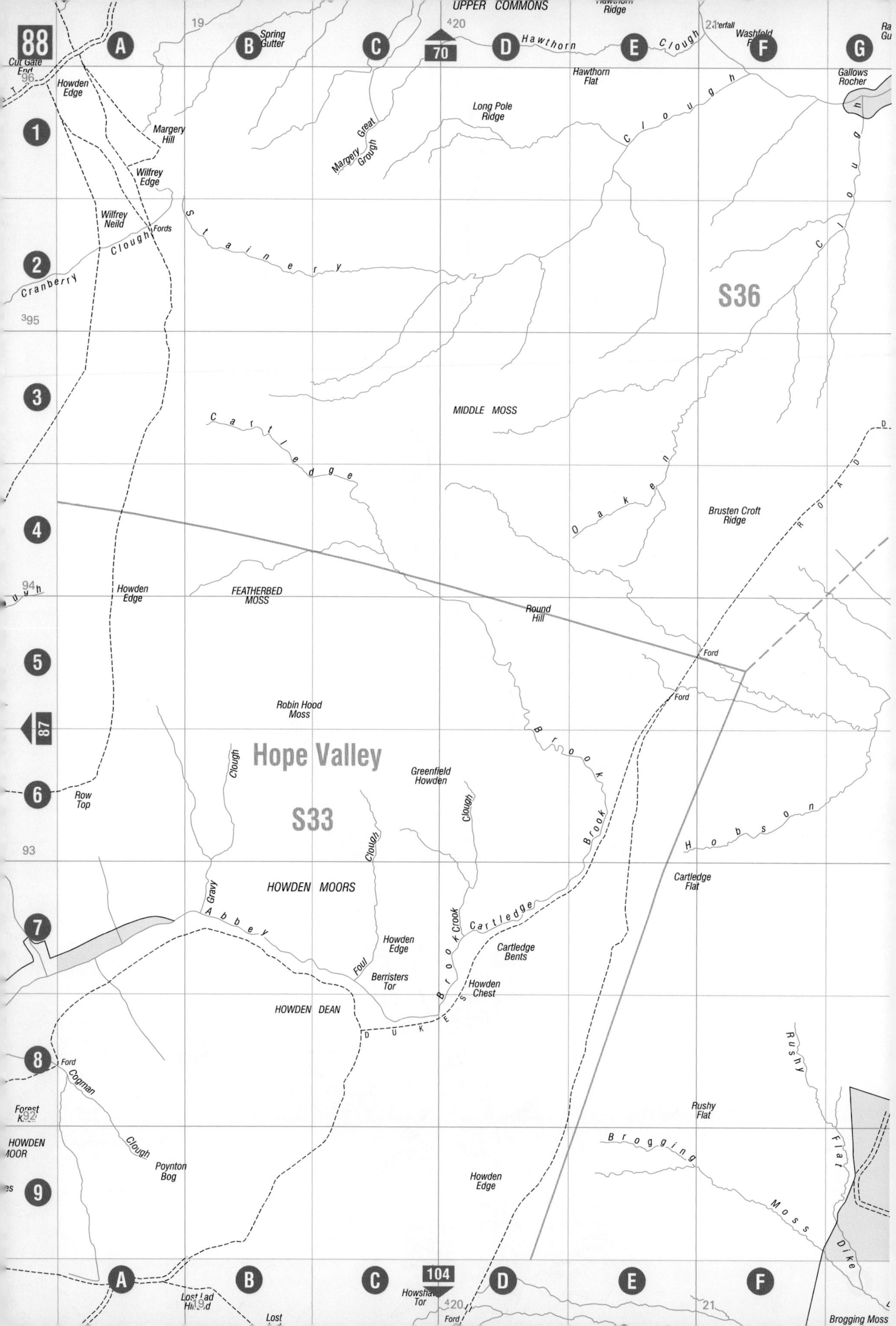

UPPER COMMONS

Cut Gate End

96

A · B Spring Gutter · C · 70 · D Hawthorn · E Clough · 21 erfall · F Washfold F · G Ra Gu

Hawthorn Ridge

Hawthorn Flat

Gallows Rocher

Howden Edge

1 Margery Hill

Long Pole Ridge

Wilfrey Edge

Wilfrey Neild · Fords

Stainery

2 Cranberry · Clough

395

S36

3 Cartledge

MIDDLE MOSS

Oaken

Brusten Croft Ridge

94 h

4 Howden Edge · FEATHERBED MOSS

Round Hill

Ford

5 · Ford

87

Robin Hood Moss

Brook

6 Row Top

93

Clough

Hope Valley

Greenfield Howden

Clough

S33

Gravy

Abbey

HOWDEN MOORS

Cartledge Flat

Hobson

7

Foul

Howden Edge

Berristers Tor

Cartledge Bents

Brook Crook

Cartledge

Duke

Howden Chest

Rushy

HOWDEN DEAN

8 Ford · Cogman

Forest k 92

Rushy Flat

HOWDEN MOOR · es

Clough

Poynton Bog

Brogging

Flat

9 · Howden Edge

Moss

Dike

A · B · C · 104 · D · E · F

Lost Lad Hill 9 d

Howshaw Tor · 420

Lost · Ford

21

Brogging Moss

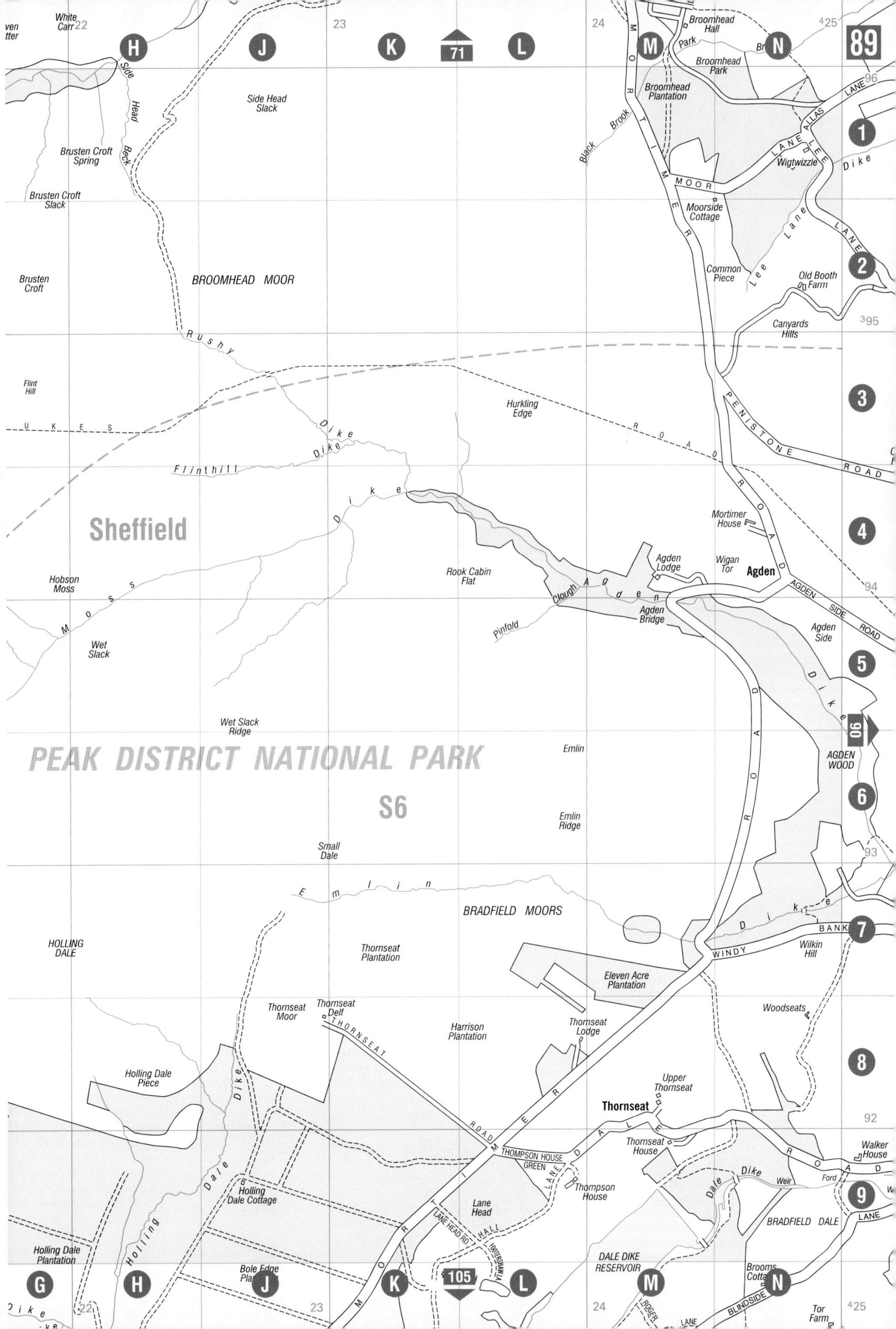
White Carr
Side Head Beck
Side Head Slack
Brusten Croft Spring
Brusten Croft Slack
Brusten Croft
BROOMHEAD MOOR
Rushy Dike
Flint Hill
DUKES ROAD
Flinthill Dike
Sheffield
Hobson Moss
Wet Slack
Moss Dike
Rook Cabin Flat
Hurkling Edge
Broomhead Hall
Broomhead Park
Broomhead Plantation
Black Brook
MORTIMER ROAD
MOOR LANE
ALLAS LANE
LEE LANE
Wigtwizzle
Dike
Moorside Cottage
Common Piece
Lee Lane
Old Booth Farm
Canyards Hills
PENISTONE ROAD
Mortimer House
Agden Lodge
Wigan Tor
Agden
AGDEN SIDE ROAD
Agden Side
Clough
Agden
Agden Bridge
Pinfold
Wet Slack Ridge
PEAK DISTRICT NATIONAL PARK
S6
Emlin
Emlin Ridge
AGDEN WOOD
Agden Dike
Small Dale
Emlin
BRADFIELD MOORS
HOLLING DALE
Thornseat Plantation
WINDY BANK
Wilkin Hill
Eleven Acre Plantation
Woodseats
Thornseat Moor
Thornseat Delf
THORNSEAT ROAD
Harrison Plantation
Thornseat Lodge
Holling Dale Piece
Dike
Upper Thornseat
Thornseat
Thornseat House
DALE ROAD
Walker House
THOMPSON HOUSE GREEN
LANE
Thompson House
Dale Dike
Weir
Ford
BRADFIELD DALE
LANE
Holling Dale Cottage
Lane Head
LANE HEAD RD
HALL
FOXTERSHAW LA
Holling Dale
Holling Dale Plantation
Bole Edge Plantation
DALE DIKE RESERVOIR
Brooms Cottage
BLINDSIDE LANE
ROGER
Tor Farm
71
90
105
22 23 24 425
96 395 94 93 92
H J K L M N
G H J K L M N
1 2 3 4 5 6 7 8 9

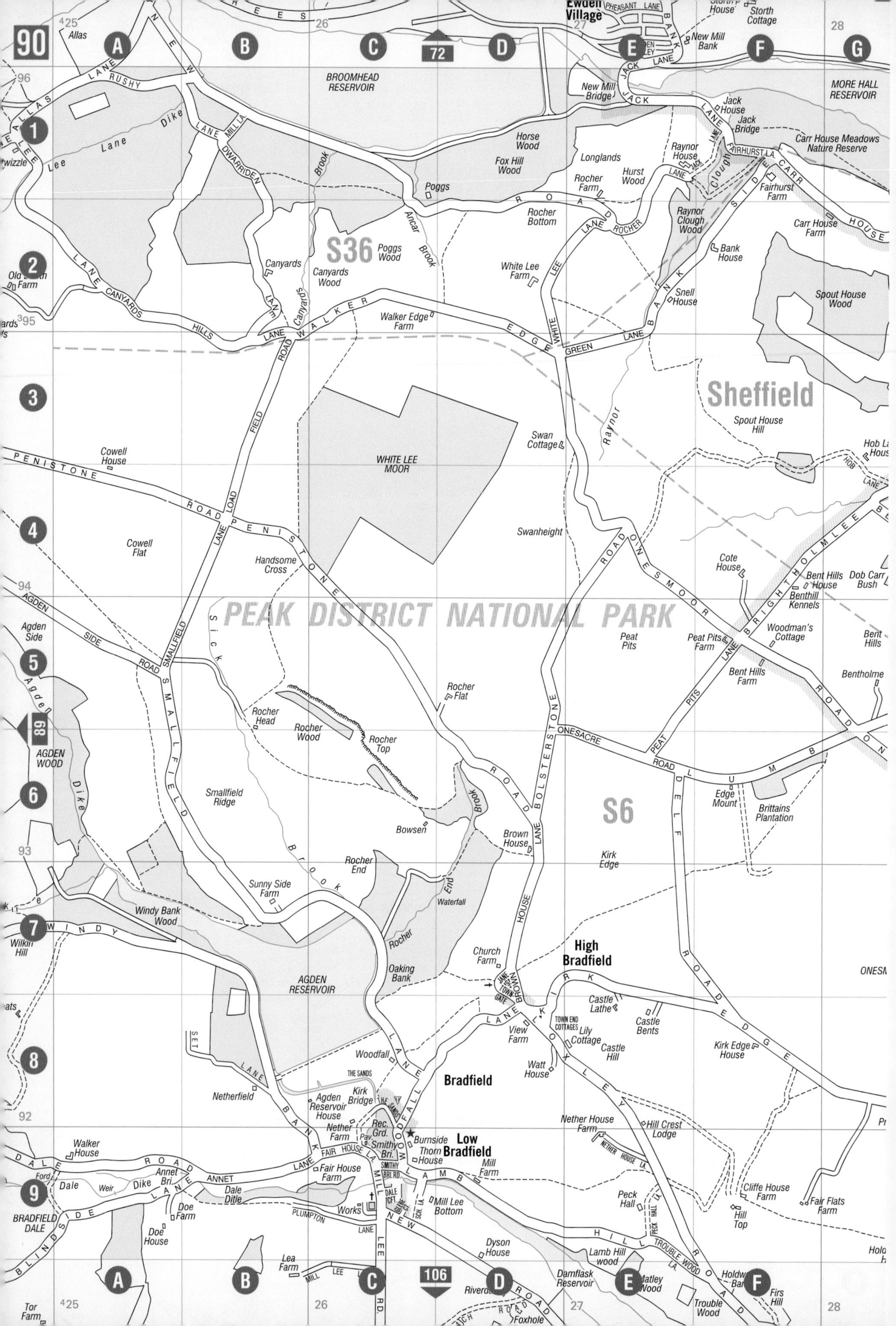

72
106
88
Ewden Village
Broomhead Reservoir
More Hall Reservoir
Carr House Meadows Nature Reserve
S36
S6
Sheffield
Peak District National Park
White Lee Moor
Agden Reservoir
Agden Wood
Damflask Reservoir
High Bradfield
Bradfield
Low Bradfield
Bradfield Dale
Allas
Rushy Lane
Lee Lane
Lee Lane Dike
Mill La.
Dwarriden Lane
Horse Wood
Fox Hill Wood
Poggs
Poggs Wood
Canyards
Canyards Wood
Canyards Hills
Walker Edge Farm
Walker Edge
White Lee Farm
White Lee
Rocher Bottom
Rocher Farm
Hurst Wood
Longlands
Raynor House
Raynor Clough Wood
Jack House
Jack Bridge
Jack Lane
New Mill Bridge
New Mill Bank
Storth House
Storth Cottage
Pheasant Lane
Fairhurst La.
Fairhurst Farm
Carr House Farm
Carr House
Bank House
Snell House
Spout House Wood
Spout House Hill
Green Lane
Raynor
Swan Cottage
Swanheight
Cowell House
Cowell Flat
Penistone Road
Field Load
Smallfield Lane
Handsome Cross
Agden Side
Agden Side Road
Agden Dike
Onesmoor Road
Cote House
Bent Hills House
Benthill Kennels
Dob Carr Bush
Brightholmlee
Hob Lane
Woodman's Cottage
Peat Pits
Peat Pits Farm
Peat Pits Lane
Bent Hills Farm
Bent Hills
Bentholme
Onesacre Road
Bolsterstone Road
Delf Road
Edge Mount
Brittains Plantation
Kirk Edge
Kirk Edge Road
Kirk Edge House
Rocher Flat
Rocher Head
Rocher Wood
Rocher Top
Sick Brook
Smallfield Ridge
Bowsen
Brown House
Rocher End
Sunny Side Farm
Waterfall
End Brook
Windy Bank Wood
Windy Bank
Wilkin Hill
Oaking Bank
Church Farm
Jane Town Gate
Brown Lane
Kirk Lane
Castle Lathe
Castle Bents
Town End Cottages
Lily Cottage
Castle Hill
View Farm
Watt House
Woodfall
Woodfall Lane
Set Lane
Netherfield
The Sands
Kirk Bridge
Agden Reservoir House
Nether Farm
Rec. Grd.
Pav.
Smithy Bri.
Burnside
Thorn House
Mill Farm
Nether House Farm
Nether House La.
Hill Crest Lodge
Oxley
Cliffe House Farm
Fair Flats Farm
Hill Top
Peck Hall
Peck Hall La.
Walker House
Dale Road
Fair House Lane
Fair House Farm
Annet Bri.
Annet Lane
Ford
Dale
Weir
Dike
Dale Ditle
Doe Farm
Doe House
Blindside Lane
Plumpton Lane
Works
Lee Lane
Mill Lee Rd.
Mill Lee Bottom
New Road
Lamb Hill
Dyson House
Lamb Hill wood
Trouble Wood La.
Trouble Wood
Matley Wood
Lea Farm
Tor Farm
Foxhole
Firs Hill
Onesmoor

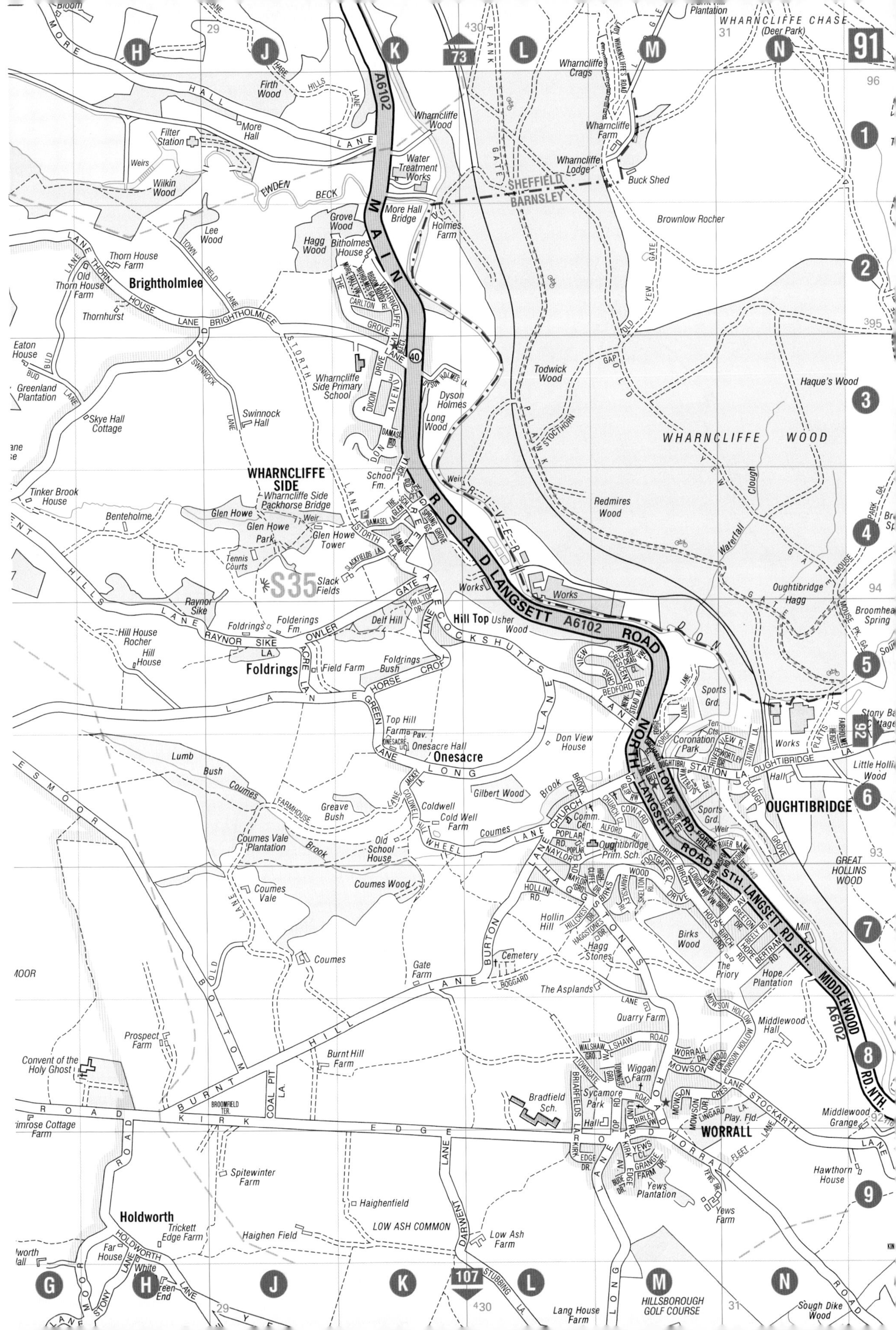
91
Brightholmlee
WHARNCLIFFE SIDE
Foldrings
Onesacre
OUGHTIBRIDGE
WORRALL
Holdworth
WHARNCLIFFE WOOD
WHARNCLIFFE CHASE (Deer Park)
S35
A6102
MAIN ROAD
LANGSETT ROAD
NORTH LANGSETT ROAD
MIDDLEWOOD RD. NTH.
SHEFFIELD
BARNSLEY
More Hall
Filter Station
Wharncliffe Wood
Water Treatment Works
More Hall Bridge
Holmes Farm
Wharncliffe Crags
Wharncliffe Farm
Wharncliffe Lodge
Buck Shed
Brownlow Rocher
Thorn House Farm
Old Thorn House Farm
Thornhurst
Grove Wood
Hagg Wood
Bitholmes House
Lee Wood
Wilkin Wood
Firth Wood
Eaton House
Greenland Plantation
Skye Hall Cottage
Swinnock Hall
Wharncliffe Side Primary School
Dyson Holmes
Long Wood
Todwick Wood
Haque's Wood
Redmires Wood
Tinker Brook House
Wharncliffe Side Packhorse Bridge
Glen Howe
Glen Howe Park
Glen Howe Tower
Benteholme
Tennis Courts
Slack Fields
Raynor Sike
Folderings Fm.
Delf Hill
Hill Top
Usher Wood
Works
Oughtibridge Hagg
Broomhead Spring
Hill House Rocher
Hill House
Field Farm
Foldrings Bush
Sports Grd.
Coronation Park
Top Hill Farm
Onesacre Hall
Don View House
Lumb
Bush
Coumes Brook
Greave Bush
Coldwell
Cold Well Farm
Gilbert Wood
Little Hollin Wood
Stony Bank Cottage
Comm. Cen.
Oughtibridge Prim. Sch.
Coumes Vale Plantation
Old School House
Coumes Wood
Coumes Vale
GREAT HOLLINS WOOD
Hollin Hill
Birks Wood
Hagg Stones
Cemetery
Gate Farm
Coumes
The Priory
Hope Plantation
Mill
The Asplands
Quarry Farm
Middlewood Hall
Prospect Farm
Convent of the Holy Ghost
Burnt Hill Farm
Wiggan Farm
Sycamore Park
Bradfield Sch.
Play. Fld.
Middlewood Grange
Primrose Cottage Farm
Spitewinter Farm
Haighenfield
Hawthorn House
Yews Plantation
Yews Farm
Trickett Edge Farm
Haighen Field
LOW ASH COMMON
Low Ash Farm
Far House
White Green End
HILLSBOROUGH GOLF COURSE
Lang House Farm
Sough Dike Wood
KIRK EDGE ROAD
BURNT HILL LANE
HORSE CROFT LANE
LONG LANE
COCKSHUTTS LANE
MORE HALL LANE
BRIGHTHOLMLEE LANE
STATION LA.
OUGHTIBRIDGE LA.
STOCKARTH LANE
WORRALL ROAD
MOWSON LANE
73
107
92
H J K L M N G
1 2 3 4 5 6 7 8 9
29 430 31
96 395 94 93 92

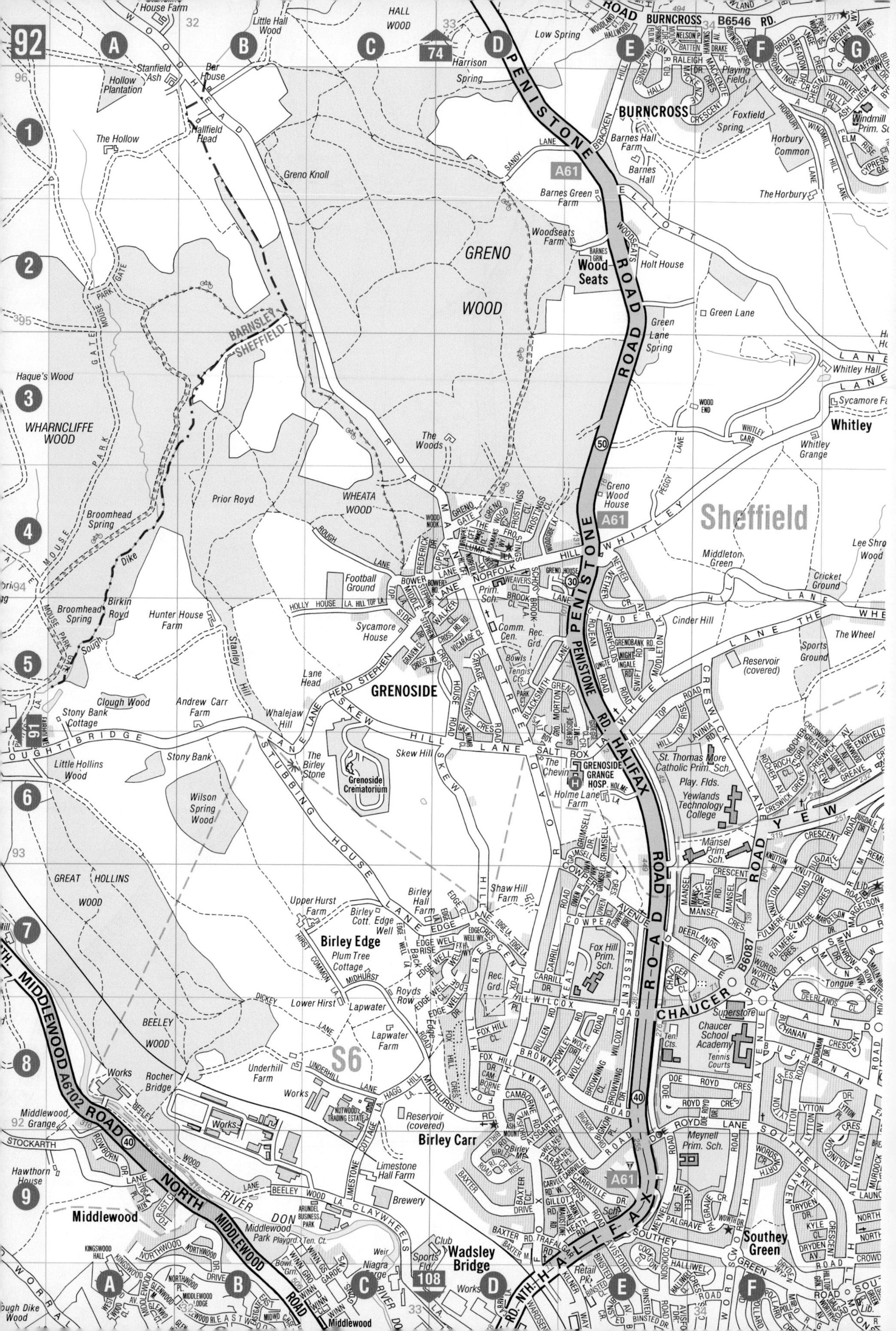

92
74
91
108
A
B
C
D
E
F
G
1
2
3
4
5
6
7
8
9
BURNCROSS
B6546 RD.
PENISTONE ROAD
A61
GRENO WOOD
Wood Seats
Holt House
Green Lane
Whitley Hall
Whitley
Sheffield
WHARNCLIFFE WOOD
Haque's Wood
Hollow Plantation
Stanfield Ash
Bar House
Hallfield Head
The Hollow
Greno Knoll
Little Hall Wood
HALL WOOD
Low Spring
Harrison Spring
Barnes Hall Farm
Barnes Hall
Barnes Green Farm
Woodseats Farm
Foxfield Spring
Horbury Common
The Horbury
Windmill Prim. Sch.
Green Lane Spring
Whitley Grange
Greno Wood House
Middleton Green
Cricket Ground
Lee Shroggs Wood
Cinder Hill
The Wheel
Sports Ground
Reservoir (covered)
BARNSLEY
SHEFFIELD
Prior Royd
Broomhead Spring
Birkin Royd
Hunter House Farm
Football Ground
Sycamore House
WHEATA WOOD
The Woods
GRENOSIDE
Lane Head
Whalejaw Hill
Andrew Carr Farm
Clough Wood
Stony Bank Cottage
Stony Bank
Little Hollins Wood
Wilson Spring Wood
The Birley Stone
Grenoside Crematorium
Skew Hill
The Chevin
GRENOSIDE GRANGE HOSP.
Holme Lane Farm
St. Thomas More Catholic Prim. Sch.
Play. Flds.
Yewlands Technology College
Mansel Prim. Sch.
GREAT HOLLINS WOOD
Upper Hurst Farm
Birley Edge
Plum Tree Cottage
Birley Hall Farm
Shaw Hill Farm
Fox Hill Prim. Sch.
Lower Hirst
Lapwater
Royds Row
Lapwater Farm
BEELEY WOOD
Works
Rocher Bridge
Underhill Farm
S6
NUTWOOD TRADING ESTATE
Reservoir (covered)
Birley Carr
Limestone Hall Farm
Brewery
ARUNDEL BUSINESS PARK
Middlewood Grange
Hawthorn House
Middlewood
Middlewood Park
RIVER DON
Wadsley Bridge
Sports Fld.
Niagra
Weir
Club
CHAUCER RD.
Superstore
Chaucer School Academy
Tennis Courts
Meynell Prim. Sch.
Southey Green
B6087
YEW LANE
HALIFAX ROAD
MIDDLEWOOD ROAD A6102
NORTH MIDDLEWOOD ROAD
STOCKARTH
Tongue
Retail Pk.
Lib.

93
CHAPELTOWN
THORPE HESLEY
ECCLESFIELD
Ecclesfield Common
Butterthwaite
SHIREGREEN
PARSON CROSS
Parson Cross Park
High Wincobank
Pismire Hill
CONCORD PARK
CONCORD PARK GOLF COURSE
Sheffield Lane Top
The Cross
S35
S5
S61
M1
M1 MOTORWAY
Junction 35
A629
A6135
B6087
B6082
B6086
ECCLESFIELD RD.
CHAPELTOWN RD.
COWLEY LANE
COWLEY HILL
UPPER WORTLEY ROAD
NETHER LANE
THE COMMON
HIGH GREAVE
BARNSLEY ROAD
MONTENEY CROSS HILL
ECCLESFIELD ROAD
GREEN LANE
CHURCH STREET
TOWN END RD
ELM LANE
SOUTHEY GREEN
STUBBIN LA.
BELLHOUSE ROAD
SHIREGREEN LANE
GRANGE LANE
JUMBLE LANE
LOICHER LANE
STATION ROAD
WHITLEY LANE
ROTHERHAM
SHEFFIELD
Smithy Wood
Smithy Wood Business Park
Caravan Park
Cowley Manor
Playing Field
Ecclesfield Sch.
Coit Prim. Sch.
Whitley Lane Farm
The Red House
Sports & Social Club
Steel Works
Sports Ground
Ecclesfield Park
Cricket Grd.
Ecclesfield Prim. Sch.
Monteney Primary Sch.
Recreation Ground
St. Michael's Field
Foundry (Disused)
Sewage Works
Scrap Yard
Butterthwaite Farm
Butterthwaite House
Loicher Bridge
Starnhill Plantation
Hartwell Home
Rainstorth
Rainstorth Farm
Rainstorth House
Jumble Hole Plantation
Spring Wood
Lady Clough
Hesley Lodge Farm
Hesley Hall Farm
Thorpe Hesley Prim. Sch.
Grange Lane
Thundercliffe Grange
Beck Prim. Sch.
Hatfield Prim. Sch.
Concord Sports Cen.
Driving Range
Football Pitch
Cemetery
Hinde House Sch.
Gregg House Bridge
Miniature Golf Course
LONGLEY PARK
75
109
94
H
J
K
L
M
N
G
1
2
3
4
5
6
7
8
9

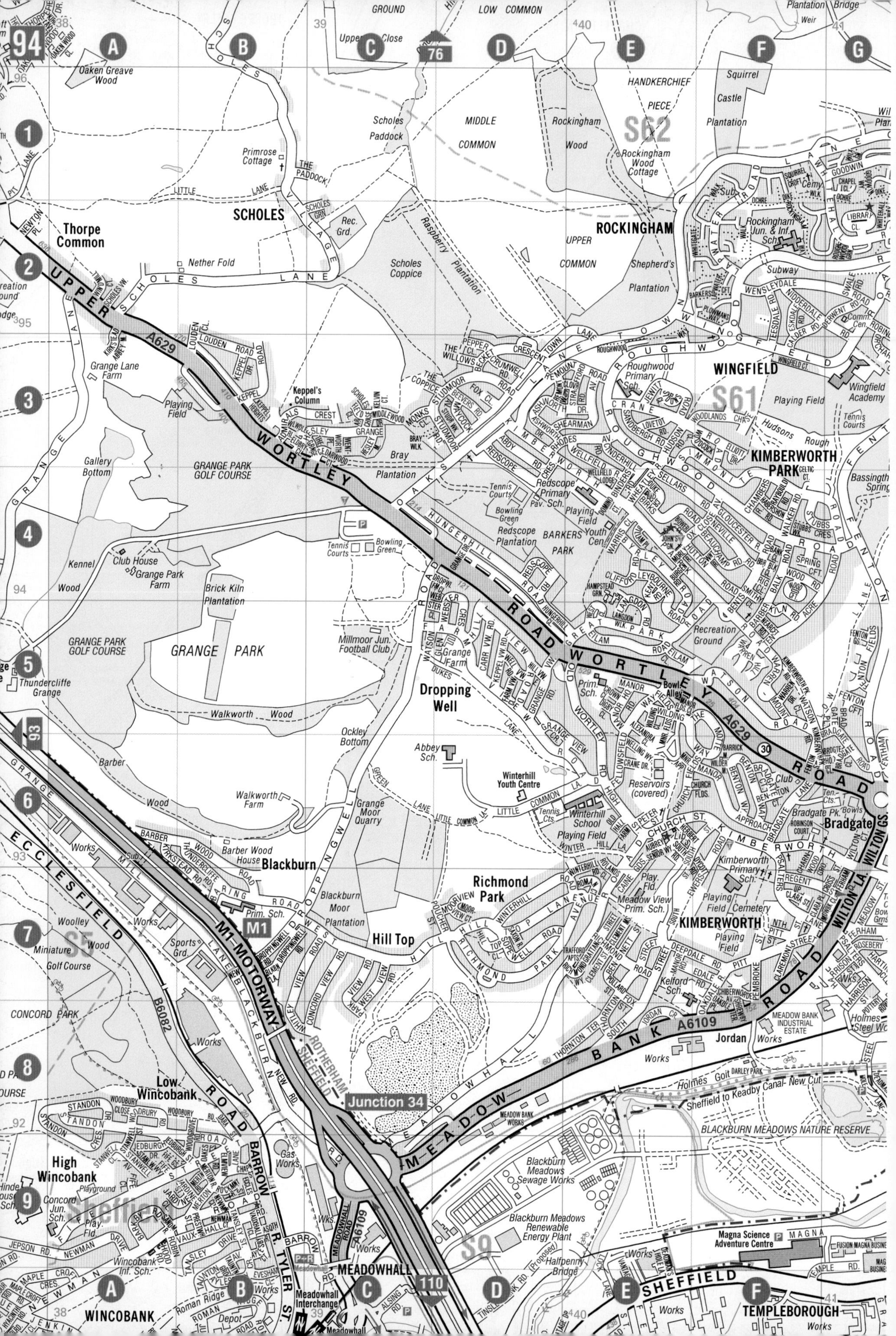

Oaken Greave Wood
Thorpe Common
SCHOLES
Primrose Cottage
Nether Fold
SCHOLES LANE
Scholes Paddock
MIDDLE COMMON
Rockingham Wood
Rockingham Wood Cottage
HANDKERCHIEF PIECE
Squirrel Castle Plantation
S62
ROCKINGHAM
UPPER COMMON
Shepherd's Plantation
Scholes Coppice
Raspberry Plantation
UPPER WORTLEY ROAD
A629
Grange Lane Farm
Keppel's Column
Rockingham Jun. & Inf. Sch.
WINGFIELD
Wingfield Academy
S61
Roughwood Primary Sch.
KIMBERWORTH PARK
Hudsons Rough
Gallery Bottom
GRANGE PARK GOLF COURSE
Bray Plantation
Redscope Primary Sch.
Redscope Plantation
BARKERS PARK
Kennel Wood
Club House
Grange Park Farm
Brick Kiln Plantation
GRANGE PARK
Millmoor Jun. Football Club
Recreation Ground
Thundercliffe Grange
Walkworth Wood
Dropping Well
Grange Farm
Ockley Bottom
Abbey Sch.
Winterhill Youth Centre
Reservoirs (covered)
Walkworth Farm
Grange Moor Quarry
Winterhill School
Playing Field
Bradgate Pk.
Bradgate
Barber Wood
Barber Wood House
Blackburn
Blackburn Moor Plantation
Richmond Park
Meadow View Prim. Sch.
Kimberworth Primary Sch.
KIMBERWORTH
Cemetery
Hill Top
Woolley Wood
Miniature Golf Course
S5
M1 MOTORWAY
ECCLESFIELD ROAD
B6082
CONCORD PARK
Kelford Sch.
MEADOW BANK ROAD
A6109
Jordan
MEADOW BANK INDUSTRIAL ESTATE
Low Wincobank
Junction 34
ROTHERHAM SHEFFIELD
Holmes Goit
Sheffield to Keadby Canal - New Cut
BLACKBURN MEADOWS NATURE RESERVE
High Wincobank
Concord Jun. Sch.
Blackburn Meadows Sewage Works
Blackburn Meadows Renewable Energy Plant
Gas Works
MEADOWHALL
Meadowhall Interchange
Halfpenny Bridge
Magna Science Adventure Centre
S9
WINCOBANK
Wincobank Inf. Sch.
SHEFFIELD ROAD
TEMPLEBOROUGH
Plantation Bridge
GROUND
LOW COMMON
Upper Close
76
110
93

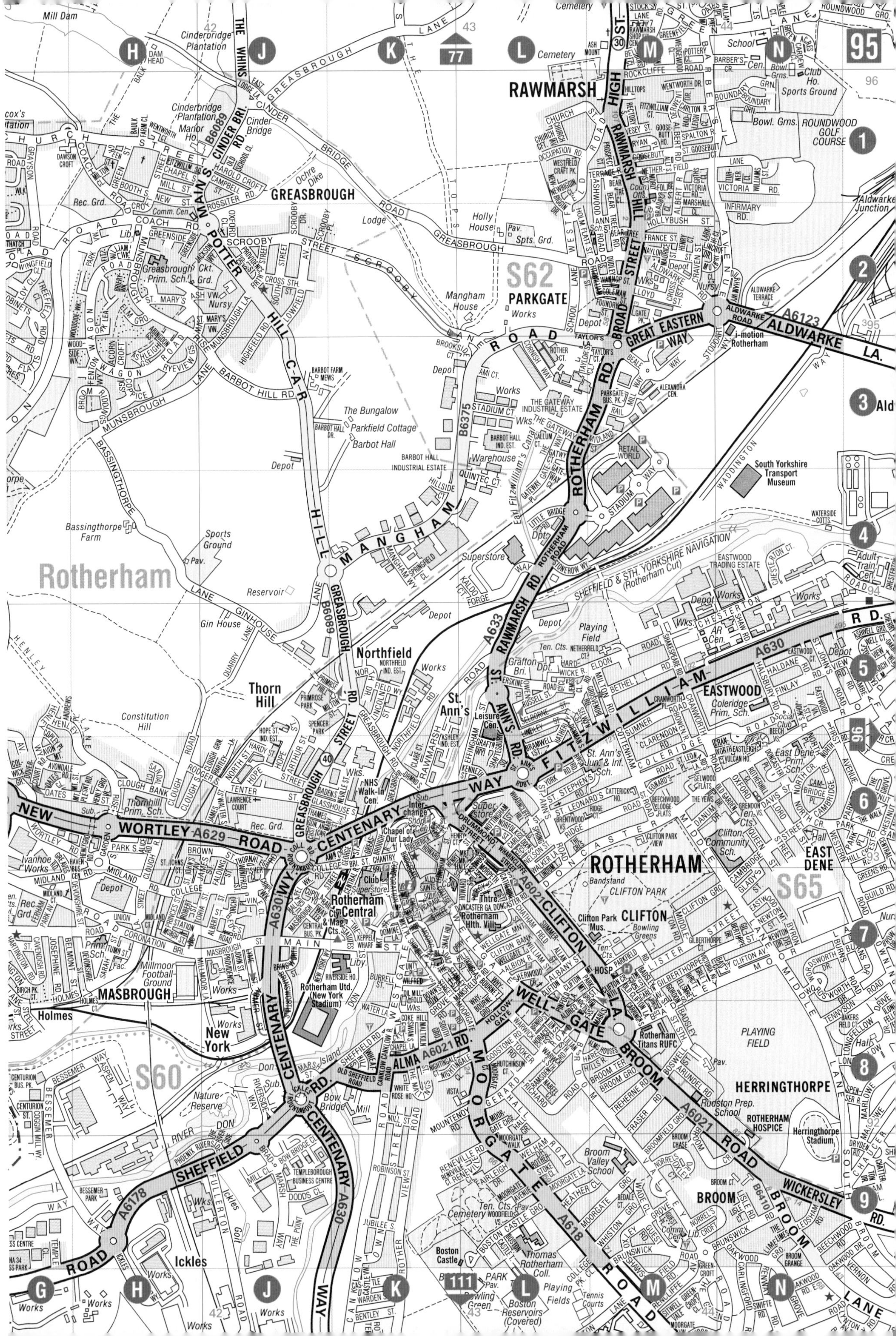

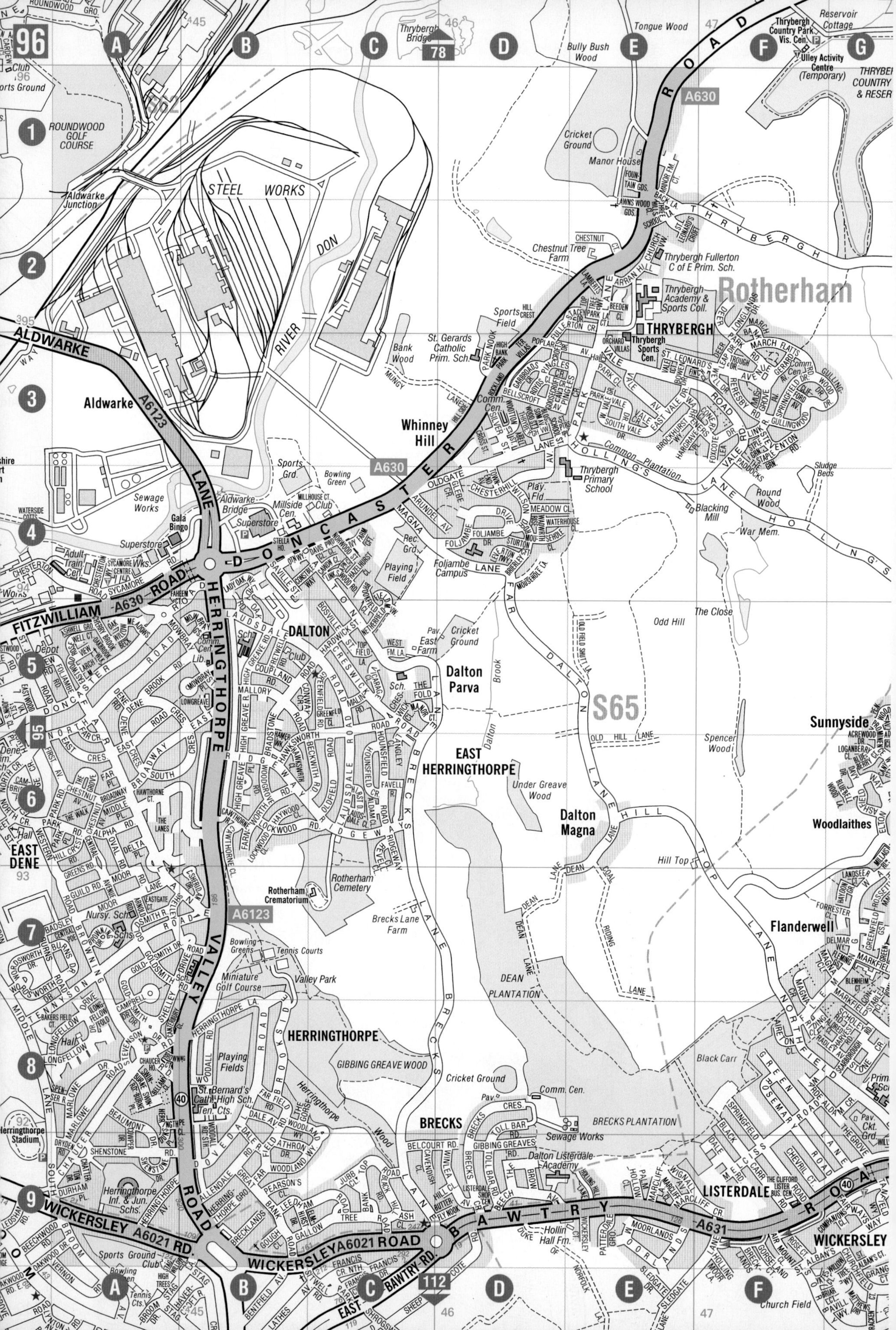
Thrybergh Bridge
78
Tongue Wood
Bully Bush Wood
Reservoir Cottage
Thrybergh Country Park Vis. Cen.
Ulley Activity Centre (Temporary)
ROUNDWOOD GOLF COURSE
Aldwarke Junction
STEEL WORKS
RIVER DON
Cricket Ground
Manor House
Chestnut Tree Farm
Thrybergh Fullerton C of E Prim. Sch.
Thrybergh Academy & Sports Coll.
Rotherham
THRYBERGH
Thrybergh Sports Cen.
St. Gerards Catholic Prim. Sch.
Sports Field
Bank Wood
ALDWARKE
Aldwarke
A6123
A630
Whinney Hill
DONCASTER ROAD
Sewage Works
Aldwarke Bridge
Sports Grd.
Bowling Green
Millside Cen.
Superstore
Gala Bingo
Thrybergh Primary School
Blacking Mill
Round Wood
Sludge Beds
War Mem.
Foljambe Campus
Rec. Grd.
Playing Field
FITZWILLIAM ROAD
HERRINGTHORPE LANE
DALTON
Cricket Ground
East Farm
Dalton Parva
The Close
Odd Hill
S65
Spencer Wood
Sunnyside
Woodlaithes
EAST HERRINGTHORPE
Under Greave Wood
Dalton Magna
Hill Top
Flanderwell
EAST DENE
Rotherham Cemetery
Rotherham Crematorium
Brecks Lane Farm
DEAN PLANTATION
Bowling Greens
Tennis Courts
Miniature Golf Course
Valley Park
HERRINGTHORPE
GIBBING GREAVE WOOD
Herringthorpe Wood
Playing Fields
St. Bernard's Cath. High Sch.
Cricket Ground
Comm. Cen.
BRECKS
Black Carr
BRECKS PLANTATION
Sewage Works
Dalton Listerdale Academy
LISTERDALE
Herringthorpe Stadium
Herringthorpe Inf. & Jun. Schs.
WICKERSLEY A6021 RD.
WICKERSLEY A6021 ROAD
BAWTRY ROAD
A631
Hollin Hall Fm.
WICKERSLEY
Sports Ground
Church Field
112
95
VALLEY ROAD

CONISBROUGH PARKS
Doncaster
DN12
RAVENFIELD PARK
Firsby Reservoirs
Fish Ponds
Firsby Hall Farm
Firsby Reservoir
79
Conisbrough Lodge
RAVENFIELD LANE
The Lodge
Ravenfield Hall
Fish Pond
Sewage Works
HOOTON LA.
RAVENFIELD
ARBOUR LANE
GARDEN LANE
Firsby Brook
Micklebring Gorse
Birk Lodge Farm
PARK LANE
PINGLE LANE
MOOR STREET
MAIN STREET
Ravenfield Prim. Sch.
Springfield House Farm
Moorside Farm
GULLING WOOD
DONCASTER
ROTHERHAM
M18
Conisbrough Grange Farm
BRAITHWELL COMMON
Ravenfield Grange
Silverthorpe
Cattery
RAVENFIELD COMMON
COMMON ROAD
MOOR LANE
GREAVES SYKE LANE
CROWN
Silver Wood
BRAITHWELL LANE
The Bungalows
Nursery
Sewage Works
Priests Bridge
Hellaby Brook
BRAMLEY LA.
LIDGET LANE
Hellaby Park Farm
Spenwood Farm
NORTH MOOR LANE
SOUTH LANE B6093
Bramley Grange Farm
M18 MOTORWAY
HELLABY LANE
Warehouse
Works
HELLABY (EUROWAY) INDUSTRIAL ESTATE
Elsworth Ho. Sch.
Bramley Sunnyside Schs.
BROOK LA.
MAIN ST.
CROSS ST.
Junction 1
BAWTRY ROAD
A631
Hellaby Hall
East of the Pennines Assembly Hall
S66
Bramley Park
Supermarket
Hotel
Health Club
Works
BRAMLEY
Play. Fld.
Reservoir (cov.)
Wickersley Sch. & Sports Coll.
LINGS COMMON
Playing Field
BATEMAN ROAD
Playing Field
HELLABY
Newhall Dike
CUMWELL FIELDS
CUMWELL LANE
M18
Bramley Lings
Cemetery
113
WICKERSLEY WOOD
MORTHEN RD B6060
Sandy Lane
Hellaby Bridge
86
CLAY
48
49
450
51
96
395
94
93
92
1
2
3
4
5
6
7
8
9
G
H
J
K
L
M
N

S65
S66
DN12
M18
M18 MOTORWAY
80
97
114
Clifton Beacon
Beacon Hill
Reservoir (covered)
BEACON LANE
SHIPMAN
LONG LEYS LANE
B6376
Newlands Farm
COCKHILL LANE
RAKES LANE
The Beck
Subway
Prospect Cottage
Mount Pleasant
NEW ROAD
RUDDLE LANE
FIELD LANE
Ridgewood Farm
DONCASTER RD.
MICKLEBRING
The Gables
MICKLEBRING LANE
Play. Fld.
Bowl. Grn.
Manor Farm Cottages
Manor House
SIKE LANE
Well Farm
Malt Kiln Farm
BACK LANE
AUSTWOOD LANE
BRAITHWELL
Sewage Works
Austwood Closes
The Ruddle Mill
Ruddle Mill Holt
Cedar Farm
HIGH ST.
HOLYWELL LANE
CROWNHILL LANE
GREAVES
Cragdon House
Hillcroft
Elmfield Farm
Moat Hall Cottage
Depot
Field Houses
Croft End
The Old Rectory
Streetly House
BIRKWOOD TERRACE
Pumping Station
MOOR LANE
MARSH HILL
ASHTON LANE
HOYLE
CROFT LANE
MALTBY LA.
Fordoles Farm
FORDOLES LANE
MALTBY DALE HILL
Toneids Bungalow
Springdale Cottage
Rotherham
HOLYWELL LA.
HOLYWELL COTTAGES
BIRCHWOOD HILL
THE HAWTHORNES
FISH POND LA.
Lambcote Grange
Lambcote Grange Cottage
TOP LANE
Amory's Holt
HEAD LANE
HAIDS LANE
BIRCHWOOD LANE
STAINTON LANE
More Flats Holt
HAIDS CLOSES
BIRCHWOOD CLOSES
BRAITHWELL ROAD
(BRIDGE LANE)
Birchwood Hill
GREENLAND
Lilly Hall Farm Cottage
Lilly Hall Farm
Hellaby
Grange Quarter
SALISBURY AV.
Park Hill Lodge
Works
CLAY PIT
Brook
Hilltop Sch.
Maltby Redwood Academy
Playing Fields
MALTBY
HIGHFIELD
Maltby Manor Academy
Playing Field
Rec. Grd.
Cemy.
Play. Fld.
Training Cen.
Depot
East Park Assembly Hall
Maltby Lilly Hall Acad.
Larch Plantation
Cave Plantation
Cliff Hills
Youth Cen.
Maltby Academy
Maltby Service Cen.
Leisure Cen.
Lib.
HIGH ST.
GRANGE LANE
B6427
TICKHILL
Coronation Park
Hall
EAST VIEW
WARWICK RD.
ROTHERHAM ROAD
Hellaby Bridge
A631
BLYTH ROAD
A634
Rec. Grd.
War Mem.
Crags Sch.
St. Mary's Cath. Prim. Sch.
HOOTON LEVITT
HOOTON LANE
Mansfield Farm
Dike
Brook
BACK LANE
CARR LANE
Spivvy
Lee Common
Fern Bank
MUGLET ROAD
Sports Grd.
OUTGANG LANE
Birks Holt
A
B
C
D
E
F
G
1
2
3
4
5
6
7
8
9
51
52
53
54
96
95
94
93
92

99
Doncaster
DN11
STAINTON
Wilsic
LONG GATE
B6094
The Holt
Ash Holt
Woodlands Farm
Bon Rood Holt
Out Moor Holt
Sand Pit Plantation
Batty Holt
Ring Pond
Willow Garth
Crow Plantation
Wilsic Hall School
Drive Plantation
Wadworth Plantation
Home Farm
Home Farm Cottages
Wilsic Lodge Cottages
Wilsic Lodge
Ant Wood
Spitalcroft Farm
Spital Croft Cottages
Crabtree Holt
Quarry (Limestone)
Chapel Holt
Chapel Hole
TICKHILL LANE
BACK LANE
APY HILL LANE
AIKWOOD LANE
LIMEKILN LANE
RUDDLE MILL LA.
HIRST LANE
RAW LANE
Glen Quarry
WOOD LANE
BROAD RIDING
Stainton Little Wood
Holme Hall Quarries (Limestone)
Abbey Game Farm
Holme Hall Farm
Treetops
Penny Hill
Burlewood
Well House
Ruddle Dike
Stainton Hall
Low Farm
Manor Farm
Enfield Ho.
Playing Field
Stainton Woodhouse
Prior Cottage
DONCASTER LANE
ROTHERHAM
SCOTCH SPRING LANE
Denaby Wife Dike
HINDLEY LANE
HINDLEY CLOSES
STAINTON BOTTOMS
Denaby Wife Bridge
Limestone Hill Mill (Disused)
Burberry's Holt
Clay Croft Bridge
Clay Croft Closes
Hill Crest
Clay Croft Hill
Sewage Works
AVEN INDUSTRIAL PARK
A631
ROAD
Carr House Holt
Carr House
Low Shoulder of Mutton Quarter
High Shoulder of Mutton Quarter
Lower Castle Lidget Quarter
Malin Croft Wood
Water Flats Wood
Hanging Holt
Dike Hagg
STONEY WELL LANE
Maltby Wood
Upper Castle Lidget Quarter
Maltby Far Common
Tickhill Holt
Woolthwaite Bottoms
Sandbeck Lodge
Woolthwaite Farm
Maltby Low Common Nature Reserve
SANDBECK LANE
STUMP CROSS
81
100
115
455
56
57
96
395
94
93
92

A60
A1(M) MOTORWAY
A1(M)
DONCASTER ROAD
NORTH GATE
CASTLEGATE
SUNDERLAND STREET
A631
BAWTRY ROAD
WEST GATE
ROTHERHAM RD.
ROTHERHAM ROAD
TICKHILL
WORKSOP RD.
DN11
TICKHILL
TICKHILL LOW COMMON
Wellingley Lane Bridge
Wadworth Bar Farm
Wellingley Grange
Top Cottage
Four Lane Ends
Wellingley Farm
Wellingley Holt
Dadsley Well Bridge
Gallow Hill
Oddy Wood
Spital Croft Cottages
Galley Hill Farm
NORTH WONG
Dadsley Well Stream
Ash Holt
Eastfield Wood
Broadheads
Dadsley Wells Farm
Eastfield House
Hill View Farm
All Hallows Hill
Tickhill Estfeld Primary School
Firbeck Junction
Vineyard Cottage
HINDLEY CLOSES
Depot
Recreation Ground
Tennis Cts.
Cricket Ground
Bowl. Grn.
Caravan Site
Sewage Works
Tollbar Bri.
Goole Bridge
Paper Mill Dike
Nursery
The Limes
Play. Fld.
St. Mary's C of E Prim. Sch.
Grave Yard
Lib.
Friars' Hill
Friary Farm
Paper Mill Bridge
Limestone Hill Mill (Disused)
Limestone Hill
Limestone Hill Cottages
The Friary
Friary (rems of)
The Friary Cott.
St. Mary's Bri.
Mill Dam
Tickhill Castle
Stud Farm
Mill Farm
Lindrick Grove
West Bank Farm
Goole Dike or River Torne
Clay Croft Closes
Hill Crest
Clay Croft Hill
Friars' Hill Closes
King's Closes
Mill Stream
Mineral Railway
Stoney Brigg Farm
Bagley Green
Bagley Farm
Bagley Dike
Blythgate Farm
Blyth Gate Cottage
Cuckoo Hall
Doreen Villa
Banks Carr Wood
STYRRUP HALL GOLF COURSE
Slutwell Stream
Stancil
WELLINGLEY LANE
BILLY WRIGHT'S LANE
STANCIL LANE
ROSE LANE
ODDY LA.
NARROW LANE
STONY LANE
PEASTACK LANE
WILSIC LANE
DADSLEY ROAD
WHEAT ACRE LANE
GREYSTONE LANE
BROAD OAK LANE
APY HILL LANE
HINDLEY LANE
COMMON LANE
SHEEPWASH LANE
HOPYARD LANE
CROFT LANE
PAPER MILL LANE
BRACKEN
LITTLE BLACK LANE
GREAT BLACK LA.
VINEYARD
SAFFRON CRES.
WESTFIELD
ALL HALLOWS DRIVE
ST. MARY'S ROAD
CROWN ROAD
KING EDWARD RD.
PINFOLD LANE
STONEY LA.
CLAREL CT.
LINDRICK
DRIVE
WATER LANE
MILL LANE
CROOKED LANE
LANE HEAD
GREEN LANE
FRIAR'S LANE
CROSS LANE
STUMP CROSS LANE
BLYTH GATE LANE
SANDBECK LANE
DAM RD.
CASTLE GATE
RECREATION AVENUE
THE PADDOCK
THE OVAL
ALDERSON DRIVE
BEECH AVENUE
WALNUT AVENUE
LANCASTER CRESCENT
MEADOW DRIVE
SUNDERLAND PL.
WHINNY HAUGH LANE
Hanw

82
99
116

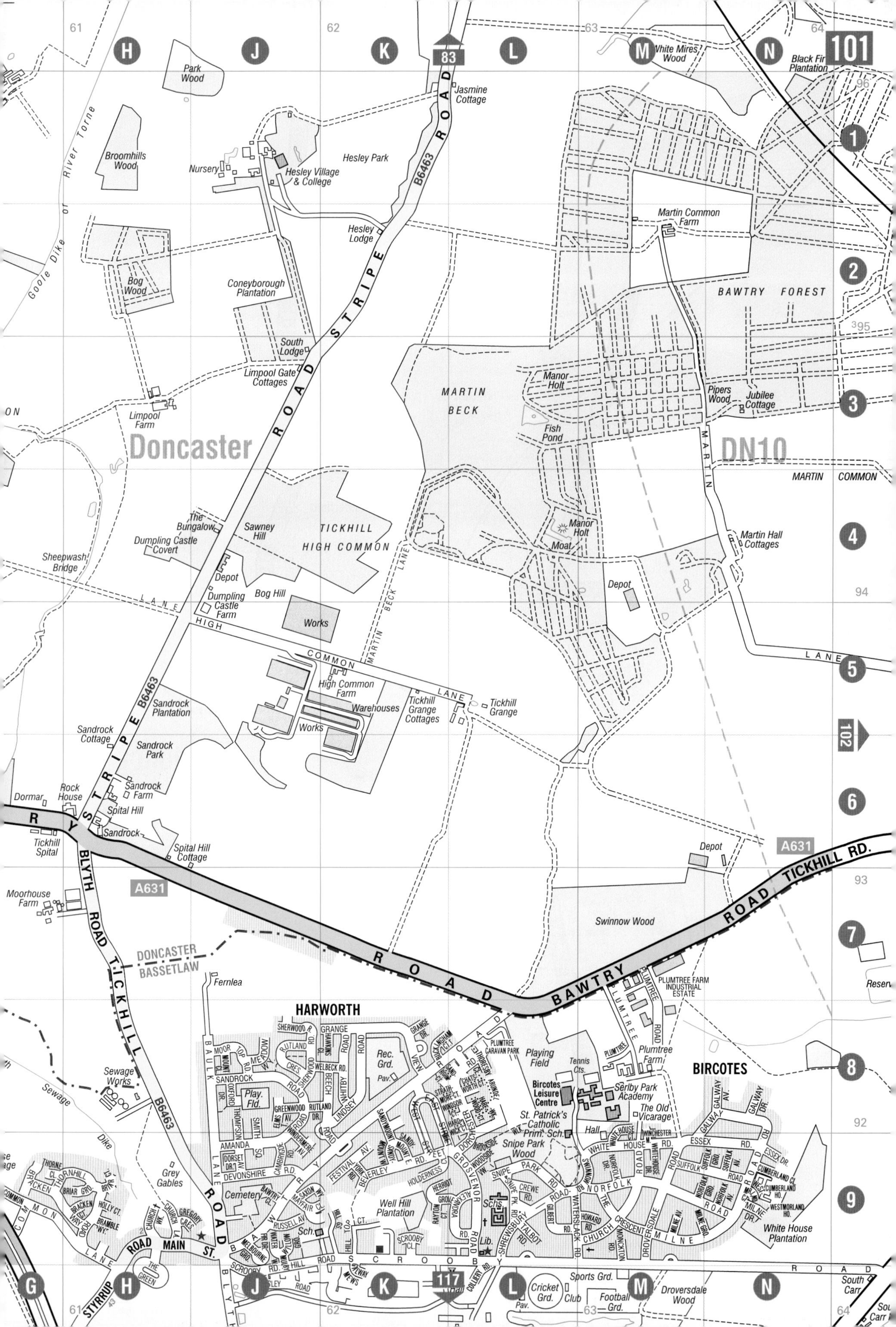

H
J
K
L
M
N
83
Park Wood
White Mires Wood
Black Fir Plantation
Jasmine Cottage
Broomhills Wood
River Torne
Goole Dike
Nursery
Hesley Village & College
Hesley Park
B6463 ROAD
Martin Common Farm
Hesley Lodge
Bog Wood
Coneyborough Plantation
BAWTRY FOREST
South Lodge
STRIPE ROAD
Limpool Gate Cottages
Manor Holt
MARTIN BECK
Pipers Wood
Jubilee Cottage
Limpool Farm
Doncaster
Fish Pond
DN10
MARTIN
MARTIN COMMON
The Bungalow
Sawney Hill
TICKHILL HIGH COMMON
Manor Holt
Moat
Martin Hall Cottages
Dumpling Castle Covert
Sheepwash Bridge
Depot
Dumpling Castle Farm
Bog Hill
Works
MARTIN BECK LANE
HIGH COMMON LANE
High Common Farm
Warehouses
Tickhill Grange Cottages
Tickhill Grange
Works
Sandrock Plantation
Sandrock Cottage
Sandrock Park
102
Dormar
Rock House
Sandrock Farm
Spital Hill
Sandrock
Tickhill Spital
Spital Hill Cottage
Depot
A631
TICKHILL RD.
Moorhouse Farm
BLYTH ROAD
Swinnow Wood
ROAD
DONCASTER
BASSETLAW
TICKHILL ROAD
Fernlea
BAWTRY ROAD
PLUMTREE FARM INDUSTRIAL ESTATE
HARWORTH
Rec. Grd.
PLUMTREE CARAVAN PARK
Playing Field
Tennis Cts.
Plumtree Farm
BIRCOTES
Sewage Works
Play. Fld.
Bircotes Leisure Centre
Serlby Park Academy
St. Patrick's Catholic Prim. Sch.
The Old Vicarage
Hall
WHITE HOUSE RD.
ESSEX RD.
Sewage Dike
B6463
Snipe Park Wood
Grey Gables
Cemetery
Well Hill Plantation
Schs.
Lib.
White House Plantation
MAIN ST.
SCROOBY ROAD
117
Sports Grd.
Cricket Grd.
Club
Football Grd.
Droversdale Wood
South Carr
STYRRUP
THE GREEN
Pav.
G
61
62
63
64
1
2
3
4
5
6
7
8
9
96
395
94
93
92

RSPCA Centre
Blackfirs
Plantation
A638
Depot
Bawtry Paintball & Laser Fields
BAWTRY FOREST
ROMAN ROAD
GREAT NORTH ROAD
Wood Close Plantation
RIDING or RIDINGS
Works
Austerfield Waterworks
THORNE ROAD A614
STREET
Rake Dale
Austerfield
COMMON
LOW COMMON
Drain
Carr
Water Works
HIGH FIELD LANE
WOODHOUSE LANE
Woodhouse
Woodhouse Cottage
MANOR GRO.
Wayside
LOW
Poultry Houses
Austerfield Field Centre
King's Wood
Beck Plantation or Willow Holt
BUTTERMOW
CHURCH LA.
Works
Church Hall
LOW FIELD LA.
Austerfield
MARTIN COMMON
Martin Grange
Gally Hills
Kennels
Dam Bri.
NARROW LANE
Sports Ground
The Willows
Rugged
Norwith Hill
NEWINGTON ROAD
Newington
BAWTRY ROAD
HIGH
Depot
DONCASTER RD.
MARTIN ROAD
INGHAM ROAD
AVENUE
STATION YD.
HIGHFIELD RD.
Glen View
Bawtry Carr
School
Works
Mother
IDLE
RIVER
BAWTRY
MARTIN LANE
Cemy.
STATION RD.
Doncaster
DN10
A631
TICKHILL ROAD
HIGH ST
Playing Field
Scaftworth
Parish
Menagerie Wood
WEST WOOD ESTATE
Bawtry Hall
Pav.
Sports Field
GAINSBOROUGH RD.
DONCASTER
BASSETLAW
A631
50
Reservoir
Fish Pond
Fish Pond Wood
Sports Grd.
Bawtry Bridge
Holly House Farm
Grange Cottages
Scaftworth Grange
A638
LADY'S HOLT LANE
THEAKER LANE
RYTON
ROAD
GREAT NORTH ROAD
Nursery
A614
BLYTH ROAD
FIVE ACRES PARK HOME ESTATE
GIBBET HILL LA.
Gibbet Hill
MILL LANE
Scaftworth
BAWTRY
Scaftworth Hall
RIVER IDLE
RIVER
Manor Farm
SCROOBY ROAD
South Carr
South Carr Farm
Riverside Fishery
Cobblety Row
White House Plantation
A B C D E F G
1 2 3 4 5 6 7 8 9
64 65 66 67
96 95 94 93 92

84
101

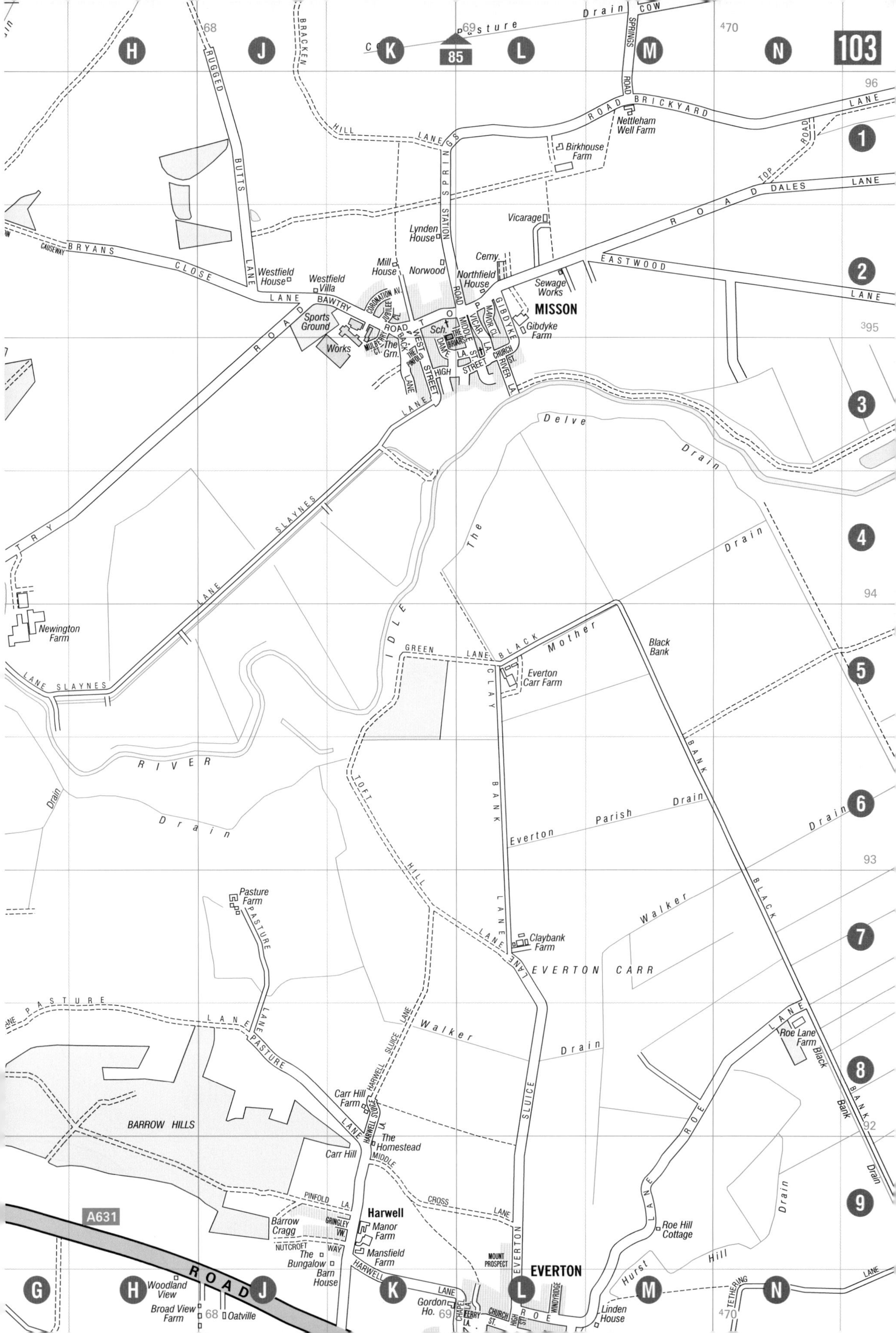

85
H
J
K
L
M
N
G
1
2
3
4
5
6
7
8
9
68
69
470
96
395
94
93
92
MISSON
EVERTON
Harwell
Cow Pasture Drain
Springs Road
Brickyard Lane
Nettleham Well Farm
Birkhouse Farm
Rugged Butts Lane
Bracken Hill Lane
Springs Station Road
Top Road
Dales Lane
Vicarage
Lynden House
Bryans Close Causeway
Westfield House
Westfield Villa
Mill House
Norwood
Northfield House
Cemy.
Sewage Works
Eastwood Lane
Bawtry Road
Sports Ground
Works
Coronation Av.
Jubilee Cl.
Mulberry Ct.
The Grn.
Back Lane
The Pinfold
West Street
Sch.
Dame La.
The Briars
Middle St.
Vicar La.
Manor Cl.
Gibdyke
Church St.
River La.
High Street
Gibdyke Farm
Delve Drain
The Idle
River
Drain
Slaynes Lane
Lane Slaynes
Newington Farm
Green Lane
Black Mother
Everton Carr Farm
Black Bank
Clay Bank Lane
Everton Parish Drain
Walker Drain
Claybank Farm
EVERTON CARR
Toft Hill Lane
Pasture Farm
Pasture Lane
Lane Pasture
Harwell Sluice Lane
Walker Drain
Sluice Lane
BARROW HILLS
Carr Hill Farm
Harwell Sluice La.
The Homestead
Carr Hill
Middle Cross Lane
Pinfold La.
A631
Barrow Cragg
Gringley Vw.
Nutcroft Way
Manor Farm
Mansfield Farm
The Bungalow
Barn House
Harwell Lane
Road
Woodland View
Broad View Farm
Oatville
Gordon Ho.
Chapel La.
Ferry La.
Church St.
High St.
Mount Prospect
Everton
Roe
Windyridge
Linden House
Hurst Hill
Tethering Lane
Roe Lane
Roe Lane Farm
Black Bank
Black Bank Drain
Roe Hill Cottage
Drain

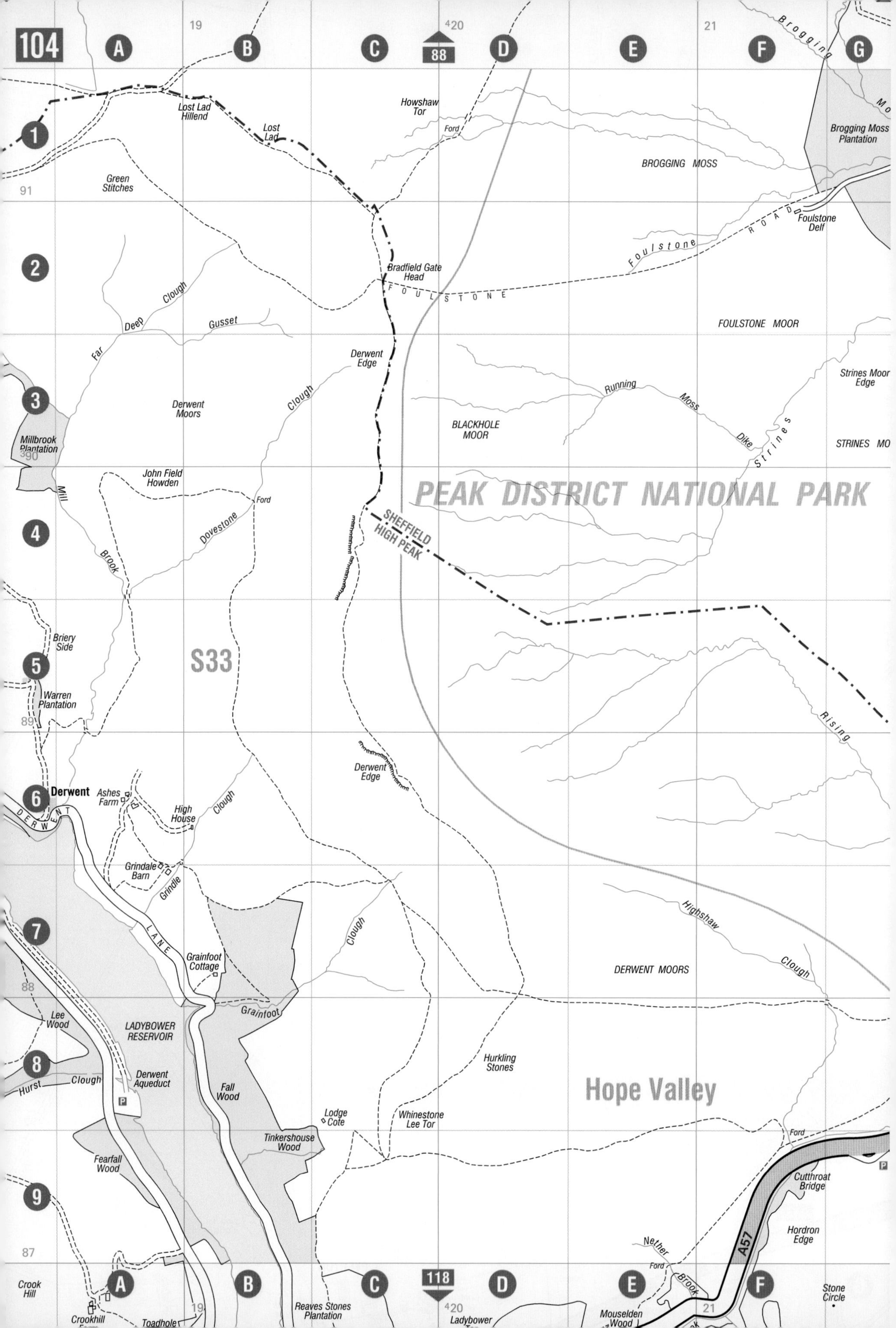

A 19 B 420 88 D E 21 F G

1

Lost Lad
Hillend
Lost
Lad

Howshaw
Tor
Ford

Brogging Moss
Plantation

Green
Stitches

BROGGING MOSS

91

Foulstone
Delf

Foulstone

ROAD

2

Bradfield Gate
Head

FOULSTONE

FOULSTONE MOOR

Deep

Clough

Gusset

Far

Derwent
Edge

Running

Moss

Strines Moor
Edge

3

Millbrook
Plantation
390

Derwent
Moors

Clough

BLACKHOLE
MOOR

Dike

Strines

STRINES MO

John Field
Howden

Ford

PEAK DISTRICT NATIONAL PARK

4

MILL

Brook

Dovestone

SHEFFIELD
HIGH PEAK

Briery
Side

S33

5

Warren
Plantation

Derwent
Edge

89

Rising

6 Derwent

Ashes
Farm

High
House

Clough

DERWENT

Grindale
Barn

Grindle

Highshaw

Clough

7

LANE

Grainfoot
Cottage

Clough

DERWENT MOORS

88

Grainfoot

Lee
Wood

LADYBOWER
RESERVOIR

Hurkling
Stones

Hope Valley

8

Hurst

Clough

Derwent
Aqueduct

Fall
Wood

Lodge
Cote

Whinestone
Lee Tor

Ford

Cutthroat
Bridge

Fearfall
Wood

Tinkershouse
Wood

Hordron
Edge

9

87

Nether

A57

Crook
Hill

A

B

C

118
420

D

E

21

F

Stone
Circle

Crookhill

Toadhole

19

Reaves Stones
Plantation

Ladybower

Ford

Mouselden
Wood

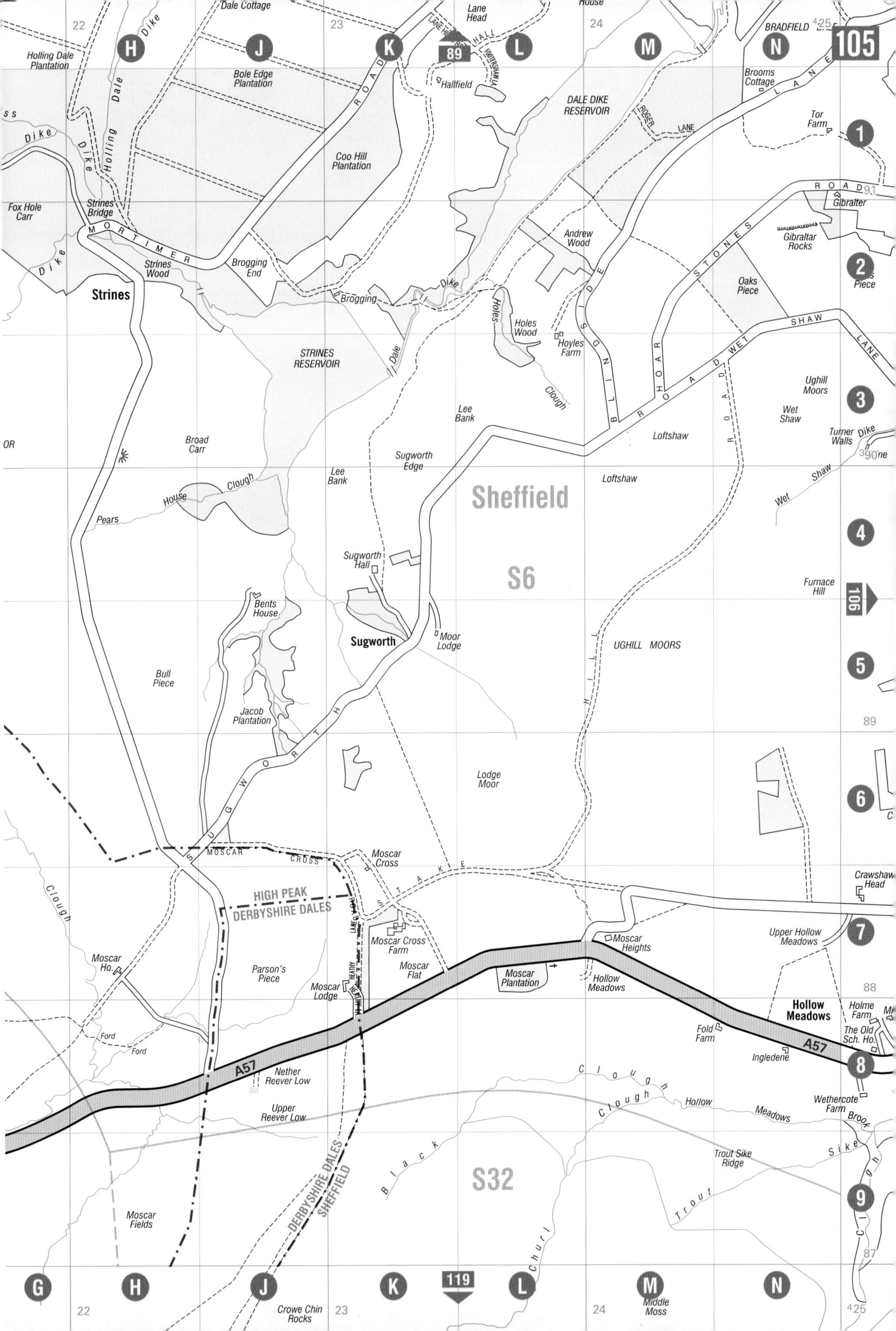
Dale Cottage
Lane Head
Holling Dale Plantation
Bole Edge Plantation
Hallfield
Brooms Cottage
BRADFIELD
DALE DIKE RESERVOIR
Tor Farm
Coo Hill Plantation
Fox Hole Carr
Strines Bridge
MORTIMER ROAD
Gibralter
Gibraltar Rocks
Andrew Wood
Strines Wood
Brogging End
Strines
Oaks Piece
Holes Wood
Hoyles Farm
STRINES RESERVOIR
Ughill Moors
Lee Bank
Wet Shaw
Broad Carr
Loftshaw
Turner Walls
Sugworth Edge
Sheffield
Pears
S6
Sugworth Hall
Furnace Hill
Bents House
Moor Lodge
Sugworth
UGHILL MOORS
Bull Piece
Jacob Plantation
SUGWORTH ROAD
Lodge Moor
Moscar Cross
HIGH PEAK
DERBYSHIRE DALES
Crawshaw Head
Moscar Cross Farm
Moscar Heights
Upper Hollow Meadows
Moscar Ho.
Parson's Piece
Moscar Flat
Moscar Plantation
Moscar Lodge
Hollow Meadows
Hollow Meadows
Holme Farm
Fold Farm
The Old Sch. Ho.
A57
Ingledene
Nether Reever Low
Upper Reever Low
Wethercote Farm
Trout Sike Ridge
S32
Moscar Fields
DERBYSHIRE DALES
SHEFFIELD
Crowe Chin Rocks
Middle Moss
89
106
119

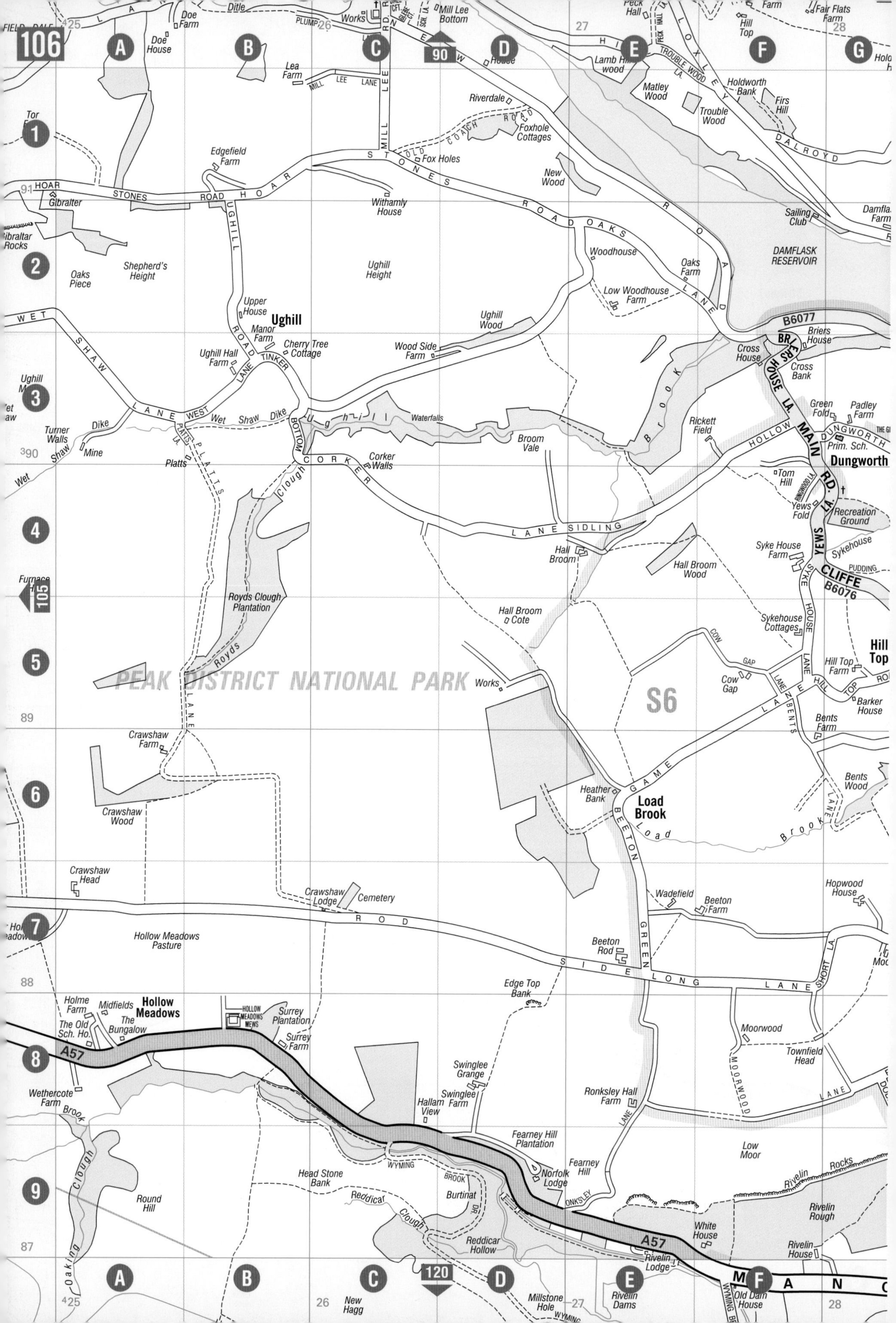

Doe Farm
Doe House
Ditle
Works
PLUMP
Mill Lee Bottom
90
Peck Hall
Farm
Fair Flats Farm
Hill Top
Lamb Hill wood
TROUBLE WOOD LA.
LOXLEY
Matley Wood
Trouble Wood
Holdworth Bank
Firs Hill
DALROYD
Lea Farm
MILL LEE LANE
Riverdale
COACH ROAD
Foxhole Cottages
Tor
Edgefield Farm
OLD Fox Holes
New Wood
HOAR STONES ROAD HOAR STONES ROAD
Gibralter
Gibraltar Rocks
Withamly House
ROAD OAKS
Sailing Club
DAMFLASK RESERVOIR
Woodhouse
Oaks Farm
Oaks Piece
Shepherd's Height
Ughill Height
Low Woodhouse Farm
Upper House
Ughill
WET SHAW LANE
Manor Farm
Cherry Tree Cottage
Ughill Hall Farm
UGHILL ROAD
TINKER LANE
Ughill Wood
Wood Side Farm
B6077
Briers House
BRIERS HOUSE LA.
Cross House
Cross Bank
Brook
Ughill Moors
WEST LANE
Wet Shaw Dike
BOTTOM
Ughill
Waterfalls
Green Fold
Padley Farm
Rickett Field
HOLLOW
MAIN RD.
DUNGWORTH
Prim. Sch.
Dungworth
Turner Walls
Dike
Wet Shaw
Mine
Platts
PLATTS LA.
PLATTS
CORKER
Corker Walls
Broom Vale
Tom Hill
RINGINGLOW LA.
Yews Fold
YEWS LA.
Recreation Ground
Clough
LANE SIDLING
Hall Broom
Sykehouse
Syke House Farm
PUDDING
CLIFFE
B6076
Furnace Hill
105
Hall Broom Wood
Royds Clough Plantation
Hall Broom Cote
Sykehouse Cottages
SYKE HOUSE LANE
Royds
COW GAP
Hill Top
Hill Top Farm
HILL TOP ROAD
PEAK DISTRICT NATIONAL PARK
Works
Cow Gap
S6
LANE
BENTS
Barker House
Bents Farm
Crawshaw Farm
GAME LANE
Heather Bank
Load Brook
Bents Wood
Crawshaw Wood
BEETON
Load Brook
Crawshaw Head
Crawshaw Lodge
Cemetery
Hopwood House
Wadefield
Beeton Farm
ROD
Hollow Meadows
Hollow Meadows Pasture
GREEN
Beeton Rod
SHORT LA.
SIDE LONG LANE
Edge Top Bank
Holme Farm
Midfields
The Old Sch. Ho.
The Bungalow
HOLLOW MEADOWS MEWS
Surrey Plantation
Surrey Farm
A57
Moorwood
Townfield Head
MOORWOOD
Swinglee Grange
Swinglee Farm
Hallam View
Wethercote Farm
Brook
Ronksley Hall Farm
LANE
Fearney Hill Plantation
Low Moor
Clough
Round Hill
Head Stone Bank
WYMING BROOK
Norfolk Lodge
Fearney Hill
RONKSLEY
Rivelin Rocks
Reddicar
Burtinat
DR.
Clough
Rivelin Rough
Reddicar Hollow
White House
A57
Rivelin House
Oaking
Rivelin Lodge
120
MANCHESTER
New Hagg
Millstone Hole
WYMING
Rivelin Dams
Old Dam House
WYMING BR.

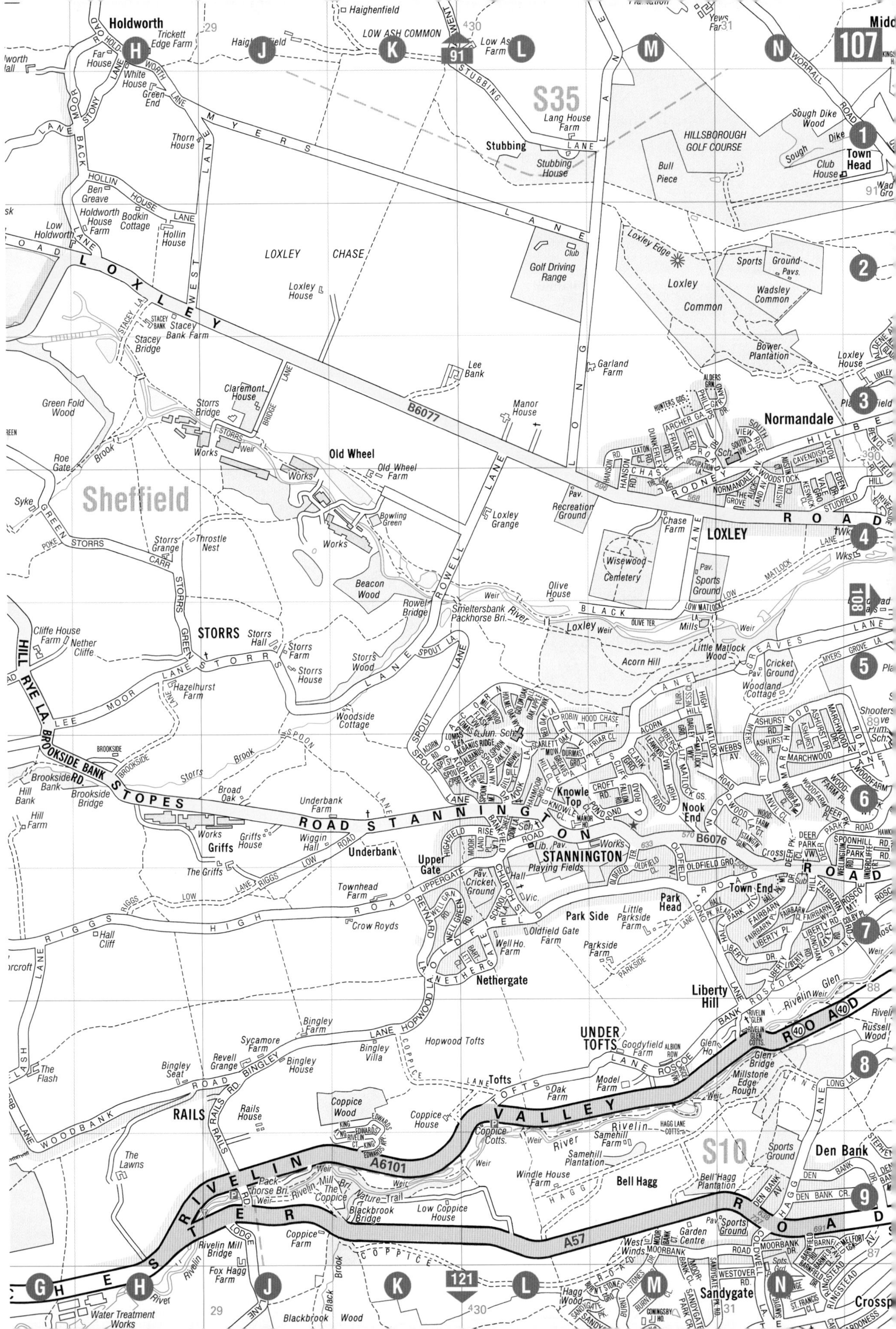

Holdworth
Trickett Edge Farm
Haighenfield
LOW ASH COMMON
Low Ash Farm
Yews Farm
91
S35
Stubbing
Lang House Farm
Stubbing House
HILLSBOROUGH GOLF COURSE
Sough Dike Wood
Town Head
Club House
Bull Piece
Far House
White House
Green End
Thorn House
Ben Greave
Holdworth House Farm
Bodkin Cottage
Hollin House
Low Holdworth
MYERS LANE
LOXLEY CHASE
Loxley House
Club
Golf Driving Range
Loxley Edge
Loxley Common
Sports Ground
Wadsley Common
Bower Plantation
Stacey Bank Farm
Stacey Bridge
Claremont House
Storrs Bridge
Lee Bank
Manor House
Garland Farm
B6077
Green Fold Wood
Roe Gate
Works
Old Wheel
Old Wheel Farm
Normandale
Sheffield
Syke
Bowling Green
Works
Loxley Grange
Recreation Ground
Chase Farm
LOXLEY
Storrs Grange
Throstle Nest
Wisewood Cemetery
Sports Ground
Beacon Wood
Rowel Bridge
Smeltersbank Packhorse Bri.
Olive House
River Loxley
Mills
Little Matlock Wood
Acorn Hill
Cricket Ground
Woodland Cottage
108
Cliffe House Farm
Nether Cliffe
STORRS
Storrs Hall
Storrs Farm
Storrs House
Storrs Wood
Hazelhurst Farm
HILL RYE LA.
Woodside Cottage
Storrs Brook
Brookside Bank
Brookside Bridge
Hill Bank
Hill Farm
Broad Oak
Underbank Farm
STOPES ROAD STANNINGTON ROAD
Knowle Top
Nook End
B6076
Works
Griffs
Griffs House
Wiggin Hall
The Griffs
Underbank
Upper Gate
STANNINGTON
Playing Fields
Town End
Townhead Farm
Cricket Ground
Park Head
Park Side
Little Parkside Farm
Crow Royds
Hall Cliff
Oldfield Gate Farm
Well Ho. Farm
Parkside Farm
Nethergate
Liberty Hill
Bingley Farm
Hopwood Tofts
UNDER TOFTS
Goodyfield Farm
Russell Wood
Sycamore Farm
Bingley Villa
Revell Grange
Bingley House
Bingley Seat
The Flash
RAILS
Rails House
Coppice Wood
Coppice House
Tofts
Model Farm
Oak Farm
Glen Bridge
Millstone Edge Rough
VALLEY ROAD
A6101
RIVELIN
Coppice Cotts.
River Rivelin
Samehill Farm
Samehill Plantation
S10
Sports Ground
Den Bank
The Lawns
Pack Horse Bri.
Rivelin Mill Bri.
The Coppice
Nature Trail
Windle House Farm
Bell Hagg
Bell Hagg Plantation
Blackbrook Bridge
Low Coppice House
Coppice Farm
Rivelin Mill Bridge
Fox Hagg Farm
A57
Garden Centre
Sports Ground
West Winds
Sandygate
Water Treatment Works
Blackbrook Wood
121
Crosspool

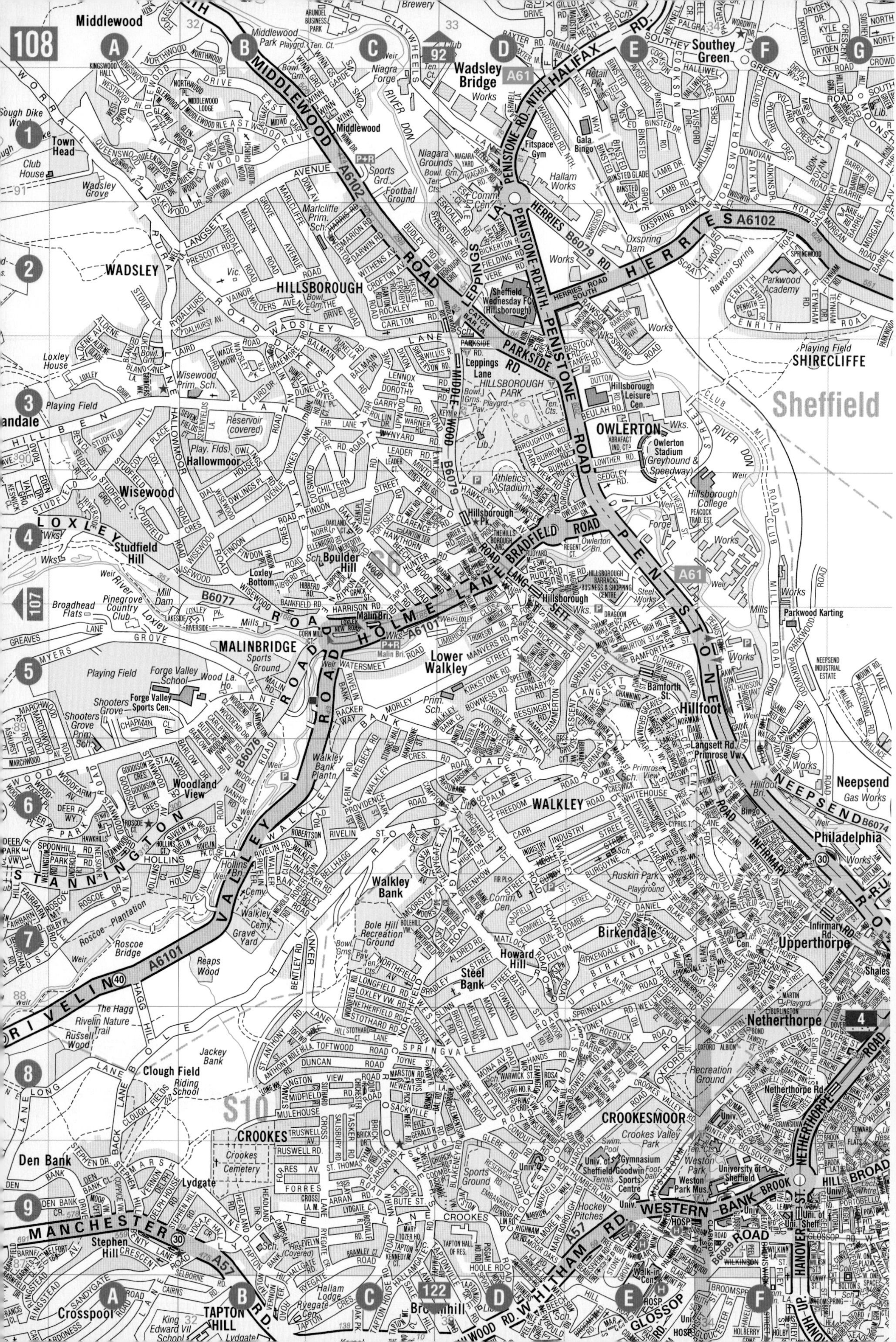
Middlewood
Town Head
Club House
Wadsley Grove
WADSLEY
HILLSBOROUGH
Middlewood Park
Niagara Forge
Wadsley Bridge
Works
92
A61
Retail Pk.
Gala Bingo
Fitspace Gym
Hallam Works
Southey Green
Oxspring Dam
Rawson Spring
Parkwood Academy
SHIRECLIFFE
Sheffield
Playing Field
Sheffield Wednesday FC (Hillsborough)
Leppings Lane
HILLSBOROUGH PARK
Hillsborough Leisure Cen.
OWLERTON
Owlerton Stadium (Greyhound & Speedway)
Hillsborough College
Athletics Stadium
Hillsborough Pk.
Loxley House
Wisewood Prim. Sch.
Reservoir (covered)
Hallowmoor
Wisewood
Studfield Hill
Loxley Bottom
Boulder Hill
Mill Dam
Broadhead Flats
Pinegrove Country Club
107
MALINBRIDGE
Sports Ground
Lower Walkley
Hillsborough
Hillfoot
Bamforth St.
Parkwood Karting
NEEPSEND INDUSTRIAL ESTATE
Neepsend
Gas Works
Philadelphia
Forge Valley School
Forge Valley Sports Cen.
Shooters Grove
Shooters Grove Prim. Sch.
Woodland View
Walkley Bank Plantn.
WALKLEY
Ruskin Park
Walkley Bank
Walkley Cemy.
Grave Yard
Roscoe Bridge
Roscoe Plantation
Reaps Wood
Bole Hill Recreation Ground
Steel Bank
Howard Hill
Birkendale
Upperthorpe
Infirmary Rd.
Netherthorpe
Netherthorpe Rd.
4
The Hagg
Rivelin Nature Trail
Russell Wood
Jackey Bank
Clough Field
Riding School
S10
CROOKES
Crookes Cemetery
Den Bank
Lydgate
Sports Ground
CROOKESMOOR
Crookes Valley Park
Recreation Ground
Univ. of Sheffield Goodwin Sports Centre
Weston Park
Weston Park Mus.
University of Sheffield
Hockey Pitches
Stephen Hill
Crosspool
TAPTON HILL
King Edward VII School
Hallam Lodge
Ryegate Cen.
Broomhill
122
MANCHESTER RD.
A57
A6101
A6102
B6079
B6077
B6076
B6069
B6074
RIVELIN VALLEY ROAD
MIDDLEWOOD ROAD
PENISTONE ROAD
HERRIES ROAD
HOLME LANE
WESTERN BANK
WHITHAM RD.
NEEPSEND

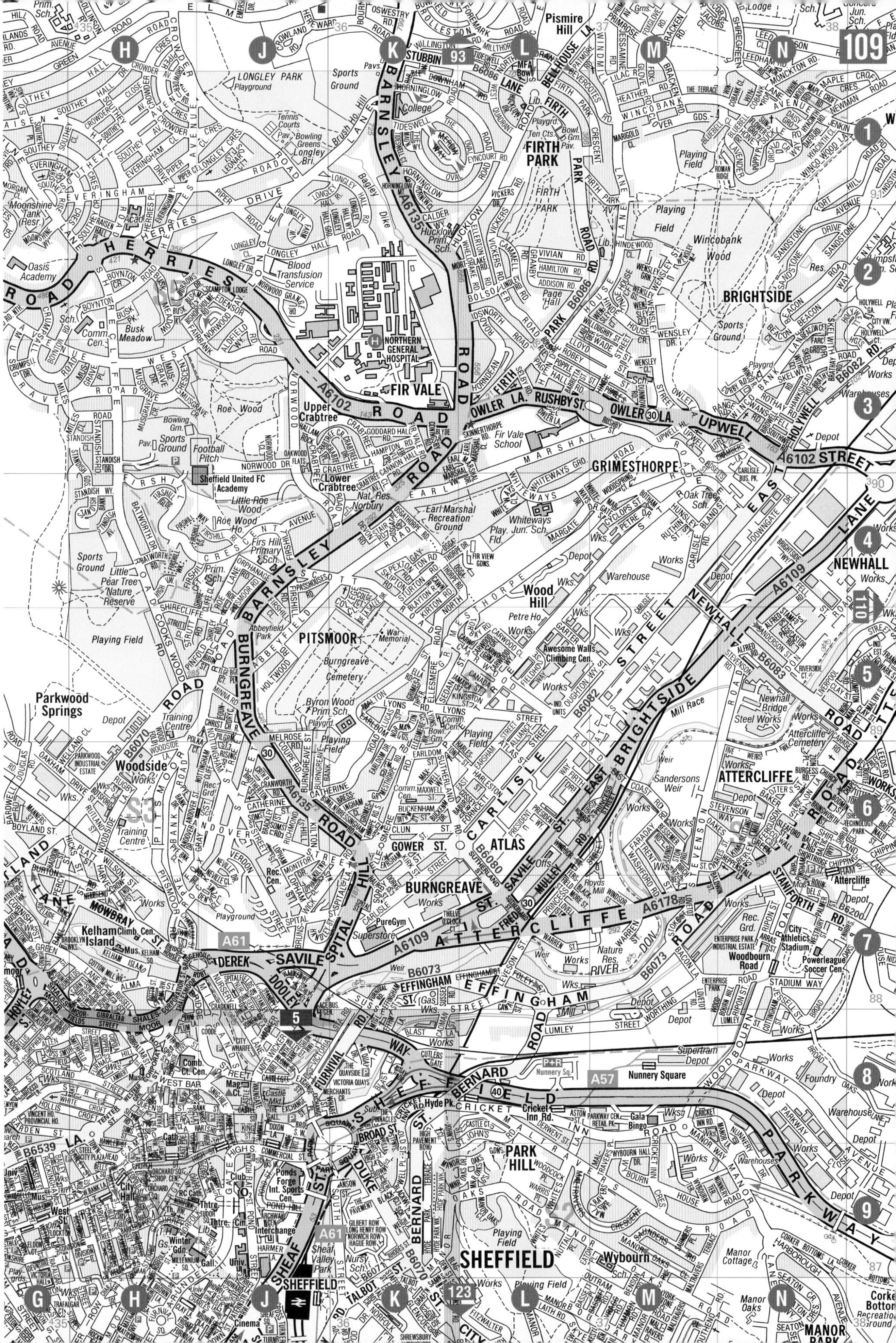

H
J
K
L
M
N
93
1
2
3
4
5
6
7
8
9
110
123
G
Pismire Hill
STUBBIN
LONGLEY PARK
Sports Ground
Longley Bri.
College
FIRTH PARK
BELLHOUSE LA.
BARNSLEY ROAD
A6135
HERRIES ROAD
Moonshine Tank (Resr.)
Oasis Academy
Acad.
Busk Meadow
Comm. Cen.
Blood Transfusion Service
NORTHERN GENERAL HOSPITAL
FIR VALE
Huckłow Prim. Sch.
Wincobank Wood
Playing Field
BRIGHTSIDE
Sports Ground
Roe Wood
Upper Crabtree
Lower Crabtree
A6102 ROAD
OWLER LA.
RUSHBY ST.
UPWELL
HOLYWELL
A6102 STREET
Fir Vale School
GRIMESTHORPE
Sheffield United FC Academy
Football Pitch
Little Roe Wood
Roe Wood Ho.
Nat. Res. Norbury
Earl Marshal Recreation Ground
Whiteways Play. Jun. Sch.
Oak Tree Sch.
NEWHALL
Sports Ground
Little Pear Tree Nature Reserve
Firs Hill Primary Sch.
Playing Field
PITSMOOR
War Memorial
Burngreave Cemetery
Abbeyfield Park
Wood Hill
Awesome Walls Climbing Cen.
Parkwood Springs
Training Centre
Woodside
PARKWOOD INDUSTRIAL ESTATE
BURNGREAVE
A6135
Byron Wood Prim. Sch.
Playing Field
NEWHALL STREET
A6109
BRIGHTSIDE
Mill Race
Newhall Bridge
Steel Works
Attercliffe Cemetery
ATTERCLIFFE
Sanderson Weir
CARLISLE
ATLAS
B6080
GOWER ST.
S3
Training Centre
Kelham Island
Climb. Cen.
Mus.
MOWBRAY ST.
A61
DEREK SAVILE
DOOLEY
SPITAL HILL
PureGym
Superstore
ATTERCLIFFE
A6178
Nature Res.
RIVER DON
B6073
EFFINGHAM
STANIFORTH RD.
City Athletics Stadium
Powerleague Soccer Cen.
Woodbourn Road
ENTERPRISE PARK INDUSTRIAL ESTATE
STADIUM WAY
5
GIBRALTAR
SHALES MOOR
Gas Wks.
BLAST LA.
Supertram Depot
Nunnery Square
A57
P+R Nunnery Sq.
SHEFFIELD PARKWAY
Foundry
Warehouse
CUTLERS GATE
FURNIVAL
THE QUAYSIDE
VICTORIA QUAYS
Castle Mkt.
WEST BAR
Cath.
City Hall
Mus.
West St.
Univ.
Ponds Forge Int. Sports Cen.
Interchange
Sheaf Valley Park
SHEFFIELD
Winter Gdn.
Thtre.
Cinema
Hyde Pk.
Cricket Inn Rd.
Gala Bingo
PARK HILL
Playing Field
SHEFFIELD
Wybourn
Manor Cottage
Manor Oaks
MANOR PARK
Corker Bottoms Recreation Ground
Playing Field
S2

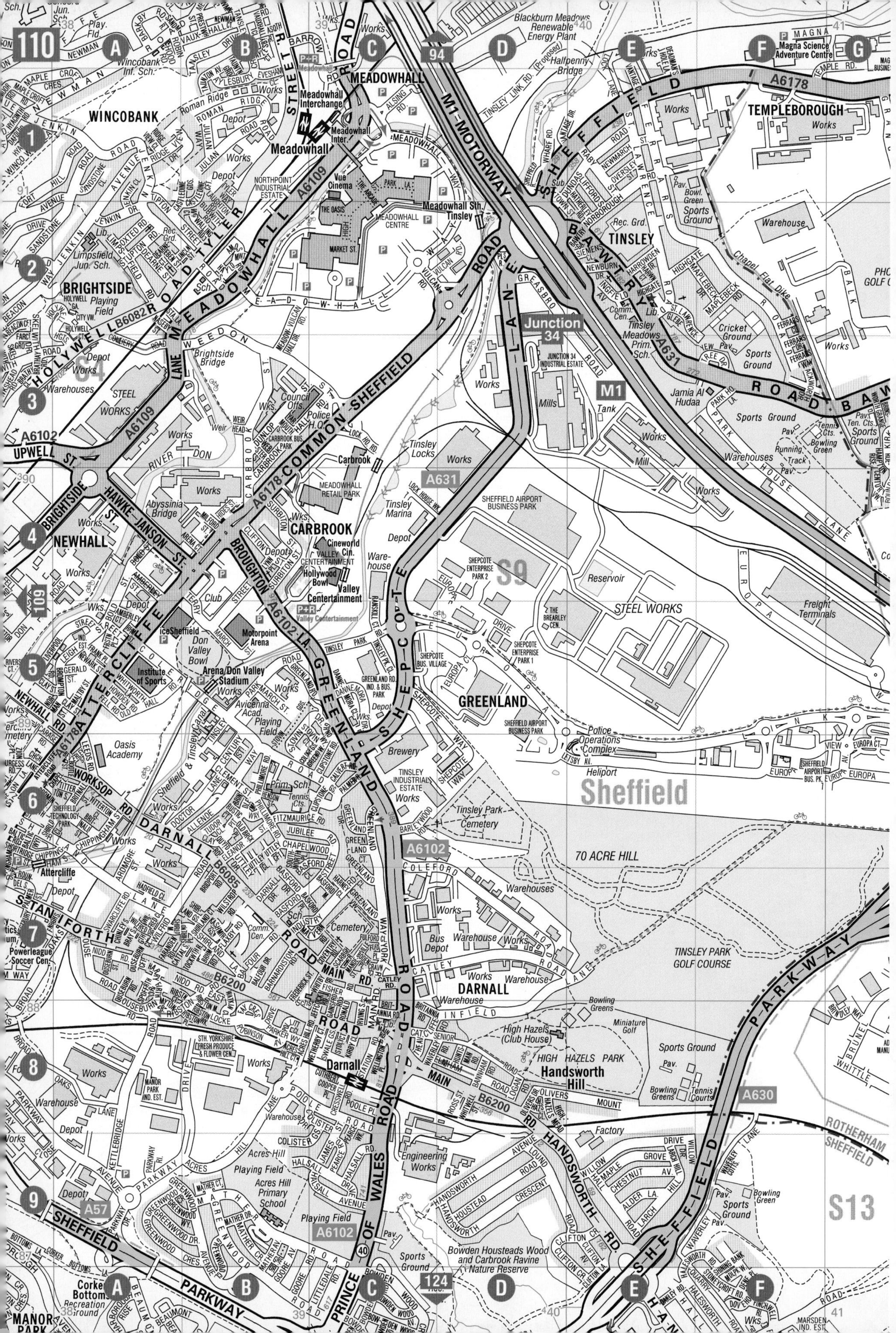

WINCOBANK
BRIGHTSIDE
MEADOWHALL
Meadowhall Interchange
Meadowhall
MEADOWHALL CENTRE
Meadowhall Sth./Tinsley
M1 MOTORWAY
Blackburn Meadows Renewable Energy Plant
Halfpenny Bridge
TEMPLEBOROUGH
Magna Science Adventure Centre
TINSLEY
Junction 34
JUNCTION 34 INDUSTRIAL ESTATE
NORTHPOINT INDUSTRIAL ESTATE
Brightside Bridge
STEEL WORKS
RIVER DON
Abyssinia Bridge
NEWHALL
CARBROOK
Carbrook
MEADOWHALL RETAIL PARK
Tinsley Locks
Tinsley Marina
Cineworld Cin.
VALLEY CENTERTAINMENT
Hollywood Bowl
Valley Centertainment
iceSheffield
Motorpoint Arena
Don Valley Bowl
Arena/Don Valley Stadium
Institute of Sports
SHEFFIELD AIRPORT BUSINESS PARK
SHEPCOTE ENTERPRISE PARK 2
S9
Reservoir
STEEL WORKS
Freight Terminals
GREENLAND
Police Operations Complex
Heliport
Sheffield
Tinsley Park Cemetery
70 ACRE HILL
TINSLEY PARK GOLF COURSE
Oasis Academy
Avicenna Acad.
Attercliffe
SHEFFIELD TECHNOLOGY PARK
DARNALL
Powerleague Soccer Cen.
Cemetery
Bus Depot
High Hazels (Club House)
HIGH HAZELS PARK
Handsworth Hill
Miniature Golf
Sports Ground
Darnall
STH. YORKSHIRE FRESH PRODUCE & FLOWER CEN.
MANOR PARK IND. EST.
Acres Hill Playing Field
Acres Hill Primary School
Engineering Works
Bowden Housteads Wood and Carbrook Ravine Nature Reserve
Corker Bottoms Recreation Ground
MANOR PARK
S13
ROTHERHAM
SHEFFIELD
PARKWAY
SHEFFIELD PARKWAY
A6178
A6109
A6102
A631
A630
A57
B6082
B6085
B6200
M1
94
109
124

Ickles
PHOENIX GOLF COURSE
Water Filtration Works
Club House
Sports Ground
CANKLOW
Canklow Woods Prim. Sch.
Boston Castle
Thomas Rotherham Coll.
Boston Reservoirs (Covered)
Oakwood High School
ROTHERHAM HOSPITAL
MOORGATE
The Woodlands
Rotherham
S60
BRINSWORTH
Brinsworth Manor Jun. & Inf. Schs.
Recreation Ground
Brinsworth Comprehensive School
Brinsworth Whitehill Prim. Sch.
Brinsworth Howarth Prim. Sch.
CANKLOW MEADOWS IND. EST.
Brinsworth Switching Station
Junction 33
M1
MOTORWAY
A631
A630
A618
B6067
B6066
B6533
B6410
ROTHERWAY
GATEWAY
ROTHERHAM ROAD
WEST BAWTRY ROAD
CENTENARY WAY
MOORGATE ROAD
Sewage Works
Settling Tanks
Bole Hill Plantation
Old Flatts Farm
CATCLIFFE
Catcliffe Prim. Sch.
Superstore
POPLAR WAY
Catcliffe Flash Local Nature Reserve
Treeton Junction Sports Ground
Bole Hill
Spa Houses
Spa Hill
Burnt Wood
TREETON
Treeton Grange
Burial Grd.
THE POPLARS INDUSTRIAL ESTATE
TWI TECHNOLOGY CENTRE
Waverley
ORGREAVE
RIVER ROTHER
TREETON WOOD
Hail Mary Hill Wood
OPENCAST WORKINGS
95
112
125
G H J K L M N
1 2 3 4 5 6 7 8 9
42 43 44
87 88 89 90 91

WICKERSLEY
Rotherham
Pinchmill
WHISTON
Royds Moor
S60
GREAT ROYD'S MOOR
SITWELL PARK GOLF COURSE
M1 MOTORWAY
Guilthwaite
Upper Whiston
MORTHEN
STOW BRIDGE FIELD
Sheffield
S26
ULLEY
Ulley Reservoir
Ulley Country Park Visitor Centre
ULLEY COUNTRY PARK
Guilthwaite Common
NETHER FIELD
TREETON WOOD
Burnt Wood
Revel Wood
LINER WOOD
Swallow Mills Pond
Church Field
Playing Field
A6021
A631
A6123
B6410
A618
B6067

96
111
126

LINGS COMMON
Playing F
Bramley Lings
CUMWELL FIELDS
Newhall Dike
97
Sandy Cottage
Cemetery
WICKERSLEY WOOD
M18
NEWHALL LANE
BACK LANE
Newhall Cottage
NEWHALL GRANGE
FIRST LANE
SECOND LANE
Sewage Farm
Slacks Farm
King's Pond Plantation
B6060
NETHERMOOR DR.
Kingsforth Brook
Kingsforth Field
Millstone Farm
MORTHEN VW.
MOATLANDS
Moat Farm
Parkcliff Farm
Moat Wood
MOAT LANE
GREEN LANE
Pinch Mill Brook
KINGSFORTH LANE
NEW ORCHARD LANE
WEST LANE
RAMPER RD.
CARR
THE AVENUE
Manor F
East Fm
Low Farm
ABBEY GLEN
The White House
Springvale Farm
Nether Moor Field
NINE TREES TRADING ESTATE
Works
Transformer Station
B6410 LANE
MORTHEN ROAD
Morthen Lodge
M18 MOTORWAY
S66
Morthen Hall
HALL COTTS.
SHEEP DIKE
Depot
THURCROFT IND. EST.
Factory
Wks.
COLLIERY VS.
The Villas
NEW ORCHARD LA.
The Terrace
114
Thurcroft Hall
S25
WOODHOUSE GRN.
ROWENA DRIVE
OSBERT DRIVE
Pav.
Sports Ground
Pea Carr Wood
Wildfell
BRAMPTON ROAD
KATHERINE ROAD
SANDY LA.
LAUGHTON ROAD
STEADFOLDS LANE
Brookhouse Dike
Cricket Ground
Brookfield Bungalow
Blackhill Farm
LOCKSLEY AV.
CEDRIC CRES.
Sch.
ELGITHA DRIVE
Recreation Ground
Sch. & Lib.
WAVERLEY AV.
CRESCENT END
THE CRESCENT
SCHOOL ROAD
SAWN MOOR AV.
Morthen Brook
Wood Quarry
Junction 32
THURCROFT
The Willows School
Play Field
Copeland Lodge
LIMETREE AV.
Sawn Moor
SAWN MOOR RD.
ARBOUR DR.
ROTHERHAM LA.
ROSE LANE
COMMON LANE
Wood Piece
GRANGE CL.
Nursery
Thackeray Farm
Holme Farm
Hatfield Fm.
Redcott Farm
Spring Hole
WOOD LA.
BRAMPTON ROAD
Rec. Grd.
Park Lodge
Green Arbour Farm
GREEN ARBOUR ROAD
Townend Farm
BRAMPTON EN LE MORTHEN
COMMON LANE
Holmlea Farm
Cemetery
Poultry Farm
Side Farm
LAUGHTON COMMON ROAD
B6060
Wiltshire
Laughton Common Farm
Faimaglo
Kennels
HAWK HILL LANE
Penny Hill
ULLEY BEECHES
Brampton Villa
LONG LANE
LAUGHTON COMMON
The Double 'H'
M1-MOTORWAY
M1
Brampton Gorse
BRAMPTON COMMON
Eel Mires Dike
127
G H J K L M N
48 49 450 51
1 2 3 4 5 6 7 8 9
91 390 89 88 87

HOOTON LEVITT
MALTBY
CARR
Rotherham
S66
BEACON HILL
COMMON HILL
Brookhouse
SLADE HOOTON
Sheffield
S25
LAUGHTON EN LE MORTHEN
Throapham
LAUGHTON COMMON
Manor Farm
Carr Wood
Cliff Plantation
The Rookery
Manor House
Home Farm
Spivvy
Wood Lee Common
Fern Bank
Wood Lee
Mill Farm
NOR WOOD
Sewage Works
Bullatree Hill Farm
GRANGE WOOD
Carr Windmill (Ruin)
Carr Hill
Tunwell
East Fm
Brook House
Brookhouse Farm
Coldwell Grn.
Hall
Slade Hills
Slade Hills Plantation
Cricket Ground
Thurcroft Lodge
Brookfield Bungalow
Tinkerhole Dike
Hooton Dike
Hooton Bridge
Laughton All Saints C of E Prim. Sch.
Castle Hill
Laughton Inf. & Jun. School
Sandall House
Recreation Ground
St. John's Farm
St. John's
Little Moor
Doles Wood
Poultry Farm
Grove Cottages
Football Ground
Sports Grd.
BLYTH ROAD A634
OLDCOTES ROAD B6463
OUTGANG LANE B6060
COMMON ROAD
ROTHERHAM LANE
KINGSWOOD AV.
KIRK CROFT ROAD
EAST FIELD LANE
HOOTON ROAD
HIGH HOOTON ROAD
PEAK LANE
CARR LANE
BACK LANE
STEADFOLDS LA.
Timber Yard
Throapham Common

98
113
128

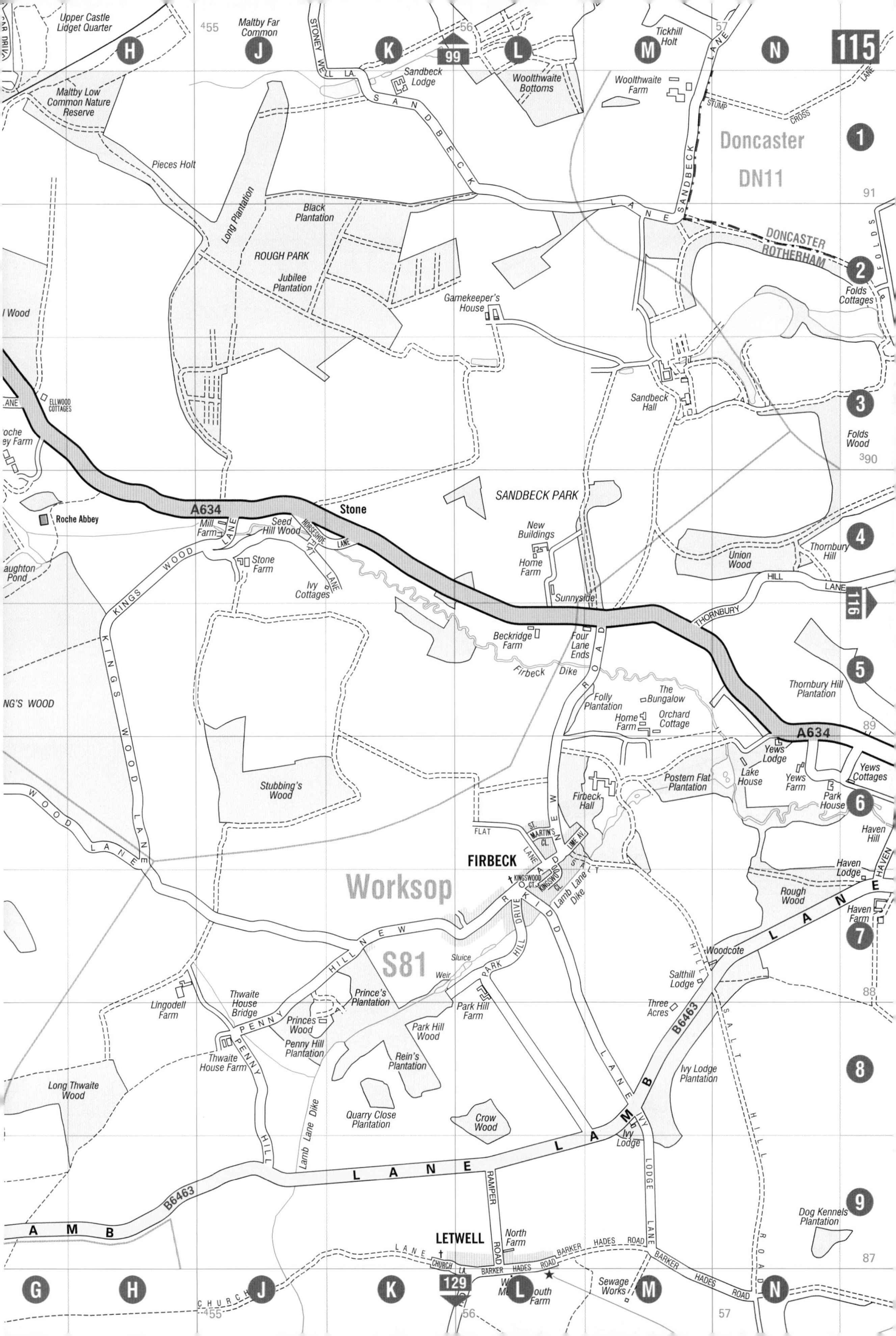
Upper Castle Lidget Quarter
Maltby Far Common
Maltby Low Common Nature Reserve
Sandbeck Lodge
Woolthwaite Bottoms
Tickhill Holt
Woolthwaite Farm
Doncaster
DN11
Pieces Holt
Long Plantation
Black Plantation
ROUGH PARK
Jubilee Plantation
Gamekeeper's House
DONCASTER
ROTHERHAM
Folds Cottages
Sandbeck Hall
Folds Wood
Ellwood Cottages
Roche Abbey
A634
Stone
Mill Farm
Seed Hill Wood
Horseshoe Flat Lane
Stone Farm
Ivy Cottages
SANDBECK PARK
New Buildings
Home Farm
Sunnyside
Union Wood
Thornbury Hill
Thornbury Hill Lane
Beckridge Farm
Four Lane Ends
Firbeck Dike
Folly Plantation
The Bungalow
Home Farm
Orchard Cottage
Thornbury Hill Plantation
Yews Lodge
Lake House
Yews Farm
Yews Cottages
Postern Flat Plantation
Firbeck Hall
Park House
Haven Hill
Haven Lodge
Haven Farm
Rough Wood
Stubbing's Wood
Kings Wood Lane
FIRBECK
St. Martin's Cl.
Lime Av.
Kingswood Ct.
Lamb Lane Dike
Worksop
S81
Sluice
Weir
Woodcote
Salthill Lodge
Three Acres
Salt Hill Road
Lingodell Farm
Thwaite House Bridge
Prince's Plantation
Princes Wood
Penny Hill Plantation
Park Hill Farm
Park Hill Wood
Rein's Plantation
Thwaite House Farm
Long Thwaite Wood
Ivy Lodge Plantation
Quarry Close Plantation
Crow Wood
Ivy Lodge
Lamb Lane
B6463
Ramper Road
Lodge Lane
LETWELL
North Farm
Church Lane
Barker Hades Road
Sewage Works
Dog Kennels Plantation
South Farm
G H J K L M N
1 2 3 4 5 6 7 8 9
99
116
129

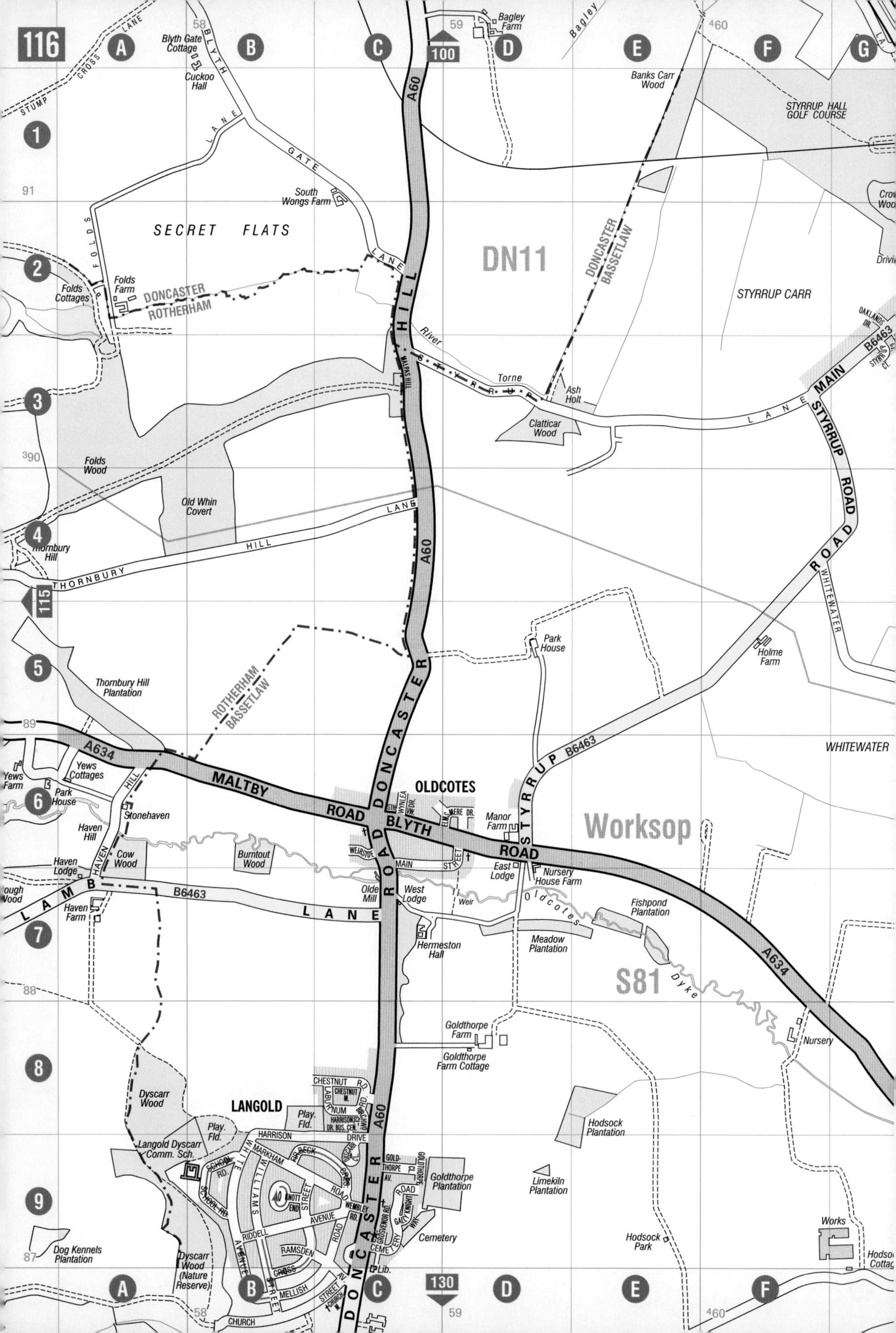
Secret Flats
DN11
Doncaster
Rotherham
Bassetlaw
Styrrup Carr
Styrrup Hall Golf Course
Banks Carr Wood
Bagley Farm
Blyth Gate Cottage
Cuckoo Hall
South Wongs Farm
Folds Farm
Folds Cottages
Folds Wood
Old Whin Covert
Thornbury Hill
Thornbury Hill Plantation
Clatticar Wood
Ash Holt
River Torne
Park House
Holme Farm
Whitewater
Oldcotes
Worksop
Manor Farm
East Lodge
Nursery House Farm
West Lodge
Olde Mill
Weir
Hermeston Hall
Meadow Plantation
Fishpond Plantation
Oldcotes Dyke
S81
Yews Cottages
Yews Farm
Stonehaven
Haven Hill
Haven Lodge
Haven Farm
Cow Wood
Burntout Wood
Goldthorpe Farm
Goldthorpe Farm Cottage
Nursery
Dyscarr Wood
Langold
Langold Dyscarr Comm. Sch.
Play. Fld.
Goldthorpe Plantation
Hodsock Plantation
Limekiln Plantation
Cemetery
Hodsock Park
Works
Dog Kennels Plantation
Dyscarr Wood (Nature Reserve)
Lib.
A60
A634
B6463
Doncaster Road
Maltby Road
Blyth Road
Styrrup Road
Main Street
Lamb Lane
Haven Hill
Thornbury Hill Lane
Blyth Gate Lane
Stump Cross Lane
Styrrup Lane
Main Road
Whitewater Road
Harrison Drive
Chestnut Rd.
Riddell Avenue
Williams Avenue
White Avenue
Markham Street
Wembley Rd.
Grosvenor Rd.
Cemetery
Church Street
Mellish Street
Ramsden Cross
School Rd.
100
115
130
58
59
460
91
390
89
88
87

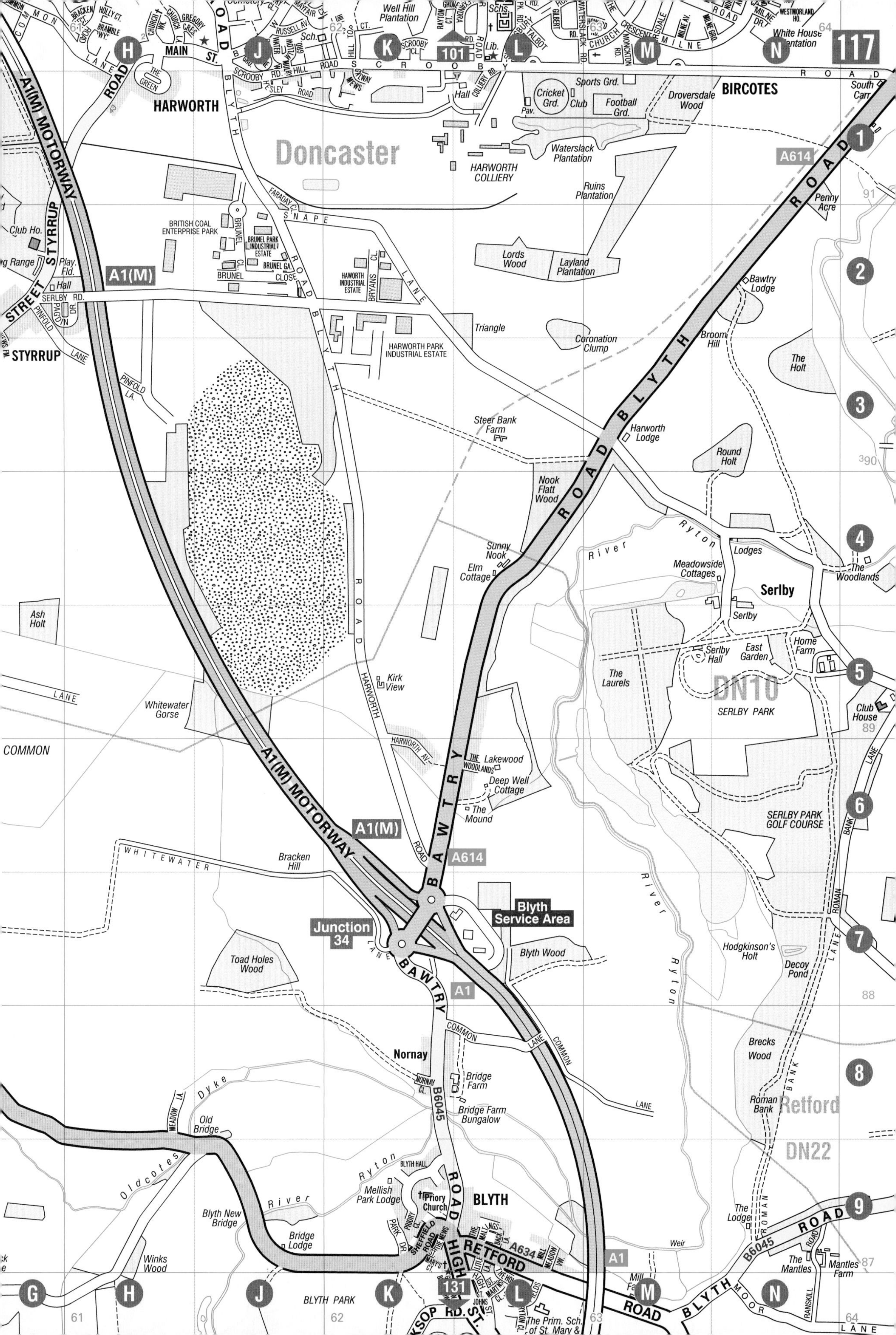
HARWORTH
BIRCOTES
Doncaster
HARWORTH COLLIERY
Sports Grd.
Cricket Grd.
Club
Football Grd.
Droversdale Wood
Waterslack Plantation
Ruins Plantation
Lords Wood
Layland Plantation
Well Hill Plantation
White House Plantation
South Carr
BRITISH COAL ENTERPRISE PARK
BRUNEL PARK INDUSTRIAL ESTATE
HAWORTH INDUSTRIAL ESTATE
HARWORTH PARK INDUSTRIAL ESTATE
A1(M) MOTORWAY
A1(M)
A614
A1
A634
B6045
SNAPE LANE
SERLBY RD.
BLYTH ROAD
BAWTRY ROAD
HARWORTH ROAD
SCROOBY ROAD
STYRRUP STREET
STYRRUP
Club Ho.
Play. Fld.
Triangle
Coronation Clump
Penny Acre
Bawtry Lodge
Broom Hill
The Holt
Steer Bank Farm
Harworth Lodge
Round Holt
Nook Flatt Wood
River Ryton
Lodges
The Woodlands
Meadowside Cottages
Serlby
Serlby Hall
East Garden
Home Farm
The Laurels
DN10
SERLBY PARK
Club House
SERLBY PARK GOLF COURSE
Sunny Nook
Elm Cottage
Kirk View
Ash Holt
Whitewater Gorse
COMMON
The Lakewood
Deep Well Cottage
The Mound
WHITEWATER LANE
Bracken Hill
Junction 34
Blyth Service Area
Blyth Wood
Toad Holes Wood
Hodgkinson's Holt
Decoy Pond
Brecks Wood
Roman Bank
Retford
DN22
ROMAN BANK LANE
COMMON LANE
Nornay
Bridge Farm
Bridge Farm Bungalow
Old Bridge
Dyke
Oldcotes Dyke
Blyth New Bridge
Bridge Lodge
Winks Wood
Mellish Park Lodge
BLYTH HALL
Priory Church
BLYTH
HIGH ST.
RETFORD ROAD
BLYTH ROAD
MOOR LANE
The Lodge
Weir
The Mantles
Mantles Farm
BLYTH PARK
The Prim. Sch. of St Mary &
101
131

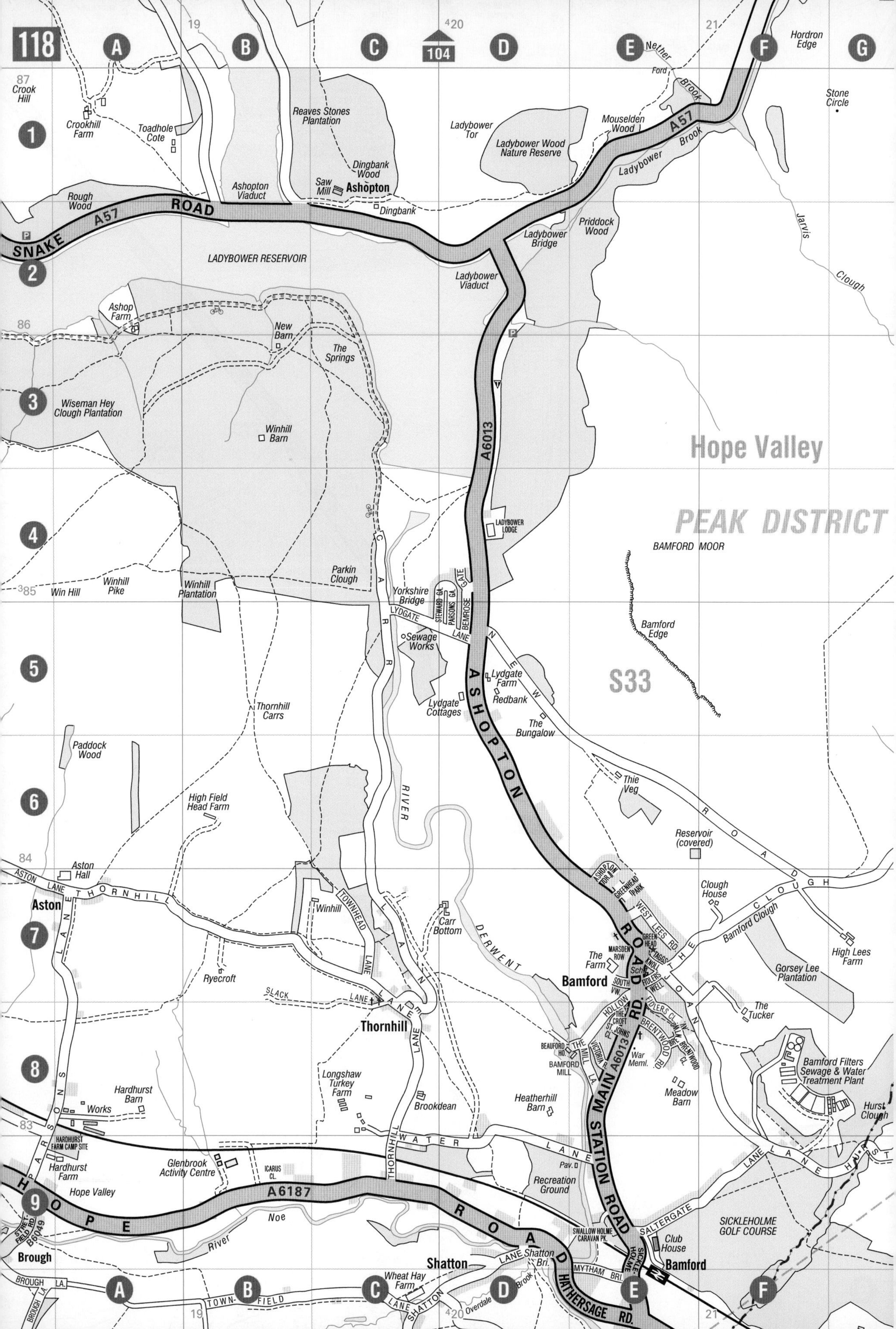
104
Crook Hill
Crookhill Farm
Toadhole Cote
Reaves Stones Plantation
Ladybower Tor
Ladybower Wood Nature Reserve
Mouselden Wood
Nether Ford Brook
Hordron Edge
Stone Circle
Rough Wood
Ashopton Viaduct
Saw Mill
Ashopton
Dingbank Wood
Dingbank
Ladybower Brook
SNAKE ROAD A57
LADYBOWER RESERVOIR
Ladybower Bridge
Priddock Wood
Ladybower Viaduct
Jarvis Clough
Ashop Farm
New Barn
The Springs
Wiseman Hey Clough Plantation
Winhill Barn
A6013
Hope Valley
PEAK DISTRICT
LADYBOWER LODGE
BAMFORD MOOR
Win Hill
Winhill Pike
Winhill Plantation
Parkin Clough
Yorkshire Bridge
STEWARD GA.
PARSONS GA.
BEMROSE
GATE
LYDGATE LANE
Sewage Works
Bamford Edge
S33
Lydgate Farm
Redbank
Lydgate Cottages
ASHOPTON
Thornhill Carrs
The Bungalow
NEW ROAD
Paddock Wood
Thie Veg
High Field Head Farm
RIVER
Reservoir (covered)
Aston Hall
ASTON LANE
THORNHILL
CARR LANE
Aston
Winhill
TOWNHEAD LANE
Carr Bottom
DERWENT
ASHOPTON DR.
GREENHEAD PARK
WEST LEES RD.
Clough House
Bamford Clough
CLOUGH LANE
High Lees Farm
The Farm
MARSDEN ROW
GREEN HEAD
TAGGS KNOLL
Sch.
FIDLERS WELL
Bamford
SOUTH VW.
Gorsey Lee Plantation
Ryecroft
SLACK LANE
Thornhill
HOLLOW
THE CROFT
ST. JOHNS CL.
FIDLERS CL.
BRENTWOOD RD.
The Tucker
BEAUFORD HO.
THE MILL LA.
VICTORIA RD.
A6013
War Meml.
BAMFORD MILL
ROAD RD.
Bamford Filters Sewage & Water Treatment Plant
Hardhurst Barn
Works
Longshaw Turkey Farm
Brookdean
Heatherhill Barn
MAIN
Meadow Barn
Hurst Clough
PARSONS LANE
HARDHURST FARM CAMP SITE
Hardhurst Farm
Glenbrook Activity Centre
ICARUS CL.
WATER LANE
Pav.
Recreation Ground
STATION ROAD
HURST LANE
Hope Valley
HOPE ROAD A6187
Noe
River
SWALLOW HOLME CARAVAN PK.
SALTERGATE
SICKLEHOLME GOLF COURSE
Club House
STREETFIELD RD. B6049
Brough
Shatton
LANE
Shatton Bri.
MYTHAM BRI.
SICKLEHOLME
Bamford
BROUGH LA.
TOWNFIELD
Wheat Hay Farm
SHATTON LANE
Overdale Brook
HATHERSAGE RD.
A B C D E F G
1 2 3 4 5 6 7 8 9
19 420 21
87 86 85 84 83

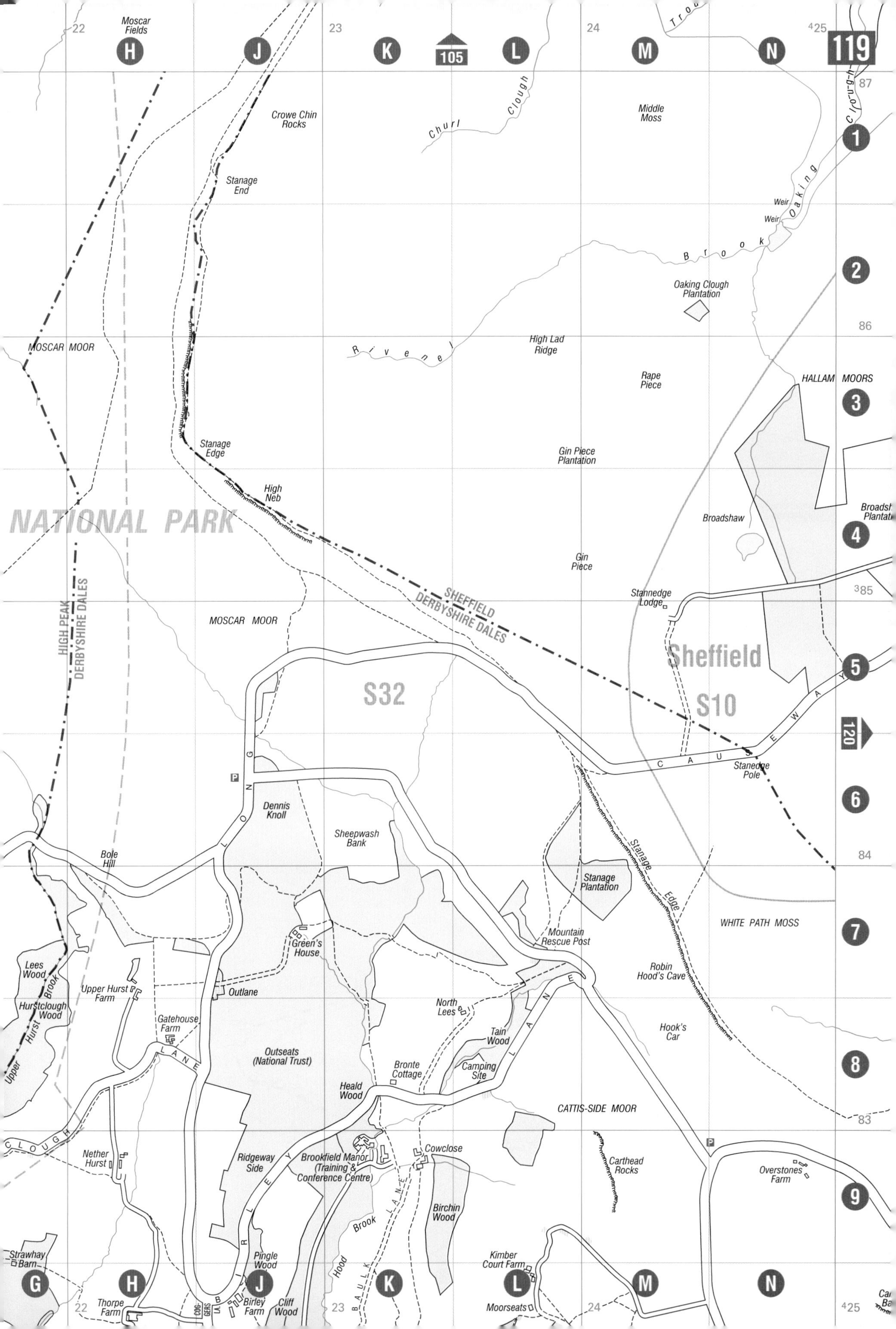
Moscar Fields
Crowe Chin Rocks
Churl Clough
Middle Moss
Stanage End
Weir
Weir
Oaking Clough
Brook
Oaking Clough Plantation
MOSCAR MOOR
Rivenel
High Lad Ridge
Rape Piece
HALLAM MOORS
Stanage Edge
Gin Piece Plantation
High Neb
NATIONAL PARK
Broadshaw
Broadshaw Plantation
Gin Piece
HIGH PEAK
DERBYSHIRE DALES
SHEFFIELD
DERBYSHIRE DALES
Stannedge Lodge
MOSCAR MOOR
Sheffield
S32
S10
LONG
CAUSEWAY
Stanedge Pole
Dennis Knoll
Sheepwash Bank
Bole Hill
Stanage Edge
Stanage Plantation
WHITE PATH MOSS
Green's House
Mountain Rescue Post
Lees Wood
Upper Hurst Farm
Outlane
Robin Hood's Cave
Hurstclough Wood
LANE
North Lees
Gatehouse Farm
Hook's Car
Upper Hurst Brook
LANE
Tain Wood
Outseats (National Trust)
Camping Site
Bronte Cottage
Heald Wood
CATTIS-SIDE MOOR
CLOUGH
Cowclose
Nether Hurst
Ridgeway Side
Brookfield Manor (Training & Conference Centre)
Carthead Rocks
Overstones Farm
Birchin Wood
BIRLEY
Brook
Hood
BAULK LANE
Pingle Wood
Kimber Court Farm
Strawhay Barn
Thorpe Farm
COGGERS LA.
Birley Farm
Cliff Wood
Moorseats
H J K L M N
G H J K L M N
22 23 24 425
87 86 385 84 83
1 2 3 4 5 6 7 8 9

105
120

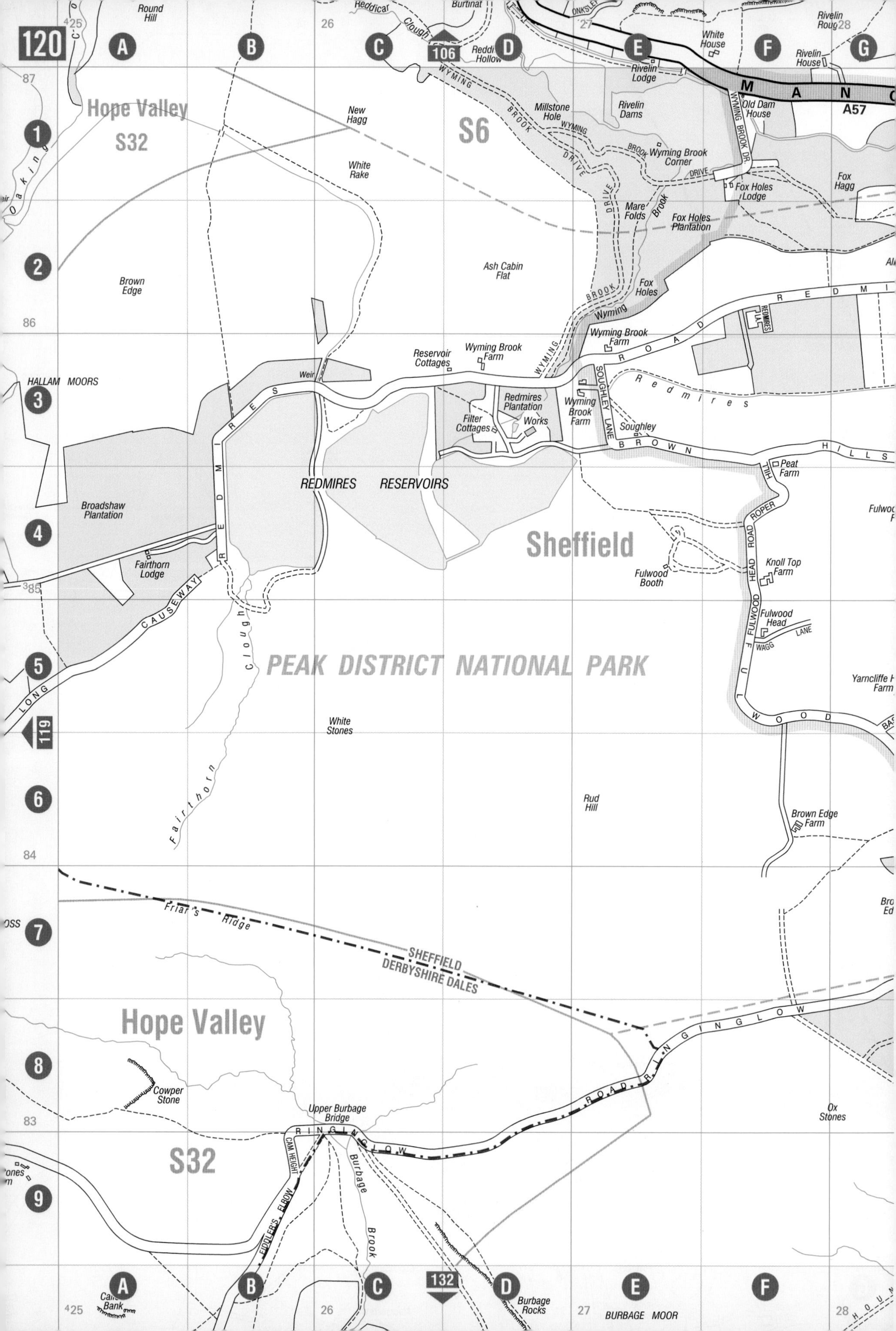

Round Hill
Reddicar Clough
Burtinat
106
Reddi Hollow
Rivelin Rough
White House
Rivelin House
Rivelin Lodge
A57
Old Dam House
Hope Valley
S32
New Hagg
S6
Millstone Hole
Rivelin Dams
Wyming Brook Corner
Wyming Brook Drive
Fox Holes Lodge
Fox Hagg
White Rake
Mare Folds
Fox Holes Plantation
Ash Cabin Flat
Brown Edge
Fox Holes
Wyming Brook Farm
Redmires Road
Reservoir Cottages
HALLAM MOORS
Weir
Redmires Plantation
Wyming Brook Farm
Filter Cottages
Works
Soughley Lane
Soughley
Brown Hills
Peat Farm
REDMIRES RESERVOIRS
Broadshaw Plantation
Sheffield
Roper Road
Fulwood Booth
Knoll Top Farm
Fairthorn Lodge
Long Causeway
Fulwood Head
Wagg Lane
Fulwood Head Road
PEAK DISTRICT NATIONAL PARK
Yarncliffe Farm
119
White Stones
Fulwood
Fairthorn Clough
Rud Hill
Brown Edge Farm
Friar's Ridge
SHEFFIELD
DERBYSHIRE DALES
Hope Valley
Ringinglow Road
Cowper Stone
Upper Burbage Bridge
Ox Stones
S32
Cam Height
Fiddler's Elbow
Burbage Brook
132
Burbage Rocks
Callow Bank
BURBAGE MOOR

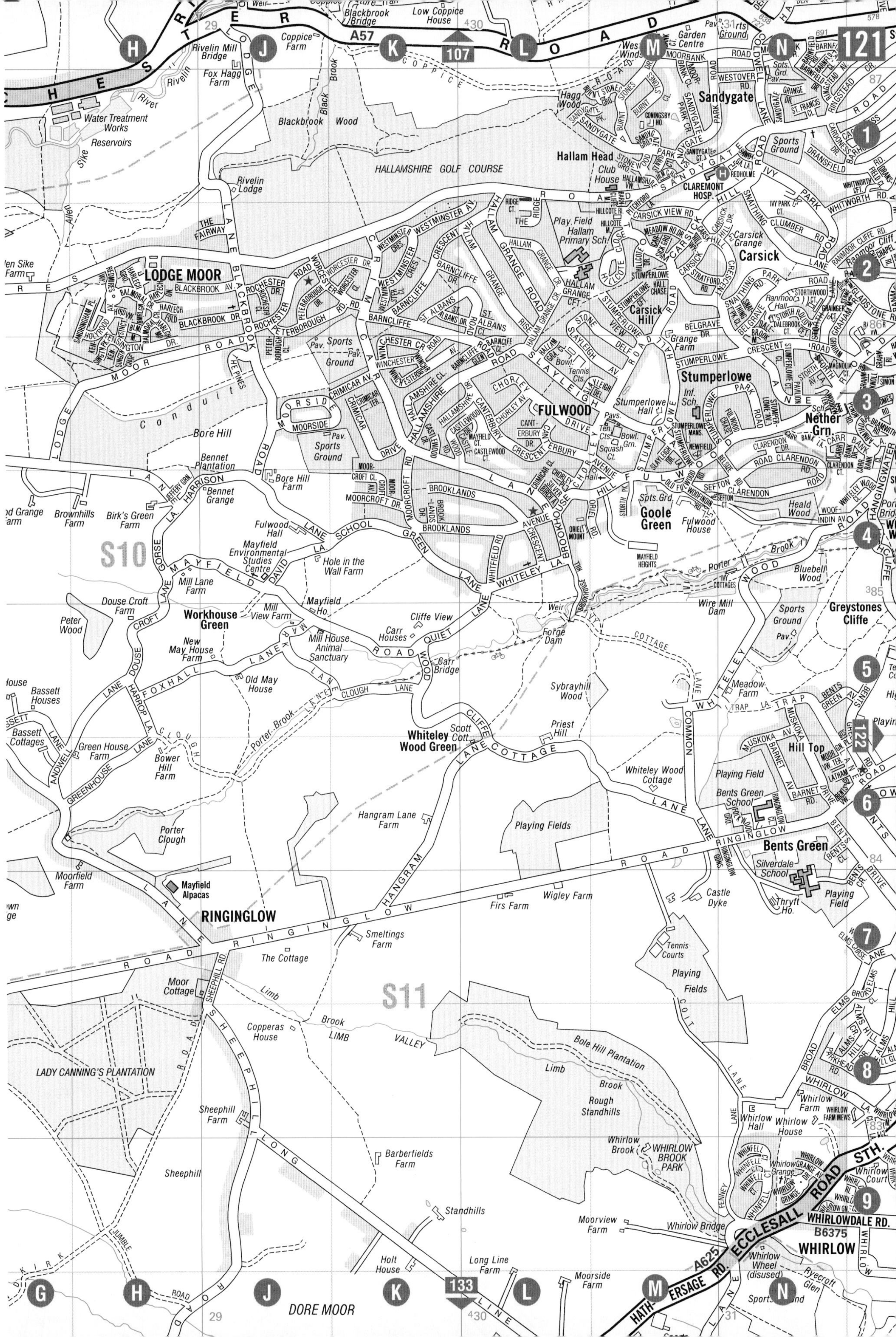

LODGE MOOR
FULWOOD
Sandygate
Carsick
Carsick Hill
Stumperlowe
Nether Grn.
Goole Green
Hill Top
Bents Green
RINGINGLOW
WHIRLOW
Whiteley Wood Green
Workhouse Green
S10
S11
HALLAMSHIRE GOLF COURSE
Hallam Head
Blackbrook Wood
Water Treatment Works
Reservoirs
Rivelin Mill Bridge
Fox Hagg Farm
Coppice Farm
Low Coppice House
Rivelin Lodge
Bore Hill
Bennet Plantation
Bennet Grange
Bore Hill Farm
Fulwood Hall
Mayfield Environmental Studies Centre
Hole in the Wall Farm
Mill Lane Farm
Douse Croft Farm
Peter Wood
Mill View Farm
Mayfield Ho.
New May House Farm
Mill House Animal Sanctuary
Old May House
Carr Houses
Cliffe View
Forge Dam
Wire Mill Dam
Greystones Cliffe
Sybrayhill Wood
Priest Hill
Whiteley Wood Cottage
Meadow Farm
Bassett Houses
Bassett Cottages
Green House Farm
Bower Hill Farm
Porter Clough
Moorfield Farm
Mayfield Alpacas
Hangram Lane Farm
Playing Fields
Wigley Farm
Firs Farm
Smeltings Farm
The Cottage
Castle Dyke
Silverdale School
Thryft Ho.
Moor Cottage
Copperas House
LIMB VALLEY
Bole Hill Plantation
Rough Standhills
Whirlow Brook
WHIRLOW BROOK PARK
Whirlow Hall
Whirlow House
Whirlow Farm
Whirlow Grange
Moorview Farm
Whirlow Bridge
Whirlow Wheel (disused)
Ryecroft Glen
LADY CANNING'S PLANTATION
Sheephill Farm
Sheephill
Barberfields Farm
Standhills
Holt House
Long Line Farm
Moorside Farm
DORE MOOR
A57
A625
B6375
ECCLESALL ROAD STH.
HATHERSAGE RD.
RINGINGLOW ROAD
WHIRLOWDALE RD.
107
133
122

Crosspool
TAPTON HILL
King Edward VII School (Lower)
Tapton Sch.
Tapton Hall
THORNBURY BMI HOSP.
MANCHESTER RD.
Broomhill
FULWOOD RD.
WHITHAM RD.
GLOSSOP RD.
ROYAL HALLAMSHIRE HOSPITAL
Summerfield
Broomfield
Robert Winston Bldg.
Sunnybank Nature Reserve
Sheffield Hallam University
Sheffield Botanical Gardens
CLARKEHOUSE
Endcliffe Crescent
Endcliffe Hall
Endcliffe Edge
Oakbrook (Convent of Notre Dame)
Notre Dame Catholic High Sch.
RANMOOR
Ranmoor Cliff
Nether Grn.
Hanging Water
Shepherd Wheel (Water Wheel)
Whiteley Woods
Greystones Cliffe
ENDCLIFFE PARK
BINGHAM PARK
RUSTLINGS ROAD
BROCCO BANK
HUNTERS BAR
Sharrow Vale
Little Sheffield
Cemetery
Sharrow Head
Lantern Theatre
SHARROW
BRINCLIFFE
Cherry Tree Hill
NETHER EDGE
Brincliffe Tower Public Park
GREYSTONES
High Storrs School
Playing Field
Ecclesall Inf. Sch.
ECCLESALL
Banner Cross Hall
Banner Cross
CARTER KNOWLE
Bents Green
Mylnhurst Catholic Prep. Sch.
Playing Fields
Bannerdale Centre
Norton Hammer
Virgin Active
PureGym
Abbeydale Superstore
Dobcroft Inf. & Jun. Schs.
MILLHOUSES
PARKHEAD
Little Common
Parkhead House
Hospice
Whirlow Court
WHIRLOW
WHIRLOWDALE RD.
ECCLESALL WOOD
Hutcliffe Wood Crematorium
Hutcliffe Wood & Abbey Lane Cemetery
MILLHOUSES PARK
The Charlton & Linley Homes
Woodseats
MEADOW HEAD
ECCLESALL ROAD SOUTH
ABBEYDALE ROAD SOUTH
A625
A621
A57
A61
B6069
B6068
B6375
S10
S11
S7
108
134
121
4

SHEFFIELD
Sheffield
Interchange
Winter Gdn.
Millennium Gall.
Sheaf Valley Park
Granville Rd./ The Sheffield College
All Saints Catholic Sch.
Heritage Park School
Skate Central
Park Grange Croft
Norfolk Park Sch.
Seven Hills Sch.
Alpha Hosp.
Park Grange Rd.
Sheffield United FC (Bramall La.)
HIGHFIELD
Queens Retail Pk.
LOWFIELD
Black Bank
Norfolk Park
Playgrounds
The Centre in the Park
Bowling Greens
Tennis Courts
Manor Oaks
Manor Cottage
Emmaus Catholic & C of E Prim. Sch.
Sheffield Manor Lodge
Manor Lodge Primary Sch.
Skye Edge
MANOR PARK
Corker Bottoms Recreation Ground
SHEFFIELD PARK
City Road Cemetery
War Meml.
City Road Crematorium
Deep Pit
Spring Lane
Sheffield Inclusion Centre
ARBOURTHORNE
Arbourthorne Rd.
Sports Ground
Arbourthorne Prim. Sch.
Springs Leisure Cen.
Sheffield Springs Academy
Arbourthorne Estate
Newfield Green
Buck Wood
Paddock Hill
Hurl Field
Common Side
Playing Field
GLEADLESS
Gleadless Townend
Herdings Wood
Herdings
Herdings/ Leighton Rd
Herdings Park
Bowling Green
GLEADLESS VALLEY
Rolleston Wood
ROLLESTONE
Bankwood Prim. Sch.
Hang Bank Wood
Car Wood
Coneygree Wood
Leeshall Wood
Carfield Farm
MEERSBROOK
Meersbrook Park
Meersbrook Bank
Carfield Prim. Sch.
Bishop's House
HEELEY
Heeley Swim. Pool
Virgin Active
Norton Lees
Fourlane Ends
Norton Cem.
Newfield Sec. Sch.
Talbot Specialist Sch.
Athletic & Sports Grd.
NORTON WOODSEATS
Running Track
LEES HALL GOLF COURSE
Club House
Backmoor
Backmoor Farm
HEMSWORTH
Playing Fields
BOLEHILL
Summerhouse Wood
Graves Park Animal Farm
GRAVES PARK
John Eaton's Almshouses
Norton Hall Farm
Norton Free C of E Prim. Sch.
OAKS PARK
Cricket Ground
Lightwood Ho. Nursing Home
Skid Pans
Traffic Training Ground
Depot
GRANVILLE ROAD
CITY ROAD
LONDON ROAD
QUEENS ROAD
GLEADLESS ROAD
EAST BANK ROAD
NORTON AVENUE
CHESTERFIELD ROAD
ST. MARY'S GATE
A61
A621
A6135
A6102
B6388
S2
S8
S12
S14
109
5
124
135
G H J K L M N
1 2 3 4 5 6 7 8 9

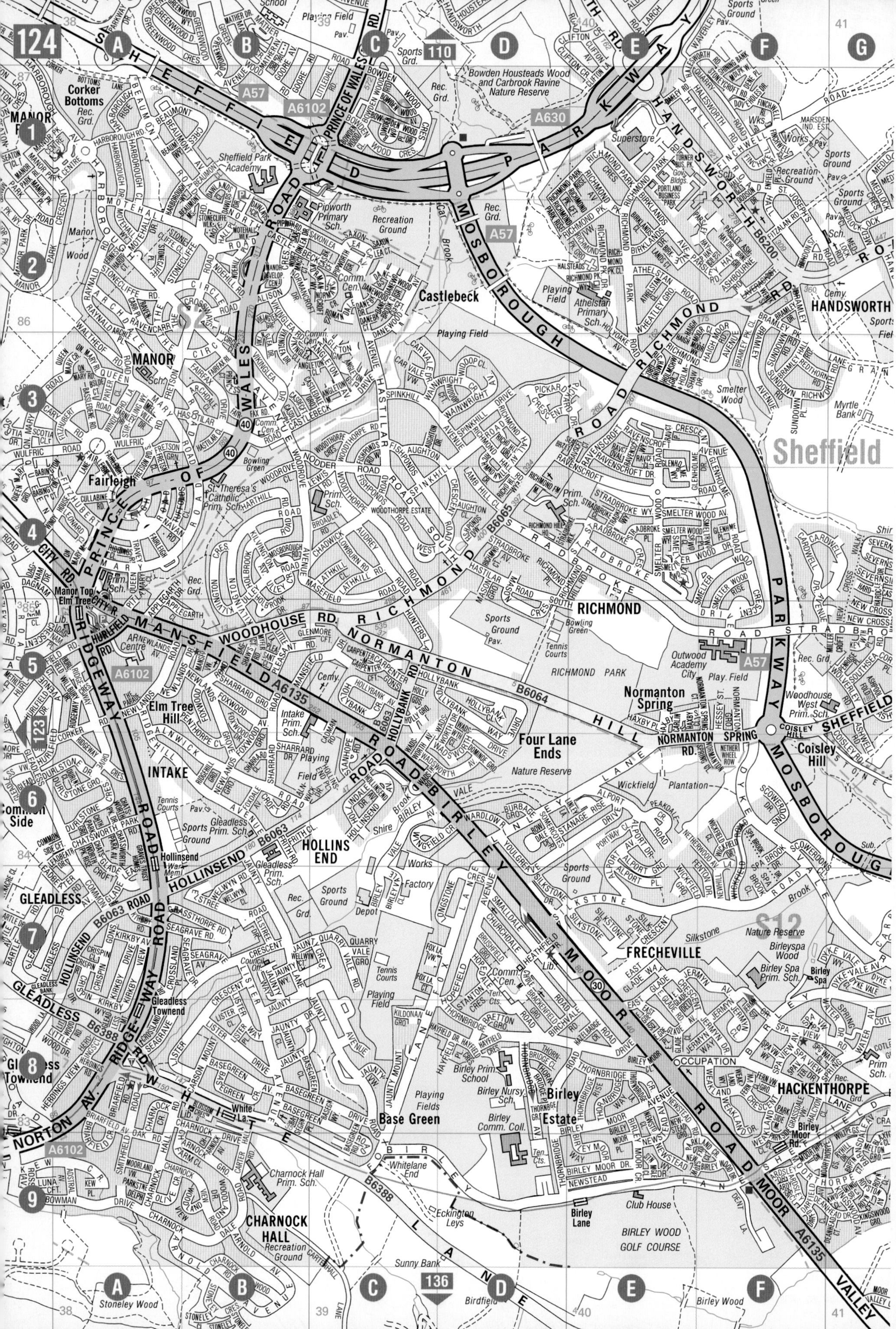

A
B
C
D
E
F
G
110
Corker Bottoms
MANOR
Manor Wood
Sheffield Park Academy
Pipworth Primary Sch.
Recreation Ground
Bowden Housteads Wood and Carbrook Ravine Nature Reserve
Superstore
Castlebeck
Athelstan Primary Sch.
HANDSWORTH
Sheffield
Smelter Wood
Myrtle Bank
S2
Fairleigh
St. Theresa's Catholic Prim. Sch.
Manor Top
Elm Tree
INTAKE
Elm Tree Hill
Intake Prim. Sch.
Four Lane Ends
RICHMOND
RICHMOND PARK
Normanton Spring
Outwood Academy City
Woodhouse West Prim. Sch.
Coisley Hill
Common Side
HOLLINS END
Gleadless Prim. Sch.
Hollinsend War Meml
GLEADLESS
Gleadless Townend
FRECHEVILLE
S12
Birley Spa Prim. Sch.
Birleyspa Wood
HACKENTHORPE
Birley Estate
Birley Prim. School
Birley Comm. Coll.
Base Green
White La.
Whitelane End
Charnock Hall Prim. Sch.
CHARNOCK HALL
Recreation Ground
Eckington Leys
Birley Lane
Club House
BIRLEY WOOD GOLF COURSE
Sunny Bank
Stoneley Wood
Birdfield
Birley Wood
136
123
A57
A6102
A630
A6135
B6200
B6065
B6064
B6063
B6388
SHEFFIELD PARKWAY
MOSBOROUGH PARKWAY
PRINCE OF WALES ROAD
RICHMOND ROAD
NORMANTON HILL
MANSFIELD ROAD
BIRLEY MOOR ROAD
RIDGEWAY ROAD
HOLLINSEND ROAD
WHITE LANE
BIRLEY LANE
NORTON AV.

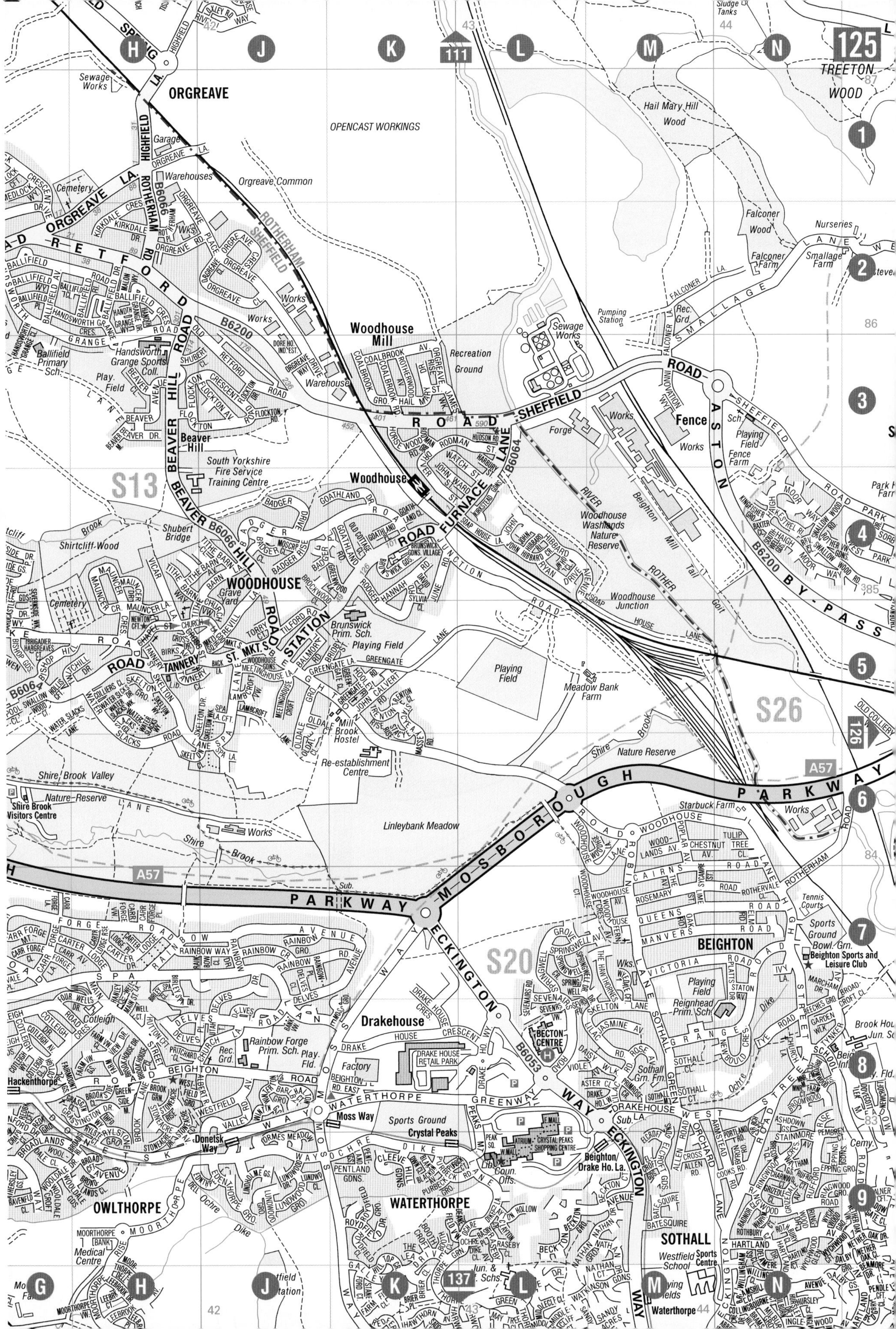

125
111
126
137
H
J
K
L
M
N
G
1
2
3
4
5
6
7
8
9
42
43
44
87
86
85
84
83
TREETON WOOD
ORGREAVE
OPENCAST WORKINGS
Hail Mary Hill Wood
Orgreave Common
Sewage Works
Garage
Warehouses
Cemetery
ORGREAVE LA.
RETFORD ROAD
ROTHERHAM RD
HIGHFIELD LA.
B6066
B6200
ROTHERHAM
SHEFFIELD
Falconer Wood
Falconer Farm
Nurseries
Smallage Farm
SMALLAGE LANE
FALCONER LA.
Pumping Station
Rec. Grd.
Woodhouse Mill
Recreation Ground
Warehouse
Works
Sewage Works
SHEFFIELD ROAD
Fence
Fence Farm
Playing Field
ASTON
SHEFFIELD ROAD
Forge
Handsworth Grange Sports Coll.
Ballifield Primary Sch.
Play. Field
BEAVER HILL ROAD
Beaver Hill
South Yorkshire Fire Service Training Centre
S13
Woodhouse
FURNACE LANE
B6064
RIVER ROTHER
Woodhouse Washlands Nature Reserve
Beighton Mill Tail Goit
B6200 BY-PASS
PARK
Shirtcliff Wood
Brook
Shubert Bridge
WOODHOUSE
Cemetery
Grave Yard
STATION ROAD
Brunswick Prim. Sch.
Playing Field
JUNCTION ROAD
Woodhouse Junction
SOAP HOUSE LANE
Playing Field
Meadow Bank Farm
S26
OLD COLLIERY
TANNERY
ST. MKT. ST.
Lib.
Mill Brook Hostel
Re-establishment Centre
Shire Brook
Nature Reserve
A57
MOSBOROUGH PARKWAY
Starbuck Farm
Works
Shire Brook Valley
Nature Reserve
Shire Brook Visitors Centre
Works
Linleybank Meadow
Shire Brook
A57
PARKWAY
Sub.
WOODHOUSE ROAD
ROBIN LANE
ROTHERHAM ROAD
Tennis Courts
Sports Ground
Bowl. Grn.
Beighton Sports and Leisure Club
BEIGHTON
Playing Field
Reignhead Prim. Sch.
S20
ECKINGTON WAY
MOSS WAY
RAINBOW AVENUE
SPA
Drakehouse
DRAKE HOUSE CRESCENT
DRAKE HOUSE RETAIL PARK
Factory
Rainbow Forge Prim. Sch.
Play. Fld.
Rec. Grd.
BECTON CENTRE
B6053
SOTHALL LANE
Sothall Grn. Fm.
Brook House Jun. Sch.
Hackenthorpe
BEIGHTON ROAD
WATERTHORPE GREENWAY
Moss Way
Sports Ground
Crystal Peaks
CRYSTAL PEAKS SHOPPING CENTRE
Beighton/Drake Ho. La.
DRAKEHOUSE WEST
Donetsk Way
DONETSK WAY
OCHRE DIKE
Lib.
Coun. Offs.
WATERTHORPE
OWLTHORPE
MOORTHORPE
Medical Centre
Ochre Dike
Jun. & Inf. Schs.
SOTHALL
Westfield School
Sports Centre
Waterthorpe
ECKINGTON WAY
Cemy.

A
B
C
D
E
F
G
1
2
3
4
5
6
7
8
9
445
46
47
87
86
85
84
83
112
125
138
TREETON WOOD
TREETON LA.
B6067
EASLEY RD.
ULLEY ST.
Ulley Holt
Weirs
Turnshaw Plantation
Turnshaw Common
Spring Wood
Sunnyside
Aughton
ASTON LANE
AUGHTON LANE
MAIN ST.
Nurseries
Reservoir (Covered)
Kenville
WEST LANE
Smallage
Stevenage
Aughton Prim. Sch.
Aston Academy
Aston-cum-Aughton Leis. Cen.
SWALLOWNEST COURT
Playgrd.
Cemetery
AUGHTON RD.
A618
Jun. Acad.
South View
Hill Brook
Bail Rigg
York House
ULLEY LA.
TURNSHAW ROAD
New South Farm
Sheffield
Conduit Moor or Conduit Common
Netherthorpe
Cemetery
SWALLOWNEST
Bowl. Green
Tennis Cts.
HIGH ST.
Comm. Cen.
Park Hill Farm
SHEFFIELD RD.
B6053
ROTHERHAM RD.
WORKSOP ROAD
WORKSOP LA.
THE WARREN
DAM INGS LA.
Croft Farm
ASTON COMMON
Prim. Sch.
Comm. Cen.
Mill Stone Hill
Lodge
Hotel
Parklands
Cricket Ground
ASTON
ASTON PARK
Park Plantation
Nicker Wood
Great Bri.
Recreation Ground
Aston Lodge Prim. Sch.
Aston Hall Jun. & Inf. Sch.
Engine House Plantation
ASTON B6200 BY-PASS
ASTON ROAD
MANSFIELD ROAD
Aston Common
S26
Sewage Works
Works
The Bungalow
A57
ASTON BY-PASS
Fiddle Neck Pond
Nicker Wood
Union Plantation
Hepworth Pond
M1
CHESTERFIELD RD.
MOSBOROUGH PARKWAY
Sewage Works
OLD COLLIERY WY.
Works
WALESWOOD
Pigeon Bridge
FIDDLE NECK LANE
Nickerwood Farm
Rookery Bottom
Tennis Courts
Bowl. Grn.
Beighton Sports and Leisure Club
WALESWOOD RD.
WALESWOOD INDUSTRIAL ESTATE
Brook House Jun. Sch.
Boating Lake
RIVER ROTHER
Delves House
DELVES ROAD
Beighton Inf. Sch.
Play. Fld.
THE GREEN
Rose Cottage
Waleswood
Factory
WALES COMMON
WALESWOOD WY.
CRICKET FIELD LA.
Cricket Ground
Warehouses
Wales Bar
SHEFFIELD
ROTHERHAM
S20
ROTHER VALLEY LAKE
ROTHER VALLEY COUNTRY PARK
SCHOOL LANE
SCHOOL ROAD
B6059
M1 MOTORWAY
Wales Prim. Sch.
Play. Fld.
WALES
FIR TREE DR.
GREEN OAK DR.
CHERRY TREE
Wood Hill
Bedgreave New Mill & Rother Valley Country Pk. Visitors Centre
SOTHALL
ROTHER VALLEY GOLF COURSE
Sewage Works
MANSFIELD ROAD
Driving Range
Cemetery

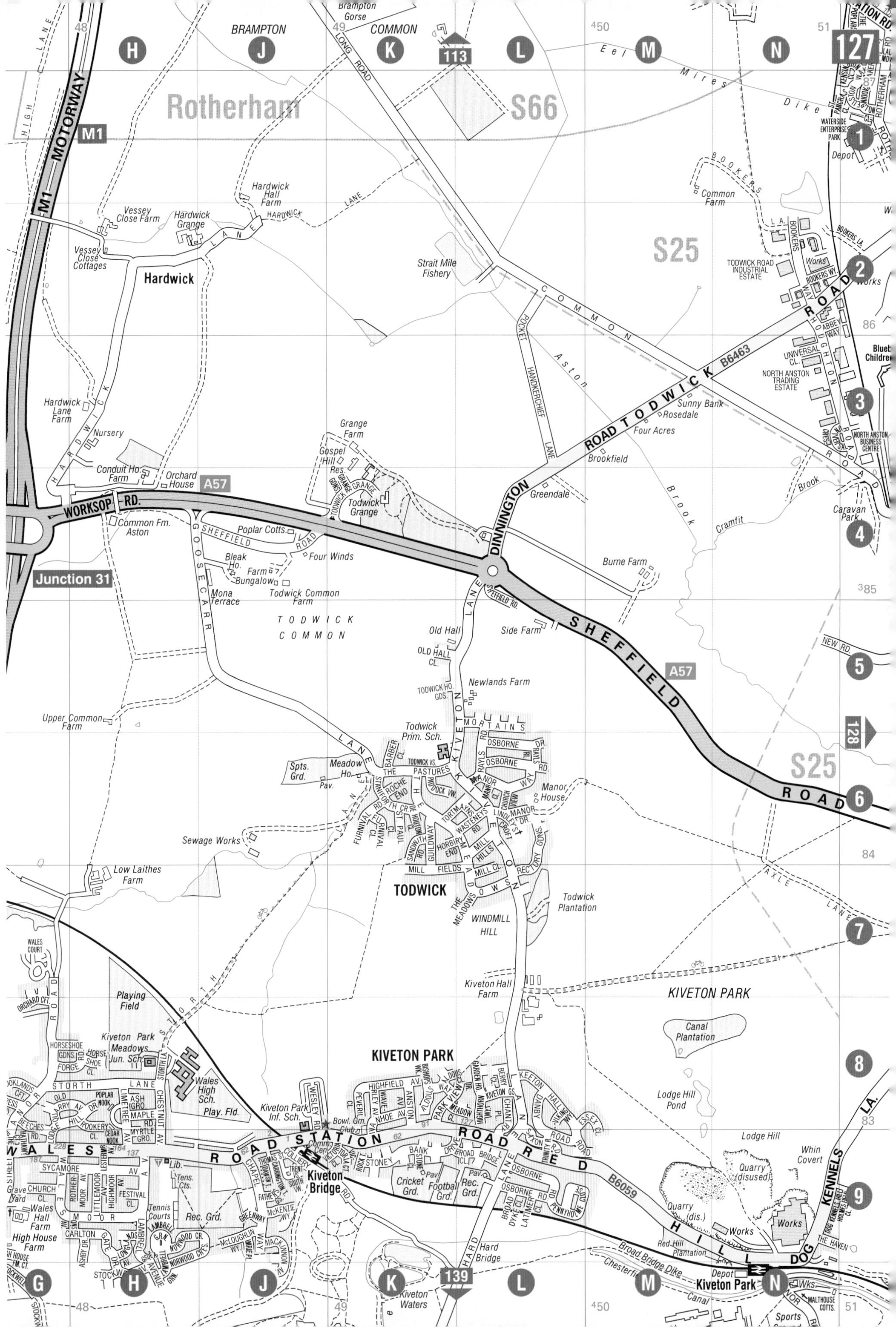
Rotherham
S66
S25
M1 MOTORWAY
BRAMPTON
COMMON
Brampton Gorse
LONG ROAD
Eel Mires Dike
113
128
139
Hardwick
Vessey Close Farm
Vessey Close Cottages
Hardwick Grange
Hardwick Hall Farm
HARDWICK LANE
Strait Mile Fishery
Hardwick Lane Farm
Nursery
Conduit Ho. Farm
Orchard House
A57
WORKSOP RD.
Common Fm. Aston
Junction 31
SHEFFIELD ROAD
Poplar Cotts.
Four Winds
Bleak Ho.
Farm Bungalow
Mona Terrace
Todwick Common Farm
GOOSECARR LANE
TODWICK COMMON
Grange Farm
Gospel Hill Res.
Todwick Grange
DINNINGTON ROAD
TODWICK ROAD B6463
POCKET HANDKERCHIEF LANE
Aston Brook
Sunny Bank
Rosedale
Four Acres
Brookfield
Greendale
Cramfit Brook
Burne Farm
Side Farm
SHEFFIELD ROAD
Old Hall
OLD HALL CL.
Newlands Farm
Common Farm
BOOKERS LA.
TODWICK ROAD INDUSTRIAL ESTATE
WATERSIDE ENTERPRISE PARK
Depot
Works
UNIVERSAL CL.
NORTH ANSTON TRADING ESTATE
NORTH ANSTON BUSINESS CENTRE
Caravan Park
NEW RD.
Upper Common Farm
Todwick Prim. Sch.
Spts. Grd.
Meadow Ho.
Pav.
Manor House
Sewage Works
Low Laithes Farm
TODWICK
Todwick Plantation
WINDMILL HILL
AXLE LANE
Kiveton Hall Farm
KIVETON PARK
Canal Plantation
Lodge Hill Pond
Lodge Hill
Whin Covert
Quarry (disused)
Quarry (dis.)
Works
Red Hill Plantation
KENNELS LA.
DOG KENNELS HILL
THE HAVEN
Broad Bridge Dike
Chesterfield Canal
Kiveton Park
Depot
Wks.
MALTHOUSE COTTS.
Sports Ground
WALES COURT
ORCHARD CFT.
Playing Field
Kiveton Park Meadows Jun. Sch.
Wales High Sch.
Play. Fld.
STORTH LANE
Kiveton Park Inf. Sch.
Bowl. Grn.
Club
WALES ROAD
STATION ROAD
RED HILL
B6059
Kiveton Bridge
Lib.
Tens. Cts.
Tennis Courts
Rec. Grd.
Cricket Grd.
Football Grd.
Pav.
Wales Hall Farm
High House Farm
Grave Yard
Hard Bridge
Kiveton Waters
HARD LANE
BROAD BRIDGE
OSBORNE RD.
G H J K L M N
1 2 3 4 5 6 7 8 9
48 49 450 51
83 84 85 86 87

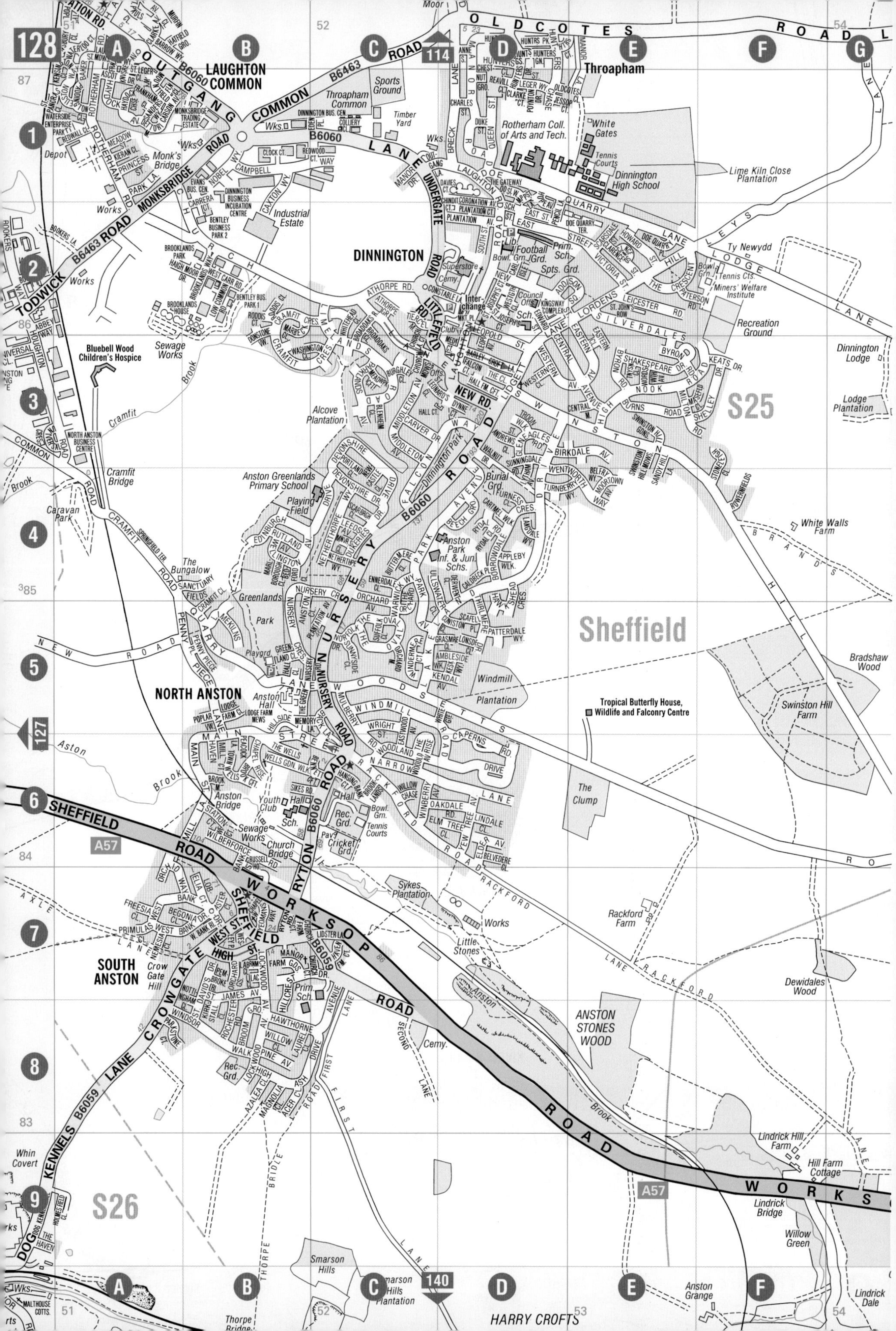

A
B
C
D
E
F
G
1
2
3
4
5
6
7
8
9
51
52
53
54
83
84
85
86
87
114
127
140
LAUGHTON COMMON
OUTGANG
B6060
COMMON
ROAD
B6463
OLDCOTES ROAD
Throapham
Throapham Common
Sports Ground
Timber Yard
White Gates
Rotherham Coll. of Arts and Tech.
Tennis Courts
Dinnington High School
Lime Kiln Close Plantation
LANE
UNDERGATE
Industrial Estate
DINNINGTON
MONKSBRIDGE ROAD
Monk's Bridge
Works
Depot
TODWICK
B6463 ROAD
Superstore
Cemy.
Interchange
Football Grd.
Prim. Sch.
Spts. Grd.
Council Offs.
Sch.
Ty Newydd
Miners' Welfare Institute
Recreation Ground
Dinnington Lodge
Lodge Plantation
S25
Bluebell Wood Children's Hospice
Sewage Works
Cramfit
Cramfit Bridge
Brook
Caravan Park
NORTH ANSTON BUSINESS CENTRE
Alcove Plantation
Dinnington Park
NEW RD.
SWINSTON HILL
Anston Greenlands Primary School
Playing Field
Burial Grd.
Anston Park Inf. & Jun. Schs.
White Walls Farm
NURSERY ROAD
The Bungalow
Greenlands
Park
Sheffield
Bradshaw Wood
NEW ROAD
Playgrd.
Windmill Plantation
NORTH ANSTON
Anston Hall
Swinston Hill Farm
Tropical Butterfly House, Wildlife and Falconry Centre
WOODSETTS ROAD
Aston
Brook
The Clump
SHEFFIELD ROAD
A57
Anston Bridge
Youth Club
Hall
Sch.
Rec. Grd.
Bowl. Grn.
Tennis Courts
Pav.
Cricket Grd.
Sewage Works
Church Bridge
RYTON ROAD
B6060
WORKSOP
Sykes Plantation
Works
Rackford Farm
Little Stones
RACKFORD
SOUTH ANSTON
Crow Gate Hill
CROWGATE
Prim. Sch.
Cemy.
ANSTON STONES WOOD
Dewidales Wood
Rec. Grd.
KENNELS LANE
B6059
Whin Covert
S26
Lindrick Hill Farm
Hill Farm Cottage
WORKSOP ROAD
Lindrick Bridge
Willow Green
Smarson Hills
Smarson Hills Plantation
Anston Grange
Lindrick Dale
HARRY CROFTS
Thorpe Bridge
MALTHOUSE COTTS.

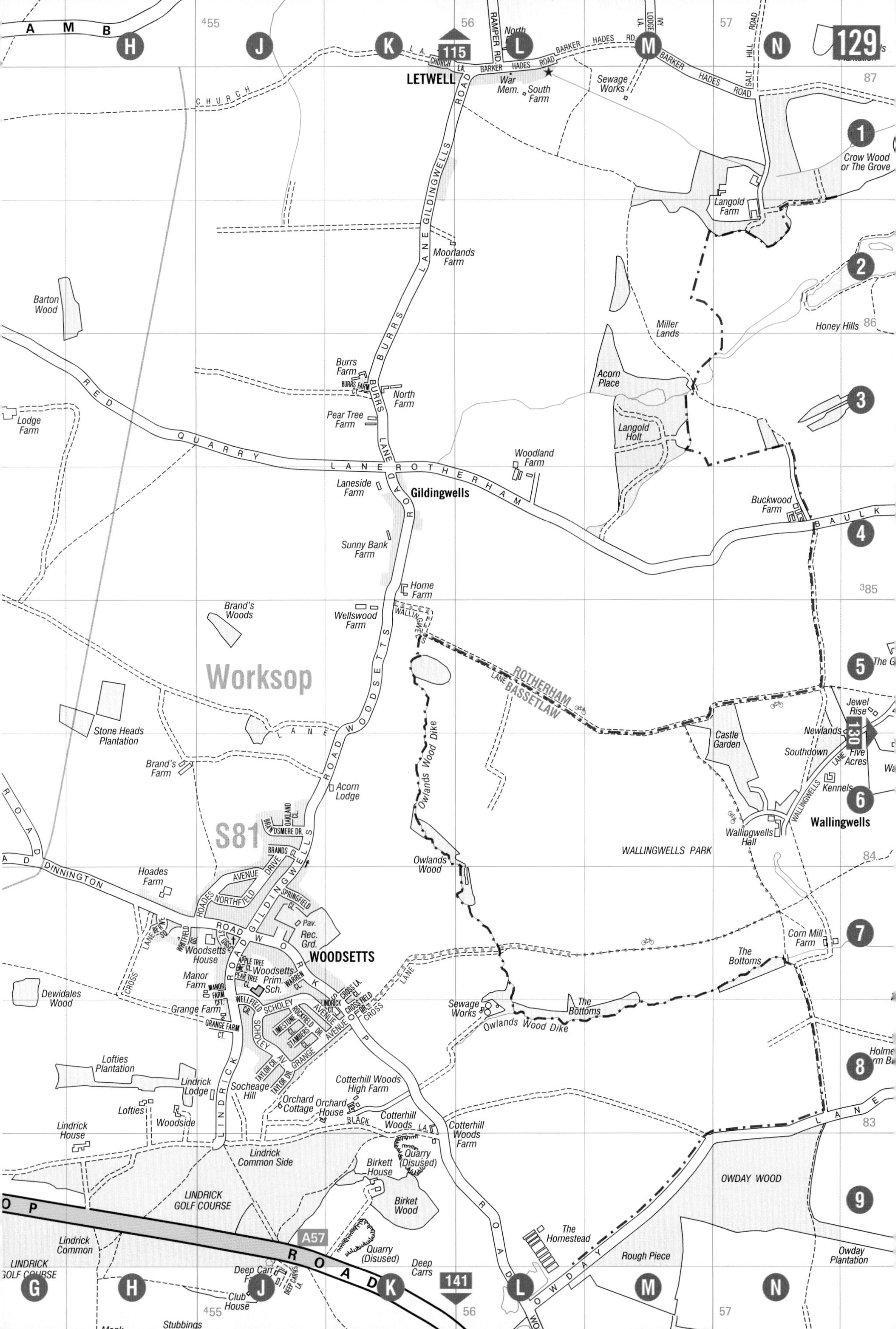
LETWELL
Gildingwells
Worksop
S81
WOODSETTS
Wallingwells
WALLINGWELLS PARK
Langold Farm
Crow Wood or The Grove
Miller Lands
Acorn Place
Langold Holt
Woodland Farm
Buckwood Farm
Honey Hills
Moorlands Farm
Burrs Farm
North Farm
Pear Tree Farm
Laneside Farm
Sunny Bank Farm
Home Farm
Wellswood Farm
Brand's Woods
Barton Wood
Lodge Farm
Stone Heads Plantation
Brand's Farm
Acorn Lodge
Hoades Farm
Woodsetts House
Manor Farm
Grange Farm
Dewidales Wood
Lofties Plantation
Lindrick Lodge
Lofties
Woodside
Lindrick House
Socheage Hill
Orchard Cottage
Orchard House
Cotterhill Woods High Farm
Cotterhill Woods
Cotterhill Woods Farm
Lindrick Common Side
LINDRICK GOLF COURSE
Lindrick Common
Birkett House
Quarry (Disused)
Birket Wood
Deep Carrs
Club House
Stubbings
Owlands Wood Dike
Owlands Wood
Sewage Works
The Bottoms
Castle Garden
Jewel Rise
Newlands
Southdown
Five Acres
Kennels
Wallingwells Hall
Corn Mill Farm
OWDAY WOOD
Owday Plantation
Rough Piece
The Homestead
War Mem.
South Farm
RED QUARRY LANE
ROTHERHAM ROAD
ROTHERHAM BASSETLAW
DINNINGTON ROAD
BURRS LANE
GILDINGWELLS ROAD
WOODSETTS ROAD
BARKER HADES ROAD
CHURCH LA.
A57
115
130
141
455
56
57
87
86
385
84
83

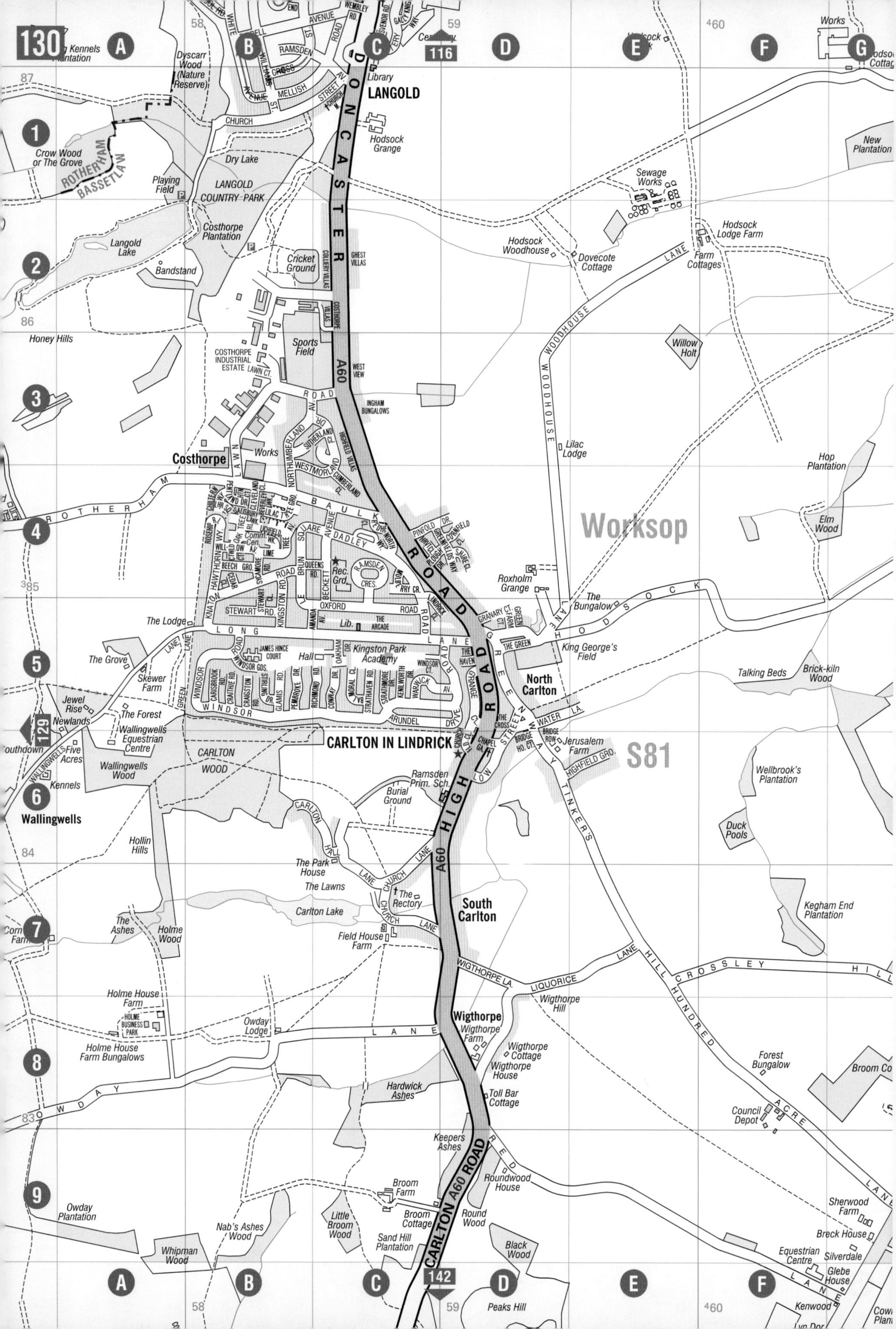
LANGOLD
Library
Hodsock Grange
Dyscarr Wood (Nature Reserve)
Crow Wood or The Grove
ROTHERHAM
BASSETLAW
Dry Lake
Playing Field
LANGOLD COUNTRY PARK
Costhorpe Plantation
Langold Lake
Bandstand
Cricket Ground
Honey Hills
Sports Field
COSTHORPE INDUSTRIAL ESTATE
DONCASTER ROAD
A60
GHEST VILLAS
COLLIERY VILLAS
COSTHORPE VILLAS
WEST VIEW
INGHAM BUNGALOWS
HIGHFIELD VILLAS
Costhorpe
Works
ROTHERHAM
BAULK
Sewage Works
Hodsock Woodhouse
Dovecote Cottage
Hodsock Lodge Farm
Farm Cottages
New Plantation
Willow Holt
WOODHOUSE LANE
Lilac Lodge
Hop Plantation
Worksop
Elm Wood
Roxholm Grange
The Bungalow
HODSOCK LANE
King George's Field
North Carlton
Rec. Grd.
Lib.
THE ARCADE
Kingston Park Academy
Hall
JAMES HINCE COURT
OXFORD ROAD
STEWART RD.
LONG LANE
The Lodge
The Grove
Skewer Farm
Jewel Rise
Newlands
The Forest
Wallingwells Equestrian Centre
Five Acres
Wallingwells Wood
Kennels
Wallingwells
CARLTON WOOD
WINDSOR
ARUNDEL DRIVE
CARLTON IN LINDRICK
Jerusalem Farm
HIGHFIELD GRO.
S81
Talking Beds
Brick-kiln Wood
Wellbrook's Plantation
Duck Pools
Ramsden Prim. Sch.
Burial Ground
Hollin Hills
The Park House
The Lawns
The Rectory
Carlton Lake
South Carlton
Field House Farm
The Ashes
Holme Wood
HIGH ROAD
TINKER'S LANE
Kegham End Plantation
WIGTHORPE LA.
LIQUORICE LANE
CROSSLEY HILL
HUNDRED ACRE LANE
Wigthorpe Hill
Holme House Farm
HOLME BUSINESS PARK
Holme House Farm Bungalows
Owday Lodge
OWDAY LANE
Wigthorpe
Wigthorpe Farm
Wigthorpe Cottage
Wigthorpe House
Toll Bar Cottage
Hardwick Ashes
Forest Bungalow
Council Depot
Keepers Ashes
Roundwood House
RED HILL
CARLTON ROAD
A60
Broom Farm
Broom Cottage
Little Broom Wood
Sand Hill Plantation
Round Wood
Black Wood
Owday Plantation
Nab's Ashes Wood
Whipman Wood
Sherwood Farm
Breck House
Equestrian Centre
Silverdale
Glebe House
Kenwood
Peaks Hill
116
129
142
58
59
460
87
86
85
84
83

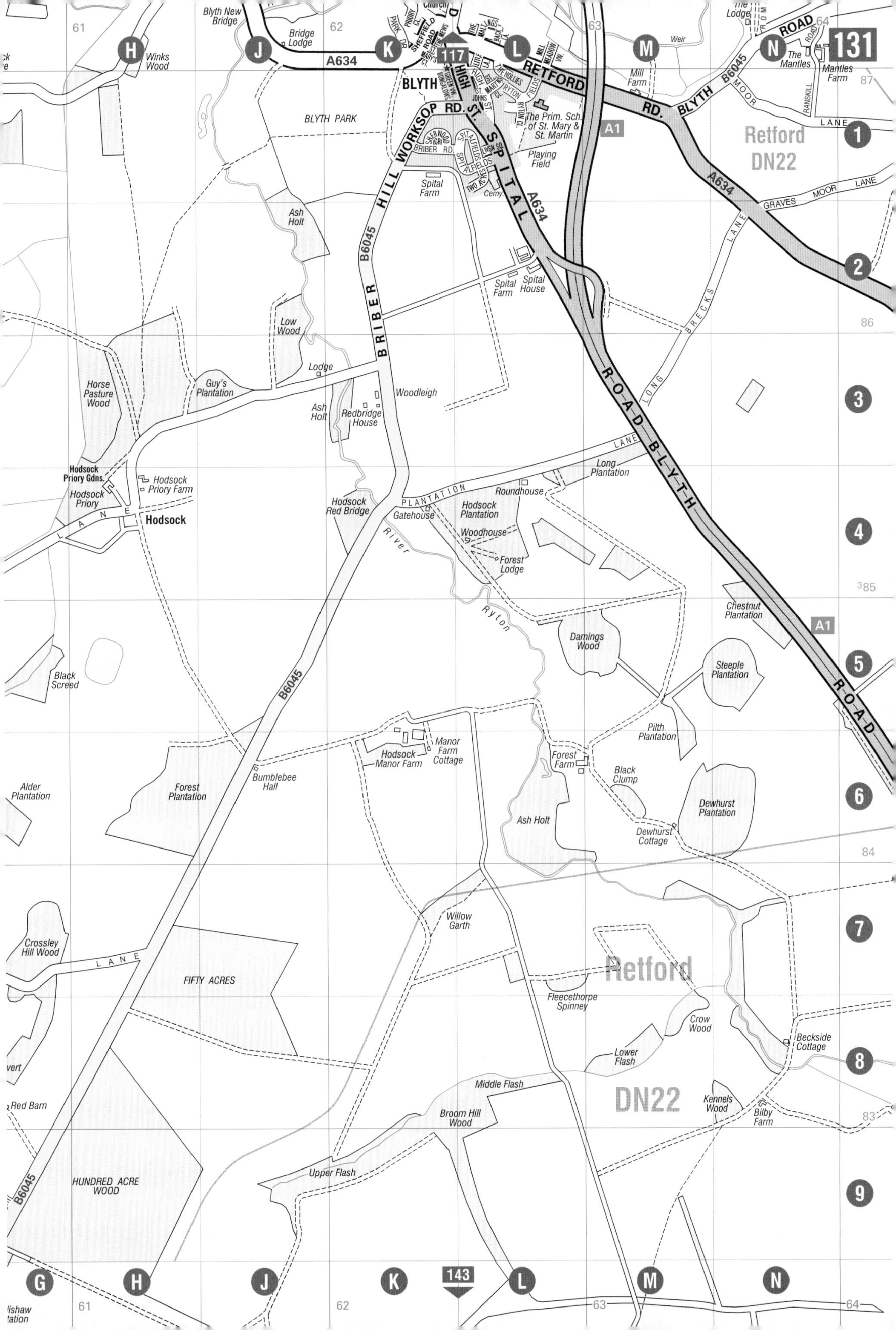

Blyth New Bridge
Bridge Lodge
Winks Wood
A634
BLYTH
BLYTH PARK
RETFORD RD. BLYTH
WORKSOP RD.
HIGH ST.
SPITAL
BRIBER HILL
B6045
Spital Farm
The Prim. Sch. of St. Mary & St. Martin
Playing Field
Mill Farm
Weir
The Mantles
Mantles Farm
Retford DN22
GRAVES MOOR LANE
LONG BRECKS LANE
A1
Ash Holt
Spital Farm
Spital House
Low Wood
Lodge
Woodleigh
Horse Pasture Wood
Guy's Plantation
Redbridge House
Hodsock Priory Gdns.
Hodsock Priory Farm
Hodsock Priory
Hodsock
LANE
Hodsock Red Bridge
PLANTATION LANE
Gatehouse
Roundhouse
Long Plantation
Hodsock Plantation
Woodhouse
Forest Lodge
River Ryton
ROAD BLYTH
Damings Wood
Chestnut Plantation
Steeple Plantation
Black Screed
Manor Farm Cottage
Hodsock Manor Farm
Pilth Plantation
Forest Farm
Black Clump
Bumblebee Hall
Alder Plantation
Forest Plantation
Ash Holt
Dewhurst Cottage
Dewhurst Plantation
Willow Garth
Crossley Hill Wood
FIFTY ACRES
Retford
Fleecethorpe Spinney
Crow Wood
Beckside Cottage
Lower Flash
Middle Flash
DN22
Kennels Wood
Bilby Farm
Red Barn
Broom Hill Wood
Upper Flash
HUNDRED ACRE WOOD
117
143

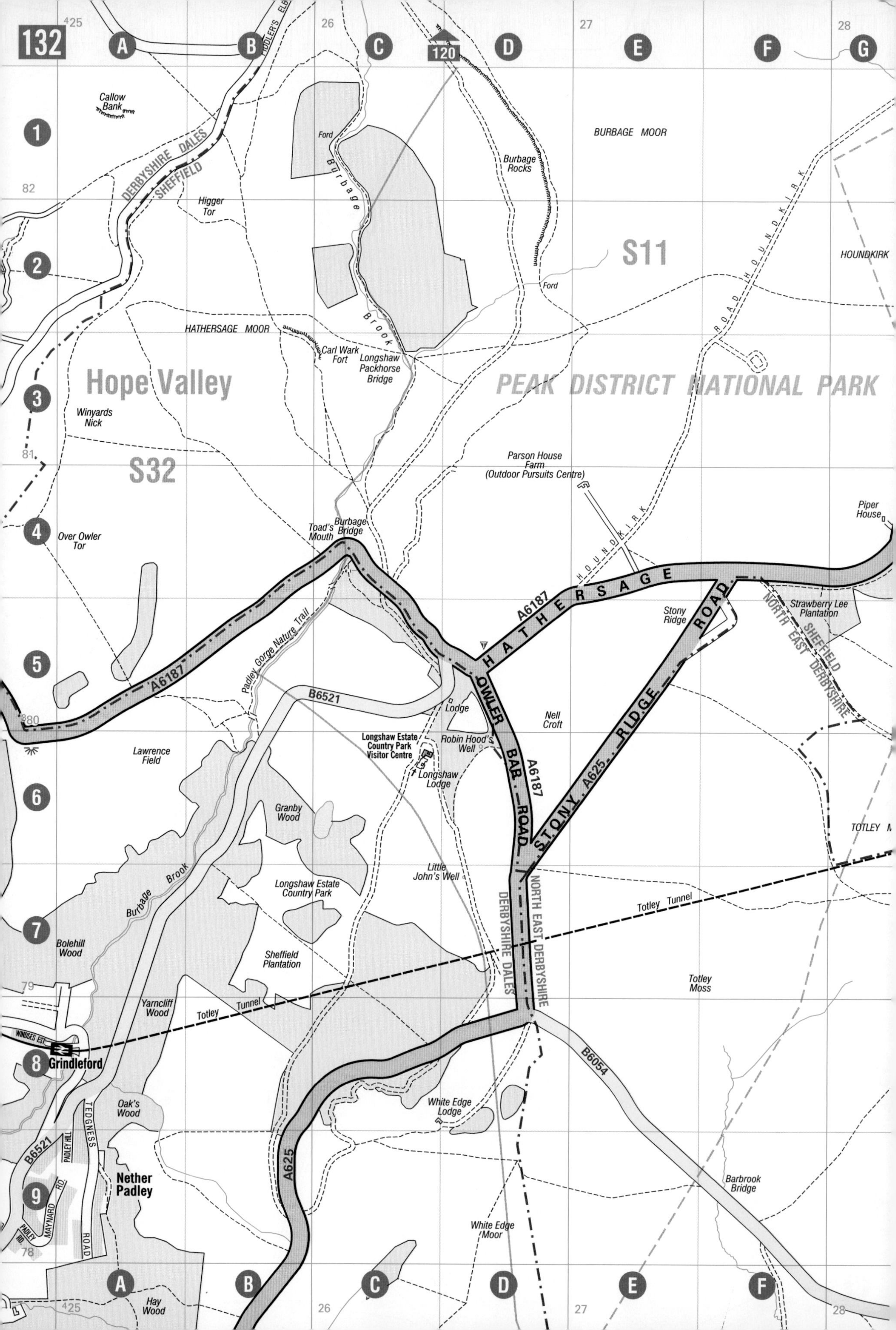
120
Callow Bank
BURBAGE MOOR
DERBYSHIRE DALES
SHEFFIELD
Ford
Burbage
Burbage Rocks
Higger Tor
S11
HOUNDKIRK
Ford
HATHERSAGE MOOR
Brook
Carl Wark Fort
Longshaw Packhorse Bridge
Hope Valley
PEAK DISTRICT NATIONAL PARK
Winyards Nick
HOUNDKIRK ROAD
Parson House Farm (Outdoor Pursuits Centre)
S32
Piper House
Toad's Mouth
Burbage Bridge
Over Owler Tor
HATHERSAGE
A6187
Stony Ridge
Strawberry Lee Plantation
NORTH EAST DERBYSHIRE
Padley Gorge Nature Trail
B6521
OWLER BAR ROAD
Lodge
Nell Croft
STONY RIDGE ROAD
A625
Lawrence Field
Longshaw Estate Country Park Visitor Centre
Robin Hood's Well
Longshaw Lodge
Granby Wood
TOTLEY M
Little John's Well
Longshaw Estate Country Park
Burbage Brook
Totley Tunnel
Bolehill Wood
Sheffield Plantation
DERBYSHIRE DALES
Totley Moss
Yarncliff Wood
WINDSES EST
Grindleford
B6054
Oak's Wood
White Edge Lodge
TEDGNESS ROAD
PADLEY HILL
Nether Padley
MAYNARD RD
PADLEY RD
Barbrook Bridge
White Edge Moor
Hay Wood
425
26
27
28
82
81
80
79
78
A
B
C
D
E
F
G
1
2
3
4
5
6
7
8
9

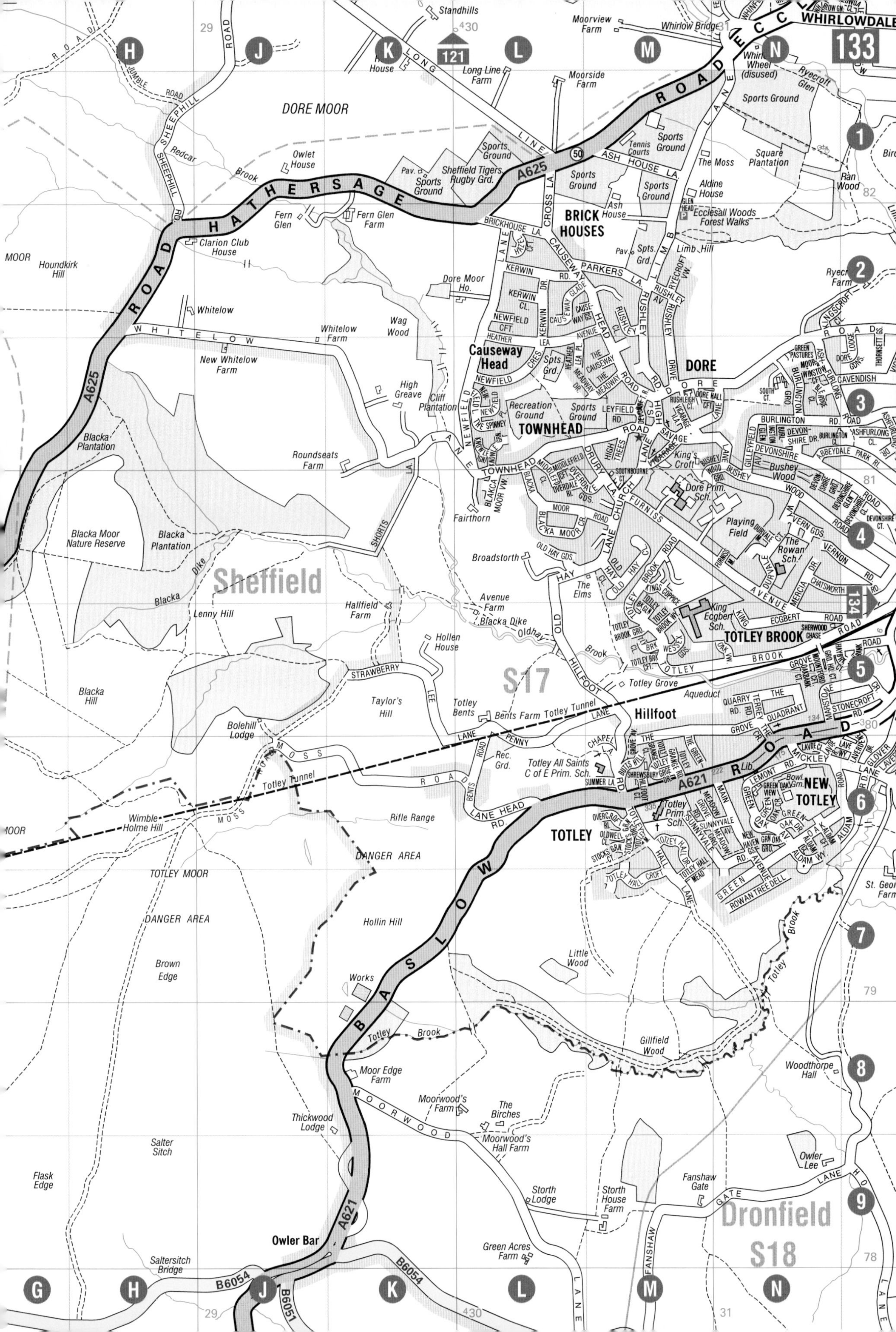
133
121
134
Standhills
Moorview Farm
Whirlow Bridge
WHIRLOWDALE
ECCLESALL ROAD
Whirlow Wheel (disused)
Ryecroft Glen
Sports Ground
Long Line Farm
Moorside Farm
LONG LINE
DORE MOOR
SHEEPHILL ROAD
JUMBLE ROAD
Redcar Brook
Owlet House
Sports Ground
Sheffield Tigers Rugby Grd.
Tennis Courts
ASH HOUSE LA.
The Moss
Square Plantation
Ran Wood
HATHERSAGE ROAD
A625
Fern Glen
Fern Glen Farm
Clarion Club House
BRICK HOUSES
Aldine House
Ecclesall Woods Forest Walks
Ash House
Limb Hill
LIMB LANE
MOOR
Houndkirk Hill
Dore Moor Ho.
KERWIN RD.
PARKERS LA.
CAUSEWAY HEAD RD.
RUSHLEY AV.
RYECROFT VW.
Ryecroft Farm
Whitelow
WHITELOW LANE
Whitelow Farm
Wag Wood
New Whitelow Farm
Causeway Head
DORE
High Greave
Cliff Plantation
Recreation Ground
Sports Ground
TOWNHEAD
HIGH ST.
DORE RD.
CAVENDISH
BURLINGTON RD.
DEVONSHIRE
Bushey Wood
Blacka Plantation
Roundseats Farm
TOWNHEAD RD.
King's Croft
Dore Prim. Sch.
Fairthorn
Playing Field
The Rowan Sch.
Blacka Moor Nature Reserve
Blacka Plantation
Blacka Dike
Sheffield
SHORTS LANE
Broadstorth
The Elms
King Ecgbert Sch.
ECGBERT ROAD
AVENUE
TOTLEY BROOK
TOTLEY BROOK ROAD
Lenny Hill
Hallfield Farm
Avenue Farm
Blacka Dike
Oldhay Brook
Hollen House
OLD HAY LANE
HILLFOOT
S17
Blacka Hill
STRAWBERRY LEE LANE
Taylor's Hill
Totley Bents
Bents Farm
Totley Tunnel
Totley Grove
Aqueduct
Hillfoot
THE QUADRANT
STONECROFT RD.
Bolehill Lodge
MOSS ROAD
PENNY LANE
Rec. Grd.
Totley All Saints C of E Prim. Sch.
A621
Lib.
MICKLEY LA.
NEW TOTLEY
Totley Tunnel
Wimble Holme Hill
LANE HEAD RD.
Rifle Range
TOTLEY
Totley Prim. Sch.
DANGER AREA
TOTLEY MOOR
DANGER AREA
BASLOW ROAD
Hollin Hill
ROWAN TREE DELL
St. George's Farm
Totley Brook
Brown Edge
Little Wood
Works
Totley Brook
Gillfield Wood
Moor Edge Farm
Woodthorpe Hall
Moorwood's Farm
The Birches
MOORWOOD LANE
Thickwood Lodge
Moorwood's Hall Farm
Salter Sitch
Owler Lee
Flask Edge
Storth Lodge
Storth House Farm
Fanshaw Gate
FANSHAW GATE LANE
Dronfield
S18
Owler Bar
Green Acres Farm
Saltersitch Bridge
B6054
B6051
G
H
J
K
L
M
N
1
2
3
4
5
6
7
8
9
29
430
31
82
81
80
79
78

WHIRLOWDALE RD.
WHIRLOW
ECCLESALL WOOD
122
Hutcliff Wood
Hutcliffe Wood & Abbey Lane Cemetery
MEADOW HEAD
A61
Abbey La. Prim. Sch.
Bird Sanctuary
Ran Wood
ABBEYDALE
S7
A621 SOUTH ROAD
B6068
ABBEY LANE
Club Ho.
Beauchief Abbey Ho.
St. Thomas a Becket's Church & remains of Beauchief Abbey
Abbeydale Industrial Hamlet (Museum)
BEAUCHIEF GOLF COURSE
Abbey Brook
Parkbank Wood
Abbey Farm
Chancet Wood
Superstore
Mill Pond
High Wood
Beauchief Garden
Ryecroft Farm
SMEE Model Railway
Limb Bridge
Beauchief Hall
LADIES SPRING WOOD
Gulleys Wood
BEAUCHIEF
Cockshutt Farm
Tennis Courts
Dore & Totley
Club House
Nether Wood
BEAUCHIEF PARK
ABBEYDALE GOLF COURSE
Sheffield
Lib.
Greenhill Prim. Sch.
PARKWAY
Abbeydale Park (Cricket Grd.)
Abbeydale Park Sports Club
Air Hall
ABBEYDALE PARK
Hockey Pitch
Rackets Club
ABBEYDALE ROAD
Old Park Wood
Dore Tunnel
Wayside
Miniature Golf Course
Golf Driving Range
Poynton Wood
Bradway Bank
Lower Bradway
Rec. Grd.
GREENHILL ROAD
B6054
Lowedges Jun. Acad.
GREENHILL PARK
Bowling Green
Tennis Courts
Playground
133
TOTLEY RISE
Bradway Prim. Sch.
Bradway Prim. Sch. (annexe)
Club House
DORE AND TOTLEY GOLF COURSE
SHEFFIELD
NORTH EAST DERBYSHIRE
Bradway Tunnel
BASLOW RD.
BRADWAY
Bradway Grange Farm
Upper Bradway
Border View Farm
Middle Birchitt
Bowshaw Farm
Mickley Hall
NEW TOTLEY
Cherry Tree
Nursery
St. George's Farm
Upper Birchitt
Mickley Farm
MOOR
BARNES LANE
Dronfield
Mickley
Dunston Farm
Barnes Farm
S18
Marwell Ho.
Stubley Hollow Riding Cen.
Hare Wood
Rod Moor
Northern Common Farm
Moorview Farm
NORTHERN ROAD
STUBLEY LANE
Woodthorpe Hall
William Levick Prim. Sch.
Sports Grd.
COMMON CARR
B6056
Club
Birchin Lee Farm
Hall Farm
Playing Field
DRONFIELD WOODHOUSE
Gorseybrigg Prim. Sch.
Works
GOSFORTH VALLEY
A61
Owler Lee
Holmesfield Park Wood
East Hollow
Sindelfingen Park
UNSTONE-DRONFIELD BY-PASS
Kitchen Wood
Holmesfield
Park Farm
Sewage Works
Ravenswood
Wood End Farm
Hills Farm
HOB LANE
MAIN RD. HOLMESFIELD
B6054

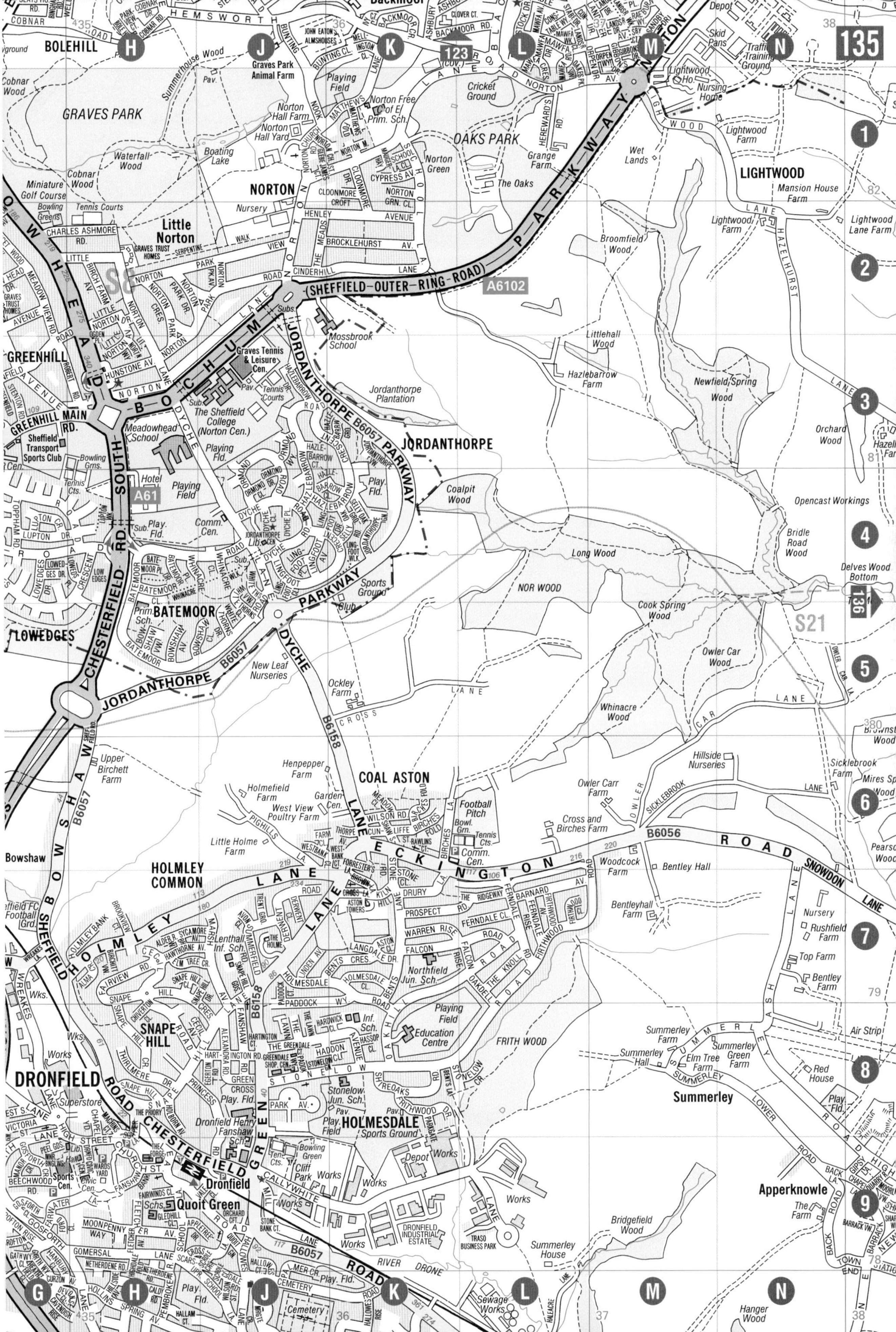

BOLEHILL
GRAVES PARK
Graves Park Animal Farm
Summerhouse Wood
Cobnar Wood
Waterfall Wood
Boating Lake
Miniature Golf Course
Tennis Courts
Little Norton
NORTON
Norton Hall Farm
Norton Hall Yard
Norton Free C of E Prim. Sch.
Playing Field
Cricket Ground
OAKS PARK
Norton Green
Grange Farm
The Oaks
Nursery
John Eaton Almshouses
HEMSWORTH
BACKMOOR RD.
CHARLES ASHMORE RD.
HENLEY AVENUE
BROCKLEHURST AV.
CINDERHILL LANE
CYPRESS AV.
CLOONMORE DR.
NORTON AV.
NORTON PARKWAY
LIGHTWOOD
Lightwood Ho.
Nursing Home
Skid Pans
Traffic Training Ground
Lightwood Farm
Mansion House Farm
Lightwood Lane Farm
Lightwood Farm
HAZELHURST LANE
Wet Lands
Broomfield Wood
(SHEFFIELD-OUTER-RING-ROAD)
A6102
S8
GREENHILL
GREENHILL MAIN RD.
Sheffield Transport Sports Club
Bowling Grns.
MEADOWHEAD
BOCHUM PARKWAY
Graves Tennis & Leisure Cen.
The Sheffield College (Norton Cen.)
Meadowhead School
Mossbrook School
Jordanthorpe Plantation
JORDANTHORPE
B6057 PARKWAY
Littlehall Wood
Hazlebarrow Farm
Newfield Spring Wood
Orchard Wood
Coalpit Wood
Long Wood
NOR WOOD
Opencast Workings
Bridle Road Wood
Delves Wood Bottom
Cook Spring Wood
Owler Car Wood
Whinacre Wood
S21
136
Hotel
A61
Playing Field
Comm. Cen.
Jordanthorpe Lib. & Cen.
Play. Fld.
Sports Ground
Club
BATEMOOR
LOWEDGES
LOWEDGES RD.
Prim. Sch.
CHESTERFIELD RD. SOUTH
JORDANTHORPE B6057
DYCHE LANE
New Leaf Nurseries
Ockley Farm
CROSS LANE
B6158
Upper Birchett Farm
SHEFFIELD BOWSHAW B6057
Henpepper Farm
COAL ASTON
Holmefield Farm
Garden Cen.
West View Poultry Farm
Little Holme Farm
Football Pitch
Bowl. Grn.
Tennis Cts.
Comm. Cen.
Owler Carr Farm
Cross and Birches Farm
Hillside Nurseries
Sicklebrook Farm
Mires Spring Wood
Brownst Wood
OWLER CAR LANE
SICKLEBROOK LANE
B6056
ECKINGTON ROAD
SNOWDON LANE
Woodcock Farm
Bentley Hall
Bentleyhall Farm
Nursery
Rushfield Farm
Top Farm
Bentley Farm
Pearson Wood
Bowshaw
HOLMLEY COMMON
HOLMLEY LANE
Sheffield F.C. Football Grd.
Lenthall Inf. Sch.
Northfield Jun. Sch.
Inf. Sch.
Playing Field
Education Centre
FRITH WOOD
SNAPE HILL
DRONFIELD
Superstore
Sports Cen.
Civic Cen.
Dronfield Henry Fanshawe Sch.
Stonelow Jun. Sch.
HOLMESDALE
Sports Ground
Bowling Green
Cliff Park
Works
Depot
Dronfield
Quoit Green
CHESTERFIELD ROAD
GREEN LANE
DRONFIELD INDUSTRIAL ESTATE
TRASO BUSINESS PARK
RIVER DRONE
B6057
Cemetery
Sewage Works
Bridgefield Wood
Summerley House
Summerley Farm
Summerley Hall
Elm Tree Farm
Summerley Green Farm
Summerley
Red House
Air Strip
Play. Fld.
Apperknowle
The Farm
Hanger Wood
BACK ROAD
HIGH STREET
TOWN END

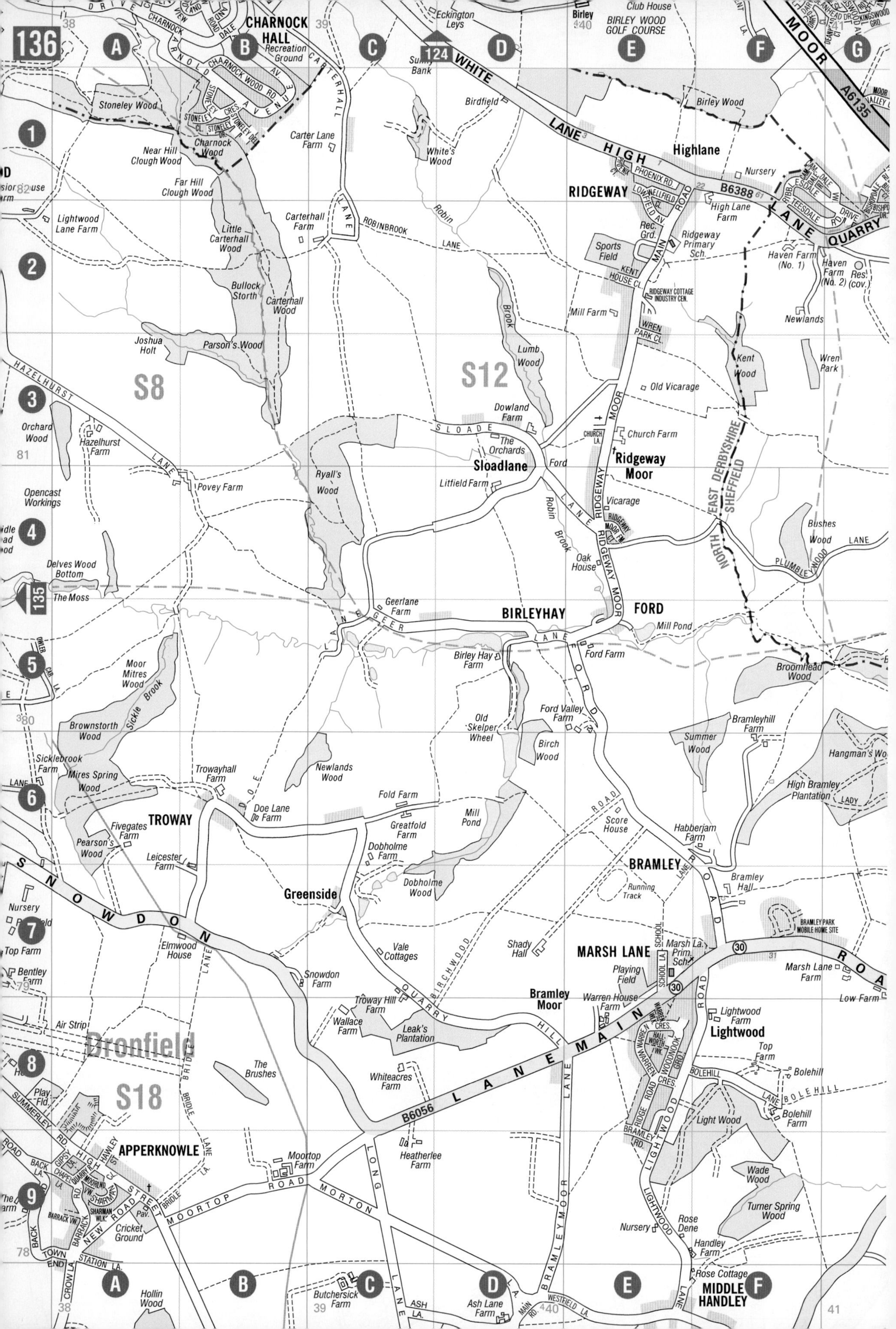
A
B
C
D
E
F
G
1
2
3
4
5
6
7
8
9
CHARNOCK HALL
Recreation Ground
Eckington Leys
124
Birley
BIRLEY WOOD GOLF COURSE
Club House
WHITE LANE
HIGH LANE
MOOR
A6135
Stoneley Wood
Charnock Wood
Near Hill Clough Wood
Far Hill Clough Wood
Lightwood Lane Farm
Little Carterhall Wood
Bullock Storth
Carterhall Wood
Carter Lane Farm
Carterhall Farm
CARTERHALL LANE
ROBINBROOK LANE
Sunny Bank
Birdfield
White's Wood
Robin Brook
Birley Wood
Highlane
Nursery
RIDGEWAY
B6388
High Lane Farm
QUARRY LANE
Sports Field
Rec. Grd.
Ridgeway Primary Sch.
Haven Farm (No. 1)
Haven Farm (No. 2)
Res. (cov.)
Newlands
RIDGEWAY COTTAGE INDUSTRY CEN.
Mill Farm
Joshua Holt
Parson's Wood
S8
S12
HAZELHURST LANE
Lumb Wood
Kent Wood
Wren Park
Old Vicarage
Orchard Wood
Hazelhurst Farm
Dowland Farm
SLOADE LANE
The Orchards
Sloadlane
Litfield Farm
Church Farm
Ridgeway Moor
Ford
Vicarage
RIDGEWAY MOOR
NORTH EAST DERBYSHIRE
SHEFFIELD
Povey Farm
Opencast Workings
Ryall's Wood
Bushes Wood
PLUMBLEY WOOD LANE
Oak House
Delves Wood Bottom
The Moss
135
Geerlane Farm
GEER LANE
BIRLEYHAY
FORD
Mill Pond
Ford Farm
Birley Hay Farm
FORD LANE
Broomhead Wood
Moor Mitres Wood
Sickle Brook
Brownstorth Wood
Old Skelper Wheel
Ford Valley Farm
Birch Wood
Bramleyhill Farm
Summer Wood
Hangman's Wood
Sicklebrook Farm
Mires Spring Wood
Trowayhall Farm
Newlands Wood
High Bramley Plantation
TROWAY
Doe Lane Farm
DOE LANE
Fold Farm
Mill Pond
Score House
Fivegates Farm
Pearson's Wood
Greatfold Farm
Dobholme Farm
Habberjam Farm
Leicester Farm
BRAMLEY
Bramley Hall
SNOWDON LANE
Dobholme Wood
Greenside
Running Track
Nursery
BRAMLEY PARK MOBILE HOME SITE
Top Farm
Bentley Farm
Elmwood House
Vale Cottages
BIRCHWOOD
Shady Hall
MARSH LANE
Marsh La. Prim. Sch.
Playing Field
30
Marsh Lane Farm
Low Farm
Snowdon Farm
QUARRY HILL
Bramley Moor
Warren House Farm
Lightwood Farm
Lightwood
Air Strip
Troway Hill Farm
Wallace Farm
Leak's Plantation
MAIN LANE
Dronfield
Top Farm
Bolehill
BOLEHILL
The Brushes
S18
Whiteacres Farm
B6056
Light Wood
Bolehill Farm
Play. Fld.
SUMMERLEY RD.
HIGH ST.
APPERKNOWLE
Heatherlee Farm
Moortop Farm
MOORTOP ROAD
MORTON
LONG LANE
BRAMLEYMOOR LANE
LIGHTWOOD LANE
Wade Wood
Turner Spring Wood
Cricket Ground
Pav.
Nursery
Rose Dene
Handley Farm
Rose Cottage
MIDDLE HANDLEY
STATION LA.
TOWN END
CROW LA.
Hollin Wood
Butchersick Farm
Ash Lane Farm
ASH LA.
WESTFIELD LA.
38
39
40
41
78
79
80
81
82

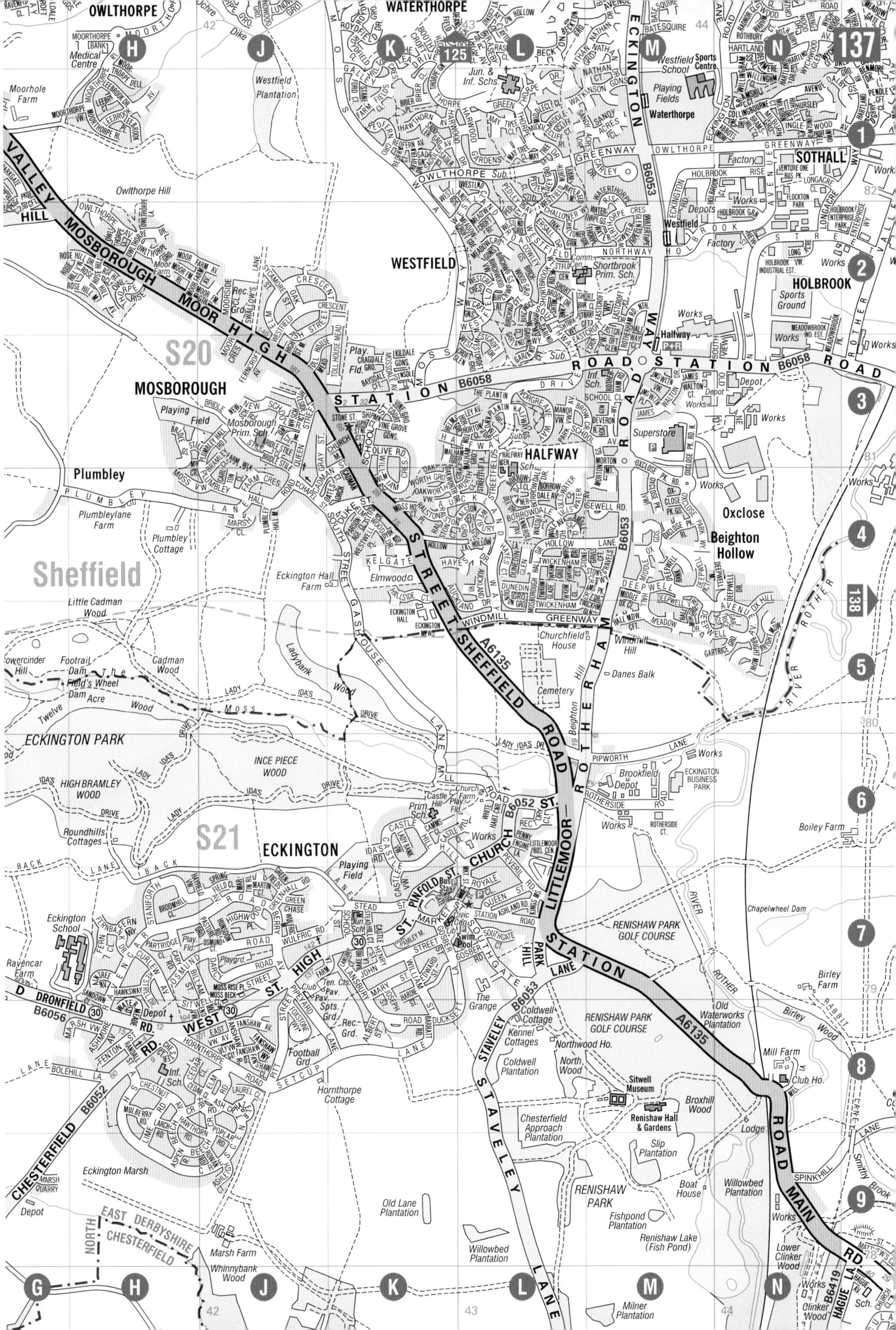
OWLTHORPE
WATERTHORPE
WESTFIELD
SOTHALL
HOLBROOK
MOSBOROUGH
HALFWAY
Oxclose
Beighton Hollow
Plumbley
Sheffield
S20
S21
ECKINGTON
ECKINGTON PARK
RENISHAW PARK GOLF COURSE
RENISHAW PARK
Renishaw Hall & Gardens
Sitwell Museum
Eckington Marsh
Westfield Plantation
Owlthorpe Hill
Moorhole Farm
Plumbleylane Farm
Plumbley Cottage
Eckington Hall Farm
Little Cadman Wood
Cadman Wood
Ladybank Wood
INCE PIECE WOOD
HIGH BRAMLEY WOOD
Roundhills Cottages
Eckington School
Ravencar Farm
Hornthorpe Cottage
Marsh Farm
Whinnybank Wood
Old Lane Plantation
Willowbed Plantation
Milner Plantation
Coldwell Plantation
Chesterfield Approach Plantation
Slip Plantation
Broxhill Wood
Fishpond Plantation
Renishaw Lake (Fish Pond)
Boat House
Willowbed Plantation
Lower Clinker Wood
Clinker Wood
Mill Farm
Birley Farm
Boiley Farm
Chapelwheel Dam
Old Waterworks Plantation
Churchfield House
Windmill Hill
Danes Balk
Cemetery
ECKINGTON BUSINESS PARK
MOSBOROUGH MOOR
HIGH STREET
SHEFFIELD ROAD
LITTLEMOOR
STATION ROAD
ROTHERHAM ROAD
ECKINGTON WAY
STAVELEY LANE
MAIN ROAD
CHESTERFIELD RD.
DRONFIELD RD.
VALLEY HILL
A6135
B6053
B6058
B6052
B6056
B6419
EAST DERBYSHIRE
NORTH
CHESTERFIELD
125
138
H J K L M N
G H J K L M N
1 2 3 4 5 6 7 8 9
42 43 44
82 81 380 79 78

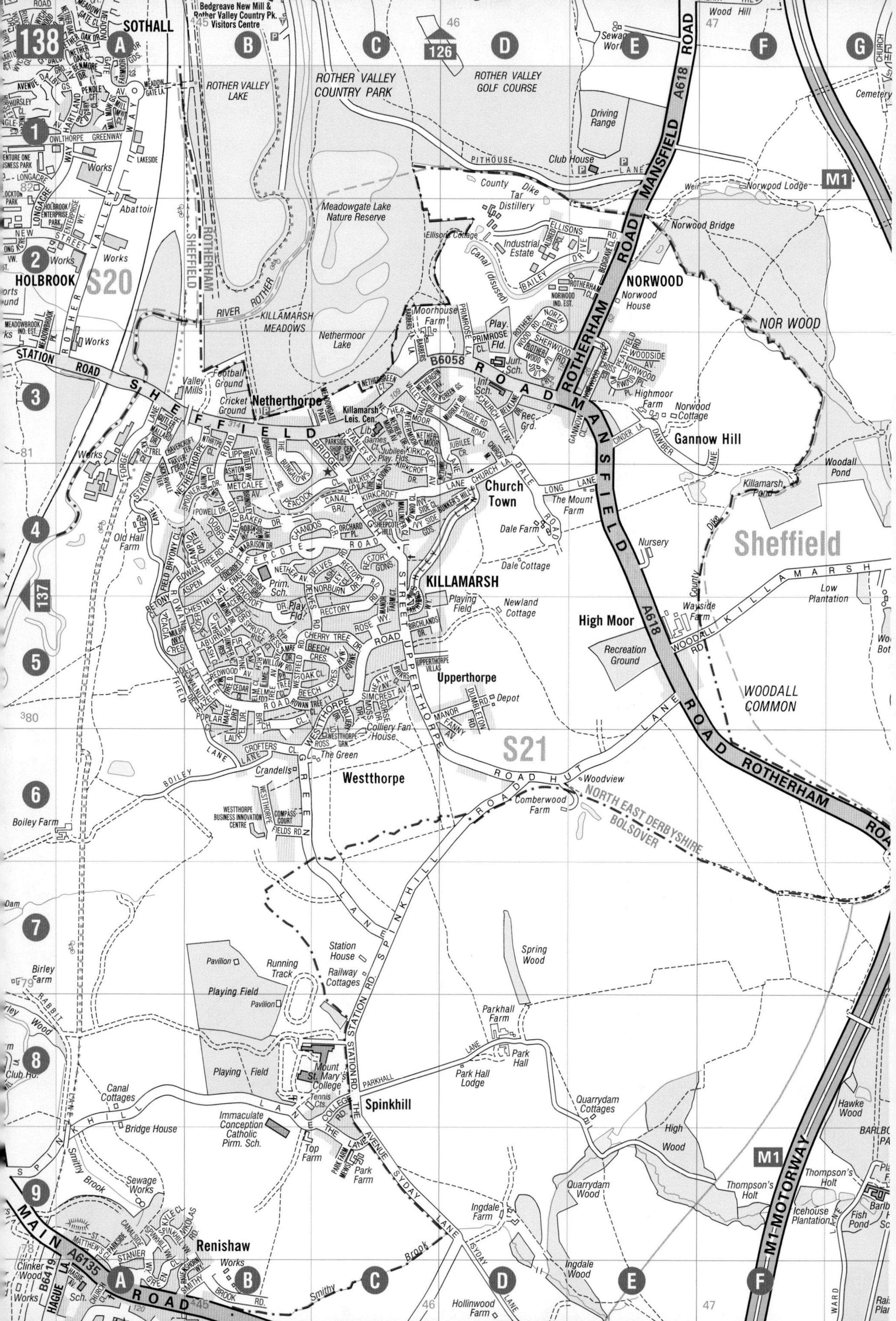

138
A
B
C
D
E
F
G
126
137
1
2
3
4
5
6
7
8
9
SOTHALL
Bedgreave New Mill &
Rother Valley Country Pk.
Visitors Centre
Wood Hill
ROTHER VALLEY LAKE
ROTHER VALLEY COUNTRY PARK
ROTHER VALLEY GOLF COURSE
Sewage Works
Cemetery
Driving Range
Club House
PITHOUSE LANE
MANSFIELD ROAD
ROTHERHAM ROAD
A618
M1
Norwood Lodge
Weir
County Dike
Tar Distillery
Meadowgate Lake Nature Reserve
Norwood Bridge
Ellisons Cottage
Industrial Estate
ELLISONS RD.
BAILEY DRIVE
Canal (disused)
NORWOOD
Norwood House
NOR WOOD
HOLBROOK
S20
Works
Abattoir
LAKESIDE
OWLTHORPE GREENWAY
LONGACRE
HOLBROOK ENTERPRISE PARK
NEW STREET
ROTHER VALLEY WAY
MEADOWBROOK IND. EST.
STATION ROAD
SHEFFIELD
ROTHERHAM
RIVER ROTHER
KILLAMARSH MEADOWS
Nethermoor Lake
Moorhouse Farm
PRIMROSE LA.
Play. Fld.
Jun. Sch.
B6058
SHEFFIELD ROAD
Valley Mills
Football Ground
Cricket Ground
Netherthorpe
Killamarsh Leis. Cen.
Lib.
Inf. Sch.
Rec. Grd.
Highmoor Farm
Norwood Cottage
Gannow Hill
CINDER LA.
DAWBER LANE
Woodall Pond
Killamarsh Pond
Works
Old Hall Farm
FORGE LANE
STATION LANE
METCALFE AV.
KIRKCROFT AV.
CHURCH LA.
LONG LANE
Church Town
The Mount Farm
Dale Farm
DALE ROAD
Nursery
Sheffield
Dale Cottage
FEPCOTE ROAD
CHANDOS CR.
KILLAMARSH
Prim. Sch.
Play. Fld.
RECTORY RD.
Playing Field
Newland Cottage
High Moor
Recreation Ground
Wayside Farm
WOODALL RD.
KILLAMARSH LANE
Low Plantation
WOODALL COMMON
UPPERTHORPE ROAD
Upperthorpe
Depot
DUMBLETON RD.
S21
Colliery Fan House
The Green
WESTTHORPE RD.
CROFTERS CL.
Crandells
Westthorpe
HUT LANE
Woodview
Comberwood Farm
NORTH EAST DERBYSHIRE
BOLSOVER
BOILEY LANE
Boiley Farm
WESTTHORPE BUSINESS INNOVATION CENTRE
COMPASS COURT
FIELDS RD.
GREEN LANE
SPINKHILL ROAD
Dam
Station House
Running Track
Railway Cottages
Spring Wood
Pavilion
Playing Field
Birley Farm
RABBIT
Wood
Parkhall Farm
Park Hall
Park Hall Lodge
PARKHALL LANE
STATION RD.
Club Ho.
Playing Field
Mount St. Mary's College
Tennis Cts.
Spinkhill
Quarrydam Cottages
Hawke Wood
Canal Cottages
Bridge House
SPINKHILL LANE
Immaculate Conception Catholic Pirm. Sch.
COLLEGE RD.
THE AVENUE
Top Farm
Park Farm
High Wood
M1
M1-MOTORWAY
Thompson's Holt
Icehouse Plantation
Fish Pond
Smithy Brook
Sewage Works
Quarrydam Wood
Ingdale Farm
SYDAY LANE
Renishaw
MAIN ROAD
A6135
B6419
HAGUE LA.
Clinker Wood
Works
Sch.
Works
BROOK RD.
Smithy Brook
Ingdale Wood
Hollinwood Farm
WARD LANE

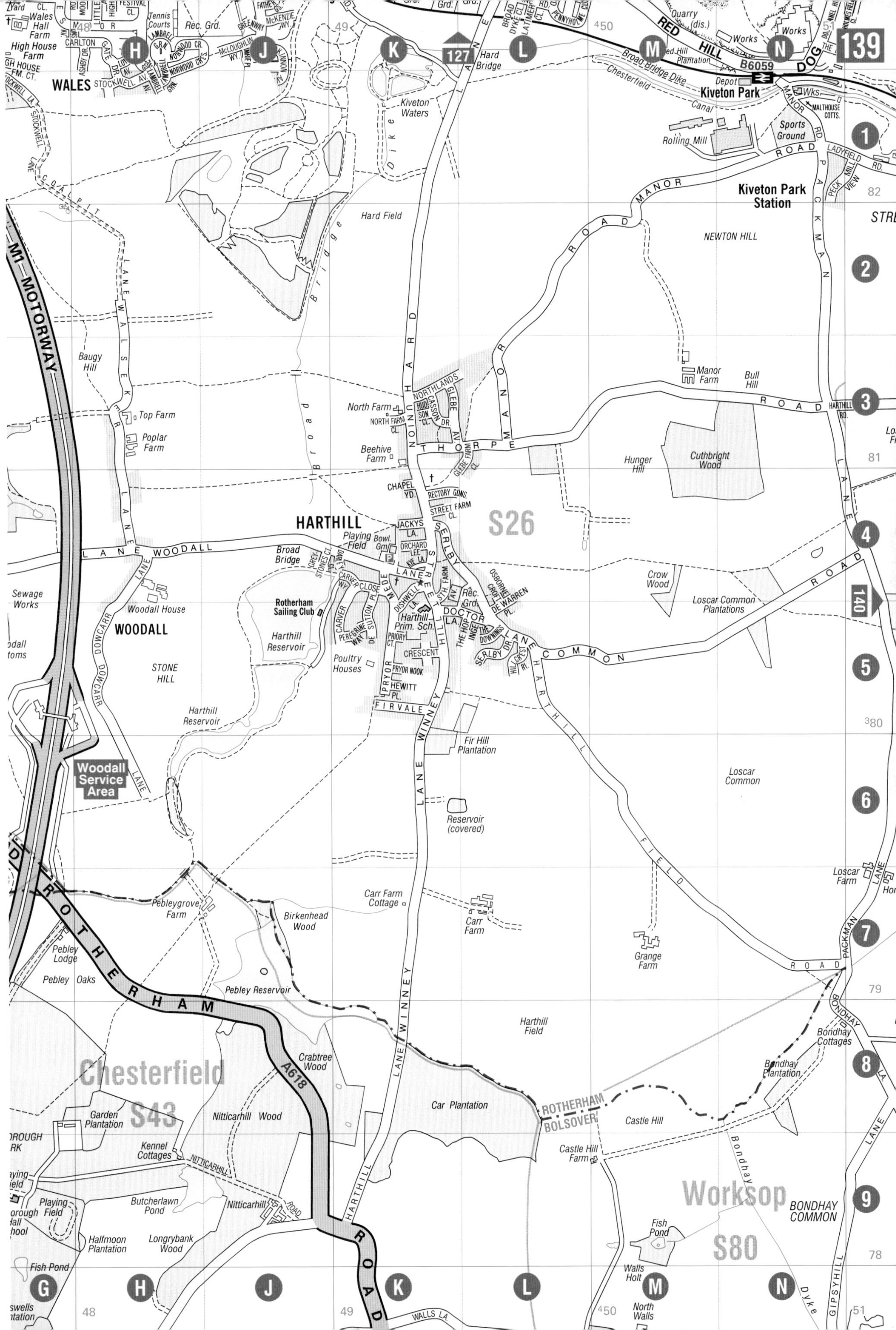
HARTHILL
WOODALL
WALES
Kiveton Park
Kiveton Park Station
Kiveton Waters
Hard Bridge
Hard Field
Baugy Hill
Top Farm
Poplar Farm
North Farm
Beehive Farm
Manor Farm
Bull Hill
NEWTON HILL
Hunger Hill
Cuthbright Wood
Crow Wood
Loscar Common Plantations
Loscar Common
Loscar Farm
Grange Farm
Carr Farm
Carr Farm Cottage
Harthill Field
Fir Hill Plantation
Reservoir (covered)
Playing Field
Broad Bridge
Rotherham Sailing Club
Harthill Reservoir
Poultry Houses
Harthill Prim. Sch.
Woodall House
STONE HILL
Sewage Works
Woodall Service Area
M1 MOTORWAY
Pebleygrove Farm
Birkenhead Wood
Pebley Lodge
Pebley Oaks
Pebley Reservoir
Crabtree Wood
Car Plantation
Nitticarhill Wood
Garden Plantation
Kennel Cottages
Butcherlawn Pond
Nitticarhill
Halfmoon Plantation
Longrybank Wood
Fish Pond
Castle Hill
Castle Hill Farm
Bondhay Plantation
Bondhay Cottages
BONDHAY COMMON
Walls Holt
North Walls
Chesterfield S43
Worksop S80
S26
ROTHERHAM BOLSOVER
ROTHERHAM ROAD
A618
WOODALL LANE
WALSEK LANE
DOWCARR LANE
WINNEY LANE
HARTHILL LANE
HARTHILL FIELD ROAD
COMMON ROAD
THORPE ROAD
MANOR ROAD
PACKMAN LANE
RED HILL
DOG
B6059
Chesterfield Canal
Broad Bridge Dike
Rolling Mill
Sports Ground
Depot
127
140

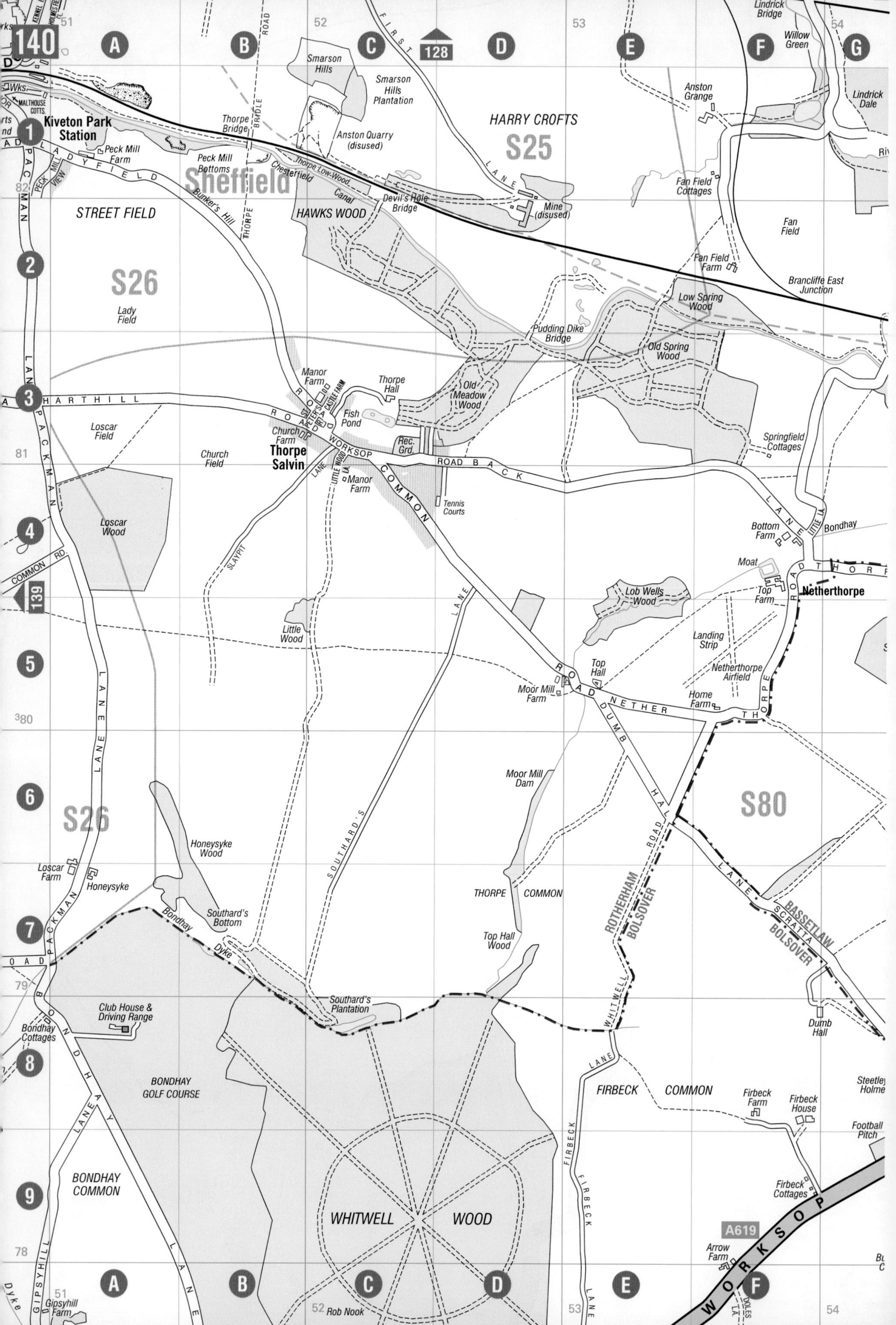
Kiveton Park Station
Peck Mill Farm
Thorpe Bridge
Peck Mill Bottoms
Sheffield
STREET FIELD
S26
Lady Field
Smarson Hills
Smarson Hills Plantation
Anston Quarry (disused)
HAWKS WOOD
Chesterfield Canal
Thorpe Low Wood
Devil's Hole Bridge
HARRY CROFTS
S25
Mine (disused)
Anston Grange
Fan Field Cottages
Fan Field
Fan Field Farm
Brancliffe East Junction
Low Spring Wood
Lindrick Bridge
Willow Green
Lindrick Dale
Pudding Dike Bridge
Old Spring Wood
Old Meadow Wood
Manor Farm
Thorpe Hall
Fish Pond
Rec. Grd.
Church Farm
Thorpe Salvin
Loscar Field
Church Field
HARTHILL ROAD
WORKSOP ROAD
BACK LANE
COMMON ROAD
Tennis Courts
Springfield Cottages
Bottom Farm
Bondhay
Moat
Top Farm
Netherthorpe
Lob Wells Wood
Loscar Wood
Little Wood
Landing Strip
Netherthorpe Airfield
Top Hall
Moor Mill Farm
Home Farm
NETHER THORPE ROAD
DUMB HALL ROAD
Moor Mill Dam
S80
S26
Honeysyke Wood
Loscar Farm
Honeysyke
PACKMAN LANE
Southard's Bottom
Bondhay Dyke
THORPE COMMON
Top Hall Wood
ROTHERHAM BOLSOVER
BASSETLAW BOLSOVER
SCRATTA LANE
Dumb Hall
Club House & Driving Range
Bondhay Cottages
Southard's Plantation
SOUTHARD'S LANE
BONDHAY GOLF COURSE
FIRBECK COMMON
Firbeck Farm
Firbeck House
Steetley Holme
Football Pitch
BONDHAY COMMON
BONDHAY LANE
WHITWELL WOOD
WHITWELL LANE
FIRBECK LANE
Firbeck Cottages
A619
Arrow Farm
WORKSOP ROAD
GIPSYHILL LANE
Gipsyhill Farm
Rob Nook
DOLES LA.

128
139

141
129
142
WORKSOP ROAD
A57
GATEFORD ROAD
B6041
Lindrick Common
LINDRICK GOLF COURSE
Deep Carr Farm
Club House
Deep Carrs
Stubbings
Monk Bridge
Ryton
River Ryton
Moses Seat
The Homestead
Rough Piece
Owday Plantation
Fox Covert
Lyndale Bungalow
Dog Kennel Plantation
Ashes Wood
Gateford
Gateford Hill
The Lawn
The Rookery
California Farm
Gateford Hall Farm
The Cottages
Brancliffe Grange
The Bungalow
S81
Potters Nook Bridge
St. Luke's C of E Primary School
Woodend Farm
South View
Gateford Common
Turnerwood Bridge
Turnerwood
Broad Wood
Depot
Shireoaks
Sports Grd.
SHIREOAKS
Coachroad Nursery
Coachroad Wood
THE DUKERIES INDUSTRIAL ESTATE
Works
Dyke
Hatfield Farm
ROTHERHAM
BASSETLAW
Worksop
Hall
Hudson Farm
Lock House
Shireoaks Low Locks
Canal
Hall Farm
Club
Worksop Up Sidings
Claylands Cottage
THE DUKERIES IND. EST.
Tranker Wood
Shireoaks East Junction
Woodhouse
Cricket Grd.
Sports Ground
Industrial Estate
Shireoaks Park Wood
Fish Pond
Oak Wood
Doefield Dun Lock
Holme Carr Wood
River Ryton
Rhodesia
Haggonfields Prim. Sch.
Factory
Deep Lock
Superstore
Street Lock
A60
SANDY LA.
Holme Carr
Lady Lea
Lady Lea Quarry Nature Reserve
Lady Lea Farm
Dike
Meadowholme Farm
Silver Birches
Darfoulds
Manor Lodge
Lodge Farm
Turquoise Lagoon
Steetley Farm Cottages
Armstrong Quarry Lake
Works
STEETLEY LANE
EXPLORER WAY
FEATHERBED
Hill Top Cottage
Darfoulds
Darfoulds Farm
Nursery
A619
CHESTERFIELD RD.
MANSFIELD ROAD
MANSFIELD RD.
The Croft
Quarry Plantation
Harness Grove
Steetley Corner
WEST WOOD
WORKSOP MANOR
Menagerie Cottage
Menagerie Wood
Manor Park House
MANOR PARK
Burnt Leys Cottages
Burnt Leys
H J K L M N
G H J K L M N
1 2 3 4 5 6 7 8 9
455
56
57
78

142
A
B
C
D
E
F
G
1
2
3
4
5
6
7
8
9
130
141
58
59
460
82
81
380
79
78
Owday Plantation
Whipman Wood
Nab's Ashes Wood
Little Broom Wood
Broom Cottage
Round Wood
Sherwood Farm
Breck House
Equestrian Centre
Silverdale
Glebe House
Kenwood
Lyn Dor
Carlton Farm Cots.
Carlton Forest Farm
Woodland Grove Farm
Sand Hill Plantation
Peaks Hill
Black Screed
Freshfields
Eddison Plantation
Peaks Hill Farm
Long Plantation
Gateford Hill
Thievesdale House
CARLTON ROAD
A60
B6045
RED LANE
Gateford
Playing Field
St. John's C of E Prim. Sch.
Superstore
RAYMOTH LANE
B6041
THIEVESDALE LA.
FARMERS BRANCH
Recreation Ground
GATEFORD ROAD
Lib.
Jun. & Inf. Schs.
Play. Fld.
Champion's Plantation
S81
Club House
KILTON FOREST GOLF COURSE
Valley Sch.
Worksop Leisure Centre
New Worksop Play. Fld.
Post 16 Cen.
Sunnyside
Greenacre Cen.
BASSETLAW HOSPITAL
Mr Straw's House
Coll.
College
Hockey Pitch
Football Pitch
Play. Fld. School
Claylands Cottage
THE DUKERIES INDUSTRIAL ESTATE
Works
Spts. Grd.
Supermarket
Sandholes Sidings
Factory
SANDY LANE INDUSTRIAL ESTATE
Sports Ground
Worksop Town FC
SANDY LANE
TURNER RD.
Worksop
Prim. Sch.
Kilton
St. Augustine's Jun. & Inf. Schs.
North Notts. Community Arena
CARLTON PHOENIX IND. EST.
WORKSOP
Rugby Grd.
Meadowholme Farm
Sandhill Adventure Base
Sandhill Lake
Sports Grd.
River Ryton
Arts Cen.
KILTON TERRACE INDUSTRIAL PARK
Superstore
Mill
Warehouse
Bracebridge
Cricket Grd.
RIVERSIDE CARAVAN PARK
Bus Sta.
Lib.
Worksop Priory Church
Cemy.
PUMPING STATION WY.
Aqueduct
Weir
Kilton Low Lock
Sports Ground
Depots
NEWCASTLE AV.
B6024
Castle Hill
The Acorn Theatre
POTTER ST.
CHEAPSIDE
RETFORD ROAD
B6040
Police HQ
A57
The Old Vicarage
Park Cott.
MANSFIELD ROAD
Recreation Ground
Manor Park House
Westwood Play. Fld.
Cemetery
S80
Worksop Priory C of E Prim. Sch.
Playing Fields
Manton
Rec. Grd.
Comm. Cen.
Portland School
Distribution Centre
Rayton Angle
Tennis Cts.
Artificial Pitch
MANOR PARK

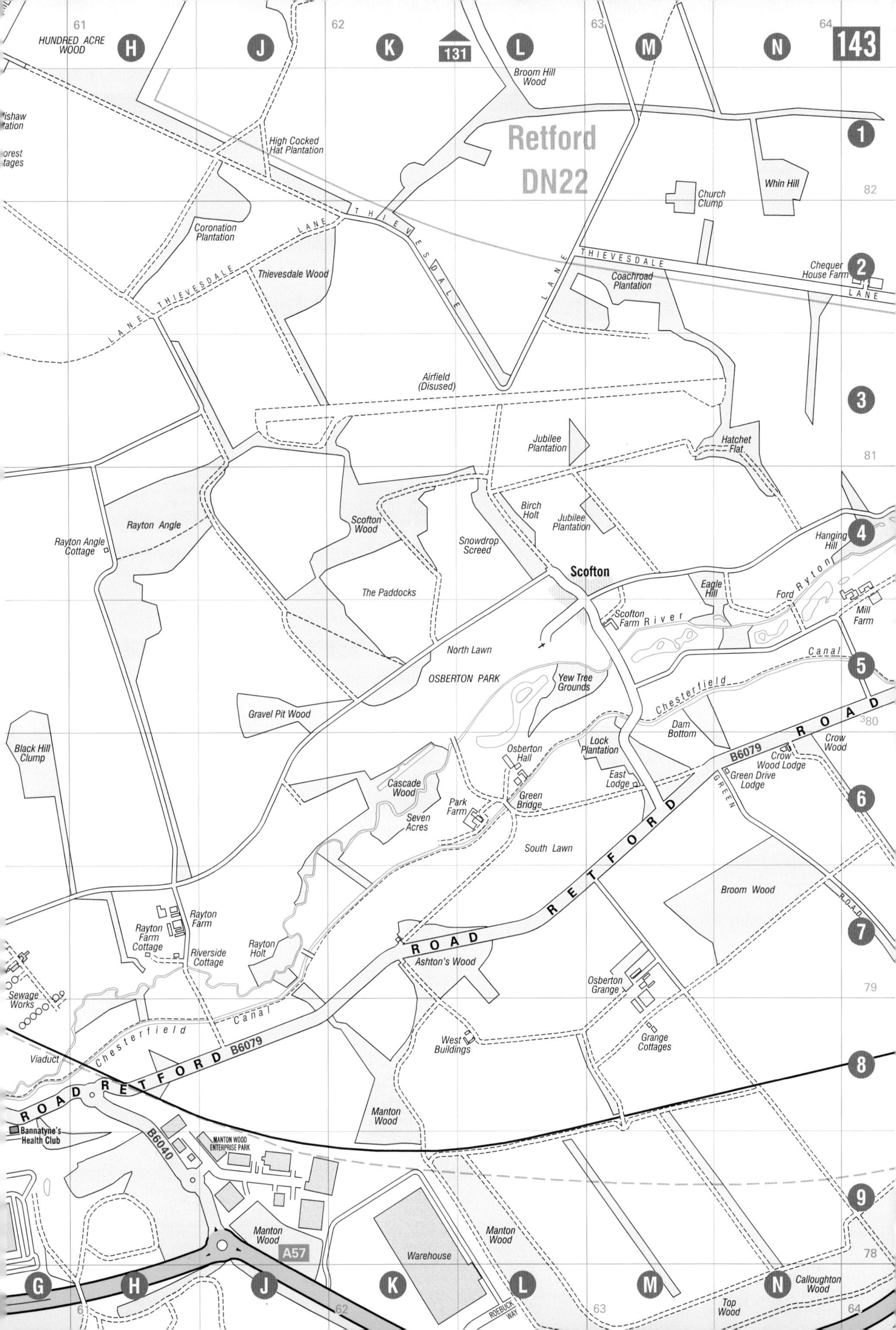
131
Retford
DN22
HUNDRED ACRE WOOD
High Cocked Hat Plantation
Broom Hill Wood
Church Clump
Whin Hill
Coronation Plantation
Thievesdale Wood
THIEVESDALE LANE
Coachroad Plantation
Chequer House Farm
Airfield (Disused)
Jubilee Plantation
Hatchet Flat
Rayton Angle
Rayton Angle Cottage
Scofton Wood
Snowdrop Screed
Birch Holt
Scofton
Hanging Hill
The Paddocks
Eagle Hill
Ford
Ryton
Mill Farm
Scofton Farm
River
North Lawn
OSBERTON PARK
Yew Tree Grounds
Chesterfield Canal
Gravel Pit Wood
Dam Bottom
Black Hill Clump
Osberton Hall
Lock Plantation
B6079
Crow Wood
Crow Wood Lodge
Green Drive Lodge
GREEN
Cascade Wood
East Lodge
Seven Acres
Park Farm
Green Bridge
South Lawn
RETFORD ROAD
Broom Wood
Rayton Farm
Rayton Farm Cottage
Riverside Cottage
Rayton Holt
Ashton's Wood
Osberton Grange
Sewage Works
West Buildings
Grange Cottages
Viaduct
Bannatyne's Health Club
B6040
MANTON WOOD ENTERPRISE PARK
Manton Wood
A57
Warehouse
ROEBUCK WAY
Calloughton Wood
Top Wood

INDEX

Including Streets, Places & Areas, Industrial Estates, Selected Flats & Walkways,
Junction Names & Service Areas, Stations and Selected Places of Interest.

HOW TO USE THIS INDEX

1. Each street name is followed by its Postcode District, then by its Locality abbreviation(s) and then by its map reference; e.g. **Abbeydale Rd.** S7: Shef . . . .8E **122** is in the S7 Postcode District and the Sheffield Locality and is to be found in square 8E on page **122**. The page number is shown in bold type.

2. A strict alphabetical order is followed in which Av., Rd., St., etc. (though abbreviated) are read in full and as part of the street name; e.g. **Ash Dale Rd.** appears after **Ashdale Cl.** but before **Ashdell**

3. Streets and a selection of flats and walkways too small to be shown on street map pages **4-121**, appear in the index with the thoroughfare to which it is connected shown in brackets; e.g. **Abbeydale Ct.** *S17: Dore* . . . .3B **134** (off Ladies Spring Dr.)

4. Addresses that are in more than one part are referred to as not continuous.

5. Places and areas are shown in the index in BLUE TYPE and the map reference is to the actual map square in which the town centre or area is located and not to the place name shown on the map; e.g. ABBEYDALE 1C 134

6. An example of a selected place of interest is **Abbeydale Industrial Hamlet (Mus.)** 2C 134

7. Examples of stations are:
Adwick Station (Rail) . . . .2G 43; Arbourthorne Road Stop (ST) . . . . 4L 123; Eckington Bus Station . . . .7K 137; Abbeydale (Park & Ride) 7E 122

8. Junction Names and Service Areas are shown in **BOLD CAPITAL TYPE**; e.g. **BLYTH SERVICE AREA** 7L 117

9. Map references for entries that appear on large scale pages **4** & **5** are shown first, with small scale map references shown in brackets; e.g. **Abney St.** S1: Shef 3D **4** (9G **109**)

GENERAL ABBREVIATIONS

All. : Alley	**Ct.** : Court	**Info.** : Information	**Ri.** : Rise
App. : Approach	**Cres.** : Crescent	**Intl.** : International	**Rd.** : Road
Arc. : Arcade	**Cft.** : Croft	**La.** : Lane	**Rdbt.** : Roundabout
Av. : Avenue	**Dr.** : Drive	**Lit.** : Little	**Shop.** : Shopping
Bk. : Back	**E.** : East	**Lwr.** : Lower	**Sth.** : South
Blvd. : Boulevard	**Ent.** : Enterprise	**Mnr.** : Manor	**Sq.** : Square
Bri. : Bridge	**Est.** : Estate	**Mans.** : Mansions	**Sta.** : Station
Bldgs. : Buildings	**Fld.** : Field	**Mkt.** : Market	**St.** : Street
Bungs. : Bungalows	**Flds.** : Fields	**Mdw.** : Meadow	**Ter.** : Terrace
Bus. : Business	**Gdn.** : Garden	**Mdws.** : Meadows	**Twr.** : Tower
Cvn. : Caravan	**Gdns.** : Gardens	**M.** : Mews	**Trad.** : Trading
C'way. : Causeway	**Gth.** : Garth	**Mt.** : Mount	**Up.** : Upper
Cen. : Centre	**Ga.** : Gate	**Mus.** : Museum	**Va.** : Vale
Chu. : Church	**Gt.** : Great	**Nth.** : North	**Vw.** : View
Circ. : Circle	**Grn.** : Green	**Pde.** : Parade	**Vs.** : Villas
Cl. : Close	**Gro.** : Grove	**Pk.** : Park	**Vis.** : Visitors
Comn. : Common	**Hgts.** : Heights	**Pl.** : Place	**Wlk.** : Walk
Cnr. : Corner	**Ho.** : House	**Pct.** : Precinct	**W.** : West
Cott. : Cottage	**Ho's.** : Houses	**Quad.** : Quadrant	**Yd.** : Yard
Cotts. : Cottages	**Ind.** : Industrial	**Res.** : Residential	

LOCALITY ABBREVIATIONS

Abdy: S62 . . . .Abdy	Burghwallis: DN6 . . . .Burgh	Emley: HD8 . . . .Eml'y	Hooton Levitt: S66 . . . .Hoot L
Adwick le Street: DN6 . . . .Adw S	Burncross: S35 . . . .Burn	Epworth: DN9 . . . .Epw	Hooton Pagnell: DN5 . . . .Hoot P
Aldwarke: S65 . . . .Ald	Cadeby: DN5 . . . .Cad	Everton: DN10 . . . .Ever	Hooton Roberts: S65 . . . .Hoot R
Almholme: DN5 . . . .Alm	Calder Grove: WF4 . . . .Cal G	Fenwick: DN6 . . . .Fen	Hope: S33 . . . .Hope
Alverley: DN4,DN11 . . . .A'ley	Campsall: DN6 . . . .Camp	Finningley: DN9 . . . .Finn	Howbrook: S35 . . . .Howb
Apperknowle: S18 . . . .App	Cantley: DN3-4 . . . .Can	Firbeck: S81 . . . .Fir	Hoyland: S74 . . . .Hoyl
Ardsley: S71 . . . .Ard	Carcroft: DN6 . . . .Carc	Fishlake: DN7 . . . .Fish	Hoylandswaine: S36,S75 . . . .H'swne
Arksey: DN5 . . . .Ark	Carlecotes: S36 . . . .Carle	Fitzwilliam: WF9 . . . .Fitz	Ingbirchworth: S36 . . . .Ingb
Armthorpe: DN3 . . . .Arm	Carlton: S71 . . . .Car	Flanderwell: S66 . . . .Flan	Jackson Bridge: HD9 . . . .Jack B
Askern: DN6 . . . .Ask	Carlton in Lindrick: S81 . . . .Carl L	Fosterhouses: DN7 . . . .Fost	Jump: S74 . . . .Jum
Aston: S26,S33 . . . .Aston	Carr: S66 . . . .Carr	Frickley: DN5 . . . .Frick	Kexborough: S75 . . . .Kexb
Athersley: S71 . . . .Ath	Catcliffe: S60 . . . .Cat	Gateford: S81 . . . .Gate	Killamarsh: S21 . . . .Killa
Auckley: DN9 . . . .Auck	Cawthorne: S36,S75 . . . .Cawt	Gildingwells: S81 . . . .Gild	Kilnhurst: S64 . . . .Kiln
Aughton: S26 . . . .Augh	Chapeltown: S35 . . . .Chap	Goldthorpe: S63 . . . .Gol	Kimberworth: S61 . . . .Kimb
Austerfield: DN10 . . . .Aust	Clayton: DN5 . . . .Clay	Greasbrough: S61 . . . .Grea	Kimberworth Park: S61 . . . .Kimb P
Badsworth: WF9 . . . .Bads	Clayton West: HD8 . . . .Clay W	Great Houghton: S72 . . . .Gt H	Kinsley: WF9 . . . .Kins
Balby: DN4 . . . .Balb	Clifton: S66 . . . .Clftn	Green Moor: S35 . . . .Green M	Kirk Bramwith: DN7 . . . .Kirk B
Balne: DN14 . . . .Balne	Clowne: S43 . . . .Clow	Grenoside: S6,S35 . . . .Gren	Kirkhouse Green: DN7 . . . .Kirk G
Bamford: S6,S32-33 . . . .Bamf	Coal Aston: S18 . . . .Coal A	Grimethorpe: S72 . . . .Grim	Kirk Sandall: DN3 . . . .Kirk Sa
Barlborough: S21,S43 . . . .Barl	Cold Heindley: WF4 . . . .Cold H	Hade Edge: HD9 . . . .Hade E	Kirk Smeaton: WF8 . . . .Kirk Sm
Barnburgh: DN5 . . . .Barnb	Conisbrough: DN12 . . . .Con	Haigh: S75 . . . .Haigh	Kiveton Park: S26 . . . .Kiv P
Barnby Dun: DN3 . . . .Barn D	Costhorpe: S81 . . . .Cos	Halfway: S20 . . . .Half	Kiveton Park Station: S26 . . . .Kiv S
Barnsley: S70-71,S75 . . . .Barn	Crane Moor: S35 . . . .Cran M	Hampole: DN6 . . . .Ham	Langold: S81 . . . .L'gld
Barugh Green: S75 . . . .Bar G	Crigglestone: WF4 . . . .Crig	Harley: S62 . . . .H'ley	Langsett: S36 . . . .Langs
Bawtry: DN10-11 . . . .Baw	Crow Edge: S36 . . . .Crow E	Harlington: DN5 . . . .Harl	Laughton Common: S25 . . . .Laugh C
Beighton: S20 . . . .Beig	Crowle: DN17 . . . .Crow	Harthill: S26 . . . .Hart	Laughton en le Morthen: S25 . . . .Laugh M
Belton: DN9 . . . .Belt	Cubley: S36 . . . .Cub	Harwell: DN10 . . . .H'well	Letwell: S81 . . . .Letw
Bentley: DN5 . . . .Bntly	Cudworth: S72 . . . .Cud	Harworth: DN11 . . . .H'worth	Lindholme: DN7 . . . .Lind
Bessacarr: DN4 . . . .Bess	Cumberworth: HD8 . . . .Cumb	Hatfield: DN7 . . . .Hat	Little Houghton: S72 . . . .Lit H
Billingley: S72 . . . .Bill	Cusworth: DN5 . . . .Cus	Hatfield Woodhouse: DN7 . . . .Hatf W	Little Smeaton: DN6,WF8 . . . .Lit S
Bircotes: DN11 . . . .Birc	Dalton: S65 . . . .Dalt	Hathersage: S32-33 . . . .Hath	Long Sandall: DN2 . . . .Long S
Birds Edge: HD8 . . . .Birds E	Dalton Magna: S65-66 . . . .Dalt M	Havercroft: WF4 . . . .Hav	Loversall: DN11 . . . .Lov
Birdwell: S70,S75 . . . .Birdw	Darfield: S71,S73 . . . .D'fld	Haywood: DN5 . . . .Hayw	Low Bradfield: S6 . . . .Low B
Blacker Green: DN5 . . . .Blk G	Darfoulds: S80 . . . .D'fld	Hazlehead: S36 . . . .Hazl	Lower Cumberworth: HD8 . . . .Lwr C
Blacker Hill: S74 . . . .Black H	Darrington: WF8 . . . .D'ton	Hellaby: S66 . . . .Hel	Low Laithes: S71,S73 . . . .Low L
Blaxton: DN9 . . . .Blax	Darton: S75 . . . .Dart	Hemingfield: S73-74 . . . .Hem	Loxley: S6 . . . .Lox
Blyth: S81 . . . .Bly	Denaby Main: DN12 . . . .Den M	Hemsworth: S73,WF9 . . . .Hems	Lundwood: S71-72 . . . .Lund
Bolsterstone: S33,S36 . . . .Bolst	Denby Dale: HD8,S75 . . . .Den D	Hepworth: HD9 . . . .Hep	Maltby: S66 . . . .Malt
Bolton upon Dearne: S63 . . . .Bolt D	Dinnington: S25 . . . .Din	Hexthorpe: DN4 . . . .Hex	Mapplewell: S75 . . . .Mapp
Bradfield: S6,S35 . . . .Brad	Dodworth: S75 . . . .Dod	Hickleton: DN5 . . . .Hick	Marr: DN5 . . . .Marr
Bradway: S17 . . . .Bradw	Doncaster: DN1-2,DN4-5 . . . .Don	Higham: S75 . . . .High'm	Marsh Lane: S21 . . . .Mar L
Braithwaite: DN7 . . . .B'waite	Dore: S11,S17 . . . .Dore	Highfields: DN6 . . . .Highf	Medge Hall: DN8 . . . .Med H
Braithwell: S66 . . . .B'well	Dronfield: S18 . . . .Dron	High Flatts: HD8,S36 . . . .High F	Meltham: HD9 . . . .Melt
Bramley: S65-66 . . . .Bram	Dronfield Woodhouse: S18 . . . .Dron W	High Green: S35 . . . .High G	Mexborough: S64 . . . .Mexb
Brampton: S73 . . . .Bramp	Dunford Bridge: S36 . . . .Dunf B	High Hoyland: S75 . . . .High H	Micklebring: S66 . . . .Mick
Brampton Bierlow: S63 . . . .Bramp B	Dungworth: S6 . . . .Dung	High Melton: DN5 . . . .High M	Middlecliffe: S72 . . . .Midd
Brampton en le Morthen: S66 . . . .Bramp M	Dunscroft: DN7 . . . .Dunsc	Hodsock: S81 . . . .Hods	Middle Handley: S21 . . . .Midd H
Branton: DN3 . . . .Brant	Dunsville: DN7 . . . .Dunsv	Holbrook: S20 . . . .Holb	Midgley: WF4 . . . .Midg
Brierley: S72 . . . .Brier	Ealand: DN17 . . . .Eal	Hollow Meadows: S6,S10 . . . .Holl M	Midhopestones: S36 . . . .Midh
Brightholmlee: S35 . . . .Bright	East Cowick: DN14 . . . .E Cor	Holmbridge: HD9 . . . .H'bri	Millhouse Green: S36 . . . .Mill G
Brinsworth: S60 . . . .Brins	East Hardwick: WF8 . . . .E Hard	Holme: DN5,HD9 . . . .Holme	Misson: DN10 . . . .Miss
Brodsworth: DN5 . . . .Brod	Ecclesfield: S35 . . . .Eccl	Holmesfield: S18 . . . .Holme	Monk Bretton: S71 . . . .Monk B
Bromley: S35 . . . .Brom	Eckington: S21 . . . .Ecki	Holmfirth: HD9 . . . .Holm	Moorends: DN8 . . . .Moore
Brookhouse: S25 . . . .Brookh	Edenthorpe: DN3 . . . .Eden	Honley: HD9 . . . .Hon'y	Moorhouse: DN6 . . . .Moorh
Brough: S33 . . . .Brou	Elsecar: S74 . . . .Els	Hood Green: S75 . . . .Hood G	Morthen: S66 . . . .Mort

Mosborough: S20 ...Mosb
Moss: DN6 ...Moss
Nether Haugh: S62 ...Neth Hau
Nether Padley: S32 ...Neth P
Netherthong: HD9 ...N'thng
Netherthorpe: S80 ...N'thpe
New Edlington: DN12 ...New E
Newington: DN10 ...N'tn
New Mill: HD9 ...New M
Newmillerdam: WF4 ...New
New Rossington: DN11 ...New R
North Anston: S25 ...Nth A
Norton: DN6,WF8 ...Nort
Notton: WF4 ...Nott
Oldcotes: S81 ...Oldc
Old Denaby: DN12 ...Old D
Old Edlington: DN12 ...Old E
Oughtibridge: S6,S35 ...Ough
Owston: DN6 ...Owst
Oxspring: S36 ...Oxs
Parkgate: S62 ...P'gte
Penistone: HD8,S36,S75 ...Pen
Pickburn: DN5 ...Pick
Pilley: S75 ...Pil
Pollington: DN14 ...Poll
Pontefract: WF8 ...Pon
Ranby: DN22 ...Ranb
Ranskill: DN22 ...Rans
Ravenfield: S65 ...Rav
Rawmarsh: S62 ...Rawm
Renishaw: S21 ...Reni
Rhodesia: S80-81 ...Rhod
Ridgeway: S12 ...Ridg
Rossington: DN11 ...Ross
Rotherham: S60-61,S65 ...Roth
Roughbirchworth: S36 ...Rough
Royston: S71 ...R'ton

Ryhill: WF4 ...Ryh
Sandtoft: DN8 ...San
Scaftworth: DN10 ...Scaf
Scawsby: DN5 ...Scaws
Scawthorpe: DN5 ...Scawt
Scholes: HD9,S61 ...Scho
Scrooby: DN10 ...Scro
Serlby: DN10,S81 ...Ser
Shafton: S72 ...Shaft
Shatton: S33 ...Shatt
Sheffield: S1-14,S60 ...Shef
Shelley: HD8 ...Shel
Shepley: HD8-9 ...Shep
Shireoaks: S81 ...Shire
Silkstone: S75 ...Silk
Silkstone Common: S36,S75 ...Silk C
Skelbrooke: DN6 ...Skelb
Skellow: DN6 ...Skell
Skelmanthorpe: HD8 ...Skel
Slade Hooton: S25 ...Slade H
Smithies: S71 ...Smi
Snowden Hill: S36 ...Snow H
Sothall: S20 ...Sot
South Anston: S25-26 ...Sth A
South Bramwith: DN7 ...Sth B
South Elmsall: WF9 ...Sth E
South Hiendley: S72 ...Sth H
South Kirkby: WF9 ...Sth K
Spinkhill: S21,S36 ...Spink
Sprotbrough: DN5 ...Sprot
Stainborough: S75 ...Stainb
Staincross: S71,S75 ...Stain
Stainforth: DN7 ...Stainf
Stainton: S66 ...Stain
Stairfoot: S70-71 ...Stair
Stannington: S6 ...Stan
Stapleton: DN6 ...Stap

Stocksbridge: S36 ...Stoc
Styrrup: DN11 ...Sty
Sunnyside: S66 ...Sunn
Sutton: DN6 ...Sutt
Swaithe: S70 ...Swai
Swallownest: S20,S26 ...Swal
Swinefleet: DN14 ...Swine
Swinton: S64 ...Swin
Sykehouse: DN6,DN14 ...Syke
Tankersley: S75 ...Tank
Thongsbridge: HD9 ...T'bri
Thorne: DN8 ...Thorne
Thornhill: S33 ...Thorn
Thorpe Audlin: WF8 ...Thpe A
Thorpe Hesley: S61 ...Thorpe H
Thorpe in Balne: DN6 ...Thorpe B
Thorpe Salvin: S80 ...Thorpe S
Thrybergh: S65 ...Thry
Thurcroft: S66 ...Thurc
Thurgoland: S35,S75 ...Thurg
Thurlstone: S36 ...Thurl
Thurnscoe: S63 ...Thurn
Tickhill: DN11 ...Tick
Tinsley: S9 ...Tins
Todwick: S26 ...Tod
Totley: S17 ...Tot
Treeton: S60 ...Tree
Troway: S21 ...Trow
Trumfleet: DN6 ...Trum
Ulley: S26 ...Ull
Unstone: S18 ...Uns
Upper Cumberworth: HD8 ...Up C
Upper Denby: HD8 ...Up D
Upper Midhope: S36 ...Up M
Upper Padley: S32 ...Up P
Upperthong: HD9 ...U'thng
Upper Whiston: S60 ...Up W

Upton: WF9 ...Upton
Wadworth: DN11 ...Wad
Walden Stubbs:
  DN6,WF8 ...Wald S
Wales: S26 ...Wales
Wales Bar: S26 ...Wales B
Wallingwells: S81 ...Wall
Warmsworth: DN4 ...Warm
Waterthorpe: S20 ...Water
Wath upon Dearne:
  S63,S73 ...Wath D
Waverley: S13,S60 ...Wav
Wentbridge: WF8-9 ...Wentb
Wentworth: S62 ...Wentw
West Bretton: WF4 ...W Bret
Westfield: S20 ...W'fld
West Handley: S21 ...West H
Westwoodside: DN9 ...Westw
Wharncliffe Side: S35 ...Wharn S
Whiston: S60 ...Whis
Whitley: DN14 ...Whit
Whitwell: S80 ...Whit
Wickersley: S66 ...Wick
Wigthorpe: S81 ...Wig
Wilsic: DN11 ...Wils
Wingfield: S61 ...Wing
Wombwell: S73 ...Womb
Womersley: DN6 ...Wome
Woodall: S26 ...Wooda
Woodlands: DN6 ...Woodl
Woodsetts: S81 ...Woods
Woolley: WF4 ...Wool
Woolley Grange: S75 ...Wool G
Worksop: S80-81 ...Work
Worsbrough: S70,S75 ...Wors
Wortley: S35 ...Wort
Wroot: DN9 ...Wroo

5ives
  Barnsley ...1L 57

A

Aaron Wilkinson Ct. WF9: Sth K ...7N 19
Abbe's Cl., The DN6: Burgh ...4F 22
Abbe's Wlk., The DN6: Burgh, Owst ...4F 22
Abbey Brook Cl. S8: Shef ...1F 134
Abbey Brook Ct. S8: Shef ...1F 134
Abbey Brook Dr. S8: Shef ...1F 134
Abbey Brook Gdns. S8: Shef ...1F 134
Abbey Cl. HD9: Hade E ...9F 30
  S25: Laugh M ...7B 114
Abbey Ct. HD9: Hade E ...9F 30
  S8: Shef ...1F 134
Abbey Cres. S7: Shef ...1C 134
Abbey Cft. S7: Shef ...1C 134
ABBEYDALE ...1C 134
Abbeydale Ct. S17: Dore ...3B 134
  (off Ladies Spring Dr.)
Abbeydale Dr. S7: Shef ...7E 122
Abbeydale Golf Course ...3C 134
Abbeydale Hall Gdns. S17: Dore ...3A 134
Abbeydale Industrial Hamlet (Mus.)
  ...2C 134
ABBEYDALE PARK ...4A 134
Abbeydale (Park & Ride) ...7E 122
Abbeydale Pk. Cres. S17: Dore ...4A 134
Abbeydale Pk. Rackets & Fitness Club
  ...3B 134
Abbeydale Pk. Ri. S17: Dore ...3N 133
Abbeydale Pk. Sports Club ...3A 134
Abbeydale Rd. S7: Shef ...8E 122
Abbeydale Rd. Sth. S7: Shef ...4A 134
  S17: Dore, Tot ...4A 134
Abbey Dr. DN7: Dunsc ...9C 26
Abbey Farm Vw. S72: Cud ...3B 38
Abbeyfield Ct. DN7: Hat ...9F 26
Abbeyfield Rd. DN7: Dunsc ...9B 26
  S4: Shef ...5J 109
Abbey Flds. DN9: Finn ...3G 84
Abbey Gdns. DN7: Dunsc ...1C 46
Abbey Glen S66: Carr ...3N 113
Abbey Grange S7: Shef ...1C 134
Abbey Grn. DN7: Dunsc ...9C 26
  S75: Dod ...1B 56
Abbey Gro. DN7: Dunsc ...9C 26
  S71: Lund ...5M 37
  S80: Work ...8C 142
  (off Abbey St.)
Abbey La. S7: Shef ...8B 122
  S8: Shef ...1D 134
  S11: Shef ...8B 122
  S25: Slade H ...5C 114
  S66: Malt ...5C 114
  S71: Lund ...6M 37
  (not continuous)
Abbey La. Dell S8: Shef ...1C 134
Abbey Rd. DN7: Dunsc ...1C 46
Abbey Sq. S71: Lund ...4M 37
Abbey St. S80: Work ...8C 142
Abbey's Wlk. Mobile Home Pk.
  DN7: Dunsc ...8D 26
Abbey Vw. Dr. S8: Shef ...8H 123
Abbey Vw. Rd. S8: Shef ...8H 123
Abbey Wlk. DN5: Scaws ...2J 63

Abbey Way DN7: Dunsc ...8C 26
  S25: Nth A ...2N 127
Abbot La. WF4: Wool ...3C 16
Abbots Cl. S72: Cud ...3C 38
Abbots Ford Dr. S66: Thurc ...6K 113
Abbots Mdw. S20: Sot ...1N 137
Abbots Rd. S71: Lund ...5N 37
Abbott St. DN4: Hex ...5M 63
ABDY ...4K 77
Abdy La. S62: Abdy ...4L 77
  S64: Swin ...4L 77
Abdy Rd. S61: Kimb P ...3D 94
  S62: Abdy ...5J 77
Abell St. S65: Thry ...3D 96
Aberconway Cres. DN11: New R ...6H 83
Abercorn Rd. DN2: Don ...3F 64
Aberford Gro. S74: Els ...9B 58
Abingdon Gdns. S61: Grea ...2H 95
Abingdon Rd. DN2: Don ...2E 64
Abingdon Vw. S81: Gate ...2N 141
Abney Cl. S14: Shef ...5K 123
Abney Dr. S14: Shef ...5K 123
Abney Rd. S14: Shef ...5K 123
Abney St. S1: Shef ...3D 4 (9G 109)
Abrafact Ind. Ct. S6: Shef ...3E 108
Abus Rd. DN5: Scaws ...9G 43
Acacia Av. S35: Chap ...1G 93
  S66: Bram ...8H 97
  S66: Malt ...8B 98
  WF9: Sth E ...5F 20
Acacia Cl. S80: Work ...8N 141
Acacia Ct. DN5: Bntly ...6L 43
Acacia Cres. S21: Killa ...5A 138
Acacia Gro. DN12: Con ...6M 79
  S72: Shaft ...7C 18
Acacia Dr. DN4: Can ...7J 65
  DN6: Skell ...7E 22
  S5: Shef ...9M 93
Ace Bus. Cen. S3: Shef ...1H 5 (7J 109)
Acer Cl. S21: Killa ...5B 138
  S25: Sth A ...8B 128
Acer Cft. DN3: Arm ...2L 65
Ackford Dr. S80: Work ...7A 142
Ackworth Dr. DN7: Hat ...9H 27
Acomb Comn. Rd. DN7: Hat ...9H 27
Acorn Av. S63: Thurn ...8C 40
Acorn Bus. Pk. S8: Shef ...7F 122
  (off Woodseats Cl.)
Acorn Cen., The S72: Grim ...2G 38
Acorn Ct. S35: Ough ...6N 91
  S61: Grea ...3H 95
Acorn Dr. S6: Stan ...6L 107
Acorn Gro. HD9: Scho ...5H 31
Acorn Hill S6: Stan ...5M 107
Acorn Pl. S63: Wath D ...2N 77
Acorn Ri. DN4: Bess ...9H 65
Acorn Rd. S6: Stan ...6K 107
Acorn St. S3: Shef ...1E 4 (7H 109)
Acorn Theatre, The ...8C 142
Acorn Way S66: Sunn ...6H 97
  S72: Grim ...2F 38
Acre Cl. DN3: Eden ...6J 45
  S66: Malt ...6C 98
  S66: Thurc ...5L 113
Acre Ga. S35: High G ...8E 74
Acre La. DN17: Crow ...7M 29
  HD9: H'bri ...6B 30
  HD9: New M ...9H 31
  (Ebson Ho. La.)
  HD9: New M ...1L 31
  (White Ley Bank)

Acre La. S35: Ough ...5J 91
  S36: H'swne ...1N 53
Acre Rd. S72: Cud ...4C 38
Acres Hill Cl. S9: Shef ...8B 110
Acres Hill La. S9: Shef ...9B 110
Acres Hill Rd. S9: Shef ...8B 110
Acres Vw. S60: Roth ...1A 112
Acrewood Dr. S66: Sunn ...5G 96
Adamfield S3: Shef ...3B 4
Adam La. S75: Cawt ...6J 35
Adastral Av. S12: Shef ...9A 124
Addison Rd. S5: Shef ...2L 109
  S64: Mexb ...1G 79
  S66: Malt ...8B 98
Addison Sq. S25: Din ...2D 128
Addy Cl. DN4: Balb ...1N 81
  S6: Shef ...7F 108
Addy Cres. WF9: Sth E ...6E 20
Addy Dr. S6: Shef ...1A 4 (7F 108)
Addy St. S6: Shef ...1A 4 (7F 108)
Adelaide La. S3: Shef ...7G 109
Adelaide Rd. DN6: Nort ...7H 7
  S7: Shef ...5E 122
Adelaide St. S66: Malt ...1F 114
Adeline Ter. HD9: H'bri ...5A 30
Adelphi St. S6: Shef ...7F 108
Adkin Royd S75: Silk ...8H 35
Adkins Dr. S5: Shef ...1F 108
Adkins Rd. S5: Shef ...1F 108
Adlard Rd. DN2: Don ...1E 64
Adlington Cres. S5: Shef ...9G 92
Adlington Rd. S5: Shef ...9G 92
Admiral Biggs Dr. S60: Tree ...8L 111
Admirals Crest S61: Scho ...3B 94
Adrian Cres. S5: Shef ...9H 93
Adsetts St. S4: Shef ...3M 109
Advanced Manufacturing Pk.
  S60: Tree ...8G 111
Adwick Av. DN5: Bntly ...3K 43
Adwick Bus. Pk. DN6: Adw S ...2H 43
Adwick Ct. S64: Mexb ...2G 78
Adwick Interchange DN6: Adw S ...2G 43
  (off Church La.)
Adwick La. DN5: Bntly ...2G 43
  DN6: Adw S ...2G 43
Adwick Leisure Cen. ...4F 42
ADWICK LE STREET ...2F 42
Adwick Pk. S63: Wath D ...9C 60
Adwick Rd. S64: Mexb ...8E 60
Adwick Station (Rail) ...2G 43
ADWICK UPON DEARNE ...7E 60
Aeroventure ...6D 64
AGDEN ...4N 89
Agden Rd. S7: Shef ...3F 122
Agden Side Rd. S6: Brad ...4N 89
Agnes Rd. S70: Barn ...8F 36
  S75: Dart ...9N 15
Agnes Ter. S70: Barn ...8F 36
Agricultural Ho's. WF8: Lit S ...4C 6
Aidans Cl. DN12: Don ...7G 45
Aikwood La. DN11: Wils ...4M 99
Ainsdale Av. S63: Gol ...3C 60
Ainsdale Cl. S71: R'ton ...4J 17
Ainsdale Ct. S71: Monk B ...3L 37
Ainsdale Rd. S71: R'ton ...4J 17
Ainsley Cl. DN9: Auck ...8C 66
Ainsley Rd. S10: Shef ...8D 108
Ainsty Rd. S7: Shef ...4G 122
Ainthorpe Rd. DN5: Bntly ...3K 43
Aintree Av. DN4: Can ...5G 64
  S21: Ecki ...7H 137

Aintree Cl. DN5: Scaws ...2H 63
Aintree Dr. DN4: Balb ...1N 81
  S64: Mexb ...9G 61
Aire Cl. S35: Chap ...8G 75
Airedale S81: Work ...3E 142
Airedale Av. DN11: Tick ...5D 100
Airedale Rd. S6: Shef ...2B 108
  S75: Kexb ...9L 15
Aireton Cl. S66: Wick ...8F 96
Aireton Rd. S70: Barn ...6F 36
Airey La. DN6: Thorpe B ...7C 24
Air Mount Cl. S66: Wick ...9F 96
Airstone Rd. DN6: Ask ...2K 23
Aisby Dr. DN11: Ross ...4K 83
Aisthorpe Rd. S8: Shef ...8G 123
Aitken Rd. S64: Kiln ...6D 78
Aizlewood Rd. S8: Shef ...4G 123
Akley Bank Cl. S17: Tot ...5A 134
Alagu Cl. S64: Mexb ...1D 78
Alan Rd. S75: Dart ...9M 15
Alba Cl. S73: D'fld ...1E 58
Albanus Cft. S6: Stan ...6L 107
Albanus Ridge S6: Stan ...6L 107
Albany Av. S35: Chap ...1J 93
Albany Cl. S73: Womb ...1A 58
Albany Cres. WF9: Sth E ...7E 20
Albany La. DN11: New R ...5H 83
Albany Pl. WF9: Sth E ...7E 20
Albany Rd. DN4: Balb ...7L 63
  S7: Shef ...4G 122
  S36: Stoc ...5D 72
  S64: Kiln ...5C 78
Albany St. S65: Roth ...7L 95
  WF9: Sth E ...7E 20
Albert Cres. S72: Midd ...9K 39
Albert Rd. HD8: Clay W ...1A 4 (8F 108)
  S8: Shef ...5H 123
  S12: Shef ...8J 125
  S62: P'gte ...1M 95
  S63: Gol ...2D 60
  S63: Wath D ...8K 59
  S64: Mexb ...1F 78
Albert St. DN8: Thorne ...1L 27
  S21: Ecki ...8K 137
  S60: Roth ...7J 95
  S63: Thurn ...8B 40
  S64: Swin ...2C 78
  S66: Malt ...9F 98
  S70: Barn ...7G 36
  S72: Cud ...8C 18
  S80: Work ...7C 142
Albert St. E. S70: Barn ...7G 36
Albert Ter. Rd. S6: Shef ...7F 108
Albert Vs. DN8: Thorne ...1L 27
  (off Coulman St.)
Albion S6: Shef ...1A 4 (8F 108)
Albion Cl. S75: Mapp ...8C 16
Albion Dr. S63: Thurn ...8E 40
Albion Ho. S70: Barn ...8G 37
Albion Pl. DN1: Don ...4B 64
  WF9: Sth E ...6F 20
Albion Rd. S60: Roth ...7L 95
  S71: Car ...1K 37
Albion Row S6: Shef ...8M 107
Albion St. S6: Shef ...1A 4 (8F 108)
Albion Ter. DN4: Hex ...6M 63
  S70: Barn ...8H 37
Alcester Rd. S7: Shef ...4G 122
Alconbury Way S81: Gate ...2N 141
Aldam Chase S66: Wick ...9G 97

Aldam Cl.—Arthur Rd.

Aldam Cl. S17: Tot .6N 133
S65: Roth .6C 96
Aldam Cft. S17: Tot .6N 133
Aldam Rd. DN4: Balb .9K 63
S17: Tot .6A 134
Aldam Way S17: Tot .6N 133
Aldbeck Cft. S75: Dart .1N 35
Aldbury Cl. S71: Ath .2J 37
Aldcliffe Cres. DN4: Balb .2K 81
Aldene Av. S6: Shef .3A 108
Aldene Glade S6: Shef .3A 108
Aldene Rd. S6: Shef .2A 108
Alder Chase S61: Scho .3C 94
Alder Cl. S75: Mapp .8B 16
S80: Work .9B 142
Alderford Dr. DN4: Balb .1M 81
Alder Gro. DN4: Balb .8L 63
DN8: Moore .7L 11
S73: D'fld .3F 58
Alder Holt Cl. DN3: Arm .2M 65
Alder La. S9: Shef .9E 110
Alder M. S74: Hoyl .1M 75
Alderney Rd. S2: Shef .4H 123
Alder Rd. S18: Dron .7H 135
Aldersgate Cl. DN11: New R .6K 83
Aldersgate Ct. S66: Malt .8G 98
Alders Grn. S6: Lox .3M 107
Alderson Av. S62: Rawm .7M 77
Alderson Cl. DN11: Tick .5E 100
S26: Swal .2C 126
Alderson Dr. DN2: Don .5C 64
DN11: Tick .6E 100
S71: Smi .2H 37
Alderson Pl. S2: Shef .3H 123
Alderson Rd. S2: Shef .3G 123
(not continuous)
S80: Work .9B 142
Alderson Rd. Nth. S2: Shef .3H 123
Aldervale Cl. S64: Swin .6C 78
Alderwood Cl. S66: Sunn .6G 96
Aldesworth Rd. DN4: Can .6H 65
Aldfield Way S5: Shef .3J 109
Aldham Cotts. S73: Womb .2C 58
Aldham Cres. S73: Womb .1A 58
Aldham Ho. La. S73: Womb .3B 58
Aldham Ind. Est. S73: Womb .2C 58
Aldham Vw. S73: Womb .3B 58
Aldine Ct. S1: Shef .3G 5
Aldous Cl. S26: Kiv P .8K 127
Aldous Way S26: Kiv P .8K 127
Aldred Cl. S21: Killa .2D 138
S66: Wick .8G 96
Aldred Ct. S65: Roth .8L 95
Aldred Rd. S10: Shef .7D 108
Aldred St. S65: Roth .8L 95
Aldrens Cl. S66: Mick .3B 98
Aldrin Way S66: Malt .7C 98
ALDWARKE .3A 96
Aldwarke La. S65: Ald .2N 95
Aldwarke Rd. S62: P'gte .2M 95
Aldwarke Ter. S62: P'gte .2N 95
Aleem Ct. *S66: Malt* .*8E 98*
(off High St.)
Alexander Dr. S81: Gate .2A 142
Alexander Gdns. S75: Cawt .4G 34
Alexander St. DN5: Bntly .7M 43
Alexandra S11: Shef .5E 122
Alexandra Cen. S62: P'gte .3M 95
Alexandra Cl. S61: Kimb .5E 94
Alexandra Gdns. S11: Shef .5E 122
Alexandra Rd. DN4: Balb .7M 63
DN5: Bntly .6M 43
DN6: Adw S .2H 43
DN8: Moore .6L 11
DN11: Birc .9L 101
S2: Shef .4J 123
S18: Dron .8J 135
S26: Swal .3B 126
S64: Mexb .1G 78
Alexandra St. DN8: Thorne .9K 11
S66: Malt .9F 98
Alexandra Ter. S71: Ard .8N 37
Alford Av. S35: Ough .6M 91
Alford Cl. S75: Barn .4C 36
Alfred Rd. DN6: Ask .2J 23
S9: Shef .5N 109
(not continuous)
Alfred St. S71: R'ton .5M 17
Algar Cl. S2: Shef .4M 123
Algar Cres. S2: Shef .4N 123
Algar Dr. S2: Shef .4M 123
Algar Pl. S2: Shef .4M 123
Algar Rd. S2: Shef .4M 123
Alhambra Shop. Cen.
S70: Barn .7G 36
Alice Rd. S61: Roth .6H 95
Alison Cl. S26: Swal .4C 126
Alison Cres. S2: Shef .2B 124
Alison Dr. S26: Swal .4C 126
Allan St. S65: Roth .7L 95
Allas La. S36: Bolst .1N 89
Allatt Cl. S70: Barn .8G 36
Alldred Cres. S64: Swin .5B 78
Allenby Cl. S8: Shef .3F 134
Allenby Cres. DN11: New R .6H 83
Allenby Dr. S8: Shef .3F 134
Allendale S70: Wors .2K 57
Allendale Ct. S70: Wors .2K 57
Allendale Dr. S74: Hoyl .1M 75
Allendale Gdns. DN5: Don .4K 63
Allendale Rd. DN5: Don .4K 63
S65: Roth .9B 96
S74: Hoyl .1L 75
S75: Barn .4F 36
S75: Kexb .9M 15
Allende Way S9: Shef .6B 110
Allen Gdns. S35: Eccl .4J 93
Allen Rd. S20: Beig .9M 125
Allen St. S3: Shef .1D 4 (8G 109)
S80: Work .7B 142
Allergill Pk. HD9: U'thng .3B 30
Allerton St. DN1: Don .3A 64
Allestree Dr. S18: Dron W .9D 134
All Hallowes Dr. DN11: Tick .6C 100
All Hallows Dr. S66: Malt .9C 98
Alliance St. S4: Shef .5L 109
Alliss Rd. DN3: Brant .7A 66
Allott Cl. S65: Rav .5J 97
WF9: Sth E .6E 20
Allott Cres. S74: Jum .8A 58
Allotts Ct. S70: Birdw .8F 56
Allott St. S74: Els .1A 76
S74: Hoyl .1J 75
All Saints Cl. DN5: Ark .6A 44
HD8: Clay W .6B 14
S63: Wath D .9L 59
S75: Silk .7J 35
All Saints Mdws. S25: Laugh C .9A 114
All Saints Sq. DN12: Den M .2M 79
S60: Roth .7K 95
All Saints Way S26: Aston .4D 126
Allsopp Dr. S81: Work .4C 142
Allsopps Yd. S74: Black H .6L 57
Allt St. S62: P'gte .1M 95
Alma Cres. S18: Dron .7H 135
Alma Rd. S35: High G .7E 74
S60: Roth .8K 95
Alma Row S60: Whis .3B 112
Alma St. S3: Shef .1E 4 (7H 109)
S70: Barn .7E 36
S73: Womb .5D 58
ALMHOLME .3C 44
Almholme La. DN5: Alm, Ark .5B 44
Almholme M. DN5: Ark .5B 44
Almond Av. DN3: Arm .9L 45
S72: Cud .1B 38
Almond Cl. S66: Malt .8C 98
WF9: Sth E .4F 20
Almond Cft. S73: Womb .6C 58
Almond Cft. Rd. DN8: Thorne .5H 27
Almond Dr. S21: Killa .5B 138
Almond Glade S66: Wick .1H 113
Almond Gro. S80: Work .9B 142
Almond Pl. S63: Wath D .1M 77
Almond Rd. DN4: Can .7J 65
Almond Tree Rd. S26: Wales .9F 126
Alms Hill Cres. S11: Shef .8A 122
Alms Hill Dr. S11: Shef .8A 122
Alms Hill Glade S11: Shef .8A 122
Alms Hill Rd. S11: Shef .8A 122
Alms Houses S60: Roth .8M 95
Almshouses S62: Wentw .4A 76
Alney Pl. S6: Shef .9E 92
Alnwick Dr. S12: Shef .6B 124
Alnwick Rd. S12: Shef .6A 124
Alperton Cl. S71: Lund .3N 37
Alpha Ct. DN8: Thorne .1H 27
Alpha Rd. S65: Roth .6A 96
Alpha St. DN5: Bntly .3K 43
Alpina Way S26: Swal .4B 126
Alpine Cl. S36: Stoc .5C 72
Alpine Ct. S80: Work .8N 141
WF9: Hems .1K 19
Alpine Cft. S36: Stoc .5C 72
Alpine Rd. S6: Shef .7E 108
S36: Stoc .5C 72
Alpine Vw. WF9: Hems .1K 19
Alport Av. S12: Shef .6E 124
Alport Dr. S12: Shef .6E 124
Alport Gro. S12: Shef .6E 124
Alport Pl. S12: Shef .7E 124
Alport Ri. S18: Dron W .8E 134
Alport Rd. S12: Shef .6E 124
Alric Dr. S60: Brins .3H 111
S71: Barn .7M 37
Alrich M. S36: Stoc .4B 72
Alsing Rd. S9: Shef .1C 110
Alston Cl. DN4: Bess .8G 65
S75: Silk .8H 35
Alston Rd. DN4: Bess .9G 64
Alton Cl. S11: Shef .9B 122
Alton Way S75: Mapp .8B 16
Alvaston Wlk. DN12: Den M .3M 79
ALVERLEY .3K 81
Alverley La. DN4: Balb .2L 81
Alverley Vw. DN11: A'ley .3L 81
Alverley Way S70: Birdw .9G 56
Alwyn Av. DN5: Scaws .9J 43
Alwyn Rd. DN8: Thorne .2L 27
Amalfi Cl. S73: D'fld .2F 58
Amanda Av. S81: Carl L .5C 130
Amanda Dr. DN7: Hat .1D 46
(not continuous)
Amanda Rd. DN11: H'worth .9J 101
Ambassador Gdns. DN3: Arm .2M 65
Amberley Ct. S9: Shef .5A 110
Amberley Ri. DN6: Skell .7D 22
Amberley St. S9: Shef .4A 110
Amberwood Dr. S71: Lund .5L 37
Ambler Ri. S26: Augh .2B 126
Ambleside Cl. S20: Half .4L 137
S60: Brins .4G 111
Ambleside Cres. DN5: Sprot .6E 62
Ambleside Grange S81: Work .2C 142
Ambleside Gro. S71: Ard .8A 38
Ambleside Wlk. S25: Nth A .5D 128
Ambrose Av. DN7: Hat .9E 26
Amen Corner S60: Roth .6J 95
(not continuous)
America La. S62: Wentw .5H 77
S63: Wath D .3J 77
Amersall Ct. DN5: Scawt .9J 43
Amersall Cres. DN5: Scawt .8J 43
Amersall Rd. DN5: Scawt .8J 43
Amherst Ri. S81: Gate .2A 142
Ami Ct. S62: P'gte .3L 95
Amory's Holt Cl. S66: Malt .6C 98
Amory's Holt Dr. S66: Malt .6C 98
Amory's Holt Rd. S66: Malt .6C 98
Amory's Holt Way S66: Malt .7B 98
Amos Rd. S9: Shef .2B 110
Amwell Grn. DN7: Dunsc .2C 46
Amy Rd. DN5: Bntly .5N 43
Anchorage Cres. DN5: Don .3L 63
Anchorage La. DN5: Don .2K 63
Anchor Cl. DN8: Thorne .2K 27
Ancient La. DN7: Hatf W .3G 46
Ancona Ri. S73: D'fld .1F 58
Ancote Cl. S75: Barn .7B 36
Anderson Dr. S62: Rawm .6K 77
Andover Dr. S3: Shef .6H 109
Andover St. S3: Shef .6H 109
Andrew La. S3: Shef .1H 5
Andrews Pl. S61: Roth .5G 95
Andwell La. S10: Shef .6G 121
Anelay Rd. DN4: Balb .8K 63
Anfield Rd. DN4: Can .8H 65
Angel La. S62: Wentw .6F 76
Angel St. S3: Shef .2G 5 (8J 109)
S63: Bolt D .6C 60
Angerford Av. S8: Shef .7H 123
Angleton Av. S2: Shef .3C 124
Angleton Cl. S2: Shef .3C 124
Angleton Gdns. S2: Shef .3C 124
Angleton Grn. S2: Shef .3C 124
Angleton M. S2: Shef .3C 124
Angram Rd. S35: High G .6E 74
Angram Vw. S35: High G .7E 74
Annan Cl. S75: Bar G .3A 36
Anna Rd. DN6: Ask .2K 23
Annat Pl. S35: High G .7D 74
Annat Royd La. S36: Ingb .8F 32
Anne Cres. S72: Sth H .4E 18
Annesley Cl. S8: Shef .3G 134
Annesley Rd. S8: Shef .2G 134
Anne St. S25: Din .9D 114
Annet La. S6: Low B .9B 90
Annie Senior Gdns. S63: Bolt D .5C 60
Anns Rd. S2: Shef .4H 123
Anns Rd. Nth. S2: Shef .4J 123
Ann St. S62: P'gte .2M 95
Ansdell Rd. DN5: Bntly .6M 43
Ansell Rd. S11: Shef .5B 122
Anson Cl. S81: Work .2B 142
Anson Gro. DN9: Auck .2B 84
S60: Brins .4K 111
Anson St. S2: Shef .3J 5 (9K 109)
Ansten Cres. DN4: Can .7H 65
Anston Av. S26: Kiv P .8K 127
S81: Work .5B 142
Anston Cl. S25: Nth A .5B 128
Anston Ct. S81: Work .5B 142
Anston Dr. WF9: Sth E .4F 20
Ansult Ct. DN5: Bntly .8L 43
Antrim Av. S10: Shef .1E 122
Anvil Cl. S6: Shef .6N 107
Anvil Cres. S35: Eccl .5J 93
Apley Rd. DN1: Don .5A 64
Apollo St. S62: Rawm .7A 78
Apostle Cl. DN4: Balb .9J 63
APPERKNOWLE .9A 136
Appleby Cl. S75: Dart .8A 16
Appleby Ct. S81: Work .2C 142
Appleby Pl. DN6: Skell .7D 22
Appleby Rd. DN2: Don .3F 64
Appleby Wlk. S25: Nth A .4D 128
Apple Fitness Gym
Worksop .7C 142
Applegarth Cl. S12: Shef .5A 124
Applegarth Dr. S12: Shef .5A 124
Apple Gro. DN9: Auck .2C 84
Applehaigh Ct. WF4: Nott .4H 17
Applehaigh Dr. DN3: Kirk Sa .3H 45
Applehaigh Gro. S71: R'ton .5H 17
Applehaigh La. WF4: Nott .2H 17
Applehaigh Vw. S71: R'ton .6H 17
Applehurst Bank S70: Barn .8J 37
Applehurst La. DN6: Thorpe B .9D 24
Appleton Cl. S65: Dalt .4C 96
Appleton Gdns. DN5: Scawt .9L 43
Appleton Way DN5: Scawt .8K 43
S70: Wors .2H 57
Apple Tree Cl. DN4: Bess .1K 83
S81: Woods .7J 129
Appletree Dr. S18: Dron .9H 135
Appletree Wlk. *S18: Dron* .*9J 135*
(off Appletree Dr.)
Applewood Cl. S81: Gate .2A 142
April Cl. S71: Monk B .4L 37
April Dr. S71: Monk B .4L 37
Apy Hill La. DN11: Tick, Wils .5M 99
Aqueduct St. S71: Barn .5G 36
Arbour Cres. S66: Thurc .6L 113
Arbour Dr. S66: Thurc .6L 113
Arbour La. S65: Rav .2K 97
ARBOURTHORNE .4L 123
Arbourthorne S2: Shef .2M 123
Arbourthorne Cotts. S2: Shef .3L 123
Arbourthorne Est. S2: Shef .5M 123
Arbourthorne Rd. S2: Shef .4L 123
Arbourthorne Road Stop (ST) .4L 123
Arcade, The S9: Shef .1C 110
S70: Barn .7G 36
S81: Carl L .5C 130
Archdale Cl. S2: Shef .3B 124
Archdale Pl. S2: Shef .3A 124
Archdale Rd. S2: Shef .2A 124
Archer Dr. S8: Shef .8E 122
(not continuous)
Archer Ga. S6: Lox .3M 107
Archer Ho. *S65: Roth* .*6L 95*
(off Wharncliffe Hill)
Archer La. S7: Shef .6E 122
Archer M. S8: Shef .7F 122
Archer Rd. S8: Shef .8E 122
Archers Way DN12: Con .4C 80
S60: Tree .9M 111
Archery Cl. S66: Wick .1G 113
Archibald Rd. S7: Shef .5F 122
Archway Cen. S1: Shef .4H 5 (9J 109)
Archways S1: Shef .6G 5
Arcon Pl. S62: Rawm .8N 77
Arcubus Av. S26: Swal .3C 126
Ardeen Rd. DN2: Don .3D 64
Arden Ga. DN4: Balb .2K 81
Ardmore St. S9: Shef .7A 110
Ardron Wlk. S62: Rawm .8A 78
ARDSLEY .8A 38
Ardsley Av. S26: Aston .4D 126
Ardsley Cl. S20: Mosb .9F 124
Ardsley Dr. S20: Mosb .9F 124
Ardsley Gro. S20: Mosb .9F 124
Ardsley M. S71: Ard .8A 38
Ardsley Rd. S70: Wors .2K 57
Arena Ct. S9: Shef .4B 110
Arena Stop (ST) .5B 110
Argosy Cl. DN10: Baw .5B 102
Argyle Cl. S8: Shef .6J 123
Argyle La. DN11: New R .5H 83
Argyle Rd. S8: Shef .6H 123
Argyle St. S64: Mexb .1F 78
Argyll Av. DN2: Don .2E 64
Arklow Rd. DN2: Don .3D 64
ARKSEY .6A 44
Arksey Comn. La. DN5: Alm, Ark .6B 44
Arksey La. DN5: Bntly .7M 43
Arkwright Rd. DN5: Don .2K 63
Arley Cl. HD9: N'thng .1D 30
Arley St. S2: Shef .7E 4 (2H 123)
(not continuous)
Arlington Av. S26: Aston .3E 126
Arlott Way DN12: New E .3G 80
Armer St. S60: Roth .7J 95
Armistead Av. S60: Brins .4J 111
Armitage Bldgs. *S36: Pen* .*4M 53*
(off Stottercliffe Rd.)
Armitage Rd. DN4: Balb .8K 63
S36: Spink .6F 72
Armroyd La. S74: Els, Hoyl .2M 75
Arms Pk. Dr. S20: Half .4M 137
Armstead Rd. S20: Beig .8N 125
Armstrong Wlk. S66: Malt .7C 98
ARMTHORPE .1K 65
Armthorpe Ent. Cen. DN3: Arm .9N 45
Armthorpe La. DN2: Don .2D 64
DN3: Barn D, Kirk Sa .3K 45
Armthorpe Leisure Cen. .1K 65
Armthorpe Rd. DN2: Don .2D 64
S11: Shef .3A 122
Armyne Gro. S71: Barn .7M 37
Army Row S71: R'ton .5L 17
Armytage Wlk.
WF9: Sth K .6B 20
Arncliffe Dr. S35: Chap .8G 75
S70: Barn .7C 36
Arndale Gro. HD9: Holm .4F 30
Arndale Pct. S66: Malt .8E 98
Arnold Av. S12: Shef .9A 124
S71: Ath .1G 37
Arnold Cres. S64: Mexb .9F 60
Arnold Rd. S65: Roth .7A 96
Arnold St. S6: Shef .5D 108
Arnside Rd. S8: Shef .6F 122
S66: Malt .7E 98
Arnside Ter. S8: Shef .6F 122
Arran Hill S65: Thry .2E 96
Arran Rd. S10: Shef .9C 108
Arras St. S9: Shef .7N 109
Arren Cl. DN3: Barn D .9J 25
Arrowsmith Ho. *S65: Roth* .*6L 95*
(off Wharncliffe Hill)
ARRUNDEN .7D 30
Arrunden Ct. HD9: Holm .5F 30
Arrunden La. HD9: Holm .7D 30
Arrunden Wood Nook
HD9: Holm .6D 30
Arthington St. S8: Shef .5H 123
Arthur Av. DN5: Bntly .6M 43
Arthur Pl. DN5: Bntly .6M 43
Arthur Rd. S36: Stoc .5C 72

Arthur St.—Back La.

Arthur St. DN5: Bntly . . . 6N 43
S26: Swal . . . 4C 126
S60: Roth . . . 6J 95
S62: Rawm . . . 7N 77
S70: Wors . . . 2H 57
Artisan Vw. S8: Shef . . . 5H 123
Arundel Av. S60: Tree . . . 8L 111
S65: Dalt . . . 4C 96
Arundel Bus. Pk. S6: Shef . . . 9C 92
Arundel Cl. S18: Dron W . . . 9E 134
Arundel Cotts. S60: Tree . . . 8L 111
Arundel Ct. S11: Shef . . . 7A 122
Arundel Cres. S60: Tree . . . 8L 111
Arundel Dr. S81: Carl L . . . 5C 130
Arundel Gdns. DN5: Scawt . . . 8K 43
S71: R'ton . . . 5K 17
Arundel Gate S1: Shef . . . 5F 5 (1H 123)
Arundel La. S1: Shef . . . 5G 5 (1J 123)
Arundell Dr. S71: Lund . . . 3N 37
Arundel Rd. DN6: Nort . . . 7H 7
S35: Chap . . . 8H 75
S60: Tree . . . 8L 111
S65: Roth . . . 8M 95
Arundel St. DN7: Stainf . . . 6A 26
S1: Shef . . . 6F 5 (1H 123)
S60: Tree . . . 8L 111
Arundel Vw. S74: Jum . . . 8A 58
Arundel Wlk. DN11: Birc . . . 8L 101
Ascension Cl. S66: Malt . . . 9F 98
Ascension M. *S66: Malt* . . . *9E 98*
(off Firth Cres.)
Ascot Av. DN4: Can . . . 6G 64
Ascot Cl. S64: Mexb . . . 9G 61
Ascot Dr. DN5: Scaws . . . 1H 63
S25: Laugh C . . . 1A 128
Ascot St. S2: Shef . . . 7E 4 (2H 123)
Ashberry Cl. S63: Thurn . . . 8C 40
Ashberry Gdns. S6: Shef . . . 1A 4 (7E 108)
Ashberry Rd. S6: Shef . . . 1A 4 (7E 108)
Ashbourne Gro. S13: Shef . . . 2F 124
S35: Ough . . . 7N 91
Ashbourne Rd. S13: Shef . . . 2F 124
S71: Ath . . . 1H 37
Ashbourne Way S60: Wav . . . 9H 111
Ashburnham Cl. DN6: Nort . . . 7J 7
Ashburnham Gdns. DN5: Don . . . 4J 63
Ashburnham Rd. DN8: Thorne . . . 2J 27
Ashburnham Wlk. DN6: Nort . . . 7J 7
Ashburton Cl. DN6: Adw S . . . 2E 42
Ashbury Dr. S8: Shef . . . 9K 123
Ashbury La. S8: Shef . . . 9K 123
Ashby Ct. S70: Barn . . . 8E 36
Ashby Dr. S26: Kiv P . . . 9H 127
Ash Carr La. DN6: Moss . . . 2G 25
Ash Cl. S21: Killa . . . 5B 138
S65: Roth . . . 9C 96
S80: Work . . . 9B 142
Ash Cotts. S73: Womb . . . 1B 58
Ash Ct. DN5: Sprot . . . 6H 63
HD9: H'bri . . . 5B 30
S66: Malt . . . 7B 98
Ashcourt Dr. DN4: Balb . . . 2M 81
Ash Cres. S21: Ecki . . . 8H 137
S36: Spink . . . 5F 72
S64: Mexb . . . 9E 60
ASHCROFT . . . 6N 75
Ashcroft Cl. DN12: New E . . . 5E 80
Ashdale Cl. DN3: Eden . . . 7J 45
Ash Dale Rd. DN4: Warm . . . 2F 80
Ashdell S10: Shef . . . 1D 122
Ashdell La. S10: Shef . . . 1D 122
Ashdell Rd. S10: Shef . . . 1D 122
Ashdene Ct. S64: Swin . . . 6C 78
Ashdown Gdns. S20: Sot . . . 8N 125
Ashdown Pl. DN5: Scawt . . . 8K 43
Ash Dyke Cl. S75: Kexb . . . 1M 35
Asher Rd. S7: Shef . . . 3G 123
Ashes La. S62: Wentw . . . 6N 75
Ashes Pk. Av.
S81: Gate, Work . . . 2A 142
Ashfield Av. DN8: Thorne . . . 3J 27
Ashfield Cl. DN3: Arm . . . 2M 65
S12: Shef . . . 7N 123
S36: Pen . . . 5N 53
S75: Barn . . . 5D 36
Ashfield Ct. DN17: Crow . . . 9N 29
S70: Barn . . . 8L 37
Ashfield Dr. S12: Shef . . . 7N 123
Ashfield Gro. DN7: Stainf . . . 5B 26
Ashfield Ho. WF9: Hems . . . 3K 19
Ashfield Rd. DN4: Balb . . . 9L 63
DN7: Dunsc . . . 1B 46
DN8: Thorne . . . 4G 27
S36: Spink . . . 5F 72
WF9: Hems . . . 4K 19
Ash Flds. Rd. DN3: Barn D . . . 9E 24
DN5: Bntly . . . 9D 24
Ashfield Way S66: Sunn . . . 6G 96
Ashford Cl. S18: Dron W . . . 9E 134
Ashford Ct. S13: Wav . . . 9H 111
S71: R'ton . . . 4K 17
Ashford Rd. S11: Shef . . . 3E 122
S18: Dron W . . . 9E 134
Ashfurlong Cl. S17: Dore . . . 3A 134
Ashfurlong Dr. S17: Dore . . . 3A 134
Ashfurlong Pk. S17: Dore . . . 3A 134
Ashfurlong Rd. S17: Dore . . . 3N 133
Ashgate Cl. S10: Shef . . . 1D 122
Ashgate La. S10: Shef . . . 1D 122
Ashgate Rd. S10: Shef . . . 1D 122
Ash Gro. DN3: Arm . . . 9M 45
DN9: Auck . . . 2D 84
DN12: Con . . . 5M 79
S10: Shef . . . 1E 122
S26: Kiv P . . . 8H 127
S62: Rawm . . . 9N 77
S66: Malt . . . 7F 98
S66: Wick . . . 8H 97
S70: Barn . . . 9L 37
WF9: Sth E . . . 5F 20
Ash Gro. Ho. WF9: Sth E . . . 5F 20
Ashgrove Rd. HD9: U'thng . . . 3C 30
Ash Hill Cres. DN7: Hat . . . 9D 26
Ash Hill Rd. DN7: Hat . . . 1D 46
DN14: Syke . . . 5K 9
Ash Holt Dr. S81: Work . . . 2C 142
Ash-Holt Ind. Est. DN9: Finn . . . 1K 85
Ash Ho. La. S17: Dore . . . 1M 133
Ashland Ct. S7: Shef . . . 5F 122
Ashland Rd. S7: Shef . . . 5F 122
S21: Ecki . . . 7L 137
Ash La. HD8: Eml'y . . . 3A 14
S18: App, Coal A . . . 7N 135
S21: West H . . . 9C 136
S36: Spink . . . 5G 72
Ashlea S63: Thurn . . . 8D 40
Ashleigh S72: Brier . . . 6G 19
Ashleigh Av. S12: Shef . . . 6N 123
Ashleigh Ct. S21: Ecki . . . 9J 137
Ashleigh Cft. S12: Shef . . . 6N 123
Ashleigh Dr. S12: Shef . . . 6N 123
Ashleigh Gdns. S61: Grea . . . 3H 95
Ashleigh Pl. S12: Shef . . . 6N 123
Ashleigh Va. S70: Barn . . . 8K 37
Ashley Cl. S21: Killa . . . 4C 138
Ashley Ct. DN9: Finn . . . 3G 85
S81: Work . . . 5C 142
WF9: Sth K . . . 8M 19
Ashley Cft. S71: R'ton . . . 5J 17
Ashley Gro. S26: Aston . . . 4C 126
Ashley Ind. Est. S60: Roth . . . 6K 95
Ashley La. S21: Killa . . . 4C 138
Ashley Rd. S81: Work . . . 4B 142
Ashley Ter. S80: Work . . . 6C 142
Ashmore Av. S21: Ecki . . . 8H 137
Ash Mt. S62: Rawm . . . 9M 77
S65: Roth . . . *7L 95*
(off Doncaster Gate)
S72: Shaft . . . 6C 18
Ashmount S6: Shef . . . 8D 92
ASHOPTON . . . 1C 118
Ashopton Dr. S33: Bamf . . . 7E 118
Ashopton Rd. S33: Bamf . . . 5D 118
Ashover Cl. S70: Wors . . . 3H 57
Ashover Cft. *S60: Wav* . . . *8H 111*
(off Stephenson Way)
Ashpool Cl. S13: Shef . . . 5G 124
Ashpool Fold S13: Shef . . . 5G 124
Ash Ridge S64: Swin . . . 4C 78
Ash Rd. DN6: Skell . . . 7F 22
S63: Wath D . . . 1N 77
S72: Shaft . . . 7D 18
Ash Row S71: Barn . . . 7K 37
Ashroyds Bus. Pk. S74: Hoyl . . . 8L 57
Ashroyds Way S74: Hoyl . . . 8L 57
Ash St. S6: Shef . . . 6F 108
S20: Mosb . . . 2J 137
S73: Womb . . . 1A 58
Ashton Av. DN5: Scawt . . . 7H 43
Ashton Cl. S21: Killa . . . 4B 138
Ashton Dr. DN3: Kirk Sa . . . 4H 45
Ashton La. S66: B'well . . . 4C 98
Ash Tree Av. DN10: Baw . . . 6B 102
Ash Tree Ct. *S9: Shef* . . . *9B 94*
(off Eccles St.)
Ashtree Gdns. S36: Mill G . . . 4H 53
Ash Tree Rd.
DN8: Thorne . . . 3K 27
Ashurst Cl. S6: Shef . . . 6N 107
Ashurst Dr. S6: Shef . . . 5N 107
Ashurst Pl. S6: Shef . . . 6N 107
Ashurst Rd. S6: Shef . . . 5N 107
Ash Vw. S35: Chap . . . 1G 92
S61: Grea . . . 2J 95
Ashville DN11: New R . . . 6K 83
Ashville Ct. S70: Stair . . . 8L 37
Ashwell Cl. S72: Shaft . . . 6C 18
Ashwell Gro. S65: Roth . . . 5A 96
Ashwell Rd. S13: Shef . . . 5G 124
Ashwood Cl. DN3: Brant . . . 7M 65
S35: High G . . . 6D 74
S70: Wors . . . 3J 57
Ashwood Grn. WF4: Hav . . . 1B 18
Ashwood Gro. S72: Gt H . . . 5K 39
Ashwood Ho. DN6: Adw S . . . 3G 42
Ashwood Rd. S35: High G . . . 7D 74
S62: P'gte . . . 1M 95
S80: Work . . . 8M 141
Ashworth Dr. S61: Kimb P . . . 3D 94
Askam Ct. S66: Bram . . . 7J 97
Askam Rd. S66: Bram . . . 7J 97
ASKERN . . . 1L 23
ASKERN FIELD . . . 3K 23
Askern Grange La.
DN6: Ask . . . 1N 23
Askern Greyhound Stadium . . . 8K 7
Askern Ho. *DN1: Don* . . . *5N 63*
(off Oxford Pl.)
Askern Ind. Est. DN6: Ask . . . 1N 23
Askern Leisure Cen. . . . 1J 23
Askern Rd. DN5: Bntly . . . 4L 43
DN5: Holme . . . 9H 23
DN6: Carc . . . 9H 23
Askew Ct. S36: Stoc . . . 6E 72
Askham Gro. WF9: Upton . . . 2K 21
Askrigg Cl. DN4: Can . . . 8J 65
Asline Rd. S2: Shef . . . 3H 123
Aspen Cl. DN3: Eden . . . 7J 45
S21: Killa . . . 4B 138
Aspen Gdns. *S70: Wors* . . . *1J 57*
(off Underwood Av.)
Aspen Gro. S73: D'fld . . . 3G 58
Aspen Rd. S21: Ecki . . . 9H 137
Aspen Wlk. S66: Malt . . . 8A 98
Aspen Way S60: Roth . . . 8H 95
S64: Swin . . . 6B 78
Asquith Rd. DN5: Bntly . . . 7M 43
S9: Shef . . . 9B 94
Assembley Way S70: Barn . . . 9D 36
Assenthorpe Grn. DN14: Syke . . . 6M 9
Astcote Ct. DN3: Kirk Sa . . . 4H 45
Aster Cl. S20: Beig . . . 8M 125
S25: Sth A . . . 7B 128
ASTON
S26 . . . 4E 126
S33 . . . 7A 118
Aston By-Pass S13: Shef . . . 3N 125
S26: Aston, Swal . . . 5B 126
Aston Chase WF9: Hems . . . 3K 19
Aston Cl. S18: Dron . . . 7K 135
S26: Swal . . . 2C 126
ASTON COMMON . . . 5C 126
Aston Comn. S26: Aston . . . 4G 126
Aston-cum-Aughton Leisure Cen. . . . 3A 126
Aston Dr. S71: Ath . . . 2H 37
Aston Forge Ct. S26: Aston . . . 4E 126
Aston Grn. DN7: Dunsc . . . 2C 46
Aston La. S26: Augh . . . 1C 126
S33: Aston, Hope . . . 7A 118
Aston St. S2: Shef . . . 8L 109
Aston Towers S18: Coal A . . . 7K 135
Astoria Cl. S63: Gol . . . 2F 60
Astrams Ct. S70: Barn . . . 7E 36
Astwell Gdns. S35: Chap . . . 8F 74
Atebanks Ct. DN4: Balb . . . 2M 81
Athelstan Cl. S13: Shef . . . 2E 124
Athelstane Cres. DN3: Eden . . . 5J 45
Athelstane Dr. S66: Thurc . . . 7K 113
Athelstane Rd. DN12: Con . . . 4N 79
Athelstan Rd. S13: Shef . . . 2E 124
S80: Work . . . 9C 142
Athersley Cres. S71: Ath . . . 2H 37
Athersley Gdns. S20: Mosb . . . 9G 125
ATHERSLEY NORTH . . . 9G 16
Athersley Rd. S71: Ath . . . 2H 37
ATHERSLEY SOUTH . . . 2H 37
Atherton Cl. S2: Shef . . . 5N 123
Atherton Rd. S2: Shef . . . 5N 123
Atholl Cres. DN2: Don . . . 2F 64
Athol Rd. S8: Shef . . . 7F 122
Athorpe Gro. S25: Din . . . 2C 128
Athorpe Rd. S25: Din . . . 2C 128
Athron Dr. S65: Roth . . . 9B 96
Athron Ind. Est. *DN1: Don* . . . *3B 64*
(off Athron St.)
Athron St. DN1: Don . . . 3B 64
Atkin Pl. S2: Shef . . . 3H 123
Atlantic Cres. S8: Shef . . . 4F 134
Atlantic Dr. S8: Shef . . . 4F 134
Atlantic Rd. S8: Shef . . . 4E 134
Atlantic Wlk. S8: Shef . . . 4F 134
Atlantic Way S8: Shef . . . 4F 134
ATLAS . . . 6L 109
Atlas St. S4: Shef . . . 6L 109
S60: Brins . . . 3J 111
Atlas Way S4: Shef . . . 5M 109
Atlee Cl. S66: Malt . . . 9F 98
Atrium S20: Water . . . 9L 125
Atterby Dr. DN11: Ross . . . 4K 83
ATTERCLIFFE . . . 6N 109
Attercliffe Comn. S9: Shef . . . 5A 110
Attercliffe Rd. S4: Shef . . . 7L 109
S9: Shef . . . 7L 109
Attercliffe Stop (ST) . . . 6N 109
Attlee Av. DN11: New R . . . 5G 83
WF4: Hav . . . 1C 18
Attlee Cres. S73: D'fld . . . 2J 59
Attorney Ct. HD9: Holm . . . 5F 30
Aubretia Av. S60: Brins . . . 5K 111
Aubrey Senior Way S61: Kimb . . . 6E 94
Auburn Rd. DN12: New E . . . 4F 80
Auckland Av. S6: Lox . . . 4N 107
Auckland Dr. S20: Half . . . 4K 137
Auckland Gro. DN8: Moore . . . 7N 11
Auckland Ri. S20: Half . . . 4L 137
Auckland Rd. DN2: Don . . . 2B 64
S64: Mexb . . . 1G 78
Auckland Way S20: Half . . . 4L 137
AUCKLEY . . . 8C 66
Audrey Rd. S13: Shef . . . 4C 124
AUGHTON . . . 2B 126
Aughton Av. S26: Augh . . . 2B 126
Aughton Cl. S13: Shef . . . 4D 124
Aughton Cres. S13: Shef . . . 3C 124
Aughton Dr. S13: Shef . . . 3C 124
Aughton La. S26: Aston . . . 3D 126
Aughton Rd. S26: Augh, Swal . . . 3B 126
Augustus Rd. S60: Brins . . . 2J 111
Aukley Rd. S8: Shef . . . 6G 122
Aunby Dr. S26: Swal . . . 3C 126
Austen Av. DN4: Balb . . . 9J 63
Austen Dr. S66: Bram . . . 8K 97
AUSTERFIELD . . . 3E 102
Austerfield Av. DN5: Don . . . 9L 43
Austin Cl. S6: Lox . . . 4N 107
Austin Ct. S6: Lox . . . 3N 107
Austwick Cl. DN4: Balb . . . 2K 81
S75: Mapp . . . 7B 16
Austwick Wlk. S70: Barn . . . 6E 36
Austwood La. S66: B'well . . . 3E 98
Autumn Cl. S66: Thurc . . . 6M 113
S71: R'ton . . . 6J 17
Autumn Dr. S66: Malt . . . 7E 98
Ava Ct. DN3: Brant . . . 7N 65
Avalon Ri. WF9: Sth E . . . 7F 20
Aven Ind. Pk. S66: Malt . . . 8K 99
Avenue, The DN4: Bess . . . 5F 64
DN5: Bntly . . . 5N 43
DN5: Harl . . . 5G 61
DN6: Ask . . . 2K 23
DN6: Camp . . . 9G 7
DN8: Moore . . . 6L 11
S9: Shef . . . 8C 110
S18: Dron . . . 8J 135
S20: Beig . . . 7M 125
S21: Spink . . . 8C 138
S35: Wort . . . 3M 73
S66: Carr . . . 3A 114
S66: Stain . . . 5J 99
S71: R'ton . . . 5M 17
S75: Pil . . . 9E 56
WF4: W Brett . . . 3G 15
Avenue Ct. S10: Shef . . . 3B 122
Avenue Lodeve WF9: Sth K . . . 5N 19
Avenue Rd. DN2: Don . . . 2B 64
DN6: Ask . . . 1K 23
S7: Shef . . . 5G 122
S63: Wath D . . . 1N 77
Aviemore Rd. DN4: Balb . . . 9J 63
Avill Way S66: Wick . . . 1G 112
Avisford Dr. S5: Shef . . . 1E 108
Avisford Rd. S5: Shef . . . 9E 92
Avoca Av. DN2: Don . . . 3D 64
Avocet Cl. S64: Mexb . . . 9K 61
Avocet Gro. S81: Gate . . . 4N 141
Avocet Way S61: Thorpe H . . . 8N 75
Avon Cl. S18: Dron . . . 7J 135
S66: Malt . . . 7D 98
S73: Womb . . . 6F 58
S75: High'm . . . 5N 35
Avon Ct. DN9: Auck . . . 8C 66
Avondale Dr. S71: Car . . . 8K 17
Avondale Rd. DN2: Don . . . 4D 64
S6: Shef . . . 4C 108
S61: Roth . . . 6G 95
Avon Gro. S35: Chap . . . 8F 74
Avon Mt. S61: Roth . . . 6G 95
Avon St. S71: Barn . . . 7H 37
Avon Way S81: Work . . . 3B 142
Awesome Walls Climbing Cen. . . . 5L 109
Axe Edge Cl. S5: Shef . . . 6H 93
Axholme Av. DN17: Crow . . . 4N 29
Axholme Ct. DN2: Don . . . 2C 64
Axholme Grn. DN8: Thorne . . . 3L 27
Axholme Rd. DN2: Don . . . 2B 64
Axle La. S25: Sth A . . . 7N 127
Axle Moor Rd. DN7: Fish . . . 9N 9
Aylesbury Ct. S9: Shef . . . 9B 94
Aylesbury Cres. S9: Shef . . . 1B 110
Aylesbury Rd. DN2: Don . . . 3E 64
Aylesford Cl. S71: Barn . . . 5G 36
Aylsham Dr. S26: Aston . . . 4D 126
Aylward Cl. S2: Shef . . . 4N 123
Aylward Rd. S2: Shef . . . 4N 123
Aymer Dr. S66: Thurc . . . 6K 113
Ayots Grn. DN7: Dunsc . . . 2C 46
Ayrsome Wlk. DN4: Can . . . 7H 65
Aysgarth Av. S71: Ard . . . 8B 38
Aysgarth Cl. DN4: Can . . . 8J 65
Aysgarth Ri. S26: Swal . . . 3B 126
Aysgarth Rd. S6: Shef . . . 9D 92
Ayton Vw. S35: Cran M . . . 8L 55
Ayton Wlk. DN5: Bntly . . . 6L 43
Azalea Cl. S25: Sth A . . . 8B 128

B

Babbage Way S80: Work . . . 6B 142
Babington Cl. S2: Shef . . . 4N 123
Babington Ct. S2: Shef . . . 4N 123
Babur Rd. S4: Shef . . . 6L 109
Back Fld. La. DN7: Hat . . . 1E 46
Backfield Ri. S35: Chap . . . 8H 75
Backfields S1: Shef . . . 4E 4 (9H 109)
Backhouse La. WF4: Wool . . . 2A 16
Back La. DN4: Warm . . . 2J 81
DN5: Clay . . . 4A 40
DN5: Cus . . . 2F 62
DN5: Hoot P . . . 4J 41
DN6: Camp . . . 1G 22
DN6: Moss . . . 3C 24
DN6: Nort . . . 7F 6
(not continuous)
DN7: Stainf . . . 5A 26
DN8: Thorne . . . 2L 27
DN9: Blax . . . 1F 84
DN10: Miss . . . 3K 103
DN12: Old E . . . 7E 80
HD8: Clay W . . . 6B 14

Basford Cl.—Bentley Rise

Basford Cl. S9: Shef 7B **110**
Basford Dr. S9: Shef 7B **110**
Basford M. S9: Shef 7C **110**
Basford Pl. S9: Shef 7B **110**
Basford St. S9: Shef 7B **110**
Basil Av. DN3: Arm 9H **45**
Basildon Rd. S63: Thurn 7B **40**
Basil Griffith Ct. *S3: Shef 4J* ***109***
(off Orphanage Rd)
Baslow Cres. S75: Dod 9N **35**
Baslow Pl. S60: Wav 8H **111**
Baslow Rd. S17: Tot 7K **133**
S71: Ath 1J **37**
Bassett La. S10: Shef 5G **120**
Bassett Pl. S2: Shef 1L **123**
Bassett Rd. S2: Shef 1M **123**
Bassey Rd. DN3: Brant 7A **66**
Bassingthorpe La. S61: Grea 3H **95**
Bassledene Ct. S2: Shef 3A **124**
Bassledene Rd. S2: Shef 3A **124**
Bass Ter. DN1: Don 4B **64**
Bastock Rd. S6: Shef 3E **108**
Bate La. DN14: Syke 3K **9**
Bateman Cl. S72: Cud 7B **18**
Bateman Rd. S66: Hel 9M **97**
(not continuous)
Bateman Sq. S63: Thurn 8B **40**
BATEMOOR 4H **135**
Batemoor Cl. S8: Shef 4H **135**
Batemoor Dr. S8: Shef 4H **135**
Batemoor Pl. S8: Shef 4H **135**
Batemoor Rd. S8: Shef 4H **135**
Batemoor Wlk. *S8: Shef 4H* ***135***
(off Batemoor Rd.)
Batesquire S20: Beig 9M **125**
Bates St. S10: Shef 7D **108**
Bath St. S1: Shef 6C **4** (1G **122**)
Battison La. S63: Wath D 2K **77**
Battle Cl. DN7: Lind 8J **47**
Batt St. S8: Shef 3H **123**
Batty Av. S72: Cud 2A **38**
Batworth Dr. S5: Shef 4H **109**
Batworth Rd. S5: Shef 4H **109**
Baulk, The S81: Work 5C **142**
Baulk Farm Cl. S61: Grea 1H **95**
Baulk La. DN11: H'worth 8J **101**
S32: Hath 9K **119**
S81: Work 5B **142**
(not continuous)
BAWTRY 6C **102**
Bawtry Cl. DN11: H'worth 9J **101**
Bawtry Ga. S9: Tins 2E **110**
Bawtry Golf Course 9F **84**
Bawtry Paintball & Laser Fields 1A **102**
Bawtry Rd. DN4: Bess, Don 5E **64**
DN7: Hatf W 9H **47**
DN9: Finn 3H **85**
DN10: Aust 5E **102**
DN10: Ever, Scaf 9F **102**
DN10: Miss, N'tn 4G **102**
DN10: Ser 6K **117**
DN11: Birc, H'worth 9J **101**
DN11: H'worth, Tick 6F **100**
S9: Tins 2E **110**
S60: Brins 3G **110**
S65: Roth 9D **96**
S66: Bram, Wick, Hel 9D **96**
S81: Bly, Ser 6K **117**
Baxter Av. DN1: Don 3B **64**
Baxter Cl. S6: Shef 9D **92**
S26: Swal 4N **125**
Baxter Ct. DN1: Don 3B **64**
Baxter Dr. S6: Shef 9D **92**
Baxter Ga. DN1: Don 4N **63**
Baxter M. S6: Shef 9D **92**
Baxter Rd. S6: Shef 9D **92**
Bayardo Wlk. DN11: New R 7J **83**
Baycliff Cl. S71: Monk B 2L **37**
Bay Ct. S21: Killa 5B **138**
Bayfield Cl. HD9: Hade E 8F **30**
Bayford Way S73: Womb 4F **58**
Baylee St. WF9: Hems 3L **19**
Baysdale Cft. S20: Mosb 3K **137**
Bay Tree Av. S66: Flan 7G **97**
Baytree Gro. DN9: Auck 2B **84**
Bazley Rd. S2: Shef 5N **123**
Beacon Cl. S9: Shef 2N **109**
S75: Silk C 1J **55**
Beacon Ct. S75: Silk C 2J **55**
Beacon Cft. S9: Shef 2N **109**
Beacon Dr. WF9: Upton 1F **20**
Beaconfield Rd. WF9: Bads 1F **20**
Beacon Hill S75: Silk C 1J **55**
WF9: Upton 1F **20**
Beacon Ho. WF9: Upton 1F **20**
Beacon La. S66: Clftn 9B **80**
Beacon Rd. S9: Shef 2N **109**
Beaconsfield Rd. DN4: Hex 6L **63**
S60: Roth 1N **111**
Beaconsfield St. S64: Mexb 1E **78**
S70: Barn 8F **36**
Beacon Sq. S66: Clftn 9C **80**
Beacon Vw. S74: Els 1A **76**
WF9: Sth K 6B **20**
WF9: Upton 1F **20**
Beacon Way S9: Shef 2N **109**
Beale Way S62: P'gte 3M **95**
Beamshaw WF9: Sth K 8A **20**
BEAMSHAW RDBT. 4M **19**
Bean Av. S80: Work 7E **142**
Beancroft Cl. DN11: Wad 7N **81**
BEARSWOOD GREEN 1J **47**
Bearswood Gro. DN7: Hat 9K **27**
Bear Tree Cl. S62: P'gte 1M **95**
Bear Tree Rd. S62: P'gte 1M **95**
Bear Tree St. S62: P'gte 2M **95**
Beauchamp Rd. S61: Kimb P 4F **94**
BEAUCHIEF 2D **134**
Beauchief S8: Shef 2C **134**
Beauchief Abbey La. S8: Shef 1D **134**
Beauchief Abbey (remains of) 2D **134**
Beauchief Cl. S36: Spink 6H **73**
Beauchief Ct. S8: Shef 9F **122**
Beauchief Dr. S8: Shef 3D **134**
S17: Bradw 3D **134**
Beauchief Golf Course 1C **134**
Beauchief Ri. S8: Shef 1D **134**
Beaufont Gdns. DN10: Baw 6B **102**
Beauford Ho. S33: Bamf 8D **118**
Beaufort Rd. DN2: Don 3E **64**
S10: Shef 9E **108**
Beaufort Way S81: Work 2B **142**
Beaulieu Cl. S75: Mapp 9D **16**
Beaulieu Vw. S75: Mapp 9D **16**
Beaumond Cl. S71: Smi 3J **37**
Beaumont Av. DN6: Woodl 2D **42**
S2: Shef 1A **124**
S70: Barn 7C **36**
WF9: Sth E 6E **20**
Beaumont Cl. S2: Shef 1B **124**
Beaumont Cres. S2: Shef 1A **124**
Beaumont Dr. S65: Roth 8A **96**
S75: Haigh 3H **15**
WF4: W Brett 2G **15**
(not continuous)
Beaumont M. S2: Shef 2B **124**
Beaumont Ri. S80: Work 7A **142**
Beaumont Rd. S75: Kexb 1L **35**
Beaumont Rd. Nth. S2: Shef 1A **124**
Beaumont St. S74: Hoyl 1J **75**
Beaumont Way S2: Shef 1A **124**
Beaver Av. S13: Shef 3H **125**
Beaver Cl. S13: Shef 3H **125**
Beaver Dr. S13: Shef 3H **125**
BEAVER HILL 3H **125**
Beaver Hill Rd. S13: Shef 3H **125**
Beaver Pl. S80: Work 7C **142**
Beccles Way S66: Bram 8K **97**
Beck Cl. S5: Shef 6M **93**
S64: Swin 5C **78**
Beck Cft. S74: Hoyl 2K **75**
Becket Av. S8: Shef 4E **134**
Becket Cres. S8: Shef 4F **134**
S61: Kimb P 3D **94**
Becket Rd. S8: Shef 4F **134**
Beckett Av. S81: Carl L 4C **130**
Beckett Hospital Ter. *S70: Barn 8G* ***37***
(off Dobie St.)
Beckett Rd. DN2: Don 2B **64**
Beckett St. S71: Barn 6G **37**
Becket Wlk. S8: Shef 4E **134**
Beckfield Gro. S63: Bolt D 4A **60**
Beckfield Ri. DN9: Auck 3B **84**
Beckford La. S5: Shef 5L **93**
Becknoll Rd. S73: Bramp 7G **59**
Beck Ri. WF9: Hems 2K **19**
Beck Rd. S5: Shef 6L **93**
Beckside S75: Cawt 4G **34**
Beckton Av. S20: Water 9L **125**
Beckton Ct. S20: Water 9M **125**
Beckton Gro. S20: Water 9L **125**
Beck Vw. WF4: Nott 3H **17**
Beckwith Gro. S66: Thurc 7L **113**
Beckwith Rd. S65: Roth 6C **96**
Bedale S81: Work 2D **142**
Bedale Cl. S26: Swal 4B **126**
Bedale Ct. S60: Roth 9M **95**
Bedale Rd. DN5: Scaws 9H **43**
S7: Shef 5G **122**
Bedale Wlk. S72: Shaft 6C **18**
Bedding Edge Rd. HD9: Hep 1K **51**
Bedford Cl. S25: Nth A 4B **128**
Bedford Ct. DN10: Baw 6B **102**
Bedford Rd. S35: Ough 5M **91**
Bedford St. S6: Shef 7G **108**
S66: Malt 9F **98**
S70: Barn 9G **36**
S72: Grim 3G **39**
Bedford Ter. S71: Monk B 3H **37**
Bedgebury Cl. S20: Sot 1A **138**
Bedgrave Cl. S21: Killa 2E **138**
Bedgreave New Mill 9B **126**
Beecham Ct. S64: Swin 5B **78**
Beech Av. DN9: Auck 2C **84**
DN11: Tick 6E **100**
S62: Rawm 9A **78**
S65: Roth 9D **96**
S72: Cud 9B **18**
S75: Silk C 2J **55**
S81: Work 4C **142**
Beech Cl. S66: Malt 8B **98**
S72: Brier 6G **19**
S73: Hem 7C **58**
WF9: Sth K 7A **20**
Beech Ct. S73: D'fld 2G **59**
Beech Cres. DN7: Stainf 5B **26**
S21: Ecki 9H **137**
S21: Killa 5C **138**
S64: Mexb 1D **78**
Beechcroft S81: Work 4D **142**
Beechcroft Rd. DN4: Balb 9J **63**
Beech Dr. DN3: Brant 6A **66**
Beech en Hurst *S60: Roth 9L* ***95***
(off Reneville Cl.)
Beeches, The DN3: Kirk Sa 4J **45**
S26: Swal 4C **126**
S64: Swin 4B **78**
S73: Hem 8D **58**
Beeches Bank S2: Shef 3K **123**
Beeches Dr. S2: Shef 3K **123**
Beeches Gro. S20: Beig 8N **125**
Beeches Hollow S2: Shef 2K **123**
Beeches Rd. S26: Wales 8G **127**
Beechfern Cl. S35: High G 6E **74**
Beechfield Cl. S63: Bolt D 5B **60**
Beechfield Rd. DN1: Don 5A **64**
DN7: Dunsc 1B **46**
Beech Gro. DN4: Warm 9G **63**
DN5: Bntly 8M **43**
DN12: Con 5N **79**
S25: Din 4D **128**
S66: Wick 8H **97**
S70: Barn 9E **36**
S81: Carl L 4B **130**
Beech Hill DN12: Con 4A **80**
Beech Hill Rd. S10: Shef 1D **122**
Beech Ho. Cft. S66: Clftn 8B **80**
Beech Ho. Rd. S73: Hem 7D **58**
Beechlea S63: Thurn 7B **40**
Beech Rd. DN3: Arm 1L **65**
DN6: Camp 9H **7**
DN6: Skell 8E **22**
DN11: H'worth 8K **101**
DN11: New R 6K **83**
S63: Wath D 9N **59**
S66: Malt 8B **98**
S72: Shaft 7D **18**
WF9: Upton 2G **20**
Beech St. HD9: Holm 3E **30**
S70: Barn 8G **37**
WF9: Sth E 8D **20**
Beech Tree Av. DN8: Thorne 3L **27**
Beech Tree Cl. DN3: Can 6L **65**
Beech Vs. S65: Roth 5N **95**
Beechville Av. S64: Swin 5B **78**
Beech Way S18: Dron 7H **135**
S26: Swal 3A **126**
Beechwood Cl. DN3: Eden 7K **45**
S62: Rawm 7A **78**
S63: Wath D 3M **77**
Beechwood Ct. DN7: Hat 2D **46**
Beechwood Cres. WF9: Hems 3J **19**
Beechwood Lodge Flats S65: Roth 6M **95**
Beechwood Mt. WF9: Hems 3K **19**
Beechwood Rd. S6: Shef 4C **108**
S18: Dron 9G **135**
S35: High G 8F **74**
S36: Stoc 6D **72**
S60: Roth 9N **95**
Beechwood Wlk. *DN12: New E 5E* ***80***
(off Grainger Cl.)
Beeden Cl. S65: Thry 2E **96**
Beehive Rd. S10: Shef 8E **108**
Beeley St. S2: Shef 7D **4** (2G **123**)
Beeley Wood La. S6: Shef 8A **92**
Beeley Wood Rd. S6: Shef 1D **108**
Beely Rd. S35: Ough 7N **91**
Beeston Cl. S18: Dron W 8D **134**
Beeston Sq. S71: Ath 9G **16**
Beeton Grn. S6: Stan 6E **106**
Beeton Rd. S8: Shef 6G **123**
Beet St. S3: Shef 2C **4** (9G **108**)
Beever Cl. S75: Barn 5B **36**
Beever La. S75: Barn 5B **36**
Beeversleigh *S65: Roth 7L* ***95***
(off Allan St.)
Beevers Rd. S61: Kimb P 3D **94**
Beever St. S63: Gol 2E **60**
Beevor Ct. S71: Barn 7H **37**
Beevor St. S71: Barn 7J **37**
Begonia Cl. S25: Sth A 7A **128**
BEIGHTON 7N **125**
BEIGHTON HOLLOW 4N **137**
Beighton Rd. S12: Shef 8H **125**
S13: Shef 5J **125**
S20: Beig 5J **125**
S64: Kiln 6D **78**
Beighton Rd. E. S20: Water 8K **125**
Beighton Sports and Leisure Club 7N **125**
Beighton Stop (ST) 9M **125**
Belcourt Rd. S65: Roth 9C **96**
Beldon Cl. S2: Shef 4L **123**
Beldon Ct. S2: Shef 4L **123**
Beldon Pl. S2: Shef 4L **123**
Beldon Rd. S2: Shef 4L **123**
Belford Cl. S66: Sunn 7H **97**
Belford Dr. S66: Bram 7H **97**
Belfry Gdns. DN4: Can 8K **65**
Belfry Way S25: Din 4E **128**
Belgrave Ct. DN10: Baw 6B **102**
Belgrave Dr. S10: Shef 2M **121**
Belgrave Pl. S26: Swal 4B **126**
Belgrave Rd. S10: Shef 2N **121**
S71: Barn 7H **37**
Belgrave Sq. S2: Shef 3H **123**
Belgravia Ct. S81: Work 3C **142**
Belklane Dr. S21: Killa 3D **138**
Bella Av. S63: Gol 2F **60**
Bellamy Cl. S65: Roth 8A **96**
Bell Bank Vw. S70: Wors 2G **56**
Bellbank Way S71: Ath 9G **16**
Bellbrooke Av. S73: D'fld 9F **38**
Bellbrooke Cl. S73: D'fld 9G **38**
Bellbrooke Pl. S73: D'fld 9F **38**
Bell Butts La. DN9: Auck 9B **66**
Bell Cft. La. DN5: Bntly 9C **24**
DN6: Thorpe B 8C **24**
Bellcross Gdns. S72: Cud 1C **38**
Bellcross Way S71: Monk B 2N **37**
Bellefield St. S3: Shef 1B **4** (8F **108**)
BELLE GREEN 1C **38**
Belle Grn. Cl. S72: Cud 1C **38**
Belle Grn. Gdns. S72: Cud 1C **38**
Belle Grn. La. S72: Cud 1C **38**
Bellerby Pl. DN6: Skell 7D **22**
Bellerby Rd. DN6: Skell 7D **22**
Belle Vw. Ter. DN8: Thorne 2K **27**
BELLE VUE 5D **64**
Belle Vue Av. DN4: Don 5D **64**
Belle Vue Rd. S64: Mexb 1F **78**
Bellfields, The S61: Thorpe H 9M **75**
Bellgreave Av. HD9: New M 2K **31**
Bell Grn. DN7: Fost 6N **9**
BELL HAGG 9M **107**
Bellhagg Rd. S6: Shef 6C **108**
Bellhouse M. S5: Shef 8M **93**
Bellhouse Rd. S5: Shef 9L **93**
Bellis Av. DN4: Balb 7L **63**
Bellmer Cl. S71: Monk B 3H **37**
Bellmer Cft. S70: Birdw 9G **56**
Bellmont Cres. WF9: Hems 3L **19**
Bellows Cl. S62: Rawm 9M **77**
Bellows Rd. S62: Rawm 9M **77**
Bellrope Acre DN3: Arm 2L **65**
Bells Cl. DN9: Blax 2G **84**
Bellscroft S73: Womb 6B **58**
Bellscroft Av. S65: Thry 3D **96**
Bells Sq. S1: Shef 3E **4** (9H **109**)
Bell St. S26: Aston 4E **126**
WF9: Upton 1K **21**
Bell Vw. M. DN8: Thorne 2K **27**
Bellwood Ct. S65: Rav 5K **97**
Bellwood Cres. DN8: Thorne 1J **27**
S74: Hoyl 1K **75**
Belmont S72: Cud 4C **38**
Belmont Av. DN4: Balb 6N **63**
S35: Chap 9H **75**
S71: Smi 3J **37**
Belmont Cl. DN3: Brant 7A **66**
Belmont Cres. S72: Midd 9L **39**
Belmont Dr. S36: Pen 5A **54**
S36: Stoc 5E **72**
Belmonte Gdns. S2: Shef 6J **5** (1K **123**)
Belmont St. S61: Roth 7G **95**
S64: Mexb 2E **78**
Belmont Ter. *DN8: Thorne 2K* ***27***
(off Fairtree Wlk.)
S35: Thurg 9H **55**
Belmont Way WF9: Sth E 6G **21**
Belper Rd. S7: Shef 5G **122**
Belridge Cl. S75: Barn 4C **36**
Belshaw La. DN9: Belt 7M **49**
Belsize Rd. S10: Shef 3N **121**
Beltoft Way DN12: Con 3C **80**
Belton Cl. S18: Dron W 9D **134**
Belton Rd. DN8: San 3H **49**
Belvedere DN4: Balb 9K **63**
Belvedere Cl. DN6: Ask 1M **23**
S25: Nth A 6D **128**
S72: Shaft 7C **18**
Belvedere Dr. DN8: Moore 7L **11**
S73: D'fld 9F **38**
Belvedere Pde. S66: Bram 6H **97**
Belvoir Av. DN5: Barnb 4H **61**
Bembridge S81: Work 4E **142**
Bemrose Ga. S33: Bamf 5D **118**
Ben Bank Rd. S75: Dod, Silk C 2J **55**
Bence Cl. S75: Dart 1N **35**
Bence Farm Ct. S75: Dart 1N **35**
Bence La. S75: Dart, Kexb 9L **15**
Ben Cl. S6: Shef 3A **108**
Benita Av. S64: Mexb 2H **79**
Ben Kaye Row HD9: Holm 4F **30**
Ben La. S6: Shef 3A **108**
Benmore Dr. S20: Sot 1A **138**
Bennett Cl. S62: Rawm 7A **78**
Bennett Cft. S25: Nth A 6C **128**
Bennetthorpe DN2: Don 5B **64**
Bennett St. S2: Shef 3G **123**
S61: Kimb 7E **94**
Benson Rd. S2: Shef 1M **123**
Bentcliff Hill La. S75: Cawt 6F **34**
Bentfield Av. S60: Roth 1B **112**
Bentham Dr. S71: Monk B 4L **37**
Bentham Way S75: Mapp 7B **16**
Bent Hills La. S35: Ough 4G **91**
Bentinck Cl. DN1: Don 5A **64**
Bentinck St. DN12: Con 4B **80**
Bent La. HD9: Holm 8F **30**
Bent Lathes Av. S60: Roth 1B **112**
BENTLEY 8M **43**
Bentley Av. DN4: Hex 5L **63**
Bentley Bus. Pk. 1 S25: Din 2B **128**
Bentley Bus. Pk. 2 S25: Din 2B **128**
Bentley Cl. S71: Monk B 3M **37**
Bentley Comn. La. DN5: Bntly 8N **43**
BENTLEY MOOR 2K **43**
Bentley Moor La. DN6: Adw S 1H **43**
Bentley Park Station (Rail) 8L **43**
BENTLEY RISE 1M **63**

Bentley Rd.—Blue Bell Ct.

Bentley Rd. DN5: Don 9L 43
S6: Shef 7B 108
S35: Chap 2J 93
S66: Bram 9K 97
Bentley St. S60: Roth 1K 111
Benton Ct. S61: Kimb 6F 94
Benton Ter. S64: Swin 5C 78
Benton Way S61: Kimb 6F 94
Bent Rd. HD9: Hep 9H 31
Bents Cl. S11: Shef 6N 121
S35: Chap 9H 75
Bents Cres. S11: Shef 7A 122
S18: Dron 7K 135
Bents Dr. S11: Shef 6N 121
BENTS GREEN 6A 122
Bents Grn. Av. S11: Shef 5N 121
Bents Grn. Pl. S11: Shef 6N 121
Bents Grn. Rd. S11: Shef 5A 122
Bent's La. S18: Dron 8K 135
Bents La. S6: Stan 5F 106
S18: Dron 7K 135
Bents Rd. S11: Shef 6A 122
S17: Tot 6L 133
S36: Crow E 3M 51
S61: Kimb P 5F 94
Bents St. S36: Pen 3M 53
Bents Vw. S11: Shef 6N 121
Benty La. S10: Shef 9A 108
Beresford Rd. S66: Malt 9F 98
Beresford St. DN5: Bntly 7N 43
Berkeley Cft. S71: R'ton 5J 17
Berkeley Pct. S11: Shef 3E 122
Berkley Cl. S70: Wors 2G 56
Bernard Gdns. S2: Shef 2K 5
Bernard Rd. DN12: New E 5F 80
S2: Shef 2K 5 (8L 109)
S4: Shef 8L 109
Bernard St. S2: Shef 2K 5 (9K 109)
S60: Roth 8L 95
S62: Rawm 7A 78
Berners Cl. S2: Shef 6M 123
Berners Dr. S2: Shef 5M 123
Berners Pl. S2: Shef 5M 123
Berners Rd. S2: Shef 5M 123
Berneslai Cl. S70: Barn 6F 36
Berne Sq. S81: Woods 7H 129
Bernshall Cres. S5: Shef 5J 93
Berresford Rd. S11: Shef 3E 122
Berrington Cl. DN4: Balb 2L 81
Berry Av. S21: Ecki 7J 137
Berry Bank La. HD9: Holm, T'bri 2F 30
Berrydale S70: Wors 2J 57
Berry Dr. S26: Kiv P 8L 127
Berry Edge Cl. DN12: Con 5C 80
Berry Holme Cl. S35: Chap 9H 75
Berry Holme Ct. S35: Chap 9H 75
Berry Holme Dr. S35: Chap 9H 75
Berry La. S35: Howb 6B 74
Berrywell Av. S36: Pen 5A 54
Bertram Rd. S35: Ough 7N 91
Berwick Way DN2: Don 2F 64
BESSACARR 9G 64
Bessacarr La. DN4: Bess 9H 65
Bessemer Pk. S60: Roth 9H 95
Bessemer Pl. S9: Shef 7M 109
Bessemer Rd. S9: Shef 6M 109
Bessemer Ter. S36: Stoc 4D 72
Bessemer Way S60: Roth 8G 95
Bessingby Rd. S6: Shef 5D 108
Bethel Gdns. S75: Mapp 9C 16
Bethel Rd. S65: Roth 5M 95
Bethel Ter. S81: Shire 3J 141
Bethel Wlk. S1: Shef 4E 4
Betjeman Gdns. S10: Shef 2D 122
Betony Cl. S21: Killa 5A 138
Beulah Rd. S6: Shef 3E 108
Bevan Av. DN11: New R 5J 83
Bevan Cl. S74: Els 9A 58
Bevan Cres. S66: Malt 7D 98
Bevan Way S35: Chap 9G 74
Bevercotes Rd. S5: Shef 1L 109
Beverley Av. S70: Wors 1G 56
Beverley Cl. S26: Swal 4C 126
S71: Smi 1F 36
Beverley Gdns. DN5: Scaws 2H 63
Beverley Rd. DN2: Don 1D 64
DN11: H'worth 9K 101
Beverleys Rd. S8: Shef 7H 123
Beverley St. S9: Shef 6A 110
Beverley Wlk. S81: Carl L 4B 130
Bevin Pl. S62: Rawm 8A 78
Bevre Rd. DN3: Arm 8L 45
Bewdley Ct. S71: R'ton 5L 17
Bewicke Av. DN5: Scaws 1H 63
Bhatia Cl. S64: Mexb 1F 78
Bib La. S25: Brookh 5A 114
Bickerton Rd. S6: Shef 2D 108
Bierlow Cl. S73: Bramp 7G 58
Bigby Way S66: Bram 6J 97
Bignor Pl. S6: Shef 8E 92
Bignor Rd. S6: Shef 8E 92
Big Six S60: Tree 8M 111
Bilham La. DN5: Hoot P 5H 41
Bilham Rd. HD8: Clay W 7C 14
Bilham Row DN5: Brod 5L 41
Billam Pl. S61: Kimb P 4E 94
Billam St. S21: Ecki 7H 137
BILLINGLEY 1M 59
Billingley Dr. S63: Thurn 9B 40
Billingley Grn. La. S72: Bill 1M 59
Billingley La. S63: Thurn 9M 39
Billingley Vw. S63: Bolt D 5A 60
Bill La. HD9: Holm 1G 30
Billy Wright's La. DN11: Wad 9C 82
Bilston St. S6: Shef 5E 108
Binbrook Ct. DN10: Baw 7B 102
Binders Rd. S61: Kimb P 4E 94
Binfield Rd. S8: Shef 6G 122
Bingham Ct. S10: Shef 3B 122
Bingham Pk. Cres. S11: Shef 4C 122
Bingham Pk. Rd. S11: Shef 4B 122
Bingham Rd. S8: Shef 9G 123
Bingley Ct. S75: Barn 6E 36
Bingley La. S6: Stan 8J 107
Bingley St. S75: Barn 6E 36
Binns La. HD9: Holm 3D 30
Binsted Av. S5: Shef 9E 92
Binsted Cl. S5: Shef 1E 108
Binsted Cres. S5: Shef 1E 108
Binsted Cft. S5: Shef 1E 108
Binsted Dr. S5: Shef 1E 108
Binsted Gdns. S5: Shef 1E 108
Binsted Glade S5: Shef 1E 108
Binsted Gro. S5: Shef 1E 108
Binsted Rd. S5: Shef 1E 108
Binsted Way S5: Shef 1E 108
Biram Wlk. *S74: Els* *2B 76*
(off Wath Rd.)
Birchall Av. S60: Whis 3A 112
Birch Av. DN6: Skell 8E 22
DN9: Auck 3C 84
S35: Chap 1H 93
Birch Cl. DN5: Sprot 6H 63
S21: Killa 5B 138
WF4: Hav 1B 18
Birch Ct. S64: Swin 3B 78
Birch Cres. S66: Wick 8H 97
Birchdale Cl. DN3: Eden 7J 45
Birchen Cl. DN4: Bess 1H 83
S18: Dron W 9E 134
Birches Fold S18: Coal A 6K 135
Birches La. S18: Coal A 6K 135
Birch Farm Av. S8: Shef 2H 135
Birchfield Cres. S75: Dod 8B 36
Birchfield Dr. S80: Work 8M 141
Birchfield Rd. S66: Malt 8F 98
Birchfield Wlk. S75: Barn 6C 36
Birch Grn. Cl. S66: Malt 7B 98
Birch Gro. DN12: Con 4B 80
S35: Ough 7N 91
Birch Ho. Av. S35: Ough 7M 91
Birchin Bank S74: Els 9N 57
Birchitt Cl. S17: Bradw 5D 134
Birchitt Pl. S17: Bradw 5D 134
Birchitt Rd. S17: Bradw 5D 134
Birchitt Vw. S18: Dron 7H 135
Birchlands Dr. S21: Killa 5C 138
Birch Pk. Ct. S61: Roth 7G 95
Birch Rd. DN4: Can 7J 65
S9: Shef 6M 109
S70: Barn 9L 37
Birch Tree Cl. DN3: Barn D 1K 45
Birch Tree Rd. S36: Stoc 6D 72
Birchtree Rd. S61: Thorpe H 2N 93
Birchvale Rd. S12: Shef 8D 124
Birchwood Av. S62: Rawm 8M 77
Birchwood Cl. DN8: Thorne 9K 11
S20: W'fld 2L 137
S66: Malt 7B 98
S81: L'gld 8C 116
Birchwood Ct. DN4: Bess 1L 83
Birchwood Cft. S20: W'fld 2L 137
Birchwood Dell DN4: Bess 1L 83
Birchwood Dr. S65: Rav 5J 97
Birchwood Gdns. S20: W'fld 2L 137
S66: B'well 3E 98
Birchwood Gro. S20: W'fld 2L 137
Birchwood La. S66: Malt 6E 98
Birchwood Pk. HD9: New M 2J 31
Birchwood Ri. S20: W'fld 2L 137
Birchwood Rd. S21: Mar L, Trow 7D 136
Birchwood Vw. S20: W'fld 2L 137
Birchwood Way S20: W'fld 2L 137
BIRCOTES 9M 101
Bircotes Leisure Cen. 8L 101
Bircotes Wlk. DN11: Ross 5L 83
Bird Av. S73: Womb 5C 58
Bird La. DN5: Clay 1A 40
S36: Oxs 5F 54
BIRDS EDGE 4D 32
Birdsedge Farm M. HD8: Birds E 4D 32
Birdsedge La. HD8: Birds E 5C 32
Birds Nest La. HD8: Cumb 7N 31
BIRDWELL 7G 57
Birdwell Comn. S70: Birdw 9G 56
Birdwell Rd. S4: Shef 3N 109
S64: Kiln 6C 78
S75: Dod 1C 56
Birk Av. S70: Barn 9K 37
Birkbeck Ct. S35: High G 6E 74
Birk Cres. S70: Barn 9K 37
Birkdale S81: Work 4E 142
Birkdale Av. S25: Din 3D 128
Birkdale Cl. DN4: Can 9L 65
S72: Cud 9C 18
Birkdale Ri. S64: Swin 4C 78
Birkdale Rd. S71: R'ton 4J 17
BIRKENDALE 7E 108
Birkendale S6: Shef 7E 108
Birkendale Rd. S6: Shef 7E 108
Birkendale Vw. S6: Shef 7E 108
Birk Grn. S70: Barn 9L 37
Birk Ho. La. S70: Barn 9L 37
Birkhouse La. HD8: Up C 1D 32
Birklands Av. S13: Shef 2E 124
S80: Work 9E 142
Birklands Cl. S13: Shef 2E 124
Birklands Dr. S13: Shef 2E 124
Birk Rd. S70: Barn 9K 37
Birks Av. S13: Shef 5H 125
S36: Mill G 4H 53
Birks Cotts. S36: Mill G 4H 53
Birks Holt Dr. S66: Malt 1G 114
Birks La. S36: Mill G 4H 53
Birks Rd. S61: Kimb P 4E 94
Birks Wood Dr. S35: Ough 7M 91
Birk Ter. S70: Barn 9K 37
Birkwood Av. S72: Cud 4C 38
Birkwood Ter. S66: B'well 4F 98
BIRLEY CARR 8D 92
BIRLEY EDGE 7C 92
BIRLEY ESTATE 8E 124
BIRLEYHAY 5D 136
Birley La. S12: Shef 9C 124
S32: Hath 9J 119
Birley Lane Stop (ST) 9E 124
Birley Moor Av. S12: Shef 8E 124
Birley Moor Cl. S12: Shef 8E 124
Birley Moor Cres. S12: Shef 8E 124
Birley Moor Dr. S12: Shef 9E 124
Birley Moor Pl. S12: Shef 8E 124
Birley Moor Rd. S12: Shef 6D 124
Birley Moor Road Stop (ST) 9F 124
Birley Moor Way S12: Shef 9E 124
Birley Ri. Cres. S6: Shef 9D 92
Birley Ri. Rd. S6: Shef 9D 92
Birley Spa 7F 124
Birley Spa Cl. S12: Shef 7H 125
Birley Spa Dr. S12: Shef 7H 125
Birley Spa La. S12: Shef 8F 124
Birley Spa Wlk. *S12: Shef* *7H 125*
(off Carter Lodge Dr.)
Birley Va. Av. S12: Shef 7C 124
Birley Va. Cl. S12: Shef 7C 124
Birley Vw. S35: Ough 8M 91
Birley Wood Dr. S12: Shef 9F 124
Birley Wood Golf Course 9E 124
Birthwaite Rd. S75: Kexb 8K 15
Birtley St. S66: Malt 8B 98
Bisby Rd. S62: Rawm 8N 77
Biscay La. S63: Wath D 8L 59
Biscay Way S63: Wath D 9M 59
Bishopdale S81: Work 3D 142
Bishopdale Ct. S20: Mosb 1G 136
Bishopdale Dr. S20: Mosb 2G 136
Bishopdale Ri. S20: Mosb 2G 136
Bishop Gdns. S13: Shef 5G 125
Bishopgarth Cl. DN5: Don 1M 63
Bishop Hill S13: Shef 5G 125
Bishops Cl. S8: Shef 6J 123
Bishopscourt Rd. S8: Shef 6H 123
Bishopsgate La. DN11: New R 7K 83
Bishopsholme Cl. S5: Shef 2H 109
Bishopsholme Rd. S5: Shef 2H 109
Bishop's House
Sheffield 6H 123
Bishopstoke Ct. S65: Roth 6N 95
Bishopston Wlk. S66: Malt 7C 98
Bishop St. S1: Shef 6D 4 (1G 123)
Bishops Wlk. S26: Kiv P 8K 127
Bishops Way S71: Monk B 5K 37
Bisley Cl. S71: R'ton 6M 17
Bismarck St. S70: Barn 9G 36
Bitholmes Ga. S35: Wharn S 2K 91
Bitholmes La. S36: Spink 7H 73
Bittern Cft. S73: Bramp 6G 59
Bitterne Cft. S73: Bramp 6H 59
Bittern Vw. S61: Thorpe H 8A 76
Blackamoor S64: Swin 5L 77
Blacka Moor Cres. S17: Dore 4L 133
Blacka Moor Nature Reserve 4H 133
Blacka Moor Rd. S17: Dore 4L 133
Blackamoor Rd. S64: Swin 5L 77
Blacka Moor Vw. S17: Dore 4L 133
Black Bank DN10: Ever 5L 103
Blackberry Flats *S20: Half* *3L 137*
(off Halfway Dr.)
Blackbird Av. S60: Brins 4K 111
S81: Gate 3N 141
Blackbrook Av. S10: Shef 2H 121
Blackbrook Dr. S10: Shef 2H 121
Blackbrook Rd. S10: Shef 2J 121
BLACKBURN 7B 94
Blackburn Cres. S35: Chap 8F 74
Blackburn Cft. S35: Chap 8G 74
Blackburn Dr. S35: Chap 9F 74
Blackburne St. S6: Shef 5E 108
Blackburn La. S61: Kimb 7B 94
S70: Wors 2H 57
S75: Barn 6E 36
Blackburn Meadows Nature Reserve 8F 94
Blackburn Rd. S61: Kimb 7B 94
Blackburn St. S70: Wors 2H 57
Black Carr Rd. S66: Wick 8F 96
Blackdown Av. S20: Water 9K 125
Blackdown Cl. S20: Water 9K 125
Blacker Grange S74: Black H 7L 57
BLACKER GREEN 5A 24
Blacker Grn. La. DN5: Blk G 5A 24
Blackergreen La. S36: Oxs 4F 54
S75: Silk, Silk C 9H 35
BLACKER HILL 6L 57
Blacker La. S70: Wors 5H 57
S72: Shaft 6C 18
S74: Black H 5H 57
Blacker Rd. S75: Mapp, Stain 8D 16
Blackheath Cl. S71: Ath 1J 37
Blackheath Rd. S71: Ath 1J 37
Blackheath Wlk. S71: Ath 1J 37
Black Hill Rd. S65: Roth 9C 96
Black Horse Cl. S75: Silk C 2J 55
Black Horse Dr. S75: Silk C 2J 55
Black La. S6: Lox 5M 107
S74: Hoyl 2G 75
S81: Woods 8K 129
Blackmoor Cres. S60: Brins 3H 111
Blackmore St. S4: Shef 7L 109
Blackshaw La. DN14: Syke 6F 10
Black Sike La. HD9: Holm 3A 30
Blacksmith Ct. S61: Thorpe H 1N 93
Blacksmith La. S35: Gren 5D 92
Blacksmith's La. DN5: Marr 9A 42
Blacksmith Sq. *S74: Els* *2B 76*
(off Wath Rd.)
Blackstock Cl. S14: Shef 9L 123
Blackstock Cres. S14: Shef 9L 123
Blackstock Dr. S14: Shef 9L 123
Blackstock Rd. S14: Shef 6L 123
Black Stone La. DN9: Blax 2F 84
Black Swan Wlk. S1: Shef 3F 5
Black Syke La. DN14: Syke 7E 10
Blackthorn Av. S66: Bram 8H 97
Blackthorn Cl. S35: High G 6E 74
Blackthorne Cl. DN12: New E 5E 80
Blackthorne Ct. S70: Barn 9K 37
Blackthorn Ri. S65: Rav 5K 97
Blackthorn Way HD8: Clay W 7A 14
Blackwell Cl. S2: Shef 3K 5 (9K 109)
Blackwell Ct. S2: Shef 3J 5 (9K 109)
Blackwell Pl. S2: Shef 3J 5 (9K 109)
Blackwood Av. DN4: Balb 9K 63
Blagden St. S2: Shef 4K 5 (9K 109)
Blair Athol Rd. S11: Shef 5C 122
Blake Av. DN2: Don 1C 64
S63: Wath D 8J 59
Blake Cl. S66: Bram 1K 113
Blake Gro. Rd. S6: Shef 7F 108
Blakeley Cl. S71: Ath 1J 37
Blakeney M. *S25: Laugh C* *1A 128*
(off Mountfield Way)
Blakeney Rd. S10: Shef 9D 108
Blake St. S6: Shef 7E 108
Bland La. S6: Shef 3A 108
(not continuous)
Bland St. S4: Shef 4M 109
Blast La. S2: Shef 8K 109
(Broad St.)
S2: Shef 2J 5 (8K 109)
(Sheffield Parkway)
S4: Shef 1K 5 (8K 109)
BLAXTON 9G 67
Blaxton Cl. S20: Mosb 9G 124
Blayton Rd. S4: Shef 4K 109
Bleachcroft Way S70: Stair 9M 37
Bleak Av. S72: Shaft 7C 18
Bleakley Av. WF4: Nott 3J 17
Bleakley Cl. S72: Shaft 7C 18
Bleakley La. WF4: Nott 4J 17
Bleakley Ter. WF4: Nott 3J 17
Bleasdale Gro. S71: Monk B 4H 37
Blenheim Av. S70: Barn 8F 36
Blenheim Chase HD8: Clay W 8A 14
Blenheim Cl. DN7: Hat 2C 46
S25: Din 3C 128
S66: Bram 6H 97
Blenheim Ct. S66: Flan 7G 96
Blenheim Cres. S64: Mexb 1E 78
Blenheim Dr. DN9: Finn 3F 84
Blenheim Gro. S70: Barn 8E 36
Blenheim M. S11: Shef 6B 122
Blenheim Ri. DN10: Baw 7B 102
S81: Work 2B 142
Blenheim Rd. DN7: Lind 8J 47
S70: Barn 8E 36
Blindside La. S6: Brad 3M 105
Bloemfontein St. S72: Cud 2A 38
Blonk St. S1: Shef 1H 5 (8J 109)
Bloomfield Ho. S75: Silk C 2J 55
Bloomfield Ri. S75: Dart 8B 16
Bloomfield Rd. S75: Dart 8A 16
Bloomhill Cl. DN8: Moore 6L 11
Bloomhill Ct. DN8: Moore 6L 11
Bloom Hill Gro. DN8: Moore 7L 11
Bloomhill Rd. DN8: Moore 7K 11
BLOOMHOUSE 7B 16
Bloomhouse La. S75: Dart 7N 15
Bloomingdale Ct. S75: Wool G 6N 15
Blossom Av. DN6: Ask 2M 23
S65: Thry 3D 96
Blossom Cres. S12: Shef 8B 124
Blossoms, The S75: Barn 6E 36
Blossom Way S63: Thurn 7C 40
Blow Hall Riding DN12: New E 5H 81
Blucher St. S70: Barn 7F 36
Bluebell Av. S36: Pen 4M 53
Bluebell Bank S70: Barn 9H 37
Bluebell Cl. S5: Shef 1M 109
S74: Hoyl 2K 75
Blue Bell Ct. DN9: Blax 1G 85

Bluebell La.—Brentwood Av.

Bluebell La. S66: Thurc .7L 113
Bluebell Rd. S5: Shef .1N 109
S75: Dart .6N 15
Bluebell Vw. WF9: Sth E .7F 20
Bluebell Way WF9: Upton .2E 20
Bluebell Wood La. S66: Sunn .6G 96
Blueberry Ct. S66: Sunn .6G 96
Bluebird Hill S26: Aston .5D 126
Blue Boy St. S3: Shef .1D 4 (8G 109)
Bluecoat Ri. S11: Shef .4D 122
Bluehills La. HD8: Den D .2H 33
Blue Mans Way S60: Cat .7J 111
Blue Ridge Cl. S17: Dore .3N 133
Blundell Cl. DN4: Can .8H 65
Blundell Ct. S71: Monk B .3L 37
Blundell Rd. WF9: Sth E .6D 20
Blyde Rd. S5: Shef .3K 109
Bly Rd. S73: D'fld .1F 58
BLYTH .9K 117
Blyth Av. S62: Rawm .9M 77
Blyth Cl. S60: Whis .3C 112
Blythe St. S73: Womb .4C 58
Blyth Ga. La. DN11: Tick .8A 100
Blyth Gro. S81: Work .5D 142
Blyth Hall S81: Bly .9K 117
Blyth Rd. DN10: Baw, Ser . . .9A 102, 3M 117
DN11: H'worth .1J 117
DN11: Tick .6H 101
DN22: Rans .1M 131
S66: Malt .9D 98
S81: Bly .3M 131
(Long Brecks La.)
S81: Bly .1M 131
(Moor La.)
S81: Oldc .6C 116
S81: Work .6C 142
BLYTH SERVICE AREA .7L 117
Boardman Av. S62: Rawm .6J 77
Boating Dyke Way DN8: Thorne .2J 27
Boat La. DN5: Sprot .7F 62
Bochum Parkway S8: Shef .3H 135
Bocking Cl. S8: Shef .1E 134
Bocking Hill S36: Stoc .5F 72
Bocking La. S8: Shef .1E 134
Bocking Ri. S8: Shef .2F 134
Boden La. S1: Shef .3D 4 (9G 109)
Boden Pl. S9: Shef .7C 110
Bodmin Ct. S71: Monk B .5J 37
Bodmin St. S9: Shef .6N 109
Boggard La. S35: Ough .7L 91
S36: Pen .5M 53
Boiley La. S21: Killa .6A 138
Boisters Rd. DN6: Nort .5J 7
Boland Rd. S8: Shef .5E 134
Bold St. S9: Shef .5A 110
Bole Cl. S73: Womb .3F 58
BOLE HILL .7M 111
BOLEHILL .9H 123
Bole Hill S8: Shef .9H 123
S60: Tree .7L 111
Bole Hill Cl. S6: Shef .6C 108
Bole Hill La. S10: Shef .8B 108
Bolehill La. S21: Ecki, Mar L .8F 136
Bole Hill Rd. S6: Shef .8A 108
Bolehill Vw. S10: Shef .7C 108
Bolsover Rd. S5: Shef .2L 109
Bolsover Rd. E. S5: Shef .3L 109
Bolsover St. S3: Shef .3A 4 (9F 108)
BOLSTERSTONE .8E 72
Bolsterstone Rd. S6: Brad .6D 90
Bolton Hill Rd. DN4: Bess .9H 65
(not continuous)
Bolton-on-Dearne Station (Rail) .5C 60
Bolton Rd. S63: Wath D .9B 60
S64: Swin .3A 78
Bolton St. DN12: Den M .2L 79
S3: Shef .5C 4 (1G 122)
BOLTON UPON DEARNE .5B 60
Bond S6: Shef .1A 4 (8F 108)
Bond Cl. DN1: Don .5N 63
Bondfield Av. DN11: New R .6K 83
Bondfield Cl. S73: Womb .5D 58
Bondfield Cres. S73: Womb .5C 58
Bondfield Cres. Flats S73: Womb .5C 58
(not continuous)
Bondhay Golf Course .8A 140
Bondhay La. S80: Whit .8N 139
Bond Rd. S75: Barn .5E 36
Bond St. DN11: New R .7J 83
S73: Womb .4D 58
Bone La. DN6: Camp .1F 22
Bone Mill La. S81: Work .5A 142
Bonet La. S60: Brins .3G 111
Bonington Ri. S66: Malt .7C 98
Bonville Gdns. S3: Shef .1C 4
Booker Rd. S8: Shef .9F 122
Bookers La. S25: Din .1N 127
(not continuous)
Bookers Way S25: Din .2N 127
Bootham Cl. DN7: Dunsc .9D 26
Bootham Cres. DN7: Stainf .6B 26
Bootham La. DN7: Dunsc .7C 26
Bootham Rd. DN7: Stainf .6B 26
Booth Av. DN4: Don .6E 64
Booth Cl. S20: Water .9K 125
S66: Thurc .6M 113
Booth Cft. S20: Water .9K 125
Booth House Gallery .4B 30
Booth Ho. La. HD9: Holm .4A 30
Booth Pl. S62: Rawm .7L 77
Booth Rd. S35: High G .7D 74
Booth St. S61: Grea .1H 95
S74: Hoyl .9N 57
Bootle St. S9: Shef .6A 110
Borough M. *S6: Shef* .*7G 108*
(off Bedford St.)
Borough Rd. S6: Shef .4D 108
Borrowdale Av. S20: Half .4L 137
Borrowdale Cl. DN6: Carc .8G 23
(not continuous)
S20: Half .4L 137
S71: Ard .8A 38
Borrowdale Cres. S25: Din, Nth A . . .4D 128
Borrowdale Dr. S20: Half .4L 137
Borrowdale Rd. S20: Half .4L 137
Boscombe Rd. S81: Gate .2N 141
Boshaw HD9: Holm .8F 30
Boston Castle .9K 95
Boston Castle Gro. S60: Roth .9L 95
Boston Castle Ter. S60: Roth .9L 95
Boston St. S2: Shef .7D 4 (2G 123)
Bosville Cl. S65: Rav .2J 97
Bosville Rd. S10: Shef .9C 108
Bosville St. S36: Pen .5A 54
S65: Roth .5C 96
Boswell Cl. DN11: New R .6H 83
S35: High G .6D 74
S71: R'ton .5J 17
Boswell Ct. DN4: Bess .8G 64
Boswell Rd. DN4: Bess .8F 64
S63: Wath D .2M 77
Boswell St. S65: Roth .8M 95
Bosworth Cl. DN7: Hat .3C 46
Bosworth Rd. DN6: Adw S .2E 42
Bosworth St. S10: Shef .8C 108
Botanical Rd. S11: Shef .2D 122
Botany Bay La. DN3: Barn D .1M 45
Botham St. S4: Shef .4M 109
Botsford St. S3: Shef .6H 109
Boughton Rd. S80: Rhod .5L 141
Boulder Bri. La. S71: Car .7N 17
BOULDER HILL .4C 108
Boulevard, The DN3: Eden .6H 45
Boulton Dr. DN3: Can .6L 65
Boundary Av. DN2: Don .9F 44
Boundary Cl. DN12: New E .3G 81
Boundary Ct. HD9: Scho .5H 31
Boundary Dr. S72: Brier .6G 18
Boundary Grn. S62: Rawm .1N 95
Boundary Rd. S2: Shef .1L 123
Boundary Row S80: Work .8C 142
Boundary St. S70: Barn .8J 37
Boundary Wlk. S60: Brins .4G 110
Bourne Ct. DN17: Crow .7M 29
S75: Stain .7D 16
Bourne Rd. S5: Shef .9K 93
S70: Wors .3G 57
Bourne Wlk. S75: Stain .7D 16
Bow Bri. Cl. S60: Roth .9J 95
BOW BROOM .2C 78
Bowden Gro. S75: Dod .9A 36
Bowden Housteads Wood and Carbrook Ravine Nature Reserve .1D 124
Bowden Wood Av. S9: Shef .1C 124
Bowden Wood Cl. S9: Shef .1C 124
Bowden Wood Cres. S9: Shef .1C 124
Bowden Wood Dr. S9: Shef .1C 124
Bowden Wood Pl. S9: Shef .1C 124
Bowden Wood Rd. S9: Shef .1C 124
Bowdon St. S1: Shef .5D 4 (1G 123)
Bowen Dr. S65: Thry .3E 96
Bowen Rd. S65: Roth .5M 95
Bower Cl. S61: Kimb P .4E 94
Bower Hill S36: Oxs .6E 54
Bower Hill La. WF4: W Brett .1F 14
Bower Ho. S35: Gren .4D 92
Bower La. S35: Gren .4C 92
Bower Rd. S10: Shef .8E 108
S64: Swin .1C 78
Bowers Fold DN1: Don .4A 64
Bower Spring S3: Shef .1F 5
Bower's Wlk. DN11: Tick .7D 100
Bower Va. DN12: New E .5E 80
Bowes Rd. DN3: Eden .7H 45
Bowfell Vw. S71: Monk B .4H 37
Bowfield Ct. *S5: Shef* .*9K 93*
(off Etwall Way)
Bowfield Rd. S5: Shef .9K 93
Bowland Cl. DN5: Scawt .8K 43
Bowland Cres. S70: Wors .3G 57
Bowland Dr. S35: Chap .9F 74
Bowlease Gdns. DN4: Can .7H 65
Bowling Grn. La. DN17: Crow .7M 29
Bowling Grn. St. S3: Shef 1E 4 (7H 109)
Bowman Cl. S12: Shef .9N 123
Bowman Dr. S12: Shef .9N 123
S66: Malt .6C 98
Bowness Cl. S18: Dron W .9F 134
Bowness Dr. DN6: Ask .1N 23
Bowness Gro. S63: Bolt D .6B 60
Bowness Rd. S6: Shef .5D 108
Bowood Rd. S11: Shef .3E 122
Bow Royd S73: Womb .4E 58
BOWSHAW .6G 135
Bowshaw S18: Dron .7G 135
Bowshaw Av. S8: Shef .5H 135
Bowshaw Cl. S8: Shef .5H 135
Bowshaw Vw. S8: Shef .5H 135
Bow St. S72: Cud .1B 38
Boyce St. S6: Shef .7E 108
Boycott Way WF9: Sth E .5F 20
Boyd Rd. S63: Wath D .3M 77
Boyland St. S3: Shef .6G 109
Boynton Cres. S5: Shef .2H 109
Boynton Rd. S5: Shef .3G 109
(not continuous)
Brabbs Av. DN7: Hat .9E 26
BRACEBRIDGE .8D 142
Bracebridge S80: Work .8D 142
(not continuous)
Bracebridge Av. S80: Work .7E 142
Bracebridge Ct. S80: Work .8D 142
Brackenbury Cl. DN5: Cad .9B 62
Bracken Cl. DN3: Brant .6A 66
Bracken Ct. DN11: H'worth .9H 101
S66: Wick .1G 112
S70: Barn .9J 37
Bracken Cft. La. DN11: Tick .5F 100
Brackenfield Gro. S12: Shef .7D 124
Bracken Heen Cl. DN7: Hat .9D 26
Bracken Hill S35: Burn .1E 92
WF9: Sth K .5C 20
Bracken Hill La. DN10: Miss .7J 85
BRACKEN MOOR .6E 72
Bracken Moor La. S36: Stoc .6E 72
Bracken Rd. S5: Shef .9M 93
(not continuous)
Bracken Way DN11: H'worth .9G 101
Brackley St. S3: Shef .6J 109
Bradberry Balk La.
S73: Womb .3C 58
Bradbury's Cl. S62: P'gte .2M 95
Bradbury St. S8: Shef .5H 123
S70: Barn .7E 36
BRADFIELD .9C 90
Bradfield Rd. S6: Shef .4D 108
Bradfield Way S60: Wav .8H 111
Bradford Rd. DN2: Don .8F 44
Bradford Row DN1: Don .4A 64
BRADGATE .6G 95
Bradgate Cl. S61: Kimb .6G 94
Bradgate Ct. S61: Kimb .6F 94
Bradgate Ho. Cl. S61: Kimb .6G 94
Bradgate La. S61: Kimb .6F 94
Bradgate Pl. S61: Kimb .5G 94
Bradgate Rd. S61: Kimb .5G 94
Bradlea Ri. S62: Rawm .7N 77
Bradley Av. S73: Womb .4C 58
Bradley Carr Ter. WF9: Sth E .9E 20
Bradley St. S10: Shef .7C 108
Bradman Wlk. S62: Rawm .6J 77
Bradmarsh Way S60: Roth .9J 95
Bradshaw Av. S60: Tree .9M 111
Bradshaw Cl. S75: Barn .6B 36
Bradshaw Rd. HD9: Holm .1A 30
Bradshaw Way S60: Tree .9M 111
Bradstone Rd. S65: Roth .6B 96
BRADWAY .5C 134
BRADWAY BANK .4C 134
Bradway Cl. S17: Bradw .5C 134
Bradway Dr. S17: Bradw .5C 134
Bradway Grange Rd. S17: Bradw 5D 134
Bradway Rd. S17: Bradw .5C 134
Bradwell Av. S75: Dod .1B 56
Bradwell Cl. S18: Dron W .9D 134
Bradwell St. S2: Shef .5J 123
Braeburn Cl. S66: Malt .6B 98
Braeburn M. DN10: Baw .6C 102
Braemar Cft. S72: Sth H .2D 18
Braemar Ri. S72: Sth H .2D 18
Braemar Rd. DN2: Don .4D 64
DN7: Dunsc .9C 26
Braemore Rd. S6: Shef .3B 108
Brailsford Av. S5: Shef .5H 93
Brailsford Ct. S5: Shef .5H 93
Brailsford Rd. S5: Shef .5H 93
BRAITHWAITE .4J 25
Braithwaite Ct. WF9: Hems .1L 19
Braithwaite La. DN7: B'waite, Kirk G . . .3J 25
Braithwaite M. *S75: Mapp* .*8D 16*
(off Braithwaite St.)
Braithwaite St. S75: Stain .8D 16
BRAITHWELL .3E 98
Braithwell Ct. DN5: Bntly .5L 43
Braithwell Rd. DN5: Bntly .6L 43
S65: Rav .5J 97
S66: Malt .8D 98
Braithwell Wlk. DN12: Den M .2L 79
Braithwell Way S66: Hel .6M 97
Bramah St. S71: Car .8K 17
Bramall Ct. S2: Shef .2H 123
Bramall Lane .2H 123
Bramall La. S2: Shef .7E 4 (2H 123)
S36: Stoc .3B 72
Bramble Bank HD9: Holm .2F 30
Bramble Cl. S66: Wick .1G 113
Bramble Rd. S72: Sth H .3E 18
Brambles, The S35: Eccl .5H 93
S71: R'ton .5H 17
Bramble Way DN9: Auck .2C 84
DN11: H'worth .9H 101
S63: Wath D .9H 59
Brambling La. S63: Wath D .7L 59
Bramblings, The DN4: Can .9K 65
S81: Gate .3N 141
Bramcote Av. S71: Ath .9F 16
Brameld Rd. S62: Rawm .9M 77
S64: Swin .3A 78
Bramhall Cl. S73: Womb .6B 58
Bramham Ct. *S9: Shef* .*7B 110*
(off Bramham Rd.)
Bramham Cft. S73: Womb .3F 58
Bramham Rd. DN4: Can .5J 65
S9: Shef .7B 110
BRAMLEY
S21 .6E 136
S66 .8J 97
Bramley Av. S13: Shef .3F 124
S26: Aston .3D 126
Bramley Carr S70: Barn .9C 36
Bramley Cl. HD9: New M .1H 31
S20: Mosb .3J 137
Bramley Ct. DN12: Den M .3L 79
S10: Shef .9C 108
Bramley Dr. S13: Shef .2F 124
Bramley Grange Cres. S66: Bram 8K 97
Bramley Grange Dr. S66: Bram .8K 97
Bramley Grange Ri. S66: Bram .8K 97
Bramley Grange Vw. S66: Bram .7K 97
Bramley Grange Way S66: Bram .8L 97
Bramley Hall Rd. S13: Shef .3F 124
Bramley La. S13: Shef .2F 124
S65: Rav .5M 97
WF4: W Brett, Wool .1J 15
BRAMLEY LINGS .1J 113
Bramley M. S21: Ecki .7K 137
BRAMLEY MOOR .7D 136
Bramleymoor La. S21: Mar L .9D 136
Bramley Pk. Cl. S13: Shef .3F 124
Bramley Pk. Mobile Home Site
S21: Mar L .7F 136
Bramley Pk. Rd. S13: Shef .2F 124
Bramley Rd. S21: Mar L .9E 136
Bramley Way S66: Hel .7M 97
BRAMPTON .8F 58
Brampton Av. S66: Thurc .6J 113
Brampton Beck S73: Bramp .6G 59
BRAMPTON BIERLOW .8G 59
Brampton Cl. DN3: Arm .2K 65
Brampton Ct. S20: Mosb .9G 124
WF9: Sth E .4F 20
Brampton Cres. S73: Womb .6F 58
BRAMPTON EN LE MORTHEN .7J 113
Brampton La. DN3: Arm .2K 65
S26: Ull .8G 112
Brampton Mdws. S66: Thurc .6J 113
Brampton Rd. S63: Wath D .8H 59
S66: Bramp M, Thurc .7J 113
S73: Bramp .8H 59
S73: Womb .6F 58
Brampton St. S73: Bramp .7H 59
Brampton Vw. S73: Womb .6F 58
Bramshill Cl. S20: Sot .1N 137
Bramshill Ct. S20: Sot .1N 137
Bramwell Cl. S3: Shef .2B 4 (8F 108)
Bramwell Ct. S3: Shef .2B 4 (8F 108)
Bramwell Dr. S3: Shef .2B 4 (8F 108)
Bramwell St. S3: Shef .2A 4 (8F 108)
S65: Roth .6L 95
Bramwith La. DN3: Barn D .9H 25
DN7: Sth B .8H 25
Bramwith Rd. S11: Shef .3A 122
Bramworth Rd. DN4: Hex .6K 63
Branchcroft Dr. DN4: Balb .2M 81
Brancliffe La. S81: Shire .2K 141
Brander Cl. DN4: Balb .1N 81
Brand La. DN5: High M, Sprot .3D 62
Brandon St. S3: Shef .5J 109
Brandreth Cl. S6: Shef .7F 108
Brandreth Rd. S6: Shef .7F 108
Brands Cl. S81: Woods .6J 129
Brand's La. S25: Din .4F 128
S81: Gild .4F 128
Brandsmere Dr. S81: Woods .6J 129
Branksome Av. S70: Barn .7D 36
Bransby St. S6: Shef .7E 108
Bransdale S81: Work .2D 142
Branstone Rd. DN5: Sprot .5F 62
Brantingham Gdns.
DN10: Baw .4C 102
BRANTON .7N 65
Branton Ga. Rd. DN3: Brant .5A 66
Branton Ter. *DN3: Brant* .*7N 65*
(off Moor Gap)
Brantwood Cres. DN4: Can .6J 65
Brathay Cl. S4: Shef .3N 109
Brathay Rd. S4: Shef .3N 109
Brayford Rd. DN4: Balb .2M 81
Bray St. S9: Shef .7A 110
Brayton Dr. DN4: Balb .2M 81
Brayton Gdns. DN6: Camp .9G 6
Bray Wlk. S61: Kimb P .3C 94
Brearley Av. S36: Spink .6F 72
Brearley Cen., The S9: Tins .5D 110
Brearley Dr. S5: Shef .9G 92
Brechin S81: Work .5E 142
Brecklands S60: Roth .9B 96
S66: Wick .9F 96
Breck La. S25: Din .1D 128
BRECKS .9D 96
Brecks Cres. S65: Roth .8D 96
Brecks La. DN3: Kirk Sa .4J 45
S65: Roth .6C 96
Brecon Cl. S20: Sot .9N 125
Bredon Cl. WF9: Hems .2M 19
Breeze Mt. Ct. DN7: Stainf .5B 26
Brendon Cl. S73: Womb .7F 58
Brentwood Av. S11: Shef .5E 122
S33: Bamf .8E 118

Brentwood Cl.—Broomfield Wlk.

Brentwood Cl. S33: Bamf .8E **118**
S74: Hoyl .2K **75**
Brentwood Rd. S11: Shef .5E **122**
S33: Bamf .8E **118**
Brentwood Vs. S65: Roth .6L **95**
Bressingham Cl. S4: Shef .6K **109**
Bressingham Rd. S4: Shef .6K **109**
Bressingham Rd. Nth. S4: Shef .6J **109**
Bretby Cl. DN4: Can .8J **65**
Brettas Pk. S71: Monk B .3H **37**
Brett Cl. S62: Rawm .6J **77**
Brettegate WF9: Hems .2J **19**
Bretton Cl. DN7: Dunsc .2C **46**
S72: Brier .7G **18**
S75: Kexb .9L **15**
Bretton Country Pk. .4G **15**
Bretton Gro. S12: Shef .8D **124**
Bretton Ho. *DN1: Don .5N 63*
(off St James St.)
Bretton Lakes Nature Reserve .4F **14**
Bretton La. WF4: W Brett .1H **15**
Bretton Rd. S75: Kexb .9L **15**
Bretton Vw. S72: Cud .3A **38**
Brewery Gdns. DN17: Crow .6M **29**
Brewery Rd. DN17: Crow .6M **29**
S63: Wath D .8M **59**
Brew Ho., The S11: Shef .7B **4**
Brewsters Wlk. DN10: Baw .5C **102**
Breydon Av. DN5: Cus .2J **63**
Breydon Ct. DN5: Cus .2J **63**
Briar Cl. DN9: Auck .2C **84**
S80: Work .8N **141**
Briar Ct. DN11: H'worth .9H **101**
HD9: Holm .4B **30**
S66: Wick .1G **112**
Briar Cft. DN4: Balb .7L **63**
Briarfield HD8: Den D .2K **33**
Briarfield Av. S12: Shef .8A **124**
Briarfield Cres. S12: Shef .8A **124**
Briarfield Rd. HD9: Holm .1G **30**
S12: Shef .8A **124**
Briarfields La. S35: Ough .8L **91**
Briar Gro. DN11: H'worth .9H **101**
S36: Cub .5N **53**
S72: Brier .6G **19**
Briar Lea S80: Work .8N **141**
Briar Ri. S70: Wors .3H **57**
Briar Rd. DN3: Arm .8K **45**
DN6: Skell .8E **22**
S7: Shef .5F **122**
Briars, The DN10: Miss .2L **103**
Briars Cl. S21: Killa .5C **138**
Briars Fold DN9: Blax .1G **84**
Briars La. DN7: Stainf .4B **26**
Briarwood Gdns. S66: Sunn .5G **97**
Briary Av. S35: High G .7E **74**
Briary Cl. S60: Brins .5J **111**
Briber Hill S81: Bly .3K **131**
Briber Rd. S81: Bly .1K **131**
Brick Dr. S10: Shef .8C **108**
Brickfield La. DN14: Syke .6K **9**
Brickhouse La. S17: Dore .2L **133**
BRICK HOUSES .2L **133**
Brick Kiln La. DN6: Moss .1D **24**
Brick St. S10: Shef .8C **108**
Brickyard, The S72: Shaft .8C **18**
Brickyard La. DN10: Miss .1M **103**
Bridby St. S13: Shef .5K **125**
Bride Chu. La. DN11: Tick .6D **100**
Bridge Cl. HD8: Clay W .7A **14**
BRIDGE END .3M **53**
Bridge End La. S63: Wath D .7K **59**
Bridge Gdns. S71: Barn .5G **36**
Bridgegate S60: Roth .6K **95**
Bridge Gro. DN5: Cus .2K **63**
Bridge Hill DN7: Stainf .5A **26**
S35: Ough .6M **91**
Bridge Ho. Ct. S81: Carl L .6D **130**
Bridgehouses S3: Shef .7H **109**
BRIDGEHOUSES RDBT. .7H **109**
Bridge Inn Rd. S35: Chap .8H **75**
Bridgelake Dr. DN4: Balb .2M **81**
Bridge La. HD9: Holm .2E **30**
Bridge La. Ct. DN10: Baw .7C **102**
Bridge Mills HD9: Holm .2E **30**
Bridge Pl. S80: Work .7C **142**
Bridge Rd. DN4: Bess .7F **64**
Bridge Row S81: Carl L .5D **130**
Bridge Side S36: Pen .4A **54**
Bridge St. DN4: Hex .5M **63**
DN8: Thorne .2K **27**
S3: Shef .1F **5** (7H **109**)
S21: Killa .3C **138**
S36: Pen .3M **53**
S60: Roth .6K **95**
S63: Bolt D .4C **60**
S64: Swin .3D **78**
S71: Barn .5G **36**
S75: Dart .8N **15**
S80: Work .8B **142**
Bridgewater Pk. Dr. DN6: Skell .7D **22**
Bridgewater Way S65: Rav .5L **97**
Bridle Cl. S35: Chap .8H **75**
Bridle Cres. S35: Chap .8H **75**
Bridle La. S18: App .8B **136**
Bridle Stile S20: Mosb .3J **137**
Bridle Stile Cl. S20: Mosb .3J **137**
Bridle Stile Gdns. S20: Mosb .3H **137**
Bridleway, The S62: Rawm .7B **78**
Bridport Rd. S9: Shef .7B **110**
Bridstone Gdns. S74: Els .9A **58**
Brier Cl. S20: Water .1K **137**
Brierey Cl. S75: Dart .9B **16**
Brierfield Cl. S75: Barn .6D **36**
Brier Hills La. DN7: Hatf W .2N **47**
Brierholme Carr Rd. DN7: Hat .7H **27**
Brierholme Cl. DN7: Hat .8G **27**
Brierholme Ings Rd. DN7: Hat .9H **27**
Brier La. S72: Sth H .1B **18**
WF4: Hav .1B **18**
BRIERLEY .6F **18**
Brierley Cres. WF9: Sth K .6B **20**
BRIERLEY GAP .8K **19**
Brierley Rd. DN4: Bess .8G **64**
S65: Dalt .4D **96**
S72: Brier, Grim .8F **18**
S72: Shaft .7D **18**
S72: Sth H .4D **18**
Briers Ho. La. S6: Dung .3F **106**
Brier St. S6: Shef .4D **108**
Briery Gdns. S75: Dod .9N **35**
Briery Mdws. S73: Hem .7C **58**
Briery Wlk. S61: Grea .2H **95**
Brigadier Hargreaves Ct.
S13: Shef .5G **125**
Brigantian Way WF9: Hems, Sth K .5N **19**
Briggs La. DN7: Fish .2B **26**
Briggs St. S71: Car .8K **17**
BRIGHTHOLMLEE .2H **91**
Brightholmlee Ct. S35: Wharn S .3K **91**
Brightholmlee La.
S35: Bright, Wharn S .2J **91**
Brightholmlee Rd. S6: Brad .5F **90**
S35: Bright, Ough .5F **90**
Bright Mdw. S20: Half .5N **137**
Brightmore Dr. S3: Shef .3B **4** (9F **108**)
Brightmore Ho. S3: Shef .2C **4**
Brighton St. S72: Grim .1G **39**
Brighton Ter. Rd. S10: Shef .8D **108**
BRIGHTSIDE .2A **110**
Brightside La. S9: Shef .5M **109**
Brightside Way S9: Shef .4N **109**
Brimham Cl. *DN3: Kirk Sa .4H 45*
(off Sandall La.)
Brimmesfield Cl. S2: Shef .4M **123**
Brimmesfield Dr. S2: Shef .3M **123**
Brimmesfield Rd. S2: Shef .4M **123**
Brinckman St. S70: Barn .8G **37**
BRINCLIFFE .4D **122**
Brincliffe Ct. S7: Shef .5F **122**
Brincliffe Cres. S11: Shef .4D **122**
Brincliffe Edge Cl. S11: Shef .5D **122**
Brincliffe Edge Rd. S11: Shef .5C **122**
Brincliffe Gdns. S11: Shef .4D **122**
Brincliffe Hill S11: Shef .4C **122**
Brindle M. S9: Shef .6B **110**
Brindley Cl. S8: Shef .7H **123**
Brindley Ct. S21: Killa .4B **138**
Brindley Cres. S8: Shef .7H **123**
Brindley Way S60: Shef .8G **110**
Brinkburn Cl. S17: Dore .4A **134**
Brinkburn Ct. S17: Dore .4A **134**
Brinkburn Dr. S17: Dore .4A **134**
Brinkburn Va. Rd. S17: Dore .4A **134**
Brinsford Rd. S60: Brins .3H **111**
BRINSWORTH .4H **111**
Brinsworth Grange S60: Brins .3G **110**
Brinsworth Hall Av. S60: Brins .4H **111**
Brinsworth Hall Cres. S60: Brins .4H **111**
Brinsworth Hall Dr. S60: Brins .4H **111**
Brinsworth Hall Gro. S60: Brins .5H **111**
Brinsworth La. S60: Brins .4H **111**
Brinsworth Rd. S60: Brins, Cat .5G **111**
(not continuous)
Brinsworth St. S9: Shef .6N **109**
S60: Roth .7J **95**
Bristol Gro. DN2: Don .1D **64**
Bristol M. S81: Work .2B **142**
Bristol Rd. S11: Shef .2D **122**
Britain St. S64: Mexb .2E **78**
Britannia Cl. S70: Barn .8G **36**
Britannia Ho. S70: Barn .8G **36**
Britannia Rd. S9: Shef .8C **110**
(not continuous)
Britannia Way S60: Cat .6H **111**
British Coal Ent. Pk.
DN11: H'worth .2H **117**
Britland Cl. S5: Shef .6H **93**
S75: Barn .6B **36**
Britnall St. S9: Shef .6A **110**
(not continuous)
Briton Sq. S63: Thurn .7D **40**
Briton St. S63: Thurn .7D **40**
Brittain St. S1: Shef .6G **5** (1J **123**)
Britten Ho. DN2: Don .1D **64**
Broachgate DN5: Scawt .8J **43**
Broad Balk DN5: Hoot P .2J **41**
Broadbent Ga. Rd. DN8: Moore .9L **11**
Broad Bri. Cl. S26: Kiv P .9L **127**
Broad Carr La. HD9: Jack B .5L **31**
Broadcarr Rd. S74: Hoyl .4L **75**
Broadcroft Cl. S20: Beig .7A **126**
Broad Dyke Cl. S26: Kiv P .9L **127**
Broad Elms Cl. S11: Shef .7A **122**
Broad Elms La. S11: Shef .8N **121**
Broadfield Cl. S8: Shef .5G **122**
Broadfield Ct. S8: Shef .5G **122**
Broadfield Pk. HD9: H'bri .6A **30**
Broadfield Rd. S8: Shef .5G **122**
Broadfield Way S8: Shef .5G **122**
Broad Gates S75: Silk .8H **35**
Broadgates *DN9: Finn .3G 84*
(off Station Rd.)
Broadhead Rd. S36: Spink .6F **72**
Broad Inge Cres. S35: Chap .9F **74**
Broad Ings La. DN7: Sth B .7G **25**
Broadlands S66: Bram .9K **97**
Broadlands Av. S20: Mosb .9G **125**
Broadlands Cl. DN7: Dunsc .1C **46**
S20: Mosb .9H **125**
Broadlands Cres. S66: Bram .9K **97**
Broadlands Cft. S20: Mosb .9H **125**
Broadlands Ri. S20: Mosb .9H **125**
Broad La. DN9: Auck .3B **84**
DN14: Syke .5K **9**
HD9: U'thng .3B **30**
S1: Shef .3C **4** (9G **109**)
S3: Shef .9G **108**
WF9: Sth K, Sth E .8N **19**
Broad La. Bus. Cen. WF9: Sth E .8E **20**
Broad La. Ct. S1: Shef .3C **4** (9G **108**)
Broadley Rd. S13: Shef .4C **124**
Broad Oak La. DN11: Tick .5A **100**
S36: Pen .7N **33**
Broad Oaks S9: Shef .8N **109**
Broadoaks Cl. S25: Din .3C **128**
Broad Oaks La. S9: Shef .8N **109**
Broadoaks Rd. S25: Din .2C **128**
Broad Riding DN12: New E .5H **81**
S66: Stain .4J **99**
Broadstone Rd. HD8: Cumb .4B **32**
Broad St. S2: Shef .2J **5** (8K **109**)
S62: P'gte .2M **95**
S74: Hoyl .9L **57**
Broad St. W. S1: Shef .2H **5** (8J **109**)
Broadwater S63: Bolt D .5N **59**
Broadwater Dr. DN7: Dunsc .2C **46**
Broadway DN7: Dunsc .3B **46**
S60: Brins .5H **111**
S64: Swin .4A **78**
S65: Roth .6A **96**
S70: Barn .7C **36**
S75: Mapp .8C **16**
WF9: Sth E .8D **20**
Broadway, The DN4: Balb .1K **81**
Broadway Av. S35: Chap .1J **93**
Broadway Cl. S64: Swin .4A **78**
Broadway Ct. S70: Barn .7C **36**
Broadway Dr. S70: Barn .8D **36**
Broadway E. S65: Roth .6A **96**
Broadway Nook DN7: Dunsc .2B **46**
Broadway Ter. WF9: Sth E .8D **20**
Brocco Bank S11: Shef .3D **122**
Brocco La. S3: Shef .2D **4** (8G **109**)
Brocco St. S3: Shef .2D **4** (8G **109**)
Brockadale Nature Reserve .3A **6**
Brockenhurst Rd. DN7: Hat .1D **46**
Brockfield Cl. S70: Wors .2H **57**
Brockhole Cl. DN4: Can .8J **65**
Brockholes La. DN3: Brant .8N **65**
S36: Cub, Pen .8K **53**
Brockhurst Way S65: Thry .3E **96**
Brocklehurst Av. S8: Shef .2K **135**
S70: Stair .1L **57**
Brocklehurst Ct. *S70: Stair .1L 57*
(off Brocklehurst Av.)
Brocklesby Dr. DN4: Bess .1J **83**
Brockwood Cl. S13: Shef .4J **125**
Broc-O-Bank DN6: Nort .7G **6**
BRODSWORTH .4N **41**
Brodsworth Community Woodlands .5C **42**
Brodsworth Hall .5N **41**
Brodsworth Ho. *DN1: Don .5N 63*
(off Bond Cl.)
Brodsworth Way DN11: Ross .5K **83**
Bromcliffe Pk. S71: Monk B .3M **37**
Bromfield Ct. S71: R'ton .5L **17**
BROMLEY .4B **74**
Bromley Av. HD9: New M .1H **31**
Bromley Bank HD8: Den D .2H **33**
Bromley Carr Rd. S35: Brom .5C **74**
Brompton La. DN9: Auck .3C **84**
Brompton Rd. DN5: Sprot .6G **63**
S9: Shef .5A **110**
Bromwich Rd. S8: Shef .9F **122**
Bronte Av. DN4: Balb .9K **63**
Bronte Cl. S71: Monk B .5J **37**
Bronte Gro. S64: Mexb .9G **61**
WF9: Hems .3J **19**
Bronte Pl. S62: Rawm .7A **78**
Brook Cl. S26: Aston .4D **126**
S35: Gren .4D **92**
S72: Grim .1G **38**
Brook Ct. S61: Thorpe H .1N **93**
Brook Cft. S25: Nth A .6B **128**
S36: Stoc .5E **72**
Brookdale Ct. S35: Chap .6H **75**
Brookdale Hgts. S75: Dod .1B **56**
Brookdale Rd. S35: Chap .5H **75**
Brook Dr. S3: Shef .2C **4** (8G **108**)
S63: Wath D .9K **59**
Brooke Cl. S81: Work .6F **142**
Brooke Ct. DN9: Auck .1C **84**
Brooke St. DN1: Don .2A **64**
DN8: Thorne .1J **27**
S74: Hoyl .9L **57**
Brook Farm M. S63: Wath D .8L **59**
Brookfield S36: Oxs .7D **54**
S71: Ard .9E **38**
Brookfield Av. S64: Swin .4C **78**
Brookfield Cl. DN3: Arm .2L **65**
DN8: Thorne .1J **27**
S65: Dalt .4C **96**
Brookfield M. DN5: Ark .6B **44**
Brookfield Rd. S7: Shef .4G **122**
Brookfields Dr. S63: Wath D .8B **60**
Brookfields Pk. S63: Wath D .7A **60**
Brookfields Way S63: Wath D .8A **60**
Brookfield Ter. S71: Car .9K **17**
Brookfield Yd. S7: Shef .4G **122**
Brook Grn. S12: Shef .8H **125**
Brookhaven Way S66: Bram .9K **97**
Brook Hill S3: Shef .3B **4** (9F **108**)
S61: Thorpe H .9N **75**
Brookhill S36: Carle .4M **51**
Brookhill Rd. S75: Kexb .9K **15**
BROOKHOUSE .6A **114**
Brookhouse Cl. S12: Shef .8H **125**
Brookhouse Ct. *S12: Shef .8H 125*
(off Sheffield Rd.)
Brookhouse Dell S66: Thurc .5M **113**
Brookhouse Dr. S12: Shef .8H **125**
Brookhouse Hill S10: Shef .4L **121**
Brook Ho. La. S36: Hazl .9C **52**
Brookhouse La.
S25: Brookh, Laugh M .6A **114**
Brookhouse Rd. S26: Aston .5C **126**
Brook Ho's. S75: Cawt .4G **34**
Brooklands S25: Nth A .6C **128**
S66: Malt .9B **98**
Brooklands Av. S10: Shef .4K **121**
Brooklands Bus. Pk. *S9: Shef .5A 110*
(off Brompton Rd.)
Brooklands Cres. S10: Shef .4K **121**
Brooklands Cft. S26: Wales .8G **127**
Brooklands Dr. S10: Shef .4K **121**
Brooklands Ho. S25: Din .2A **128**
Brooklands Pk. S25: Din .2A **128**
Brooklands Rd. DN6: Adw S .1G **43**
Brooklands Way S25: Din .2B **128**
Brook La. S3: Shef .3C **4** (9G **108**)
S12: Shef .8H **125**
S35: Gren .5D **92**
S35: Ough .6L **91**
S66: Bram .7J **97**
Brook La. Cft. S66: Bram .7J **97**
Brooklyn WF9: Sth E .6F **20**
Brooklyn Pl. S8: Shef .6H **123**
Brooklyn Rd. S8: Shef .6H **123**
Brooklyn Works S3: Shef .7H **109**
Brook Mdws. HD8: Den D .2K **33**
Brook M. S25: Nth A .6B **128**
Brook Rd. DN12: Con .4B **80**
S8: Shef .6G **123**
S35: High G .8F **74**
S65: Roth .5A **96**
Brook Row S36: Stoc .6E **72**
Brooksfield WF9: Sth K .5C **20**
Brookside DN12: Con .5A **80**
HD8: Den D .2J **33**
S6: Stan .6H **107**
S64: Swin .5A **78**
S65: Roth .8B **96**
WF9: Hems .2L **19**
Brookside Bank Rd. S6: Stan .6G **107**
Brookside Cl. S12: Shef .8H **125**
Brookside Ct. S62: P'gte .3K **95**
Brookside Cres. S63: Wath D .1H **77**
Brookside Dr. S70: Stair .1L **57**
Brookside La. S6: Stan .6H **107**
Brookside St. WF9: Sth E .6E **20**
Brookside Ter. WF9: Sth E .6E **20**
Brookside Wlk. DN11: Birc .9L **101**
Brook Sq. DN12: Con .5A **80**
Brook St. S60: Whis .3A **112**
Brook Ter. S80: Work .8B **142**
Brookvale S71: Monk B .5L **37**
Brookview Ct. S18: Dron .7H **135**
Brook Way DN5: Ark .6A **44**
BROOM .8M **95**
Broom Av. S60: Roth .9A **96**
Broombank HD8: Den D .3J **33**
Broom Chase S60: Roth .9M **95**
Broomcliffe Gdns. S72: Shaft .7C **18**
Broom Cl. DN11: Tick .6E **100**
S2: Shef .2G **123**
S63: Bolt D .4A **60**
S63: Wath D .2N **77**
S66: Sunn .6H **97**
S70: Barn .1L **57**
S75: Dart .8B **16**
S81: Gate .1A **142**
Broom Ct. DN7: Hat .1C **46**
S60: Roth .9N **95**
Broom Cres. S60: Roth .9M **95**
Broomcroft S75: Dod .1C **56**
Broomcroft Pk. S11: Shef .8A **122**
Broom Dr. S60: Roth .1A **112**
Broome Av. S64: Swin .3C **78**
BROOMFIELD .6A **4** (1E **122**)
Broomfield Cl. S70: Barn .8C **36**
Broomfield Ct. S36: Stoc .5F **72**
Broomfield Gro. S36: Stoc .6F **72**
S60: Roth .9M **95**
Broomfield La. S36: Stoc .6E **72**
Broomfield M. S71: R'ton .6L **17**
Broomfield Rd. S10: Shef .1E **122**
S36: Stoc .5F **72**
Broomfield Ter. S35: Ough .8J **91**
Broomfield Wlk. S36: Pen .5M **53**

Broom Grange—Calver Cl.

Broom Grange S60: Roth 9N 95
Broom Grn. S3: Shef 5C 4 (1G 122)
Broom Gro. S25: Sth A 8B 128
S60: Roth 8M 95
Broomgrove Cres. S10: Shef 1E 122
Broomgrove Hall S10: Shef 1E 122
Broomgrove La. S10: Shef 1E 122
Broomgrove Rd. S10: Shef 1E 122
Broomhall Pl. S10: Shef 6B 4 (1F 122)
Broomhall Rd. S10: Shef 7A 4 (2E 122)
Broomhall St. S3: Shef 6B 4 (1F 122)
(Broomhall Pl., not continuous)
S3: Shef 5C 4 (1G 122)
(Cavendish Ct.)
Broomhead Ct. S75: Mapp 9C 16
Broomhead Gdns. S73: Womb 6F 58
Broomhead Rd. S73: Womb 6F 58
BROOMHILL
S10 1D 122
S73 5H 59
Broomhill DN12: Den M 2L 79
Broomhill Av. S81: Work 2B 142
Broomhill Cl. HD9: Scho 5H 31
S21: Ecki 7H 137
Broom Hill Dr. DN4: Can 8J 65
Broomhill Flash Nature Reserve 5G 58
Broomhill La. S63: Bolt D 4J 59
Broomhill Vw. S63: Bolt D 6A 60
Broomhouse Cl. HD8: Den D 3K 33
Broomhouse La. DN4: Balb, Warm 3H 81
DN12: New E 5F 80
Broomhouse La. Ind. Est.
DN12: New E 3G 81
Broom La. S60: Roth 9N 95
Broom Riddings S61: Grea 3H 95
Broom Rd. S60: Roth 8M 95
Broom Royd S35: Wharn S 2K 91
Broomroyd S70: Wors 3J 57
Broomspring Cl. S3: Shef 5C 4 (1G 122)
Broomspring La. S10: Shef 5A 4 (1F 122)
(not continuous)
Broom St. S10: Shef 6B 4 (1F 122)
Broom Ter. S60: Roth 8M 95
Broomvale Wlk. DN12: New E 5E 80
Broom Valley Rd. S60: Roth 8L 95
Broomville St. S64: Swin 3D 78
Broom Wlk. S3: Shef 5C 4
Broomwood Cl. S20: Beig 8N 125
Broomwood Gdns. S20: Beig 8N 125
Broomy Lea La. HD9: N'thng 1D 30
Brosley Av. DN3: Barn D 9J 25
Brotherton St. S3: Shef 6J 109
BROUGH 9A 118
Brough Grn. S75: Dod 2B 56
Brough La. S33: Brou 9A 118
Broughton Av. DN5: Don 9L 43
Broughton La. S9: Shef 4B 110
Broughton Rd. DN4: Bess 9G 65
S6: Shef 3D 108
Brow, The S65: Roth 9D 96
Brow Cl. S70: Wors 1G 57
Brow Cres. S20: Half 3L 137
Brow Hill Rd. S66: Malt 7C 98
Brow La. HD8: Den D 2A 34
HD9: Holm 5C 30
Brownell St. S3: Shef 2C 4 (8G 108)
Brownhill La. HD9: H'bri 7A 30
Brown Hills La. S10: Shef 3E 120
Brown Ho. La. S6: Brad 7D 90
Browning Av. DN4: Balb 9M 63
(not continuous)
Browning Cl. S6: Shef 8E 92
S71: Monk B 3J 37
S81: Work 5E 142
Browning Ct. S65: Roth 8A 96
Browning Dr. S6: Shef 8E 92
S65: Roth 7A 96
Browning Rd. DN3: Barn D 9J 25
S6: Shef 8D 92
S63: Wath D 8J 59
S64: Mexb 9F 60
S65: Roth 7A 96
Brown La. S1: Shef 5F 5 (1H 123)
(not continuous)
S18: Coal A 7K 135
Brownlee Cl. S60: Brins 4J 111
Brownroyd Av. S71: R'ton 7K 17
Brown's Edge La. S36: Langs 9D 52
Browns Edge Rd. S36: Mill G 8B 32
Browns La. DN8: Thorne 2J 27
Browns Sq. S73: Hem 8B 58
Brown St. S1: Shef 5G 5 (1J 123)
S60: Roth 6H 95
Brown Syke La. DN14: Syke 5L 9
Brow Vw. S63: Bolt D 5A 60
Broxbourne Gdns. DN5: Bntly 7M 43
Broxholme La. DN1: Don 3A 64
Broxholme Rd. S8: Shef 8G 123
Bruce Av. S70: Barn 9G 36
Bruce Cres. DN2: Don 2E 64
Bruce Rd. S11: Shef 3E 122
Bruncroft Cl. DN4: Bess 9G 65
Brunel Cl. DN11: H'worth 2J 117
Brunel Gate DN11: H'worth 2J 117
Brunel Pk. Ind. Est. DN11: H'worth 2J 117
Brunel Rd. DN5: Don 2K 63
Brunel Way S60: Cat, Shef 8G 110
Bruni Way DN11: New R 7J 83
Brunswick Cl. S71: Smi 2G 37
Brunswick Dr. S66: Sunn 6G 97
Brunswick Gdns. S13: Shef 4K 125
Brunswick Gdns. Village
S13: Shef 4K 125
Brunswick Rd. S3: Shef 7J 109
S60: Roth 9M 95
Brunswick Sq. DN7: Stainf 6A 26
Brunswick St. S10: Shef 4B 4 (9F 108)
S63: Thurn 7D 40
Brunt Rd. S62: Rawm 8A 78
Brunyee Rd. DN17: Crow 8M 29
Brushfield Gro. S12: Shef 7D 124
Bryan Ct. S66: B'well 4D 98
Bryans Cl. DN11: H'worth 2K 117
Bryans Cl. La. DN10: Miss 2H 103
Bryndlee Ct. HD9: Holm 4C 30
Bryony Cl. S21: Killa 4A 138
Bryson Cl. DN8: Thorne 9L 11
Bubnell Rd. S18: Dron W 8F 134
Bubup Hill DN11: Lov 4N 81
Bubwith Rd. S9: Shef 2B 110
Buccaneer Dr. DN9: Finn 2D 84
Buchanan Cres. S5: Shef 8F 92
Buchanan Dr. S5: Shef 8F 92
Buchanan Rd. S5: Shef 8F 92
Buckden Rd. S70: Barn 6E 36
Buckenham Dr. S4: Shef 6K 109
Buckenham St. S4: Shef 6K 109
Buckingham Cl. S18: Dron W 8E 134
Buckingham Ct. DN11: H'worth 8K 101
S71: R'ton 5J 17
Buckingham Ri. S81: Work 3A 142
Buckingham Rd. DN2: Don 3C 64
DN12: Con 3N 79
Buckingham Way S60: Brins 4J 111
S66: Malt 7E 98
S71: R'ton 5J 17
Buckleigh Rd. S63: Wath D 2L 77
Buckley Ct. S70: Barn 8G 36
Buckley Ho. S70: Barn 8G 36
Buckthorn Cl. S64: Swin 6B 78
Buck Wood Vw. S14: Shef 6L 123
Bude Ct. S71: Monk B 5K 37
Bude Rd. DN4: Balb 7M 63
Bud La. S35: Bright 3G 91
Bullcroft Cl. DN6: Carc 8G 22
Bullen Rd. S6: Shef 8D 92
Bullenshaw Rd. WF9: Hems 3K 19
Bullenshaw Vs. WF9: Hems 3N 19
Bullfinch Cl. S60: Brins 4K 111
Bull Haw La. S75: Silk 8G 34
Bullhouse La. S36: Mill G 5F 52
Bullivant Rd. DN7: Hat 9E 26
Bull La. DN14: Syke 6M 9
WF9: Sth K 7B 20
Bull Moor Rd. DN7: Hatf W 1J 47
Bullrush Gro. DN4: Balb 1B 82
Bull Yd. S80: Work 8B 142
Bunfold Shaw La. DN6: Fen, Syke 5F 8
DN14: Syke 6G 9
Bungalow Rd. DN12: New E 4F 80
Bungalows, The *DN11: Birc 9M 101*
(off White Ho. Rd.)
S21: Killa 3B 138
S60: Tree 8L 111
S62: Rawm 7L 77
Bunker's Hill S21: Killa 4D 138
Bunkers Hill HD9: Holm 3E 30
Bunting Cl. S8: Shef 9J 123
Bunting Nook S8: Shef 9J 123
Burbage Cl. S18: Dron W 8E 134
Burbage Gro. S12: Shef 6D 124
Burcot Rd. S8: Shef 6G 123
BURCROFT 3B 80
Burcroft Cl. S74: Hoyl 1J 75
Burcroft Hill DN12: Con 3B 80
Burden Cl. DN1: Don 5N 63
Burford Av. DN4: Balb 1J 81
Burford Cres. S26: Aston 4D 126
Burgar Rd. DN8: Thorne 4K 27
Burgen Rd. S61: Kimb P 4E 94
Burgess Rd. S9: Shef 6N 109
Burgess St. S1: Shef 4F 5 (9H 109)
Burghley Cl. S25: Din 3C 128
Burghley Ct. DN5: Sprot 6H 63
BURGHWALLIS 5E 22
Burghwallis La. DN6: Sutt 4F 22
Burghwallis Rd. DN6: Burgh, Camp 4F 22
Burgoyne Cl. S6: Shef 6E 108
Burgoyne Rd. S6: Shef 6E 108
Burgundy Rd. DN4: Balb 2A 82
Burial Pl. La. DN7: Fost 8B 10
Burkinshaw Av. S62: Rawm 6M 77
Burleigh Ct. S70: Barn 7G 36
Burleigh St. S70: Barn 8G 36
Burlington Ct. S6: Shef 1A 4 (8F 108)
Burlington Arc. S70: Barn 7G 36
Burlington Cl. S17: Dore 3N 133
Burlington Ct. S6: Shef 7F 108
Burlington Glen S17: Dore 3N 133
Burlington Gro. S17: Dore 3N 133
Burlington Rd. S17: Dore 3N 133
Burlington St. S6: Shef 1A 4 (7F 108)
Burman Rd. S63: Wath D 1M 77
Burnaby Ct. S6: Shef 5E 108
Burnaby Cres. S6: Shef 6E 108
Burnaby Grn. S6: Shef 5E 108
Burnaby St. DN1: Don 5N 63
S6: Shef 5E 108
Burnaby Wlk. S6: Shef 6E 108
Burnaston Cl. S18: Dron W 9D 134
Burnaston Wlk. DN12: Den M 3M 79
BURNCROSS 9F 74
Burncross Dr. S35: Chap 9G 74
Burncross Gro. S35: Burn 9F 74
Burncross Rd. S35: Burn, Chap 9E 74
Burnell Rd. S6: Shef 3D 108
Burnett Cl. S36: Pen 5A 54
BURNGREAVE 6K 109
Burngreave Bank S4: Shef 6J 109
Burngreave Rd. S3: Shef 5J 109
Burngreave St. S3: Shef 6J 109
Burn Gro. S35: Chap 1K 93
Burngrove Pl. S3: Shef 5J 109
Burnham Av. S75: Mapp 8C 16
Burnham Cl. DN4: Bess 8E 64
Burnham Gro. DN5: Scawt 8K 43
Burnham Way S73: D'fld 2F 58
BURNLEE 4B 30
Burnlee Grn. Rd. HD9: Holm 4C 30
Burnlee Rd. HD9: Holm 4C 30
Burn Pl. S71: Smi 1F 36
Burnsall Cres. S60: Brins 5J 111
Burnsall Gro. S70: Stair 1L 57
Burns Av. WF9: Sth K 8M 19
Burns Ct. S35: Chap 9G 74
Burns Dr. S35: Chap 9G 74
S65: Roth 7A 96
Burnside S63: Thurn 7B 40
Burnside Av. S8: Shef 6H 123
Burnside Dr. HD9: Holm 4C 30
Burns Rd. DN3: Barn D 9J 25
DN4: Balb 9M 63
S6: Shef 8E 108
S25: Din 3E 128
S65: Roth 7N 95
S66: Malt 9E 98
S81: Work 5E 142
Burns St. DN5: Bntly 7M 43
Burns Vs. DN7: Stainf 5B 26
(not continuous)
Burns Way DN4: Balb 7L 63
S63: Wath D 8J 59
Burnt Hill La. S35: Ough 8H 91
Burnt Stones Cl. S10: Shef 1M 121
Burnt Stones Dr. S10: Shef 1M 121
Burnt Stones Gro. S10: Shef 1M 121
Burntwood Av. WF9: Sth K 7B 20
Burntwood Bank WF9: Hems 4K 19
Burntwood Cl. S63: Thurn 9A 40
Burntwood Court Health & Fitness Cen.
7J 19
Burntwood Cres. S60: Tree 7L 111
WF9: Sth K 7B 20
Burntwood Dr. WF9: Sth K 7A 20
Burntwood Gro. WF9: Sth K 8B 20
Burnt Wood La. S72: Brier 9L 19
Burntwood Rd. S72: Grim 2H 39
Burrell St. S60: Roth 7K 95
Burrowlee Pk. Sq. *S6: Shef 3D 108*
(off Burrowlee Rd.)
Burrowlee Rd. S6: Shef 3D 108
Burrows Dr. S5: Shef 2H 109
Burrows Gro. S73: Womb 4B 58
Burrs Farm Ct. S81: Gild 3K 129
Burrs La. S81: Gild 3K 129
Burton Av. DN4: Balb 7M 63
S71: Monk B 4L 37
Burton Bank Rd. S71: Monk B 5H 37
(not continuous)
Burton Cres. S71: Monk B 3M 37
Burton La. S35: Ough 7L 91
Burtonlees Ct. DN4: Bess 8H 65
Burton Rd. S3: Shef 6G 109
S71: Monk B 5H 37
Burton Rd. Bus. Pk. S71: Monk B 3M 37
Burton St. S6: Shef 5E 108
S71: Barn 5F 36
WF9: Sth E 7E 20
Burton Ter. DN4: Balb 7M 63
S70: Barn 8J 37
Burtop Cft. S73: Hem 8C 58
Burying La. S74: Hoyl 3M 75
Bushey Wood Gro. S17: Dore 3M 133
Bushey Wood Rd. S17: Dore 4N 133
Bushfield Rd. S63: Wath D 9K 59
Bushmead M. *S80: Work 8C 142*
(off Pilgrim Way)
Bush St. WF9: Hems 3L 19
Bushy La. DN14: Syke 4B 10
Busk Knoll S5: Shef 2H 109
Busk Mdw. S5: Shef 2H 109
Busk Pk. S5: Shef 2H 109
Busley Gdns. DN5: Bntly 8L 43
(not continuous)
Butcher Hill WF9: Hems 1L 19
Butcher St. S63: Thurn 8B 40
Butchill Av. S5: Shef 5H 93
Bute St. S10: Shef 9C 108
Butler Rd. S6: Shef 5B 108
Butler Way S21: Killa 3B 138
Butten Mdw. DN10: Aust 3E 102
Butterbusk DN12: Con 4C 80
BUTTERBUSK GREEN 2E 80
Buttercross DN6: Skell 8E 22
Buttercross Cl. DN6: Skell 7E 22
Buttercross Ct. DN11: Tick 6D 100
Buttercross Dr. S72: Lit H 8J 39
Butter Cross Pk. S71: Monk B 3K 37
Buttercup Cl. WF9: Upton 2E 20
Buttercup Ct. WF9: Sth K 6A 20
Butterfield Ct. S73: Bramp 7G 58
Butterfly Nook S65: Roth 9D 96
Butterill Dr. DN3: Arm 2N 65
Butterley Dr. S70: Stair 1L 57
Butterley La. HD9: New M 4J 31
Butterleys S75: Dod 9B 36
Buttermere Cl. DN6: Carc 8F 22
S25: Nth A 4C 128
S63: Bolt D 6B 60
S64: Mexb 9H 61
Buttermere Cres. DN4: Don 6E 64
Buttermere Dr. S18: Dron W 9F 134
Buttermere Rd. S7: Shef 7F 122
Buttermere Way S71: Ard 8B 38
Butterscotch Wlk. DN5: Scawt 9K 43
BUTTERTHWAITE 4L 93
Butterthwaite Cres. S5: Shef 6M 93
Butterthwaite La. S35: Eccl 4L 93
Butterthwaite Rd. S5: Shef 5K 93
Butterton Cl. S75: Mapp 8D 16
Butt La. DN5: Hoot P 4J 41
DN6: Ham 9M 21
HD9: Hep 6J 31
Button Hill S11: Shef 7C 122
Button Row S36: Stoc 5D 72
Butts Hill S17: Tot 6M 133
Buxton Rd. S71: Ath 1H 37
Buzzard Av. S64: Mexb 9K 61
Byath La. S72: Cud 2B 38
Byford Rd. S66: Malt 8A 98
Byland Way S71: Monk B 6L 37
Byram Ct. DN4: Balb 1N 81
Byrley Rd. S61: Kimb P 4E 94
Byrne Cl. S75: Bar G 4N 35
Byron Av. DN4: Balb 9L 63
DN5: Don 3K 63
DN6: Camp 9G 7
S35: Chap 1G 92
Byron Cres. S63: Wath D 8J 59
Byron Dr. S65: Roth 7N 95
S71: Monk B 4J 37
Byron Rd. S7: Shef 5E 122
S20: Beig 9N 125
S25: Din 3E 128
(not continuous)
S64: Mexb 1G 79
S66: Malt 9E 98
Byron St. S72: Gt H 7L 39
Byron Way S81: Work 6E 142

C

Cabin La. HD9: New M 2H 31
Caddon Av. WF9: Sth E 8G 20
CADEBY 9B 62
Cadeby Av. DN12: Con 4M 79
Cadeby Ho. *DN1: Don 5N 63*
(off St James St.)
Cadeby La. DN5: Cad, Sprot 6A 62
DN12: Den M 2M 79
Cadeby Rd. DN5: Sprot 7E 62
Cadman Ct. S20: Mosb 4K 137
Cadman Rd. S12: Shef 6C 124
Cadman St. S4: Shef 1K 5 (8K 109)
S20: Mosb 4J 137
S63: Wath D 9N 59
Cadwell Cl. S72: Cud 9C 18
Caernarvon Cres. S63: Bolt D 5A 60
Caernarvon Dr. DN5: Barnb 4H 61
Caine Gdns. S61: Kimb 7E 94
Cairns Rd. S10: Shef 1A 122
S20: Beig 7M 125
Caister Av. S35: Chap 9G 74
Caistor Av. S70: Barn 9D 36
Calabria Gro. S70: Barn 8J 37
Calcot Grn. S64: Swin 4C 78
Calcot Pk. Av. S64: Swin 4C 78
Caldbeck Gro. S35: High G 6E 74
Caldbeck Pl. S25: Nth A 4D 128
Calder Av. S71: R'ton 6M 17
Calder Cl. S71: R'ton 6M 17
Calder Cres. S70: Barn 9L 37
Calder Rd. S61: Wing 3F 94
S63: Bolt D 6C 60
Calders Cres. S5: Shef 7G 93
Calder Ter. DN12: Con 3A 80
Caldervale S71: R'ton 5M 17
Calder Way S5: Shef 2K 109
Caldey Rd. S18: Dron 9H 135
Calf Hey La. S36: Crow E 1N 51
California Cres. S70: Barn 9G 36
California Dr. S35: Chap 1H 93
S60: Cat 7J 111
California Gdns. S70: Barn 8G 36
California St. S70: Barn 9F 36
California Ter. S70: Barn 9F 36
Calladine Way S64: Swin 5B 78
Callander Ct. DN4: Can 8H 65
Callflex Bus. Pk. S63: Wath D 9B 60
Callis La. S36: Pen 5A 54
Callis Way S36: Cub 5N 53
Callow Dr. S14: Shef 6L 123
Callow Mt. S14: Shef 6K 123
Callow Pl. S14: Shef 6L 123
Callow Rd. S14: Shef 6K 123
Callum Ct. S62: P'gte 3L 95
Callywhite La. S18: Dron 9J 135
Calner Cft. S20: Sot 9A 126
Calver Cl. S75: Dod 1B 56

Calverley Gdns.—Castle Pk.

Calverley Gdns. S73: Womb 4E **58**
Calvert Rd. S9: Shef 6C **110**
Calvert St. S74: Hoyl 1J **75**
Calver Way S60: Wav 9H **111**
Calvey Orchard S72: Cud 1C **38**
Camborne Cl. S6: Shef 8D **92**
Camborne Rd. S6: Shef 8D **92**
Camborne Way S71: Monk B 5J **37**
Cambourne Cl. DN6: Adw S 2F **42**
Cambria Dr. DN4: Balb 9J **63**
Cambrian Cl. DN5: Sprot 6E **62**
Cambria Ter. S80: Work 6B **142**
Cambridge Cl. DN5: Harl 5G **61**
Cambridge Ct. *S1: Shef 4E 4*
(off Backfields)
Cambridge Cres. S65: Roth 6N **95**
Cambridge M. S63: Wath D 7K **59**
Cambridge Pl. S65: Roth 6N **95**
Cambridge Rd.
DN11: H'worth 9J **101**
S8: Shef 5J **123**
S36: Spink 6H **73**
Cambridge St. DN11: New R 4H **83**
S1: Shef 4E **4** (9H **109**)
(not continuous)
S64: Mexb 1D **78**
S65: Roth 7N **95**
WF9: Sth E 6D **20**
Cambron Gdns. S66: Bram 8J **97**
Camdale Ri. S12: Ridg 1F **136**
Camdale Vw. S12: Ridg 1F **136**
Camden Gro. S66: Malt 7D **98**
Camden Pl. DN1: Don 5N **63**
Camelia M. S26: Swal 4B **126**
Camellia Cl. DN12: Con 5B **80**
Camellia Dr. DN3: Kirk Sa 5J **45**
Camelot Way WF9: Sth E 7F **20**
Cam Height S32: Hath 9B **120**
Cammell Rd. S5: Shef 2L **109**
Cammidge Way DN4: Bess 2J **83**
Camms Cl. S21: Ecki 6K **137**
Camm St. S6: Shef 6D **108**
Campbell Cl. S81: Work 2C **142**
Campbell Dr. S65: Roth 8A **96**
Campbell St. S61: Grea 1J **95**
Campbell Wlk. S60: Brins 4J **111**
Campbell Way S25: Din 1B **128**
Camping La. S8: Shef 9F **122**
Campion Cl. S63: Bolt D 4A **60**
Campion Dr. S21: Killa 4B **138**
S64: Swin 5C **78**
Campo La. S1: Shef 3E **4** (9H **109**)
Camp Rd. WF9: Sth K 8M **19**
CAMPSALL 1G **23**
Campsall Balk DN6: Nort 8H **7**
Campsall Country Pk. 1H **23**
Campsall Dr. S10: Shef 9B **108**
Campsall Fld. Cl. S63: Wath D 2L **77**
Campsall Fld. Rd. S63: Wath D 1L **77**
Campsall Hall Rd. DN6: Camp 9H **7**
Campsall Pk. Rd. DN6: Camp 9G **7**
Campsall Rd. DN6: Ask 1J **23**
Campsmount Dr. DN6: Camp 1G **22**
Campus M. S70: Barn 9D **36**
Canada St. S4: Shef 5L **109**
S70: Barn 9F **36**
Canal Bri. S21: Killa 4C **138**
Canal Rd. S80: Work 7C **142**
Canalside DN8: Thorne 3K **27**
(not continuous)
S21: Reni 9A **138**
Canalside M. S80: Work 7B **142**
Canalside Vw. S64: Kiln 6D **78**
Canal St. S4: Shef 7L **109**
S71: Barn 5G **36**
Canal Ter. S80: Work 7D **142**
Canal Vw. DN7: Stainf 4A **26**
DN8: Thorne 3K **27**
Canal Way S71: Barn 5G **37**
Canal Wharfe S64: Mexb 2H **79**
Canary Ct. S66: Sunn 6G **96**
Canberra Av. DN7: Lind 9J **47**
Canberra Ri. S63: Bolt D 5A **60**
Candle Cres. S66: Thurc 7L **113**
Candy Bank DN9: Finn 6M **67**
CANKLOW 1K **111**
Canklow Hill Rd. S60: Roth 1K **111**
Canklow Mdws. Ind. Est.
S60: Roth 4K **111**
Canklow Rd. S60: Roth 1K **111**
Canning St. S1: Shef 4D **4** (9G **109**)
Cannock St. S6: Shef 4D **108**
Cannon Cl. S62: Rawm 8A **78**
Cannon Hall Farm 3E **34**
Cannon Hall Mus., Pk. & Gdns. 3E **34**
Cannon Hall Rd. S5: Shef 3K **109**
Cannonthorpe Ri. S60: Tree 8M **111**
Cannon Way S75: Bar G 3A **36**
Canon Cl. DN11: Ross 5L **83**
Canons Way S71: Monk B 5K **37**
Cantelo Ct. DN11: New R 7H **83**
Canterbury Av. S10: Shef 3L **121**
Canterbury Cl. DN5: Scaws 1J **63**
S65: Roth 8A **96**
S81: Work 3D **142**
Canterbury Cres. S10: Shef 3L **121**
Canterbury Dr. S10: Shef 3L **121**
Canterbury Rd. DN2: Don 1C **64**
DN7: Dunsc 9C **26**
S8: Shef 6J **123**
Canterbury Wlk. *S81: Carl L 4B 130*
(off Beverley Wlk.)
Cantilupe Cres. S26: Aston 3C **126**
CANTLEY 6L **65**
Cantley La. DN3: Can 6F **64**
DN4: Bess, Can 6F **64**
Cantley Mnr. Av. DN4: Can 8J **65**
Canyards Hills La. S36: Bolst 2A **90**
Capel St. S6: Shef 5E **108**
(not continuous)
Caperns Rd. S25: Nth A 6D **128**
Capitol Cl. S75: High'm 7A **36**
Capitol Ct. S75: High'm 7A **36**
Capitol Pk. DN8: Thorne 1H **27**
S75: High'm 7A **36**
Capri Ct. S73: D'fld 1E **58**
Capstan Way DN8: Thorne 2J **27**
Cvn. Site, The DN5: Sprot 7E **62**
Caraway Gro. S64: Swin 6C **78**
Carbis Cl. S71: Monk B 5J **37**
CARBROOK 3B **110**
Carbrook Bus. Pk. S9: Shef 3B **110**
Carbrook Hall Rd. S9: Shef 4B **110**
Carbrook Stop (ST) 3C **110**
Carbrook St. S9: Shef 4B **110**
CARCROFT 9G **23**
Carcroft Ent. Pk. DN6: Carc 9G **23**
Carcroft Ind. Est. DN6: Adw S 1H **43**
Cardew Cl. S62: Rawm 9N **77**
Cardigan Rd. DN2: Don 2F **64**
Cardinal Cl. DN11: Ross 5L **83**
Cardinal Gdns. DN6: Burgh 5E **22**
Cardoness Dr. S10: Shef 1N **121**
Cardoness Rd. S10: Shef 1A **122**
Cardwell Av. S13: Shef 4F **124**
Cardwell Ct. S66: B'well 3D **98**
Cardwell Dr. S13: Shef 4F **124**
Carey Av. S71: Barn 6H **37**
Carfield Av. S8: Shef 6J **123**
Carfield La. S8: Shef 6K **123**
Carfield Pl. S8: Shef 6J **123**
Car Hill S61: Grea 3J **95**
Carina Dr. DN4: Balb 2A **82**
Carisbrook Ct. DN5: Ark 6A **44**
Carisbrooke Rd. DN2: Don 3D **64**
Carisbrooke Rd. S81: Carl L 5B **130**
Carlby Rd. S6: Shef 5B **108**
CARLECOTES 4M **51**
Carley Dr. S20: W'fld 1M **137**
Carling Av. S80: Work 8A **142**
Carlingford Rd. S60: Roth 1N **111**
Carlin St. S13: Shef 5E **124**
Carlisle Bus. Pk. S4: Shef 3N **109**
Carlisle Ct. S4: Shef 5M **109**
Carlisle Pl. *S65: Roth 6L 95*
(off Wharncliffe Hill)
Carlisle Rd. DN2: Don 9E **44**
S4: Shef 4M **109**
Carlisle St. S4: Shef 7K **109**
S64: Kiln 5C **78**
S65: Roth 6L **95**
Carlisle St. E. S4: Shef 6L **109**
Carlisle Ter. S25: Din 2D **128**
Carlthorpe Gro. S35: High G 7D **74**
CARLTON 8L **17**
Carlton Av. S65: Roth 7M **95**
S81: Work 4B **142**
Carlton Cl. DN3: Brant 7A **66**
S20: Mosb 4J **137**
S81: Work 3B **142**
WF9: Hems 4J **19**
Carlton Ct. S71: Ath 1J **37**
S81: Work 3C **142**
WF9: Sth E 6E 20
(off Carlton Gdns.)
Carlton Dr. DN10: Baw 7B **102**
Carlton Gdns. WF9: Sth E 6E **20**
Carlton Ga. Dr. S26: Kiv P 9H **127**
CARLTON GREEN 9L **17**
Carlton Grn. S71: Car 9K **17**
Carlton Hall La. S81: Carl L 6B **130**
Carlton Ho. *DN1: Don 5N 63*
(off Bond Cl.)
S72: Cud 1B **38**
Carlton Ind. Est. S71: Car 1K **37**
CARLTON IN LINDRICK 6D **130**
Carlton Marsh Nature Reserve 9N **17**
Carlton M. S2: Shef 4M **123**
S71: Car 8K **17**
Carlton Phoenix Ind. Est.
S81: Work 6D **142**
Carlton Ri. S35: Wharn S 2K **91**
Carlton Rd. DN1: Don 2B **64**
S6: Shef 2C **108**
S62: Rawm 1M **95**
S71: Ath, Car, Smi 3H **37**
S80: Work 7C **142**
S81: Work 2C **142**
WF9: Sth E 6E **20**
Carlton St. S71: Barn 4F **36**
S72: Cud 1B **38**
S72: Grim 2G **38**
Carlton Way S60: Tree 9M **111**
Carlyle Ct. S66: Malt 9E **98**
Carlyle Rd. S66: Malt 9E **98**
Carlyle St. S64: Mexb 1F **78**
Carnaby Rd. S6: Shef 5D **108**
Carnarvon St. S6: Shef 7F **108**
Carnforth Rd. S71: Monk B 3L **37**
Carnley St. S63: Wath D 8H **59**
Carnoustie S81: Work 5E **142**
Carnoustie Cl. S64: Swin 4D **78**
Carolina Ct. DN4: Don 8D **64**
Carolina Way DN4: Don 8D **64**
Carpenter Cft. S12: Shef 5C **124**
Carpenter Gdns. S12: Shef 5C **124**
Carpenter M. S12: Shef 5C **124**
CARR 3A **114**
Carr, The HD8: Shep 2C **32**
Carr Bank DN11: Wad 7D **82**
Carr Bank Cl. S11: Shef 3A **122**
Carr Bank Dr. S11: Shef 3N **121**
Carr Bank La. S11: Shef 3N **121**
Carr Cl. S36: Spink 6G **72**
S60: Brins 4G **111**
Carrcroft Ct. S36: Spink 6H **73**
Carrera Ct. S25: Din 2B **128**
Carrfield Cl. S75: Kexb 9M **15**
Carrfield Ct. S8: Shef 5J **123**
Carrfield Dr. S8: Shef 5J **123**
Carr Fld. La. S63: Bolt D 4A **60**
Carrfield La. S2: Shef 5J **123**
Carrfield Rd. S8: Shef 5J **123**
Carrfield St. S8: Shef 5J **123**
Carr Fold S36: Spink 6H **73**
Carr Forge Cl. S12: Shef 7G **125**
Carr Forge La. S12: Shef 7G **125**
Carr Forge Mt. S12: Shef 7G **124**
Carr Forge Pl. S12: Shef 7H **125**
Carr Forge Rd. S12: Shef 7G **124**
Carr Forge Ter. S12: Shef 7G **125**
Carr Forge Vw. S12: Shef 7H **125**
Carr Forge Wlk. *S12: Shef 7H 125*
(off Carter Lodge Dr.)
Carr Furlong S71: Ath 8G **16**
Carr Grange Bus. Cen. DN4: Don 6A **64**
Carr Grn. HD8: Up C 2E **32**
S63: Bolt D 4B **60**
S75: Mapp 9D **16**
Carr Grn. La. S75: Mapp 1D **36**
Carr Gro. S36: Spink 6G **73**
CARR HEAD 6G **73**
Carr Head La. S36: Pen 9L **33**
S63: Bolt D 4L **59**
Carrhead La. DN7: Fost 7C **10**
Carr Head Rd. S35: Howb 5C **74**
Carr Hill DN4: Balb 7M **63**
Carr Hill Ct. DN4: Balb 7M **63**
Carr Hill Rd. HD8: Up C 2D **32**
Carr Ho. *S63: Gol 2D 60*
(off Doncaster Rd.)
Carr Ho. Ct. S35: Brom 4C **74**
Carr Ho. La. S35: Bright 1F **90**
Carr House Meadows Nature Reserve
.... 1F **90**
Carr Ho. Rd. DN1: Don 6A **64**
DN4: Don 6A **64**
HD9: Holm 3E **30**
Carriage Dr. DN4: Don 7B **64**
Carriage Way, The DN11: Ross 5L **83**
Carrill Dr. S6: Shef 7D **92**
Carrill Rd. S6: Shef 7D **92**
Carrington Av. S75: Barn 4F **36**
Carrington Rd. S11: Shef 3C **122**
Carrington St. S65: Roth 8M **95**
S75: Barn 5E **36**
Carrington Ter. S26: Kiv P 9J **127**
Carrion Vw. S81: Gate 4A **142**
Carr La. DN4: Bess 1G **83**
DN4: Don 6A **64**
DN11: Wad 7N **81**
DN12: Con 6B **80**
HD8: Shep 2C **32**
HD9: Holm 4F **30**
(Cinderhills Rd.)
HD9: Holm 4A **30**
(Coldwell La.)
S18: Dron W 8D **134**
S25: Slade H 3A **114**
S26: Ull 9E **112**
S33: Thorn 4C **118**
S36: Bolst 9F **72**
S36: Pen 8K **33**
S65: Thry 8F **78**
S66: Carr 3A **114**
S66: Hoot L 1B **114**
S75: Pil 2C **74**
WF9: Sth K 5B **20**
Carr La. M. S18: Dron W 8E **134**
Carr Mt. HD8: Up C 2D **32**
Carroll Ct. WF9: Sth E 6D **20**
Carron Dr. S75: Mapp 9D **16**
Carr Rd. DN12: New E 5E **80**
S6: Shef 6D **108**
S36: Spink 7F **72**
S63: Wath D 9N **59**
Carr Side La. DN7: Hat 1E **46**
Carrs La. DN6: Moss 2C **24**
S72: Cud 3B **38**
Carr St. S71: Monk B 3L **37**
Carr Vw. WF9: Sth K 5B **20**
Carr Vw. Av. DN4: Balb 7M **63**
Carr Vw. Rd. HD9: Hep 6K **31**
S61: Kimb 5D **94**
Carrville Dr. S6: Shef 9E **92**
Carrville Rd. S6: Shef 9E **92**
Carrville Rd. W. S6: Shef 9D **92**
Carrwell La. S6: Shef 1D **108**
Carrwood Cl. S70: Wors 2J **57**
Carrwood Gro. S70: Wors 3J **57**
Carrwood Rd. S71: Stair 7M **37**
CARSICK 2N **121**
Carsick Gro. S10: Shef 2M **121**
CARSICK HILL 2M **121**
Carsick Hill Cres. S10: Shef 2M **121**
Carsick Hill Dr. S10: Shef 2N **121**
Carsick Hill Rd. S10: Shef 2M **121**
Carsick Hill Way S10: Shef 2M **121**
Carsick Vw. Rd. S10: Shef 2M **121**
Carson Av. S25: Laugh C 1A **128**
Carson Mt. S12: Shef 8B **124**
Carson Rd. S10: Shef 9C **108**
Carterhall La. S12: Shef 9C **124**
Carter Hall Rd. S12: Shef 9B **124**
CARTER KNOWLE 6E **122**
Carter Knowle Av. S11: Shef 6C **122**
Carter Knowle Rd. S7: Shef 6D **122**
S11: Shef 6C **122**
Carter Lodge Av. S12: Shef 7G **125**
Carter Lodge Dr. S12: Shef 7H **125**
Carter Lodge Pl. S12: Shef 7H **125**
Carter Lodge Ri. S12: Shef 7H **125**
Carter Lodge Wlk. *S12: Shef 7H 125*
(off Carter Lodge Dr.)
Carter Pl. S8: Shef 5J **123**
Carter Rd. S8: Shef 5H **123**
Cartmel Cl. S18: Dron W 9F **134**
S66: Malt 7E **98**
Cartmel Ct. S71: Monk B 1L **37**
Cartmell Ct. S8: Shef 7F **122**
Cartmell Cres. S8: Shef 8G **122**
Cartmell Hill S8: Shef 7F **122**
Cartmell Rd. S8: Shef 7F **122**
Cartmel Wlk. S25: Din 4D **128**
Cart Rd. S35: Chap 7H **75**
Cartworth Bank Rd. HD9: Holm 6D **30**
Cartworth Fold HD9: Holm 5E **30**
Cartworth La. HD9: Holm 5D **30**
Cartworth Moor Rd. HD9: Holm 9C **30**
Cartworth Rd. HD9: Holm 4E **30**
Cartwright St. S81: Shire 3K **141**
Car Vale Dr. S13: Shef 3C **124**
Car Vale Vw. S13: Shef 3C **124**
Carver Cl. S26: Hart 5K **139**
Carver Dr. S25: Din 3C **128**
Carver La. S1: Shef 3E **4** (9H **109**)
Carver St. S1: Shef 3E **4** (9H **109**)
Carver Way S26: Hart 4K **139**
Carwood Cl. S4: Shef 5L **109**
Carwood Grn. S4: Shef 5L **109**
Carwood Gro. S4: Shef 5L **109**
Carwood La. S4: Shef 5L **109**
Carwood Pk. Ind. Units S4: Shef 5L **109**
Carwood Rd. S4: Shef 5L **109**
Carwood Way S4: Shef 5L **109**
Cary Gro. S2: Shef 3N **123**
Cary Rd. S2: Shef 3N **123**
S21: Ecki 7H **137**
Casson Dr. S26: Hart 3K **139**
Casson's Rd. DN8: Thorne 1J **27**
Castell Cres. DN4: Can 6H **65**
Castle Av. DN11: Ross 6L **83**
DN12: Con 4A **80**
S60: Roth 1K **111**
CASTLEBECK 2B **124**
Castlebeck Av. S2: Shef 2B **124**
Castlebeck Ct. *S2: Shef 2C 124*
(off Castlebeck Av.)
Castlebeck Cft. S2: Shef 2C **124**
Castlebeck Dr. S2: Shef 3B **124**
Castle Cl. DN5: Sprot 5J **63**
DN11: Tick 6D **100**
S36: Pen 5A **54**
S71: Monk B 5J **37**
S75: Dod 1B **56**
Castle Ct. DN11: Tick 7D **100**
S2: Shef 2K **5** (8L **109**)
Castle Cres. DN12: Con 3A **80**
Castle Cft. Dr. S2: Shef 6H **5** (1K **123**)
Castle Cft. La. S36: Bolst 8E **72**
Castledale Cft. S2: Shef 3B **124**
Castledale Gro. S2: Shef 3C **124**
Castledale Pl. S2: Shef 3B **124**
Castledine Ct. DN4: Balb 2M **81**
Castledine Cft. S9: Shef 1B **110**
Castledine Gdns. S9: Shef 2A **110**
Castle Dr. S75: Hood G 5N **55**
Castle Farm S80: Thorpe S 3C **140**
Castlegate DN11: Tick 7D **100**
S3: Shef 2H **5** (8J **109**)
CASTLE GREEN 5A **54**
Castle Grn. S3: Shef 2G **5** (8J **109**)
S25: Laugh M 8B **114**
Castle Gro. DN5: Sprot 6F **62**
Castle Gro. Ter. DN12: Con 3B **80**
Castle Hill DN12: Con 4A **80**
S21: Ecki 6K **137**
Castle Hill Av. S64: Mexb 2J **79**
Castle Hill Cl. S21: Ecki 6K **137**
Castle Hill Ct. S21: Ecki 7K **137**
Castle Hill Fold DN5: Hick 9H **41**
Castle Hill Sq. *S80: Work 8B 142*
(off West St.)
Castle Hills Rd. DN5: Scawt 7J **43**
DN6: Stap 1B **6**
Castle Ho. S3: Shef 2G **5**
Castle La. S36: Pen 5A **54**
Castle M. DN5: Scawt 7K **43**
Castle Pk.
Doncaster 2H **65**

Castlereagh St.—Charnwood Ho.

Castlereagh St. S70: Barn 7F **36**
Castlerigg Way S18: Dron W 9F **134**
Castle Row S17: Bradw 4C **134**
Castlerow Cl. S17: Bradw 4C **134**
Castlerow Dr. S17: Bradw 4C **134**
Castlerow Vw. S17: Bradw 4C **134**
Castle Sq. S1: Shef 3G **5**
Castle Square Stop (ST) 3G **5** (9J **109**)
Castle St. DN12: Con 4A **80**
S3: Shef 2G **5** (8J **109**)
S36: Pen 5A **54**
S70: Barn 8F **36**
S80: Work 8B **142**
Castle Ter. DN12: Con 4A **80**
Castleton Way S60: Wav 9H **111**
Castle Vw. DN12: New E 5F **80**
S21: Ecki 7K **137**
S60: Roth 1K **111**
S70: Birdw 7F **56**
S75: Dod 8B **36**
S75: Hood G 5N **55**
Castle Wlk. S2: Shef 2K **5**
Castlewell DN12: Con 4A **80**
Castlewood Ct. S10: Shef 3L **121**
Castlewood Cres. S10: Shef 3K **121**
Castlewood Dr. S10: Shef 3L **121**
Castlewood Rd. S10: Shef 3L **121**
Castor Rd. S9: Shef 5N **109**
Cast Theatre 5A **64**
Casual Wards S11: Shef 4E **122**
Catania Ri. S73: D'fld 1E **58**
Catch Bar La. S6: Shef 2D **108**
CATCLIFFE 6K **111**
Catcliffe Flash Local Nature Reserve 7J **111**
Catcliffe Glass Cone 6K **111**
Catcliffe Rd. S9: Shef 8C **110**
Cathedral Ct. DN7: Dunsv 4A **46**
*S60: Roth 7K **95***
(off High St.)
Cathedral Stop (ST) 3F **5** (9H **109**)
Catherine Av. S26: Swal 4C **126**
Catherine Rd. S4: Shef 6J **109**
Catherine St. DN1: Don 5A **64**
S3: Shef 6J **109**
S64: Mexb 1E **78**
S65: Roth 7L **95**
Catherines Wlk. S71: Ath 1G **37**
CAT HILL 9N **33**
Cat Hill La. S36: H'swne 9N **33**
Cathill Rd. S63: Bolt D 3J **59**
CATHILL RDBT. 2K **59**
Cat La. DN14: Balne 1F **8**
S2: Shef 5K **123**
S8: Shef 6K **123**
Catley Rd. S9: Shef 7C **110**
Catling La. DN3: Barn D 1J **45**
Catshaw La. S36: Mill G 4E **52**
Cattal St. S9: Shef 7A **110**
Catterick Cl. DN12: Den M 4K **79**
Catterick Ho. S65: Roth 6M **95**
Caudall Cl. S63: Thurn 8D **40**
Caulk La. S70: Swai 2M **57**
Causeway, The S17: Dore 3M **133**
Causeway Gdns. S17: Dore 2L **133**
Causeway Glade S17: Dore 2L **133**
CAUSEWAY HEAD 3L **133**
Causeway Head Rd. S17: Dore 2L **133**
Cavalier Ct. DN4: Balb 1N **81**
Cavendish Av. S6: Lox 3N **107**
S17: Dore 3A **134**
Cavendish Cl. DN10: Baw 7B **102**
S65: Roth 9C **96**
Cavendish Ct. S3: Shef 5C **4** (1G **122**)
Cavendish Pl. S66: Malt 7E **98**
Cavendish Ri. S18: Dron 9G **135**
Cavendish Rd. DN5: Bntly 4L **43**
S11: Shef 4D **122**
S61: Roth 7G **95**
S75: Barn 5F **36**
S80: Work 9D **142**
Cavendish St. S3: Shef 4C **4** (9G **108**)
Cavendish Ter. DN5: Bntly 3L **43**
Cavill Rd. S8: Shef 8H **123**
Cawdor Rd. S2: Shef 5M **123**
Cawdor St. DN5: Bntly 7M **43**
Cawdron Cl. S65: Dalt 4C **96**
Cawdron Ri. S60: Brins 5J **111**
Cawley Pl. S71: Smi 4H **37**
Cawood Dr. S63: Wath D 8M **59**
Cawston Rd. S4: Shef 4K **109**
CAWTHORNE 3H **35**
Cawthorne Cl. S8: Shef 8F **122**
S65: Roth 6B **96**
S75: Dod 1B **56**
Cawthorne Gro. S8: Shef 8F **122**
Cawthorne La. S75: Cawt, Kexb 3H **35**
Cawthorne Rd. S65: Roth 6B **96**
S75: Bar G 3L **35**
Cawthorne Vw. S36: H'swne 1B **54**
Caxton La. S10: Shef 1C **122**
Caxton Rd. DN6: Woodl 3F **42**
S10: Shef 1D **122**
Caxton St. S70: Barn 6F **36**
Caxton Way S25: Din 2B **128**
Caythorpe Cl. S71: Lund 3A **38**
Cayton Cl. S65: Rav 5K **97**
S71: Smi 1F **36**
Cecil Av. DN4: Warm 1G **80**
S18: Dron 8H **135**
Cecil Cl. S80: Rhod 6L **141**
Cecil Rd. S18: Dron 7H **135**
Cecil Sq. S2: Shef 3G **123**
Cedar Av. S64: Mexb 9E **60**
S66: Wick 8H **97**
Cedar Cl. DN4: Balb 1J **81**
DN9: Auck 2C **84**
S21: Ecki 8H **137**
S21: Killa 5B **138**
S36: Stoc 6D **72**
S64: Swin 5B **78**
S71: R'ton 5H **17**
S81: Carl L 4B **130**
Cedar Cres. S70: Barn 9J **37**
Cedar Dr. S65: Rav 5L **97**
S66: Malt 8B **98**
Cedar Gro. DN7: Stainf 5C **26**
DN12: Con 6M **79**
Cedar Nook S26: Kiv P 9H **127**
Cedar Rd. DN3: Arm 9M **45**
DN4: Balb 1J **81**
DN8: Thorne 9L **11**
S36: Stoc 6D **72**
Cedars, The S10: Shef 1C **122**
Cedars Bus. Pk. WF9: Hems 2K **19**
Cedar Va. S64: Swin 5B **78**
Cedar Wlk. DN6: Camp 1G **22**
Cedar Way S35: Chap 1G **93**
Cedarwood Ct. S61: Scho 3C **94**
Cedric Av. DN12: Con 5M **79**
Cedric Ct. S66: Thurc 6K **113**
Cedric Cres. S66: Thurc 6K **113**
Cedric Rd. DN3: Eden 6J **45**
Celandine Ct. S17: Bradw 5B **134**
Celandine Gdns. S17: Bradw 5B **134**
Celandine Gro. S73: D'fld 2G **58**
Celandine Ri. S64: Swin 6B **78**
Celtic Ct. S61: Kimb P 3F **94**
Celtic Flds. S81: Work 3A **142**
Celtic Point S81: Work 3A **142**
Cemetery Av. S11: Shef 2E **122**
Cemetery Rd. DN6: Woodl 4E **42**
DN7: Hat 1G **46**
HD9: Holm 4D **30**
S11: Shef 7C **4** (3F **122**)
S18: Dron 9J **135**
S63: Bolt D 6B **60**
S63: Wath D 2L **77**
S64: Mexb 1F **78**
S70: Barn 8H **37**
S72: Grim 1G **39**
S73: Hem 8N **57**
S73: Womb 4D **58**
S74: Hem, Jum 8N **57**
S80: Work 8D **142**
S81: L'gld 9C **116**
WF9: Hems 2J **19**
Centenary Mkt. Hall S65: Roth 6L **95**
Centenary Way S60: Roth 8J **95**
S65: Roth 6K **95**
Centenary Works *S60: Roth 7J **95***
(off Masbrough St.)
Central Av. DN5: Bntly 8M **43**
DN6: Woodl 4E **42**
S25: Din 3D **128**
S64: Swin 4A **78**
S65: Roth 6A **96**
S66: Sunn 6G **97**
S72: Grim 9G **19**
S80: Work 8A **142**
WF9: Sth E 7E **20**
Central Blvd. DN2: Don 1E **64**
Central Bus. Pk. S60: Roth 7J **95**
Central Dr. DN10: Baw 5C **102**
DN11: New R 6H **83**
S62: Rawm 6J **77**
S66: Thurc 6K **113**
S71: R'ton 6K **17**
Central M. S25: Din 3E **128**
Central Pde. S65: Roth 7A **96**
Central Rd. S60: Roth 7K **95**
Central St. S74: Hoyl 1J **75**
Central Ter. DN12: New E 4F **80**
Centre, The S66: Bram 8J **97**
Centre in the Pk., The 3L **123**
Centre Riding DN11: Wad 6L **81**
DN11: Wad, Wils 7K **81**
Centre St. WF9: Hems 2K **19**
WF9: Sth E 6F **20**
Centurion Bus. Pk. S60: Roth 8G **95**
Centurion Flds. DN4: Bess 8G **65**
Centurion Retail Pk. DN5: Don 2M **63**
Centurion St. S60: Roth 8G **95**
Centurion Way DN5: Don 2M **63**
Century Bus. Cen. S63: Wath D 6J **59**
Century Cl. DN3: Kirk Sa 6G **45**
Century Ct. DN12: New E 3G **81**
Century Gdns. DN5: Bntly 7N **43**
Century Pk. S63: Wath D 6J **59**
Century Pk. Network Cen.
S63: Wath D 6J **59**
Century St. S9: Shef 6B **110**
Century Vw. S60: Brins 4G **110**
Ceramia Ct. S63: Gol 2F **60**
Chace Ct. DN8: Thorne 1K **27**
Chadbourne Cl. DN3: Arm 2K **65**
Chaddesden Cl. S18: Dron W 9D **134**
Chaddesdon Wlk. DN12: Den M 2N **79**
Chadwick Dr. S66: Malt 7D **98**
Chadwick Gdns. DN5: Ark 6B **44**
Chadwick Rd. DN5: Don 2M **63**
DN6: Woodl 4E **42**
DN8: Moore 6M **11**
S13: Shef 4C **124**
Chaff Cl. S60: Whis 3A **112**
Chaffinch Av. S60: Brins 4K **111**
Chaffinch M. S81: Gate 3N **141**
Chaff La. S60: Whis 3A **112**
Chalbury Cl. S75: Barn 4C **36**
Chalfont Ct. S60: Brins 4K **111**
Challenger Cres. S63: Thurn 7B **40**
Challenger Dr. DN5: Sprot 4J **63**
Challiner M. S60: Cat 6J **111**
Challoner Grn. S20: W'fld 2L **137**
Challoner Way S20: W'fld 2L **137**
Chalmers Dr. DN2: Don 7G **44**
Chaloner Hgts. S74: Black H 6L **57**
Chamberlain Av. DN5: Don 1L **63**
Chamberlain Ct. S35: Chap 8G **74**
Chamber Rd. DN1: Don 4A **64**
Chambers Av. DN12: Con 4M **79**
Chambers Dr. S35: Chap 7H **75**
Chambers Gro. S35: Chap 7H **75**
Chambers La. S4: Shef 3N **109**
Chambers Rd. S61: Kimb P 4F **94**
S74: Hoyl 8L **57**
Chambers Valley Rd.
S35: Chap 7H **75**
Chambers Vw. S35: Chap 7H **75**
Chambers Way S35: Chap 6G **74**
Chamossaire DN11: New R 7H **83**
Champany Flds. S75: Dod 9M **35**
Champion Cl. S5: Shef 7L **93**
Champion Rd. S5: Shef 7L **93**
Chancel Way S71: Monk B 5K **37**
Chancery La. DN17: Crow 8M **29**
Chancery Pl. DN1: Don 4N **63**
Chancet Ct. S8: Shef 1F **134**
Chancet Wood S8: Shef 2G **134**
Chancet Wood Cl. S8: Shef 2G **134**
Chancet Wood Dr. S8: Shef 2G **134**
Chancet Wood Ri. S8: Shef 2G **134**
Chancet Wood Rd. S8: Shef 1G **134**
Chancet Wood Vw. S8: Shef 2G **134**
Chandler Gro. S60: Tree 7L **111**
Chandos Cres. S21: Killa 4B **138**
Chandos St. S10: Shef 1D **122**
Channing Gdns. S6: Shef 5E **108**
Channing St. S6: Shef 5E **108**
Chantrey Rd. S8: Shef 8G **123**
Chantry Bri. S60: Roth 6K **95**
Chantry Cl. DN4: Can 8K **65**
Chantry Gro. S71: R'ton 6K **17**
Chantry Orchards
S75: Dod 1N **55**
Chantry Pl. S26: Kiv P 8L **127**
Chapel Av. S73: Bramp 7G **59**
Chapel Bank HD9: Jack B 5J **31**
Chapel Cl. DN9: Finn 3G **85**
S10: Shef 2A **122**
S35: Burn 9F **74**
S61: Wing 1G **94**
S63: Thurn 8D **40**
S66: Thurc 5K **113**
S70: Birdw 8F **56**
S72: Shaft 6C **18**
Chapel Ct. S63: Wath D 1L **77**
S70: Birdw 8F **56**
S71: Ard 8N **37**
Chapel Cft. S73: Hem 8C **58**
Chapelfield Cres. S61: Thorpe H 9N **75**
Chapelfield Dr. S61: Thorpe H 9N **75**
Chapel Fld. La. S36: Pen 5M **53**
Chapelfield La. S61: Thorpe H 9N **75**
Chapelfield Mt. S61: Thorpe H 9N **75**
Chapelfield Pl. S61: Thorpe H 9N **75**
Chapelfield Rd. S61: Thorpe H 8N **75**
Chapelfields WF9: Sth K 7A **20**
Chapelfield Vw. S36: Pen 5M **53**
Chapel Fld. Wlk. S36: Pen 5M **53**
Chapelfield Way S61: Thorpe H 9N **75**
Chapel Ga. S81: Carl L 6D **130**
Chapelgate HD9: Scho 5H **31**
CHAPEL HILL 1C **8**
Chapel Hill DN5: Clay 4B **40**
DN6: Ask 2K **23**
(not continuous)
HD8: Clay W 7A **14**
S60: Whis 3A **112**
S64: Swin 3B **78**
*S74: Black H 6L **57***
(off Wentworth Rd.)
Chapel Hole La. S66: Stain 2G **99**
Chapel La. DN3: Brant 7A **66**
DN8: Thorne 2K **27**
DN9: Finn 2G **85**
DN10: Ever 9L **103**
DN12: Con 5A **80**
DN14: Syke 3L **9**
S9: Shef 6A **110**
S17: Tot 6M **133**
S18: App 9A **136**
S35: Green M 3G **72**
S36: Midh 3K **71**
S36: Pen 5M **53**
S60: Roth 8K **95**
S63: Thurn 7E **40**
S71: Car 9K **17**
S72: Bill 1M **59**
S72: Gt H, Lit H 8J **39**
Chapel La. WF8: Lit S 4C **6**
WF9: Sth E 6G **20**
WF9: Sth K 6B **20**
Chapel M. S64: Swin 3B **78**
S75: Stain 8D **16**
Chapel of Our Lady 6K **95**
Chapel Pl. S71: Ard 8N **37**
Chapel Ri. S25: Nth A 6B **128**
Chapel Rd. DN8: Med H 4J **29**
DN17: Crow 4J **29**
S35: Burn, Chap 9F **74**
S35: High G 6F **74**
S75: Pil 9D **56**
Chapel Row DN14: Syke 3M **9**
Chapelsfield La. DN5: Clay 4B **40**
Chapel St. DN5: Bntly 8M **43**
DN6: Carc 9F **22**
DN17: Crow 7M **29**
S13: Shef 5H **125**
S20: Mosb 4J **137**
S61: Grea 1H **95**
S62: Rawm 9M **77**
S63: Bolt D 5B **60**
S63: Thurn 8B **40**
S63: Wath D 1L **77**
S64: Mexb 1D **78**
S70: Birdw 8F **56**
S71: Ard 8N **37**
S72: Grim 2G **38**
S72: Shaft 6C **18**
S74: Hoyl 1J **75**
Chapel Ter. S10: Shef 2A **122**
CHAPELTOWN 9H **75**
Chapeltown Baths 9H **75**
Chapeltown Rd. S35: Eccl 3J **93**
Chapeltown Station (Rail) 9H **75**
Chapel Vw. *S36: Thurl 3K **53***
(off Matthew Gap)
Chapel Wlk. S1: Shef 3F **5** (9H **109**)
S25: Sth A 7B **128**
S60: Cat 7J **111**
S60: Roth 7J **95**
(not continuous)
S62: Rawm 7K **77**
S64: Mexb 2F **78**
S80: Work 8B **142**
Chapel Way S26: Kiv P 9J **127**
S62: Rawm 7K **77**
Chapelwood Rd. S9: Shef 6B **110**
Chapel Yd. S18: Dron 8H **135**
S26: Hart 4K **139**
Chapman Cl. S6: Shef 5A **108**
Chapman St. S9: Shef 9B **94**
Chappell Cl. S36: H'swne 1B **54**
Chappell Dr. DN1: Don 2N **63**
Chappell Rd. S36: H'swne 1B **54**
Chapter Way S71: Monk B 5K **37**
S75: Silk 7J **35**
Charity St. S71: Monk B 2N **37**
Charles Ashmore Rd. S8: Shef 2G **135**
Charles Ct. DN3: Arm 9J **45**
DN8: Thorne 9L **11**
Charles Cres. DN3: Arm 9J **45**
Charles Rd. S63: Wath D 1N **77**
Charles Sq. S35: High G 7E **74**
Charles St. DN1: Don 2B **64**
DN6: Carc, Skell 7F **22**
S1: Shef 4F **5** (9H **109**)
S25: Din 1D **128**
S62: Rawm 7A **78**
S63: Gol 2C **60**
S64: Kiln 7D **78**
S64: Swin 4C **78**
S66: Thurc 5K **113**
S70: Barn 8F **36**
S70: Wors 3H **57**
S72: Cud 9C **18**
S72: Grim 2G **39**
S72: Midd 9L **39**
S72: Sth H 4E **18**
WF4: Ryh 1A **18**
Charleville WF9: Sth E 5D **20**
Charlotte Ct. S2: Shef 3J **123**
Charlotte La. S1: Shef 4C **4**
Charlotte Rd. S1: Shef 7F **5** (2H **123**)
S2: Shef 7F **5** (2H **123**)
CHARLTONBROOK 8F **74**
Charlton Brook Cres. S35: Chap 8F **74**
Charlton Clough S35: Chap 9E **74**
Charlton Dr. S35: High G 8F **74**
Charlton Hill Ri. S35: Chap 9E **74**
Charnell Av. S66: Malt 8E **98**
Charnley Av. S11: Shef 6D **122**
Charnley Cl. S11: Shef 5C **122**
Charnley Dr. S11: Shef 6D **122**
Charnley Ri. S11: Shef 6D **122**
Charnock Av. S12: Shef 9B **124**
Charnock Cres. S12: Shef 8A **124**
Charnock Dale Rd. S12: Shef 9A **124**
Charnock Dr. DN5: Cus 2K **63**
S12: Shef 8B **124**
Charnock Gro. S12: Shef 9B **124**
CHARNOCK HALL 9B **124**
Charnock Hall Rd. S12: Shef 9A **124**
Charnock Vw. Rd. S12: Shef 9A **124**
Charnock Wood Rd. S12: Shef 9B **124**
Charnwood Ct. S20: Sot 9N **125**
Charnwood Dr. DN4: Balb 1K **81**
Charnwood Gro. S61: Kimb 6F **94**
Charnwood Ho. S64: Swin 3C **78**

Charnwood St.—Church Vw.

Charnwood St. S64: Swin 3C 78
Charter Arc. S70: Barn 7G 36
Charter Dr. DN5: Scawt 8H 43
Charter Row S1: Shef 6D 4 (1G 123)
Charter Sq. S1: Shef 5E 4 (1H 123)
Chase, The S6: Lox 4M 107
S10: Shef 2E 122
(off Clarke Dell)
S26: Aston 4D 126
Chase Rd. S6: Lox 4M 107
Chatfield Rd. S8: Shef 9F 122
Chatham Ho. *S65: Roth 7L 95*
(off Chatham St.)
Chatham St. S3: Shef 7H 109
S65: Roth 7L 95
Chatsworth Av. S64: Mexb 9J 61
Chatsworth Cl. S26: Aston 4E 126
Chatsworth Ct. DN11: Birc 8L 101
S11: Shef 7A 122
Chatsworth Cres. DN5: Scawt 8K 43
Chatsworth Dr. DN11: Ross 6L 83
Chatsworth Pk. Av.
S12: Shef 6A 124
Chatsworth Pk. Dr. S12: Shef 6A 124
Chatsworth Pk. Gro. S12: Shef 6A 124
Chatsworth Pk. Ri. S12: Shef 6A 124
Chatsworth Pk. Rd. S12: Shef 6A 124
Chatsworth Pl. S18: Dron W 8E 134
Chatsworth Ri. S60: Brins 4K 111
S75: Dod 9N 35
Chatsworth Rd. S17: Dore 4N 133
S71: Ath 2H 37
S81: Work 3C 142
Chatterton Dr. S65: Roth 9A 96
Chaucer Cl. S5: Shef 7E 92
Chaucer Ho. S65: Roth 8A 96
Chaucer Rd. S5: Shef 8E 92
S64: Mexb 9G 61
S65: Roth 9A 96
Chauntry Av. S36: Pen 5A 54
Cheadle St. S6: Shef 4D 108
Cheapside S70: Barn 7G 36
S80: Work 8D 142
Checkstone Av. DN4: Bess 1H 83
Chedworth Cl. S75: Dart 1N 35
Cheese Ga. Nab Side HD8: Cumb 6L 31
HD9: Jack B 6L 31
Cheetham Dr. S66: Malt 7E 98
Chelmsford Av. S26: Aston 3D 126
Chelmsford Dr. DN2: Don 1C 64
Chelsea Ct. S11: Shef 4D 122
Chelsea Ri. S11: Shef 4D 122
Chelsea Rd. S11: Shef 4D 122
Cheltenham Ri. DN5: Scaws 2H 63
Cheltenham Rd. DN2: Don 2F 64
Chelwood Ct. DN4: Balb 1N 81
Chemist La. S60: Roth 6J 95
Chemistry La. S35: Wort 5L 73
Cheney Row S1: Shef 4F 5
Chepstow Dr. S64: Mexb 9G 61
Chepstow Gdns. DN5: Scaws 2H 63
Chequer Av. DN4: Don 5B 64
Chequer La. DN7: B'waite, Kirk B 5H 25
Chequer Rd. DN1: Don 4A 64
Cheriton Av. DN6: Adw S 2E 42
Cherry Bank Rd. S8: Shef 8H 123
Cherry Brook S65: Roth 5A 96
Cherry Cl. S71: R'ton 5H 17
S72: Cud 9B 18
Cherry Gth. DN5: Bntly 5M 43
DN6: Camp 1G 22
WF9: Hems 3J 19
Cherry Gro. DN11: New R 6K 83
DN12: Con 6L 79
S63: Gol 2B 60
Cherry Hills S75: Dart 8B 16
Cherry La. DN5: Don 3M 63
HD8: Clay W 7B 14
Cherrys Rd. S71: Barn 6L 37
Cherry St. S2: Shef 3H 123
Cherry St. Sth. S2: Shef 3H 123
Cherry Tree Av. S81: Shire 3K 141
Cherry Tree Cl. S11: Shef 4E 122
S60: Brins 4K 111
S75: Stain 8D 16
Cherry Tree Ct. S11: Shef 4E 122
S63: Gol 2C 60
Cherry Tree Cres. S66: Wick 8H 97
Cherry Tree Dell S11: Shef 4E 122
Cherry Tree Dr. DN7: Dunsc 8C 26
DN8: Thorne 9K 11
S11: Shef 3E 122
S21: Killa 5C 138
Cherry Tree Gdns. DN17: Crow 8M 29
Cherry Tree Gro. DN7: Dunsc 8C 26
CHERRY TREE HILL 4E 122
Cherry Tree Pl. S63: Wath D 1M 77
Cherry Tree Rd. DN3: Arm 1L 65
DN4: Hex 5M 63
S11: Shef 4E 122
S26: Wales 9F 126
S66: Malt 8B 98
Cherry Tree Row S35: Wort 3K 73
Cherry Trees S75: High H 8E 14
Cherry Tree St. S74: Els, Hoyl 9N 57
Cherry Tree Wlk. HD9: Scho 4H 31
Cherry Wlk. S35: Chap 9H 75
Chesham Rd. S70: Barn 7E 36
Cheshire Rd. DN1: Don 2B 64
Chessel Cl. S8: Shef 7H 123
Chester Ct. S21: Ecki 8H 137
WF9: Hems 3K 19
Chesterfield Rd. S8: Shef 9G 122
S18: Dron 8H 135
S21: Ecki 9G 137
S26: Swal 5A 126
(not continuous)
S80: Darf 9K 141
Chesterfield Rd. Sth. S8: Shef 5H 135
Chesterhill Av. S65: Dalt 4D 96
Chester Rd. DN2: Don 1C 64
Chesterton Ct. S65: Roth 4N 95
Chesterton Dr. S81: Work 5E 142
Chesterton Rd. DN4: Balb 9N 63
S65: Roth 5M 95
Chesterton Way S65: Roth 4A 96
Chesterwood Dr. S10: Shef 1C 122
Chestnut Av. DN2: Don 9E 44
DN3: Arm 9L 45
DN6: Carc 8F 22
DN7: Stainf 5C 26
DN8: Thorne 3L 27
DN11: New R 6K 83
DN17: Crow 9M 29
S9: Shef 9E 110
S20: Beig 6M 125
S21: Ecki 8H 137
S21: Killa 5B 138
S26: Kiv P 8H 127
S36: Stoc 6D 72
S63: Wath D 2M 77
S65: Roth 6A 96
S72: Brier 7F 18
Chestnut Cl. S66: Flan 7G 97
S80: Work 9B 142
Chestnut Ct. DN5: Bntly 6L 43
S35: Ough 6M 91
S65: Thry 2E 96
S70: Barn 9G 37
Chestnut Cres. S70: Barn 9J 37
Chestnut Dr. DN9: Auck 2C 84
DN10: Baw 6B 102
S35: Chap 1F 92
S72: Sth H 4D 18
Chestnut Gro. DN5: Sprot 7F 62
DN12: Con 5M 79
S25: Din 1D 128
S63: Thurn 9C 40
S64: Mexb 9E 60
(not continuous)
S66: Malt 7B 98
WF9: Hems 3M 19
Chestnut M. S72: Sth H 4D 18
S81: L'gld 8C 116
Chestnut Rd. S26: Swal 3A 126
S81: L'gld 8C 116
Chestnut St. S72: Grim 3H 39
WF9: Sth E 8D 20
Chestnut Wlk. S66: Hoot L 9C 98
Cheswold La. DN5: Don 3L 63
Chevet Ho. *DN1: Don 5N 63*
(off Grove Pl.)
Chevet La. WF4: Nott 1J 17
Chevet Ri. S71: R'ton 5J 17
Chevet Vw. S71: R'ton 5H 17
Cheviot Cl. DN8: Thorne 3J 27
WF9: Hems 2M 19
Cheviot Ct. *S81: Carl L 4B 130*
(off Oak Tree Ri.)
Cheviot Dr. DN5: Scawt 9K 43
Cheviot Wlk. S75: Barn 6C 36
Chevril Ct. S66: Wick 9F 96
Cheyne Wlk. DN10: Baw 6B 102
Chiberworde Av. S61: Kimb 7F 94
Chichester Rd. S10: Shef 8C 108
Chichester Wlk. *S81: Carl L 4B 130*
(off Lilac Tree Gro.)
Chilcombe Pl. S70: Birdw 9G 56
Childers Dr. DN9: Auck 8C 66
Childers St. DN4: Don 6B 64
Chiltern Ct. WF9: Hems 2M 19
Chiltern Cres. DN5: Sprot 6E 62
Chiltern Ri. S60: Brins 5K 111
Chiltern Rd. DN5: Scawt 9K 43
S6: Shef 4C 108
Chiltern Wlk. S75: Barn 6C 36
Chiltern Way S81: Carl L 4B 130
Chilton St. S70: Barn 8H 37
Chilwell Cl. S71: Ath 8G 16
Chilwell Gdns. S71: Ath 8G 16
Chilwell M. S71: Ath 8G 16
Chindit Ct. S25: Din 1D 128
Chinley St. S9: Shef 7A 110
Chippingham Pl. S9: Shef 6N 109
Chippingham St. S9: Shef 6N 109
(not continuous)
Chippinghouse Rd. S7: Shef 4G 122
S8: Shef 4G 123
Chiverton Cl. S18: Dron 8H 135
CHOPPARDS 7E 30
Choppards Bank Rd. HD9: Holm 7E 30
Choppards Bldgs. HD9: Holm 7E 30
Choppards La. HD9: Holm 6E 30
Chorley Av. S10: Shef 3L 121
Chorley Dr. S10: Shef 3L 121
Chorley Pl. S10: Shef 4L 121
Chorley Rd. S10: Shef 4L 121
Christchurch Av. S26: Aston 3D 126
Christchurch Flats *S63: Wath D 8J 59*
(off Masefield Rd.)
Christ Chu. Rd. DN1: Don 3A 64
S3: Shef 5J 109
Christchurch Rd. S63: Wath D 8J 59
Christ Chu. Ter. DN1: Don 4B 64
Christian Ho. S75: Barn 5E 36
Chroma Dr. DN4: Balb 2A 82
Church Av. S62: Rawm 1L 95
WF9: Sth K 7B 20
Church Balk DN3: Eden 5H 45
DN8: Thorne 2L 27
Church Balk Gdns. DN3: Eden 5J 45
Church Balk La. DN3: Eden 6J 45
Church Cl. DN8: Thorne 2L 27
DN9: Auck 9C 66
S21: Reni 9A 138
S26: Kiv P 9G 127
S35: Ough 6M 91
S64: Swin 3B 78
S65: Rav 2H 97
S66: Malt 9D 98
S75: Dart 9N 15
WF9: Hems 2K 19
Church Cnr. S25: Laugh M 7B 114
Church Cott. M. DN4: Balb 8J 63
Church Ct. DN4: Can 8J 65
S25: Sth A 7C 128
S72: Brier 6G 18
Church Cft. DN3: Eden 5H 45
S62: Rawm 1L 95
Churchdale M. S12: Shef 7D 124
Churchdale Rd. S12: Shef 7D 124
Church Dr. S36: H'swne 9B 34
S62: Wentw 5A 76
S72: Brier 7F 18
WF9: Sth K 7B 20
Church Farm Ct. S25: Sth A 7B 128
Churchfield S70: Barn 6F 36
Churchfield Av. S72: Cud 2B 38
S75: Kexb 9L 15
Churchfield Cvn. Site *DN5: Bntly 8L 43*
(off Church St.)
Church Fld. Cl. S81: Carl L 6D 130
Churchfield Cl. DN5: Bntly 8L 43
S75: Kexb 9K 15
Churchfield Ct. S70: Barn 6F 36
S75: Kexb 9M 15
Churchfield Cres. S72: Cud 2B 38
Church Fld. Dr. S66: Wick 9G 96
Churchfield Gdns. S71: Car 8L 17
Church Fld. La. S62: Wentw 6N 75
Churchfield La. DN6: Lit S, Wome 2E 6
S75: Dart, Kexb 9K 15
WF8: Lit S 4D 6
Church Fld. Rd. DN5: Clay, Frick 4B 40
Churchfield Rd. DN6: Camp, Nort 9G 7
Church Flds. S61: Kimb 6E 94
Churchfields S35: Thurg 8H 55
Churchfields Cl. S70: Barn 6F 36
Church Flds. Rd. DN11: Ross 4L 83
Churchfield Ter. S72: Cud 2B 38
Church Fld. Vw. DN4: Warm 8J 63
Church Fold S6: Shef 1B 108
S70: Barn 6F 36
Church Forge WF9: Sth K 6B 20
Church Ga. S72: Brier 7G 18
Church Glebe S6: Shef 1B 108
Church Grn. DN5: Sprot 7F 62
S63: Wath D 9L 59
Church Gro. S66: B'well 3E 98
S71: Monk B 4K 37
WF9: Sth K 7B 20
Church Hgts. S36: H'swne 9B 34
Church Hill S60: Whis 3B 112
S71: R'ton 6L 17
Church Ho. M. *S74: Jum 8N 57*
(off Church St.)
Churchill Av. DN5: Don 1L 63
DN7: Hat 1G 47
S66: Malt 7E 98
Churchill Rd. DN1: Don 1B 64
S10: Shef 9D 108
S36: Stoc 4B 72
Churchill Way S35: Chap 6G 75
S81: Gate 1A 142
Church La. DN3: Barn D 9H 25
DN4: Bess, Can 9H 65
DN4: Warm, Balb 8H 63
(not continuous)
DN5: Barnb, Harl 5H 61
DN5: Marr, Pick 5A 42
DN6: Adw S 2G 42
DN7: Fish 2D 26
DN9: Finn 3F 84
DN10: Aust 3E 102
DN11: H'worth 9H 101
DN11: Tick 6D 100
DN11: Wad 7M 81
DN17: Crow 7M 29
HD8: Clay W 7B 14
HD8: Shep 1B 32
S9: Shef 6N 109
S12: Ridg 3E 136
S12: Shef 8J 125
S13: Shef 5H 125
S17: Dore 4M 133
S20: Beig 8N 125
S21: Killa 4D 138
S25: Din 2B 128
S26: Aston 5E 126
S36: H'swne 9B 34
Church La. S60: Cat 6J 111
S60: Tree 8L 111
S63: Wath D 9L 59
S65: Rav 2J 97
S66: Bram 8J 97
S66: Clftn 9B 80
S66: Malt 9D 98
S66: Wick 9G 97
S70: Barn 6F 36
S70: Wors 5G 57
S72: Sth H 2A 18
S75: Cawt 4H 35
S75: High H 8E 14
S75: Tank 3F 74
S81: Carl L 7C 130
S81: Letw 1J 129
WF4: Hav 2M 17
Church La. Ct. S25: Din 3C 128
Church La. M. S66: Bram 8J 97
Church Lea S74: Hoyl 2M 75
Church Mdw. Rd. DN11: Ross 5L 83
Church Mdws. S25: Din 3C 128
Church M. DN5: Bntly 8L 43
S20: Mosb 3K 137
S21: Killa 3D 138
S63: Bolt D 6B 60
S64: Mexb 2H 79
S81: L'gld 1C 130
Church Mt. WF9: Sth K 7B 20
Church Piece La. S36: Hazl 4A 52
Church Rein Cl. DN4: Warm 9G 63
Church Rd. DN3: Barn D 9H 25
DN3: Kirk Sa 4J 45
DN7: Stainf 5A 26
DN11: Birc 9M 101
DN11: Wad 8L 81
DN12: Den M 2M 79
DN12: New E 3F 80
S75: Cawt 4G 35
Church St. DN1: Don 3N 63
DN3: Arm 1K 65
DN5: Bntly 8L 43
DN6: Ask 1L 23
DN7: Fish 2D 26
DN8: Thorne 2K 27
DN10: Baw 7C 102
DN10: Ever 9L 103
DN10: Miss 3L 103
DN12: Con 4A 80
DN17: Crow 8M 29
HD9: N'thng 1D 30
HD9: New M 2K 31
S1: Shef 3F 5 (9H 109)
S6: Stan 7L 107
S18: Dron 9H 135
S21: Ecki 6L 137
S26: Wales 9G 126
S35: Eccl 4H 93
S35: Ough 6L 91
S36: Pen 4N 53
S60: Roth 7K 95
S61: Grea 1G 95
S61: Kimb 6E 94
S62: Rawm 1L 95
S63: Bolt D 5B 60
S63: Thurn 8B 40
S63: Wath D 9L 59
S64: Mexb 2G 79
S64: Swin 3A 78
S66: Thurc 6L 113
S70: Barn 6F 36
S71: Car 8L 17
S71: R'ton 6K 17
S72: Brier 6F 18
S72: Cud 2B 38
S72: Gt H 6L 39
S73: D'fld 2H 59
S73: Womb 5D 58
S74: Els 1A 76
S74: Jum 8N 57
S75: Barn 5B 36
S75: Cawt 3H 35
S75: Dart 9N 15
S75: Stain 8D 16
S81: L'gld 1B 130
WF4: Wool 2A 16
WF9: Sth E 7F 20
Church St. Cl. S63: Thurn 8B 40
Church Ter. HD9: Holm 3E 30
S75: Dod 9N 35
Church Top WF9: Sth K 7B 20
CHURCH TOWN 4D 138
Church Vw. DN1: Don 3N 63
DN5: Barnb 4H 61
DN6: Camp 9G 7
DN11: Wad 8M 81
DN12: New E 5E 80
HD9: H'bri 6A 30
S6: Shef 1B 108
S13: Shef 5J 125
S21: Killa 3D 138
S26: Aston 4E 126
S26: Tod 6L 127
S64: Swin 3B 78
S65: Thry 2E 96
S66: Wick 9G 97
S70: Wors 2J 57
S72: Cud 2B 38
S73: D'fld 2J 59
S74: Hoyl 1J 75

Church Vw.—College Pk. Cl.

Church Vw. S75: Barn ... 5E **36**
WF9: Sth K ... 7B **20**
Church Vw. Apartments *S61: Grea ... 2H* ***95***
(off Fitzwilliam Wlk.)
Church Vw. Cres. S36: Pen ... 4N **53**
Church Vw. Rd. S36: Pen ... 4N **53**
Church Vs. WF9: Sth K ... 7B **20**
Church Wlk. DN7: Fish ... 2D **26**
DN7: Hat ... 9E **26**
DN10: Baw ... 6C **102**
DN11: H'worth ... 9H **101**
DN12: Den M ... 2M **79**
S63: Thurn ... 8B ***40***
(off Church St.)
S80: Work ... 7C **142**
Church Way DN1: Don ... 3N **63**
DN6: Adw S ... 2F **42**
Churchways S35: Thurg ... 8H **55**
Churcroft S75: Barn ... 4B **36**
Cinder Bri. Rd. S61: Grea ... 1J **95**
Cinder Hill S81: Shire ... 3H **141**
Cinder Hill La. S35: Gren ... 5E **92**
Cinderhill La. S8: Shef ... 2J **135**
Cinderhill Rd. S61: Kimb P ... 3E **94**
CINDER HILLS ... 4F **30**
Cinderhills Rd. HD9: Holm ... 4F **30**
Cinder Hills Way S75: Dod ... 9B **36**
Cinder La. S21: Killa ... 3E **138**
Cineworld Cinema
Sheffield ... **4C 110**
Circle, The DN8: Moore ... 7M **11**
DN11: New R ... 5H **83**
S2: Shef ... 2A **124**
S35: High G ... 7F **74**
Circle Cl. S2: Shef ... 3B **124**
Circuit, The DN6: Woodl ... 2D **42**
City Athletics Stadium ... **7N 109**
City Hall Stop (ST) ... 3E 4 (9H 109)
City Rd. S2: Shef ... 5K **5** (1L **123**)
S12: Shef ... 5A **124**
City Rd. Crematorium S2: Shef ... 3M **123**
City Vw. S4: Shef ... 2A **110**
City Wharfe S3: Shef ... 1G **5** (8J **109**)
Civic, The ... **7G 36**
Civic Theatre
Rotherham ... **7L 95**
Clanricarde St. S71: Barn ... 4F **36**
Claphouse Fold S75: Haigh ... 4J **15**
Clara Pl. S61: Kimb ... 7F **94**
Clare Ct. S60: Roth ... 6K **95**
Clarehurst Rd. S73: D'fld ... 1G **58**
Clarel Cl. S36: Pen ... 5M **53**
Clarel Ct. DN11: Tick ... 7C **100**
Clarell Gdns. DN4: Can ... 6H **65**
Clarel St. S36: Pen ... 5M **53**
Claremont Cres. S10: Shef ... 9E **108**
Claremont Gdns. S71: Lund ... 4N **37**
Claremont Pl. S10: Shef ... 4A **4** (9E **108**)
Claremont St. S61: Kimb ... 7F **94**
Clarence Av. DN4: Balb ... 7M **63**
Clarence Ct. S6: Shef ... 4C **108**
Clarence La. S3: Shef ... 7C **4** (2G **122**)
Clarence Pl. S66: Malt ... 7E **98**
Clarence Rd. S6: Shef ... 4C **108**
S71: Monk B ... 4J **37**
S80: Work ... 6B **142**
Clarence Sq. S25: Din ... 2E **128**
Clarence St. S25: Din ... 2E **128**
S63: Wath D ... 8J **59**
Clarence Ter. S63: Thurn ... 8D **40**
Clarendon Ct. S11: Shef ... 3N **121**
Clarendon Dr. S10: Shef ... 3N **121**
S81: Work ... 4A **142**
Clarendon Rd. S10: Shef ... 3N **121**
S65: Roth ... 6M **95**
Clarendon St. S70: Barn ... 7E **36**
Clark Av. DN4: Don ... 5B **64**
DN12: New E ... 6F **80**
Clarke Av. S25: Laugh C ... 9A **114**
S66: Thurc ... 6M **113**
Clarke Ct. S25: Din ... 1D **128**
Clarke Dell S10: Shef ... 2E **122**
Clarke Dr. S10: Shef ... 2E **122**
Clarkegrove Rd. S10: Shef ... 2E **122**
Clarkehouse Rd. S10: Shef ... 5A **4** (2D **122**)
Clarkes Cft. S73: Womb ... 4D **58**
Clarke Sq. S2: Shef ... 3G **123**
Clarke St. S10: Shef ... 6B **4** (1F **122**)
S75: Barn ... 5E **36**
Clark Gro. S6: Stan ... 6M **107**
Clarks Ct. DN6: Adw S ... 2F **42**
Clarkson St. S10: Shef ... 4A **4** (9F **108**)
S70: Wors ... 2K **57**
Clark St. S74: Hoyl ... 8L **57**
Clarney Av. S73: D'fld ... 1F **58**
Clarney Pl. S73: D'fld ... 1G **58**
Clay Bank DN6: Moss ... 4C **24**
Clay Bank La. DN10: Ever ... 5L **103**
Clay Bank Rd. DN8: Thorne ... 4M **27**
Claybridge DN14: Syke ... 5N **9**
Clayburn Rd. S72: Grim ... 3F **38**
Claycliffe Av. S75: Barn ... 4A **36**
Claycliffe Bus. Pk. S75: Bar G ... 3A **36**
Claycliffe Rd.
S75: Barn, Bar G, Birdw ... 2A **36**
Claycliffe Ter. S63: Gol ... 2D **60**
S70: Barn ... 8E **36**
Clay Delf HD8: Den D ... 2H **33**
Clayfield Av. S64: Mexb ... 1J **79**
Clayfield Cl. S64: Mexb ... 1J **79**
Clayfield Ct. S64: Mexb ... 1J **79**
Clayfield La. S62: Wentw ... 5B **76**
Clayfield Rd. S64: Mexb ... 1J **79**
S74: Hoyl ... 7L **57**
Clayfields DN4: Balb ... 1L **81**
Clayfield Vw. S64: Mexb ... 9J **61**
Clay Flat La. DN11: New R ... 6J **83**
Claylands Av. S81: Work ... 3M **141**
Claylands Cl. S81: Work ... 4A **142**
Claylands La. S81: Work ... 5A **142**
Clay La. DN2: Don ... 7G **44**
S1: Shef ... 5F **5** (1H **123**)
Clay La. W. DN2: Don, Long S ... 6F **44**
Claypit La. S62: Rawm ... 9N **77**
Clay Pits La. S36: Stoc ... 4N **71**
Clay Pit Way S9: Shef ... 6B **110**
Clayroyd S70: Wors ... 3J **57**
Clay St. S9: Shef ... 5N **109**
(not continuous)
CLAYTON ... 4B **40**
Clayton Av. S63: Thurn ... 7A **40**
WF9: Upton ... 1K **21**
Clayton Cres. S20: Water ... 9L **125**
Clayton Dr. S63: Thurn ... 8A **40**
Clayton Hollow S20: Water ... 9L **125**
Clayton Holt WF9: Sth K ... 8A **20**
Clayton La. DN5: Clay ... 7A **40**
DN5: Hoot P ... 3G **41**
S63: Thurn ... 7A **40**
Clayton Vw. WF9: Sth K ... 8A **20**
CLAYTON WEST ... 7B **14**
Clayton West Station
Kirklees Light Railway ... **6B 14**
Clayton West Station Vis. Cen. ... **6B 14**
Claywheels La. S6: Shef ... 9C **92**
Claywood Dr. S2: Shef ... 6J **5** (1K **123**)
Claywood Rd. S2: Shef ... 5J **5** (1K **123**)
(Claywood Dr.)
S2: Shef ... 7K **5** (2K **123**)
(Fitzwalter Rd.)
Clayworth Dr. DN4: Bess ... 9E **64**
Clear Vw. S72: Grim ... 9G **19**
Clearwell Cft. DN5: Cus ... 2K **63**
Cleeve Hill Gdns. S20: Water ... 9K **125**
Clement M. S61: Kimb ... 7E **94**
Clementson Rd. S10: Shef ... 8D **108**
Clement St. S9: Shef ... 6B **110**
S61: Kimb ... 7E **94**
Cleveden Way S71: R'ton ... 5J **17**
Clevedon Cres. DN5: Scawt ... 7K **43**
Clevedon Way S66: Malt ... 6F **98**
Cleveland Cl. S81: Carl L ... 4B **130**
Cleveland Rd. DN3: Arm ... 1M **65**
Cleveland St. DN1: Don ... 5N **63**
S6: Shef ... 7F **108**
Cleveland Way DN7: Hat ... 9D **26**
CLIFF ... 3F **30**
Cliff, The HD8: Clay W ... 7B **14**
Cliff Ct. DN12: Den M ... 3L **79**
Cliff Cres. DN4: Warm ... 9G **63**
Cliff Dr. S73: D'fld ... 2J **59**
CLIFFE ... 1B **32**
Cliffe Av. S35: Cran M ... 8M **55**
S70: Wors ... 2J **57**
Cliffe Bank S64: Swin ... 3C **78**
Cliffe Cl. S72: Brier ... 6F **18**
Cliffe Comn. La. S35: Wort ... 8M **55**
Cliffe Ct. S71: Monk B ... 5K **37**
Cliffe Cres. S70: Dod ... 9N **35**
Cliffedale Cres. S70: Wors ... 1J **57**
Cliffe Farm Dr. S11: Shef ... 4B **122**
Cliffefield Rd. S8: Shef ... 6G **122**
(not continuous)
S64: Swin ... 3C **78**
Cliffefield Vw. S64: Swin ... 3C **78**
Cliffe Hill S6: Dung, Stan ... 4G **106**
S75: Cawt ... 3G **35**
Cliffe Ho. Rd. S5: Shef ... 9J **93**
Cliffe La. S71: Monk B ... 5K **37**
Cliffe Pk. HD8: Shep ... 1B **32**
Cliffe Rd. HD8: Shep ... 1B **32**
S6: Shef ... 6B **108**
S73: Bramp ... 7G **59**
Cliffe Side HD8: Shep ... 1B **32**
Cliffe St. HD8: Clay W ... 7B **14**
HD9: Holm ... 3F **30**
Cliffe Vw. HD8: Clay W ... 7B **14**
Cliffe Vw. Rd. S8: Shef ... 6H **123**
Cliffewood Ri. HD8: Clay W ... 7A **14**
Cliff Hill S66: Malt ... 8B **98**
Cliff Hill Ct. HD9: Holm ... 3F **30**
Cliff Hill Rd. DN6: Nort ... 7F **6**
Cliff Hills Cl. S66: Malt ... 8C **98**
Cliff Ho. La. HD9: Holm ... 2F **30**
Cliff La. HD9: Holm ... 3E **30**
S36: Carle, Dunf B ... 5L **51**
S72: Brier ... 6F **18**
Clifford Av. S65: Thry ... 3F **96**
Clifford Lister Bus. Cen., The
S66: Wick ... 9F **96**
Clifford Rd. S11: Shef ... 4E **122**
S61: Kimb P ... 4E **94**
S66: Hel ... 9M **97**
WF9: Sth K ... 7A **20**
Clifford St. S72: Cud ... 8C **18**
WF9: Sth E ... 7E **20**
Clifford Wlk. DN12: Den M ... 3K **79**
Cliff Rd. HD9: Holm ... 3F **30**
S6: Stan ... 6M **107**
S73: D'fld ... 2J **59**
Cliff St. S11: Shef ... 7C **4** (2G **122**)
S64: Mexb ... 2F **78**
Cliff Ter. S71: Barn ... 7H **37**
Cliff Vw. DN12: Den M ... 2L **79**
CLIFTON
S65 ... 7M **95**
S66 ... 9B **80**
Clifton Av. HD9: Holm ... 2F **30**
S9: Shef ... 9E **110**
S65: Roth ... 7N **95**
S71: Ath ... 9F **16**
Clifton Bank S60: Roth ... 7L **95**
Clifton Byres S66: Clftn ... 9B **80**
Clifton Cl. S71: Ath ... 9F **16**
Clifton Ct. DN8: Thorne ... 1J **27**
Clifton Cres. DN2: Don ... 1E **64**
S9: Shef ... 9D **110**
Clifton Cres. Nth. S65: Roth ... 7M **95**
Clifton Cres. Sth. S65: Roth ... 7M **95**
Clifton Dr. DN5: Sprot ... 5J **63**
Clifton Gdns. S72: Brier ... 6E **18**
Clifton Gro. S65: Roth ... 7M **95**
Clifton Hill DN12: Con ... 5A **80**
Clifton La. DN12: Con ... 6B **80**
S9: Shef ... 1E **124**
S65: Roth ... 7L **95**
Clifton Mt. S65: Roth ... 7L **95**
Clifton Pk. Mus. ... **7M 95**
Clifton Pk. Vw. S65: Roth ... 6M **95**
Clifton Ri. S66: Malt ... 7C **98**
Clifton Rd. S72: Grim ... 1G **39**
Clifton St. S9: Shef ... 4B **110**
S70: Barn ... 8H **37**
WF9: Hems ... 3J **19**
Clifton Ter. DN12: Con ... 4B **80**
S65: Roth ... 7L **95**
Clifton Vw. HD8: Clay W ... 7B **14**
Clinton La. S10: Shef ... 6B **4** (1F **122**)
Clinton Pl. S10: Shef ... 7B **4** (2F **122**)
Clinton St. S80: Work ... 9D **142**
Clinton Wlk. S10: Shef ... 6B **4** (1F **122**)
Clipstone Av. S71: Ath ... 9H **17**
Clipstone Gdns. S9: Shef ... 6C **110**
Clipstone Rd. S9: Shef ... 6C **110**
Clock Ct. S25: Din ... 1B **128**
Clock Row Av. WF9: Sth K ... 6C **20**
Clock Row Gro. WF9: Sth K ... 6C **20**
Clock Row Mt. WF9: Sth K ... 6C **20**
Cloisters, The DN4: Can ... 8K **65**
S70: Wors ... 5G **57**
Cloisters Way S71: Monk B ... 5L **37**
Cloister Way S72: Grim ... 1G **38**
Cloonmore Cft. S8: Shef ... 1K **135**
Cloonmore Dr. S8: Shef ... 1K **135**
Close, The DN3: Brant ... 7N **65**
DN4: Warm ... 2J **81**
DN5: Clay ... 4B **40**
DN6: Nort ... 7H **7**
HD8: Clay W ... 7A **14**
S25: Din ... 3D **128**
S71: Car ... 8K **17**
S71: Lund ... 5M **37**
Close St. WF9: Hems ... 2J **19**
Cloudberry Way S75: Stain ... 9E **16**
Clough, The S33: Bamf ... 7E **118**
Clough Bank S2: Shef ... 3J **123**
S61: Roth ... 6H **95**
CLOUGH FIELD ... 8A **108**
Clough Flds. S10: Shef ... 8A **108**
Clough Flds. Rd. S74: Hoyl ... 1K **75**
Clough Foot La. HD9: Holm ... 9E **30**
Clough Grn. S61: Roth ... 6J **95**
Clough Gro. S35: Ough ... 6N **91**
Clough Head S36: Cub ... 6N **53**
Clough Ho. La. HD8: Clay W, Den D ... 3M **33**
Clough La. DN6: Fen ... 7N **7**
S10: Shef ... 5H **121**
Clough Rd. S1: Shef ... 7E **4** (2H **123**)
S2: Shef ... 7E **4** (2H **123**)
S61: Roth ... 7H **95**
(not continuous)
S74: Hoyl ... 1L **75**
Clough St. S61: Roth ... 6H **95**
Clough Wood Vw. S35: Ough ... 7M **91**
Clovelly Rd. DN3: Eden ... 6J **45**
Clover Cl. S81: Work ... 3E **142**
Clover Ct. S8: Shef ... 9L **123**
Clover Gdns. S5: Shef ... 1M **109**
Clover Grn. S61: Kimb P ... 3E **94**
Cloverlands Dr. S75: Stain ... 9D **16**
Clover M. WF9: Sth K ... 6B **20**
Clover Wlk. S63: Bolt D ... 4A **60**
WF9: Upton ... 2E **20**
Clover Way WF9: Sth E ... 7E **20**
Club Gdn. Rd. S11: Shef ... 3G **122**
Club Gdn. Wlk. *S11: Shef ... 2G* ***123***
(off London Rd.)
Club Grn. Rd. S11: Shef ... 2G **123**
Club Mill Rd. S6: Shef ... 3F **108**
Club St. S11: Shef ... 3G **122**
S71: Monk B ... 4K **37**
S74: Hoyl ... 1J **75**
Clumber Pl. S80: Work ... 7B **142**
Clumber Ri. S26: Aston ... 5D **126**
Clumber Rd. DN4: Don ... 6C **64**
S10: Shef ... 2N **121**
Clumber St. S75: Barn ... 6D **36**
Clun Rd. S4: Shef ... 6K **109**
Clun St. S4: Shef ... 6K **109**
Clyde Rd. S8: Shef ... 5G **123**
Clyde St. S71: Barn ... 7G **37**
Coach Cl. S81: Shire ... 4L **141**
Coach Cres. S81: Shire ... 3L **141**
Coach Ga. La. S36: Pen ... 6L **33**
S75: Pen ... 6L **33**
Coach Ho. Dr. DN5: Cus ... 3H **63**
Coach Ho. La. S70: Barn ... 1G **57**
Coach Houses, The *S10: Shef ... 8E* ***108***
(off Moorgate Av.)
Coach Rd. S61: Grea ... 1H **95**
S62: H'ley, Wentw ... 5L **75**
S81: Shire ... 4K **141**
COAL ASTON ... 6K **135**
Coalbrook Av. S13: Shef ... 3K **125**
Coalbrook Gro. S13: Shef ... 3K **125**
Coalbrook Rd. S13: Shef ... 3K **125**
Coalby Wlk. *S70: Barn ... 6F* ***36***
(off Fitzwilliam St.)
Coal Pit Ga. HD9: New M ... 2J **31**
Coal Pit La. DN6: Ham ... 5K **21**
HD9: New M ... 2J **31**
S35: Ough ... 8J **91**
S36: Stoc ... 7D **72**
S66: Mick ... 3A **98**
S72: Cud ... 3D **38**
S72: Shaft ... 7D **18**
Coalpit La. HD8: Up D, Den D ... 5J **33**
S26: Wales ... 1G **139**
Coalpit Rd. DN12: Den M ... 3K **79**
Coal Riding La. S65: Dalt M ... 7E **96**
Coates La. S36: Oxs, Silk C ... 5F **54**
S75: Silk C ... 5F **54**
Coates St. S2: Shef ... 5K **5** (1K **123**)
Cobb Ct. S64: Swin ... 5C **78**
Cobb Dr. S64: Swin ... 5B **78**
Cobbler Hall WF4: W Brett ... 1H **15**
Cobcar Av. S74: Els ... 1B **76**
Cobcar Cl. S74: Els ... 9A **58**
Cobcar La. S74: Els ... 9A **58**
Cobcar St. S74: Els ... 1A **76**
Cobden Av. S64: Mexb ... 1G **78**
Cobden Pl. S10: Shef ... 8D **108**
Cobden Ter. S10: Shef ... 8D **108**
Cobden Vw. Rd. S10: Shef ... 8C **108**
Cobnar Av. S8: Shef ... 9H **123**
Cobnar Dr. S8: Shef ... 9H **123**
Cobnar Gdns. S8: Shef ... 9G **123**
Cobnar Rd. S8: Shef ... 9G **123**
Cockayne Pl. S8: Shef ... 6G **123**
Cockerham Av. S75: Barn ... 5F **36**
Cockerham La. S75: Barn ... 5F **36**
Cockhill Cl. DN10: Baw ... 7C **102**
Cockhill Fld. La. S66: B'well ... 3E **98**
Cock Hill La. DN10: Baw ... 7C **102**
Cockhill La. S66: B'well, Stain ... 8E **80**
Cockpit La. S36: Pen ... 4N **53**
Cockshot La. S36: Bolst ... 7E **72**
Cockshot Pit La. S75: Mapp ... 9B **16**
Cockshutt Av. S8: Shef ... 2E **134**
Cockshutt Dr. S8: Shef ... 2E **134**
Cockshutt Rd. S8: Shef ... 2E **134**
Cockshutts La. S35: Ough ... 5K **91**
Coggers La. S32: Hath ... 9J **119**
Coggin Mill Way S60: Roth ... 8G **95**
COISLEY HILL ... 5F **124**
Coisley Hill S13: Shef ... 5F **124**
Coisley Rd. S13: Shef ... 6G **124**
Coit La. S11: Shef ... 8M **121**
Coke Hill S60: Roth ... 8K **95**
Coke La. S60: Roth ... 8K **95**
Colbeck Cl. DN3: Arm ... 1K **65**
Colbeck Ho. *S80: Work ... 6B* ***142***
(off Gateford Rd.)
Colbeck St. S80: Work ... 7B **142**
Colby Pl. S6: Shef ... 7A **108**
Colchester Ct. DN5: Scaws ... 1J **63**
Colchester Rd. S10: Shef ... 8C **108**
COLD HIENDLEY ... 1L **17**
Cold Hiendley Comn. La.
WF4: Cold H ... 1L **17**
Cold Hill La. HD9: New M ... 1J **31**
Coldstream Av.
DN4: Warm ... 9H **63**
Coldwell Hill S35: Ough ... 6K **91**
Coldwell La. HD9: H'bri ... 4A **30**
S10: Shef ... 9N **107**
Coldwell's Fold S36: Thurl ... 3K **53**
Coleford Rd. S9: Shef ... 6C **110**
Coleman St. S62: P'gte ... 2M **95**
Coleridge Av. S71: Monk B ... 4J **37**
Coleridge Gdns. S9: Shef ... 6B **110**
Coleridge Rd. DN3: Barn D ... 9J **25**
S9: Shef ... 5A **110**
S63: Wath D ... 8J **59**
S65: Roth ... 6M **95**
S66: Malt ... 9E **98**
S81: Work ... 5E **142**
Colewell Cl. S73: Womb ... 3C **58**
Coley La. S62: Wentw ... 5D **76**
Colister Dr. S9: Shef ... 8C **110**
Colister Gdns. S9: Shef ... 9B **110**
College Cl. S4: Shef ... 4K **109**
College Ct. S4: Shef ... 4K **109**
S64: Mexb ... 1G **78**
College Flds. S70: Barn ... 9C **36**
College Ho. S75: Barn ... 4E **36**
College La. *S65: Roth ... 7K* ***95***
(off Howard St.)
S80: Work ... 9E **142**
College Pk. Cl. S60: Roth ... 1L **111**

College Rd. DN1: Don 5N 63	COMMON SIDE 6N 123
S21: Spink 8C 138	Commonside DN17: Crow 2N 29
S60: Roth 7H 95	S10: Shef 8D 108
(not continuous)	Common Side Cft. S12: Shef . . .6N 123
S64: Mexb 1G 78	Commonwealth Vw. S63: Bolt D . . .5A 60
COLLEGE ROAD RDBT. 6J 95	Community Way S80: Work 9E 142
College St. S10: Shef 1E 122	Companions Cl. S66: Wick 9G 96
S65: Roth 7K 95	Compass Ct. S21: Killa 6B 138
College Ter. S73: D'fld 2G 59	Compton St. S6: Shef 6C 108
College Wlk. S60: Roth 6K 95	Comrades Ho. DN5: Bntly 7N 43
(off Frederick St.)	Comrades Pl. S63: Gol 2E 60
College Wlk. Shop. Cen. S60: Roth . .6K 95	Conalan Av. S17: Bradw 5C 134
(off Frederick St.)	CONANBY 4N 79
Collegiate Cres. S10: Shef . . .7A 4 (2E 122)	Conan Rd. DN12: Con 4N 79
Colley Av. S5: Shef 7H 93	Concept Ct. S63: Wath D 7J 59
S70: Barn 1K 57	Concorde M. DN1: Don 3A 64
Colley Cl. S5: Shef 7H 93	Concord Pk. Golf Course 8M 93
Colley Cres. S5: Shef 7J 93	Concord Rd. S5: Shef 7M 93
S70: Barn 9K 37	Concord Sports Cen. 9M 93
Colley Dr. S5: Shef 7J 93	Concord Vw. Rd. S61: Kimb 8C 94
Colley Pl. S70: Barn 9K 37	Concourse Way S1: Shef 4H 5
Colley Rd. S5: Shef 7H 93	Conduit La. S10: Shef 8D 108
Collier Ct. S63: Bramp B 8F 58	Conduit Rd. S10: Shef 8D 108
Collier Rd. S72: Shaft 8C 18	Cone La. S75: Silk, Silk C 9J 35
Colliers Cl. S13: Shef 5H 125	Coney Cl. S65: Thry 3F 96
Colliers Way HD8: Clay W 5B 14	Coney Rd. DN5: Bntly 4L 43
Colliery Av. S63: Wath D 7L 59	Congress St. S1: Shef 3D 4 (9G 108)
Colliery Cl. S25: Din 1C 128	Coningsburgh Rd. DN3: Eden . . .6J 45
Colliery Dr. S21: Killa 5C 138	Coningsby Av. S81: Gate 2N 141
Colliery La. S63: Gol 1C 60	Coningsby Ho. S10: Shef 1M 121
Colliery Rd. DN11: Birc 1L 117	Coningsby Rd. S10: Shef 3K 109
S4: Shef 3A 110	Conisborough Way WF9: Hems . . .1L 19
S26: Kiv P 9J 127	CONISBROUGH 4A 80
Colliery Vs. S66: Thurc 4L 113	Conisbrough Castle 4A 80
S81: Cos 2C 130	Conisbrough Castle Vis. Cen. . . .4A 80
Colliery Yd. S75: Pil 2E 74	Conisbrough Station (Rail) 3N 79
Collin Av. S6: Shef 3B 108	Coniston Av. S75: Stain 7B 16
Collindridge Rd. S73: Womb 5D 58	Coniston Cl. S25: Nth A 5D 128
Collingbourne Av. S20: Sot 1N 137	S36: Pen 3N 53
Collingbourne Dr. S20: Sot 1N 137	Coniston Ct. S64: Mexb 9J 61
Collingham Rd. S26: Swal 5B 126	Coniston Dr. DN4: Balb 2K 81
Collins Cl. S75: Dod 9N 35	S63: Bolt D 6B 60
Collinson Rd. S5: Shef 9H 93	Coniston Pl. DN5: Scawt 8K 43
Collins Yd. S18: Dron 9J 135	Coniston Rd. DN2: Don 3F 64
(off Mill La.)	DN3: Kirk Sa 6F 36
Colonel Ward Dr. S64: Swin 3D 78	DN6: Ask 1N 23
Colonnades Shop. Cen. DN1: Don . .4N 63	S8: Shef 6F 122
Colster Cl. S75: Barn 6B 36	S18: Dron W 9E 134
Colsterdale S81: Work 2E 142	S64: Mexb 9H 61
Coltfield S70: Birdw 6G 56	S71: Barn 7H 37
Coltishall Av. S66: Bram 7K 97	S81: Work 2B 142
Columbia Pl. S2: Shef 6G 5	Coniston Ter. S8: Shef 6F 122
Columbia St. S70: Barn 9F 36	Connaught Dr. DN3: Kirk Sa 4J 45
Columbus Ct. S80: Work 8N 141	Conrad Cl. S80: Work 7E 142
Columbus Way S66: Malt 7C 98	Conrad Dr. S66: Malt 7C 98
Colver Rd. S2: Shef 3H 123	Constable Cl. S14: Shef 9L 123
(not continuous)	S18: Dron 9F 134
Colvin Cl. DN5: Ark 7B 44	S66: Flan 7G 96
Colwall St. S9: Shef 6N 109	Constable Dr. S14: Shef 9L 123
Colwick Gro. S61: Roth 6G 95	Constable La. S25: Din 2D 128
Combined Court	Constable Pl. S14: Shef 9M 123
Rotherham 7K 95	S63: Wath D 9L 59
Sheffield 1F 5 (8H 109)	Constable Rd. S14: Shef 9L 123
Comelybank Dr. S64: Mexb 2J 79	S65: Dalt 4B 96
Comet Cl. DN9: Auck 2D 84	Constitution Hill DN5: Cad 2B 80
Commerce St. S35: Chap 8J 75	Convent Av. WF9: Sth K 7B 20
Commercial Rd. S63: Gol 4A 60	Convent Gro. DN4: Bess 7G 65
Commercial St. S1: Shef . .3H 5 (9J 109)	Convent Pl. S3: Shef 4C 4 (9G 108)
S70: Barn 8H 37	Convent Wlk. S3: Shef . . .4C 4 (9G 108)
Commercial Way DN4: Warm 3H 81	Conway Ct. DN4: Bess 1G 83
Common, The S35: Eccl 3J 93	Conway Cres. S65: Roth 5B 96
S72: Sth H 4E 18	Conway Dr. DN3: Brant 7N 65
COMMON END 3M 19	DN5: Barnb 4H 61
Common Farm Cl. S65: Rav 5J 97	S81: Carl L 5C 130
Common La. DN3: Barn D 1M 45	Conway Pl. S73: Womb 6F 58
DN4: Warm 9H 63	Conway St. S3: Shef 4B 4 (9F 108)
DN5: Alm 3D 44	S70: Stair 8L 37
DN5: Clay 2A 40	Conway Ter. S64: Mexb 9F 60
DN6: Ask, Wald S 4J 7	Conyers Dr. S26: Aston 3C 126
DN6: Nort 7H 7	Conyers Rd. DN5: Don 2M 63
DN9: Auck 8C 66	Coode St. S3: Shef 1G 5 (8J 109)
DN11: H'worth 9F 100	Coo Hill S13: Shef 5J 125
DN11: New R 8L 83	Cook Av. S66: Malt 7C 98
DN11: Tick 5D 100	Cooke & Beard Homes S8: Shef . .6J 123
DN12: Con 7B 80	Cooke St. DN5: Bntly 8L 43
HD8: Den D 2L 33	Cookridge Dr. DN7: Hat 1D 46
S11: Shef 5M 121	Cookson Cl. S5: Shef 9E 92
S36: Spink 7G 73	Cookson St. DN4: Balb 7M 63
S63: Bolt D 7C 60	Cooks Rd. S20: Beig 9N 125
S63: Wath D 9A 60	Cooks Wood Rd. S3: Shef 5H 109
S65: Rav 4L 97	Cook's Yd. DN8: Thorne 2K 27
S66: Bramp M 7H 113	Coombe Pl. S10: Shef 9D 108
S66: Clftn 7B 80	Coombe Rd. S10: Shef 9D 108
S66: Thurc 7N 113	Co-operative Cotts. S72: Brier 6F 18
S71: R'ton 5K 17	Co-operative St. S63: Gol 2D 60
(not continuous)	S63: Wath D 8K 59
S81: Bly 8L 117	S72: Cud 2A 38
WF4: Wool 1M 15	Co-operative Ter. HD9: Holm 1G 31
WF9: Upton 2E 20	Cooper Cl. S63: Bramp B 9G 58
Common La. Bungs. WF9: Upton . . .2E 20	Cooper Gallery 6F 36
Comn. Middle Rd. DN17: Crow . . .3L 29	Cooper Ho. WF9: Hems 3K 19
Common Rd. DN12: Con 5C 80	(off Lilley St.)
S25: Din 1B 128	Cooper La. HD9: Holm 8E 30
S25: Nth A 2L 127	S36: H'swne 8C 34
S26: Hart 5L 139	Cooper Pl. S75: Kexb 1H 75
S63: Thurn 8A 40	Cooper Row S75: Dod 1A 56
S72: Brier 7G 18	(off Stainborough Rd.)
S80: Thorpe S 4C 140	Coopers Ho. S11: Shef 7B 4
WF9: Sth K 8K 19	
Common Side Av. WF9: Sth K 8N 19	

Coopers Ter. DN1: Don 4A 64	Cortworth La. S62: Wentw 5D 76
Cooper St. DN4: Don 6B 64	Cortworth Pl. S74: Els 9B 58
Co-op La. HD9: H'bri 5B 30	Cortworth Rd. S11: Shef 7B 122
Copeland Rd. S73: Womb 5C 58	Corunna Vw. S36: Pen 5A 54
Cope St. S70: Barn 9G 36	Corwen Pl. S13: Shef 5G 124
Copley Av. DN12: Con 4M 79	Cosgrove Ct. DN3: Eden 6K 45
Copley Cres. DN5: Scaws 1G 63	Cossey Rd. S4: Shef 6L 109
Copley Gdns. DN5: Sprot 7F 62	COSTHORPE 4C 130
Copley Pl. S61: Roth 5G 95	Costhorpe Ind. Est. S81: Cos 3B 130
Copley Rd. DN1: Don 3A 64	Costhorpe La. S81: Cos 2C 130
Copperas Cl. S36: Mill G 4H 53	Cotefield Pl. S36: Pen 4N 53
Copper Beech Cl. S20: Beig 8N 125	Cote La. HD9: Holm 8E 30
Copper Beech Cres. S66: Hoot L . .1C 114	S35: Thurg, Wort 9J 55
Copper Cl. S70: Barn 8G 37	Coterel Cres. DN4: Can 6J 65
Copperleigh Av. S62: Shef . . .1E 4 (8H 109)	Cotleigh Av. S12: Shef 8G 125
Coppice, The S61: Kimb P 3C 94	Cotleigh Cl. S12: Shef 8G 125
Coppice Av. DN7: Hat 2C 46	Cotleigh Cres. S12: Shef 8G 125
S75: Barn 4C 36	Cotleigh Dr. S12: Shef 8G 125
Coppice Cl. S36: Stoc 4B 72	Cotleigh Gdns. S12: Shef 8G 124
Coppice Gdns. S61: Grea 3H 95	Cotleigh Pl. S12: Shef 8G 124
Coppice Gro. DN7: Hat 1D 46	Cotleigh Rd. S12: Shef 8G 124
Coppice La. DN7: Hat 2C 46	Cotleigh Way S12: Shef 8G 125
S6: Stan 8K 107	Cotswold Av. S35: Chap 9F 74
S62: H'ley 5L 75	Cotswold Cl. S75: Barn 6C 36
Coppice Ri. S35: Chap 8J 75	WF9: Hems 2M 19
Coppice Rd. DN6: Highf 6F 42	Cotswold Ct. S81: Carl L 4B 130
S10: Shef 9K 107	Cotswold Cres. S60: Whis 3B 112
S81: Work 3C 142	Cotswold Dr. DN5: Sprot 6E 62
Coppice Vw. S10: Shef 9A 108	S26: Aston 4D 126
Coppicewood Ct. DN4: Balb 2N 81	Cotswold Gdns. DN5: Scawt 9K 43
Coppins Cl. S66: Bram 7J 97	Cotswold Rd. DN8: Thorne 3J 27
Coppin Sq. S5: Shef 6G 93	S6: Shef 4C 108
Copse, The S66: Bram 7J 97	Cottage, The HD8: Shep 2N 31
COPSTER 7F 54	Cottage Gro. S66: B'well 4E 98
Copster Cl. S35: Thurg 8H 55	Cottage La. S11: Shef 6L 121
Copster La. S36: Oxs 5F 54	Cottage Mdws. DN14: Syke 3L 9
Copthurst Rd. HD9: H'bri, Holm . . .8B 30	Cottam Cl. S60: Whis 3B 112
Coquet Av. S66: Bram 9J 97	Cottam Cft. WF9: Hems 2L 19
Coral Cl. S26: Augh 1B 126	Cottam Rd. S35: High G 7D 74
Coral Dr. S26: Augh 1B 126	Cottenham Rd. S65: Roth 6M 95
Coral Pl. S26: Augh 1B 126	Cotterdale Gdns. S73: Womb 4F 58
Coral Way S26: Augh 1B 126	Cotterhill Cl. S81: Gate 1A 142
Corbridge Ct. DN4: Bess 7F 64	Cottesmore Cl. S75: Barn 5D 36
Corby Rd. S4: Shef 3N 109	Cottingham St. S9: Shef 8N 109
Core, The 6F 36	Cotton Mill Row S3: Shef . . .1F 5 (7H 109)
CORKER BOTTOMS 1A 124	Cotton Mill Wlk. S3: Shef 7H 109
Corker Bottoms La. S2: Shef 9N 109	Cotton St. S3: Shef 1F 5 (7H 109)
Corker La. S6: Dung 3C 106	Coulman Rd. DN8: Thorne 1L 27
Corker Rd. S12: Shef 6A 124	Coulman Rd. Ind. Est. DN8: Thorne . .1M 27
Cornfall Pl. S70: Barn 7E 36	Coulman St. DN8: Thorne 9L 11
Cornfield Cl. S81: Carl L 4D 130	Coultas Av. S36: Spink 7F 72
Cornflower Dr. DN4: Bess 7E 64	Countess Rd. S1: Shef 7F 5 (2H 123)
Corn Hill DN12: Con 5B 80	Countryside Way S64: Kiln 6D 78
Cornhill S3: Shef 3B 4	County Court
Cornish Ho. S3: Shef 7G 109	Doncaster 5A 64
(off Adelaide La.)	County Way S70: Barn 6G 36
Cornish St. S6: Shef 7G 109	Coupe Rd. S3: Shef 6J 109
(not continuous)	Coupland Rd. S65: Roth 5B 96
Cornish Way S62: P'gte 3L 95	Court Cl. DN5: Scaws 1H 63
Corn Mill Ct. S6: Shef 5C 108	Courtyard, The DN10: Baw 7C 102
Cornwall Cl. S71: Monk B 4J 37	DN12: Old D 3H 79
Cornwall Rd. DN2: Don 2E 64	S75: Barn 7B 36
S81: Shire 3K 141	WF4: Wool 2B 16
Cornwall Works S3: Shef 7H 109	Coventry Dr. S81: Work 4D 142
(off Green La.)	Coventry Gro. DN2: Don 9E 44
Cornwell Cl. S62: Rawm 6J 77	Coventry Rd. DN8: Thorne 2L 27
Corona Av. DN4: Balb 1A 82	S9: Shef 7C 110
Coronach Way DN11: New R 6H 83	Cover Cl. S62: H'ley 5L 75
Corona Dr. DN8: Thorne 9K 11	Coverdale S81: Work 3E 142
Coronation Av. DN10: Miss 2K 103	Coverdale Rd. S7: Shef 6F 122
S25: Din 1D 128	Cover Dr. S73: D'fld 1H 59
S71: R'ton 5M 17	Coverleigh Rd. S63: Wath D 2M 77
S72: Grim 2G 39	Coward Dr. S35: Ough 6M 91
S72: Shaft 6B 18	Cowcliff Hill Rd. HD9: Hade E 8G 31
Coronation Bri. S60: Roth 7H 95	Cowfield La. DN14: Syke 3B 10
Coronation Cotts. DN3: Barn D 9H 25	Cow Gap La. S6: Stan 5F 106
Coronation Ct. S64: Mexb 9F 60	Cow Ho. La. DN3: Arm 1M 65
Coronation Cres. S70: Birdw 6G 56	Cow Ho. La. Res. Pk.
S70: Birdw 6G 56	DN3: Arm 1M 65
Coronation Dr. S63: Bolt D 5A 60	Cowick Rd. DN8: Thorne 9G 11
Coronation Flats DN7: Stainf 5B 26	DN14: Syke 2F 10
(off Coronation Rd.)	Cow La. S11: Shef 3B 122
Coronation Gdns. DN4: Warm 9G 63	WF4: Hav 1B 18
Coronation Rd. DN4: Balb 8M 63	Cowley Dr. S35: Chap 1K 93
DN7: Stainf 5B 26	Cowley Gdns. S20: W'fld 2L 137
S36: Stoc 5D 72	Cowley Grn. S73: Womb 5B 58
S62: Rawm 8B 78	Cowley Hill S35: Eccl 1K 93
S63: Wath D 9N 59	S61: Thorpe H 1K 93
S64: Swin 3D 78	Cowley La. S18: Dron, Holme 9C 134
S74: Hoyl 9L 57	S35: Chap 9J 75
S75: Bar'g 4M 35	Cowley Pl. DN3: Kirk Sa 4J 45
Coronation St. S63: Thurn 8D 40	Cowley Rd. S35: Ough 7M 91
S71: Monk B 4K 37	Cowley Vw. Cl. S35: Chap 1H 93
S73: D'fld 1H 59	Cowley Vw. Rd. S35: Chap 2J 93
Coronation Ter. DN10: Aust 2E 102	Cowley Way S35: Eccl 1K 93
(off Thorne Rd.)	Cowlishaw Rd. S11: Shef 3D 122
S71: Ard 8N 37	Cowood St. S64: Mexb 2E 78
S73: Hem 7C 58	Cow Pasture La. DN10: Miss 9M 85
Corporation Bldgs. S3: Shef 2G 5	Cowper Av. S6: Shef 7E 92
Corporation St. S3: Shef 1F 5 (8H 109)	Cowper Cl. S81: Work 5E 142
S60: Roth 6K 95	Cowper Cres. S6: Shef 7E 92
S70: Barn 9H 37	Cowper Dr. S6: Shef 7E 92
Cortina Ri. S73: D'fld 1E 58	S65: Roth 9A 96
Corton Wood S73: Bramp 7F 58	Cowper Rd. S64: Mexb 1G 79
Corton Wood Bus. Pk. S73: Bramp . .7F 58	Cowrakes Cl. S60: Whis 3B 112
Cortonwood Dr. S73: Bramp 7F 58	Cow Rakes La. S60: Whis 3B 112
Cortonwood Ho. DN1: Don 5N 63	Cox La. DN17: Crow 7M 29
(off Bond Cl.)	Coxley Ct. DN11: Ross 6L 83
CORTWORTH 5E 76	Coxley Mt. DN11: Ross 5M 83
	Cox Pl. S6: Shef 3A 108

Cox Rd.—Cudworth Common

Cox Rd. S6: Shef . . . 3A **108**
Crabgate Dr. DN6: Skell . . . 7C **22**
Crabgate La. DN6: Skell . . . 8C **22**
Crabtree Av. S5: Shef . . . 4K **109**
Crabtree Cl. S5: Shef . . . 3K **109**
Crabtree Ct. S71: Ard . . . 8N **37**
Crabtree Cres. S5: Shef . . . 3J **109**
Crabtree Dr. S5: Shef . . . 3K **109**
S72: Gt H . . . 5K **39**
Crab Tree Hill La.
S36: H'swne . . . 1A **54**
Crab Tree La. WF8: Kirk Sm . . . 8A **6**
WF9: Sth E . . . 6H **21**
Crabtree La. S5: Shef . . . 3K **109**
Crabtree Pl. S5: Shef . . . 3K **109**
Crabtree Ponds Local Nature Reserve
. . . **4K 109**
Crabtree Rd. DN7: Dunsc . . . 8B **26**
S5: Shef . . . 3J **109**
Cracknell S3: Shef . . . 1G **5** (7J **109**)
Cradley Dr. S26: Aston . . . 4D **126**
Cradock M. S2: Shef . . . 4M **123**
Cradock Rd. S2: Shef . . . 4M **123**
Craganour Pl. *DN12: Den M . . . 3L 79*
(off Stainton St.)
Cragdale Gro. S20: Mosb . . . 3K **137**
Crag Hill Cres. S5: Shef . . . 6G **93**
Crags Rd. DN12: Den M . . . 3N **79**
Crag Vw. S35: Thurg . . . 9J **55**
Crag Vw. Cl. S35: Ough . . . 5M **91**
Crag Vw. Cres. S35: Ough . . . 5M **91**
Craigholme Cres. DN2: Don . . . 9F **44**
Craigston Rd. S81: Carl L . . . 5B **130**
Craig Wlk. S66: Bram . . . 8K **97**
Craithie Rd. DN2: Don . . . 3C **64**
S81: Carl L . . . 5B **130**
Crakehall Rd. S35: Eccl . . . 2J **93**
Cramfit Cl. S25: Nth A . . . 5B **128**
Cramfit Cres. S25: Din . . . 2B **128**
Cramfit Rd. S25: Nth A . . . 4A **128**
Cramlands S75: Dod . . . 9B **36**
Cranberry Rd. S36: Pen . . . 9N **53**
Cranborne Dr. S75: Dart . . . 8A **16**
Cranbrook Rd. DN1: Don . . . 2B **64**
Cranbrook St. S70: Barn . . . 8E **36**
Crane Dr. S61: Kimb . . . 6E **94**
Crane Greave La. S35: Cran M . . . 8L **55**
CRANE MOOR . . . **8M 55**
Crane Moor Cl. DN5: Harl . . . 5H **61**
Crane Moor La. S35: Cran M . . . 9K **55**
Crane Moor Nook S35: Cran M . . . 9K **55**
Crane Moor Rd. S35: Cran M . . . 8L **55**
Crane Rd. S61: Kimb P . . . 3E **94**
Crane Well La. S63: Bolt D . . . 5D **60**
Crane Well Vw. S63: Bolt D . . . 6D **60**
Cranfield Cl. DN3: Arm . . . 2L **65**
Cranfield Dr. DN6: Skell . . . 7E **22**
Cranford Ct. S20: Mosb . . . 9G **125**
Cranford Dr. S20: Mosb . . . 8G **124**
Cranford Gdns. S71: R'ton . . . 5J **17**
Crangle Flds. HD9: New M . . . 1M **31**
Cranidge Cl. DN17: Crow . . . 7M **29**
Cranleigh Gdns. DN6: Adw S . . . 3E **42**
Cranston Cl. S71: Monk B . . . 4L **37**
Cranswick Way *DN12: Con . . . 4C 80*
(off Milner Ga.)
Cranwell Ct. S63: Gol . . . 3B **60**
Cranwell Rd. DN4: Can . . . 8L **65**
Cranworth Cl. S65: Roth . . . 6N **95**
Cranworth Pl. S3: Shef . . . 6J **109**
S65: Roth . . . 5M **95**
Cranworth Rd. S3: Shef . . . 6J **109**
S65: Roth . . . 5M **95**
Craven Cl. DN4: Can . . . 7H **65**
S9: Shef . . . 7C **110**
S71: R'ton . . . 5J **17**
Craven Ct. S72: Grim . . . 2H **39**
Craven Rd. DN7: Dunsc . . . 9B **26**
WF9: Hems . . . 3K **19**
Craven St. S3: Shef . . . 1C **4** (8G **108**)
S62: P'gte . . . 2M **95**
Craven Wood Cl. S75: Barn . . . 5B **36**
Crawford Rd. S8: Shef . . . 7G **123**
Crawley Av. WF9: Sth K . . . 6C **20**
Crawshaw S3: Shef . . . 2B **4** (8F **108**)
Crawshaw Av. S8: Shef . . . 2E **134**
Crawshaw Gro. S8: Shef . . . 2E **134**
Crawshaw M. S18: Dron W . . . 9D **134**
Crawshaw Rd. DN4: Hex . . . 5L **63**
Cream St. S2: Shef . . . 2J **123**
Crecy Av. DN2: Don . . . 3F **64**
Creighton Av. S62: Rawm . . . 9A **78**
Cresacre Av. DN5: Barnb . . . 4H **61**
Crescent S26: Hart . . . 5K **139**
Crescent, The DN3: Arm . . . 2M **65**
DN3: Eden . . . 6K **45**
DN6: Woodl . . . 4D **42**
DN7: Dunsc . . . 8B **26**
DN9: Blax . . . 1H **85**
DN11: Birc . . . 9M **101**
DN12: Con . . . 4M **79**
DN12: New E . . . 3F **80**
HD9: New M . . . 2J **31**
S17: Tot . . . 5N **133**
S25: Din . . . 2E **128**
S60: Tree . . . 8M **111**
S63: Bolt D . . . 4C **60**
S64: Swin . . . 4A **78**
S65: Roth . . . 6L **95**
S66: Thurc . . . 6L **113**
Crescent, The S72: Cud . . . 1B **38**
S75: Barn . . . 4C **36**
S75: Hood G . . . 5N **55**
Crescent E., The S66: Sunn . . . 6H **97**
Crescent End S66: Thurc . . . 6L **113**
Crescent Rd. S7: Shef . . . 4F **122**
Crescent W., The S66: Sunn . . . 6G **97**
Cressbrook Rd. S60: Wav . . . 8H **111**
Cresswell Rd. S9: Shef . . . 8C **110**
S64: Swin . . . 2C **78**
S80: Work . . . 6B **142**
Cresswell St. S75: Barn . . . 6D **36**
S80: Work . . . 7B **142**
Crest Rd. S5: Shef . . . 9J **93**
Crestwood Ct. S5: Shef . . . 9K **93**
Crestwood Gdns. S5: Shef . . . 9K **93**
Creswell St. S64: Mexb . . . 2E **78**
Creswick Av. S5: Shef . . . 6F **92**
Creswick Cl. S65: Roth . . . 5C **96**
Creswick Greave S35: Gren . . . 6F **92**
Creswick Greave Cl. S5: Shef . . . 5F **92**
Creswick La. S35: Gren . . . 5F **92**
Creswick Rd. S65: Roth . . . 5C **96**
Creswick St. S6: Shef . . . 6E **108**
(not continuous)
Creswick Way S6: Shef . . . 6E **108**
Crewe Hall S10: Shef . . . 2D **122**
Crewe Rd. DN11: Birc . . . 9L **101**
Crich Av. S71: Ath . . . 1H **37**
Cricketers Wlk. S2: Shef . . . 2K **5**
Cricket Fld. La. S26: Wales B . . . 8E **126**
Cricket Inn Cres. S2: Shef . . . 9M **109**
Cricket Inn Rd. S2: Shef . . . 2K **5** (8K **109**)
Cricket Inn Road Stop (ST) . . . **8L 109**
Cricket La. S35: Eccl . . . 5K **93**
Cricket Vw. Rd. S62: H'ley . . . 5L **75**
Cridling Gdns. DN6: Nort . . . 7J **7**
Crimicar Av. S10: Shef . . . 3K **121**
Crimicar Cl. S10: Shef . . . 4L **121**
Crimicar Dr. S10: Shef . . . 3K **121**
Crimicar La. S10: Shef . . . 2K **121**
CRIMPSALL . . . **4L 63**
Crimpsall Rd. DN4: Hex . . . 5M **63**
Cripps Av. DN11: New R . . . 5K **83**
Cripps Cl. S66: Malt . . . 9F **98**
Crispin Cl. S12: Shef . . . 7A **124**
Crispin Dr. S12: Shef . . . 7A **124**
Crispin Gdns. S12: Shef . . . 7A **124**
Crispin Rd. S12: Shef . . . 7A **124**
Croasdale Gdns. DN6: Carc . . . 8G **22**
(not continuous)
Crochley Cl. DN4: Can . . . 6J **65**
Croft, The DN5: Ark . . . 5B **44**
DN8: Thorne . . . 4L **27**
DN12: Con . . . 5A **80**
DN17: Crow . . . 4N **29**
HD8: Up C . . . 2E **32**
S33: Bamf . . . 8E **118**
S35: Thurg . . . 5K **55**
S36: H'swne . . . 1B **54**
S60: Cat . . . 7J **111**
S62: H'ley . . . 5L **75**
S64: Swin . . . 4A **78**
S74: Els . . . 2A **76**
S75: Bar G . . . 3N **35**
S80: Work . . . 8C **142**
WF4: W Brett . . . 1H **15**
Croft Av. S71: R'ton . . . 6J **17**
Croft Bldgs. S1: Shef . . . 2E **4**
Croft Cl. S11: Shef . . . 8A **122**
S25: Laugh M . . . 7B **114**
S73: Womb . . . 6F **58**
S75: Mapp . . . 8C **16**
Croft Ct. DN3: Eden . . . 5J **45**
DN7: Dunsv . . . 3B **46**
DN9: Finn . . . 3G **85**
Croft Dr. DN11: Tick . . . 5D **100**
S36: Mill G . . . 4H **53**
S75: Mapp . . . 8B **16**
Crofters Cl. S21: Killa . . . 6B **138**
Crofters Ct. DN4: Balb . . . 1N **81**
Croft La. S11: Shef . . . 8A **122**
Croft Lea S18: Dron W . . . 8D **134**
Crofton Av. S6: Shef . . . 2C **108**
Crofton Cl. S18: Dron . . . 9G **135**
Crofton Dr. S63: Bolt D . . . 4B **60**
Crofton Ri. S18: Dron . . . 9G **135**
S35: High G . . . 8E **74**
Croft Rd. DN4: Balb . . . 1J **81**
DN9: Finn . . . 4H **85**
S6: Stan . . . 6M **107**
S12: Shef . . . 6B **124**
S60: Brins . . . 3H **111**
S70: Barn . . . 9K **37**
(not continuous)
S74: Hoyl . . . 8L **57**
Crofts, The S60: Roth . . . 7K **95**
S66: Wick . . . 1G **113**
Crofts Dr. S65: Thry . . . 3D **96**
Crofts La. DN7: Stainf . . . 5M **25**
Croft St. S61: Grea . . . 2H **95**
S70: Wors . . . 2H **57**
Cromarty Ri. S18: Dron W . . . 8E **134**
Cromer Cl. S62: Rawm . . . 8M **77**
Cromer Rd. DN2: Don . . . 3F **64**
Cromford Av. S71: Ath . . . 2J **37**
Cromford Cl. DN4: Can . . . 9K **65**
Cromford St. S2: Shef . . . 7G **5** (2J **123**)
Crompton Av. DN5: Don . . . 3K **63**
S70: Barn . . . 8E **36**
Crompton Bus. Pk. DN2: Don . . . 8E **44**
Crompton Rd. DN2: Don . . . 8E **44**
Cromwell Cl. S81: Gate . . . 2A **142**
Cromwell Ct. DN6: Skell . . . 8D **22**
Cromwell Dr. DN5: Don . . . 5J **63**
Cromwell Gro. DN6: Skell . . . 7E **22**
Cromwell Ho. DN5: Cus . . . 2J **63**
Cromwell Mt. S70: Wors . . . 1F **56**
Cromwell Rd. DN5: Don . . . 2M **63**
S64: Mexb . . . 1F **78**
Cromwell St. S6: Shef . . . 7D **108**
S63: Thurn . . . 7D **40**
Cronkhill La. S71: Car . . . 8L **17**
S71: Car, R'ton . . . 7M **17**
Crooked La. DN12: Old D . . . 7J **79**
Crooked La. Head DN11: Tick . . . 8B **100**
CROOKES . . . **9C 108**
Crookes S10: Shef . . . 8C **108**
Crookes Broom Av. DN7: Hat . . . 1D **46**
Crookes Broom La. DN7: Hat . . . 9C **26**
Crookes La. S71: Car . . . 8J **17**
CROOKESMOOR . . . **1A 4 (8E 108)**
Crookesmoor Dr. S6: Shef . . . 1A **4** (8E **108**)
Crookesmoor Rd. S6: Shef . . . 9D **108**
S10: Shef . . . 1A **4** (9D **108**)
Crookes Rd. DN4: Balb . . . 9L **63**
S10: Shef . . . 9D **108**
Crookes St. S70: Barn . . . 7E **36**
Crookes Valley Rd.
S10: Shef . . . 2A **4** (8E **108**)
Crookhill Cl. DN12: New E . . . 5E **80**
Crookhill Pk. Golf Course . . . **7D 80**
Crookhill Rd. DN12: Con . . . 4B **80**
Crook Ho. La. S71: D'fld . . . 7F **38**
Crook O'Moor Rd. DN8: Med H . . . 4J **29**
Crook Tree La. DN7: Hat . . . 8D **26**
(not continuous)
Cropton Rd. S71: R'ton . . . 6J **17**
Crosby Av. S66: Bram . . . 8K **97**
Crosby Ct. S71: Monk B . . . 3L **37**
Crosby Rd. S8: Shef . . . 8G **122**
Crosby St. S72: Cud . . . 9B **18**
CROSS, THE . . . **6K 93**
Cross, The S75: Silk . . . 9H **35**
S81: Carl L . . . 5D **130**
Cross Allen Rd. S20: Beig . . . 9M **125**
Cross Bank DN4: Balb . . . 8M **63**
Cross Bedford St. S6: Shef . . . 7F **108**
Cross Burgess St. S1: Shef . . . 4F **5** (9H **109**)
Cross Butcher St. S63: Thurn . . . 8B **40**
Cross Chantrey Rd. S8: Shef . . . 8H **123**
Crosscourt Vw. DN4: Bess . . . 7F **64**
Cross Dr. S13: Shef . . . 5H **125**
Cross Fld. Dr. S81: Woods . . . 8K **129**
Crossfield Dr. DN6: Skell . . . 7E **22**
S63: Wath D . . . 1L **77**
Crossfield Gdns. S35: High G . . . 6E **74**
Crossfield Ho. Cl. DN6: Skell . . . 7E **22**
Crossfield La. DN6: Skell . . . 8E **22**
Cross Ga. DN5: Don . . . 1L **63**
Crossgate S63: Thurn . . . 9C **40**
S64: Mexb . . . 2H **79**
S75: Mapp . . . 8C **16**
Cross Ga. Rd. HD9: Holm . . . 6F **30**
Crossgates DN11: Wad . . . 8N **81**
Cross Gilpin St. S6: Shef . . . 6F **108**
Cross Hgts. HD9: Scho . . . 5G **30**
CROSS HILL . . . **2K 19**
Cross Hill DN6: Skell . . . 8D **22**
S35: Eccl . . . 6K **93**
S72: Brier . . . 6F **18**
WF9: Hems . . . 2K **19**
Cross Hill Cl. S35: Eccl . . . 6K **93**
Cross Hill Ct. DN6: Skell . . . 7D **22**
Cross Hill La. S72: Sth H . . . 1E **18**
Cross Ho. Cl. S35: Gren . . . 5C **92**
Cross Ho. Rd. S35: Gren . . . 5D **92**
Cross Keys La. S74: Hoyl . . . 9H **57**
Crossland Dr. S12: Shef . . . 8A **124**
Crossland Gdns. DN11: Tick . . . 6D **100**
Crossland Pl. S12: Shef . . . 7A **124**
Crossland St. S64: Swin . . . 4C **78**
Crossland Way DN5: Scawt . . . 8J **43**
Crossland Way Flats DN5: Scawt . . . 9J **43**
Cross La. DN10: Aust . . . 9E **84**
HD8: Eml'y . . . 1A **14**
HD8: Shep . . . 2B **32**
HD9: Scho . . . 5G **30**
S10: Shef . . . 8C **108**
S17: Dore . . . 2L **133**
S18: Coal A . . . 7K **135**
(Aston Towers)
S18: Coal A . . . 5K **135**
(Dyche La.)
S18: Dron . . . 9H **135**
S35: Brom . . . 4B **74**
S35: Wort . . . 1L **73**
S36: Cub, Thurl . . . 5J **53**
S36: H'swne . . . 8B **34**
S36: Rough, Snow H . . . 8B **54**
S36: Stoc . . . 4A **72**
S71: R'ton . . . 6M **17**
S81: Woods . . . 7H **129**
(Berne Sq.)
S81: Woods . . . 8K **129**
(Cross Field Dr.)
Cross La. Cl. S81: Woods . . . 7K **129**
Cross La. M. S10: Shef . . . 9C **108**
Crossley Cl. S66: Malt . . . 7C **98**
Crossley Hill La. S81: Work . . . 7E **130**
Crossmoor Bank DN14: Swine . . . 1M **13**
Cross Myrtle Rd. S2: Shef . . . 4J **123**
Cross Pk. Rd. S8: Shef . . . 6H **123**
CROSSPOOL . . . **1A 122**
Cross Rd. DN7: Hatf W . . . 1K **47**
DN14: Swine . . . 3L **13**
S66: Thurc . . . 5K **113**
Cross Slack DN17: Crow . . . 7M **29**
Cross Smithfield S3: Shef . . . 1D **4** (8G **109**)
Cross Sth. St. S61: Grea . . . 2J **95**
Cross St. DN4: Balb . . . 8L **63**
DN5: Bntly . . . 7M **43**
DN11: New R . . . 6J **83**
DN12: New E . . . 4F **80**
DN17: Crow . . . 7M **29**
S13: Shef . . . 5H **125**
S21: Killa . . . 3E **138**
S61: Grea . . . 2J **95**
S61: Kimb . . . 7G **94**
S62: P'gte . . . 2M **95**
S63: Gol . . . 2E **60**
S63: Wath D . . . 9L **59**
S65: Thry . . . 3D **96**
S66: Bram . . . 8J **97**
S66: Malt . . . 8E **98**
S70: Wors . . . 1J **57**
S71: Monk B . . . 4K **37**
S72: Grim . . . 2H **39**
S72: Gt H . . . 7L **39**
S73: Womb . . . 5C **58**
S74: Hoyl . . . 1J **75**
S75: Bar G . . . 4M **35**
S75: Barn . . . 5E **36**
S81: L'gld . . . 1B **130**
WF9: Hems . . . 2J **19**
WF9: Upton . . . 1J **21**
Cross Turner St. S2: Shef . . . 5H **5** (1J **123**)
Cross Wlk. *S11: Shef . . . 2G 123*
(off London Rd.)
Crossway S64: Swin . . . 4A **78**
Crossways DN2: Don . . . 9E **44**
DN7: Stainf . . . 5B **26**
S63: Bolt D . . . 5B **60**
Crossways, The S2: Shef . . . 2A **124**
Crossways Nth. DN2: Don . . . 9E **44**
Crossways Sth. DN2: Don . . . 1E **64**
Crow Cft. La. DN14: Balne . . . 1K **9**
Crowden Wlk. S75: Barn . . . 7B **36**
Crowder Av. S5: Shef . . . 9G **92**
Crowder Cl. S5: Shef . . . 1H **109**
Crowder Cres. S5: Shef . . . 1H **109**
Crowder Rd. S5: Shef . . . 9H **93**
CROW EDGE . . . **2A 52**
Crowgate S25: Sth A . . . 8A **128**
Crowland Rd. DN17: Crow . . . 8M **29**
S5: Shef . . . 9J **93**
Crow La. S18: Uns . . . 9A **136**
CROWLE . . . **8M 29**
CROWLE HILL . . . **7N 29**
CROWLE PARK . . . **9N 29**
Crowley Dr. S63: Wath D . . . 2L **77**
Crown Av. S70: Barn . . . 9H **37**
S72: Cud . . . 4C **38**
Crown Bldgs. *HD8: Clay W . . . 6B 14*
(off Scott Hill)
Crown Cl. S61: Kimb . . . 5E **94**
S70: Barn . . . 9H **37**
Crown Court
Doncaster . . . **5A 64**
Crownhill La. S66: Mick . . . 4A **98**
Crown Hill Rd. S70: Barn . . . 7B **36**
Crownhill Rd. S60: Brins . . . 3G **111**
Crown La. HD9: Holm . . . 3E **30**
Crown Pl. S2: Shef . . . 3J **5** (9K **109**)
S80: Work . . . 6B **142**
Crown Rd. DN11: Tick . . . 6C **100**
Crown St. S64: Swin . . . 3C **78**
S70: Barn . . . 9H **37**
S74: Hoyl . . . 9L **57**
S80: Work . . . 6B **142**
Crown Ter. HD8: Clay W . . . 6B **14**
Crown Well Ct. *S71: Ard . . . 8N 37*
(off Crown Well Hill)
Crown Well Hill S71: Ard . . . 8N **37**
Crown Yd. WF9: Sth K . . . 6C **20**
Crowther Pl. S7: Shef . . . 3G **123**
Crow Tree Bank DN7: Hat . . . 1B **48**
DN8: Thorne . . . 1B **48**
Crow Tree La. S64: Mexb . . . 7E **60**
Croydon St. S11: Shef . . . 3G **122**
Crucible Theatre, The . . . **3G 5 (9J 109)**
Cruck Cl. S18: Dron W . . . 8F **134**
Cruise Rd. S11: Shef . . . 3A **122**
Crummock Rd. S7: Shef . . . 6F **122**
Crummock Way S71: Ard . . . 8B **38**
Crumpsall Dr. S5: Shef . . . 3G **109**
Crumpsall Rd. S5: Shef . . . 2G **109**
Crumwell Rd. S61: Kimb P . . . 3D **94**
Crusader Dr. DN5: Sprot . . . 4J **63**
Crystal Peaks Shop. Cen.
S20: Water . . . 9L **125**
Crystal Peaks Stop (ST) . . . **9K 125**
CUBLEY . . . **6M 53**
Cubley Brook Ct. S36: Cub . . . 5M **53**
Cubley Ri. Rd. S36: Cub . . . 6M **53**
Cuckoo Holt S81: Gate . . . 3N **141**
Cuckoo La. DN7: Hat . . . 5E **26**
Cuckstool Rd. HD8: Den D . . . 2K **33**
CUDWORTH . . . **1B 38**
CUDWORTH COMMON . . . **3C 38**

Cudworth Parkway—Denby Rd.

Cudworth Parkway S72: Cud 2A 38
Cudworth Vw. S72: Grim 2G 38
Cullabine Rd. S2: Shef 4A 124
Cull Row S36: Spink 6H 73
Cumberland Av. DN2: Don 3E 64
Cumberland Cl. DN11: Birc 9N 101
S70: Wors 2G 56
S74: Hoyl 8M 57
S81: Cos 4C 130
Cumberland Cres. S35: Chap 1J 93
Cumberland Dr. S71: Ard 8N 37
Cumberland Ho. DN11: Birc 9N 101
Cumberland Pl. DN12: Den M 3L 79
Cumberland Rd. S74: Hoyl 8M 57
Cumberland St. S1: Shef 6E 4 (1H 123)
Cumberland Way S63: Bolt D 6B 60
CUMBERWORTH 5N 31
Cumberworth La.
HD8: Birds E, Up C 3B 32
HD8: Den D, Lwr C 1H 33
HD8: Lwr C, Up C 2E 32
Cumbrian Wlk. *S75: Barn* *6C 36*
(off Warner Rd.)
Cumbria Rd. S81: Work 4D 142
Cumwell La. S66: Hel 1L 113
CUNDY CROSS 7M 37
Cundy St. S6: Shef 7D 108
Cunliffe St. S18: Coal A 6K 135
Cunningham Rd. DN1: Don 5A 64
DN7: Lind 8J 47
Cupola S3: Shef 1E 4 (8H 109)
Cupola La. S35: Gren 4D 92
Cupola Yd. S60: Roth 7J 95
Curlew Av. S21: Ecki 7H 137
Curlew Ct. DN11: Ross 5K 83
Curlew Ridge S2: Shef 1L 123
Curlew Ri. S61: Thorpe H 8A 76
Curzen Cres. DN3: Kirk Sa 4K 45
Curzon Av. S18: Dron 9G 135
Curzon Cl. S21: Killa 4C 138
Curzon Dr. S81: Work 4C 142
CUSWORTH 2J 63
Cusworth Gro. DN11: Ross 6L 83
Cusworth Hall 3H 63
Cusworth Ho. *DN1: Don* *5N 63*
(off Camden Pl.)
Cusworth La. DN5: Cus 2H 63
Cusworth Pk. Country Pk. 3G 63
Cusworth Rd. DN5: Don 9L 43
Cusworth Way S80: Work 7A 142
Cut Gate S36: Hazl 4B 70, 2L 87
(not continuous)
Cuthbert Bank Rd. S6: Shef 5E 108
Cuthbert Cooper Pl. S9: Shef 8C 110
Cuthbert Rd. S6: Shef 5E 108
Cutler Cl. S21: Killa 3A 138
Cutlers Av. S70: Barn 8E 36
Cutlers Ga. S4: Shef 1K 5 (8K 109)
Cutlers Wlk. S2: Shef 4H 123
Cuttlehurst HD8: Clay W 9A 14
Cutts Av. S63: Wath D 1K 77
Cutts Fld. Vw. S71: R'ton 4J 17
Cutts Ter. S8: Shef 4G 123
Cutty La. S75: Barn 5E 36
Cyclops St. S4: Shef 4M 109
Cygnet Cl. S63: Bramp B 8F 58
Cygnet Dr. S64: Mexb 9K 61
Cypress Av. DN9: Auck 3B 84
S8: Shef 1K 135
Cypress Cl. S21: Killa 5B 138
Cypress Ga. S35: Chap 1G 92
Cypress Gro. DN12: Con 6L 79
S26: Wales 8G 126
Cypress Hgts. S71: Smi 2H 37
Cypress Rd. S70: Barn 9J 37
Cyprus Rd. S8: Shef 6H 123
Cyprus Ter. S6: Shef 6E 108

D

Dadley Rd. S81: Carl L 4C 130
Dadsley Ct. DN11: Tick 5C 100
Dadsley Rd. DN11: Tick 4C 100
Daffodil Rd. S5: Shef 1N 109
Dagnam Cl. S2: Shef 5N 123
Dagnam Cres. S2: Shef 4N 123
Dagnam Dr. S2: Shef 4N 123
Dagnam Pl. S2: Shef 5A 124
Dagnam Rd. S2: Shef 4N 123
Daisy Bank S3: Shef 1B 4 (8F 108)
Daisy Dr. S70: Barn 9H 37
Daisy Fold WF9: Upton 2E 20
Daisy Gro. S5: Shef 1N 109
Daisy La. *HD9: Holm* *3E 30*
(off Holmfirth Town Ga.)
Daisy Lee La. HD9: Hade E 9G 30
Daisy Wlk. S3: Shef 2C 4 (8G 108)
S20: Beig 8M 125
Dakota Way DN4: Don 6D 64
Dalbury Rd. S18: Dron W 9C 134
Dalby Cft. S36: Pen 4A 54
Dalby Gdns. S20: Sot 1N 137
Dalby Gro. S20: Sot 9A 126
Dale, The S8: Shef 8G 122
Dale Av. S65: Roth 8B 96
Dalebrook Ct. S10: Shef 2N 121
Dalebrook M. S10: Shef 2N 121
Dale Cl. HD8: Den D 3J 33
S71: Ath 1H 37
Dale Ct. HD9: Holm 2F 30
S62: Rawm 9M 77
Dale Cft. S6: Low B 9C 90
Dalecroft Rd. DN6: Carc 9F 22
Dale Grn. Rd. S70: Wors 3G 57
Dale Gro. S63: Bolt D 6A 60
Dale Hill Cl. S66: Malt 7D 98
Dale Hill Rd. S66: Malt 7B 98
Dale La. WF9: Sth E 4G 20
Dale La. Ent. Zone
WF9: Sth E 5G 21
DALE LANE RDBT. 3H 21
Dale Pit Rd. DN7: Hatf W 3G 47
Dale Rd. DN12: Con 4A 80
S6: Brad 9L 89
S21: Killa 4D 138
S62: Rawm 9M 77
S65: Roth 9B 96
S66: Wick 9F 96
Dale Side S10: Shef 2C 122
Daleside Av. HD9: New M 1G 31
Dales La. DN10: Miss 1N 103
Dale St. S62: Rawm 8M 77
Daleswood Av. S70: Barn 7C 36
Daleswood Dr. S70: Wors 2L 57
Dale Vw. DN3: Arm 2M 65
WF9: Hems 3M 19
Daleview Rd. S8: Shef 9E 122
Dalewood Av. S8: Shef 1D 134
Dalewood Dr. S8: Shef 1D 134
Dalewood Rd. S8: Shef 1D 134
Dalmore Rd. S7: Shef 6D 122
Dalroyd La. S6: Brad 1F 106
DALTON 5B 96
Dalton Ct. DN12: Den M 3L 79
S8: Shef 4G 123
Dalton Gro. DN10: Baw 5C 102
Dalton La. S65: Dalt, Roth 4C 96
DALTON MAGNA 6E 96
DALTON PARVA 5C 96
Dalton Ter. S70: Barn 8H 37
Dalton Wlk. DN6: Burgh 4F 22
Damasel Cl. S35: Wharn S 4K 91
Damasel La. S35: Wharn S 4K 91
Damasel Rd. S35: Wharn S 3K 91
Dame La. DN10: Miss 3K 103
DAM END 8B 66
Damer St. S10: Shef 9E 108
Dam Head HD9: H'bri 6B 30
S61: Grea 9H 77
Dam Ings La. S26: Aston 4F 126
Dam Rd. DN11: Tick 7D 100
Damsteads S63: Gol 3E 60
S75: Dod 9B 36
Danby Rd. S26: Kiv P 8L 127
Dance La. S35: Cran M 8M 55
Danebrook Cl. S2: Shef 2C 124
Danebrook Ct. S2: Shef 2C 124
Danebrook Dr. S2: Shef 2C 124
Dane Cl. S63: Thurn 8D 40
Danesfield Rd. S80: Work 9C 142
Danesthorpe Cl. DN2: Don 1F 64
Dane St. S63: Thurn 8D 40
Dane St. Nth. S63: Thurn 8D 40
Dane St. Sth. S63: Thurn 8D 40
Danesway DN5: Scawt 7K 43
Danethorpe Way DN12: Con 6M 79
Danewood Av. S2: Shef 2C 124
Danewood Ct. S2: Shef 2C 124
Danewood Gdns. S2: Shef 2C 124
Danewood Gro. S2: Shef 2C 124
Daniel Hill S6: Shef 7F 108
Daniel Hill Ct. S6: Shef 7E 108
Daniel Hill M. S6: Shef 7E 108
Daniel Hill St. S6: Shef 7E 108
Daniel Hill Ter. S6: Shef 7F 108
Daniel Hill Wlk. S6: Shef 7F 108
Daniel La. S62: Neth Hau 8H 77
Daniels Dr. S26: Augh 2B 126
Dannemora Cl. S9: Shef 5C 110
Dannemora Dr. S9: Shef 5C 110
Danum Cl. DN8: Thorne 2L 27
Danum Ct. DN12: Den M 3L 79
Danum Dr. S65: Roth 6M 95
Danum Retail Pk. DN5: Don 2L 63
Danum Rd. DN4: Don 5C 64
DN7: Hat 2D 46
Dara St. S9: Shef 8B 94
Darcy Cl. S26: Swal 3C 126
Darcy Rd. S21: Ecki 7J 137
Dards, The S72: Cud 8C 18
Daresbury Cl. S2: Shef 5L 123
Daresbury Dr. S2: Shef 5L 123
Daresbury Pl. S2: Shef 5L 123
Daresbury Rd. S2: Shef 5L 123
Daresbury Vw. S2: Shef 5L 123
DARFIELD 2G 59
Darfield Av. S20: Mosb 9F 124
Darfield Cl. DN11: Ross 5L 83
S20: Mosb 9F 124
Darfield Ct. DN11: Tick 6D 100
Darfield Ho. *DN1: Don* *5N 63*
(off Oxford Pl.)
Darfield Rd. S72: Cud 3C 38
DARFOULDS 9J 141
Dargle Av. DN2: Don 2D 64
Darhaven S73: D'fld 1G 59
Dark La. HD8: Den D 2J 33
S36: Langs 1H 71
S70: Barn 9C 36
Dark La. S70: Wors 4J 57
S75: Cawt 3G 34
Darley S70: Wors 2K 57
Darley Av. S70: Wors 1F 56
S71: Ath 2H 37
Darley Cliff Cotts. S70: Wors 1J 57
Darley Cl. S26: Hart 4K 139
S71: Ath 1H 37
Darley Cross S70: Wors 2J 57
Darley Gro. S6: Stan 5M 107
S70: Wors 2K 57
Darley Pk. S61: Kimb 8F 94
Darley Ter. S75: Barn 6E 36
Darley Yd. S70: Wors 2J 57
Darlington Gro. DN8: Moore 7L 11
Darlington Wlk. DN8: Moore 6L 11
DARNALL 8C 110
Darnall Dr. S9: Shef 7B 110
Darnall Rd. S9: Shef 6A 110
Darnall Station (Rail) 8C 110
Darnbrook Dr. S5: Shef 6G 93
Darnley Dr. S2: Shef 3A 124
Darrington Dr. DN4: Warm 1H 81
Darrington Pl. S71: Lund 5M 37
Dart Gro. DN9: Auck 8C 66
Dartmouth Rd. DN4: Can 9L 65
DARTON 8N 15
Darton Bus. Pk. S75: Dart 9N 15
Darton Common Sports Cen. 9K 15
Darton Hall Cl. S75: Dart 8A 16
Darton Hall Dr. S75: Dart 8A 16
Darton La. S75: Dart, Mapp 9A 16
Darton Rd. S75: Cawt 3H 35
Darton Station (Rail) 8N 15
Darton St. S70: Stair 8L 37
Dartree Cl. S73: D'fld 1F 58
Dartree Wlk. S73: D'fld 1F 58
Dart Sq. S3: Shef 2A 4 (8F 108)
Darwall Cl. S35: High G 6E 74
Darwent La. S35: Ough 9K 91
Darwin Cl. S10: Shef 1A 122
Darwin La. S10: Shef 1A 122
Darwin Rd. S6: Shef 2C 108
Darwin Yd. *S74: Els* *2B 76*
(off Wath Rd.)
Darwynn Av. S64: Swin 3N 77
Davey Rd. S63: Gol 1C 60
David Cl. S13: Shef 4K 125
David La. S10: Shef 4J 121
Davies Ct. S25: Din 1D 128
Davies Dr. S64: Swin 5C 78
Davis Cl. S65: Dalt 4C 96
Davis Rd. DN6: Ask 2J 23
Davis St. S65: Roth 6N 95
Davy Dr. S66: Malt 7D 98
S66: Sunn 6G 96
Davy Rd. DN12: Den M 3K 79
Dawber La. S21: Killa 3E 138
Dawber St. S81: Work 3A 142
Dawcroft Av. S70: Wors 2H 57
Dawlands Cl. S2: Shef 1B 124
(not continuous)
Dawlands Dr. S2: Shef 2B 124
Daw La. DN5: Bntly 6M 43
DN11: Wad 6N 81
Dawson Av. S62: Rawm 6J 77
Dawson Cft. S61: Grea 1G 95
Dawson La. S63: Wath D 2L 77
Dawson Ter. S26: Kiv P 9J 127
Daw Wood DN5: Bntly 5N 43
Daycroft S71: Monk B 3N 37
Dayhouse Ct. S75: Barn 4C 36
Dayhouse La. S75: Barn 3C 36
Dayhouse Way S75: Barn 4C 36
Daykin Cl. S75: Kexb 9M 15
Daylands Av. DN12: Con 5M 79
Day St. S70: Barn 8F 36
Deacon Cl. DN11: Ross 5L 83
Deacon Cres. DN11: New R 5H 83
S66: Malt 9E 98
Deacons Way S71: Monk B 5K 37
Deadman's Hole La. S9: Tins 9E 94
S60: Roth 8G 94
Deakins Wlk. S10: Shef 2A 122
Dean Av. HD9: N'thng 1D 30
Dean Bri. La. HD9: Hep 5H 31
Dean Cl. DN5: Sprot 5H 63
DN11: Ross 5L 83
Deane Fld. Vw. S20: Water 9K 125
Deanhead Ct. S20: Mosb 9G 124
Deanhead Dr. S20: Mosb 9F 124
Dean Head La. S36: Snow H 2D 72
Dean La. HD9: Hep 8H 31
S65: Dalt M 7D 96
Dean Rd. HD9: Holm, U'thng 2A 30
Deansfield Cl. DN3: Arm 2L 65
Dean St. S70: Barn 7E 36
Deans Way S71: Monk B 4K 37
Dearden Ct. S35: Eccl 5J 93
DEARNE 2D 60
Dearne Cl. S73: Womb 6F 58
Dearne Ct. S9: Shef 2A 110
S75: Wool G 6N 15
Dearne Courthouse *HD8: Clay W* *8A 14*
(off Wakefield Rd.)
Dearne Dike La. HD8: Cumb 3B 32
Dearne Hall Fold S75: Bar G 2A 36
Dearne Hall Rd. S75: Bar G 2A 36
Dearne La. S63: Wath D 7J 59
Dearne Mills S75: Dart 9N 15
Dearne Pk. HD8: Clay W 7A 14
Dearne Pk. Est. HD8: Clay W 6B 14
Dearne Playhouse 3C 60
Dearne Rd. S63: Bolt D, Wath D 7N 59
S73: Bramp 7G 59
Dearne Rd. Flatlets *S63: Bolt D* *6A 60*
(off Dearne Rd.)
Dearne Royd HD8: Clay W 7A 14
Dearneside Leisure Cen. 3D 60
Dearneside Rd. HD8: Den D 3J 33
Dearne St. DN12: Con 3B 80
HD8: Clay W 8A 14
S9: Shef 2A 110
S72: Gt H 7L 39
S75: Dart 8A 16
WF9: Sth E 6E 20
Dearne Ter. *HD8: Clay W* *8A 14*
(off Barnsley Rd.)
Dearne Valley Leisure Cen. 2K 79
Dearne Valley Parkway
S63: Bolt D, Wath D 5J 59
S63: Gol 2L 59
S72: Bill 2L 59
S73: Bramp, Womb 7A 58
S74: Hoyl 9H 57
Dearne Vw. S63: Gol 2C 60
Dearne Way HD8: Birds E 3E 32
Dearneway S63: Wath D 9M 59
Dearnfield HD8: Up C 2F 32
Dearnley Vw. S75: Barn 4E 36
Decoy Bank DN4: Don 7A 64
Decoy Bank Nth. DN4: Don 6A 64
Decoy Bank Sth. DN4: Don 7A 64
Decoy Rd. DN17: Crow 8M 13
DEEPCAR 5H 73
Deepcar La. S72: Cud 5E 38
Deep Carrs La. S81: Work 1J 141
Deepdale Cft. S75: Bar G 3A 36
Deepdale Rd. S61: Kimb 7E 94
Deep La. S5: Shef 6M 93
(not continuous)
DEEP PIT 3N 123
Deeps La. DN10: Miss 7J 85
Deepwell Av. S20: Half 4M 137
Deepwell Bank S20: Half 4M 137
Deepwell Ct. S20: Half 4M 137
Deepwell Dr. S20: Half 4N 137
Deepwell M. S20: Half 4N 137
Deepwell Vw. S20: Half 4M 137
Deerlands Av. S5: Shef 7F 92
Deerlands Cl. S5: Shef 7F 92
Deerlands Mt. S5: Shef 7E 92
Deer Leap Dr. S65: Thry 3F 96
Deer Pk. Cl. S6: Shef 6N 107
Deer Pk. Pl. S6: Shef 6N 107
Deer Pk. Rd. S6: Shef 6N 107
S65: Thry 2F 96
Deer Pk. Vw. S6: Shef 6N 107
Deer Pk. Way S6: Shef 6A 108
Deershaw La. HD8: Cumb 3N 31
Deershaw Sike La. HD8: Cumb 3N 31
De Houton Cl. S26: Tod 6K 127
Deightonby St. S63: Thurn 8D 40
De Lacy Dr. S70: Wors 2H 57
Delamere Cl. S20: Sot 9N 125
De La Salle Dr. S4: Shef 5K 109
Delf Gth. S75: Dod 9A 36
Delf Rd. S6: Brad 6E 90
Delf St. S2: Shef 4J 123
Dell, The S66: Sunn 5H 97
Della Av. S70: Barn 8E 36
Dell Av. S72: Grim 9G 18
Dell Cres. DN4: Hex 6K 63
Delmar Way S66: Flan 7G 96
Delph Cl. S75: Silk 7J 35
Delph Edge S35: Green M 3G 72
Delph Ho. Rd. S10: Shef 9A 108
Delph M. S35: Green M 3G 72
Delta Ct. DN9: Finn 2E 84
Delta Pl. S65: Roth 6A 96
Delta Way S66: Malt 7F 98
Delves Av. S12: Shef 7J 125
Delves Cl. S12: Shef 7J 125
Delves Dr. S12: Shef 8J 125
Delves La. S26: Wales B 8C 126
Delves Pl. S12: Shef 8H 125
Delves Rd. S12: Shef 8H 125
S21: Killa 4C 138
Delves Ter. S12: Shef 8J 125
Denaby Av. DN12: Con 5L 79
Denaby Ings Nature Reserve 9M 61
Denaby La. DN12: Old D, Den M 7F 78
(not continuous)
Denaby La. Ind. Est. DN12: Den M 3K 79
(not continuous)
DENABY MAIN 2M 79
DEN BANK 9N 107
Den Bank Av. S10: Shef 9N 107
Den Bank Cl. S10: Shef 9A 108
Den Bank Cres. S10: Shef 9N 107
Den Bank Dr. S10: Shef 9N 107
Denbigh Av. S81: Work 3B 142
Denbrook La. DN12: Con 6B 80
DENBY DALE 3J 33
Denby Dale Ind. Pk. HD8: Den D 2J 33
Denby Dale Rd. WF4: W Brett 2E 14
Denby Dale Station (Rail) 2H 33
Denby Hall La. HD8: Den D 3N 33
Denby La. HD8: Den D, Up D 5F 32
Denby Rd. S71: Smi 1G 36

Denby St.—Dudley Dr.

Denby St. DN5: Bntly .6L 43
S2: Shef .7E 4 (2G 123)
Denby Way S66: Hel .8M 97
Dencombe Ter. WF9: Sth K .8N 19
Dene, The S80: Work .8N 141
Dene Cl. S66: Wick .9H 97
Dene Cres. S65: Roth .5A 96
Denehall Rd. DN3: Kirk Sa .5K 45
Dene La. S1: Shef .6C 4 (1G 122)
Dene Pl. S13: Shef .1F 124
Dene Rd. S65: Roth .5A 96
Denham Dr. HD9: N'thng .1D 30
Denham Rd. S11: Shef .2F 122
Denholme Cl. S3: Shef .7J 109
Denholme Mdw. WF9: Sth E .5E 20
Denison Ct. S70: Barn .8G 37
Denison Rd. DN4: Hex .5M 63
Denman Rd. S63: Wath D .9K 59
Denman St. S65: Roth .5L 95
Denmark Rd. S2: Shef .5J 123
Dennis St. S80: Work .8C 142
Denson Cl. S2: Shef .5J 123
Dent La. S12: Shef .9F 124
Denton Rd. S8: Shef .7G 123
Dentons Grn. La. DN3: Kirk Sa .4J 45
Denton St. S71: Barn .6G 37
Denver Rd. DN6: Nort .7J 7
Derby Pl. S2: Shef .5K 123
Derby Rd. DN2: Don .8F 44
Derbyshire Ct. DN3: Arm .9N 45
S8: Shef .8J 123
Derbyshire La. S8: Shef .6G 122
Derby St. S2: Shef .5J 123
S70: Barn .7E 36
Derby Ter. S2: Shef .5K 123
Derefeld Dr. S73: D'fld .2F 58
Derek Dooley Way S3: Shef .1H 5 (7J 109)
S4: Shef .1H 5 (7J 109)
Derriman Av. S11: Shef .7C 122
Derriman Cl. S11: Shef .7C 122
Derriman Dr. S11: Shef .7C 122
Derriman Glen S11: Shef .7C 122
Derriman Gro. S11: Shef .7C 122
Derry Gro. S63: Thurn .9B 40
DERWENT .6A 104
Derwent Chase S60: Wav .9J 111
Derwent Cl. S18: Dron .7J 135
S25: Nth A .4D 128
S71: Ath .1J 37
S81: Work .4C 142
Derwent Ct. S17: Bradw .5B 134
S60: Roth .2M 111
Derwent Cres. S60: Brins .5H 111
S71: Ath .1J 37
Derwent Dr. DN3: Kirk Sa .5J 45
DN4: Don .7E 64
S35: Chap .9F 74
S62: Rawm .1M 95
S64: Mexb .9H 61
Derwent Gdns. S63: Gol .3D 60
Derwent La. S33: Bamf .6A 104
Derwent Pl. DN5: Sprot .6F 62
S73: Womb .6F 58
Derwent Rd. S18: Dron .7J 135
S61: Wing .2G 94
S64: Mexb .9H 61
S71: Ath .1H 37
Derwent St. S2: Shef .8L 109
Derwent Ter. S64: Mexb .9F 60
Derwent Way S63: Wath D .7H 59
De Sutton Pl. S26: Hart .5K 139
Dettori M. S25: Laugh C .1A 128
Deveron Rd. S20: Half .3M 137
Devon Ct. DN12: Den M .4L 79
Devon Rd. S4: Shef .4K 109
Devonshire Bus. Pk. S1: Shef .5D 4
Devonshire Cl. S17: Dore .4A 134
S18: Dron .9G 135
Devonshire Ct. S17: Dore .4A 134
Devonshire Dr. S17: Dore .3N 133
S25: Nth A .3C 128
S75: Barn .4E 36
Devonshire Glen S17: Dore .4A 134
Devonshire Gro. S17: Dore .4N 133
Devonshire La. S1: Shef .4D 4 (9G 109)
Devonshire Rd. DN2: Don .2E 64
DN11: H'worth .9J 101
S17: Dore .3N 133
S66: Malt .7E 98
Devonshire St. S3: Shef .4C 4 (9G 108)
S61: Roth .7H 95
(not continuous)
S80: Work .8A 142
Devonshire Ter. Rd. S17: Dore .3M 133
Dewar Dr. S7: Shef .7D 122
De Warren Pl. S26: Hart .5L 139
Dewfield Cl. S72: Grim .1G 39
Dewhill Av. S60: Whis .3A 112
Dial, The S5: Shef .9L 93
Dial Cl. S5: Shef .9K 93
Dial Ho. Ct. S6: Shef .3C 108
Dial Ho. Rd. S6: Shef .4B 108
Dial Way S5: Shef .9K 93
Diamond Av. WF9: Sth E .6D 20
Diamond Jubilee Way DN12: New E .4G 80
Diamond St. S73: Womb .4D 58
Dickan Gdns. DN3: Arm .2N 65
Dick Edge La. HD8: Cumb .6M 31
Dickens Cl. S60: Cat .6H 111
Dickenson Ct. S35: Chap .9G 74
Dickens Rd. S62: Rawm .7A 78
S81: Work .6E 142
Dickey La. S6: Shef .8B 92
Dickinson Pl. S70: Barn .9G 36
Dickinson Rd. S5: Shef .6L 93
S70: Barn .9G 36
Digby Cl. S61: Kimb .5E 94
Digley Rd. HD9: H'bri .6A 30
Dike Hill S62: H'ley .5M 75
Dikelands Mt. S35: High G .8E 74
Dikes Marsh La.
DN8: Thorne .2H 11
Dillington Rd. S70: Barn .9G 37
Dillington Sq. S70: Barn .9G 37
Dillington Ter. S70: Barn .9G 37
(off Walnut Cl.)
Dinmore Cl. DN4: Balb .2L 81
DINNINGTON .2D 128
Dinnington Bus. Cen.
S25: Din .1B 128
Dinnington Bus. Incubation Cen.
S25: Din .1B 128
Dinnington Interchange .2D 128
Dinnington Rd. S8: Shef .7G 122
S26: Tod .4L 127
S81: Woods .7G 129
Dirleton Dr. DN4: Warm .9H 63
Dirty La. DN7: Fish .2C 26
Discovery Way S66: Malt .7B 98
Dishwell La. S26: Hart .4K 139
Disraeli Gro. S66: Malt .7C 98
Distillery M. S74: Els .2B 76
Distillery Side S74: Els .2B 76
Ditchingham St. S4: Shef .6K 109
Division La. S1: Shef .4E 4 (9H 109)
Division St. S1: Shef .4D 4 (9G 109)
Dixon Cres. DN4: Balb .8K 63
Dixon Dr. S35: Wharn S .3K 91
Dixon La. S1: Shef .2H 5 (8J 109)
Dixon Rd. DN12: New E .4E 80
S6: Shef .3C 108
Dixon St. S6: Shef .7G 109
S65: Roth .6L 95
DOBB .6B 30
Dobbin Ct. S11: Shef .4B 122
Dobbin Hill S11: Shef .5B 122
Dobb La. HD9: H'bri .6A 30
S6: Stan .8G 106
Dobbs Cl. S21: Killa .4B 138
Dobb Top Rd. HD9: H'bri .7A 30
Dobcroft Av. S7: Shef .8C 122
Dobcroft Cl. S11: Shef .7B 122
Dobcroft Rd. S7: Shef .8C 122
S11: Shef .7B 122
Dobie St. S70: Barn .8G 37
Dob Royd HD8: Shep .1A 32
Dobroyd Ter. S74: Jum .8N 57
Dobsyke Cl. S70: Wors .2L 57
Dockin Hill Rd. DN1: Don .3A 64
Dock Rd. S80: Work .7B 142
Doctor La. S9: Shef .6A 110
S26: Hart .5K 139
Dodds Cl. S60: Roth .9J 95
Dodd St. S6: Shef .5D 108
Dodson Dr. S13: Shef .1F 124
Dodsworth St. S64: Mexb .2E 78
DODWORTH .9A 36
DODWORTH BOTTOM .1A 56
Dodworth Bus. Pk. S75: Dod .8M 35
Dodworth Rd. S70: Barn .8B 36
Dodworth Station (Rail) .9N 35
Doe La. S21: Trow .6B 136
S70: Wors .4F 56
Doe Quarry La. S25: Din .1D 128
Doe Quarry Pl. S25: Din .2E 128
Doe Quarry Ter. S25: Din .2D 128
Doe Royd Cres. S5: Shef .8E 92
Doe Royd Dr. S5: Shef .8F 92
Doe Royd La. S5: Shef .8E 92
Dog Cft. La. DN5: Ark .7D 44
Dog Hill S72: Shaft .6B 18
Dog Hill Dr. S72: Shaft .6C 18
Dog Kennels Hill S26: Kiv S .9N 127
Dog Kennels La. S25: Sth A .9N 127
S26: Kiv S .9N 127
Dog La. S70: Barn .7F 36
Dolcliffe Cl. S64: Mexb .1E 78
DOLCLIFFE COMMON .2F 78
Dolcliffe Rd. S64: Mexb .1F 78
Dole Rd. DN17: Crow .9L 13
Doles Av. S71: R'ton .6J 17
Doles Cres. S71: R'ton .6J 17
Doles La. S60: Up W, Whis .4B 112
S80: Whit .9F 140
Doleswood Dr. S25: Laugh M .8C 114
Dome Leisure Cen., The .6E 64
Domine La. S60: Roth .7K 95
Domino Ct. S61: Kimb P .4E 94
Dominoe Gro. S12: Shef .6D 124
Don Av. S6: Shef .1B 108
S35: Wharn S .3K 91
DONCASTER .4N 63
Doncaster Gate S65: Roth .7L 95
Doncaster Golf Course .1K 83
Doncaster Greyhound Stadium .7A 26
Doncaster Ind. DN11: Tick .6C 116
Doncaster Ind. Pk. DN5: Scawt .1K 63
Doncaster Interchange .4N 63
Doncaster Intl. Railport DN4: Don .7A 64
Doncaster Knights RUFC .1H 65
Doncaster La. DN6: Adw S, Woodl .3G 42
(not continuous)
DN6: Ham, Skelb .5N 21
Doncaster Leisure & Bus. Pk.
DN4: Don .6E 64
Doncaster Mus. & Art Gallery .4A 64
Doncaster North (Park & Ride) .7H 43
DONCASTER NORTH SERVICE AREA
.7F 26
Doncaster Pl. S65: Roth .6N 95
Doncaster Race Course .5E 64
Doncaster RLFC .7D 64
Doncaster Rd. DN3: Arm .1J 65
DN3: Barn D, Eden, Kirk Sa .6G 45
DN3: Brant .7N 65
(Moor Gap)
DN3: Brant .7L 65
(School La.)
DN5: Barnb .4J 61
DN5: Bntly, Holme .7K 23
DN5: Harl .5G 61
DN5: Hick .1F 60
DN5: High M .6M 61
DN5: Pick .4B 42
DN6: Highf .6G 43
DN6: Owst, Ask .6K 23
DN7: Hat .3C 46
DN7: Stainf .7L 25
DN9: Finn .3G 84
DN10: Baw .6C 102
DN11: Tick .3C 100
DN12: Con .4B 80
DN12: Con, Den M .1K 79
S63: Gol .2D 60
S63: Wath D .9N 59
S64: Mexb .2H 79
S65: Dalt, Thry .4B 96
S65: Hoot R, Thry .4B 96
S65: Roth .7L 95
S66: B'well .3E 98
S70: Barn, Stair .7G 37
S71: Ard, Stair .8M 37
S73: D'fld .1H 59
S81: Carl L, Cos, L'gld, Oldc .6C 116
S81: Work .2C 142
WF8: Wentb .1M 21
WF9: Bads, Sth E, Upton .1C 20
WF9: Sth E .7F 20
Doncaster Rovers FC .7D 64
Doncaster South (Park & Ride) .3L 83
Doncaster Squash Club .4B 64
Doncaster Station (Rail) .4N 63
Doncaster St. S3: Shef .1D 4 (8G 109)
Doncaster Superbowl .6D 64
Doncaster Town Moor Golf Course .4F 64
Don Dr. S70: Barn .9L 37
Donetsk Way S12: Shef .8G 125
Donetsk Way Stop (ST) .9J 125
Don Grange S64: Kiln .6D 78
Don Hill Height S35: Green M .3E 72
S36: Stoc .3E 72
Donnington Rd. S2: Shef .2L 123
S64: Mexb .9J 61
Donovan Cl. S5: Shef .1F 108
Donovan Rd. S5: Shef .1F 108
Don Pottery Yd. S64: Swin .3E 78
Don Rd. S9: Shef .5N 109
Donstone Vw. S25: Din .3B 128
Don St. DN1: Don .2A 64
DN12: Con .3B 80
S36: Pen .5B 54
S60: Roth .7K 95
Don Ter. S36: Thurl .3L 53
Don Valley Stadium Stop (ST) .5B 110
Don Vw. DN5: Scaws .1G 63
S36: Dunf B .6H 51
S64: Mexb .1J 79
Dorado Dr. DN4: Balb .2A 82
Dorchester Pl. S70: Wors .2G 56
Dorchester Rd. DN11: Birc .9L 101
Dorcliffe Lodge S10: Shef .3B 122
DORE .3M 133
Dore and Totley Golf Course .5D 134
Dore & Totley Station (Rail) .3B 134
Dore Cl. S17: Dore .3B 134
Dore Ct. S17: Dore .3B 134
(off Ladies Spring Dr.)
Dore Hall Cft. S17: Dore .3M 133
Dore Ho. Ind. Est. S13: Shef .3J 125
Dore Lodge Gdns. S17: Dore .3A 134
Dore Rd. S17: Dore .3M 133
Dorking St. S4: Shef .7K 109
Dorman Av. WF9: Upton .1J 21
Dormer Grn. La. DN5: Blk G .5B 24
Dorothy Av. DN8: Thorne .1H 27
Dorothy Hyman Sports & Leisure Cen.
.2C 38
Dorothy Rd. S6: Shef .3C 108
Dorset Cl. WF9: Hems .1K 19
Dorset Cres. DN2: Don .2F 64
Dorset Dr. DN11: H'worth .9J 101
Dorset St. S10: Shef .5A 4 (1F 122)
Dorward Av. S63: Wath D .7K 59
Double Bridges Rd. DN8: Thorne .6M 27
Doubting La. S36: Pen .8L 53
Douglas Rd. DN4: Balb .8J 63
S3: Shef .6G 109
Douglas St. S60: Roth .7L 95
Douse Cft. La. S10: Shef .5H 121
Dovebush Way S75: Bar G .3A 36
Dovecliffe Rd. S73: Womb .4M 57
Dovecliffe Vw. S70: Wors .2K 57
(off Allendale)
Dove Cl. S63: Bolt D .5C 60
S73: Womb .6F 58
S81: Work .3B 142
Dovecote S73: Womb .6C 58
Dovecote La. S65: Rav .2H 97
Dovecote M. S71: Monk B .4K 37
Dovecott Lea S20: Sot .8A 126
Dovedale S70: Wors .3J 57
Dovedale Pl. S70: Wors .3J 57
Dovedale Rd. S7: Shef .6E 122
S65: Roth .9B 96
Dove Hill S71: R'ton .5L 17
Doveholes Dr. S13: Shef .1F 124
Dove La. S26: Aston .5D 126
Dovercourt Rd. S2: Shef .2M 123
S61: Roth .6G 95
Dover Gdns. S3: Shef .1C 4 (8G 108)
Dover La. HD9: Holm .5E 30
Dove Rd. S64: Mexb .1K 79
S73: Womb .6F 58
Dover Rd. HD9: Holm .6E 30
S11: Shef .2D 122
Dover St. S3: Shef .1C 4 (8G 108)
Doveside Dr. S73: D'fld .2G 58
Dove Valley Way S73: Womb .3D 58
Dove Vw. S73: Womb .3B 58
Dowcarr La. S26: Wooda .5H 139
Dower Ho. Sq. DN10: Baw .7C 102
Dowfin S35: High G .7E 74
Dowland Av. S35: High G .6E 74
Dowland Cl. S35: High G .6F 74
Dowland Ct. S35: High G .6E 74
Dowland Gdns. S35: High G .6F 74
Downgate Dr. S4: Shef .4N 109
Downham Rd. S5: Shef .1K 109
Downing La. S3: Shef .1C 4 (7G 108)
Downing Rd. S8: Shef .2F 134
Downings, The S26: Hart .5L 139
Downing Sq. S36: Pen .5N 53
Downland Cl. DN4: Balb .2K 81
Downs Cres. S75: Barn .5C 36
Downs Ho. Cl. S72: Sth H .3D 18
Downshutts La. HD9: New M .3H 31
Down's Row S60: Roth .7K 95
Dragoon Ct. S6: Shef .5E 108
Drake Cl. S35: Burn .9F 74
Drake Head La. DN12: Con .4C 80
DRAKEHOUSE .8K 125
Drake Ho. Cres. S20: Water .8K 125
Drakehouse La. S20: Beig .8M 125
Drake House Lane Stop (ST) .9M 125
Drake Ho. La. West S20: Beig .8M 125
Drake Ho. Retail Pk. S20: Water .8K 125
Drake Ho. Way S20: Water .8L 125
Drake Rd. DN2: Don .1B 64
S66: Malt .9F 98
(off Fisher Rd.)
Drake Vw. S63: Bramp B .9F 58
Dr Anderson Av. DN7: Stainf .5B 26
Dransfield Av. S36: Pen .5N 53
Dransfield Cl. S10: Shef .1A 122
Dransfield Rd. S10: Shef .1N 121
Draycott Pl. S18: Dron W .9E 134
Draycott Wlk. DN6: Carc .9F 22
Draymans Ct. S11: Shef .7C 4
Drive, The DN3: Eden .6K 45
S6: Shef .2C 108
Driver St. S13: Shef .3K 125
DRONFIELD .9H 135
Dronfield Civic Cen. S18: Dron .9H 135
Dronfield Ind. Est. S18: Dron .9K 135
Dronfield Rd. S21: Ecki .7G 137
Dronfield Sports Cen. .9G 135
Dronfield Station (Rail) .9H 135
DRONFIELD WOODHOUSE .9E 134
DROPPING WELL .5D 94
Droppingwell Farm Cl. S61: Kimb .4D 94
Droppingwell Rd. S61: Kimb .7B 94
Drover Cl. S35: High G .8F 74
Droversdale Rd. DN11: Birc .9M 101
Droves Dale Rd. S63: Gol .1C 60
Drummond Av. DN5: Scaws .9G 43
Drummond Cres. S5: Shef .8J 93
Drummond Rd. S5: Shef .8J 93
Drummond St. S60: Roth .6K 95
S65: Roth .6L 95
Drury Farm Ct. S75: Barn .7B 36
Drury La. DN11: Tick .6D 100
S17: Dore .3M 133
S18: Coal A .7K 135
Dryden Av. S5: Shef .9F 92
Dryden Dale S81: Work .6F 142
Dryden Dr. S5: Shef .9F 92
Dryden Rd. DN4: Balb .9N 63
S5: Shef .9F 92
S63: Wath D .8J 59
S64: Mexb .1G 79
S65: Roth .9A 96
S71: Barn .6H 37
Dryden Way S5: Shef .1F 108
Dry Hill La. HD8: Den D .3L 33
Dryhurst Cl. DN6: Nort .7J 7
Dublin Rd. DN2: Don .2D 64
Duchess Rd. S2: Shef .7G 5 (2J 123)
Duckham Dr. S26: Aston .5D 126
Ducksett La. S21: Ecki .8K 137
Dudley Dr. S63: Gol .2A 60

A-Z South Yorkshire 161

Dudley Rd. DN2: Don .4E **64**
S6: Shef .2C **108**
Dudley St. S62: P'gte .2M **95**
Duftons Cl. DN12: Con .3B **80**
Dugdale Dr. S5: Shef .6G **92**
Dugdale Rd. S5: Shef .6F **92**
Duke Av. DN11: New R .5H **83**
S66: Malt .9F **98**
Duke Cres. S61: Kimb P .4E **94**
S70: Barn .8G **36**
Duke La. S1: Shef .6F **5** (1H **123**)
Duke of Norfolk La. S66: Wick .9D **96**
Duke Pl. S80: Work .7B **142**
Dukeries Cl. S81: Work .4N **141**
Dukeries Cres. S80: Work .9F **142**
Dukeries Dr. S25: Nth A .4C **128**
Dukeries Ind. Est., The
S81: Work .4M **141**
(not continuous)
Dukeries Way S81: Work .4N **141**
Duke's Cres. DN12: New E .3F **80**
Dukes La. S61: Kimb .5D **94**
Dukes Pl. S65: Roth .9A **96**
Dukes Rd. S33: Bamf, Bolst .8C **88**
Dukes Ter. DN10: Baw .6C **102**
Duke St. DN1: Don .4N **63**
DN7: Stainf .6A **26**
S2: Shef .3J **5** (9K **109**)
S20: Mosb .4K **137**
S25: Din .1D **128**
S64: Swin .2C **78**
S70: Barn .8G **36**
S72: Grim .2G **39**
S74: Hoyl .9M **57**
Dukewood Rd. HD8: Clay W .7A **14**
Dumb Hall La. S80: Thorpe S .5E **140**
Dumbleton Rd. S21: Killa .5D **138**
Duncan Rd. S10: Shef .8C **108**
Duncan St. S60: Brins .3J **111**
Duncombe St. S6: Shef .7D **108**
Dundas Rd. DN2: Don .1B **64**
S9: Tins .1E **110**
Dunedin Glen S20: Half .4L **137**
Dunedin Gro. S20: Half .4L **137**
Dunella Dr. S6: Shef .3C **108**
Dunella Pl. S6: Shef .3B **108**
Dunella Rd. S6: Shef .3C **108**
Dunelm Cres. DN8: Moore .7M **11**
Dunfields S3: Shef .7G **109**
DUNFORD BRIDGE .6H **51**
Dunford Ct. S63: Wath D .9N **59**
Dunford Rd. HD9: Hade E, Holm .3E **30**
S36: Dunf B .2G **50**
DUNGWORTH .3G **106**
Dungworth Grn. S6: Dung .3G **106**
Dunkeld Rd. S11: Shef .6C **122**
Dunkerley Rd. S6: Lox .3M **107**
Dun La. S3: Shef .7G **109**
Dunleary Rd. DN2: Don .3D **64**
Dunlin Cl. S61: Thorpe H .8N **75**
Dunlin Ct. S81: Gate .4N **141**
Dunlop St. S9: Shef .3B **110**
Dunmere Cl. S71: Monk B .3H **37**
Dunmow Rd. S4: Shef .3M **109**
Dunninc Rd. S5: Shef .6L **93**
Dunninc Ter. S5: Shef .6L **93**
Dunniwood Av. DN4: Bess .1H **83**
Dunniwood Reach DN4: Bess .9J **65**
Dunns Dale S66: Malt .8F **98**
DUNSCROFT .9C **26**
Dunscroft Gro. DN11: Ross .5L **83**
Dunsil Vs. WF9: Sth E .8E **20**
Dunsley Bank Rd. HD9: Holm .6D **30**
Dunsley La. S72: Brier .7L **19**
WF9: Hems .5M **19**
Dunsley Ter. WF9: Sth K .7N **19**
Dunstan Cres. S80: Work .9C **142**
Dunstan Dr. DN8: Thorne .2J **27**
Dunstan Rd. S66: Malt .9C **98**
Dunstan Wlk. DN8: Thorne .2J **27**
Dunstone Hgts. S36: Pen .5A **54**
Dun St. S3: Shef .7G **109**
S64: Swin .3D **78**
DUNSVILLE .4B **46**
Durham Av. DN8: Thorne .1J **27**
Durham Cl. S81: Work .3D **142**
Durham La. DN3: Arm .9N **45**
S10: Shef .4A **4** (9F **108**)
Durham Pl. S65: Roth .9A **96**
Durham Rd. DN2: Don .9C **44**
DN7: Dunsc .9C **26**
S10: Shef .4A **4** (9F **108**)
Durham St. S66: Malt .9F **98**
Durham Way S62: P'gte .2N **95**
Durlstone Cl. S12: Shef .6A **124**
Durlstone Cres. S12: Shef .6A **124**
Durlstone Dr. S12: Shef .6A **124**
Durlstone Gro. S12: Shef .6A **124**
Durmast Gro. S6: Stan .6L **107**
Durnan Gro. S62: Rawm .6J **77**
Durnford Rd. DN2: Don .2B **64**
Dursley Ct. DN9: Auck .8B **66**
Durvale Ct. S17: Dore .4N **133**
Dutton Rd. S6: Shef .3E **108**
Duxford Ct. DN4: Can .9K **65**
DVC Sports .1B **78**
Dwarriden La. S36: Bolst .1B **90**
DW Fitness
Barnsley .6H **37**
Dyche Cl. S8: Shef .4J **135**
Dyche La. S8: Shef .3H **135**
S18: Coal A .5J **135**
Dyche Pl. S8: Shef .4J **135**
Dyche Rd. S8: Shef .4J **135**
Dycott Rd. S61: Kimb .6F **94**
Dyer Rd. S74: Jum .8A **58**
Dykes Hall Gdns. S6: Shef .4C **108**
Dykes Hall Pl. S6: Shef .3C **108**
Dykes Hall Rd. S6: Shef .3B **108**
Dykes La. S6: Shef .3B **108**
Dyke Va. Av. S12: Shef .7G **124**
Dyke Va. Cl. S12: Shef .7G **124**
Dyke Va. Pl. S12: Shef .7G **124**
Dyke Va. Rd. S12: Shef .6F **124**
Dyke Va. Way S12: Shef .7G **124**
Dykewood Dr. S6: Shef .1A **108**
Dynne Ct. S25: Din .3D **128**
Dyscarr Cl. S81: L'gld .9C **116**
Dyscarr Wood (Nature Reserve) .9B **116**
Dyson Cote La. S36: Snow H .1B **72**
Dyson Holmes La.
S35: Wharn S .3K **91**
Dyson La. HD9: Scho .7F **30**
Dyson Pl. S11: Shef .3E **122**
Dyson St. S70: Barn .9E **36**

E

Eaden Cres. S74: Hoyl .9N **57**
Eagleton Dr. S35: High G .6F **74**
Eagleton Gdns. S64: Swin .3C **78**
Eagleton Ri. S35: High G .6F **74**
Eagle Vw. S26: Aston .5D **126**
Ealands Cl. S72: Midd .9L **39**
Ealand Way DN12: Con .3C **80**
Eaming Vw. S71: Barn .5H **37**
Earl Av. DN11: New R .5G **83**
S66: Malt .9E **98**
Earldom Cl. S4: Shef .6K **109**
Earldom Dr. S4: Shef .6K **109**
Earldom Rd. S4: Shef .5K **109**
Earldom St. S4: Shef .6K **109**
Earlesmere Av. DN4: Balb .7L **63**
Earl Marshal Cl. S4: Shef .3L **109**
Earl Marshal Dr. S4: Shef .3K **109**
Earl Marshal Rd. S4: Shef .4K **109**
Earl Marshal Vw. S4: Shef .3K **109**
Earls Ct. S61: Thorpe H .9N **75**
Earlsmere Dr. S71: Ard .8A **38**
Earlston Dr. DN5: Don .1M **63**
Earl St. S1: Shef .6E **4** (1H **123**)
(not continuous)
Earlswood Ct. DN3: Barn D .2K **45**
Earl Way S1: Shef .6E **4** (1H **123**)
Earnshaw Hall S10: Shef .2C **122**
Earnshaw Ter. S75: Barn .5E **36**
Earsham St. S4: Shef .6K **109**
East Av. DN6: Woodl .4E **42**
DN7: Stainf .7B **26**
S62: Rawm .8M **77**
S64: Swin .4A **78**
S73: Womb .4B **58**
WF9: Sth E .5G **21**
WF9: Upton .2F **20**
East Bank DN7: Stainf .4A **26**
East Bank Cl. S2: Shef .5L **123**
East Bank Pl. S2: Shef .5L **123**
East Bank Rd. S2: Shef .7H **5** (2J **123**)
East Bank Vw. S2: Shef .5L **123**
East Bank Way S2: Shef .5L **123**
E. Bawtry Rd. S60: Roth .3N **111**
East Cl. S36: Oxs .6C **54**
E. Coast Rd. S9: Shef .6M **109**
East Cres. S36: Stoc .5C **72**
S65: Roth .6A **96**
East Cft. S63: Bolt D .5B **60**
Eastcroft Cl. S20: W'fld .2M **137**
Eastcroft Dr. S20: W'fld .3L **137**
Eastcroft Glen S20: W'fld .2M **137**
Eastcroft Vw. S20: W'fld .3M **137**
Eastcroft Way S20: W'fld .2M **137**
East Dale Cl. WF9: Hems .2M **19**
EAST DENE .6N **95**
East Earsham St. S4: Shef .6L **109**
East End DN7: Stainf .5B **26**
East End Cres. S71: R'ton .6M **17**
Eastern Av. S2: Shef .5L **123**
S25: Din .2E **128**
Eastern Cl. S25: Din .3E **128**
Eastern Cres. S2: Shef .5L **123**
Eastern Dr. S2: Shef .4L **123**
Eastern Wlk. S2: Shef .4L **123**
EASTFIELD .5K **55**
Eastfield Av. S36: Pen .4N **53**
Eastfield Cl. S75: Stain .9E **16**
Eastfield Cres. S25: Laugh M .7C **114**
S75: Stain .9E **16**
Eastfield Dr. DN6: Ask .1M **23**
East Fld. La. S25: Laugh M .7D **114**
Eastfield La. DN9: Auck .9C **66**
S35: Thurg .5J **55**
S75: Thurg .5J **55**
Eastfield Pl. S62: Rawm .7B **78**
East Fld. Rd.
DN7: Fish, Fost .9B **10**
Eastfield Rd. DN3: Arm .2L **65**
S10: Shef .7D **108**
Eastfields S70: Wors .3J **57**
East Ga. DN8: Moore .7L **11**
Eastgate S6: Shef .1B **108**
S70: Barn .6F **36**
S80: Work .7C **142**
WF9: Hems .3L **19**
Eastgate Ct. S65: Roth .7A **96**
East Ga. Wlk. *DN8: Moore* .*6L 11*
(off East Ga.)
E. Glade Av. S12: Shef .8E **124**
E. Glade Cl. S12: Shef .8E **124**
E. Glade Cres. S12: Shef .8E **124**
E. Glade Dell S12: Shef .7E **124**
E. Glade Pl. S12: Shef .8E **124**
E. Glade Rd. S12: Shef .7E **124**
E. Glade Sq. S12: Shef .8E **124**
E. Glade Way S12: Shef .7E **124**
East Grn. Vs. DN8: Moore .6M **11**
Eastgrove Rd. S10: Shef .2E **122**
EAST HERRINGTHORPE .6B **96**
E. Ings Rd. DN8: Thorne .2G **27**
E. Laith Ga. DN1: Don .4A **64**
East La. DN7: Stainf .5A **26**
Eastleigh S65: Roth .6N **95**
E. Lodge La. S61: Grea .1J **95**
East Mall S20: Water .8L **125**
Eastmoor Gro. S71: Car .7K **17**
East Mt. WF4: Hav .1B **18**
Eastoft Rd. DN17: Crow .7M **29**
East Pde. S1: Shef .3F **5** (9H **109**)
East Pinfold S71: R'ton .6K **17**
East Rd. S2: Shef .4J **123**
S36: Oxs .6C **54**
S65: Roth .6A **96**
East St. DN1: Don .6N **63**
DN11: H'worth .8K **101**
HD9: Jack B .5J **31**
S25: Din .2D **128**
S63: Gol .1E **60**
S72: Sth H .4E **18**
S73: D'fld .1G **59**
WF9: Sth E .5G **21**
East Ter. S26: Wales B .8E **126**
East Va. Dr. S65: Thry .3E **96**
East Vw. DN6: Camp .9H **7**
DN10: Baw .5C **102**
S66: Hel .8N **97**
S72: Cud .1B **38**
S74: Jum .8N **57**
East Vw. Av. S21: Ecki .8J **137**
East Vw. Ter. S6: Shef .3C **108**
Eastwell Gro.
S73: Womb .6F **58**
EAST WHITWELL .6D **72**
EASTWOOD .5N **95**
Eastwood S6: Shef .1B **108**
Eastwood Av. S25: Nth A .6C **128**
Eastwood Ct. S65: Roth .5N **95**
S81: Work .1C **142**
Eastwood Ho. *S65: Roth* .*6M 95*
(off Doncaster Rd.)
Eastwood La. DN10: Miss .2M **103**
S65: Roth .6L **95**
Eastwood Mt. S65: Roth .7N **95**
Eastwood Rd. S11: Shef .3E **122**
Eastwood Trad. Est. S65: Roth .4N **95**
Eastwood Va. S65: Roth .5N **95**
Eastwood Vw. S65: Roth .5A **96**
Eaton Pl. S2: Shef .9L **109**
WF9: Hems .2L **19**
Eaton Sq. DN5: Barnb .4J **61**
Eaton Wlk. WF9: Sth E .4F **20**
Ebberton Cl. WF9: Hems .2L **19**
Ebenezer Pl. S3: Shef .1E **4** (7H **109**)
S74: Els .1A **76**
Ebenezer St. S3: Shef .1E **4** (7H **109**)
S72: Gt H .7M **39**
Eben St. S9: Shef .2A **110**
Ebor Cl. S73: Womb .5E **58**
Ebson Ho. La. HD9: New M .2M **31**
ECCLESALL .6C **122**
Ecclesall Rd. S11: Shef .7A **4** (4C **122**)
Ecclesall Rd. Sth. S11: Shef .9N **121**
Eccles Dr. DN12: New E .6F **80**
ECCLESFIELD .4H **93**
Ecclesfield Cl. S35: Eccl .4J **93**
ECCLESFIELD COMMON .4J **93**
Ecclesfield Ct. S35: Eccl .4J **93**
Ecclesfield M. S35: Eccl .4J **93**
Ecclesfield Rd. S5: Shef .5L **93**
S9: Shef .5L **93**
S35: Chap .9J **75**
Ecclesfield Way S35: Eccl .4J **93**
Eccles St. S9: Shef .9B **94**
Eccleston Rd. DN3: Kirk Sa .3K **45**
ECKINGTON .7L **137**
Eckington Bus. Pk. S21: Ecki .6M **137**
Eckington Bus Station .7K **137**
Eckington Hall S20: Mosb .5K **137**
Eckington M. S20: Mosb .5K **137**
Eckington Pool .7L **137**
Eckington Rd. S18: Coal A .6H **135**
S20: Beig, Holb .2M **137**
(not continuous)
Eckington Way S20: Half .3M **137**
S20: Holb, Water .7K **125**
ECKLANDS .6G **52**
Ecklands Cft. S36: Mill G .4H **53**
Ecklands Long La. S36: Pen .7G **52**
Eco Way DN7: Dunsc .8C **26**
Ecton Ct. DN3: Kirk Sa .3H **45**
Edale Ri. S75: Dod .9N **35**
Edale Rd. S11: Shef .4B **122**
S61: Kimb .7F **94**
EDDERTHORPE .8G **38**
Edderthorpe Cotts. S71: D'fld .8G **38**
Edderthorpe La. S71: D'fld .8G **38**
S73: D'fld .8G **38**
Eddison Cl. S81: Work .3D **142**
Eddison Pk. Av. S81: Work .1B **142**
Eddyfield Rd. S36: Oxs .5C **54**
Eden Cl. S66: Hel .8N **97**
S75: Bar G .3N **35**
Edencroft Dr. DN3: Eden .5K **45**
Eden Dr. DN6: Ask .1N **23**
S6: Lox .4N **107**
Edenfield Cl. S71: Monk B .2L **37**
Eden Fld. Rd. DN3: Eden .6K **45**
Eden Glade S26: Swal .3C **126**
Eden Gro. DN4: Hex .5L **63**
S26: Swal .3C **126**
Eden Gro. Rd. DN3: Eden .6K **45**
Edenhall Rd. S2: Shef .4N **123**
Eden Pl. S25: Din .1C **128**
Edensor Rd. S5: Shef .2J **109**
Eden Ter. S64: Mexb .9F **60**
EDENTHORPE .6K **45**
Edenthorpe Dell S20: Mosb .9H **125**
Edenthorpe Gro. S20: Mosb .9J **125**
Edenthorpe Wlk. *S20: Mosb* .*9J 125*
(off Edenthrope Gro.)
Edgar Allan Ho. S3: Shef .4C **4**
Edgar La. DN11: New R .5G **83**
Edgbaston Way DN12: New E .3G **81**
Edge Bank S7: Shef .5F **122**
Edgebrook Hill La.
S36: Carle, Dunf B .6H **51**
Edgebrook Rd. S7: Shef .5E **122**
Edgecliffe Pl. S71: Smi .3H **37**
Edge Climbing Cen., The .2H **123**
Edge Cl. S6: Shef .7D **92**
Edgedale Rd. S7: Shef .6E **122**
Edgefield Rd. S7: Shef .6F **122**
Edge Grn. DN3: Kirk Sa .4J **45**
Edge Hill Rd. S7: Shef .5E **122**
Edgehill Rd. DN2: Don .9F **44**
S75: Stain .7B **16**
Edgelands Ri. S72: Cud .3B **38**
Edge La. S6: Shef .7D **92**
Edgemount Rd. S7: Shef .6F **122**
Edge Well Cl. S6: Shef .7D **92**
Edge Well Cres. S6: Shef .7D **92**
Edge Well Dr. S6: Shef .8D **92**
Edge Well La. S6: Shef .7C **92**
Edge Well Pl. S6: Shef .7C **92**
Edge Well Ri. S6: Shef .7C **92**
Edge Well Way S6: Shef .7D **92**
Edinburgh Av. S63: Bolt D .5A **60**
Edinburgh Cl. S71: Monk B .4J **37**
Edinburgh Dr. S25: Nth A .4B **128**
Edinburgh Rd. S74: Hoyl .8M **57**
S80: Work .9E **142**
Edinburgh Wlk. S80: Work .9E **142**
Edith Ter. DN5: Scaws .9J **43**
Edlington La. DN4: Warm .3G **80**
DN12: New E, Old E .7E **80**
Edlington Leisure Cen. .6F **80**
Edlington Riding DN12: New E .5G **81**
Edmonton Cl. S75: Barn .6B **36**
Edmund Av. S17: Bradw .4D **134**
S60: Brins .5K **111**
Edmund Cl. S17: Bradw .4E **134**
Edmund Ct. S2: Shef .7G **5** (2J **123**)
Edmund Dr. S17: Bradw .4E **134**
Edmund Rd. S2: Shef .7G **5** (3J **123**)
Edmunds Rd. S70: Wors .3K **57**
Edmund St. S70: Wors .3H **57**
Edna St. S63: Bolt D .5B **60**
WF9: Sth E .6F **20**
Edward Cl. S70: Barn .9K **37**
Edward Ct. DN8: Thorne .9L **11**
Edward Pl. S11: Shef .5E **122**
Edward Rd. DN6: Adw S .2H **43**
DN6: Skell, Carc .7F **22**
S63: Gol .3B **60**
S63: Wath D .7J **59**
Edwards Ct. S80: Work .7A **142**
Edward St. DN3: Arm .9J **45**
DN5: Bntly .7M **43**
DN11: New R .5G **83**
S3: Shef .2C **4** (8G **108**)
S21: Ecki .7K **137**
S25: Din .2D **128**
S36: Stoc .5D **72**
S63: Thurn .8B **40**
S64: Swin .2C **78**
S72: Gt H .7L **39**
S73: D'fld .2G **59**
S73: Womb .4E **58**
S74: Hoyl .9L **57**
S75: Mapp .9D **16**
S80: Work .7C **142**
Edward St. Flats
S3: Shef .2C **4** (8G **108**)
Edwin Rd. DN6: Woodl .4E **42**
S2: Shef .5K **123**
Edwins Cl. S71: Ath .1G **37**
Effingham La. S4: Shef .1J **5** (8K **109**)
Effingham Rd. S4: Shef .1K **5** (7L **109**)
S9: Shef .7L **109**
Effingham Sq. *S65: Roth* .*6K 95*
(off Water St.)

Falcon Cl.—Fitness Village

Falcon Cl. DN6: Adw S 2F 42
S64: Mexb 1K 79
Falcon Ct. DN11: Ross 5K 83
S25: Din 3D 128
Falcon Dr. S60: Tree 9M 111
S70: Birdw 7G 56
Falconer Cl. S75: Kexb 8M 15
Falconer La. S13: Shef 3M 125
Falconer Way S60: Tree 8M 111
Falcon Knowle Ing S75: Kexb 8L 15
Falcon Ri. S18: Dron 7L 135
Falcon Rd. S18: Dron 7K 135
Falcon St. S70: Barn 6F 36
Falcon Way S25: Din 4C 128
Falding St. S35: Chap 9J 75
S60: Roth 7J 95
Falkland Rd. S11: Shef 5B 122
Fall Bank Cres. S75: Dod 8M 35
Fall Bank Ind. Est. S75: Dod 9M 35
Fall Cl. S70: Barn 8C 36
Falledge La. HD8: Up D 7H 33
Fall Head La. S75: Silk 7K 35
Fallon Cl. S25: Laugh C 1A 128
Fallon Rd. S6: Stan 6M 107
Fallow Ct. S81: Work 3E 142
Fall Vw. S75: Silk 8J 35
Falmouth Cl. S71: Monk B 5J 37
Falmouth Rd. S7: Shef 6F 122
Falstaff Cres. S5: Shef 9G 93
Falstaff Gdns. S5: Shef 9G 93
Falstaff Rd. S5: Shef 8G 93
Falthwaite Grn. La. S75: Hood G 4M 55
Fane Cres. S26: Swal 3C 126
Fanny Av. S21: Killa 5D 138
Fanshaw Av. S21: Ecki 8J 137
Fanshaw Bank S18: Dron 9H 135
Fanshaw Cl. S21: Ecki 8J 137
Fanshaw Dr. S21: Ecki 8J 137
Fanshaw Ga. La. S18: Holme 9M 133
Fanshaw Rd. S18: Dron 8J 135
S21: Ecki 8J 137
Fanshaw Way S21: Ecki 8J 137
Faraday Cl. DN11: H'worth 1J 117
Faraday Rd. S9: Shef 6M 109
Faranden Rd. S9: Shef 7A 110
FAR BANK 2B 26
Far Bank La. DN7: Fish 2B 26
Far Clay Gro. S81: Shire 3K 141
Farcliff DN5: Sprot 6F 62
Far Cliffe HD9: Holm 2F 30
Far Comn. Rd. DN7: Hatf W 3K 47
Far Cres. S65: Roth 6A 96
Far Cft. S63: Bolt D 5B 60
Farcroft Gro. S4: Shef 3N 109
Far Dalton La. S65: Dalt M 4D 96
Fardell Gdns. S66: Bram 9J 97
Farfield Av. HD9: Hep 7J 31
Far Field Cl. DN3: Eden 5K 45
Farfield Ct. WF9: Sth E 5F 20
Far Field Dr. HD9: Hep 7J 31
Far Field La. S63: Wath D 9A 60
S71: Monk B 2M 37
Farfield La. HD9: Hep 7J 31
S72: Sth H 2D 18
Farfield Pk. S63: Wath D 8A 60
Far Field Rd. DN3: Eden 5K 45
S65: Roth 8B 96
Farfield Rd. S3: Shef 6F 108
Fargate S1: Shef 3F 5 (9H 109)
Fargate Cl. WF9: Sth K 7A 20
Far Golden Smithies S64: Swin 2B 78
Farish Pl. S2: Shef 5J 123
Far La. HD9: Hep 8H 31
S6: Shef 3C 108
S65: Roth 5A 96
Far Lawns S71: Car 8L 17
Farlawns Ct. DN4: Balb 2M 81
Farlow Cft. S35: High G 6D 74
Farlow Rd. S18: Dron W 8F 134
Farmall Cl. DN7: Dunsc 8C 26
Farm Bank Rd. S2: Shef 6J 5 (1K 123)
Farm Cl. DN3: Eden 7K 45
S12: Shef 9B 124
S18: Coal A 6J 135
S60: Brins 5H 111
S71: Monk B 4K 37
Farm Ct. DN6: Adw S 2G 42
Farm Cres. S20: Mosb 4J 137
Farm Dr. S62: Rawm 8A 78
Farmers Branch S81: Work 3D 142
Farm Flds. Cl. S20: Water 1K 137
Farm Grange DN4: Balb 2L 81
Farm Gro. S81: Work 3E 142
Farmhill Cl. DN5: Cus 2J 63
Farm Ho. La. S75: Barn 6B 36
Farmhouse La. S35: Ough 6J 91
Farm La. S21: Ecki 7J 137
Far Moor Cl. DN5: Harl 5H 61
S63: Gol 3E 60
Farmoor Gdns. S20: Sot 9A 126
Farm Rd. S2: Shef 7H 5 (2J 123)
S70: Barn 1J 57
Farmstead Cl. S14: Shef 6L 123
Farm Vw. Cl. S12: Shef 8H 125
S61: Kimb 5D 94
Farm Vw. Dr. S12: Shef 8H 125
Farm Vw. Gdns. S12: Shef 8H 125
Farm Vw. Rd. S61: Kimb 5D 94
Farm Wlk. S20: Mosb 3J 137
Farm Way S73: D'fld 1G 58
Farnaby Dr. S35: High G 6E 74
Farnaby Gdns. S35: High G 6E 74
Farnborough Dr. DN4: Can 9K 65
Farndale S81: Work 3E 142
Farndale Rd. DN5: Scaws 9H 43
S6: Shef 2D 108
Farndon Gro. S81: Gate 3A 142
Farnes Ct. S81: Work 5E 142
Farnham Way S25: Laugh C 9A 114
Farnley Av. S6: Shef 9E 92
Farnley Rd. DN4: Balb 1N 81
Farnworth Rd. S65: Roth 6B 96
Far Pl. S65: Roth 6A 96
Farquhar Rd. S66: Malt 8F 98
(not continuous)
Farrand St. S70: Birdw 8F 56
Farrar Rd. S7: Shef 4G 123
Farrar St. S70: Barn 7E 36
Farrier Cl. DN1: Don 5A 64
Farrier Ga. S35: High G 8F 74
Farriers Way S21: Killa 5C 138
Farringdon Cl. WF9: Hems 3K 19
Farringdon Dr. DN11: New R 7K 83
Farrington Ct. S66: Wick 9H 97
Farrow Cl. S75: Dod 9B 36
Farthing Gale M. DN5: Cus 2K 63
Far Townend S75: Dod 9A 36
Far Vw. Rd. S5: Shef 9J 93
Far Vw. Ter. S70: Barn 9F 36
Farwater La. S18: Dron 9G 135
Far Well La. HD9: New M 1M 31
Fathers Gdns. S26: Kiv P 9J 127
Favell Rd. S3: Shef 3B 4 (9F 108)
S65: Roth 6C 96
Fawcett St. S3: Shef 1A 4 (8F 108)
(not continuous)
Fay Cres. S9: Shef 8B 110
Fearnehough St. S9: Shef 7N 109
Fearn Ho. Cres. S74: Hoyl 1K 75
Fearnley Ct. HD9: Holm 3H 31
Fearnley La. HD9: Holm 3G 31
Fearnley Rd. S74: Hoyl 1K 75
Fearn's Bldgs. *S36: Pen 4M 53*
(off Stottercliffe Rd.)
Fearnville Gro. S71: R'ton 6K 17
Featherbed La. S80: Darf 8J 141
Featherston Av. S80: Work 8E 142
FELKIRK 3B 18
Felkirk Cotts. S72: Sth H 4B 18
Felkirk Dr. WF4: Ryh 1A 18
Felkirk Vw. S72: Shaft 6B 18
Fellbrigg Rd. S2: Shef 4L 123
Fellowsfield Way S61: Kimb 6E 94
Fellows Wlk. S73: Womb 3B 58
Fell Rd. S9: Shef 5A 110
Fell St. S9: Shef 4N 109
FENCE 3M 125
Fen Ct. DN3: Eden 6K 45
Fenlake Wlk. S63: Wath D 7K 59
Fenland Rd. DN8: Thorne 3L 27
Fenney La. S11: Shef 9N 121
Fenn Rd. S75: Tank 2F 74
Fensome Way S73: D'fld 1G 58
Fenton Cl. DN3: Arm 2L 65
WF9: Sth K 8A 20
Fenton Cft. S61: Roth 5G 94
Fenton Dr. S12: Shef 7F 124
Fenton Flds. S61: Roth 5G 94
Fenton Rd. S61: Grea, Roth, Wing 3G 94
Fenton St. S21: Ecki 8H 137
S61: Kimb 6F 94
S70: Barn 7F 36
Fentonville St. S11: Shef 3F 122
Fenton Way S61: Grea 3H 95
FENWICK 5D 8
Fenwick Comn. La. DN6: Fen 9C 8
Fenwick La. DN6: Ask, Fen 8N 7
Feoffees Rd. S35: Eccl 5J 93
Ferguson St. S9: Shef 6N 109
Ferham Cl. S61: Kimb 7G 94
Ferham Pk. Av. S61: Roth 7G 95
Ferham Rd. S61: Roth 7G 94
Fern Av. DN5: Don 9L 43
S20: Beig 7M 125
Fern Bank DN6: Adw S 2F 42
Fernbank Cl. DN9: Blax 9H 67
S70: Wors 1G 56
Fernbank Dr. DN3: Arm 8L 45
S21: Ecki 7H 137
Fern Cl. DN2: Don 1F 64
S21: Ecki 7H 137
S73: D'fld 3G 58
Fern Ct. S66: Sunn 6H 97
Ferncroft Av. S20: Mosb 3J 137
Ferndale Cl. S18: Coal A 7L 135
Ferndale Dr. DN8: Moore 8L 11
S66: Bram 7H 97
Ferndale Pl. WF9: Hems 3K 19
Ferndale Ri. S18: Coal A 7L 135
Ferndale Rd. DN12: Con 4N 79
S18: Coal A 7L 135
Ferndale Vw. DN5: Cus 2K 63
Fernhall Cl. DN3: Kirk Sa 5K 45
Fernhall Cft. S73: Womb 4E 58
Fern Hollow S66: Wick 1H 113
Fernhurst Rd. DN2: Don 1F 64
Fernlea Cl. DN5: Cus 2K 63
Fern Lea Gro. S63: Bolt D 5A 60
Fernlea Gro. S35: Eccl 5J 93
Fernleigh Dr. S60: Brins 2H 111
Fern Rd. S6: Shef 6C 108
Fernvale Wlk. S64: Swin 6C 78
Fern Vw. S12: Shef 8F 124
Fern Vw. Gro. S12: Shef 8F 124
Fern Way S21: Ecki 7H 137
Ferrara Cl. S73: D'fld 1E 58
Ferrars Cl. S9: Tins 2F 110
Ferrars Dr. S9: Tins 3F 110
Ferrars Rd. S9: Tins 1E 110
Ferrars Way S9: Tins 3F 110
Ferrers Rd. DN2: Don 2C 64
Ferriby Rd. S6: Shef 2C 108
Ferry Boat La. DN12: Old D 3H 79
S64: Mexb 2H 79
Ferry La. DN10: Ever 9L 103
DN12: Con 3A 80
Ferry Moor La. S72: Grim 2D 38
FERRYMOOR RDBT. 4N 19
Ferrymoor Way S72: Grim 2E 38
Ferrymore Ho. *DN1: Don 5N 63*
(off Oxford Pl.)
Ferry Rd. DN8: Thorne 8G 11
Ferry Ter. DN12: Con 3A 80
Fersfield St. S4: Shef 7L 109
Festival Av. DN11: H'worth 9K 101
Festival Cl. S26: Kiv P 9H 127
Festival Rd. S63: Wath D 1M 77
Fewston Way DN4: Don 7E 64
Fiddle Neck La. S26: Aston 6F 126
Fiddler's Dr. DN3: Arm 3M 65
Fiddler's Elbow S32: Hath 9B 120
Fidlers Cl. S33: Bamf 8E 118
Fidlers Well S33: Bamf 7E 118
Field Cl. S18: Dron W 8D 134
S73: D'fld 1G 58
S81: Work 3D 142
Field Cres. WF9: Sth E 7E 20
Field Dr. S72: Cud 3B 38
Field End La. HD9: H'bri 6A 30
Fielder M. S5: Shef 9L 93
Fielders Way DN12: New E 3G 80
Fieldfare Dr. S81: Gate 3N 141
Fieldfare Gro. S63: Wath D 7L 59
Field Ga. DN11: Ross 4K 83
Fieldhead Ct. S74: Hoyl 9M 57
Field Head Rd. S74: Hoyl 1M 75
Fieldhead Rd. S8: Shef 4H 123
Fieldhouse HD9: Holm 4F 30
Field Ho. Rd. DN5: Sprot 7F 62
Fieldhouse Way S4: Shef 5L 109
Fielding Dr. S66: Bram 8J 97
Fielding Gro. S62: Rawm 7M 77
Fielding Rd. S6: Shef 2D 108
Field La. DN9: Auck 2D 84
S21: Killa 4A 138
(Bryony Cl.)
S21: Killa 5A 138
(Holly Cl.)
S36: Mill G 6G 52
S60: Up W 5E 112
S66: Mort 5E 112
S70: Stair 9M 37
WF9: Sth E 5G 21
WF9: Upton 1F 20
Field Rd. DN7: Stainf 5A 26
DN8: Thorne 2K 27
DN17: Crow 8M 29
HD9: Holm 4F 30
Fields End S36: Oxs 7D 54
Fields End Bus. Pk. S63: Gol 1D 60
Fieldsend Ct. WF9: Upton 1F 20
Fieldsend Gdns. S35: Eccl 5J 93
Fields End Rd. S63: Gol 1C 60
Field Side DN8: Thorne 1J 27
Fieldside DN3: Eden 7J 45
DN17: Crow 7M 29
Fieldside Ct. S65: Rav 4J 97
Field Sta. Rd. DN5: Bntly 1B 44
Field Vw. S60: Brins 3J 111
S71: R'ton 6K 17
Fieldview *DN12: New E 5E 80*
(off Sunningdale Dr.)
Field Vw. Ct. S60: Brins 4J 111
Field Vw. Dr. DN9: Auck 3C 84
Field Way S60: Roth 5K 95
Fife Cl. S9: Shef 9A 94
Fife Gdns. S9: Shef 9A 94
Fife St. S9: Shef 9A 94
S70: Barn 8E 36
Fife Way S9: Shef 9A 94
Fifth Av. DN6: Woodl 5F 42
DN9: Finn 3D 84
Fifth Sq. DN7: Stainf 5A 26
Fiftyeights Rd. DN9: Finn 4K 85
Figtree La. S1: Shef 2F 5 (8H 109)
Filby Rd. DN5: Cus 2J 63
Filey Av. S71: R'ton 5L 17
Filey La. S3: Shef 5B 4 (1F 122)
Filey St. S10: Shef 4B 4 (9F 108)
Fillies Av. DN4: Bess 2H 83
Finch Cl. S65: Thry 3E 96
Finch Gdns. S66: Bram 9K 97
Finch Ri. S26: Aston 5D 126
Finch Rd. DN4: Balb 9K 63
Finchwell Cl. S13: Shef 1F 124
Finchwell Cres. S13: Shef 1F 124
Finchwell Ri. S13: Shef 1F 124
Finchwell Rd. S13: Shef 1F 124
Findon Cres. S6: Shef 4B 108
Findon Pl. S6: Shef 4B 108
Findon Rd. S6: Shef 4B 108
Findon St. S6: Shef 4C 108
Finghall Rd. DN6: Skell 7D 22
Fingleton S81: Work 5E 142
Finkle Cl. WF4: Wool 2A 16
Finkle Ct. *DN8: Thorne 2K 27*
(off Orchard St.)
FINKLE STREET 3L 73
Finkle St. DN5: Bntly 8M 43
DN7: Stainf 4A 26
DN8: Thorne 2K 27
WF4: Wool 2A 16
Finkle St. La. S35: Wort 3L 73
Finlay Rd. S65: Roth 5N 95
Finlay St. S3: Shef 1B 4 (8F 108)
FINNINGLEY 3G 84
Finningley Lodge *S26: Kiv P 9J 127*
(off Victoria Cl.)
Finsbury Cl. S25: Laugh C 9A 114
FIRBECK 7L 115
Firbeck Av. S25: Laugh M 8C 114
Firbeck Cres. S81: L'gld 9B 116
Firbeck Ho. *DN1: Don 5N 63*
(off Grove Pl.)
Firbeck La. S25: Laugh M 7C 114
S80: Whit 9E 140
Firbeck Rd. DN4: Don 5C 64
S8: Shef 8F 122
Firbeck Way DN11: Ross 4L 83
Fir Cl. S63: Wath D 1M 77
Fircrest Way S63: Wath D 7L 59
Fircroft Av. S5: Shef 8L 93
Fircroft Rd. S5: Shef 8M 93
Firethorn Ri. S65: Rav 5K 97
Firham Cl. S71: R'ton 5H 17
Fir Pl. S6: Shef 7D 108
S21: Killa 5B 138
Fir Rd. S21: Ecki 8J 137
Firs, The S70: Barn 1K 57
S71: R'ton 5H 17
Firsby La. DN12: Con 8K 79
Firshill Av. S4: Shef 4J 109
Firshill Cl. S4: Shef 4J 109
Firshill Cres. S4: Shef 4H 109
Firshill Cft. S4: Shef 4H 109
Firshill Gdns. S4: Shef 4H 109
Firshill Glade S4: Shef 4H 109
Firshill M. *S3: Shef 4J 109*
(off Pitsmoor Rd.)
Firshill Ri. S4: Shef 4J 109
Firshill Rd. S4: Shef 4J 109
Firshill Wlk. S4: Shef 4H 109
Firshill Way S4: Shef 4H 109
Firs La. S36: H'swne 9N 33
First Av. DN6: Woodl 4G 42
DN9: Finn 3D 84
S65: Roth 5N 95
S71: R'ton 5L 17
WF9: Sth K 8M 19
WF9: Upton 2F 20
First La. S25: Sth A 8C 128
S66: Wick 1H 113
Fir St. S6: Shef 7D 108
First Sq. DN7: Stainf 5A 26
Firth Av. S72: Cud 3A 38
Firth Cres. DN11: New R 5H 83
S66: Malt 9E 98
Firth Dr. S4: Shef 6L 109
Firth Fld. Rd. DN7: Hat 9G 27
FIRTH PARK 1L 109
Firth Pk. Av. S5: Shef 1M 109
Firth Pk. Cres. S5: Shef 1L 109
Firth Pk. Rd. S5: Shef 1L 109
Firth Rd. S63: Wath D 9H 59
Firth's Homes S11: Shef 3A 122
Firth St. DN4: Balb 6M 63
HD8: Shep 1B 32
S61: Grea 2J 95
S71: Barn 6G 37
Firthwood Av. S18: Coal A 7L 135
Firthwood Cl. S18: Coal A 7L 135
Firthwood Rd. S18: Coal A 7L 135
Fir Tree S35: Thurg 8J 55
Fir Tree Av. DN9: Auck 2C 84
Fir Tree Cl. DN5: Hick 9H 41
Fir Tree Dr. DN6: Nort 7G 7
S26: Wales 9F 126
Fir Tree Gdns. S70: Birdw 9F 56
Firtree Ri. S35: Chap 1H 93
FIR VALE 3K 109
Firvale S26: Hart 5K 139
Fir Vale Pl. S5: Shef 3K 109
Fir Vale Rd. S5: Shef 3K 109
Fir Vw. Gdns. S4: Shef 4L 109
Fir Wlk. S66: Malt 8A 98
Fish Dam La. S71: Car, Monk B 9L 17
Fisher Cl. S60: Roth 7J 95
Fisher La. S9: Shef 7C 110
Fisher Rd. S66: Malt 9F 98
Fisher St. DN5: Bntly 6M 43
Fisher Ter. DN5: Don 2L 63
Fishings La. DN9: Epw 9H 49
FISHLAKE 2C 26
Fishlake Nab DN7: Fish 4A 26
Fish Pond La. S66: B'well 5E 98
Fishponds Rd. S13: Shef 3C 124
Fishponds Rd. W. S13: Shef 3C 124
Fishponds Vw. S13: Shef 4D 124
Fitness Village
Balby 7M 63

Fitspace Gym
Sheffield 1D 108
Fitzalan Rd. S13: Shef 2F 124
Fitzalan Sq. S1: Shef 3G 5 (9J 109)
Fitzalan Square Stop (ST) 2H 5 (9J 109)
Fitzalan Way S60: Tree 9M 111
Fitzgerald Rd. S10: Shef 8C 108
Fitzhubert Rd. S2: Shef 3A 124
(not continuous)
Fitzmaurice Rd. S9: Shef 6B 110
Fitzroy Rd. S2: Shef 5J 123
Fitzwalter Rd. S2: Shef 5K 5 (1L 123)
(not continuous)
Fitzwilliam Av. DN12: Con 4L 79
S63: Wath D 1L 77
Fitzwilliam Cl. S74: Hoyl 9N 57
Fitzwilliam Ct. S62: Rawm 1M 95
S63: Wath D 9L 59
S74: Hoyl 9N 57
(off Fitzwilliam Cl.)
Fitzwilliam Dr. DN5: Harl 6H 61
Fitzwilliam Gate S1: Shef 6D 4 (1H 123)
Fitzwilliam Rd. S65: Roth 6L 95
S73: D'fld 1J 59
Fitzwilliam Sq. S61: Grea 1H 95
S74: Els 2B 76
(off Wath Rd.)
Fitzwilliam St. S1: Shef 4C 4 (9G 108)
S62: P'gte 2M 95
S63: Wath D 1L 77
S64: Swin 3B 78
S70: Barn 7F 36
S73: Hem 8B 58
S74: Els 1A 76
S74: Hoyl 1J 75
Fitzwilliam Wlk. S61: Grea 2H 95
Five Acres S75: Cawt 3H 35
Five Acres Pk. Home Est.
DN10: Baw 9B 102
Five La. Ends DN6: Skell 8C 22
Five Oaks DN5: Ark 5B 44
Five Trees Av. S17: Dore 4B 134
Five Trees Cl. S17: Dore 4B 134
Five Trees Dr. S17: Dore 4B 134
Five Weirs Wlk. S9: Shef 5N 109
Fixby Ho. *DN1: Don 5N 63*
(off Grove Pl.)
Flanders Ct. S61: Thorpe H 9N 75
FLANDERWELL 7G 97
Flanderwell Av. S66: Bram 8H 97
Flanderwell Ct. S66: Sunn 7H 97
Flanderwell Gdns. S66: Sunn 7H 97
Flanderwell La. S66: Bram, Sunn 6G 97
Flash La. S6: Stan 8G 107
S66: Bram 9K 97
Flashley Carr La. DN6: Fen 9H 9
DN14: Syke 9H 9
Flask Vw. S6: Stan 5L 107
Flat La. HD9: U'thng 3B 30
S60: Whis 3A 112
S66: Malt 4J 115
S72: Bill 2L 59
S81: Fir 6L 115
Flats, The S35: Wort 3M 73
Flat St. S1: Shef 3G 5 (9J 109)
Flatts Cl. S60: Tree 7L 111
Flatts La. S60: Tree 7L 111
S63: Wath D 9K 59
Flavell Cl. WF9: Sth K 8A 20
Flaxby Rd. S9: Shef 7B 110
Flax Lea S70: Wors 2H 57
Flea La. WF8: Kirk Sm 6B 6
Fleet Cl. S63: Bramp B 8H 59
Fleet Hill Cres. S71: Monk B 3H 37
Fleet La. DN7: Stainf 4A 26
S35: Ough 9N 91
Fleets Cl. DN7: Stainf 4A 26
Fleet St. HD8: Clay W 8A 14
Fleetway S81: Work 3B 142
Fleetwood Av. S71: Monk B 3K 37
Fleming Gdns. S66: Flan 7G 96
Fleming Pl. S70: Barn 8F 36
Fleming Sq. S63: Wath D 9L 59
Fleming Way S66: Flan 8F 96
Fletcher Av. S18: Dron 9H 135
Fletcher Ho. *S65: Roth 6L 95*
(off Wharncliffe Hill)
Fleury Cl. S14: Shef 7M 123
Fleury Cres. S14: Shef 7M 123
Fleury Pl. S14: Shef 7M 123
Fleury Ri. S14: Shef 7M 123
Fleury Rd. S14: Shef 7M 123
Flight Hill HD9: Hade E 2G 50
Flint La. HD9: Hep 1K 51
S36: Carle 1K 51
Flint Rd. DN2: Don 1F 64
Flintway S63: Wath D 3M 77
Flockton Av. S13: Shef 3J 125
Flockton Ct. S1: Shef 4D 4 (9G 109)
Flockton Cres. S13: Shef 3H 125
Flockton Dr. S13: Shef 3J 125
Flockton Ho. S1: Shef 4D 4
Flockton Pk. S20: Holb 1N 137
Flockton Rd. S13: Shef 3H 125
Flodden St. S10: Shef 8C 108
Floodgate Dr. S35: Eccl 5J 93
Flora St. S6: Shef 6F 108
Florence Av. DN4: Balb 7L 63
S26: Swal 4C 126
Florence Ri. S73: D'fld 2F 58
Florence Rd. S8: Shef 9F 122
FLOUCH 7C 52
Flower St. S63: Gol 2E 60
Flowitt St. DN4: Hex 5M 63
S64: Mexb 1E 78
Flying Fox Cres. DN12: New E 5G 80
Fold, The S65: Roth 5C 96
Folderings La. S36: Bolst 8E 72
Folder La. DN5: Sprot 6E 62
FOLDRINGS 5J 91
Folds Cres. S8: Shef 1D 134
Folds Dr. S8: Shef 1D 134
Folds La. DN11: Tick 2A 116
S8: Shef 1D 134
Foley Av. S73: Womb 5C 58
Foley St. S4: Shef 7L 109
Foljambe Cres. DN11: New R 5G 83
Foljambe Dr. S65: Dalt 4D 96
Foljambe Rd. S65: Roth 5A 96
Foljambe St. S62: P'gte 1M 95
Folkwood Gro. S11: Shef 6N 121
Follett Rd. S5: Shef 8K 93
Folly La. S36: Thurl 1J 53
Fonteyn Ho. DN2: Don 1C 64
Fontwell Dr. S64: Mexb 9G 61
Footershaw La. S6: Brad 9L 89
Footgate Cl. S35: Ough 6M 91
Footrill Cotts. S74: Hoyl 2M 75
Forbes Rd. S6: Shef 5D 108
FORD 5E 136
Ford Cl. S18: Dron 9G 135
Ford Ga. HD9: H'bri 6A 30
Fordoles Head La. S66: Malt, Mick 5A 98
Ford Rd. S11: Shef 5C 122
S21: Mar L 5E 136
Fordstead La. DN3: Barn D 3C 44
DN5: Alm 3C 44
Fore Hill Av. DN4: Bess 9G 64
Foremark Rd. S5: Shef 9L 93
Fore's Rd. DN3: Arm 2M 65
Forest Cl. S35: Ough 9A 92
Forest Edge S11: Shef 1B 134
Forest Grange DN4: Can 6H 65
Forest Hill S81: Work 3E 142
Forest Hill Pk. S81: Work 3E 142
Forest Hill Rd. S81: Work 3D 142
Forest La. S80: Work 8F 142
Forest Ri S80: Work 8F 142
Forest Ri. DN4: Balb 1J 81
Forest Rd. S71: Ath 9G 17
Forest Wlk. S80: Work 9F 142
Forge, The S2: Shef 7D 4 (2G 123)
S18: Dron 9H 135
S71: Smi 3G 37
Forge Hill S35: Ough 6M 91
Forge La. S21: Killa 4A 138
S35: Ough 6M 91
S35: Wort 2J 73
S60: Roth 6K 95
(off Bridge St.)
S74: Els 2B 76
Forge Rd. S26: Wales 8G 127
Forge Valley Sports Cen. 5A 108
Forge Way S60: Roth 4L 95
Formby Ct. S71: Monk B 2L 37
Forncett St. S4: Shef 6L 109
Fornham St. S2: Shef 6G 5 (1J 123)
(not continuous)
Forres Av. S10: Shef 9B 108
Forres Rd. S10: Shef 9B 108
Forrester Cl. S66: Flan 7G 96
Forrester's Cl. DN6: Nort 7G 6
Forrester's La. S18: Coal A 6K 135
Forrest's Yd. *S80: Work 8B 142*
(off Bridge St.)
Forster Rd. DN4: Balb 9M 63
Forth Av. S18: Dron W 8E 134
Fort Hill Rd. S9: Shef 1N 109
Fortway Rd. S60: Brins 2J 111
Forum, The S1: Shef 4D 4
Fossard Cl. DN2: Don 9D 44
Fossard Gdns. S64: Swin 4D 78
Fossard Way DN5: Scawt 7K 43
Fossdale Rd. S7: Shef 6E 122
Foster S3: Shef 1G 5
FOSTERHOUSES 8C 10
Fosterhouses Grn. DN7: Fost 7B 10
Foster Pl. La. HD9: Hep 6K 31
Foster Rd. DN8: Thorne 1J 27
S66: Wick 8G 97
Foster's Cl. S64: Swin 3B 78
Foster St. S70: Stair 8L 37
Foster Way S35: High G 6E 74
Fothergill Dr. DN3: Eden 5K 45
Foulstone Rd. S6: Bamf, Brad 2C 104
S33: Bamf 2C 104
Foulstone Row S73: Womb 5E 58
Foundry Climbing Cen., The 7H 109
Foundry Ct. S3: Shef 5J 109
Foundry Ga. S73: Womb 6B 58
Foundry La. DN8: Thorne 2J 27
Foundry Rd. DN4: Hex 6M 63
Foundry St. S62: P'gte 2M 95
S70: Barn 8F 36
(not continuous)
S74: Els 1A 76
Fountain Cl. S75: Dart 8N 15
Fountain Ct. DN11: Ross 6L 83
S71: Ath 8F 16
Fountain Gdns. S65: Thry 1E 96
Fountain Pde. S75: Mapp 9D 16
Fountain Pct. S1: Shef 3F 5
Fountains Cl. DN3: Kirk Sa 4H 45
Fountains Cres. S5: Shef 6G 93
Fountain Sq. S75: Dart 8N 15
Fountains Way S71: Monk B 5L 37
Fountside S7: Shef 5E 122
Four Lands Cl. S75: Bar G 3N 35
FOUR LANE END 5F 54
FOUR LANE ENDS 6D 124
FOURLANE ENDS 7G 123
Four Row HD8: Birds E 4D 32
Fourth Av. DN6: Woodl 5F 42
DN9: Finn 3D 84
Fourth Sq. DN7: Stainf 5A 26
Four Wells Dr. S12: Shef 7G 125
Fowdall La. DN14: Syke 5A 10
Fowler Bri. Rd. DN5: Bntly 8N 43
Fowler Cres. DN11: New R 5H 83
Fox Cl. S61: Kimb P 3D 94
Foxcote Lea S65: Thry 3F 96
Fox Ct. DN17: Crow 6M 29
S64: Swin 5C 78
Foxcovert Cl. S63: Gol 4B 60
Fox Covert Rd. WF8: Kirk Sm 8C 6
Fox Croft S8: Shef 3G 134
S74: Hoyl 1L 75
Foxcroft Chase S21: Killa 4B 138
Foxcroft Dr. S21: Killa 4B 138
Foxcroft Gro. S21: Killa 4B 138
Foxcroft Mdws. S66: Malt 9D 98
Foxdale Av. S12: Shef 6B 124
Foxen Cft. S71: Lund 4M 37
Fox Farm Ct. S63: Bramp B 8G 58
Foxfield Cl. S12: Shef 9F 124
Fox Flds. S36: Oxs 6C 54
Foxfield Wlk. S70: Stair 1L 57
Fox Gdns. DN5: Bntly 5M 43
Fox Glen Rd. S36: Spink 6F 72
Foxglove Cl. DN9: Blax 9H 67
S80: Work 8E 142
Foxglove Rd. S5: Shef 9M 93
Fox Gro. DN4: Warm 9G 63
Foxhall La. S10: Shef 5H 121
Fox Hill S3: Shef 6J 109
Fox Hill Cl. S6: Shef 8D 92
Fox Hill Cres. S6: Shef 8D 92
(not continuous)
Fox Hill Dr. S6: Shef 8D 92
Fox Hill Pl. S6: Shef 7D 92
Fox Hill Rd. S6: Shef 9D 92
Foxhill Rd. DN8: Thorne 3L 27
Fox Hill Way S6: Shef 7D 92
Fox Holes Gro. S36: Crow E 2A 52
Foxhunters Way WF9: Sth E 8E 20
Foxland Av. S64: Swin 4N 77
Fox La. DN5: Barnb 4H 61
S12: Shef 9C 124
S17: Bradw 4E 134
Fox La. Ct. S12: Shef 7C 124
Fox La. Vw. S12: Shef 7C 124
Foxmill Vw. S36: Mill G 4H 53
Foxmire Gro. S75: Dod 9M 35
Foxmires Gro. S63: Gol 2E 60
Fox Rd. S6: Shef 6F 108
Foxroyd Cl. S71: Ard 8N 37
Foxshaw M. S72: Grim 2H 39
Foxstone Way S21: Ecki 8J 137
Fox St. S3: Shef 6H 109
S61: Kimb 7E 94
Fox Valley Retail Pk. S36: Stoc 4E 72
Fox Valley Way S36: Stoc 4E 72
Fox Wlk. S6: Shef 6E 108
Foxwood Av. S12: Shef 5B 124
Foxwood Cl. S81: Gate 1A 142
Foxwood Dr. S12: Shef 5B 124
Foxwood Gro. DN3: Eden 7H 45
S12: Shef 6B 124
Foxwood Rd. S12: Shef 5B 124
Framlingham Pl. S2: Shef 4L 123
Framlingham Rd. S2: Shef 4L 123
France Rd. S6: Lox 3M 107
Frances St. DN1: Don 4A 64
France St. S62: P'gte 2M 95
Francis Cres. Nth.
S60: Roth 1C 112
Francis Cres. Sth.
S60: Roth 1C 112
Francis Dr. S60: Roth 9C 96
Francis Gro. S35: High G 7E 74
Francis St. S60: Roth 8L 95
Francus Royd S71: Car 8K 17
Frankham Cl. S25: Laugh C 1A 128
Frank Hillock Fld. S36: Spink 5G 73
Franklin Cres. DN2: Don 4C 64
Frank Pl. S9: Shef 5A 110
Frank Rd. DN5: Don 1M 63
Frank Wright Cl. S2: Shef 3K 123
Fraser Cl. S8: Shef 8F 122
Fraser Cres. S8: Shef 8F 122
Fraser Dr. S8: Shef 8G 122
Fraser Rd. S8: Shef 8F 122
S60: Roth 8M 95
Fraser Wlk. S8: Shef 9G 122
FRECHEVILLE 7D 124
Fred Edwards Pk. S62: Rawm 6J 77
(not continuous)
Frederick Av. S70: Barn 8E 36
Frederick Dr. S35: Gren 4C 92
Frederick Rd. S7: Shef 4G 122
Frederick St. S9: Shef 7B 110
S60: Cat 7J 111
S60: Roth 6K 95
S63: Gol 2D 60
S63: Wath D 8K 59
S64: Mexb 2E 78
S65: Roth 6K 95
S73: Womb 4C 58
S80: Work 7B 142
Fred Mulley Rd. S4: Shef 7L 109
Freedom Ct. S6: Shef 5E 108
Freedom Rd. S6: Shef 6D 108
Freeman Gdns. S35: High G 8E 74
Freeman Rd. S66: Wick 8G 97
Freeman St. S70: Barn 8G 36
Freemans Yd. S70: Barn 7G 37
Freesia Cl. S25: Sth A 7A 128
Freeston Pl. S9: Shef 5A 110
French Ga. DN1: Don 3N 63
(not continuous)
Frenchgate Shop. Cen. DN1: Don 4N 63
French St. DN5: Bntly 6M 43
DN6: Skell 8E 22
Fretson Cl. S2: Shef 3A 124
Fretson Grn. S2: Shef 3A 124
Fretson Rd. S2: Shef 3A 124
Fretson Rd. Sth. S2: Shef 4A 124
Fretwell Cl. S66: Malt 7C 98
Fretwell Rd. S65: Roth 5B 96
S66: Hel 8N 97
Friar Cl. S6: Stan 6M 107
Friars Ga. DN1: Don 3N 63
Friars La. DN11: Tick 7B 100
Friar's Rd. S71: Lund 5M 37
FRICKLEY 3E 40
Frickley Athletic FC 8E 20
Frickley Bri. La. S72: Brier 5E 18
Frickley Country Pk. 9E 20
Frickley La. DN5: Frick 2E 40
WF9: Sth E 9F 20
Frickley Rd. S11: Shef 3A 122
Friends Cl. S66: Thurc 7M 113
Friers Cft. S62: Wentw 5B 76
Frithbeck Cl. DN3: Arm 1L 65
Frith Cl. S12: Shef 6B 124
Frith Rd. S12: Shef 6B 124
Frithwood Dr. S18: Dron 8K 135
Frobisher Grange DN9: Finn 4G 84
Frobisher Gro. S66: Malt 7C 98
Froggatt La. S1: Shef 5F 5 (1H 123)
Frogmore Cl. S66: Bram 7J 97
Frog Wlk. S11: Shef 3F 122
Front St. S60: Tree 8L 111
Frostings, The S35: Gren 4D 92
Frostings Cl. S35: Gren 4D 92
(not continuous)
Fryston Ct. S63: Bramp B 8G 58
Fulford Cl. S9: Shef 7C 110
S75: Dart 8B 16
Fulford Pl. S9: Shef 7C 110
Fulford Way DN12: Con 3C 80
Fullerton Av. DN12: Con 4L 79
Fullerton Cl. DN6: Skell 7D 22
Fullerton Cres. S65: Thry 2D 96
Fullerton Dr. S60: Brins 4H 111
Fullerton Rd. S60: Roth 9J 95
Fullshaw Bank S36: Pen 5A 54
Fullshaw La. S36: Langs, Pen 8E 52
Fulmar Way S61: Thorpe H 8A 76
S81: Gate 3N 141
Fulmer Cl. S71: Ath 2J 37
Fulmere Cres. S5: Shef 7F 92
Fulmere Rd. S5: Shef 7F 92
Fulmer Rd. S11: Shef 4D 122
Fulney Rd. S11: Shef 3A 122
FULSTONE 1L 31
Fulstone Hall La. HD9: New M 2K 31
Fulton Rd. S6: Shef 7D 108
FULWOOD 4L 121
Fulwood Chase S10: Shef 3N 121
Fulwood Dr. DN4: Balb 2M 81
Fulwood Head Rd. S10: Shef 5F 120
Fulwood La. S10: Shef 5F 120
S11: Shef 5F 120
Fulwood Rd. S10: Shef 4M 121
Furlong Ct. S63: Gol 4C 60
Furlong Mdws.
S63: Bramp B 9F 58
Furlong Rd. DN5: Harl 6F 60
S63: Bolt D, Gol 5C 60
Furlong Vw. DN5: Harl 5G 61
(not continuous)
Furnace Hill S3: Shef 1E 4 (8H 109)
Furnace La. S13: Shef 4K 125
Furnace Yd. S74: Els 2B 76
Furness Cl. S6: Stan 5M 107
S25: Din 4D 128
Furness Dene S71: Monk B 3L 37
Furness Rd. S35: High G 7D 74
Furniss Av. S17: Dore 4M 133
Furniss M. S17: Dore 4N 133
Furnival Cl. S26: Tod 6K 127
Furnival Gate S1: Shef 5E 4 (1H 123)
Furnivall Rd. DN4: Balb 7L 63
Furnival Rd. S4: Shef 2H 5 (8J 109)
S26: Tod 6K 127
Furnival Sq. S1: Shef 5F 5 (1H 123)
Furnival St. S1: Shef 5F 5 (1H 123)
S80: Work 9D 142
Furnival Way S60: Whis 3C 112

Fusion Magna Bus. Cen.—Goodwin Cres.

Fusion Magna Bus. Cen. S60: Roth 9G 94
Fylde Cl. S71: Monk B 2L 37

G

Gadding Moor La. S75: H'swne 8A 34
Gadding Moor Rd. S36: H'swne 8A 34
Gainford Rd. DN8: Moore 6M 11
Gainford Sq. DN8: Moore 6M 11
Gainsborough Cl. S66: Flan 8G 97
Gainsborough Dr. DN12: New E 4G 81
Gainsborough Rd. DN10: Baw 7C 102
S11: Shef 4E 122
S18: Dron 9F 134
Gainsborough Way S71: Monk B 4J 37
Gainsford Rd. S9: Shef 8C 110
Gaitskell Cl. S63: Gol 4C 60
S66: Malt 9F 98
Gala Bingo
Barnsley 6G 37
Doncaster 9E 44
Rotherham 4A 96
Sheffield 8M 109
Sheffield Hillsborough 1E 108
Gala Cres. S66: Malt 7B 98
Galahad Way WF9: Sth E 7F 20
Gallery, The S1: Shef 2H 5 (8J 109)
Galley Dr. S20: Water 1K 137
Gallon Cft. WF9: Sth E 6D 20
Galloway La. DN7: Kirk G 9K 9
Gallows La. WF4: Wool 1A 16
Gallow Tree Rd. S65: Roth 9B 96
Gally Knight Way S81: L'gld 9C 116
Galpharm Way S75: Dod 8N 35
Galsworthy Av. S5: Shef 1G 108
Galsworthy Cl. DN4: Balb 1K 81
Galsworthy Rd. S5: Shef 2F 108
Galway Av. DN11: Birc 8N 101
Galway Cl. S62: Rawm 8N 77
S71: R'ton 5K 17
Galway Dr. DN11: Birc 8N 101
Galway M. DN11: H'worth 1K 117
Galway Rd. DN11: Birc 8N 101
Game La. S6: Stan 6E 106
Gamston Rd. S8: Shef 4G 123
Gannow Cl. S21: Killa 3E 138
GANNOW HILL 3E 138
Gant Ct. DN11: Tick 5D 100
Ganton Pl. S71: Smi 1F 36
Ganton Rd. S6: Shef 2C 108
Garbroads Cres. S65: Thry 3D 96
Garbsen Ct. S80: Work 9B 142
Garbutt St. S63: Bolt D 6C 60
Garden Cl. S60: Roth 2N 111
Garden Ct. S70: Barn 7C 36
Garden Cres. S60: Roth 2N 111
Garden Dr. S73: Bramp 7G 58
Gardener Cl. S36: Pen 5A 54
Garden Gro. S73: Hem 7C 58
Garden Ho. Cl. S71: Monk B 3K 37
Garden Ho. Dr. S26: Kiv P 8L 127
Gardenia Rd. DN3: Kirk Sa 5H 45
Garden La. DN4: Hex 6K 63
DN5: Cad 9B 62
S60: Roth 6J 95
S65: Rav 3J 97
Garden Rd. DN8: Moore 6M 11
Gardens, The DN4: Bess 8G 65
S7: Shef 3F 122
Gardens La. DN12: Con 4N 79
Garden St. S1: Shef 2D 4 (8G 109)
S61: Roth 6H 95
S63: Gol 2E 60
S63: Thurn 8C 40
S63: Wath D 8K 59
S64: Mexb 1F 78
S70: Barn 8G 37
S73: D'fld 2G 59
Garden Ter. DN5: Bntly 8M 43
HD8: Den D 3J 33
WF4: Ryh 1B 18
GARDEN VILLAGE 5C 72
Garden Wlk. S20: Beig 8N 125
S60: Roth 2N 111
Gardom Cl. S18: Dron W 9E 134
Garfield Mt. S65: Roth 7L 95
Gargrave Cl. DN6: Ask 1N 23
Gargrave Cres. WF9: Hems 3J 19
Gargrave Pl. WF9: Hems 3J 19
Garland Cl. S20: W'fld 2L 137
Garland Cft. S20: W'fld 3L 137
Garland Dr. S6: Lox 3N 107
Garland Mt. S20: W'fld 2L 137
Garland Way S20: W'fld 3L 137
Garraby Cl. S72: Gt H 6L 39
Garry Rd. S6: Shef 3C 108
Garside's Bldgs. *S36: Pen 4M 53*
(off Stottercliffe Rd.)
Garside St. S80: Work 7D 142
Garter St. S4: Shef 5L 109
Garth Cl. S9: Shef 7A 110
Garth Way S18: Dron 9G 135
Garth Way Cl. S18: Dron 9G 135
Gartrice Gdns. S20: Half 5N 137
Gartrice Gro. S20: Half 5N 137
Gashouse La. S20: Mosb 5K 137
S21: Ecki 5K 137
Gate, The S75: Dod 8A 36
Gate Cres. S75: Dod 8A 36
Gatefield Rd. S7: Shef 5F 122
Gate Foot La. HD8: Shep 2N 31
GATEFORD 3N 141
Gateford Av. S81: Work 4A 142
Gateford Chambers *S80: Work 7C 142*
(off Gateford Rd.)
Gateford Cl. S81: Work 3A 142
GATEFORD COMMON 3L 141
Gateford Dr. S81: Work 4A 142
Gateford Gdns. S81: Work 4A 142
Gateford Glade S81: Work 4B 142
Gateford Ri. S81: Work 3A 142
Gateford Rd. S80: Work 6B 142
S81: Gate, Work 2L 141
Gateford Toll Bar S81: Gate 3L 141
Gate Head La. HD9: Hep 8L 31
Gatehouse Ct. S75: Dod 8A 36
Gate Ho. La. DN9: Auck 1D 84
Gate Pk. S62: P'gte 2M 95
Gatesbridge Pk. DN9: Finn 2H 85
Gateway, The S2: Shef 2J 5
S25: Din 1D 128
S62: P'gte 3L 95
S71: Ath 8F 16
Gateway Cl. S62: P'gte 4L 95
Gateway Ct. S62: P'gte 3L 95
Gateway Ind. Est., The S62: P'gte 3L 95
Gateway Pl. S62: P'gte 4L 95
Gateway Plaza S70: Barn 7F 36
Gate Wood La. DN7: Hat, Hatf W 4F 46
Gatewood La. DN3: Brant, Can 5M 65
Gateworth Gro. DN6: Ask 1M 23
Gattison La. DN11: New R 6J 83
Gatty Rd. S5: Shef 6L 93
Gaunt Cl. S14: Shef 8L 123
S21: Killa 4B 138
S66: Bram 7J 97
Gaunt Dr. S14: Shef 8L 123
S66: Bram 7J 97
Gaunt Pl. S14: Shef 7L 123
Gaunt Rd. S14: Shef 8L 123
S66: Bram 7J 97
Gaunt Way S14: Shef 8L 123
GAWBER 4B 36
Gawber Rd. S75: Barn 5D 36
Gawtress Row S63: Wath D 9L 59
Gayle Ct. S70: Barn 6E 36
Gayton Cl. DN4: Balb 1L 81
Gayton Ct. DN4: Balb 1L 81
Gayton Rd. S4: Shef 4K 109
Geer La. S12: Ridg 5C 136
Geeseness La. DN7: Fost 7D 10
Gell St. S3: Shef 3B 4 (9F 108)
Geneva Sq. DN8: Moore 7M 11
Genn La. S70: Barn, Wors 1E 56
Genoa Cl. S73: D'fld 9E 38
Genoa St. S64: Mexb 1G 79
George Buckley Ct. WF9: Sth K 7N 19
George La. WF4: Nott 3E 16
George Pl. S62: Rawm 9N 77
S64: Mexb 1H 79
Georges Cross S71: Smi 2H 37
George Sq. S70: Barn 7F 36
George St. DN3: Arm 9J 45
DN5: Bntly 6L 43
DN6: Carc, Skell 7F 22
S1: Shef 3G 5 (9J 109)
S60: Roth 6K 95
S63: Gol 2B 60
S63: Thurn 9E 40
S70: Barn 7F 36
S70: Wors 3H 57
(John St.)
S70: Wors 3K 57
(Pantry Grn.)
S72: Cud 9C 18
S72: Midd 9K 39
S72: Sth H 3D 18
S73: Womb 5D 58
(Hoyland St.)
S73: Womb 3F 58
(Stonyford Rd.)
S74: Hoyl 1M 75
S75: Mapp 8C 16
S80: Work 7C 142
WF9: Hems 3L 19
George Woofindin Almshouses
S11: Shef 3D 122
George Yd. S70: Barn 7F 36
Georgian M. S60: Cat 6J 111
Gerald Cl. S70: Barn 9K 37
Gerald Cres. S70: Barn 8K 37
Gerald Pl. S70: Barn 9K 37
Gerald Rd. S70: Barn 9K 37
Gerald St. S9: Shef 5A 110
Gerald Wlk. S70: Barn 9K 37
Gerard Av. S65: Thry 3F 96
Gerard Cl. S8: Shef 5J 123
Gerard Rd. S60: Roth 8L 95
Gerard St. S8: Shef 5J 123
Gervase Av. S8: Shef 4F 134
Gervase Dr. S8: Shef 4F 134
Gervase Pl. S8: Shef 4F 134
Gervase Rd. S8: Shef 4F 134
Gervase Wlk. S8: Shef 4F 134
Ghest Vs. S81: Cos 2C 130
Gibbet Hill La. DN10: Baw 9B 102
Gibbing Greaves Rd. S65: Roth 9D 96
Gibbon La. DN8: Thorne 4G 27
Gibbons Dr. S14: Shef 9M 123
Gibbons Wlk. *S14: Shef 9M 123*
(off Gibbons Dr.)
Gibdyke DN10: Miss 2L 103
Gibraltar St. S3: Shef 1E 4 (8H 109)
Gibson Ct. S81: Work 1B 142
Gibson La. S36: Stoc 4E 72
Gibson Rd. DN7: Lind 8J 47
Gifford Dr. DN4: Warm 9H 63
Gifford Rd. S8: Shef 4H 123
Gilbert Ct. S2: Shef 5K 5
Gilbert Gro. S70: Barn 8L 37
Gilbert Hill S36: Langs 9E 52
Gilberthorpe Ct. S65: Roth 7M 95
Gilberthorpe Dr. S65: Roth 7N 95
Gilberthorpe Rd. DN4: Balb 8K 63
Gilberthorpe St. S65: Roth 7M 95
Gilbert Rd. DN11: Birc 9L 101
Gilbert Row S2: Shef 3J 5 (9K 109)
Gilder Way S72: Shaft 7C 18
Gildhurst Ct. S70: Birdw 9G 57
GILDINGWELLS 4K 129
Gildingwells Rd. S81: Letw 2K 129
S81: Woods 7J 129
Giles Av. S63: Wath D 9J 59
Gileswood Cres. S63: Bramp B 8G 58
Gill Cl. S66: Wick 1H 113
Gill Cft. S6: Stan 6L 107
Gilleyfield Av. S17: Dore 3N 133
Gill La. DN6: Moss 2D 24
HD9: Holm 6C 30
Gill Mdws. S6: Stan 6L 107
Gillott Dell S66: Wick 1G 113
Gillott Ind. Est. S70: Barn 6E 36
Gillott La. S66: Wick 1G 112
Gillott Rd. S6: Shef 9D 92
Gill Royd La. S36: Up M 3H 71
Gill St. DN1: Don 5A 64
S74: Hoyl 1N 75
Gilpin La. S6: Shef 7F 108
Gilpin St. S6: Shef 6F 108
GILROYD 2B 56
Gilroyd La. S75: Dod, Stainb 2B 56
Gilthwaites Cres. HD8: Den D 1K 33
Gilthwaites Gro. HD8: Den D 2K 33
Gilthwaites La. HD8: Den D, Skel 1K 33
Gilthwaites Top HD8: Den D 1K 33
Ginhouse La. S61: Grea 5J 95
Gipsy Grn. La. S63: Wath D 2M 77
Gipsyhill La. S80: Whit 9N 139
Gipsy La. S18: App 9A 136
Gisborne Rd. S11: Shef 5C 122
Glade, The S10: Shef 2C 122
Glade Cft. S12: Shef 7A 124
Glade Lea S12: Shef 7A 124
Glade Vw. DN3: Kirk Sa 4J 45
Gladman Pk. S75: Tank 2D 74
Gladstone M. S10: Shef 2N 121
Gladstone Pl. S64: Mexb 1D 78
S80: Work 7C 142
Gladstone Rd. DN4: Hex 6L 63
S10: Shef 2A 122
S66: Malt 7C 98
Gladstone St. S80: Work 7B 142
Gladwin Ind. Pk. S64: Kiln 7D 78
Gladys St. S65: Roth 7N 95
Glaisdale S81: Work 3E 142
Glaisdale Cl. S25: Laugh C 9A 114
Glaisdale Ct. S25: Laugh C 9A 114
Glamis Rd. DN2: Don 4D 64
S81: Carl L 5B 130
Glass House Grn. S62: Wentw 4D 76
Glasshouse La. S64: Kiln 7D 78
Glasshouse Rd. S64: Kiln 7D 78
Glasshouse St. S60: Roth 6J 95
Glastonbury Ga. DN5: Scaws 2H 63
GLEADLESS 8A 124
Gleadless Av. S12: Shef 7N 123
Gleadless Bank S12: Shef 7N 123
Gleadless Comn. S12: Shef 5N 123
Gleadless Ct. S2: Shef 5J 123
Gleadless Dr. S12: Shef 7N 123
Gleadless Mt. S12: Shef 8A 124
Gleadless Ri. S12: Shef 6N 123
Gleadless Rd. S2: Shef 4H 123
(not continuous)
S12: Shef 6M 123
S14: Shef 6M 123
GLEADLESS TOWNEND 8N 123
Gleadless Townend Stop (ST) 8A 124
GLEADLESS VALLEY 7M 123
Gleadless Vw. S12: Shef 6N 123
Glebe Av. S26: Hart 3K 139
Glebe Cl. *S64: Mexb 2G 79*
(off Doncaster Rd.)
S64: Swin 5B 78
S80: Work 7N 141
Glebe Ct. S6: Low B 9C 90
S75: Tank 1G 74
Glebe Cres. S65: Thry 4D 96
Glebe Farm Cl. DN3: Arm 9K 45
S26: Hart 3L 139
Glebeland Cl. S62: Rawm 7L 77
Glebelands Rd. S36: Stoc 6E 72
Glebe Rd. DN6: Camp 9H 7
DN8: Thorne 2L 27
S10: Shef 8D 108
S64: Swin 5B 78
Glebe St. DN4: Warm 9H 63
Gledhill Av. S36: Cub 6M 53
Gledhill Cl. S18: Dron 9H 135
Gledhill Dr. S81: Gate 3M 141
Glen, The S10: Shef 2C 122
S35: Wharn S 4K 91
Glenalmond Rd. S11: Shef 4C 122
Glen Bungalow Cvn. Pk.
DN6: Ask 3J 23
Glencairn Cl. *S66: Malt 8G 98*
(off Woodside Cl.)
Glencoe Cl. DN7: Dunsc 9C 26
Glencoe Dr. S2: Shef 5K 5 (1K 123)
Glencoe Pl. S2: Shef 5K 5 (1K 123)
Glencoe Rd. S2: Shef 5K 5 (1K 123)
Glencrest Way S63: Wath D 7L 59
Glencroft S11: Shef 4B 122
Glendale Cl. S75: Barn 6C 36
Glendale Rd. DN5: Sprot 6F 62
Gleneagles Dr. DN4: Can 9L 65
Gleneagles Ri. S64: Swin 4C 78
Gleneagles Rd. S25: Din 3D 128
Glen Fld. Av. DN4: Hex 6L 63
Glen Head S17: Dore 1M 133
Glenholme Dr. S13: Shef 4E 124
Glenholme Pl. S13: Shef 4F 124
Glenholme Rd. S13: Shef 4F 124
Glenholme Way S13: Shef 3E 124
Glenmoor Av. S70: Barn 8C 36
Glenmore Cft. S12: Shef 5B 124
Glenmore Ri. S73: Womb 6E 58
Glenorchy Rd. S7: Shef 6E 122
Glen Rd. DN3: Brant 7A 66
S7: Shef 5F 122
(not continuous)
Glenthorn Cl. S81: Shire 3K 141
Glentilt Rd. S7: Shef 6E 122
Glen Va. S18: Dron W 9E 134
Glen Vw. S11: Shef 3A 122
S64: Mexb 1G 79
Glen Vw. M. S64: Mexb 2G 79
Glen Vw. Rd. S8: Shef 2F 134
Glenville Cl. S74: Hoyl 1L 75
Glenwood Ct. S6: Shef 1A 108
Glenwood Cres. S35: Chap 9J 75
Glenwood Dr. S6: Shef 1A 108
Glenwood M. S6: Shef 1A 108
Gliwice Way DN4: Don 6E 64
Glossop La. S10: Shef 4A 4 (9F 108)
Glossop Rd. S10: Shef 5A 4 (1D 122)
Glossop Row S35: Ough 6M 91
Gloucester Cres. S10: Shef 6A 4 (1F 122)
Gloucester Rd. DN2: Don 2D 64
S61: Kimb P 4F 94
S81: Work 3D 142
Gloucester St. S10: Shef 5A 4 (1F 122)
Glover Rd. S8: Shef 4H 123
S17: Tot 6A 134
Glyn Av. DN1: Don 3B 64
Goals Soccer Cen.
Doncaster 9D 44
Sheffield 7K 5 (2K 123)
Goathland Cl. S13: Shef 4K 125
Goathland Dr. S13: Shef 4K 125
Goathland Pl. S13: Shef 4K 125
Goathland Rd. S13: Shef 4K 125
Goddard Av. S36: Stoc 4B 72
Goddard Hall Rd. S5: Shef 3K 109
Godfrey Rd. DN8: Thorne 2J 27
Godfrey's Ct. S80: Work 7B 142
Godley Cl. S71: R'ton 5L 17
Godley St. S71: R'ton 5L 17
Godley Vs. S80: Work 7C 142
GODNOW BRIDGE 5M 29
Godnow Rd. DN17: Crow 5M 29
Godric Dr. S60: Brins 3H 111
Godric Grn. S60: Brins 3H 111
Godric Rd. S5: Shef 6K 93
Godstone Rd. S60: Roth 8L 95
Goldcrest Ri. S81: Gate 3N 141
Goldcrest Wlk. S61: Thorpe H 9A 76
Gold Cft. S70: Barn 8H 37
Golden Fleece Ct. DN2: Don 9D 44
Golden Oak Dell S6: Stan 5L 107
Golden Smithies La. S63: Wath D 3A 78
S64: Swin 3A 78
Goldfinch Ct. S63: Wath D 8K 59
Goldsborough Rd. DN2: Don 4D 64
Goldsmith Dr. S65: Roth 7A 96
Goldsmith Rd. DN4: Balb 9N 63
S65: Roth 7A 96
S81: Work 5E 142
Gold St. S70: Barn 8H 37
Goldsworthy Way S75: Wool G 6M 15
GOLDTHORPE 2D 60
Goldthorpe Av. S81: L'gld 9C 116
Goldthorpe Cl. S81: L'gld 9C 116
Goldthorpe Grn. S63: Gol 3C 60
Goldthorpe Ind. Est. S63: Gol 3A 60
Goldthorpe Rd. S63: Gol 3D 60
Goldthorpe Station (Rail) 2C 60
Gomersal La. S18: Dron 9H 135
Gomersall Av. DN12: Con 4L 79
Gooder Av. S71: R'ton 6K 17
Goodison Blvd. DN4: Can 7H 65
Goodison Ct. DN4: Can 7H 65
Goodison Cres. S6: Shef 6A 108
Goodison M. DN4: Can 9J 65
Goodison Ri. S6: Shef 6A 108
Goodison Rd. S63: Bramp B 8G 58
Goodison Wlk. DN4: Can 9K 65
Goodwin Av. S62: Rawm 8M 77
Goodwin Cres. S64: Swin 2B 78

Goodwin Rd.—Green La.

Goodwin Rd. S8: Shef 5H 123
S61: Wing 1G 94
GOODWIN SPORTS CEN. 9E 108
Goodwin Way S61: Wing 1G 94
Goodwood Gdns. DN4: Can 5G 64
Goodyear Cres. S73: Womb 5D 58
GOOLE GREEN 4M 121
Goore Av. S9: Shef 1B 124
Goore Dr. S9: Shef 9B 110
Goore Rd. S9: Shef 1B 124
Gooseacre Av. S63: Thurn 7B 40
Goosebutt Ct. S62: P'gte 1M 95
Goosebutt Ho. S62: P'gte 1M 95
Goosebutt St. S62: P'gte 1M 95
Goosecarr La. S26: Tod 4H 127
Goose Ct. S66: Wick 9H 97
Goosecroft Av. S65: Thry 3D 96
Goose Grn. HD9: Holm 4E 30
Goosehill Ct. DN4: Balb 2M 81
Goosehole La. WF9: Sth E 8G 20
Goose La. S66: Wick 9H 97
Gordon Av. S8: Shef 9H 123
Gordon Cl. S80: Work 7E 142
Gordon Pl. WF9: Sth E 7E 20
(not continuous)
Gordon Rd. DN12: New E 4F 80
S11: Shef 3E 122
Gordon Rd. Flats DN12: New E 4F 80
Gordon Sq. DN7: Stainf 6B 26
Gordon St. DN1: Don 4N 63
S70: Stair 8M 37
Gordon Ter. S65: Roth 7M 95
Gorehill Cl. S63: Wath D 9N 59
Gore La. DN14: Balne 1A 8
Gorse, The S65: Roth 8B 96
S66: Wick 1G 112
Gorse Cl. DN7: Dunsv 3B 46
S63: Bramp B 9F 58
S65: Rav 5L 97
Gorse Dr. S21: Killa 5C 138
Gorseland Ct. S66: Wick 9F 96
Gorselands Av. S80: Work 9F 142
Gorse La. S10: Shef 4H 121
Gorsey Brigg S18: Dron W 9E 134
Gosber Rd. S21: Ecki 7L 137
Gosber St. S21: Ecki 7K 137
Gosforth Cl. S18: Dron 9G 135
Gosforth Cres. S18: Dron 9G 135
Gosforth Dr. S18: Dron, Dron W 9E 134
Gosforth Grn. S18: Dron 9G 134
Gosforth La. S18: Dron 9G 134
Gosling Ga. Rd. S63: Gol 2D 60
Gotham Rd. S60: Brins 2J 111
Gough Cl. S65: Roth 9B 96
Goulding St. S64: Mexb 2E 78
Gowdall Grn. DN5: Bntly 5L 43
Gower St. S4: Shef 6K 109
S73: Womb 5E 58
Gower Way S62: Rawm 6J 77
Grace Rd. DN12: New E 3G 81
Grace St. S71: Monk B 2N 37
Grady Dr. DN4: Balb 1N 81
Graftdyke Cl. DN11: Ross 5L 83
Grafton St. S2: Shef 5K 5 (1K 123)
S70: Barn 7E 36
S80: Work 6B 142
Grafton Way S65: Roth 6L 95
Graham Av. S60: Brins 5K 111
WF9: Upton 1J 21
Graham Ct. S10: Shef 3A 122
Graham Knoll S10: Shef 3A 122
Graham Ri. S10: Shef 3A 122
Graham Rd. DN3: Kirk Sa 5J 45
S10: Shef 2N 121
Graham's Orchard S70: Barn 7F 36
Grainger Cl. DN12: New E 5E 80
Grainger Ct. S10: Shef 2N 121
Grammar St. S6: Shef 5E 108
(not continuous)
Grampian Cl. DN5: Cus 2J 63
S75: Barn 6C 36
Grampian Way DN8: Thorne 4J 27
Granary, The S11: Shef 7C 4
Granary Ct. *S25: Nth A 5B 128*
(off The Green)
S81: Carl L 5D 130
Granby Ct. DN3: Arm 2M 65
WF9: Sth E 4F 20
Granby Cres. DN2: Don 5C 64
Granby La. DN11: New R 4G 83
Granby Rd. DN12: New E 4G 80
S5: Shef 2L 109
Grange, The DN6: Skell 7E 22
S61: Scho 3C 94
S75: Barn 5B 36
S75: Wool G 6M 15
Grange Av. DN4: Balb 8L 63
DN7: Hat 9D 26
DN10: Baw 5B 102
S18: Dron W 9F 134
S26: Augh 2B 126
S81: Woods 8J 129
WF9: Sth E 6F 20
Grange Cliffe Cl. S11: Shef 7C 122
Grange Cl. DN4: Bess 9J 65
DN6: Ask 1N 23
DN7: Hat 9D 26
S66: Bramp M 7J 113
S72: Brier 6F 18
S81: Carl L 5D 130
Grange Ct. DN4: Bess 9J 65
DN5: Don 1M 63
S66: Wick 1G 112
S72: Brier 6F 18
(off Grange Cl.)
S73: Womb 5E 58
Grange Cres. S11: Shef 3F 122
S63: Thurn 7D 40
S71: Barn 6M 37
Grange Cres. Rd. S11: Shef 3F 122
Grange Dr. DN11: H'worth 8K 101
S61: Kimb 4D 94
S66: Hel 9N 97
Grange Farm Cl. S60: Brins 5K 111
Grange Farm Ct. S63: Bolt D 6B 60
S81: Woods 8J 129
Grange Farm Dr. S26: Aston 5D 126
S35: Ough 9M 91
Grange Farm Ri. S26: Aston 5D 126
Grangefield Av. DN4: Can 9J 65
DN11: New R 5J 83
Grangefield Ct. DN4: Can 9J 65
Grangefield Cres.
DN11: New R 5J 83
Grangefield Ter. DN11: New R 5J 83
Grange Gdns. S26: Tod 4K 127
Grange Gro. DN8: Moore 6L 11
GRANGE LANE 5N 93
Grange La. DN4: A'ley 2J 81
DN5: Harl 5J 61
DN6: Burgh 6D 22
DN11: A'ley 3K 81
DN11: New R 6F 82
S5: Shef 5N 93
S13: Shef 3G 124
S60: Brins, Roth 1G 110
S61: Thorpe H 5N 93
S66: Malt 8E 98
S70: Stair 6M 37
S71: Barn, Stair 6M 37
Grange La. Ind. Est. S71: Stair 7M 37
Grange M. S66: Wick 9G 97
Grange Mill La. S5: Shef 5N 93
S9: Shef 5N 93
Grange Pk. DN3: Kirk Sa 3K 45
Grange Pk. Golf Course
Rotherham 4A 94
Grange Ri. WF9: Hems 2K 19
Grange Rd. DN4: Bess, Can 9J 65
DN5: Bntly 4L 43
DN6: Camp 9H 7
DN6: Woodl 5G 42
DN8: Moore 6L 11
DN11: New R 6H 83
S11: Shef 3F 122
S20: Beig 8M 125
S60: Roth 2A 112
S62: Rawm 7N 77
S63: Wath D 1K 77
S64: Swin 4A 78
S71: R'ton 6H 17
S72: Brier 6F 18
Grange Sq. DN8: Moore 6M 11
Grange St. S63: Thurn 8D 40
Grange Vw. DN4: Balb 7L 63
DN11: H'worth 8K 101
S74: Black H 6L 57
WF9: Hems 3K 19
Grange Vw. Cres. S61: Kimb 5D 94
Grange Vw. Rd. S61: Kimb 5D 94
Grange Way DN12: Den M 3L 79
Grangeway WF9: Hems 2K 19
Grangewood Rd.
S25: Laugh M 8C 114
Granham Acre S72: Shaft 7C 18
Grantham St.
DN11: New R 5H 83
Grantley Cl. S73: Womb 7F 58
Granville Cres. DN7: Stainf 6B 26
Granville Rd. S2: Shef 6H 5 (1J 123)
Granville Road Stop (ST) 7H 5 (2J 123)
Granville Sq. S2: Shef 6H 5 (1J 123)
Granville St. S2: Shef 6H 5 (1J 123)
S75: Barn 5E 36
Granville Ter. S65: Roth 7M 95
Grasby Ct. S66: Bram 6J 97
Grasmere Av. DN2: Don 3F 64
Grasmere Cl. S25: Nth A 5D 128
S36: Pen 3N 53
S64: Mexb 9J 61
Grasmere Cres. S75: Stain 7B 16
Grasmere Rd. DN6: Carc 8G 22
DN12: Con 4N 79
S8: Shef 6F 122
S18: Dron W 9E 134
S71: Barn 7H 37
S81: Work 3C 142
Grassdale Vw. S12: Shef 8F 124
Grassholme Cl. DN4: Don 7E 64
Grassington Cl. S12: Shef 8H 125
Grassington Dr. S12: Shef 8H 125
Grassington Way S35: Chap 8G 75
Grassmoor Cl. S12: Shef 6N 123
Grassthorpe Rd. S12: Shef 7B 124
Grattan St. S61: Kimb 7E 94
Graven Cl. S35: Gren 5C 92
Graves Art Gallery 4G 5
Graves Moor La. S81: Bly 2N 131
Graves Park Animal Farm 9J 123
Graves Tennis & Leisure Cen. 3J 135
Graves Trust Homes S8: Shef 2G 135
(Meadow Vw. Rd.)
S8: Shef 2H 135
(Serpentine Wlk.)
S12: Shef 6A 124
Gray Av. S26: Swal 2C 126
Gray Cl. S65: Roth 5L 95
Gray Gdns. DN4: Balb 9M 63
Grays Ct. DN12: Den M 2M 79
Grayson Cl. S36: Stoc 6E 72
S65: Rav 5J 97
Grayson Rd. S61: Wing 1G 95
Gray's Rd. S71: Car 8K 17
Gray St. S3: Shef 6J 109
S20: Mosb 3J 137
S74: Els 1A 76
Greasbro Rd. S9: Tins 2D 110
GREASBROUGH 2J 95
Greasbrough La. S62: Rawm 1J 95
Greasbrough Rd. S60: Roth 5K 95
(not continuous)
S61: Grea 4K 95
S62: P'gte 2K 95
Greasbrough St. S60: Roth 6J 95
Gt. Bank Rd. S65: Roth 9B 96
Gt. Black La. DN11: Tick 7F 100
Gt. Broad Ing S75: Barn 4C 36
Gt. Central Av. DN4: Balb 7M 63
Gt. Cliffe Rd. S75: Dod 8N 35
Great Cft. S18: Dron W 8E 134
Gt. Eastern Way S62: P'gte 3M 95
GREAT HOUGHTON 7L 39
Great Nth. Rd. DN4: Bess 8G 65
DN5: Scawt 6G 43
DN6: Ham, Skelb, Skell, Woodl, Adw S
1N 21
DN6: Highf 6G 43
DN10: Baw 3M 83
DN10: Baw, Scro 9B 102
DN11: Baw, Ross 3M 83
WF8: Wentb 1N 21
Great Pk. Rd. S61: Kimb P 5E 94
Great Stubbing S73: Womb 4B 58
Greave Rd. HD9: Hade E, Holm 8E 30
Greaves Cl. S6: Stan 6L 107
Greaves Fold S75: Barn 6C 36
Greaves La. S6: Shef, Stan 6L 107
S35: High G 4E 74
Greaves Rd. S5: Shef 5H 93
S61: Roth 6G 95
Greaves Sike La. S66: Mick 4N 97
Greaves St. S6: Shef 5E 108
Grebe Ct. S73: Bramp 6G 59
GREEN, THE 5N 53
Green, The DN5: Barnb 4J 61
DN8: Moore 6M 11
DN8: Thorne 2K 27
DN9: Auck 8C 66
DN9: Finn 3G 84
DN11: H'worth 1H 117
DN12: Old D 3H 79
S6: Dung 3G 106
S9: Shef 8C 110
(off The Avenue)
S17: Tot 6M 133
S25: Nth A 5B 128
S26: Wales B 8C 126
S33: Bamf 7E 118
(off Fidlers Well)
S36: Pen 5M 53
S36: Thurl 3K 53
S60: Roth 1M 111
S60: Whis 4A 112
S63: Bolt D 4B 60
S64: Swin 4A 78
S66: Sunn 6H 97
S71: R'ton 6K 17
(not continuous)
S72: Shaft 6B 18
S73: Hem 8C 58
S75: Hood G 5M 55
S81: Carl L 5D 130
WF4: Wool 2B 16
WF9: Sth K 6B 20
Green Abbey HD9: Hade E 9F 30
Greenacre Cl. DN7: Dunsv 4B 46
S12: Shef 7N 123
S74: Hoyl 1N 75
Greenacre Dr. HD8: Up D 5H 33
Greenacre Rd. S81: Work 4D 142
WF9: Upton 1H 21
Green Acres S36: Pen 4A 54
S62: Rawm 9N 77
S72: Grim 1G 38
S74: Hoyl 1M 75
Greenacres Vw. S65: Rav 5J 97
Greenacre Way S12: Shef 7N 123
Green Arbour Ct. S66: Thurc 7K 113
Green Arbour Rd. S66: Thurc 6K 113
Green Av. DN5: High M, Marr 4A 62
Green Balk S66: Clftn 9D 80
Green Bank DN8: Thorne 7C 28
Greenbank S71: Ath 8G 16
Green Bank Dr. S66: Sunn 5H 97
Greenbank Wlk. S72: Grim 1F 38
Green Blvd. DN4: Can 7H 65
Green Brook Pl. S36: Pen 5N 53
Green Chase S21: Ecki 7J 137
Green Cl. S21: Reni 9A 138
Green Comn. DN3: Arm 2L 65
Green Ct. S66: Sunn 6H 97
Greencroft S60: Roth 9M 95
Greencroft Cl. S60: Roth 1M 111
Green Cross S18: Dron 8J 135
Greendale Ct. S18: Dron 8J 135
Greendale Shop. Cen. S18: Dron 8J 135
Green Dyke La. DN1: Don 6N 63
Green Dyke Way S75: Barn 4B 36
Green Farm Ct. S81: Carl L 5D 130
Green Farm Hamlet S36: Stoc 5A 72
Greenfield S62: Rawm 9M 77
Greenfield Cl. DN3: Arm 2M 65
DN3: Barn D 2K 45
HD8: Up D 5J 33
S8: Shef 3G 134
S65: Roth 5C 96
Greenfield Cotts. S71: Car 9K 17
Greenfield Ct. DN4: Balb 7L 63
S66: Flan 7G 96
Greenfield Dr. S8: Shef 3G 134
Greenfield Gdns. DN4: Can 8K 65
S66: Flan 7G 96
S71: Ath 8F 16
Greenfield La. DN4: Balb, Hex 6L 63
Greenfield M. S63: Wath D 9K 59
Greenfield Rd. HD9: Holm 3A 30
S8: Shef 3G 134
S65: Roth 5C 96
S74: Hoyl 9M 57
WF9: Hems 4K 19
Greenfields S21: Ecki 7J 137
Greenfields Way S81: Carl L 4C 130
Greenfield Vw. S64: Mexb 7E 60
Greenfinch Cl. S60: Brins 4K 111
Greenfinch Dale S81: Gate 3N 141
Greenfoot Cl. S75: Barn 5E 36
Greenfoot La. S75: Barn 4E 36
(not continuous)
Green Gables S64: Mexb 1E 78
Green Ga. Cl. S63: Bolt D 4C 60
Greengate Cl. S13: Shef 5K 125
Greengate Ct. S35: High G 7F 74
Green Ga. Gdns. S70: Wors 2G 57
Greengate La. S13: Shef 5J 125
S35: High G 8E 74
Greengate Rd. S13: Shef 5K 125
WF8: Kirk Sm 8D 6
Greenhall Rd. S21: Ecki 7J 137
Greenhead S33: Bamf 7E 118
Greenhead Gdns. S35: Chap 9H 75
Greenhead La. S35: Chap 9H 75
Greenhead Pk. S33: Bamf 7E 118
GREEN HILL 2K 19
GREENHILL 3F 134
Greenhill Av. S8: Shef 2F 134
S66: Hel 9N 97
S71: Barn 5G 36
Greenhill Bank Rd. HD9: New M 3H 31
Green Hill Gro. S36: H'swne 1C 54
Greenhill La. HD9: New M 2J 31
Greenhill Main Rd. S8: Shef 3F 134
Greenhill Parkway S8: Shef 4E 134
Greenhill Rd. S8: Shef 9G 122
Greenhouse Ct. DN2: Don 2D 64
Greenhouse La. S10: Shef 6H 121
Green Ho. Rd. DN2: Don 1E 64
Greenhow St. S6: Shef 7D 108
Green Ings La. S63: Wath D 8N 59
GREENLAND 5C 110
Greenland S74: Black H 6L 57
S75: High H 9D 14
Greenland Av. S66: Malt 6E 98
Greenland Av. Sth. S66: Malt 7E 98
Greenland Cl. S9: Shef 6C 110
S25: Nth A 5B 128
Greenland Ct. S9: Shef 6C 110
Greenland Dr. S9: Shef 6C 110
Greenland Rd. S9: Shef 5C 110
Greenland Rd. Ind. & Bus. Pk.
S9: Shef 5C 110
Greenlands Av. DN11: Ross 4K 83
Greenland Vw. S9: Shef 7C 110
S70: Wors 3G 57
Greenland Wlk. S9: Shef 6C 110
Greenland Way S9: Shef 6C 110
(Greenland Dr.)
S9: Shef 5C 110
(Greenland Rd.)
S66: Malt 6E 98
Green La. DN3: Can 6L 65
DN4: Warm 3H 81
DN5: Barnb 4F 60
DN5: Scawt 6C 42
DN6: Ask 2K 23
DN6: Skell 6C 22
DN6: Woodl 4E 42
DN7: Dunsv, Hat 5M 45
DN7: Hat 6E 46
DN7: Kirk B 5K 25
DN9: Belt 5N 49
DN10: H'well 5K 103
DN11: Tick 8C 100
DN11: Wad 8L 81
HD8: High F 6E 32
HD9: Holm 6E 30
(Lamma Well Rd.)
HD9: Holm 2E 30
(Wood La.)
S3: Shef 1E 4 (7G 109)
S6: Shef 7G 109

Green La.—Hallam Cl.

Green La. S18: Coal A, Dron ... 9J **135**
S21: Killa ... 6B **138**
S26: Aston ... 4F **126**
S26: Ull ... 8C **112**
S35: Bright ... 3E **90**
S35: Eccl ... 5K **93**
S35: Ough ... 5K **91**
S35: Wharn S ... 4K **91**
S36: Crow E ... 3N **51**
S36: Stoc ... 4A **72**
S60: Cat ... 5H **111**
S60: Roth ... 2N **111**
S61: Kimb ... 6C **94**
S62: Rawm ... 9M **77**
S63: Wath D ... 3K **77**
S66: Carr ... 4A **114**
S66: Thurc, Wick ... 3J **113**
S66: Wick ... 8F **96**
S70: Wors ... 2D **56**
S74: Hoyl ... 1H **75**
S75: Dod ... 1B **56**
S75: Silk ... 9E **34**
S81: Carl L ... 5A **130**
WF4: Nott ... 3H **17**
WF9: Sth K ... 7A **20**
WF9: Upton ... 1H **21**
Greenlaws Cl. HD9: U'thng ... 3B **30**
Green Lea S18: Dron W ... 8D **134**
Greenleafe Av. DN2: Don ... 9F **44**
GREEN MOOR ... 3G **72**
Green Moor Hgts. S36: Stoc ... 5E **72**
Green Moor Rd. S35: Green M ... 2F **72**
Green Oak Av. S17: Tot ... 6N **133**
Green Oak Cres. S17: Tot ... 6N **133**
Green Oak Dr. S17: Tot ... 6N **133**
S26: Wales ... 9F **126**
Green Oak Gro. S17: Tot ... 6N **133**
Green Oak Rd. S17: Tot ... 7N **133**
Green Oak Vw. S17: Tot ... 6N **133**
Greenock St. S6: Shef ... 4C **108**
Green Pastures S17: Dore ... 3N **133**
Green Ri. S62: Rawm ... 7K **77**
Green Rd. S36: Pen ... 5N **53**
S75: Dod ... 1N **55**
S81: Work ... 6N **143**
Green Royd DN7: Fish ... 2C **26**
Greenset Vw. S71: Ath ... 8F **16**
Greenshank Dr. S64: Mexb ... 9K **61**
GREENSIDE
S21 ... 7B **136**
S75 ... 8D **16**
Greenside HD8: Den D ... 2J **33**
HD8: Lwr C ... 1H **33**
S36: H'swne ... 1C **54**
S61: Grea ... 2H **95**
S72: Shaft ... 5B **18**
S75: Mapp, Stain ... 8D **16**
WF4: Hav ... 1B **18**
Greenside Av. S26: Kiv P ... 9H **127**
S75: Stain ... 8D **16**
Greenside Cl. S63: Thurn ... 9C **40**
Greenside Gdns. S36: H'swne ... 1C **54**
Greenside Ho. S75: Stain ... 8D **16**
Greenside La. S74: Hoyl ... 8M **57**
Greenside M. S12: Shef ... 8H **125**
Greenside Pl. S75: Mapp ... 8D **16**
Green Spring Av. S70: Birdw ... 7G **56**
Green's Rd. DN7: Dunsv ... 3B **46**
Greens Rd. S65: Roth ... 7A **96**
Green St. DN4: Balb ... 9K **63**
S36: Spink ... 5F **72**
S61: Grea ... 1H **95**
S70: Wors ... 2K **57**
S74: Hoyl ... 9N **57**
Green Vw., The S72: Shaft ... 5B **18**
Green Vw. Bungs. S81: Bly ... 1K **131**
Greenway S26: Kiv P ... 9J **127**
S81: Carl L ... 5D **130**
Greenway, The S8: Shef ... 2G **134**
S36: Spink ... 6G **73**
Greenway Vw. S73: Hem ... 8D **58**
Greenwood Av. DN4: Balb ... 7K **63**
DN11: H'worth ... 8J **101**
S9: Shef ... 9A **110**
S70: Wors ... 2J **57**
WF9: Upton ... 1H **21**
Greenwood Cl. S9: Shef ... 9B **110**
S81: Gate ... 1A **142**
WF9: Upton ... 1H **21**
Greenwood Cres. S9: Shef ... 9A **110**
S66: Wick ... 8H **97**
S71: R'ton ... 5J **17**
Greenwood Dr. S9: Shef ... 9A **110**
Greenwood La. S13: Shef ... 4K **125**
Greenwood Rd. S9: Shef ... 9B **110**
S35: High G ... 7G **74**
S64: Kiln ... 7D **78**
Greenwood Ter. S70: Barn ... 6F **36**
Greenwood Wlk. DN6: Ask ... 1N **23**
Greenwood Way S9: Shef ... 9A **110**
Greeton Dr. S35: Ough ... 7N **91**
Gregg Ho. Cres. S5: Shef ... 8L **93**
Gregg Ho. Rd. S5: Shef ... 7L **93**
Greggs Ct. S70: Stair ... 9L **37**
Gregory Cres. DN11: H'worth ... 9H **101**
Gregory Rd. S8: Shef ... 5H **123**
Gregory's Bldgs. S72: Gt H ... 6K **39**
Grendon Vs. S65: Roth ... 6N **95**
Grenfell Av. S64: Mexb ... 1G **78**
Grenfolds Rd. S35: Gren ... 5E **92**
Grenobank Rd. S35: Gren ... 5E **92**
Greno Cres. S35: Gren ... 5E **92**
Greno Ga. S35: Gren ... 4D **92**
Greno Ho. S35: Gren ... 4D **92**
Grenomoor Cl. S35: Gren ... 5D **92**
Greno Rd. S64: Swin ... 4C **78**
GRENOSIDE ... 4D **92**
Grenoside Crematorium
S35: Gren ... 6C **92**
Grenoside Grange Cl. S35: Gren ... 5E **92**
Grenoside Mt. S35: Gren ... 6E **92**
Greno Vw. S74: Hoyl ... 1K **75**
S75: Hood G ... 5M **55**
Greno Vw. Rd. S35: High G ... 7F **74**
Greno Wood Ct. S35: Gren ... 4D **92**
Grenville Pl. S75: Barn ... 5D **36**
Grenville Rd. DN4: Balb ... 9J **63**
Gresford Cl. S75: Wool G ... 6M **15**
Gresham Av. S60: Brins ... 3J **111**
Gresham Rd. S6: Shef ... 6D **108**
Gresley Av. DN10: Baw ... 5C **102**
Gresley Rd. DN4: Balb ... 6M **63**
S8: Shef ... 5F **134**
Gresley Wlk. S8: Shef ... 5F **134**
Greyfriars S11: Shef ... 4B **122**
Greyfriars Rd. DN1: Don ... 3N **63**
Greystock St. S4: Shef ... 6M **109**
Greystone Cl. DN11: Tick ... 7C **100**
Greystone La. DN11: Tick ... 5B **100**
GREYSTONES ... 4B **122**
Greystones Av. S11: Shef ... 4C **122**
S70: Wors ... 3G **56**
GREYSTONES CLIFFE ... 4A **122**
Greystones Cl. S11: Shef ... 4B **122**
Greystones Ct. S11: Shef ... 4B **122**
S26: Hart ... 4J **139**
Greystones Cres. S11: Shef ... 4B **122**
Greystones Dr. S11: Shef ... 4B **122**
Greystones Grange S11: Shef ... 4B **122**
Greystones Grange Cres.
S11: Shef ... 4B **122**
Greystones Grange Rd.
S11: Shef ... 4B **122**
Greystones Hall Rd. S11: Shef ... 3B **122**
Greystones Ri. S11: Shef ... 4B **122**
Greystones Rd. S11: Shef ... 4A **122**
S60: Whis ... 3C **112**
Greywood Cl. DN2: Don ... 8E **44**
Grice Cl. DN4: Can ... 5J **65**
Griffin Rd. S64: Swin ... 3A **78**
Griffiths Cl. S62: P'gte ... 1M **95**
Griffiths Rd. S35: High G ... 8F **74**
GRIFFS ... 6J **107**
Grime La. HD9: Hep ... 7N **31**
GRIMESTHORPE ... 3N **109**
Grimesthorpe Rd. S4: Shef ... 5K **109**
(Ellesmere Rd., not continuous)
S4: Shef ... 6K **109**
(Grimesthorpe Rd. Sth.)
Grimesthorpe Rd. Sth. S4: Shef ... 6K **109**
GRIMETHORPE ... 2G **38**
Grimethorpe St.
WF9: Sth E ... 6E **20**
Grimpit Hill WF4: Nott ... 3H **17**
Grimsell Cl. S6: Shef ... 6E **92**
Grimsell Cres. S6: Shef ... 6E **92**
Grimsell Dr. S6: Shef ... 6E **92**
Grimsell Wlk. S6: Shef ... 7E **92**
Grinders Hill S1: Shef ... 5G **5**
Grinders Wlk. S6: Shef ... 3A **108**
Grindleford Station (Rail) ... 8A **132**
Grindlow Cl. S14: Shef ... 5K **123**
Grindlow Dr. S14: Shef ... 5K **123**
Gringley Vw. DN10: H'well ... 9K **103**
Grisedale Wlk.
S18: Dron W ... 9F **134**
Grizedale Av. S20: Sot ... 9N **125**
Grizedale Cl. S20: Sot ... 9N **125**
Grosvenor Av. WF9: Upton ... 2F **20**
Grosvenor Ct. DN7: Fish ... 2D **26**
Grosvenor Cres. DN4: Warm ... 9H **63**
DN5: Ark ... 6A **44**
Grosvenor Dr. S70: Barn ... 7D **36**
(not continuous)
Grosvenor Gdns. S70: Barn ... 7D **36**
Grosvenor Rd. DN6: Woodl ... 3F **42**
DN11: Birc ... 9L **101**
S65: Roth ... 5M **95**
S81: L'gld ... 9C **116**
Grosvenor Sq. S2: Shef ... 3G **123**
Grosvenor Ter. DN4: Warm ... 9H **63**
HD8: Clay W ... 7B **14**
Grosvenor Wlk. S70: Barn ... 7C **36**
Grouse Cft. S6: Shef ... 6E **108**
Grouse St. S6: Shef ... 5D **108**
Grove, The DN2: Don ... 2D **64**
(not continuous)
DN3: Barn D ... 9H **25**
S6: Lox ... 4N **107**
S17: Tot ... 6M **133**
S35: Wharn S ... 2K **91**
S62: Rawm ... 9N **77**
S65: Roth ... 6A **96**
S66: Wick ... 8G **96**
S72: Cud ... 8B **18**
S75: Bar G ... 4N **35**
S81: Work ... 3C **142**
WF4: Ryh ... 1A **18**
WF9: Sth E ... 5E **20**
WF9: Sth K ... 7B **20**
Grove Av. DN5: Don ... 2L **63**
S6: Shef ... 2B **108**
S17: Tot ... 6M **133**
WF9: Hems ... 3L **19**
WF9: Sth K ... 7B **20**
Grove Cl. S36: Cub ... 6N **53**
S63: Wath D ... 7J **59**
WF9: Hems ... 3M **19**
Grove Ct. DN5: Marr ... 9A **42**
S66: Malt ... 8B **98**
S80: Work ... 8B **142**
Grove Dr. WF9: Sth K ... 7A **20**
Grove Gdns. S63: Thurn ... 9B **40**
Grove Hall Cl. DN3: Eden ... 6K **45**
Grove Head WF9: Sth K ... 7A **20**
Grove Hill Rd. DN2: Don ... 9F **44**
Grove Ho. WF9: Hems ... 3L **19**
Grove Ho. Ct. S17: Tot ... 5N **133**
Grove Ho. Dr. HD8: Clay W ... 7A **14**
Grove La. WF9: Hems ... 3L **19**
WF9: Sth K ... 7A **20**
Grove Lea Cl. WF9: Hems ... 3L **19**
Grove Mt. WF9: Sth K ... 7A **20**
Grove Pk. S72: Grim ... 3G **38**
Grove Pl. DN1: Don ... 5N **63**
WF9: Hems ... 3L **19**
Grove Rd. DN3: Kirk Sa ... 4G **45**
DN7: Fish ... 2D **26**
S7: Shef ... 8D **122**
S17: Tot ... 5N **133**
S36: Spink ... 6H **73**
S60: Roth ... 8K **95**
S63: Wath D ... 7J **59**
S75: Mapp ... 8B **16**
Grove Sq. S6: Shef ... 5F **108**
Grove St. S70: Wors ... 2K **57**
S71: Barn ... 7H **37**
WF9: Sth K ... 7A **20**
Grove Ter. WF9: Hems ... 3L **19**
Grove Va. DN2: Don ... 9F **44**
Grove Way WF9: Hems ... 3L **19**
WF9: Sth K ... 7A **20**
Grudgby La. S36: Snow H ... 9C **54**
Gudgeon Hole La. S35: Cran M ... 8M **55**
S75: Hood G ... 8M **55**
Guernsey Rd. S2: Shef ... 4H **123**
Guest La. DN4: Warm ... 8H **63**
S75: Silk ... 7J **35**
Guest Pl. S60: Roth ... 9M **95**
S74: Hoyl ... 8M **57**
Guest Rd. S11: Shef ... 3D **122**
S60: Roth ... 9M **95**
S75: Barn ... 5E **36**
Guest St. S74: Hoyl ... 8M **57**
Guilbert Av. S66: Thurc ... 7K **113**
Guildford Av. S2: Shef ... 3L **123**
Guildford Cl. S2: Shef ... 3L **123**
Guildford Dr. S2: Shef ... 3L **123**
Guildford Ri. S2: Shef ... 3M **123**
Guildford Rd. DN2: Don ... 9E **44**
S71: R'ton ... 4J **17**
Guildford Vw. S2: Shef ... 4M **123**
Guildford Wlk. S2: Shef ... 3M **123**
Guildford Way S2: Shef ... 3L **123**
Guildhall Ind. Est. DN3: Kirk Sa ... 5H **45**
Guild Rd. S65: Roth ... 7A **96**
Guildway S26: Tod ... 6K **127**
Guile Carr La. DN7: Hat ... 7D **26**
GUILTHWAITE ... 5B **112**
Guilthwaite Comn. La. S60: Up W ... 7B **112**
Guilthwaite Cres. S60: Whis ... 3N **111**
Guilthwaite Hill S60: Whis ... 6B **112**
Guinea Ga. HD9: Hade E ... 9G **31**
Guinevere Dr. WF9: Sth E ... 7F **20**
Gullane Dr. DN4: Warm ... 9H **63**
Gullingwood Dr. S65: Thry ... 3F **96**
GULLY ... 4F **30**
Gully, The HD8: Shep ... 3N **31**
Gully Ter. HD9: Holm ... 4F **30**
Gunhills La. DN3: Arm ... 9M **45**
Gunhills La. Ind. Est. DN3: Arm ... 9M **45**
Gun La. S3: Shef ... 1H **5**
GUNTHWAITE ... 6L **33**
Gunthwaite La. HD8: Up D ... 5J **33**
S36: Pen ... 6L **33**
Gunthwaite Top HD8: Up D ... 5J **33**
Gurney Rd. DN4: Balb ... 9M **63**
Gurth Av. DN3: Eden ... 6K **45**
Gurth Av. Cvn. Site DN3: Eden ... 6K **45**
Gurth Dr. S66: Thurc ... 7K **113**
Gwendoline M. S63: Wath D ... 1M **77**
Gwyn Reed Nature Reserve ... 8B **78**
Gypsy La. S66: Malt ... 3G **114**
S73: Womb ... 6E **58**
WF4: Wool ... 4N **15**

H

Habershon Dr. S35: Chap ... 8G **74**
Habershon Rd. S61: Kimb P ... 4F **94**
HACKENTHORPE ... 8F **124**
Hackenthorpe Stop (ST) ... 8G **125**
Hacket Cl. DN6: Carc ... 8G **22**
HACKING HILL ... 6G **21**
Hacking La. WF9: Sth E ... 6G **20**
Hackings Av. S36: Cub ... 6M **53**
Hackness La. S60: Brins ... 3H **111**
Hackthorn Rd. S8: Shef ... 8G **123**
HADDINGLEY ... 2A **32**
Haddingley La. HD8: Cumb ... 5N **31**
Haddon Cl. S18: Dron ... 8J **135**
S75: Dod ... 9N **35**
WF9: Sth E ... 4F **20**
Haddon Ri. S64: Mexb ... 9J **61**
Haddon Rd. S71: Ath ... 2J **37**
Haddon St. S3: Shef ... 6G **109**
Haddon Way S26: Aston ... 4E **126**
Hadds La. DN8: Thorne ... 4G **10**
Hadds Nook Rd. DN8: Thorne ... 6G **11**
HADE EDGE ... 9F **30**
Haden St. S6: Shef ... 4D **108**
Hadfield Cl. S9: Shef ... 7A **110**
Hadfield St. S6: Shef ... 7D **108**
Hadleigh Cl. S62: Rawm ... 1M **95**
Hadrian Rd. S60: Brins ... 2J **111**
Hadrians Cl. DN11: New R ... 7K **83**
Haggard Rd. S6: Shef ... 4E **108**
Hagg Hill S6: Shef ... 7A **108**
Hagg Hill La. S6: Shef ... 8C **92**
Hagg La. DN10: N'tn ... 4G **102**
S10: Shef ... 9L **107**
Hagg La. Cotts. S10: Shef ... 8M **107**
Haggonfields S80: Rhod ... 6L **141**
Haggs La. DN6: Moss ... 7D **8**
Haggstones Dr. S35: Ough ... 7L **91**
Haggstones Rd. S35: Ough ... 7L **91**
HAGGS WOOD ... 8A **26**
Hag Hill HD8: Eml'y ... 3A **14**
Hag Hill La. HD8: Eml'y ... 3A **14**
Hague Av. S21: Reni ... 9A **138**
S62: Rawm ... 7L **77**
Hague Cres. WF9: Hems ... 4L **19**
HAGUE HALL RDBT. ... 4L **19**
Hague La. S21: Reni ... 9N **137**
S35: High G ... 7D **74**
S62: Wentw ... 8B **76**
WF9: Sth K ... 7N **19**
Hague Pk. Cl. WF9: Sth K ... 6A **20**
Hague Pk. Coppice
WF9: Sth K ... 6A **20**
Hague Pk. Dr. WF9: Sth K ... 6A **20**
Hague Pk. Gdns. WF9: Sth K ... 6A **20**
Hague Pk. La. WF9: Sth K ... 6A **20**
Hague Pk. Wlk. WF9: Sth K ... 6A **20**
Hague Row S2: Shef ... 3J **5** (9K **109**)
(not continuous)
Hague Ter. WF9: Hems ... 3L **19**
Haids Cl. S66: Malt ... 6D **98**
Haids La. S66: Malt ... 6D **98**
Haids Rd. S66: Malt ... 6C **98**
Haig Cres. DN7: Stainf ... 6B **26**
DN11: New R ... 6H **83**
Haigh Cl. S36: H'swne ... 1B **54**
Haigh Ct. S63: Bramp B ... 9F **58**
Haigh Cft. S71: R'ton ... 5J **17**
Haigh Head Rd. S36: H'swne ... 9B **34**
Haigh Hill S75: Haigh ... 3L **15**
Haigh La. S36: H'swne ... 9C **34**
S75: Haigh ... 4L **15**
Haigh Memorial Homes *S8: Shef* ... *3H 135*
(off Meadowhead)
Haigh M. S75: Haigh ... 4L **15**
Haigh Moor Cl. S13: Shef ... 2E **124**
Haigh Moor Dr. S25: Din ... 2A **128**
Haigh Moor Rd. S13: Shef ... 3F **124**
Haigh Moor Wlk. S13: Shef ... 3E **124**
Haigh Moor Way S26: Swal ... 4N **125**
S71: R'ton ... 4K **17**
Haigh Rd. DN4: Balb ... 8L **63**
Haig Rd. DN8: Moore ... 6M **11**
Hail Mary Dr. S13: Shef ... 3K **125**
Haise Mt. S75: Dart ... 8B **16**
Hakehill Cl. DN4: Bess ... 9G **64**
Halcyon Cl. S12: Shef ... 8F **124**
Haldane Cl. S72: Brier ... 6F **18**
Haldane Rd. S65: Roth ... 5N **95**
Haldene S70: Wors ... 3J **57**
Haldon Way S81: Gate ... 2N **141**
Haldynby Gdns. DN3: Arm ... 1M **65**
Hale Hill La. DN7: Hatf W ... 3G **46**
Hale St. S8: Shef ... 5G **123**
Halesworth Rd. S13: Shef ... 1E **124**
Halfacre La. S18: Dron ... 9L **135**
HALFWAY ... 3L **137**
Halfway Cen. S20: Half ... 3L **137**
Halfway Cl. S20: W'fld ... 3M **137**
S63: Gol ... 2B **60**
Halfway Dr. S20: Half ... 3L **137**
Halfway Gdns. S20: Half ... 3L **137**
Halfway (Park & Ride) ... 3M **137**
Halfway Stop (ST) ... 3M **137**
Halifax Av. DN12: Con ... 4M **79**
Halifax Cres. DN5: Don ... 1K **63**
Halifax Dr. S81: Work ... 2B **142**
Halifax Hall of Residence
S10: Shef ... 2C **122**
Halifax Rd. S6: Gren, Shef ... 9E **92**
S35: Gren ... 6E **92**
S35: Thurg ... 8H **55**
S36: Pen ... 1M **53**
Halifax St. S71: Barn ... 4F **36**
Hallam Chase S10: Shef ... 2C **122**
(Endcliffe Va. Rd.)
S10: Shef ... 1M **121**
(Sandygate Rd.)
Hallam Cl. DN4: Bess ... 8F **64**
S26: Augh ... 2B **126**
S73: Womb ... 5E **58**

Hallam Ct.—Hatfield Cl.

Hallam Ct. S10: Shef 2E 122
(off Clarke Dell)
S18: Dron 9H 135
S63: Bolt D 6A 60
Hallam Dale Ct. S62: Rawm 7N 77
Hallamgate Rd. S10: Shef 1C 122
Hallam Grange Cl. S10: Shef 3L 121
Hallam Grange Cres. S10: Shef 2L 121
Hallam Grange Cft. S10: Shef 2L 121
Hallam Grange Ri. S10: Shef 2L 121
Hallam Grange Rd. S10: Shef 2L 121
HALLAM HEAD 1M 121
Hallam La. S1: Shef 6F 5 (1H 123)
Hallam Pl. S62: Rawm 9N 77
Hallam Rd. S60: Roth 2M 111
Hallam Rock S5: Shef 3J 109
Hallamshire Bus. Pk.
S11: Shef 7C 4 (2F 122)
Hallamshire Cl. S10: Shef 3K 121
Hallamshire Dr. S10: Shef 3K 121
Hallamshire Golf Course 1M 121
Hallamshire Rd. S10: Shef 3K 121
Hallamshire Vw. S10: Shef 1M 121
Hallam Way S35: Eccl 5J 93
Hall Av. S64: Mexb 1G 78
S74: Jum 8A 58
Hall Balk La. DN11: Lov 4N 81
S75: Barn 5E 36
Hall Bank S75: Barn 4E 36
Hall Brig DN5: Clay 4B 40
Hall Broome Gdns.
S63: Bolt D 4B 60
Hallcar St. S4: Shef 7K 109
Hall Cl. S18: Dron W 8D 134
S25: Nth A 5B 128
S63: Bramp B 8H 59
S70: Wors 5H 57
WF9: Hems 2K 19
Hall Cl. Av. S60: Whis 3B 112
Hall Cotts. DN5: Barnb 4J 61
S66: Mort 4G 113
Hall Ct. S13: Shef 1F 124
S25: Din 3C 128
S65: Rav 1H 97
Hall Cres. S60: Roth 2A 112
Hall Cft. S66: Wick 9H 97
S73: Womb 3F 58
Hallcroft Dr. DN3: Arm 3M 65
Hallcroft Gdns. S72: Gt H 6L 39
S74: Hoyl 9N 57
Hallcroft Ri. S71: R'ton 6J 17
Hall Cross 5B 64
Hall Cross Av. S73: Womb 6F 58
Hall Cross Hill DN1: Don 5B 64
Hall Dr. S63: Wath D 1K 77
S80: Work 8A 142
Haller Cl. DN3: Arm 1J 65
Hall Farm Cl. S26: Augh 1B 126
Hall Farm Cft. S25: Din 3D 128
Hall Farm Dr. S63: Thurn 9C 40
Hall Farm Gro. S36: H'swne 1C 54
Hall Farm Ri. S63: Thurn 9C 40
Hall Fld. La. WF4: Hav 2A 18
Hall Flat La. DN4: Balb 8L 63
Hall Gdns. S72: Brier 6G 18
Hall Ga. DN1: Don 4A 64
S36: Pen 3N 53
S64: Mexb 2H 79
Hallgate S63: Thurn 9C 40
Hallgate Rd. S10: Shef 9B 108
Hall Gro. S60: Roth 8L 95
S75: Stain 8D 16
Halliday Cl. S80: Work 7A 142
Halliwell Cl. S5: Shef 1E 108
Halliwell Cres. S5: Shef 9E 92
Hall La. DN6: Nort 7H 7
DN7: Sth B 5K 25
S6: Brad 9L 89
S36: H'swne 1C 54
WF9: Sth E 3G 20
Hall Mdw. Cft. S20: Half 5M 137
Hall Mdw. Dr. S20: Half 4M 137
Hall Mdw. Gro. S20: Half 5M 137
Hall Mews S65: Rav 1H 97
Hallowes Ct. S18: Dron 9J 135
Hallowes La. S18: Dron 9J 135
Hallowes Ri. S18: Dron 9K 135
HALLOWMOOR 3B 108
Hallowmoor Rd. S6: Shef 3A 108
Hall Pk. Head S6: Shef 7M 107
Hall Pk. Hill S6: Shef 7N 107
Hall Pk. Mt. S6: Shef 7N 107
Hall Pl. S71: Monk B 4K 37
Hall Rd. DN7: Stainf 5A 26
S9: Shef 9E 110
S13: Shef 1E 124
S26: Augh 2B 126
S60: Roth 8L 95
S66: Malt 8A 98
Hall Royd La. S75: Silk C 1J 55
Hall Royd Wlk. S75: Silk C 2J 55
Halls Ct. S8: Shef 8G 122
Hallside Ct. DN3: Can 6L 65
S20: Mosb 4K 137
Hall St. DN5: Barnb 4J 61
S60: Roth 7J 95
S63: Gol 3D 60
S73: Womb 5E 58
S74: Hoyl 9M 57
Hallsworth Av. S73: Hem 8B 58
Hall Vw. S35: Chap 8H 75
S75: Cawt 4G 34
S80: Work 8A 142
Hall Vw. Rd. DN11: New R 7K 83
Hall Villa La. DN5: Bntly 3L 43
Hallwood Ri. S35: Chap 9E 74
Hall Wood Rd. S35: Chap 9D 74
Hallworth Wlk. S21: Mar L 8E 136
Hallyburton Cl. S2: Shef 5K 123
Hallyburton Dr. S2: Shef 5K 123
Hallyburton Rd. S2: Shef 5K 123
Halmshaw Ter. DN5: Bntly 8L 43
Halsall Av. S9: Shef 9C 110
Halsall Dr. S9: Shef 9B 110
Halsall Rd. S9: Shef 9C 110
Halsbury Rd. S65: Roth 5N 95
Halstead Gro. S75: Mapp 7B 16
Halsteads S13: Shef 2D 124
Halton Ct. S12: Shef 8J 125
Hamble Ct. S75: Mapp 9D 16
Hambleton Cl. S74: Els 9B 58
S75: Barn 6C 36
Hambleton Ct. S81: Carl L 4B 130
Hameline Rd. DN12: Con 4N 79
Hamel Ri. WF9: Hems 3K 19
Hamer Wlk. S65: Roth 6B 96
Hamilton Cl. DN4: Don 6C 64
S64: Mexb 9H 61
Hamilton Ct. DN12: Con 4A 80
S64: Swin 3C 78
Hamilton M. DN4: Don 5C 64
Hamilton Pk. Rd. DN5: Scaws 1H 63
Hamilton Rd. DN4: Don 6C 64
S5: Shef 2L 109
S63: Gol 1E 60
S66: Malt 9F 98
Hamilton St. S81: Work 4A 142
Hammerton Cl. S6: Shef 5D 108
Hammerton Rd. S6: Shef 5D 108
Hammond St. S3: Shef 1B 4 (8F 108)
Hampden Cres. DN7: Lind 8J 47
Hampden Rd. S64: Mexb 1F 78
Hamper La. S36: H'swne, Pen 1B 54
HAMPOLE 8N 21
Hampole Balk La. DN6: Skell 8C 22
Hampole Dr. S63: Thurn 9B 40
Hampole Fld. La. DN6: Ham 8L 21
Hampson Gdns. DN3: Eden 5K 45
Hampstead Grn. S61: Kimb P 4E 94
Hampton Ct. S73: D'fld 2F 58
Hampton Rd. DN2: Don 4C 64
DN7: Dunsc 9B 26
S5: Shef 3K 109
Hanbury Cl. DN4: Balb 2L 81
S18: Dron 9G 135
S71: Monk B 4L 37
Hand La. S35: Cran M, Thurg 7K 55
Handley Ct. DN9: Finn 3H 85
Handley Cross M. DN4: Can 7K 65
Handley St. S3: Shef 7J 109
Hands Rd. S10: Shef 8D 108
HANDSWORTH 2F 124
Handsworth Av. S9: Shef 9D 110
Handsworth Cres. S9: Shef 9D 110
Handsworth Gdns. DN3: Arm 1M 65
Handsworth Grange Cl. S13: Shef 3G 125
Handsworth Grange Cres.
S13: Shef 2G 125
Handsworth Grange Dr. S13: Shef 2H 125
Handsworth Grange Rd. S13: Shef 2G 124
Handsworth Grange Way
S13: Shef 2H 125
HANDSWORTH HILL 8D 110
Handsworth Rd. S9: Shef 9D 110
S13: Shef 1E 124
Hanging Bank Ct. S25: Nth A 6C 128
HANGING WATER 3A 122
Hangingwater Cl. S11: Shef 3A 122
Hangingwater Cotts. S11: Shef 4A 122
(off Hangingwater Rd.)
Hangingwater Rd. S11: Shef 4A 122
Hangman Stone La.
DN5: High M, Marr 3M 61
Hangman Stone Rd.
DN5: Barnb, Marr 6L 61
Hangram La. S11: Shef 7K 121
Hangsman La.
S25: Laugh C, Laugh M 9A 114
Hangthwaite La. DN6: Woodl 5G 43
Hangthwaite Rd. DN6: Adw S 1H 43
Hanley Cl. S12: Shef 7H 125
Hanmoor Rd. S6: Stan 6L 107
Hannah Rd. S13: Shef 4K 125
Hannas Royd S75: Dod 9B 36
Hanover Ct. S3: Shef 6B 4 (1F 122)
S70: Wors 2H 57
Hanover Sq. S3: Shef 6C 4 (1G 122)
S63: Thurn 8D 40
Hanover St. S3: Shef 6B 4 (1G 122)
(not continuous)
S63: Thurn 7D 40
Hanover Way S3: Shef 5B 4 (1F 122)
Hanover Works S3: Shef 1D 4
Hansby Cl. DN11: Tick 6E 100
Hanslope Vw. DN3: Kirk Sa 3H 45
Hanson Rd. S6: Lox 4M 107
Hanson St. S70: Barn 6G 36
Hanwell Cl. S35: Eccl 5J 93
Harbord Rd. S8: Shef 9F 122
Harborough Av. S2: Shef 9N 109
Harborough Cl. S2: Shef 1A 124
Harborough Dr. S2: Shef 1A 124
Harborough Hill Rd. S71: Barn 7G 37
Harborough Ri. S2: Shef 1A 124
Harborough Rd. S2: Shef 1A 124
Harborough Way S2: Shef 2A 124
Harbury St. S13: Shef 3L 125
Harcourt Cl. DN4: Bess 8F 64
Harcourt Cres. S10: Shef 8E 108
Harcourt Ri. S35: Chap 1J 93
Harcourt Rd. S10: Shef 9E 108
Harcourt Ter. S65: Roth 7M 95
Hardcastle Dr. S13: Shef 4G 124
Hardcastle Gdns. S13: Shef 4G 124
Hardcastle Rd. S13: Shef 5G 124
Harden Cl. S36: Cub 5N 53
S75: Barn 6B 36
Harden M. DN3: Arm 2M 65
Hardhurst Farm Camp Site
S33: Aston 9A 118
Hardie Cl. S66: Malt 9F 98
Hardie Pl. S62: Rawm 8M 77
Hardie Rd. WF4: Hav 1C 18
Hardie St. S21: Ecki 7K 137
Harding Av. S62: Rawm 6K 77
Harding Cl. S62: Rawm 7K 77
Harding Ct. S62: Rawm 6K 77
Hard La. S26: Hart, Kiv P 3K 139
HARDWICK 2H 127
Hardwick Cl. S18: Dron 8J 135
S26: Aston 4E 126
S70: Wors 3H 57
S71: R'ton 5L 17
WF4: Ryh 1A 18
Hardwick Ct. DN11: Birc 8L 101
Hardwick Cres. S11: Shef 3D 122
S71: Ath 1H 37
S80: Work 8E 142
Hardwicke Rd. S65: Roth 5L 95
Hardwick Gro. S75: Dod 1A 56
Hardwick La. S26: Aston 4G 127
Hardwick Rd. E. S80: Work 8E 142
Hardwick Rd. W. S80: Work 8E 142
Hardwick St. S65: Roth 5C 96
Hardy Pl. S6: Shef 6E 108
Hardy Rd. DN2: Don 1B 64
Hardy St. S60: Roth 6J 95
S80: Work 8B 142
Haredon Cl. S75: Mapp 7B 16
Harefield Rd. S11: Shef 3E 122
Hare Hills La. S36: Bolst 9J 73
Harehills Rd. S60: Roth 8L 95
Harewood Av. DN3: Kirk Sa 4J 45
DN6: Woodl 3D 42
S70: Barn 7C 36
Harewood Cl. DN4: Balb 2K 81
Harewood Ct. DN11: Birc 8L 101
DN11: Ross 6L 83
Harewood Dr. DN10: Baw 5C 102
Harewood Gro. S66: Bram 7J 97
Harewood La. WF9: Upton 1H 21
Harewood Rd. DN2: Don 4D 64
S81: Work 3C 142
Harewood Way S11: Shef 9B 122
Hargrave Pl. S65: Thry 3E 96
Harland Rd. S11: Shef 2F 122
Harlech Cl. S35: Chap 8G 74
Harlech Fold S10: Shef 2H 121
Harlech Grn. S10: Shef 2H 121
Harlech Gro. S10: Shef 2H 121
Harlech Mead S10: Shef 2H 121
Harleston St. S4: Shef 6L 109
(not continuous)
HARLEY 5L 75
Harley Cl. S80: Work 9B 142
Harley Rd. S11: Shef 6A 122
S62: H'ley 5L 75
HARLINGTON 5H 61
Harlington DN5: Harl 5J 61
Harlington Ct. DN12: Den M 3M 79
Harlington Rd. S64: Mexb 1G 79
(Addison Rd., not continuous)
S64: Mexb 7E 60
(Crow Tree La.)
Harmby Cl. DN6: Skell 7D 22
Harmer La. S1: Shef 4G 5 (9J 109)
Harmony Way S60: Cat 6J 111
Harney Cl. S9: Shef 7C 110
Harold Av. DN6: Woodl 3E 42
S71: Lund 4M 37
Harold Cft. S61: Grea 1J 95
Harold St. S6: Shef 6E 108
Harpenden Cl. DN7: Dunsc 2C 46
Harpenden Dr. DN7: Dunsc 2C 46
Harper Ri. DN12: Den M 3M 79
Harrier Ct. DN9: Auck 2D 84
Harriers Ct. WF9: Sth E 8E 20
Harriet Cl. S70: Barn 9H 37
Harrington Ct. S71: Lund 4M 37
Harrington Rd. S2: Shef 3H 123
Harrington St. DN1: Don 3A 64
S80: Work 8A 142
Harris Hawk Way S63: Wath D 7K 59
Harrison Dr. S81: L'gld 9B 116
Harrison Dr. Bus. Cen. S81: L'gld 8C 116
Harrison La. S10: Shef 4H 121
Harrison Rd. S6: Shef 5C 108
Harrison St. S61: Roth 7G 94
Harris Rd. DN3: Arm 1J 65
S6: Shef 2C 108
Harrogate Dr. DN12: Den M 3K 79
Harrogate Rd. S26: Swal 5B 126
Harrop Dr. S64: Swin 5B 78
Harrop Gdn. Flats S64: Swin 3C 78
(off Queen St.)
Harrop La. S10: Shef 5H 121
Harrowden Ct. S9: Tins 2E 110
Harrowden Rd. DN2: Don 1B 64
S9: Tins 2E 110
Harrow Rd. DN3: Arm 9M 45
Harrow St. S11: Shef 7C 4
WF9: Sth E 6D 20
Harry Firth Cl. S9: Shef 7A 110
Harry Rd. S75: Barn 5C 36
Harstoft Av. S81: Work 5C 142
Hartcliff Av. S36: Pen 4M 53
Hartcliffe La. S36: Thurl 6H 53
Hartcliffe Vw. S35: Thurg 8H 55
Hartcliff Hill Rd. S36: Pen 7J 53
Hartcliff Rd. S36: Pen 7F 52
Hartford Cl. S8: Shef 8H 123
Hartford Rd. S8: Shef 8H 123
HARTHILL 4K 139
Hart Hill S62: Rawm 6K 77
Harthill Fld. Rd. S26: Hart 5L 139
Harthill La. S43: Barl 9K 139
Harthill Rd. DN12: Con 5M 79
S13: Shef 4B 124
S80: Thorpe S 3N 139
Hart Hills S73: Hem 8B 58
Hartington Av. S7: Shef 8D 122
Hartington Cl. S61: Roth 7G 94
Hartington Ct. S18: Dron 8J 135
Hartington Dr. S71: Barn 4G 36
Hartington Rd. S7: Shef 8D 122
S18: Dron 8J 135
S61: Roth 7G 95
Hartland Av. S20: Sot 9N 125
Hartland Ct. S20: Sot 9N 125
Hartland Cres. DN3: Eden 6J 45
Hartland Dr. S20: Sot 9N 125
Hartland Rd. S80: Work 8B 142
Hartley Brook Av. S5: Shef 7K 93
Hartley Brook Rd. S5: Shef 7K 93
Hartley Cl. S64: Kiln 5C 78
WF9: Sth E 5F 20
Hartley La. S61: Roth 6J 95
Hartley St. S2: Shef 4H 123
S64: Mexb 2E 78
Hartopp Av. S2: Shef 5K 123
Hartopp Cl. S2: Shef 5K 123
Hartopp Dr. S2: Shef 5L 123
Hartopp Rd. S2: Shef 5K 123
Hartshaw S60: Roth 8L 95
(off Moorgate Rd.)
Hartshead S1: Shef 2F 5 (8J 109)
Hartshead Sq. S1: Shef 2G 5
Harvest Av. S66: Thurc 6L 113
Harvest Cl. DN3: Eden 5K 45
DN4: Balb 7K 63
S66: Malt 9A 98
S70: Wors 3H 57
S81: Carl L 4C 130
S81: Work 3E 142
Harvest La. S3: Shef 7H 109
Harvest Rd. S66: Wick 8G 96
Harvey Cl. DN9: Finn 2G 85
Harvey Clough M. S8: Shef 8J 123
Harvey Clough Rd. S8: Shef 8H 123
Harvey Rd. S35: Chap 9H 75
Harvey St. S36: Spink 5F 72
S70: Barn 8E 36
HARWELL 9K 103
Harwell La. DN10: H'well 9K 103
Harwell Rd. S8: Shef 4G 123
Harwell Sluice La. DN10: H'well 8K 103
Harwich Rd. S2: Shef 2M 123
Harwood Cl. S2: Shef 3H 123
Harwood Dr. S20: Water 1K 137
Harwood Gdns. S20: Water 1L 137
Harwood St. S2: Shef 3H 123
Harwood Ter. S71: Lund 6M 37
HARWORTH 9J 101
Harworth Av. S81: Bly 6K 117
Harworth Pk. Ind. Est.
DN11: H'worth 3K 117
Harworth Pl. DN10: Baw 6C 102
Harworth Rd. S81: Bly 5K 117
Haslam Cres. S8: Shef 4E 134
Haslam Pl. S66: Malt 7F 98
Haslam Rd. DN11: New R 5J 83
Haslehurst Gdns. S80: Work 8B 142
Haslehurst Rd. S2: Shef 1M 123
Haslemere Ct. DN5: Don 1L 63
Haslemere Gro. DN5: Don 1L 63
Hassop Cl. S18: Dron 8K 135
Hassop Ct. S60: Wav 9H 111
(off Stephenson Way)
Hassop Cft. S75: Dod 9N 35
Hastilar Cl. S2: Shef 3B 124
Hastilar Rd. S2: Shef 3B 124
Hastilar Rd. Sth. S13: Shef 3C 124
Hastings Mt. S7: Shef 7D 122
Hastings Rd. S7: Shef 7D 122
Hastings St. S72: Grim 1G 39
Hatchell Dr. DN4: Bess 1K 83
Hatchellwood Vw. DN4: Bess 1L 83
HATFIELD 9E 26
Hatfield & Stainforth Station (Rail) 7B 26
Hatfield Cl. S71: Smi 1F 36

Hatfield Gdns.—Herringthorpe Cl.

Hatfield Gdns. S71: R'ton 5J **17**
Hatfield Gro. S25: Laugh C 9A **114**
Hatfield Ho. *DN1: Don 5N 63*
(off Grove Pl.)
Hatfield Ho. Ct. S5: Shef 8L **93**
Hatfield Ho. Cft. S5: Shef 8L **93**
Hatfield Ho. La. S5: Shef 9K **93**
Hatfield La. DN3: Arm, Eden 6L **45**
DN3: Barn D 1J **45**
Hatfield Rd. DN8: Thorne 3K **27**
Hatfield Water Pk. 8F **26**
HATFIELD WOODHOUSE 2H **47**
Hathaway Ct. S26: Wales 9G **127**
Hatherley Rd. S9: Tins 1E **110**
S64: Swin 1C **78**
S65: Roth 6L **95**
Hathersage Rd. S11: Dore 5D **132**
S17: Dore 2J **133**
S33: Bamf 9D **118**
Hatter Dr. DN12: New E 6F **80**
Hatton Cl. S18: Dron W 9E **134**
Hatton Rd. S6: Shef 5E **108**
Haugh Grn. S62: Rawm 6K **77**
Haugh La. S11: Shef 7A **122**
Haugh Rd. S62: Rawm 6J **77**
Haughton Rd. S8: Shef 9G **123**
Hauxwell Cl. DN6: Skell 7D **22**
Havelock Rd. DN4: Balb 6N **63**
Havelock St. S10: Shef 5A **4** (1F **122**)
S70: Barn 8E **36**
S73: D'fld 2G **58**
Haven, The S26: Kiv S 9N **127**
S81: Carl L 5D **130**
Haven Bus. Cen. S61: Roth 6H **95**
Haven Farm Ct. S25: Sth A 7C **128**
Havenfield S73: D'fld 1G **59**
Haven Hill S81: Fir 6A **116**
Haven Hill Rd. S5: Shef 6H **93**
HAVERCROFT 1C **18**
Havercroft Grn. WF4: Hav 1B **18**
Havercroft Pl. S21: Killa 3A **138**
Havercroft Ri. S72: Sth H 3E **18**
Havercroft Rd. S8: Shef 7F **122**
S60: Roth 1B **112**
Havercroft Ter. S21: Killa 3A **138**
Haverdale Ri. S75: Barn 5E **36**
Haverdale Rd. WF4: Hav 1C **18**
Haverhill Gro. S73: Womb 4E **58**
Haverlands, The WF9: Hems 3L **19**
Haverlands La. S70: Wors 3E **56**
Haverlands Ridge S70: Wors 3G **57**
Haw Ct. S75: Silk 7H **35**
Hawes Cl. S64: Mexb 9H **61**
Hawfield Cl. DN4: Hex 6L **63**
Hawke Cl. DN6: Nort 7J **7**
S62: Rawm 7J **77**
Hawkehouse Grn. La. DN6: Moss 2F **24**
Hawke Rd. DN2: Don 1C **64**
Hawke St. S9: Shef 4A **110**
Hawk Hill La. S66: Bramp M 8J **113**
Hawkhills S6: Shef 6A **108**
Hawkins Av. S35: Burn 9F **74**
Hawkins Cl. DN11: H'worth 8K **101**
Hawks Cliff Vw. S75: Dod 9M **35**
Hawkshead Av. S18: Dron W 9E **134**
Hawkshead Cres. S25: Nth A 5D **128**
Hawkshead Rd. S4: Shef 3N **109**
Hawksley Av. S6: Shef 4D **108**
Hawksley Cl. DN3: Arm 1L **65**
Hawksley Ct. DN3: Arm 9L **45**
Hawksley M. S6: Shef 4D **108**
Hawksley Ri. S35: Ough 7M **91**
Hawksley Rd. S6: Shef 4D **108**
Hawksway S21: Ecki 7H **137**
Hawksworth Cl. S65: Roth 6B **96**
Hawksworth Rd. S6: Shef 6E **108**
S65: Roth 6B **96**
Hawkwell Bank S71: Ard 8A **38**
Hawley St. S1: Shef 2E **4** (8H **109**)
S18: App 9A **136**
S62: Rawm 9M **77**
Haworth Bank S60: Roth 3M **111**
Haworth Cl. S71: Monk B 5J **37**
Haworth Cres. S60: Roth 3M **111**
Haworth Ind. Est. DN11: H'worth 2K **117**
Haw Royd S70: Barn 9H **37**
Hawshaw Bank S74: Hoyl 8K **57**
Hawshaw La. S74: Hoyl 9K **57**
Hawson Way S81: Gate 3N **141**
Hawthorn Av. DN3: Arm 8L **45**
S20: Water 1K **137**
S66: Malt 8B **98**
Hawthorne Av. DN6: Nort 7K **7**
DN7: Dunsv 4A **46**
DN8: Thorne 9K **11**
S18: Dron 7H **135**
S25: Sth A 8B **128**
S36: Stoc 4B **72**
S62: Rawm 9N **77**
S71: Lund 6L **37**
WF9: Hems 3K **19**
Hawthorne Chase S64: Swin 3B **78**
Hawthorne Cl. S21: Killa 5C **138**
Hawthorne Ct. S65: Roth 6A **96**
S75: Kexb 9K **15**
Hawthorne Cres. DN6: Skell 8E **22**
S64: Mexb 1D **78**
S75: Dod 8N **35**
WF9: Hems 3J **19**
Hawthorne Cft. S63: Gol 2B **60**
Hawthorne Dr. S63: Bolt D 5C **60**
Hawthorne Farm Ct. *S63: Bolt D 5C 60*
(off Station Rd.)
Hawthorne Flats S63: Thurn 7C **40**
Hawthorne Gro. DN5: Bntly 6M **43**
DN8: Thorne 9K **11**
Hawthorne Pl. S26: Swal 4D **126**
Hawthorne Rd. DN8: Thorne 9K **11**
DN9: Auck 2C **84**
S63: Wath D 1N **77**
Hawthornes, The S20: Beig 7M **125**
S66: B'well 5E **98**
Hawthorne St. S6: Shef 6C **108**
S70: Barn 8F **36**
S72: Shaft 6C **18**
Hawthorne Way S72: Shaft 6C **18**
Hawthorn Gro. DN12: Con 6M **79**
S75: Silk 7H **35**
Hawthorn M. S35: High G 6E **74**
Hawthorn Rd. S6: Shef 4C **108**
S21: Ecki 8H **137**
S35: High G 7F **74**
Hawthorn Ter. *S10: Shef 9D 108*
(off Parker's La.)
Hawthorn Way S81: Carl L 4B **130**
Hawtop La. WF4: Wool 3A **16**
Haxby Cl. S13: Shef 5E **124**
Haxby Pl. S13: Shef 5E **124**
Haxby St. S13: Shef 5E **124**
Haybrook Ct. S17: Tot 5N **133**
Haydn Rd. S66: Malt 9F **98**
Haydock Av. S25: Laugh C 1A **128**
Haydock Chase S25: Laugh C 1A **128**
Haydock Cl. S64: Mexb 9G **61**
Haydon Gro. S66: Flan 7G **96**
Hayes Ct. S20: Half 4L **137**
Hayes Cft. S70: Barn 7G **36**
Hayes Dr. S20: Half 4K **137**
Hayes La. DN7: Fost 9C **10**
Hayfield Cl. DN3: Barn D 1K **45**
HD9: Scho 4H **31**
S18: Dron W 9E **134**
S75: Dod 9N **35**
Hayfield Ct. DN9: Auck 2D **84**
Hayfield Cres. S12: Shef 8D **124**
Hayfield Dr. S12: Shef 8D **124**
Hayfield La. DN9: Auck, Finn 3M **83**
Hayfield La. Bus. Pk. DN9: Auck 2C **84**
Hayfield M. DN9: Auck 2C **84**
Hayfield Pl. S12: Shef 8D **124**
Hayfield Vw. S21: Ecki 7H **137**
Hayfield Wlk. *S61: Kimb P 4E 94*
(off Byrley Rd.)
HAY GREEN
DN7 1D **26**
S70 8G **56**
Hay Grn. Ct. S70: Birdw 8G **57**
Hay Grn. La. S70: Birdw 8G **56**
Hayhurst Cres. S66: Malt 9E **98**
Hayland St. S9: Shef 2B **110**
Haylock Cl. S75: High'm 5N **35**
Haymarket S1: Shef 2G **5** (8J **109**)
Haynes Cl. DN8: Thorne 3L **27**
Haynes Gdns. DN8: Thorne 2L **27**
Haynes Grn. DN8: Thorne 2L **27**
Haynes Gro. DN8: Thorne 3L **27**
Haynes Rd. DN8: Thorne 2L **27**
Haythorne Way S64: Swin 5C **78**
Haywagon Mobile Home Pk.
DN6: Adw S 1H **43**
HAYWOOD 3B **24**
Haywood Av. S36: Spink 5F **72**
Haywood Cl. S65: Roth 6B **96**
Haywood La. DN5: Hayw 5N **23**
S36: Spink 5F **72**
(not continuous)
Haywood Pl. DN6: Ask 1M **23**
Hazel Av. DN9: Auck 2C **84**
DN17: Crow 6M **29**
S21: Killa 5B **138**
Hazelbadge Cres. S12: Shef 8E **124**
Hazel Ct. S65: Rav 5K **97**
Hazel Cft. S17: Dore 2L **133**
Hazel Gdns. *S70: Wors 1J 57*
(off Overdale Av.)
Hazel Gro. DN3: Arm 9M **45**
DN11: New R 6J **83**
DN12: Con 5N **79**
S35: Chap 1G **75**
S66: Wick 8H **97**
Hazel Ho. *S8: Shef 7F 122*
(off Archer Rd.)
Hazelhurst Cl. S65: Dalt 4C **96**
Hazelhurst La. S8: Shef 2N **135**
Hazel La. DN6: Ham 7M **21**
Hazel Rd. DN7: Dunsc 8B **26**
DN12: New E 4F **80**
S21: Ecki 8J **137**
S66: Malt 8B **98**
Hazelshaw S75: Dod 1B **56**
Hazelshaw Gdns. S35: High G 7E **74**
Hazelwood S71: Monk B 3H **37**
Hazelwood Cl. S18: Dron W 9D **134**
Hazelwood Dr. S64: Swin 6C **78**
S71: Lund 5L **37**
Hazelwood Gdns. WF9: Hems 3L **19**
Hazelwood Gro. S80: Work 8M **141**
Hazelwood Way S60: Wav 8J **111**
Hazlebarrow Cl. S8: Shef 4J **135**
Hazlebarrow Ct. S8: Shef 3J **135**
Hazlebarrow Cres. S8: Shef 4J **135**
Hazlebarrow Dr. S8: Shef 3J **135**
Hazlebarrow Gro. S8: Shef 3K **135**
Hazlebarrow Rd. S8: Shef 4J **135**
Hazledene Cres. S72: Shaft 8D **18**
Hazledene Rd. S72: Shaft 8C **18**
Headford Gdns. S3: Shef 5C **4** (1G **122**)
Headford Gro. S3: Shef 5C **4** (1G **122**)
Headford M. S3: Shef 6C **4** (1G **122**)
Headford Pde. S3: Shef 5C **4**
Headford St. S3: Shef 5C **4** (1G **122**)
Headingley Cl. DN3: Kirk Sa 3J **45**
Headingley Rd. DN6: Nort 7H **7**
Headingley Way DN12: New E 3G **80**
Headland Dr. S10: Shef 9B **108**
Headland Rd. S10: Shef 9B **108**
Headlands Rd. S74: Hoyl 9L **57**
Heads La. S36: Bolst 8B **72**
Heald Ct. HD9: H'bri 5B **30**
Heald La. S75: Cawt 5B **34**
Healthy Living Cen.
Upperthorpe 7F **108**
Heartswood Rd. DN5: Bntly 5N **43**
Heath Av. S21: Killa 5C **138**
Heath Bank Rd. DN2: Don 9F **44**
Heathcote Cl. S75: Wool G 6N **15**
Heathcote St. S4: Shef 3L **109**
Heath Ct. DN4: Warm 8H **63**
Heathcroft Chase S71: Ard 8B **38**
Heatherbank Rd. DN4: Bess 8H **65**
Heathercliff Way S36: Pen 4A **54**
Heather Cl. DN11: Tick 5E **100**
S60: Roth 9L **95**
WF9: Sth K 6C **20**
Heather Ct. DN2: Don 8G **44**
S63: Bolt D 4A **60**
S66: Bram 9J **97**
Heatherdale Rd. S66: Malt 8F **98**
Heatherfields Cres. DN11: New R 4F **82**
Heather Knowle S75: Dod 9B **36**
Heather Lea Av. S17: Dore 3L **133**
Heather Lea Pl. S17: Dore 3L **133**
Heather Rd. S5: Shef 1M **109**
Heather Wlk. S63: Bolt D 4A **60**
Heatherwood Cl. DN2: Don 1F **64**
Heathfield Cl. DN3: Barn D 2K **45**
S18: Dron 9G **135**
Heathfield Rd. S12: Shef 7D **124**
Heathfields S70: Barn 8J **37**
Heath Gro. S63: Bolt D 6A **60**
Heath Ho. *DN1: Don 5N 63*
(off Grove Pl.)
Heathland Ct. S71: Lund 6L **37**
Heath Rd. S6: Shef 9E **92**
S36: Spink 6F **72**
Heathy La. S6: Holl M 7K **105**
Heaton Cl. S18: Dron W 9E **134**
Heaton Gdns. DN12: New E 4G **80**
Heatons Bank S62: Rawm 8N **77**
Heator La. HD8: Up C 1D **32**
Heavens Wlk. DN4: Don 6A **64**
Heavygate Av. S10: Shef 6C **108**
Heavygate Rd. S10: Shef 6D **108**
Hebble Ct. HD9: Holm 2E **30**
Hebble Dr. HD9: Holm 1E **30**
Hebble La. HD9: Holm 2E **30**
Hebble Oval WF9: Sth E 7G **20**
Hebble Way WF9: Sth E 7G **20**
Hedge Hill Rd. S36: Thurl 4K **53**
Hedge La. S75: Dart 1M **35**
(not continuous)
Hedgerows, The S64: Mexb 7F **60**
HEELEY 5J **123**
Heeley Bank Rd. S2: Shef 4J **123**
Heeley City Farm 4H **123**
Heeley Grn. S2: Shef 5J **123**
Heeley Retail Pk. S8: Shef 5G **123**
Heeley Swimming Pool 5G **123**
Heelis St. S70: Barn 8G **36**
Heighton Vw. S26: Augh 2C **126**
Heights, The HD9: Scho 5G **31**
Heights Vw. S35: Thurg 9J **55**
Helena Cl. S70: Barn 8E **36**
Helena St. S64: Mexb 1F **78**
HELLABY 9N **97**
Hellaby (Euroway) Ind. Est.
S66: Hel 7M **97**
Hellaby Hall Rd. S66: Hel 9N **97**
Hellaby La. S66: Hel 8N **97**
Hellaby Vw. S65: Rav 6J **97**
Helliwell Ct. S36: Spink 7G **72**
Helliwell Cft. *S36: Spink 6G 73*
(off Helliwell La.)
Helliwell La. S36: Spink 6G **73**
Helmsley Av. S20: Half 3K **137**
Helmsley Cl. S26: Swal 5B **126**
Helmton Dr. S8: Shef 9H **123**
Helmton Rd. S8: Shef 9G **123**
Helston Cres. S71: Monk B 5J **37**
Helston Ri. S7: Shef 7D **122**
HEMINGFIELD 8C **58**
Hemingfield Halt Station
Elsecar Heritage Railway 9C **58**
Hemingfield Rd. S73: Hem, Womb 6B **58**
Heming's Way WF9: Sth E 6G **20**
Hemmingfield Cl. S81: Work 2C **142**
Hemmingfield Cres. S81: Work 2C **142**
Hemmingfield Ri. S81: Work 2C **142**
Hemmingfield Rd. S81: Work 3C **142**
Hemmingfield Way S81: Work 2D **142**
Hemmingway Cl. S60: Tree 8L **111**
Hemper Gro. S8: Shef 3E **134**
Hemper La. S8: Shef 4E **134**
Hemp Pits Rd. DN5: Ark 7N **43**
HEMSWORTH
S14 9L **123**
WF9 2K **19**
Hemsworth Bus Station 2K **19**
Hemsworth By-Pass S72: Brier 5H **19**
WF9: Hems 4M **19**
HEMSWORTH MARSH 1M **19**
Hemsworth Rd. S8: Shef 9H **123**
WF9: Hems, Sth K 4L **19**
Hemsworth Sports Cen. 1L **19**
Hemsworth Water Pk. 1J **19**
Henderson Ct. S60: Roth 1K **111**
Henderson Glen S71: R'ton 6H **17**
Hendon St. S13: Shef 2F **124**
Hengist Rd. DN5: Don 5K **63**
Henley Av. S8: Shef 2J **135**
Henley Gro. Rd. S61: Roth 6H **95**
(not continuous)
Henley La. S61: Roth 5G **95**
Henley Ri. S61: Roth 5G **95**
Henley Rd. DN2: Don 2F **64**
Henley Way S61: Roth 5G **95**
Hennings Cl. DN4: Bess 8E **64**
Hennings La. DN4: Bess 7E **64**
Hennings Rd. DN4: Bess 1F **82**
Henry Adams Memorial Church
S73: Womb 4D 58
(off Barnsley Rd.)
Henry Av. WF4: Hav 1C **18**
Henry Cl. S72: Shaft 6C **18**
Henry Ct. DN8: Thorne 9L **11**
S62: P'gte 2M **95**
S65: Roth 6K **95**
Henry La. DN11: New R 4G **83**
Henry Moore Ct. S75: Wool G 6M **15**
Henry Pl. S64: Mexb 1H **79**
Henry Rd. S63: Wath D 9N **59**
Henry St. S3: Shef 1C **4** (7G **108**)
S21: Ecki 7K **137**
S35: High G 7D **74**
S65: Roth 6K **95**
(not continuous)
S70: Wors 2H **57**
S73: Womb 3F **58**
Henshall St. S70: Barn 8H **37**
Henson St. S9: Shef 6B **110**
Heppenstall La. S9: Shef 6N **109**
Heptinstall St. S70: Wors 2J **57**
HEPWORTH 6J **31**
Hepworth Cl. S75: Wool G 6N **15**
Hepworth Cres. HD9: Hep 5J **31**
Hepworth Dr. S26: Aston, Swal 4C **126**
Hepworth Rd. DN4: Balb 8K **63**
HD9: Jack B 5J **31**
Herald Rd. DN3: Eden 7H **45**
Herbert Cl. DN5: Don 2L **63**
Herbert Rd. DN5: Don 2L **63**
S7: Shef 5F **122**
Herbert St. S61: Kimb 6E **94**
S64: Mexb 1G **79**
HERDINGS 8M **123**
Herdings Ct. S12: Shef 8A **124**
Herdings Park Stop (ST) 9M **123**
Herdings Rd. S12: Shef 8A **124**
Herdings Stop (ST) 8N **123**
Herdings Vw. S12: Shef 8N **123**
Hereford Cl. S81: Work 4D **142**
WF9: Hems 1K **19**
Hereford Rd. DN2: Don 9E **44**
Hereford St. S1: Shef 6E **4** (2H **123**)
(not continuous)
Hereward Ct. DN12: Con 4C **80**
Hereward Rd. S5: Shef 9J **93**
Hereward's Rd. S8: Shef 1L **135**
Heritage Ct. *S73: Hem 7D 58*
(off Beech Ho. Rd.)
Heritage M. S74: Els 2A **76**
Hermes Cl. DN10: Baw 5B **102**
Hermitage, The DN8: Moore 7M **11**
Hermitage St. S2: Shef 7D **4** (2G **123**)
HERMIT HILL 9B **56**
Hermit Hill S35: Wort 1N **73**
Hermit Hill La. S35: Wort 2M **73**
Hermit La. S75: Barn, High'm 6N **35**
Heron Ct. DN2: Don 9D **44**
DN12: Con 4D **80**
Heron Dr. S63: Bramp B 8F **58**
S64: Mexb 1K **79**
Heron Glade S81: Gate 3N **141**
Heron Hill S26: Aston 5D **126**
Heron Mt. S2: Shef 1M **123**
Herons Way DN4: Balb 8A **64**
S70: Birdw 7G **57**
Herrick Dr. S81: Work 6F **142**
Herrick Gdns. DN4: Balb 9N **63**
Herrick Rd. DN3: Barn D 9J **25**
Herries Av. S5: Shef 2H **109**
Herries Dr. S5: Shef 2H **109**
Herries Pl. S5: Shef 2H **109**
Herries Rd. S5: Shef 2E **108**
S6: Shef 2D **108**
Herries Rd. Sth. S6: Shef 2D **108**
Herril Ings DN11: Tick 5E **100**
HERRINGTHORPE 8A **96**
Herringthorpe Av. S65: Roth 9A **96**
Herringthorpe Cl. S65: Roth 8A **96**

Herringthorpe Gro.—Hill Top Dr.

Herringthorpe Gro. S65: Roth 9B 96
Herringthorpe La. S65: Roth 8B 96
Herringthorpe Stadium 8N 95
Herringthorpe Valley Rd.
  S60: Roth 1B 112
  S65: Roth 5B 96
Herriot Gro. DN11: Birc 9K 101
Herschell Rd. S7: Shef 4G 123
  (not continuous)
Herten Way DN4: Don 6E 64
Hesketh Dr. DN3: Kirk Sa 4K 45
Hesley Bar S61: Thorpe H 1M 93
Hesley Ct. DN12: Den M 3L 79
  S64: Swin 5B 78
Hesley Grange S61: Scho 3C 94
Hesley Gro. S35: Chap 1K 93
Hesley La. S61: Thorpe H 1M 93
Hesley M. S61: Scho 3C 94
Hesley Rd. DN11: H'worth 1J 117
  DN11: New R 6J 83
  S5: Shef 6L 93
Hesley Ter. S5: Shef 6L 93
Heslop Ct. S80: Work 7A 142
Heslow Gro. S61: Thorpe H 9M 75
Hessey St. S13: Shef 5F 124
Hessle Rd. S6: Shef 2C 108
Hethersett Way DN11: New R 7H 83
Hewitt Pl. S26: Hart 5K 139
Hewitt St. S64: Mexb 1H 79
HEXTHORPE 5M 63
Hexthorpe Bus. Pk. DN4: Hex 6M 63
Hexthorpe Rd. DN4: Hex 5M 63
Hey Cliff Rd. HD9: Holm 3F 30
Heyhouse Dr. S35: Chap 7G 75
Heyhouse Way S35: Chap 7G 75
Heys Gdns. HD9: T'bri 1F 30
Heysham Grn. S71: Monk B 2L 37
Hey Slack La. HD8: Cumb 6N 31
Heys Rd. HD9: Holm, T'bri 1G 30
Heywood Bottom HD8: Den D 2K 33
Heyworth La. DN6: Moss 1A 24
Hibberd Pl. S6: Shef 4B 108
Hibberd Rd. S6: Shef 4B 108
Hibbert Ter. *S70: Barn 9G 37*
  (off Walnut Cl.)
HICKLETON 9H 41
Hickleton Ct. S63: Thurn 9B 40
Hickleton Golf Course 8G 40
Hickleton Rd. DN5: Barnb 3H 61
Hickleton St. DN12: Den M 3L 79
Hickleton Ter. *S63: Thurn 9D 40*
  (off Lidget La.)
Hickmott Rd. S11: Shef 3E 122
Hickson Dr. S71: Lund 4M 37
Hicks St. S3: Shef 6H 109
Hides St. S9: Shef 4B 110
High Alder Rd. DN4: Bess 7F 64
HIGHAM 5N 35
Higham Comn. Rd.
  S75: Bar G, High'm 5N 35
Higham Ct. S75: High'm 5N 35
Higham La. S75: Dod, High'm 6N 35
  (not continuous)
Higham Rd. S63: Bramp B 8G 58
Higham Vw. S75: Kexb 1M 35
High Ash Av. HD8: Clay W 7C 14
High Ash Cl. WF4: Nott 2G 17
High Ash Dr. S25: Sth A 8B 128
High Balk S75: Barn 4E 36
High Bank S36: Thurl 3K 53
  S65: Thry 3D 96
High Bank La.
  S36: Mill G, Thurl 2G 52
HIGH BRADFIELD 7E 90
High Bri. Rd. DN8: Thorne 3N 27
Highbury Av. DN4: Can 7H 65
Highbury Cres. DN4: Can 7H 65
Highbury Va. DN12: New E 5E 80
Highbury Way S75: Barn 3E 36
Highclere Ct. WF9: Sth E 6G 21
Highcliffe Ct. S11: Shef 4B 122
  S64: Swin 3C 78
Highcliffe Dr. S11: Shef 5A 122
  S35: Ough 7M 91
  S64: Swin 3C 78
Highcliffe Pl. S11: Shef 5A 122
Highcliffe Rd. S11: Shef 4A 122
High Cl. S75: Kexb 8M 15
High Comn. La. DN10: Aust 7A 84
  DN11: Tick 5J 101
High Ct. S1: Shef 2G 5 (8J 109)
High Cft. HD9: U'thng 3C 30
  S74: Hoyl 9M 57
Highcroft S11: Shef 4B 122
High Cft. Dr. S71: Ath 9G 16
Highdale Fold S18: Dron 9H 135
HIGHER STUBBIN 7H 77
HIGHFIELD
  S1 7F 5 (2H 123)
  WF9 3K 19
Highfield S63: Wath D 9M 59
Highfield Av. HD8: Birds E 4D 32
  S26: Kiv P 8K 127
  S63: Gol 2C 60
  S70: Wors 1G 56
  S71: Ath 2H 37
Highfield Cen. WF9: Hems 3K 19
Highfield Cl. DN3: Barn D 1K 45
  DN7: Dunsc 8D 26
Highfield Cotts. S75: Silk 7J 35
Highfield Ct. HD8: Shep 2B 32
  S64: Swin 3B 78
  S73: Womb 4C 58
Highfield Cres. DN8: Thorne 1J 27
Highfield Gro. S63: Wath D 8G 59
  S81: Carl L 6E 130
High Fld. Knoll S36: Pen 5A 54
High Fld. La. DN10: Aust 2D 102
Highfield La. DN6: Trum 5E 24
  DN6: Wome 1G 7
  S13: Shef 1H 125
  S60: Wav 8J 111
  S80: Work 9F 142
Highfield M. S60: Wav 9J 111
Highfield Pk. S66: Malt 7F 98
  (not continuous)
Highfield Pl. S2: Shef 3H 123
  WF9: Hems 3J 19
Highfield Range S73: D'fld 9G 39
Highfield Ri. S6: Stan 6K 107
Highfield Rd. DN1: Don 3B 64
  DN6: Ask 1M 23
  DN10: Baw 5D 102
  DN12: Con 4B 80
  S61: Grea 3J 95
  S64: Swin 3A 78
  S73: D'fld 1G 58
  WF9: Hems 4J 19
HIGHFIELDS 6G 43
Highfields DN17: Crow 7N 29
  HD9: Holm 4B 30
  S36: H'swne 1B 54
Highfields Country Pk. 5F 42
High Fld. Spring S13: Wav 8G 111
  S60: Cat 8H 111
Highfield Sq. S13: Wav 9J 111
Highfields Rd. S75: Kexb 9K 15
Highfield Vw. S60: Cat 6J 111
Highfield Vs. S81: Cos 3C 130
High Fisher Ga. DN1: Don 3A 64
HIGH FLATTS 5F 32
HIGHGATE 2B 60
High Ga. HD9: Holm 6E 30
Highgate S9: Tins 2E 110
  (not continuous)
  S73: Womb 5H 59
Highgate Cl. DN11: New R 6K 83
High Ga. Ct. S70: Stair 8L 37
Highgate Ct. S63: Gol 3B 60
Highgate Greyhound Racing Track 1B 60
Highgate La. S63: Bolt D, Gol 4B 60
High Ga. Way S72: Shaft 7C 18
High Greave S71: Smi 3H 37
Highgreave S5: Shef 6K 93
High Greave Av. S5: Shef 6J 93
High Greave Ct. S5: Shef 6K 93
High Greave Pl. S65: Roth 6B 96
High Greave Rd. S65: Roth 5B 96
HIGH GREEN 6E 74
High Grounds Rd. S80: Rhod 6N 141
High Grounds Way S80: Rhod 6M 141
High Gro. DN4: Bess 1K 83
Highgrove Ct. DN4: Can 9K 65
  S71: Car 9L 17
High Hazel Ct. S60: Tree 8L 111
High Hazel Cres. S60: Cat 6J 111
High Hazel Rd. DN8: Moore 6M 11
  S60: Tree 8L 111
High Hazels 8D 110
High Hazels Cl. S9: Shef 8D 110
High Hazels Mead S9: Shef 8D 110
High Hoe Ct. S80: Work 7D 142
High Hoe Dr. S80: Work 7D 142
High Hoe Rd. S80: Work 7D 142
High Hooton Rd. S25: Slade H 4C 114
  S66: Hoot L 4C 114
High Ho. Farm Ct. S26: Wales 9G 126
High Ho. Ter. S6: Shef 5E 108
HIGH HOYLAND 8E 14
High Hoyland La. S75: High H 1D 34
Highland Gro. S81: Work 5D 142
HIGHLANE 1E 136
High La. HD9: Scho 5G 30
  S12: Ridg 1E 136
  S36: Ingb 9G 32
  S66: Bramp M 1G 127
High Lee La. S36: H'swne 2B 54
High Levels Bank DN8: Thorne 6L 27
  DN17: Crow 9H 29
Highlow Vw. S60: Brins 3J 111
High Matlock Av. S6: Stan 6M 107
High Matlock Rd. S6: Stan 5M 107
High Mdw. DN10: Baw 6B 102
HIGH MELTON 6N 61
High Melton Golf Course 7N 61
Highmill Av. S64: Swin 3N 77
HIGH MOOR 5E 138
Highmoor Av. S26: Kiv P 9H 127
Highnam Cres. Rd. S10: Shef 9D 108
High Nook Rd. S25: Din 3E 128
High Pk. S80: Darf 9K 141
High Pavement Row
  S2: Shef 2K 5 (8K 109)
High Ridge S70: Wors 2G 57
Highridge Cl. DN12: Con 5B 80
High Rd. DN4: Balb 8L 63
  DN4: Warm 9G 63
  DN12: New E 5F 80
  S81: Carl L 6D 130
High Royd Av. S72: Cud 2B 38
High Royd La. S36: H'swne 2C 54
  S74: Hoyl 7J 57
Highroyds S70: Wors 1G 56
Highstone Av. S70: Barn 9F 36
Highstone Cnr. S70: Wors 1G 57
Highstone Ct. S70: Barn 9G 37
Highstone Cres. S70: Barn 9F 36
Highstone La. S70: Wors 1G 56
Highstone Pk. S70: Barn 9F 36
Highstone Rd. S70: Barn 9G 36
High Stones Pl. S5: Shef 6H 93
Highstone Va. S70: Barn 9F 36
Highstone Vw. S70: Barn 9G 37
High Storrs Cl. S11: Shef 5A 122
High Storrs Cres. S11: Shef 4B 122
High Storrs Dr. S11: Shef 5A 122
High Storrs Ri. S11: Shef 4B 122
High Storrs Rd. S11: Shef 5A 122
High St. DN1: Don 4N 63
  DN3: Barn D 1H 45
  DN5: Ark 6A 44
  DN5: Barnb 4H 61
  DN5: Bntly 9L 43
  DN6: Ask 2L 23
  DN6: Camp 1G 22
  DN6: Carc 9G 22
  DN6: Nort 7H 7
  DN7: Dunsv 5N 45
  DN7: Hat 1E 46
  DN9: Wroo 4N 67
  DN10: Aust 4E 102
  DN10: Baw 7C 102
  DN10: Ever 9L 103
  DN10: Miss 3K 103
  DN11: Wad 7M 81
  DN12: Con 4A 80
  DN17: Crow 7M 29
  HD8: Clay W 7B 14
  S1: Shef 3F 5 (9J 109)
  S9: Shef 2C 110
  S17: Dore 3M 133
  S18: App 9A 136
  S18: Dron 8G 135
  S20: Beig 7N 125
  S20: Mosb 3J 137
  S21: Ecki 7J 137
  S21: Killa 4C 138
  S25: Laugh M 7B 114
  S25: Sth A 7B 128
  S26: Swal 4B 126
  S35: Eccl 5H 93
  S36: Pen 4N 53
  S60: Roth 7K 95
  S60: Whis 3A 112
  S61: Kimb 6E 94
  S62: Rawm 1M 95
  S63: Bolt D 5B 60
  S63: Gol 2D 60
  S63: Thurn 8A 40
  S63: Wath D 9M 59
  S64: Mexb 2F 78
  S66: B'well 3E 98
  S66: Malt 8E 98
  S70: Barn 6F 36
  S70: Wors 2J 57
  S71: Monk B 4K 37
  S71: R'ton 6H 17
  S72: Bill 9M 39
  S72: Grim 2F 38
  S72: Gt H 6K 39
  S72: Shaft 6C 18
  S72: Sth H 4E 18
  S73: Womb 4D 58
  S74: Hoyl 9M 57
  S75: Dod 9A 36
  S75: Silk 9H 35
  S75: Stain 7B 16
  S81: Bly 9L 117
  WF4: Wool 2A 16
  WF9: Sth E 6F 20
  WF9: Upton 2F 20
High St. La. S2: Shef 3J 5 (9K 109)
High St. M. S20: Mosb 3J 137
Highthorn Rd. S64: Kiln 5C 78
High Thorns S75: Silk 8H 35
Highthorn Vs. S64: Kiln 5D 78
Highthorn Way S26: Kiv P 8L 127
Highton St. S6: Shef 6D 108
Hightown La. HD9: Holm 2E 30
High Trees S17: Dore 3M 133
  S60: Roth 1A 112
High Vw. S5: Shef 4H 109
  S71: R'ton 6J 17
High Vw. Cl. S73: D'fld 1H 59
High Well Hill La. S72: Sth H 3B 18
HIGH WINCOBANK 9A 94
Highwood Cl. S75: Kexb 9L 15
Highwood Pl. S21: Ecki 7J 137
HIGHWOODS 1D 78
Highwoods Cres. S64: Mexb 1D 78
Highwoods Rd. S64: Mexb 1D 78
High Wray Cl. S11: Shef 7C 122
Higson Row HD8: Clay W 6B 14
Hilary Way S26: Swal 4C 126
Hilda Ter. S72: Grim 2F 38
Hild Av. S72: Cud 4D 38
HILL 3D 30
Hillary Ho. DN2: Don 1C 64
Hill Cl. S6: Stan 6L 107
  S65: Roth 9D 96
Hillcote Cl. S10: Shef 2M 121
Hillcote Dr. S10: Shef 2M 121
Hillcote M. S10: Shef 2M 121
Hillcote Ri. S10: Shef 2M 121
Hill Crest DN6: Skell 8C 22
  S65: Thry 2D 96
  S74: Hoyl 1K 75
Hillcrest S63: Thurn 9B 40
  WF4: Hav 1C 18
  WF9: Hems 3K 19
  (off Highfield Rd.)
Hillcrest Dr. DN3: Brant 7N 65
  S25: Sth A 8B 128
  S35: Ough 7L 91
Hillcrest Ri. S26: Hart 5L 139
  S36: Spink 6H 73
Hill Crest Rd. S35: Chap 9G 75
  S65: Roth 6A 96
Hillcrest Rd. DN2: Don 1D 64
  S36: Spink 6G 73
Hillcrest Way S66: Sunn 5G 97
Hilldrecks Vw. S65: Rav 4J 97
Hill End Rd. S75: Mapp 1D 36
Hill Est. WF9: Upton 1G 20
Hill Farm Cl. S63: Thurn 9A 40
Hillfold WF9: Sth E 6G 20
HILLFOOT
  S17 6M 133
  S6 5E 108
Hillfoot Ct. S17: Tot 6M 133
Hillfoot Rd. S3: Shef 6F 108
  S17: Tot 5L 133
Hill Gdns. DN11: H'worth 9K 101
Hill Ho. HD9: Holm 6C 30
Hill Ho. La. HD9: Holm 6C 30
Hill Ho. Rd. HD9: Holm 6C 30
Hill La. HD9: Holm, U'thng 3B 30
Hill Rise Cl. S66: Sunn 7H 97
Hill Rd. DN11: H'worth 9J 101
HILLSBOROUGH 4D 108
Hillsborough 2D 108
Hillsborough Arc., The S6: Shef 4D 108
Hillsborough Barracks Bus. & Shop. Cen.
  S6: Shef 4E 108
Hillsborough Golf Course 1N 107
Hillsborough Gro. S6: Shef 2D 108
Hillsborough Interchange 4D 108
Hillsborough Leisure Cen. 3E 108
Hillsborough Park Stop (ST) 4D 108
Hillsborough Pl. S6: Shef 4D 108
Hillsborough Rd. DN4: Can 7H 65
  S6: Shef 4D 108
Hillsborough Vs. *WF9: Sth E 8E 20*
  (off Broad La.)
Hills Cl. DN5: Sprot 5J 63
  S64: Mexb 1F 78
Hillscroft Rd. DN9: Blax 1G 85
HILL SIDE 5J 53
HILLSIDE 7G 18
Hill Side S60: Whis 3A 112
  S61: Thorpe H 1N 93
  S65: Thry 3D 96
Hillside HD8: Den D 2J 33
  S20: Mosb 3J 137
  S25: Nth A 5B 128
  S71: Ard 8A 38
Hill Side Av. HD9: Hep 6J 31
Hillside Av. S5: Shef 7J 93
  S18: Dron 9H 135
Hillside Cl. S36: H'swne 1B 54
Hillside Ct. DN5: Sprot 7F 62
  S61: Grea 4K 95
  WF9: Sth E 5F 20
Hillside Cres. S72: Brier 7G 18
  S81: Work 5C 142
Hillside Dr. DN12: New E 5E 80
  S74: Hoyl 1N 75
Hillside Gro. S72: Brier 7F 18
Hill Side La. S36: Thurl 5J 53
Hillside Mt. S72: Brier 7G 18
Hillside Rd. DN2: Don 9F 44
Hillside Way S35: Wort 2M 73
Hills Rd. S36: Spink 5F 72
Hill St. HD9: Jack B 5J 31
  S2: Shef 2G 123
  S71: Stair 8M 37
  S73: D'fld 2G 58
  S74: Els 1A 76
  S80: Work 8B 142
HILL TOP
  DN12 7L 79
  HD8 7B 14
  S11 6N 121
  S35 5K 91
  S36 9E 34
  S6 5G 106
  S61 7C 94
  S71 1G 36
Hill Top S75: Cawt 3G 35
Hilltop S72: Brier 6F 18
Hill Top Av. S71: Ath 8F 16
Hill Top Cl. S60: Brins 3H 111
  S61: Kimb 7D 94
  S66: Malt 7B 98
  WF4: Nott 3J 17
Hill Top Ct. DN11: H'worth 9K 101
Hill Top Cres. DN2: Don 9F 44
  DN12: New E 6F 80
  S20: Water 1K 137
Hill Top Dr. S35: Wharn S 5K 91

Hill Top Est.—Hopwood La.

Hill Top Est. WF9: Sth K 8M **19**
Hilltop Gdns. DN12: Den M 4L **79**
Hilltop Grn. S5: Shef 1G **108**
Hill Top La. S35: Green M 3E **72**
S35: Gren 5C **92**
S61: Kimb 7D **94**
S65: Dalt M 6E **96**
S66: Dalt M 6E **96**
S75: Barn 5C **36**
Hill Top Ri. S35: Gren 6E **92**
Hill Top Rd. DN12: Con, Den M 3K **79**
HD9: Holm 7D **30**
S6: Stan 5F **106**
S35: Gren 6E **92**
S70: Birdw 7G **56**
Hilltops S62: Rawm 1M **95**
Hill Top Smithies S71: Smi 2G **36**
Hill Top Ter. HD8: Clay W 7C **14**
Hill Top Vw. HD9: Hade E 8F **30**
Hill Turrets Cl. S11: Shef 7A **122**
Hill Vw. E. S61: Kimb 5D **94**
Hill Vw. Rd. S61: Kimb 5D **94**
Hillwood Cl. S80: Work 8M **141**
Hilmian Way WF9: Hems 4M **19**
Hilton Dr. S35: Eccl 5J **93**
Hilton St. DN6: Ask 1L **23**
S75: Barn 6E **36**
Hindburn Cl. DN4: Bess 8E **64**
Hinde Ho. Cres. S4: Shef 2M **109**
Hinde Ho. Cft. S4: Shef 2M **109**
Hinde Ho. La. S4: Shef 3L **109**
Hinde St. S4: Shef 3M **109**
Hindewood Cl. S4: Shef 2M **109**
Hindle St. S70: Barn 7E **36**
Hindley La. DN11: Tick 6N **99**
Hind Rd. S60: Whis 2B **112**
Hinds Cres. WF9: Sth E 6E **20**
Hirst Comn. La. S6: Shef 7C **92**
Hirst Dr. S65: Roth 6C **96**
Hirst Ga. S64: Mexb 1H **79**
Hirst La. HD8: Cumb 4M **31**
S66: Stain 4J **99**
HMP & YOI Moorland (Closed)
DN7: Lind 7J **47**
HMP & YOI Moorland (Open)
DN7: Hat 7H **27**
HMP Doncaster DN5: Don 4M **63**
HMP Hatfield Lakes DN7: Lind 8J **47**
HMP Lindholme DN7: Lind 8J **47**
Hoades Av. S81: Woods 7J **129**
Hoar Stones Rd. S6: Brad 3M **105**
Hobart St. S11: Shef 3G **123**
Hobcroft Ter. DN6: Carc 8F **22**
Hob La. S18: Holme 9A **134**
S35: Ough 3G **90**
Hobson Av. S6: Shef 5F **108**
Hobson Pl. S6: Shef 5F **108**
Hodder Ct. S35: Chap 8G **75**
Hoddesdon Cres. DN7: Dunsc 3C **46**
Hodge La. WF8: Kirk Sm, Lit S 4C **6**
Hodgkinson Av. S36: Pen 4N **53**
Hodgson St. S3: Shef 6D **4** (1G **123**)
Hodroyd Cl. S72: Shaft 8D **18**
Hodroyd Cotts. S72: Brier 7G **18**
Hodroyd La. S72: Shaft 8D **18**
HODSOCK 4H **131**
Hodsock La. S81: Carl L, Hods 5E **130**
Hodster La. S72: Gt H 4J **39**
Hodstock Priory Gdns. 4H **131**
Hogarth Ri. S18: Dron 9G **134**
Hog Cl. La. HD9: Hep 8N **31**
Hogley La. HD9: Holm 4A **30**
Holbein Cl. S18: Dron 9G **134**
Holberry Cl. S10: Shef 5B **4** (1F **122**)
Holberry Gdns. S10: Shef 5A **4** (1F **122**)
Holborn Av. S18: Dron 8H **135**
Holbourne Gro. S35: High G 5E **74**
HOLBROOK 2N **137**
Holbrook Av. S20: Holb 2M **137**
Holbrook Cl. S20: Holb 1M **137**
Holbrook Dr. S13: Shef 5B **124**
Holbrook Ent. Pk. S20: Holb 2N **137**
Holbrook Grn. S20: Holb 2N **137**
Holbrook Ind. Est. S20: Holb 2N **137**
Holbrook Ri. S20: Holb 1M **137**
Holbrook Rd. S13: Shef 4B **124**
Holden Ct. S70: Barn 7F **36**
Holderness Cl. DN11: H'worth 9K **101**
Holderness Dr. S26: Aston, Swal 3C **126**
Holdin C'way. DN10: Miss 2G **102**
Holding S81: Work 5E **142**
Holdings Rd. S2: Shef 2L **123**
Holdroyds Yd. S75: Dod 1A **56**
HOLDWORTH 9H **91**
Holdworth La. S6: Brad 9H **91**
Hole Ho. La. S36: Stoc 5D **72**
Holgate S73: Womb 2B **58**
Holgate Av. S5: Shef 8G **92**
Holgate Cl. S5: Shef 7G **92**
Holgate Cres. S5: Shef 7H **93**
WF9: Hems 2J **19**
Holgate Dr. S5: Shef 7H **93**
Holgate Gdns. WF9: Hems 2J **19**
Holgate Hospital WF9: Hems 3G **18**
Holgate Mt. S70: Wors 1G **56**
Holgate Rd. S5: Shef 7H **93**
(not continuous)
Holgate Vw. S72: Brier 6G **19**
Holiwell Cl. S66: Malt 7F **98**
Holkham Ri. S11: Shef 9A **122**
Holland Av. DN17: Crow 7N **29**
Holland Cl. S62: Rawm 7M **77**
Holland Pl. S2: Shef 3H **123**
Holland Rd. S2: Shef 3H **123**
S35: High G 7E **74**
Holland St. S1: Shef 3D **4** (9G **109**)
Holles St. S80: Work 9C **142**
Hollies, The S81: Bly 1L **131**
Hollinberry La. S35: Howb 5C **74**
Hollin Bri. La. DN7: Hatf W 3K **47**
Hollin Bri. Rd. DN7: Hatf W 2J **47**
Hollin Brigg La. HD9: H'bri 6A **30**
HOLLIN BUSK 7D **72**
Hollin Busk La. S36: Spink 7E **72**
Hollin Busk Rd. S36: Spink 6E **72**
Hollin Cl. DN11: Ross 4L **83**
Hollin Cft. S75: Dod 8B **36**
Hollindale Dr. S12: Shef 6C **124**
Hollin Edge HD8: Den D 2K **33**
Hollin Edge La. S36: Bolst 9H **73**
Holling Cft. S36: Spink 5G **72**
Holling Hill La. S66: Wick 9E **96**
Holling Moor La. S66: Wick 9F **96**
Hollingreave HD9: New M 1J **31**
Holling's La. S65: Rav, Thry 3E **96**
Hollingswood Way S66: Sunn 6H **97**
Hollingworth Cl. S64: Mexb 9J **61**
Hollin Ho. La. HD8: Clay W 1B **34**
HD9: New M 3K **31**
S6: Lox 1H **107**
Hollin La. S36: Bolst 8E **72**
S36: Mill G 3D **52**
S75: Cawt 3H **35**
Hollin Moor La. S35: Thurg 7K **55**
Hollin Moor Vw. S35: Thurg 8H **55**
Hollin Rd. S35: Ough 7L **91**
Hollins, The S75: Dod 1B **56**
Hollins Cl. S6: Shef 7A **108**
Hollins Ct. S6: Shef 6A **108**
Hollins Dr. S6: Shef 7B **108**
HOLLINS END 6C **124**
Hollinsend Av. S12: Shef 6C **124**
Hollinsend Pl. S12: Shef 6C **124**
Hollinsend Rd. S12: Shef 7A **124**
Hollinsend Stop (ST) 6A **124**
Hollins La. DN6: Skelb 4L **21**
S6: Shef 6A **108**
Hollins Mt. WF9: Hems 2J **19**
Hollins Spring Av. S18: Dron 9H **135**
Hollins Wood Gro. S72: Cud 4D **38**
Hollis Cl. S62: Rawm 6K **77**
Hollis Cft. S1: Shef 2D **4** (8G **109**)
S13: Shef 5G **125**
Hollow, The S33: Bamf 8E **118**
Hollowdene S75: Barn 5C **36**
Hollow Ga. DN5: Cad 1A **80**
S35: Chap 9E **74**
S60: Whis 3A **112**
Hollowgate DN5: Harl, Barnb 5G **61**
HD9: Holm 3E **30**
S60: Roth 8L **95**
Hollowgate Av. S63: Wath D 7J **59**
Hollow La. S20: Half 4K **137**
HOLLOW MEADOWS 8N **105**
Hollow Mdws. M. S6: Holl M 8B **106**
Hollows, The DN4: Bess 9H **65**
DN9: Auck 9C **66**
Holly Av. DN5: Don 9L **43**
Holly Bank *WF9: Hems 1K **19***
(off Wakefield Rd.)
Hollybank Av. HD8: Up C 2F **32**
S12: Shef 5C **124**
Hollybank Cl. S12: Shef 5D **124**
Hollybank Cres. S12: Shef 5C **124**
Hollybank Dr. S12: Shef 5C **124**
Hollybank Rd. S12: Shef 5C **124**
Hollybank Way S12: Shef 5D **124**
Holly Barn Fold S65: Hoot R 8H **79**
Holly Bush Dr. S63: Thurn 8C **40**
Holly Bush La. DN3: Kirk Sa 5J **45**
Hollybush St. S62: P'gte 2M **95**
Holly Cl. S21: Killa 5B **138**
S35: Chap 1G **92**
WF9: Sth E 7E **20**
Holly Ct. DN11: H'worth 9H **101**
S10: Shef 2C **122**
*S70: Barn 9G **37***
(off Hornby St.)
Holly Cres. S66: Sunn 7H **97**
Hollycroft Av. S71: R'ton 6J **17**
Holly Cft. Gro. DN11: Tick 5E **100**
Holly Dene DN3: Arm 8K **45**
Holly Dr. DN5: Bntly 6M **43**
Holly Farm S72: Shaft 6C **18**
Holly Farm Ct. DN6: Burgh 5E **22**
Holly Fld. Cres. DN3: Eden 5J **45**
Holly Gdns. S12: Shef 5C **124**
Hollygarth Ct. WF9: Hems 2K **19**
Hollygate S70: Wors 2K **57**
Holly Gro. DN11: Ross 4K **83**
S12: Shef 5C **124**
S63: Gol 2B **60**
S63: Wath D 2M **77**
S72: Brier 6G **18**
*S73: D'fld 2G **58***
(off Snape Hill Rd.)
Holly Hall La. S35: Green M 3H **73**
Holly Ho. La. S35: Gren 5B **92**
Holly La. S1: Shef 3E **4** (9H **109**)
Holly Mt. S66: Wick 9H **97**
Holly Rd. DN8: Thorne 8L **11**
DN9: Auck 2C **84**
HD8: Clay W 7A **14**
Holly's Ho. Rd. S65: Rav 4K **97**
Holly St. DN1: Don 6N **63**
S1: Shef 3E **4** (9H **109**)
(not continuous)
WF9: Hems 2K **19**
Holly Ter. DN4: Balb 8K **63**
S26: Swal 3B **126**
Hollythorpe Cres. S8: Shef 7H **123**
Hollythorpe Ri. S8: Shef 7J **123**
Hollythorpe Rd. S8: Shef 7J **123**
Hollytree Av. S66: Malt 7B **98**
Hollywell Cl. S62: Rawm 7A **78**
Hollywell Dr. DN4: Bess 1L **83**
Hollywood Bowl
Sheffield 4C **110**
HOLMBRIDGE 6A **30**
Holm Cl. S18: Dron W 8E **134**
Holmclose HD9: H'bri 6A **30**
Holmdale Cres. HD9: N'thng 1D **30**
HOLME 7L **23**
Holme, The S18: Dron 7J **135**
Holme Bottom *HD9: New M 1J **31***
(off Holme La.)
Holme Bus. Pk. S81: Work 8A **130**
Holme Cl. S6: Shef 4D **108**
Holme Ct. HD9: New M 1J **31**
S63: Gol 3B **60**
Holmefield Cl. DN3: Arm 2M **65**
S81: Work 5D **142**
Holme Fleet La. DN7: Sth B 7G **25**
Holme Gdns. DN7: Stainf 5B **26**
Holme Hall La. S66: Stain 5J **99**
Holme Hill DN17: Crow 7M **29**
Holme Ho. La. HD9: New M 3L **31**
Holme La. DN5: Holme 8L **23**
HD9: New M 1J **31**
S6: Shef 5C **108**
S35: Gren 6E **92**
Holme Oak Way S6: Stan 5L **107**
Holme Ri. WF9: Sth E 7F **20**
Holmeroyd Rd. DN6: Adw S 1J **43**
HOLMES 8G **95**
Holmes, The DN1: Don 3A **64**
Holmes Carr Cres. DN11: New R 5G **82**
Holmes Carr Rd. DN4: Bess 9G **65**
DN11: New R 5G **82**
Holmes Ct. S61: Roth 7H **95**
Holmes Cres. S60: Tree 8L **111**
HOLMESDALE 7K **135**
Holmesdale Cl. S18: Dron 7K **135**
Holmesdale Rd. S18: Dron 7J **135**
HOLMESFIELD 9B **134**
Holmesfield *S61: Roth 7G **94***
(off Rosebery St.)
Holmes Fld. Cl. S26: Kiv S 9A **128**
Holmesfield Gro. S60: Wav 8H **111**
Holmesfield Rd. S18: Dron W 9C **134**
S35: Ough 7M **91**
Holmes La. DN12: Old D 6G **79**
S61: Roth 7G **95**
S65: Hoot R 6G **79**
Holmes Mkt., The *DN1: Don 3B **64***
(off Kings Rd.)
Holmes Rd. S66: Bram 9J **97**
Holme Stead Ct. DN17: Crow 7M **29**
Holmestyes La. HD9: Holm 8E **30**
Holme Valley Ct. HD9: Holm 1E **30**
Holme Vw. Av. HD9: U'thng 3B **30**
Holme Vw. Dr. HD9: U'thng 3B **30**
Holme Vw. Pk. HD9: U'thng 3C **30**
Holme Vw. Rd. S75: Kexb 9K **15**
Holme Way S81: Gate 1A **142**
Holme Wood Ct. DN3: Eden 6K **45**
Holme Wood Gdns. DN4: Bess 8H **65**
Holme Wood La. DN3: Arm 1N **65**
(not continuous)
Holmfield HD8: Clay W 7B **14**
Holmfield Av. HD8: Clay W 7B **14**
Holmfield Cl. HD8: Clay W 7B **14**
Holmfield Rd. HD8: Clay W 7B **14**
Holmfield Ter. *HD8: Clay W 7B **14***
(off Holmfield Av.)
Holmfirst Community Sports Cen. 1G **30**
HOLMFIRTH 3E **30**
Holmfirth Picturedrome 3E **30**
Holmfirth Pool 1F **30**
Holmfirth Rd. HD8: Shep 2N **31**
HD9: New M 1H **31**
Holmfirth Town Ga. HD9: Holm 3E **30**
Holm Flatt St. S62: P'gte 2L **95**
Holmhirst Cl. S8: Shef 9F **122**
Holmhirst Dr. S8: Shef 8F **122**
Holmhirst Rd. S8: Shef 8F **122**
Holmhirst Way S8: Shef 8F **122**
Holmhurst Cl. S81: Work 5A **142**
Holmley Bank S18: Dron 7H **135**
HOLMLEY COMMON 7H **135**
Holmley La. S18: Coal A, Dron 7H **135**
Holmoak Cl. S64: Swin 5C **78**
Holmshaw Cl. DN3: Eden 5K **45**
Holmshaw Dr. S13: Shef 3E **124**
Holmshaw Gro. S13: Shef 3E **124**
Holmsley Av. WF9: Sth K 7N **19**
Holmsley Gro. WF9: Sth K 7N **19**
Holmsley La. S72: Brier 8L **19**
WF9: Sth K 8L **19**
Holmsley Mt. WF9: Sth K 7N **19**
Holt Ho. Gro. S7: Shef 7E **122**
Holt La. HD9: Holm 2E **30**
Holtwood Rd. S4: Shef 5J **109**
Holwick Cl. S75: Silk 8H **35**
Holwick Ct. S70: Barn 7F **36**
Holy Grn. S1: Shef 6E **4** (1H **123**)
Holyoake Av. S13: Shef 2E **124**
Holyrood Av. S10: Shef 2H **121**
Holyrood Ri. S66: Bram 6J **97**
Holyrood Rd. DN2: Don 4D **64**
Holyrood Vw. S10: Shef 2H **121**
Holywell Cotts. S66: B'well 5E **98**
Holywell Ct. S4: Shef 2A **110**
Holywell Cres. S66: B'well 4E **98**
Holywell Ga. S4: Shef 2A **110**
Holywell Hgts. S4: Shef 2A **110**
Holywell La. DN12: Con 5A **80**
S66: B'well 4E **98**
Holywell Pl. *S65: Roth 6L **95***
(off Wharncliffe Hill)
Holywell Rd. S4: Shef 3N **109**
S9: Shef 3N **109**
S64: Kiln 5C **78**
Homecroft Rd. S63: Gol 2C **60**
Home Farm HD9: Holm 1A **30**
Home Farm Ct. DN5: Hick 9H **41**
DN5: Hoot P 3J **41**
S35: Wort 2M **73**
WF4: W Brett 2H **15**
Homefield Cres. DN5: Scawt 8J **43**
Home Mdws. DN11: Tick 7D **100**
Homestead, The DN5: Bntly 7M **43**
Homestead Cl. S5: Shef 8L **93**
Homestead Dr. S60: Brins 3H **111**
S62: Rawm 7M **77**
Homestead Gth. DN7: Hat 8D **26**
Homestead Rd. S5: Shef 8K **93**
Honey Lands La.
DN5: Bntly, Blk G, Holme 6A **24**
Honeymere Ct. S70: Barn 8J **37**
Honeysuckle Cl. DN4: Bess 7F **64**
S73: D'fld 3G **59**
Honeysuckle Ct. DN9: Finn 3G **84**
Honeysuckle Gdns. S70: Barn 9J **37**
Honeysuckle Rd. S5: Shef 1N **109**
Honeysuckle Wlk. DN9: Blax 9G **67**
HONEYWELL 5G **36**
Honeywell Cl. S71: Barn 5G **36**
Honeywell Gro. S71: Barn 4G **36**
Honeywell La. S71: Barn 5F **36**
S75: Barn 5F **36**
Honeywell Pl. S71: Barn 5G **36**
Honeywell St. S71: Barn 5G **36**
Honister Cl. S63: Bramp B 8G **59**
HOOBER 5G **76**
Hoober Av. S11: Shef 6A **122**
Hoober Ct. S62: Rawm 6K **77**
Hoober Fld. Rd. S62: Wentw 5G **77**
S63: Wath D 5G **77**
Hoober Hall La. S62: Wentw 3E **76**
S63: Wath D 3G **77**
Hoober La. S62: Wentw 5G **76**
Hoober Rd. S11: Shef 6B **122**
Hoober Stand 4F **76**
Hoober St. S63: Wath D 8H **59**
Hoober Vw. S62: Rawm 6K **77**
S73: Womb 6F **58**
HOOD GREEN 5N **55**
Hood Grn. Rd. S75: Hood G 5N **55**
HOOD HILL 6K **75**
Hoodhill Rd. S62: H'ley 6L **75**
Hood St. WF9: Sth E 8D **20**
Hoole La. S10: Shef 1D **122**
Hoole Rd. S10: Shef 9D **108**
Hoole St. S6: Shef 6D **108**
Hooley Rd. S13: Shef 5K **125**
Hooton Cl. S25: Laugh M 7C **114**
Hooton Cres. WF4: Ryh 1A **18**
Hooton La. S25: Laugh M, Slade H 7C **114**
S65: Rav 2H **97**
S66: Hoot L 9C **98**
HOOTON LEVITT 9C **98**
HOOTON PAGNELL 3J **41**
Hooton Rd. DN5: Brod 4L **41**
S64: Kiln 7D **78**
HOOTON ROBERTS 8J **79**
Hope Av. S25: Din 1D **128**
S63: Gol 2C **60**
Hopedale Rd. S12: Shef 7D **124**
Hopefield Av. S12: Shef 7D **124**
Hopefield Ct. HD9: Hade E 9F **30**
Hope Rd. S33: Aston, Hope, Thorn 9A **118**
S35: Ough 7N **91**
Hope St. S36: Stoc 5E **72**
S60: Roth 6J **95**
S64: Mexb 2F **78**
S71: Monk B 2N **37**
S73: Womb 5E **58**
(Gower St.)
S73: Womb 3F **58**
(Providence St.)
S75: Barn 6E **36**
S75: Stain 9D **16**
WF4: Hav 2C **18**
Hope St. Ind. Est. S60: Roth 5J **95**
Hopewell St. S70: Stair 8L **37**
Hop Hills La. DN7: Dunsc 8C **26**
Hop Inge, The S26: Hart 5L **139**
Hopping La. S35: Thurg 6H **55**
Hopwood La. S6: Stan 8K **107**

Hopwood St.—Ivy Hall Rd.

Hopwood St. S70: Barn 6F **36**
Hopyard La. DN11: Tick 4F **100**
Horace St. S60: Roth 8L **95**
Horbiry End S26: Tod 6K **127**
Horbury La. S35: Burn 1F **92**
Horbury Rd. S72: Cud 9B **18**
Hordron Rd. S36: Hazl 2N **69**
Hornbeam Cl. S35: Chap 1G **93**
Hornbeam Rd. S66: Flan 7G **97**
Hornby Ct. S11: Shef 4B **122**
Hornby M. *S70: Barn* *9H* ***37***
(off Hornby St.)
Hornby St. S70: Barn 9G **37**
(not continuous)
Horn Cote La. HD9: New M 1L **31**
(not continuous)
Horncroft S75: Cawt 3G **35**
Horndean Rd. S5: Shef 3L **109**
Horner Cl. S36: Stoc 5D **72**
Horner Rd. S7: Shef 4G **123**
Hornes La. S75: Stain 8D **16**
Horninglow Cl. DN4: Can 8K **65**
S5: Shef 1K **109**
Horninglow Mt. S5: Shef 1K **109**
Horninglow Rd. S5: Shef 1K **109**
Horn La. HD9: New M 2K **31**
S36: Ingb 7D **32**
Hornsby Rd. DN3: Arm 2M **65**
Hornthorpe Rd. S21: Ecki 8H **137**
Hornthwaite Cl. S36: Thurl 4K **53**
Hornthwaite Hill Rd.
S36: Thurl 5J **53**
Horse Carr Vw. S71: Ard 8A **38**
Horse Cft. La. S35: Wharn S 5K **91**
Horsefair Cl. S64: Swin 3C **78**
Horse Fair Grn. DN8: Thorne 2K **27**
Horsehills La. DN3: Arm 2K **65**
Horsemoor Rd. S63: Thurn 8A **40**
Horseshoe Cl. S26: Wales 8H **127**
Horse Shoe Ct. DN4: Balb 8K **63**
Horseshoe Gdns. S26: Wales 8G **127**
Horseshoe La. S66: Malt 4J **115**
Horsewood Cl. S70: Barn 8C **36**
Horsewood Rd. S13: Shef 3K **125**
Horton Cl. S20: Half 3L **137**
Horton Dr. S20: Half 3L **137**
Horton Vw. DN3: Kirk Sa 3H **45**
Hough La. S73: Womb 6B **58**
Houghton Rd. S25: Nth A 2N **127**
S63: Thurn 8N **39**
Hound Hill La. S64: Mexb 7C **60**
S70: Wors 3E **56**
Houndhill Pk. S63: Wath D 9B **60**
Houndkirk Rd. S11: Dore, Shef 4E **132**
Hounsfield Cres. S65: Roth 6C **96**
Hounsfield La. S3: Shef 4B **4** (9F **108**)
Hounsfield Rd. S3: Shef 3B **4** (9F **108**)
S65: Roth 6C **96**
Houps Rd. DN8: Thorne 2L **27**
House Carr La. S75: Hood G 3K **55**
Housley La. S35: Chap 9G **75**
Housley Pk. S35: Chap 8G **75**
Houstead Rd. S9: Shef 9D **110**
Hoveringham Ct. S26: Swal 5B **126**
HOWARD HILL 7D **108**
Howard La. S1: Shef 5G **5** (1J **123**)
Howard Rd. DN11: Birc 9M **101**
S6: Shef 7D **108**
S66: Bram 8J **97**
S66: Malt 9F **98**
Howards Cl. S66: Thurc 6M **113**
Howard St. S1: Shef 5G **5** (1J **123**)
S25: Din 2E **128**
S60: Roth 6K **95**
S65: Roth 7L **95**
S70: Barn 9G **37**
S73: D'fld 2J **59**
S80: Work 8D **142**
Howarth Dr. S60: Brins 5K **111**
Howarth La. S60: Brins 4L **111**
(not continuous)
Howarth Rd. S60: Brins 4K **111**
Howbeck Cl. DN12: New E 5E **80**
Howbeck Dr. DN12: New E 5E **80**
HOWBROOK 5C **74**
Howbrook Cl. S35: High G 6D **74**
Howbrook La. S35: Wort, Howb 3M **73**
(not continuous)
Howden Av. DN6: Skell 8C **22**
Howden Cl. DN4: Bess 9F **64**
S75: Dart 8A **16**
Howden Rd. S9: Shef 5A **110**
Howdike La. S65: Hoot R 7G **79**
Howe La. S25: Slade H 4C **114**
Howell Gdns. S63: Thurn 9B **40**
Howell La. DN5: Clay 2L **39**
S72: Brier 2L **39**
Howell M. WF9: Sth K 7M **19**
Howell Wood Country Pk. 1M **39**
Howlett Cl. S60: Whis 3C **112**
Howlett Dr. S60: Brins 5J **111**
Howse St. S74: Els 9B **58**
Howson Cl. S65: Rav 5K **97**
Howson Rd. S36: Spink 5F **72**
Howville Av. DN7: Hat 2G **47**
Howville Rd. DN7: Hat 2G **47**
Hoylake Dr. S64: Swin 5C **78**
HOYLAND 9M **57**
Hoyland Cl. S36: Mill G 4G **53**
HOYLAND COMMON 1J **75**
Hoyland Leisure Cen. & Swimming Pool
9K **57**
HOYLAND LOWE 9L **57**
Hoyland Rd. S3: Shef 6F **108**
S74: Hoyl 1J **75**
Hoyland St. S66: Malt 8F **98**
S73: Womb 5D **58**
HOYLANDSWAINE 1C **54**
Hoyland Ter. WF9: Sth K 7N **19**
Hoy La. S64: Mexb 8D **60**
Hoyle Cft. La. S66: B'well 4C **98**
HOYLE MILL 7J **37**
Hoyle Mill La. S36: Thurl 3L **53**
Hoyle Mill Rd. S70: Stair 8L **37**
Hoyle St. S3: Shef 1D **4** (7G **109**)
HUBS, The 5G **5**
Hucklow Dr. S5: Shef 1L **109**
Hucklow Rd. S5: Shef 2L **109**
Huddersfield Rd. HD9: Holm, T'bri 3E **30**
HD9: New M 1H **31**
S36: Ingb, Pen 7H **33**
S70: Barn 4D **36**
S75: Barn 4D **36**
S75: Dart, Haigh, Kexb 1H **15**
WF4: W Brett 1G **14**
(Bower Hill La.)
WF4: W Brett 1H **15**
(Bretton La.)
Hudson Av. WF4: Nott 3J **17**
Hudson Cl. S26: Hart 3K **139**
Hudson Haven *S73: Womb* *3B* ***58***
(off Upton Cl.)
Hudson Rd. S13: Shef 3L **125**
S61: Kimb P 3E **94**
Hudson's M. DN1: Don 4N **63**
Huggin Carr Rd. DN7: Hatf W 7H **47**
Hughes Way S63: Wath D 8H **59**
Hugh Hill La. DN7: Stainf 5D **26**
Humber Cl. DN6: Skell 8E **22**
Humber Ct. DN6: Skell 8E **22**
Humberside Way S71: Car 2L **37**
Humber St. S80: Work 6B **142**
Hummingbird Wlk. S63: Wath D 8M **59**
Humphrey Rd. S8: Shef 2F **134**
Humphries Av. S62: Rawm 7K **77**
Humphries Gdns. S80: Work 9B **142**
Hund Oak Dr. DN7: Hat 9D **26**
Hundred Acre La. S81: Work 8E **130**
Hungerhill Cl. S61: Kimb P 5D **94**
Hunger Hill La. S60: Whis 3B **112**
Hungerhill La. DN3: Eden 6G **45**
Hunger Hill Rd. S60: Whis 2A **112**
Hungerhill Rd. S61: Kimb 4D **94**
Hunningley Cl. S70: Stair 9L **37**
Hunningley La. S70: Stair 1L **57**
(Burnsall Gro.)
S70: Stair 8L **37**
(Greggs Ct.)
Hunsdon Rd. S21: Ecki 7J **137**
HUNSHELF 9C **54**
HUNSHELF BANK 3D **72**
Hunshelf Hall La. S35: Green M 2C **72**
S36: Snow H 2C **72**
Hunshelf La. S35: Eccl 3J **93**
Hunshelf Pk. S36: Stoc 4E **72**
Hunshelf Rd. S35: Chap 9G **75**
S36: Stoc 4D **72**
(Pea Royd La.)
S36: Stoc 2B **72**
(Underbank La.)
Hunsley St. S4: Shef 4M **109**
Hunster Cl. DN4: Can 8J **65**
Hunster Flat La. DN11: New R 7J **83**
Hunster Gro. DN11: New R 6J **83**
Hunstone Av. S8: Shef 3H **135**
Hunt Cl. S71: Monk B 4K **37**
Hunter Ct. S11: Shef 4C **122**
Hunter Hill Rd. S11: Shef 3D **122**
Hunter Ho. Rd. S11: Shef 3D **122**
Hunter Rd. S6: Shef 4C **108**
Hunter's Av. S70: Barn 8B **36**
Hunters Bar S11: Shef 3D **122**
Hunters Chase S25: Din 9D **114**
Hunters Cl. S25: Din 9D **114**
Hunters Ct. S25: Din 9D **114**
Hunters Dr. S25: Din 9D **114**
Hunters Gdns. S6: Lox 3M **107**
S25: Din 9D **114**
Hunters Grn. S25: Din 9D **114**
Hunters La. S13: Shef 5C **124**
Hunters Pk. S25: Din 9D **114**
Hunters Ri. S75: Barn 7B **36**
Hunters Way S25: Din 9D **114**
Huntingdon Cres. S11: Shef 3F **122**
Huntingdon Rd. DN2: Don 2F **64**
Huntington St. DN5: Bntly 6L **43**
Huntington Way S66: Malt 6C **98**
Huntingtower Rd.
S11: Shef 4C **122**
Hunt La. DN5: Don 2M **63**
Huntley Gro. S11: Shef 5A **122**
Huntley Rd. S11: Shef 5B **122**
Huntsman Rd. S9: Shef 8D **110**
Hunt St. S74: Hoyl 1J **75**
Hurl Dr. S12: Shef 6N **123**
Hurley Cft. S63: Bramp B 8G **59**
(not continuous)
HURL FIELD 6M **123**
Hurlfield Av. S12: Shef 6N **123**
Hurlfield Ct. S12: Shef 5A **124**
Hurlfield Dr. S12: Shef 5N **123**
S65: Rav 6J **97**
Hurlfield Rd. S12: Shef 6M **123**
Hurlfield Vw. S12: Shef 5N **123**
Hurlingham Cl. S11: Shef 6D **122**
Hurlstone Cl. DN3: Eden 5K **45**
Hursley Cl. S20: Sot 1N **137**
Hursley Dr. S20: Sot 1N **137**
Hurstclough La. S32: Hath 9G **118**
S33: Hath 9G **118**
Hurst Grn. S35: High G 7E **74**
Hurst La. DN9: Auck 5N **83**
Hushells La. DN7: Fost 7A **10**
Huskar Cl. S75: Silk 8H **35**
Hutchinson Ct. S60: Roth 8L **95**
Hutchinson La. S7: Shef 8E **122**
Hutchinson Rd. S7: Shef 8E **122**
S62: Rawm 8N **77**
Hutcliffe Dr. S8: Shef 9E **122**
Hutcliffe Wood Crematorium
S8: Shef 9E **122**
Hutcliffe Wood Rd. S8: Shef 9E **122**
Hutcliffe Wood Vw. S8: Shef 1E **134**
Huthwaite La. S35: Thurg 1H **73**
Hut La. S21: Killa 6D **138**
Hutton Bank S66: Bram 9K **97**
Hutton Ct. DN3: Arm 9J **45**
Hutton Cft. S12: Shef 8H **125**
Hutton Dr. WF9: Sth E 5F **20**
Hutton Rd. S61: Kimb P 4E **94**
Hut Yd. DN11: Lov 4N **81**
Huxterwell Dr. DN4: Balb 2M **81**
Hyacinth Cl. S5: Shef 1N **109**
Hyacinth Rd. S5: Shef 1N **109**
HYDE PARK 6A **64**
Hyde Pk. Ind. Est.
DN4: Don 7B **64**
Hyde Park Stop (ST) 2K **5** (8L **109**)
Hyde Pk. Ter. S2: Shef 3K **5** (9K **109**)
Hyde Pk. Wlk. S2: Shef 3K **5** (9K **109**)
(not continuous)
Hydra Way S35: Eccl 3J **93**
Hyland Cres. DN4: Balb 9J **63**
Hyman Cl. DN4: Warm 8H **63**
Hyman Wlk. WF9: Sth E 5F **20**
Hyperion Way DN11: New R 6H **83**

I

Ibberson Av. S75: Mapp 9C **16**
Ibbotson Rd. S6: Shef 6D **108**
Ibsen Cres. DN3: Barn D 9J **25**
Icarus Cl. S33: Thorn 9B **118**
iceSheffield 5A **110**
ICKLES 9H **95**
ICKLES RDBT. 8J **95**
Ickles Way S60: Roth 9H **95**
Icknield Way S60: Brins 4J **111**
Ida Gro. S66: Malt 7B **98**
Ida's Rd. S21: Ecki 6K **137**
Idle Bank DN8: San 6H **49**
DN9: Epw 9G **48**
Idle Ct. DN10: Baw 6C **102**
Idsworth Rd. S5: Shef 2L **109**
Ilkley Cres. S26: Swal 5B **126**
Ilkley Rd. S5: Shef 9L **93**
Illsley Rd. S73: D'fld 1G **58**
i-motion Rotherham 2N **95**
Imperial Bldgs. S60: Roth 7K **95**
Imperial Cres. DN2: Don 3C **64**
Imperial M. S70: Birdw 7F **56**
Imperial St. S70: Barn 9G **37**
Imrie Pl. S26: Kiv P 9J **127**
Inchburn Cres. S36: Pen 4A **54**
Inch La. WF9: Sth E 3E **20**
Industry Rd. S9: Shef 7B **110**
S71: Car 1K **37**
Industry St. S6: Shef 6D **108**
(not continuous)
Infield La. S9: Shef 8D **110**
Infirmary Rd. S6: Shef 6F **108**
S62: P'gte 2N **95**
Infirmary Road Stop (ST) 7F **108**
INGBIRCHWORTH 7H **33**
Ingbirchworth La. S36: Ingb 8H **33**
Ingbirchworth Rd. S36: Thurl 3K **53**
Ingdale Dr. HD9: Holm 2F **30**
Ingelow Av. S5: Shef 8J **93**
Ingfield Av. S9: Tins 2E **110**
Ingham Bungs. S81: Cos 3C **130**
Ingham Rd. DN10: Baw 5B **102**
Ingleborough Cft. S35: Chap 8G **75**
Ingleborough Dr. DN5: Don 5J **63**
Ingleby Cl. S18: Dron W 9D **134**
Ingledene M. DN3: Barn D 1J **45**
Ingle Gro. DN5: Don 5J **63**
Inglemere Cl. S81: Work 5D **142**
Inglenook Ct. *S66: Malt* *9G* ***98***
(off Sousa St.)
Inglenook Dr. DN8: Thorne 1L **27**
Ingleton M. S71: Smi 2H **37**
Ingleton Wlk. S70: Barn 6E **36**
Inglewood S75: Dart 8B **16**
Inglewood Av. S20: Sot 1N **137**
Inglewood Ct. S20: Sot 1N **137**
Inglewood Dell S20: Sot 1N **137**
Ingram Ct. S2: Shef 1L **123**
Ingram Cres. DN7: Dunsc 1B **46**
Ingram Gro. DN7: Dunsc 1B **46**
Ingram Rd. DN7: Dunsc 2B **46**
S2: Shef 1L **123**
Ings, The HD8: Clay W 7B **14**
Ings Cl. WF9: Sth K 6C **20**
Ingsfield Ct. S63: Bolt D 5A **60**
Ingsfield La. S63: Bolt D 5L **59**
(not continuous)
Ingshead Av. S62: Rawm 9M **77**
Ings Holt WF9: Sth K 5C **20**
Ings Ho. WF9: Kins 1H **19**
Ings La. DN5: Ark 6C **44**
(Arksey Comn. La.)
DN5: Ark 6B **44**
(Chadwick Gdns.)
DN5: Sprot 5J **63**
DN6: Nort 8H **7**
DN6: Skell 9E **22**
DN7: Fish 3N **25**
S72: Lit H 9H **39**
Ings Mill Av. HD8: Clay W 6B **14**
Ings Mill Dr. HD8: Clay W 6B **14**
Ings Rd. DN5: Bntly, Don 2M **63**
DN5: Cad 9B **62**
S73: Womb 3F **58**
(not continuous)
WF9: Kins 1H **19**
Ings Wlk. WF9: Sth K 6C **20**
Ings Way DN5: Ark 6A **44**
S36: Ingb 7G **33**
Ingswell Av. WF4: Nott 2G **17**
Ingswell Dr. WF4: Nott 2G **17**
Inkerman Ct. HD8: Den D 3K **33**
Inkerman Rd. S73: D'fld 2G **58**
Inkerman Way HD8: Den D 3J **33**
Inkersall Dr. S20: W'fld 2L **137**
Innfold Farm WF4: W Brett 1H **15**
Innovate Pk. S63: Wath D 1C **78**
Innovation Way S13: Shef 3M **125**
S75: Barn 4D **36**
Insall Way DN9: Auck 3B **84**
Insley Gdns. DN4: Bess 8H **65**
Institute of Sports
Attercliffe 5A **110**
Instone Ter. DN6: Ask 3K **23**
INSTONEVILLE 2K **23**
INTAKE
DN2 3D **64**
S12 6A **124**
Intake Cres. S75: Dod 1A **56**
Intake Gdns. *S75: Barn* *6C* ***36***
(off Wade St.)
Intake La. HD8: Cumb 4M **31**
S72: Cud 9C **18**
S75: Barn 5C **36**
WF4: Wool 2M **15**
Interchange Way S70: Barn 6G **36**
S71: Barn 6G **36**
Inverness Rd. DN7: Dunsc 9C **26**
Iport DN11: New R 4E **82**
Iquarter S3: Shef 1H **5**
Ironside Cl. S14: Shef 9L **123**
Ironside Pl. S14: Shef 8M **123**
Ironside Rd. S14: Shef 9L **123**
Ironside Wlk. S14: Shef 9L **123**
Ironstone Cres. S35: Chap 7G **74**
Ironstone Dr. S35: Chap 7G **74**
Ironworks Pl. *S74: Els* *2B* ***76***
(off Wath Rd.)
Ironworks Row *S74: Els* *2B* ***76***
(off Wath Rd.)
Irving St. S9: Shef 8C **110**
Irwell Gdns. DN4: Can 4G **65**
Isinglass Dr. DN12: New E 4G **80**
Island Cl. S60: Roth 1B **112**
Islay St. S10: Shef 9C **108**
Isle Cl. DN17: Crow 6M **29**
Islington Dr. DN4: Bess 9J **65**
Issott St. S71: Barn 5G **36**
Ivanbrook Cl. S18: Dron W 9D **134**
Ivanhoe Av. S26: Kiv P 8K **127**
Ivanhoe Cl. DN5: Don 3K **63**
Ivanhoe M. S26: Swal 3B **126**
Ivanhoe Rd. DN3: Eden 7J **45**
DN4: Balb 9J **63**
DN12: Con 4N **79**
DN12: New E 5F **80**
S6: Shef 6B **108**
S66: Thurc 6K **113**
Ivanhoe Way DN5: Don 3K **63**
Ivatt Cl. DN10: Baw 5C **102**
Ivor Gro. DN4: Balb 7L **63**
Ivy Bank Cl. S36: Ingb 7G **33**
Ivy Bank Ter. S36: High F 7G **33**
Ivy Cl. DN7: Hat 9E **26**
DN11: Ross 5K **83**
WF9: Sth E 7D **20**
Ivy Cott. La. S11: Shef 5M **121**
Ivy Cotts. S11: Shef 4N **121**
S71: R'ton 5L **17**
S74: Black H 6L **57**
Ivy Ct. DN12: Old D 3J **79**
S8: Shef 9K **123**
S72: Cud 2B **38**
Ivy Dr. S10: Shef 8E **108**
Ivy Farm Cl. S71: Car 8L **17**
Ivy Farm Ct. DN5: Barnb 4H **61**
Ivy Farm Cft. S65: Dalt 4C **96**
Ivy Gro. *S10: Shef* *8E* ***108***
(off Ivy Dr.)
Ivy Hall Rd. S5: Shef 7M **93**

Ivy Ho. Ct.—Kilnhurst Bus. Pk.

Ivy Ho. Ct. DN9: Auck .8B 66
Ivy La. S20: Beig .7N 125
Ivy Lodge La. S81: Fir .8M 115
Ivy Pk. Ct. S10: Shef .2N 121
Ivy Pk. Rd. S10: Shef .1N 121
Ivy Rd. DN8: Thorne .8K 11
Ivy Rose Ct. DN7: Stainf .7A 26
Ivy Side Cl. S21: Killa .4C 138
Ivy Side Gdns. S21: Killa .4C 138
Ivy Ter. S70: Barn .8H 37
WF9: Sth E .6F 20

J

Jack Cl. Orchard S71: R'ton .5K 17
Jackdaw Dr. S63: Wath D .7L 59
Jackey La. S35: Ough .6K 91
Jack La. S36: Bolst .1E 90
Jack Row La. DN7: Fish .2L 25
JACKSON BRIDGE .5K 31
Jackson Cres. S62: Rawm .7L 77
Jackson Ho. *WF9: Hems .3K 19*
(off Lilley St.)
Jackson St. S63: Gol .2D 60
S72: Cud .2A 38
Jackson Way S61: Grea .2J 95
Jacks Way WF9: Upton .1H 21
Jackys La. S26: Hart .4K 139
Jacobs Cl. S5: Shef .9M 93
Jacobs Dr. S5: Shef .9M 93
Jacobs Hall Ct. S75: Kexb .9L 15
Jacques Pl. S71: Barn .6L 37
Jamaica St. S4: Shef .5L 109
James Andrew Cl. S8: Shef .3G 134
James Andrew Cres. S8: Shef .3F 134
James Andrew Cft. S8: Shef .3G 134
James Ct. DN8: Thorne .9L 11
WF9: Hems .3J 19
James Hince Ct. S81: Carl L .5B 130
James Rd. DN6: Adw S .1H 43
James St. S9: Shef .9C 110
S60: Roth .6J 95
(not continuous)
S64: Mexb .1J 79
S70: Wors .2K 57
S71: Barn .6G 37
S72: Sth H .4F 18
S81: Work .5B 142
James Walton Ct. S20: Half .3M 137
James Walton Dr. S20: Half .3M 137
James Walton Pl. S20: Half .3M 137
James Walton Vw. S20: Half .3M 137
Jane St. S6: Brad .7D 90
Janet's Wlk. S73: Womb .3A 58
Jans Cl. WF9: Upton .1G 21
Janson St. S9: Shef .4A 110
Jaque's Bank DN8: Med H, Thorne .8H 29
Jardine S81: Work .4E 142
Jardine Cl. S9: Shef .9A 94
Jardine St. S9: Shef .9B 94
S73: Womb .5D 58
Jarratt St. DN1: Don .5A 64
Jarrow Rd. S11: Shef .3E 122
Jasmine Av. S20: Beig .8M 125
Jasmine Cl. DN12: Con .5B 80
Jasmine Gdns. S26: Swal .3B 126
Jaunty Av. S12: Shef .8B 124
Jaunty Cl. S12: Shef .8B 124
Jaunty Cres. S12: Shef .7B 124
Jaunty Dr. S12: Shef .8B 124
Jaunty La. S12: Shef .7B 124
Jaunty Mt. S12: Shef .8C 124
Jaunty Pl. S12: Shef .8B 124
Jaunty Rd. S12: Shef .8C 124
Jaunty Vw. S12: Shef .8C 124
Jaunty Way S12: Shef .7B 124
Jay La. S26: Aston .5D 126
Jeanwood Rd. HD9: Holm .5F 30
Jebb La. S75: Haigh .6F 14
Jedburgh Dr. S9: Shef .9A 94
Jedburgh St. S9: Shef .9A 94
Jeffcock Pl. S35: High G .7F 74
Jeffcock Rd. S9: Shef .8C 110
S35: High G .7F 74
Jefferson Av. DN2: Don .7G 45
Jeffery Cres. S36: Spink .6F 72
Jeffery Grn. S10: Shef .4H 121
Jeffery St. S2: Shef .5J 123
Jenkin Av. S9: Shef .2A 110
Jenkin Cl. S9: Shef .1A 110
Jenkin Dr. S9: Shef .2A 110
Jenkin Rd. S5: Shef .1N 109
S9: Shef .1A 110
Jenkinson Gro. DN3: Arm .1J 65
Jenkin Wood Cl. S66: Sunn .6H 97
Jennings Cl. S65: Roth .5L 95
Jenny La. DN14: Balne .1B 8
S72: Cud .2B 38
Jepson Rd. S5: Shef .9N 93
Jericho St. S3: Shef .1B 4 (8G 108)
Jermyn Av. S12: Shef .7E 124
Jermyn Cl. S12: Shef .8F 124
Jermyn Cres. S12: Shef .8F 124
Jermyn Cft. S75: Dod .9A 36
Jermyn Dr. S12: Shef .8F 124
Jermyn Sq. S12: Shef .8F 124
Jermyn Way S12: Shef .8F 124
Jersey Rd. S2: Shef .4H 123
Jesmond Av. S71: R'ton .6J 17
Jessamine Rd. S5: Shef .9M 93
Jessell St. S9: Shef .7N 109
Jessop Ct. S25: Din .1D 128
Jessop St. S1: Shef .6E 4 (1H 123)
Jetstream Dr. DN9: Finn .2D 84
Jewitt Rd. S61: Kimb P .3E 94
Jew La. S1: Shef .3H 5
Joan Cft. La. DN5: Bntly .7B 24
Joan La. S33: Bamf .7E 118
S66: Hoot L .9C 98
Joan Royd La. S36: Cub .6L 53
Jockell Dr. S62: Rawm .9M 77
Jockey Rd. S36: Oxs .5D 54
John Calvert Rd. S13: Shef .5K 125
John Eaton's Almshouses S8: Shef .9J 123
John Hartop Pl. *S74: Els .2B 76*
(off Wath Rd.)
John Hibbard Av. S13: Shef .4L 125
John Hibbard Cl. S13: Shef .4L 125
John Hibbard Cres. S13: Shef .4L 125
John Hibbard Ri. S13: Shef .4L 125
John La. DN11: New R .5H 83
Johnny Hall La. DN7: Fish .9A 10
Johnny Moor Long La. DN8: Moore .1L 11
Johnson Ct. DN12: New E .3G 80
S65: Roth .8M 95
(off Johnson St.)
S80: Work .7B 142
(off Sandhill St.)
Johnson Gdns. S63: Wath D .8K 59
Johnson La. S3: Shef .1G 5 (8J 109)
S35: Eccl .4J 93
Johnson's La. DN17: Crow .8M 29
Johnson St. S3: Shef .1G 5 (7J 109)
S36: Stoc .5D 72
S65: Roth .8M 95
S75: Barn .6E 36
Johnston's Rd. DN7: Stainf .4E 26
John St. S2: Shef .7F 5 (2G 123)
S21: Ecki .7K 137
S60: Roth .7J 95
S63: Thurn .8C 40
S64: Mexb .2F 78
S66: Thurc .5K 113
S70: Barn .8G 36
S70: Wors .3H 57
S72: Gt H .7L 39
S72: Midd .9L 39
S73: Womb .4C 58
S80: Work .6B 142
WF9: Sth E .7E 20
John St. Ct. S73: Womb .3C 58
John St. Way S73: Womb .3C 58
John Trickett Ho. *S35: Chap .9G 74*
(off Bevan Way)
John Ward St. S13: Shef .4K 125
John West St. S36: Stoc .6D 72
Joiner St. S3: Shef .1G 5 (8J 109)
Jones Av. S73: Womb .4B 58
Jons Av. WF9: Sth K .7N 19
JORDAN .8F 94
Jordan Beck HD8: Birds E .4D 32
Jordan Cres. S61: Kimb .8E 94
Jordan Hill S75: Barn .5E 36
JORDANTHORPE .4J 135
Jordanthorpe Cen. S8: Shef .4J 135
Jordanthorpe Grn. S8: Shef .4K 135
Jordanthorpe Parkway S8: Shef .3J 135
Jordanthorpe Vw. S8: Shef .3K 135
Joseph Ct. S70: Barn .8G 36
Josephine Rd. S61: Roth .7G 95
Joseph La. S36: Up M .2F 70
Joseph Rd. S6: Shef .7D 108
Joseph Stone Ct. S20: Mosb .3K 137
Joseph St. S21: Ecki .7K 137
S70: Barn .8G 36
S72: Grim .2G 38
Joshua Rd. S7: Shef .5F 122
Josselin Ct. S35: Chap .9G 74
Jossey La. DN5: Bntly, Scawt .8H 43
Jowett Ho. La. S75: Cawt .5C 34
Jowitt Cl. S66: Malt .9F 98
Jowitt Rd. S11: Shef .5C 122
Jubb Cl. S65: Roth .9C 96
Jubilee Cl. DN10: Miss .2K 103
DN12: New E .4F 80
WF9: Hems .4M 19
Jubilee Cotts. S60: Brins .3H 111
S74: Hoyl .1H 75
(off Sheffield Rd.)
WF4: Hav .1C 18
Jubilee Ct. DN2: Don .1F 64
Jubilee Cres. S21: Killa .3D 138
Jubilee Gdns. S71: R'ton .5L 17
Jubilee Rd. DN1: Don .2B 64
S9: Shef .6B 110
Jubilee St. S60: Roth .9K 95
Jubilee Ter. S70: Barn .8J 37
Judd Fld. La. S36: Pen .9L 53
Judith Rd. S26: Aston .5C 126
Judy Row S71: Monk B .4K 37
Juggernaut Trade Cen.
S71: Smi .3H 37
Julian Rd. S9: Shef .1B 110
Julian Way S9: Shef .1B 110
Jumble La. S35: Eccl .4L 93
Jumble Rd. S11: Shef .9H 121
JUMP .8A 58
Junction 34 Ind. Est. S9: Tins .3D 110
Junction Cl. S73: Womb .6G 58
Junction Rd. DN7: Stainf .6A 26
DN11: New R .6H 83
S11: Shef .3D 122
S13: Shef .4K 125
Junction St. S70: Barn .8J 37
S73: Womb .6F 58
Junction Ter. S70: Barn .8J 37
June Rd. S13: Shef .4K 125
Juniper Ri. S21: Killa .5B 138
Justice Hall La. DN17: Crow .7M 29

K

Kaldo Ct. S60: Roth .4L 95
Kashmir Gdns. S9: Shef .7B 110
Katherine Ct. S66: Thurc .6K 113
Katherine Rd. S66: Thurc .5K 113
Katherine St. S66: Thurc .6L 113
Kathleen Gro. S63: Gol .1E 60
Kathleen St. S63: Gol .1E 60
Kay Cres. S62: Rawm .6J 77
Kaye Pl. S10: Shef .8E 108
Kaye St. S71: Barn .6G 36
Kay's Ter. S70: Stair .9M 37
Kay St. S74: Hoyl .1J 75
Kea Pk. Cl. S66: Hel .8M 97
Kearsley La. DN12: Con .6N 79
Kearsley Rd. S2: Shef .3H 123
Keats Cres. S81: Work .6E 142
Keats Dr. S25: Din .3F 128
Keats Gro. S36: Pen .3N 53
Keats Rd. DN4: Balb .9M 63
S6: Shef .7E 92
Keble Martin Way S63: Wath D .9K 59
Kedleston Rd. S81: Work .4C 142
Keenan Av. WF9: Sth E .8D 20
Keeper La. WF4: Nott .4E 16
Keepers Cl. DN11: Ross .4L 83
S5: Shef .9L 93
Keepmoat Stadium .7D 64
Keeton Hall Rd. S26: Kiv P .8L 127
Keeton's Hill S2: Shef .3G 123
Keighley Wlk. DN12: Con .5L 79
Keir Pl. S62: Rawm .8A 78
Keir St. S70: Barn .6E 36
Keir Ter. S70: Barn .6E 36
Kelby Cft. S75: Bar G .3A 36
Kelgate S20: Mosb .4K 137
KELHAM BANK .6N 63
Kelham Ct. DN1: Don .6N 63
KELHAM ISLAND .7H 109
Kelham Island S3: Shef .7H 109
Kelham Island Mus. .7H 109
Kelham Sq. S3: Shef .7H 109
Kelham St. DN1: Don .6N 63
Kelly St. S63: Gol .2D 60
Kelsey Gdns. DN4: Bess .1H 83
Kelsey Ter. S70: Barn .9G 37
Kelso Dr. DN4: Warm .8H 63
Kelvin Ct. S61: Scho .3C 94
Kelvin Gro. S73: Womb .5E 58
Kelvin St. S64: Mexb .1F 78
Kemp Cl. S21: Killa .4B 138
Kempsway HD9: Hep .5J 31
Kempton Dr. DN7: Dunsv .4A 46
Kempton Gdns. S64: Mexb .9H 61
Kempton Pk. Rd. DN5: Scaws .1H 63
Kempton St. DN4: Can .5G 65
Kempwell Dr. S62: Rawm .6M 77
Kenbourne Gro. S7: Shef .4F 122
Kenbourne Rd. S7: Shef .4F 122
Kendal Av. S25: Nth A .5D 128
Kendal Cl. DN5: Sprot .6E 62
S81: Work .2B 142
Kendal Cres. DN12: Con .4B 80
S70: Wors .3H 57
Kendal Dr. S18: Dron W .9E 134
S63: Bolt D .6B 60
Kendal Grn. S70: Wors .3F 56
Kendal Grn. Rd. S70: Wors .3F 56
Kendal Gro. S71: Ard .8A 38
Kendal Pl. S6: Shef .4C 108
Kendal Rd. DN5: Scawt .9L 43
S6: Shef .4C 108
Kendal Va. S70: Wors .3H 57
Kendon Gdns. DN8: Thorne .1L 27
KENDRAY .9L 37
Kendray St. S70: Barn .7G 36
Kenilworth Cl. DN5: Scaws .1H 63
S80: Work .9D 142
Kenilworth Ct. S11: Shef .7A 122
Kenilworth Dr. S81: Carl L .5C 130
Kenilworth Pl. S11: Shef .3D 122
Kenilworth Rd. DN4: Balb .8J 63
Kenley Cl. S81: Gate .2A 142
Kenmare Cres. DN2: Don .2D 64
Kennedy Cl. S36: Mill G .4G 53
Kennedy Ct. S10: Shef .9C 108
Kennedy Dr. S63: Gol .4C 60
Kennedy Rd. S8: Shef .9F 122
Kennels, The S62: Wentw .5C 76
Kenneth Av. DN7: Dunsv .4B 46
DN7: Stainf .5A 26
Kenneth St. S65: Roth .6L 95
Kenninghall Cl. S2: Shef .4L 123
Kenninghall Dr. S2: Shef .4L 123
Kenninghall Rd. S2: Shef .4L 123
Kenninghall Vw. S2: Shef .4L 123
Kennington Av. DN6: Woodl .3D 42
Kennington Gro. DN12: New E .3G 81
Kenrock Cl. DN5: Ark .7B 44
Kensington Av. S36: Thurl .3K 53
Kensington Chase S10: Shef .3H 121
Kensington Cl. S25: Laugh C .1A 128
Kensington Ct. S10: Shef .2H 121
Kensington Dr. S10: Shef .3H 121
Kensington Pk. S10: Shef .3H 121
Kensington Pl. DN4: Bess .9J 65
Kensington Rd. S75: Barn .5E 36
Kensington Way S81: Work .3C 142
Kent Av. S62: Rawm .7L 77
Kent Cl. S71: R'ton .5K 17
S81: Work .4D 142
Kent Ho. Cl. S12: Ridg .2E 136
Kentmere Cl. S18: Dron W .9F 134
Kentmere Dr. DN4: Don .8E 64
Kent Rd. DN4: Balb .8M 63
S8: Shef .5J 123
S61: Kimb P .4E 94
Kents Gdns. DN8: Moore .7M 11
Kents Gro. S63: Gol .2F 60
Kenwell Dr. S17: Bradw .5C 134
Kenwood Av. S7: Shef .4F 122
Kenwood Bank S7: Shef .3F 122
Kenwood Chase *S7: Shef .3G 122*
(off Wostenholm Rd.)
Kenwood Cl. S70: Stair .8L 37
Kenwood Ct. S7: Shef .4E 122
Kenwood Pk. Rd. S7: Shef .4F 122
Kenwood Ri. S66: Bram .7H 97
Kenwood Rd. S7: Shef .4E 122
Kenworthy Rd. S36: Stoc .6D 72
S70: Barn .9G 36
Kenyon All. S3: Shef .2C 4
Kenyon Bank HD8: Den D .3J 33
Kenyon Cl. DN8: Thorne .1K 27
Kenyon St. S1: Shef .2C 4 (8G 109)
WF9: Sth E .6F 20
Keppel Dr. S61: Scho .3B 94
Keppel Hgts. S61: Scho .3B 94
Keppel Pl. S5: Shef .7M 93
Keppel Rd. S5: Shef .7N 93
S61: Scho .3B 94
Keppel's Column .3B 94
Keppel Vw. Rd. S61: Kimb .5D 94
Keppel Wharf S60: Roth .7K 95
Kepple Cl. DN11: New R .7J 83
Keresforth Cl. S70: Barn .8D 36
Keresforth Ct. S70: Barn .8D 36
Keresforth Hall Dr. S70: Barn .9D 36
Keresforth Hall Rd. S70: Barn .9E 36
Keresforth Hill Rd. S70: Barn .1C 56
Keresforth M. S70: Barn .9C 36
Keresforth Rd. S75: Dod .1A 56
Kerwin Cl. S17: Dore .2L 133
Kerwin Dr. S17: Dore .2L 133
Kerwin Rd. S17: Dore .2L 133
Kesteven Gro. DN17: Crow .7N 29
Kestrel Av. S61: Thorpe H .9A 76
Kestrel Cl. S21: Killa .3A 138
Kestrel Dr. DN6: Adw S .2F 42
DN11: Ross .5K 83
S21: Ecki .7H 137
S64: Mexb .9E 60
Kestrel Grn. S2: Shef .1M 123
Kestrel M. S81: Gate .3A 142
Kestrel Ri. S26: Swal .4N 125
S70: Birdw .7G 56
Keswick Cl. DN5: Scawt .8L 43
S6: Lox .4N 107
Keswick Cres. S60: Brins .5H 111
Keswick Pl. S18: Dron W .9E 134
Keswick Rd. S75: Stain .6B 16
S81: Work .2B 142
Keswick Wlk. S71: Ard .8A 38
Keswick Way S25: Nth A .5D 128
Ket Hill La. S72: Brier .6F 18
Kettlebridge Rd. S9: Shef .9A 110
Ketton Av. S8: Shef .8J 123
Ketton Wlk. S75: Barn .5D 36
Kevin Gro. S66: Hel .9N 97
Kew Ct. S64: Swin .5B 78
Kew Cres. S12: Shef .9N 123
KEXBROUGH .9L 15
Kexbrough Dr. S75: Kexb .9M 15
Key Av. S74: Hoyl .9N 57
Keyworth Cl. DN6: Ask .1M 23
Keyworth Pl. S13: Shef .5G 124
Keyworth Rd. S6: Shef .3D 108
Khartoum Rd. S11: Shef .2E 122
Kibroyd Dr. S75: Kexb .1L 35
Kidd La. S81: Fir .7L 115
Kieran Cl. S25: Laugh C .1A 128
Kier Hardie Av. DN11: New R .6J 83
Kilburn Rd. S18: Dron W .9D 134
Kildale Gdns. S20: Mosb .3K 137
Kildonan Gro. S12: Shef .8C 124
Kilham La. DN3: Brant .6A 66
KILLAMARSH .4C 138
Killamarsh La. S26: Wooda .5F 138
Killamarsh Leisure Cen. .3C 138
Kiln Ct. DN3: Barn D .3J 45
Kilncroft S73: Womb .6C 58
Kilner Ct. DN12: Den M .2N 79
Kilner Way S6: Shef .1E 108
Kiln Hill S18: Coal A .7K 135
Kilnhouse Bank La. HD9: H'bri .7A 30
KILNHURST .7D 78
Kilnhurst Bus. Pk. S64: Kiln .8D 78

Kilnhurst Rd.—Lancar Ct.

Kilnhurst Rd. S62: Rawm 8N **77**
S64: Kiln 8N **77**
S65: Hoot R 7E **78**
Kiln La. HD8: Clay W, Eml'y 4B **14**
Kiln Rd. S61: Kimb P 5F **94**
Kilnsea Wlk. *S70: Barn 7F 36*
(off Fitzwilliam St.)
Kiln St. S8: Shef 4G **123**
KILTON 6E 142
Kilton Cl. S81: Work 6D **142**
Kilton Cres. S81: Work 6D **142**
Kilton Forest Golf Course 4E **142**
Kilton Glade S81: Work 6E **142**
Kilton Hill S3: Shef 6J **109**
S81: Work 6D **142**
Kilton Pl. S3: Shef 6J **109**
Kilton Rd. S80: Work 7D **142**
Kilton Ter. S80: Work 7D **142**
Kilton Ter. Ind. Est. S80: Work 7D **142**
Kilvington Av. S13: Shef 4B **124**
Kilvington Cres. S13: Shef 5B **124**
Kilvington Rd. S13: Shef 5B **124**
Kimberley St. S9: Shef 6N **109**
KIMBERWORTH 6E 94
KIMBERWORTH PARK 4E 94
Kimberworth Pk. Rd.
S61: Kimb, Kimb P 3D **94**
(not continuous)
Kimberworth Rd. S61: Kimb, Roth 6F **94**
Kinder Gdns. S5: Shef 8J **93**
Kine Moor La. S75: Silk 1F **54**
King Av. DN11: New R 5H **83**
S66: Malt 9F **98**
Kingdom Cl. S66: Thurc 7M **113**
King Ecgbert Rd. S17: Dore 5N **133**
King Edward Cres. DN8: Thorne 9K **11**
King Edward Rd. DN4: Balb 7M **63**
DN8: Thorne 1K **27**
DN11: Tick 6C **100**
King Edwards S6: Shef 8K **107**
King Edwards App. S6: Shef 9K **107**
King Edwards Gdns. S70: Barn 8F **36**
King Edwards Swimming Pool 1E **122**
King Edward St. S71: Monk B 2L **37**
WF9: Hems 3L **19**
Kingfield Ct. S11: Shef 4E **122**
Kingfield Rd. S11: Shef 4E **122**
Kingfisher Cl. DN2: Don 9E **44**
Kingfisher Ct. DN11: Ross 5K **83**
DN12: Con 4D **80**
Kingfisher Dr. S64: Mexb 1K **79**
S73: Bramp 6G **59**
Kingfisher Gro. S26: Swal 4N **125**
Kingfisher M. S73: Bramp 6H **59**
Kingfisher Ri. S61: Thorpe H 8A **76**
Kingfisher Rd. DN6: Adw S 2F **42**
Kingfisher Wlk. S81: Gate 4N **141**
Kingfisher Way DN8: Thorne 1H **27**
King Georges Cl. DN11: New R 6G **83**
King Georges Ct. DN7: Stainf 7B **26**
King George Sq. DN3: Kirk Sa 4J **45**
King George's Rd. DN11: New R 4G **83**
King George Ter. S70: Barn 8J **37**
King James St. S6: Shef 6E **108**
Kings Arc. *DN1: Don 4N 63*
(off St Sepulchre Ga.)
Kingsbrook Chase S63: Wath D 7K **59**
Kingsbury Ct. DN5: Scawt 7H **43**
King's Cl. DN7: Hat 9D **26**
Kings Coppice S17: Dore 4M **133**
Kings Ct. S1: Shef 6C **4**
S36: Pen 3M **53**
S60: Roth 2N **111**
WF9: Kins 1H **19**
Kings Ct. Rd. DN8: Thorne 9L **11**
King's Cres. DN12: New E 3F **80**
Kings Cft. S70: Barn 8D **36**
S70: Wors 3K **57**
WF9: Sth K 6A **20**
Kingscroft Cl. S17: Dore 2N **133**
Kingsdale S81: Work 2E **142**
Kingsforth La. S66: Thurc 4K **113**
Kingsforth Rd. S66: Thurc 5K **113**
Kings Ga. S60: Roth 2N **111**
Kingsgate DN1: Don 4A **64**
Kingsgate Flats *DN1: Don 4A 64*
(off Cleveland St.)
Kingsland Ct. S71: R'ton 5L **17**
Kingsley Av. DN5: Don 3K **63**
Kingsley Cl. S71: Ath 2H **37**
Kingsley Ct. S60: Roth 1K **111**
S81: Work 6D **142**
Kingsley Cres. DN3: Arm 1M **65**
Kingsley Dr. S65: Rav 5L **97**
Kingsley Pk. Av. S7: Shef 7C **122**
Kingsley Pk. Gro. S11: Shef 7C **122**
Kingsley Rd. DN6: Adw S 3E **42**
Kingsmark Way S63: Gol 2E **60**
Kingsmead Dr. DN3: Brant 7N **65**
Kingsmede DN8: Moore 7L **11**
Kings M. DN1: Don 4A **64**
S21: Ecki 7L **137**
King's Rd. DN1: Don 3B **64**
DN6: Ask 1M **23**
S64: Mexb 1G **78**
S72: Cud 8C **18**
Kings Rd. S73: Womb 5E **58**
King's Stocks S72: Bill, Midd 1L **59**
King's St. S72: Grim 2G **38**
Kings St. DN1: Don 4A **64**
King's Ter. DN6: Ask 1M **23**
Kingston Cl. DN3: Brant 6A **66**
S80: Work 9F **142**
KINGSTONE 9E 36
Kingstone Pl. S70: Barn 9E **36**
Kingston Rd. DN2: Don 3E **64**
S80: Work 9E **142**
S81: Carl L 5B **130**
Kingston St. S4: Shef 5L **109**
King St. DN3: Arm 9J **45**
DN8: Thorne 2K **27**
S3: Shef 2G **5** (8J **109**)
S26: Swal 3B **126**
S35: Chap 8H **75**
S63: Gol 2D **60**
S63: Thurn 9D **40**
S64: Swin 3C **78**
S70: Barn 8G **37**
S74: Hoyl 9M **57**
S80: Work 7B **142**
Kings Way S60: Roth 2N **111**
Kingsway DN7: Stainf 6A **26**
S63: Thurn 8B **40**
S72: Grim 1G **38**
S73: Womb 5D **58**
S75: Mapp 8B **16**
S81: Work 6D **142**
Kingsway Cl. DN11: New R 7K **83**
Kingsway Complex S25: Din 2D **128**
Kingsway Gro. S63: Thurn 8B **40**
Kingsway Ho. DN1: Don 4A **64**
Kingswood S6: Shef 9A **92**
S11: Shef 5E **122**
Kingswood Av. S20: Mosb 9G **124**
S25: Laugh M 8C **114**
Kings Wood Cl. DN10: Baw 5C **102**
Kingswood Cl. S20: Mosb 9G **124**
S81: Fir 7L **115**
Kingswood Ct. S81: Fir 7L **115**
Kingswood Cres. S74: Hoyl 8M **57**
Kingswood Cft. S20: Mosb 9G **124**
Kingswood Dearne Valley Outdoor Educational & Activity Centres 2N **79**
Kingswood Gro. S20: Mosb 9G **124**
Kingswood Hall S6: Shef 9A **92**
Kings Wood La. S25: Laugh M 6G **114**
S66: Malt 5H **115**
Kingwell Cres. S70: Wors 1G **56**
Kingwell Cft. S70: Wors 2H **57**
Kingwell M. S70: Wors 2H **57**
Kingwell Rd. S70: Wors 2G **57**
Kingwood Cl. S71: Monk B 2N **37**
Kinharvie Rd. S5: Shef 1G **108**
Kinnaird Av. S5: Shef 8K **93**
Kinnaird Pl. S5: Shef 8K **93**
Kinnaird Rd. S5: Shef 8K **93**
Kinsbourne Grn. DN7: Dunsc 1C **46**
Kinsey Rd. S35: High G 7D **74**
KINSLEY 1H 19
Kinsley Church Apartments
WF9: Hems 1J **19**
Kiplin Dr. DN6: Nort 7G **7**
Kipling Av. DN4: Balb 9K **63**
Kipling Cl. S81: Work 5E **142**
Kipling Rd. DN3: Barn D 9J **25**
S6: Shef 4D **108**
Kirby Cl. S9: Shef 8C **110**
Kirby La. S35: Chap 6L **75**
Kirby Row S61: Thorpe H 9N **75**
Kirby St. S64: Mexb 1F **78**
Kirk Balk S74: Hoyl 9L **57**
KIRK BRAMWORTH 5K 25
Kirkbridge La. HD9: New M 1H **31**
Kirkbridge Way WF9: Sth E 6E **20**
Kirkby Av. DN5: Don 1L **63**
S12: Shef 7A **124**
S71: Ath 9H **17**
Kirkby Cl. WF9: Sth K 6B **20**
Kirkby Dr. S12: Shef 7A **124**
Kirkbygate WF9: Hems 4L **19**
Kirkby Rd. S12: Shef 7A **124**
WF9: Hems 3L **19**
Kirkby Vw. S12: Shef 7A **124**
Kirkby Way S12: Shef 8A **124**
Kirkcroft Av. S21: Killa 3C **138**
S61: Thorpe H 9A **76**
Kirkcroft Cl. S61: Thorpe H 9N **75**
Kirkcroft Dr. S21: Killa 4C **138**
Kirkcroft La. S21: Killa 4C **138**
Kirk Cft. Rd. S25: Laugh M 8C **114**
Kirk Cross Cres. S71: R'ton 7K **17**
Kirkdale Cres. S13: Shef 2H **125**
Kirkdale Dr. S13: Shef 2H **125**
Kirkden Paddock DN9: Belt 4M **49**
Kirk Edge Av. S35: Ough 9M **91**
Kirk Edge Dr. S35: Ough 9M **91**
Kirk Edge Rd. S6: Brad 8D **90**
S35: Ough 8H **91**
Kirkers Cl. S63: Gol 3E **60**
Kirkfield Cl. S75: Cawt 4H **35**
Kirkfield Way S71: R'ton 7K **17**
Kirkgate La. S72: Sth H 3B **18**
Kirkham Cl. S71: Monk B 5K **37**
Kirkham Pl. S71: Monk B 1L **37**
Kirkhill Bank S36: Cub 7M **53**
Kirkhill Cl. DN3: Arm 2M **65**
Kirk Ho. *S65: Roth 8A 96*
(off Browning Rd.)
KIRKHOUSE GREEN 1K 25
Kirkhouse Grn. Rd. DN7: Kirk G 1K **25**
Kirkland Gdns. S71: Monk B 3H **37**
Kirklands HD9: New M 1H **31**
Kirklands Dr. S62: Rawm 8L **77**
Kirk La. DN3: Kirk Sa 5H **45**
DN14: Syke 3N **9**
Kirklees Light Railway Clayton West Station 6B **14**
Kirkpatrick Dr. S81: Gate 3N **141**
Kirkroyds La. HD9: New M 1G **31**
KIRK SANDALL 4J 45
Kirk Sandall Ind. Est.
DN3: Kirk Sa 4G **45**
(not continuous)
Kirk Sandall Network Cen.
DN3: Kirk Sa 5G **45**
Kirk Sandall Station (Rail) 4H 45
KIRK SMEATON 4B 6
Kirkstall Cl. DN5: Scaws 2H **63**
S25: Sth A 8B **128**
S60: Brins 3G **110**
Kirkstall Rd. S11: Shef 3D **122**
S71: Smi 1F **36**
Kirkstead Abbey M.
S61: Thorpe H 3A **94**
Kirkstead Gdns. S13: Shef 4L **125**
Kirkstead Rd. S61: Kimb 6A **94**
Kirkstone Cl. DN5: Don 8L **43**
Kirkstone Rd. S6: Shef 5D **108**
Kirk St. DN4: Hex 5M **63**
S4: Shef 6K **109**
Kirk Vw. S74: Hoyl 9L **57**
Kirk Way S71: Monk B 5L **37**
Kirkwood Cl. S36: Pen 5B **54**
Kirstead Ct. DN4: Bess 1L **83**
Kirton La. DN7: Stainf 5C **26**
DN8: Thorne 4G **26**
Kirton Rd. S4: Shef 5K **109**
Kitchener Gdns. S81: Gate 2B **142**
KITCHENROYD 1L 33
Kitchen Wood La.
S18: Dron W, Holme 9D **134**
Kitchin Rd. S73: Womb 4B **58**
Kitson Ct. S63: Bramp B 8G **58**
Kitson Dr. S71: Monk B 5L **37**
Kiveton Bridge Station (Rail) 9J 127
Kiveton Gdns. S26: Kiv P 8L **127**
Kiveton La. S26: Kiv P, Tod 6L **127**
KIVETON PARK 8K 127
KIVETON PARK STATION 1N 139
Kiveton Park Station (Rail) 1N 139
Knabbs La. S75: Silk C 2H **55**
Knab Cl. S7: Shef 6D **122**
Knab Cft. S7: Shef 6D **122**
Knab Ri. S7: Shef 6D **122**
Knab Rd. S7: Shef 6D **122**
Knapton Av. S62: Rawm 8L **77**
Knaresborough Cl. S26: Swal 4B **126**
Knaresborough Rd. DN12: Con 5L **79**
S7: Shef 8D **122**
Knaton Rd. S81: Carl L 5B **130**
Knavesmire Av.
S25: Laugh C 1A **128**
Knavesmire Gdns. DN4: Can 5G **65**
Knightscroft Pde.
WF9: Sth E 7F **20**
Knoll, The S18: Dron 7L **135**
Knollbeck Av. S73: Bramp 7G **58**
Knoll Beck Cl. S63: Gol 3B **60**
Knollbeck Cres. S73: Bramp 7G **59**
Knollbeck La. S73: Bramp 7G **58**
Knoll Cl. S35: Thurg 8H **55**
S36: Stoc 5E **72**
Knoll La. HD9: N'thng 1B **30**
Knoll M. S75: Wool G 6N **15**
KNOLL TOP 5E 72
Knott End S81: L'gld 9B **116**
Knowle Cl. S6: Stan 6L **107**
Knowle Ct. S11: Shef 6C **122**
Knowle Cft. S11: Shef 6B **122**
Knowle Grn. S17: Dore 3L **133**
Knowle La. S11: Shef 6A **122**
Knowle Rd. S5: Shef 7J **93**
S70: Barn, Wors 1J **57**
Knowles Av. S36: Spink 6F **72**
Knowles St. S36: Pen 5B **54**
Knowles Wlk. *WF9: Sth E 4F 20*
(off Hutton Dr.)
KNOWLE TOP 6L 107
Knowle Top S20: Half 3L **137**
Knowsley St. S70: Barn 7E **36**
Knutton Cres. S5: Shef 7F **92**
Knutton Ri. S5: Shef 6F **92**
Knutton Rd. S5: Shef 7F **92**
Kye La. S26: Hart 4K **139**
Kyle Cl. S5: Shef 9F **92**
S21: Reni 9A **138**
Kyle Cres. S5: Shef 9F **92**
Kynance Cres. S60: Brins 5H **111**

L

Laburnum Av. DN8: Moore 8L **11**
S66: Sunn 7G **97**
Laburnum Cl. S25: Sth A 7B **128**
S35: Chap 1H **93**
S80: Work 9A **142**
Laburnum Ct. S75: Bar G 4M **35**
Laburnum Dr. DN3: Arm 9M **45**
S63: Bolt D 5B **60**
Laburnum Gro. DN12: Con 5M **79**
DN17: Crow 9M **29**
S21: Killa 5B **138**
S36: Stoc 6D **72**
S70: Wors 3J **57**
Laburnum Pde. S66: Malt 8B **98**
Laburnum Pl. DN5: Bntly 6M **43**
Laburnum Rd. DN4: Balb 9K **63**
S64: Mexb 9E **60**
S66: Malt 8B **98**
S81: L'gld 8C **116**
Laburnum Vw. S75: Bar G 4M **35**
Laceby Cl. S66: Bram 6J **97**
Laceby Ct. S70: Barn 9D **36**
Lacy St. WF9: Hems 2J **19**
Ladies Spring Ct. *S17: Dore 3B 134*
(off Ladies Spring Dr.)
Ladies Spring Dr. S17: Dore 3B **134**
Ladies Spring Gro. S17: Dore 3B **134**
Ladock Cl. S71: Monk B 5J **37**
Lady Bank Dr. DN4: Don 6B **64**
Ladybank Rd. S20: Mosb 4K **137**
Lady Bank Vw. S21: Ecki 6K **137**
Ladybower Ct. S17: Bradw 5B **134**
Ladybower Lodge S33: Bamf 4D **118**
Ladybower Wood Nature Reserve 1D **118**
Lady Cft. S63: Wath D 9L **59**
Ladycroft S63: Bolt D 5B **60**
Lady Cft. La. S73: Hem 8C **58**
Ladycroft Rd. DN3: Arm 3L **65**
Ladyfield Rd. S26: Kiv S 1N **139**
S80: Thorpe S 1N **139**
Lady Gap La. DN6: Sutt 4G **22**
Lady Ida's Dr. S21: Ecki 6G **136**
(not continuous)
Lady Lea Cl. S80: Work 8M **141**
Lady Lee Quarry Nature Reserve 6M **141**
Lady Mary's Wlk. DN5: Hick 1H **61**
Lady Mary Vw. DN5: Hick 9G **41**
Ladymead S71: Monk B 4J **37**
Lady Oak Rd. S65: Roth 4B **96**
Lady Oak Way S65: Roth 4B **96**
Ladyroyd S75: Silk C 2H **55**
Ladyroyd Cft. S72: Cud 2B **38**
Lady's Bri. S3: Shef 1G **5** (8J **109**)
Ladyshaw Cres. S36: Pen 5A **54**
Lady's Holt La. DN10: Baw 8A **102**
Ladysmith Av. S7: Shef 5E **122**
Lady Wlk. S81: Gate 3N **141**
Lady Wharncliffe's Rd. S35: Wort 8M **73**
(not continuous)
Ladywood Rd. S72: Grim 2H **39**
Laffands La. WF4: Ryh 1B **18**
Laird Av. S6: Shef 3B **108**
Laird Dr. S6: Shef 3B **108**
Laird Rd. S6: Shef 3B **108**
Lairds Way S36: Pen 4A **54**
LAITH 6A 30
Laithe Av. HD9: H'bri 6A **30**
Laithe Bank Dr. HD9: H'bri 6A **30**
Laithe Ct. HD9: H'bri 6A **30**
Laithe Cft. S75: Dod 9A **36**
Laithes Cl. S71: Ath 1J **37**
Laithes Cres. S71: Ath 1G **36**
Laithes La. S71: Ath 1G **36**
Laithes Shop. Cen. S71: Ath 1G **36**
Lake Cl. DN12: New E 5E **80**
Lake Ct. DN6: Woodl 4G **43**
Lakeen Rd. DN2: Don 3D **64**
Lakeland Cl. S72: Cud 3B **38**
Lakeland Dr. S25: Din, Nth A 5C **128**
Lake Rd. DN6: Woodl 5G **42**
Lakeside DN8: Thorne 1J **27**
S6: Shef 5A **108**
S20: Holb 1A **138**
Lakeside Blvd. DN4: Don 8D **64**
Lakeside Cl. S66: Sunn 5H **97**
Lakeside Ct. S63: Bramp B 8F **58**
Lakeside Vw. S36: Pen 9K **33**
Lakeside Village DN4: Don 7C **64**
Lambcote Way S66: Malt 7F **98**
Lambcroft La. S13: Shef 5J **125**
Lambcroft Vw. S13: Shef 5J **125**
Lamb Dr. S5: Shef 1E **108**
Lambecroft S71: Car 8K **17**
Lambe Flatt S75: Kexb 9L **15**
Lambert Fold S75: Dod 9B **36**
Lambert Rd. S70: Barn 9K **37**
Lamberts La. S65: Thry 2E **96**
Lambert St. S3: Shef 2E **4** (8H **109**)
Lambert Wlk. S63: Wath D 7J **59**
S70: Barn 8K **37**
Lambeth Rd. DN4: Balb 8M **63**
Lambeth Rd. Cvn. Pk.
DN4: Balb 8M **63**
Lamb Hill S6: Brad, Low B 9C **90**
Lamb Hill Cl. S13: Shef 4D **124**
Lamb La. S71: Monk B 3K **37**
S81: Fir 9G **114**
Lambra Rd. S70: Barn 7G **36**
Lambrell Av. S26: Kiv P 9H **127**
Lambrell Grn. S26: Kiv P 9H **127**
Lamb Rd. S5: Shef 1E **108**
Lambs Flat La. S75: Kexb 1L **35**
Lamma Well Rd. HD9: Holm 6E **30**
Lamp Post La. S25: Din 2D **128**
Lamp Room Theatre 7F **36**
Lanark Dr. S64: Mexb 8H **61**
Lanark Gdns. DN2: Don 2F **64**
Lancar Ct. S71: Monk B 4H **37**

Lancaster Av.—Lidster La.

Lancaster Av. DN2: Don 3F **64**
DN3: Kirk Sa 4J **45**
Lancaster Cl. DN11: Tick 6E **100**
Lancaster Ct. DN9: Auck 2C **84**
Lancaster Cres. DN11: Tick 6E **100**
Lancaster Dr. DN7: Lind 8J **47**
DN10: Baw 5B **102**
Lancaster Ga. S70: Barn 7F **36**
Lancaster Rd. S36: Stoc 5D **72**
Lancaster St. S3: Shef 7G **109**
S63: Thurn 7D **40**
S70: Barn 7E **36**
Lancaster Wlk. S81: Work 2B **142**
Lancastrian Way S81: Work 4D **142**
Lancelot Ct. WF9: Sth E 7F **20**
Lanchester Gdns. S80: Work 8D **142**
Lancing Rd. S2: Shef 7G **5** (3H **123**)
(not continuous)
Land Ends Rd. DN8: Thorne 8H **11**
(not continuous)
Landsdown Av. WF9: Sth K 8N **19**
Landseer Cl. S14: Shef 9L **123**
S18: Dron 9F **134**
Landseer Ct. S66: Flan 7G **96**
Landseer Dr. S14: Shef 9M **123**
Landseer Pl. S14: Shef 9M **123**
Landseer Wlk. S14: Shef 9M **123**
Landsend Cvn. Site DN8: Thorne 8H **11**
Lane, The S21: Spink 9C **138**
S71: R'ton 5K **17**
Lane Bottom HD9: Holm 1G **31**
Lane Cotts. S71: R'ton 6K **17**
LANE END 7H **75**
Lane End S35: Chap 7G **75**
Lane End M. S63: Thurn 8A **40**
Lane End Rd. S60: Roth 2N **111**
Lane End Vw. S60: Roth 1N **111**
Lane Hackings HD8: Lwr C 1H **33**
Lane Hackings Grn. HD8: Lwr C 1H **33**
Laneham Cl. DN4: Bess 9G **64**
LANE HEAD 2C **32**
Lane Head S35: Gren 5C **92**
Lane Head Cl. S62: Rawm 8N **77**
S75: Stain 7B **16**
Lane Head Ri. S75: Stain 7B **16**
Lane Head Rd. HD8: Shep 1B **32**
S6: Brad 9K **89**
S17: Tot 6L **133**
S75: Cawt 5B **34**
Lanercost M. *S80: Work* *8C 142*
(off Pilgrim Way)
Lanes, The S65: Roth 6A **96**
Laneside Cl. DN4: Hex 6L **63**
Langar Cl. DN5: Bntly 4L **43**
Lang Av. S71: Lund 6M **37**
Langcliff Cl. S75: Mapp 7B **16**
Lang Cres. S71: Lund 6M **37**
Langdale Cl. DN11: Tick 5E **100**
Langdale Ct. S71: Barn 7G **37**
Langdale Dr. DN5: Scawt 8K **43**
DN11: Tick 5E **100**
S18: Dron 7K **135**
Langdale Rd. DN6: Carc 8G **22**
S8: Shef 6F **122**
S71: Barn 7H **37**
S75: Bar G 3N **35**
S81: Work 3C **142**
Langdale Way S25: Din 4D **128**
Langdon Rd. S61: Kimb P 5E **94**
Langdon St. S11: Shef 3G **122**
Langdon Wlk. S61: Kimb P 5E **94**
S70: Barn 6F **36**
Langer St. DN4: Hex 6L **63**
Langford Cl. S75: Dod 9B **36**
Langley Cl. S65: Roth 6C **96**
Langley La. HD8: Clay W 6A **14**
(not continuous)
Langleys Rd. DN6: Camp 9H **7**
Langley St. S80: Work 8C **142**
Langmere Cl. S70: Barn 7D **36**
LANGOLD 9C **116**
Langold Country Pk. 1B **130**
Langold Dr. DN6: Nort 7H **7**
LANGSETT 1F **70**
Langsett Av. S6: Shef 2B **108**
Langsett Cl. S6: Shef 5E **108**
Langsett Ct. DN4: Don 7E **64**
S71: Smi 1F **36**
Langsett Cres. S6: Shef 5E **108**
Langsett Gro. S6: Shef 6E **108**
Langsett Ri. S6: Shef 5E **108**
Langsett Rd. S6: Shef 4D **108**
S71: Smi 1F **36**
Langsett Rd. Nth. S35: Ough 4L **91**
Langsett Rd. Sth. S35: Ough 6M **91**
Langsett Road Stop (ST) 6F **108**
Langsett Wlk. S6: Shef 5E **108**
Langthwaite Grange Ind. Est.
WF9: Sth K 7C **20**
Langthwaite Ho. WF9: Sth K 6B **20**
Langthwaite La. DN5: Scawt 6H **43**
WF9: Sth E 8D **20**
Langthwaite Rd. DN5: Scawt 7H **43**
WF9: Sth K 6C **20**
Langton Gdns. DN3: Brant 7A **66**
Lansbury Av. DN11: New R 5K **83**
S35: Chap 9G **74**
S66: Malt 9F **98**
Lansbury Ct. S21: Ecki 7K **137**
Lansbury Pl. S62: Rawm 8B **78**
Lansbury Rd. S21: Ecki 7K **137**
Lansdowne Cl. S63: Thurn 8B **40**
Lansdowne Cres. S64: Swin 4C **78**
S75: Dart 1M **35**
Lansdowne Rd. DN2: Don 2F **64**
Lantern M. S73: Womb 3F **58**
Lantern Theatre 4F **122**
Lanyon Way S71: Monk B 5J **37**
Lapwater Rd. S61: Wing 2F **94**
Lapwater Wlk. S61: Wing 2F **94**
Lapwing Rd. WF9: Sth E 8E **20**
Lapwing Va. S61: Thorpe H 8A **76**
Larch Av. DN9: Auck 3B **84**
S21: Killa 5B **138**
S66: Wick 8G **97**
Larch Cl. S73: D'fld 2G **59**
Larch Dr. DN3: Arm 1L **65**
(not continuous)
Larches, The S64: Swin 3B **78**
Larchfield Pl. S71: Monk B 3L **37**
Larchfield Rd. DN4: Balb 8K **63**
Larch Gro. DN12: Con 6M **79**
S26: Aston 3D **126**
S35: Chap 1H **93**
Larch Hill S9: Shef 9E **110**
Larch M. S65: Roth 5A **96**
Larch Pl. S70: Barn 1J **57**
Larch Rd. S21: Ecki 8H **137**
S66: Malt 7B **98**
Larch Sq. DN9: Auck 2C **84**
Large Sq. DN7: Stainf 5A **26**
Lark Av. S60: Brins 4K **111**
Larkhill Cl. S62: P'gte 2M **95**
Larkin Gro. S5: Shef 8J **93**
Lark Spinney S81: Gate 4N **141**
Larkspur Cl. DN3: Eden 7J **45**
S64: Swin 6B **78**
Lark St. S6: Shef 6C **108**
Larwood Av. S81: Work 4E **142**
Larwood Gro. DN12: New E 3G **80**
Larwood Ho. S81: Work 4E **142**
Latchmoor Cl. S75: Barn 4E **36**
Latham Sq. DN3: Kirk Sa 3K **45**
S11: Shef 6N **121**
Lathe Rd. S60: Roth 2B **112**
Lathkill Cl. S13: Shef 4C **124**
Lathkill Rd. S13: Shef 4C **124**
Latimer Cl. S26: Kiv P 9L **127**
Latin Gdns. DN5: Scaws 9G **43**
Lauder Rd. DN5: Don 1L **63**
Lauder St. S4: Shef 2L **109**
Laudsdale Cl. S65: Roth 6C **96**
Laudsdale Rd. S65: Roth 5B **96**
LAUGHTON COMMON 9A **114**
Laughton Comn. Rd. S66: Thurc 8M **113**
LAUGHTON EN LE MORTHEN 7B **114**
Laughton Mdws. S25: Laugh C 9A **114**
Laughton Rd. DN4: Hex 5M **63**
S9: Shef 1B **110**
S25: Din 1D **128**
S66: Thurc 6L **113**
Launce Rd. S5: Shef 9G **92**
Laurel Av. DN5: Cus 2J **63**
DN8: Moore 7L **11**
S66: Bram 8J **97**
S70: Barn 9L **37**
Laurel Cl. DN9: Finn 2H **85**
S21: Ecki 8J **137**
S25: Sth A 8B **128**
Laurel Ct. S10: Shef 2C **122**
WF4: Ryh 1B **18**
Laurel Dr. S21: Killa 6B **138**
Laurel Rd. DN3: Arm 9L **45**
Laurel Sq. DN9: Auck 2C **84**
Laurel Ter. DN4: Balb 8L **63**
DN6: Skell 7E **22**
Laurold Av. DN7: Hatf W 2J **47**
Lavender Cl. DN12: Con 5B **80**
Lavender Ct. S70: Barn 9K **37**
WF9: Hems *3K 19*
(off Lavender Way)
Lavender Way S5: Shef 1N **109**
WF9: Hems 3K **19**
Lavenham M. *S80: Work* *8C 142*
(off Abbey St.)
Lavenham Pl. DN6: Skell 7C **22**
Laverack St. S13: Shef 2F **124**
Laverdene Av. S17: Tot 6A **134**
Laverdene Cl. S17: Tot 6N **133**
Laverdene Dr. S17: Tot 6A **134**
Laverdene Rd. S17: Tot 6N **133**
Laverdene Way S17: Tot 6A **134**
Laverock Way S5: Shef 8L **93**
Lavinia Rd. S35: Gren 5F **92**
Law Comn. Rd. HD9: Hep 2H **51**
Law Courts
Barnsley 6F **36**
Lawn, The S18: Dron 8J **135**
(not continuous)
Lawn Av. DN1: Don 4B **64**
DN6: Woodl 2D **42**
Lawn Ct. S81: Cos 3B **130**
Lawndale DN6: Skell 7D **22**
Lawndale Fold S75: Dart 8A **16**
Lawn Gth. DN5: Scawt 9L **43**
Lawn La. DN6: Fen 5E **8**
Lawn Rd. DN1: Don 4B **64**
S81: Cos 3B **130**
Lawns, The S11: Shef 5C **122**
Lawnswood Ct. DN4: Bess 7F **64**
Lawns Wood Gdns. S65: Thry 1E **96**
Lawnwood Dr. S63: Gol 2B **60**
Lawrence Cl. S66: Flan 8G **97**
S75: High'm 4N **35**
Lawrence Ct. S60: Roth 6J **95**
S64: Swin 5B **78**
Lawrence Dr. S64: Swin 4B **78**
Lawrence St. S9: Shef 6N **109**
Law Slack Rd. HD9: Hade E 2H **51**
Lawson Rd. S10: Shef 1C **122**
Lawson Sq. S81: Bly 1L **131**
Lawton La. S60: Roth 1L **111**
Lawton Ter. S6: Shef 4C **108**
Laxey Rd. S6: Shef 7N **107**
Laxton Cl. S66: Malt 7B **98**
Laxton Rd. S71: Ath 9G **16**
Laycock Av. S26: Aston 4D **126**
Layden Ct. S66: Malt 9C **98**
Layden Dr. DN5: Scaws 8G **43**
Lazarus Exhibition Hall 4E **64**
Lea, The S20: Water 9K **125**
S64: Swin 4A **78**
LEA BROOK 3E **76**
Lea Brook La. S62: Wentw 3E **76**
Leabrook Rd. S18: Dron W 9D **134**
Leach La. S64: Mexb 2G **78**
Lea Ct. S80: Work 8N **141**
Leadbeater Dr. S12: Shef 6A **124**
Leadbeater Rd. S12: Shef 7N **123**
Leader Ct. S6: Shef 3C **108**
Leader Rd. S6: Shef 3C **108**
Lead Hill S80: Work 8B **142**
Leadley St. S63: Gol 2D **60**
Leadmill Ct. S1: Shef 6G **5**
Leadmill Point S1: Shef 6G **5**
Leadmill Rd. S1: Shef 5G **5** (1J **123**)
S2: Shef 6G **5** (1J **123**)
Leadmill St. S1: Shef 6G **5** (1J **123**)
Leaf Cl. S66: Malt 7F **98**
Lea Head HD8: Shep 1B **32**
Leake Rd. S6: Shef 2D **108**
Leak Hall Cres. HD8: Den D 2J **33**
Leak Hall La. HD8: Den D 2J **33**
Leak Hall Rd. HD8: Den D 2J **33**
Leamington Gdns. DN2: Don 2E **64**
Leamington St. S10: Shef 8D **108**
Leapings La. S36: Thurl 4J **53**
(not continuous)
Lea Rd. S18: Dron 9H **135**
S71: Ath 1J **37**
Leas, The DN5: Cus 2K **63**
Leas Av. HD9: Holm 1D **30**
Lease Ga. Rd. S60: Whis 2A **112**
Leas Gdns. HD9: Jack B 4J **31**
Leatham Av. S61: Roth 6G **94**
Leaton Cl. S6: Lox 3M **107**
Leavy Greave S3: Shef 4B **4** (9F **108**)
Leavygreave Rd. S3: Shef 3B **4** (9F **108**)
Leawood Pl. S6: Stan 6M **107**
Le Brun Sq. S81: Carl L 4B **130**
Ledbury Gdns. DN5: Scaws 2H **63**
Ledbury Rd. S71: Ath 2G **37**
Ledsham Ct. S74: Els 8B **58**
Ledsham Rd. S60: Roth 9N **95**
Ledstone Rd. S8: Shef 7F **122**
Lee Av. S36: Spink 5F **72**
Leebrook Av. S20: Mosb 1H **137**
Leebrook Ct. S20: Mosb 1H **137**
Leebrook Dr. S20: Mosb 1H **137**
Leebrook Pl. S20: Mosb 1H **137**
Lee Cft. S1: Shef 2F **5** (8H **109**)
S66: Malt 1F **114**
Leedham Cl. S5: Shef 9N **93**
Leedham Rd. S5: Shef 9N **93**
S65: Roth 9B **96**
Leeds Av. S25: Nth A 4C **128**
Leeds Rd. S9: Shef 6A **110**
S81: Shire 3K **141**
Lee Ho. La. S36: Stoc 6B **72**
Lee La. S36: Bolst 1N **89**
S36: Mill G 3C **52**
S71: R'ton, Stain 7E **16**
Lee Mills Ind. Pk. HD9: Scho 4H **31**
Leeming Ct. DN10: Baw 7B **102**
Lee Moor La. S6: Stan 5G **107**
Lee Rd. S6: Lox 3M **107**
Lees, The S8: Shef 8H **123**
S71: Ard 8B **38**
Lees Av. S36: Pen 4N **53**
Lees Hall Av. S8: Shef 6J **123**
Lees Hall Golf Course 9K **123**
Lees Hall Pl. S8: Shef 6J **123**
Lees Hall Rd. S8: Shef 6J **123**
Lees Ho. Ct. S8: Shef 7H **123**
Lees Nook S8: Shef 6H **123**
Lee Ter. HD9: Scho 4H **31**
Leewood Cl. S63: Bramp B 9F **58**
Leger Ct. DN2: Don 4B **64**
Leger Retail Cen. DN2: Don 8G **44**
Leger Way DN2: Don 5D **64**
Legion Dr. S26: Aston 4D **126**
Leicester Av. DN2: Don 4D **64**
Leicester Cres. S81: Work 3B **142**
Leicester Rd. S25: Din 2E **128**
Leigh St. S9: Shef 5A **110**
Leigh St. Ind. Est. S9: Shef 5A **110**
Leighton Cl. S71: Barn 5G **36**
Leighton Dr. S14: Shef 8N **123**
Leighton Pl. S14: Shef 8N **123**
Leighton Rd. S14: Shef 6M **123**
Leighton Road Stop (ST) 8N **123**
Leighton Vw. S14: Shef 6M **123**
Leinster Av. DN2: Don 2D **64**
Leisure La. HD8: Eml'y 1A **14**
Lemont Rd. S17: Tot 6N **133**
Lengdale Ct. S62: Rawm 9M **77**
Lennox Rd. DN2: Don 2E **64**
S6: Shef 3C **108**
Lenny Balk DN6: Ham 1J **41**
Lenton St. S2: Shef 7G **5** (2J **123**)
Leonard Cl. S2: Shef 4A **124**
Leopold Av. S25: Din 3D **128**
Leopold Sq. S1: Shef 3E **4**
Leopold St. S1: Shef 3F **5** (9H **109**)
S25: Din 2D **128**
S70: Barn 8E **36**
Leppings La. S6: Shef 2D **108**
Leppings Lane Stop (ST)
Middlewood Rd. (North) 2D **108**
Middlewood Rd. (South) 3D **108**
Lepton Gdns. S70: Stair 1L **57**
Lerwick Cl. S81: Work 1B **142**
Lescar La. S11: Shef 3D **122**
Lescar Rd. S60: Wav 8H **111**
Lesley Rd. S63: Gol 2D **60**
Leslie Av. DN12: Con 4M **79**
S66: Malt 8B **98**
Leslie Rd. S6: Shef 3C **108**
S70: Barn 8L **37**
Lesmond Cres. S72: Midd 1L **59**
Lestermoor Av. S26: Kiv P 9H **127**
Letard Dr. S60: Brins 3J **111**
Letsby Av. S9: Shef 6E **110**
LETWELL 1L **129**
Letwell Ct. DN4: Bess 1L **83**
Levels La. DN9: Blax 7H **67**
DN10: Miss 7N **85**
Leverick Dr. S62: Rawm 7B **78**
Leverstock Grn. DN7: Dunsc 1C **46**
Leverton Dr. S11: Shef 7D **4** (2G **123**)
Leverton Gdns. S11: Shef 7D **4** (2G **123**)
Leverton Way S65: Dalt 4D **96**
Leveson St. S4: Shef 7L **109**
Levet Rd. DN4: Can 6J **65**
Levett Ct. S66: Thurc 7L **113**
Levett Dr. S66: Thurc 7L **113**
Levick Cft. S74: Els 9N **57**
Lewdendale S70: Wors 3H **57**
Lewden Farm La. S70: Wors 3L **57**
Lewden Gth. S70: Wors 3L **57**
Lewes Rd. DN12: Con 5N **79**
Lewis Rd. S13: Shef 4C **124**
S71: Lund 4M **37**
Lewyns Dr. DN4: Can 6J **65**
Leybourne Rd. S61: Kimb P 4E **94**
Leybrook Cft. WF9: Hems 2L **19**
Leyburn Cl. DN4: Can 8J **65**
Leyburn Dr. S26: Swal 3B **126**
Leyburn Gro. S35: Chap 8H **75**
Leyburn Rd. DN6: Skell 7C **22**
S8: Shef 5G **122**
Ley End S70: Wors 3G **56**
Leyfield Bank HD9: Holm 1G **30**
Leyfield Ct. DN3: Arm 2M **65**
Leyfield Pl. S73: Womb 3F **58**
Leyfield Rd. S17: Dore 3M **133**
Leyland Av. DN7: Hat 1E **46**
Leylands, The S75: Barn 4C **36**
Leyland Wlk. S75: Barn 4C **36**
Leys, The WF9: Sth K 8N **19**
Leys Cl. DN4: Balb 2K **81**
Leys La. DN6: Ham 8N **21**
S25: Din 2F **128**
WF8: Lit S 3A **6**
Liberty Cl. S6: Shef 7N **107**
Liberty Dr. S6: Shef 7N **107**
LIBERTY HILL 7N **107**
Liberty Hill S6: Shef 7N **107**
Liberty La. S35: Wort 3M **73**
Liberty Pl. S6: Shef 7N **107**
Liberty Rd. S6: Shef 7N **107**
Libra Dr. DN4: Balb 2A **82**
Library Cl. S61: Wing 2G **94**
Library Pk. S70: Barn 8C **36**
Lichen Cl. DN3: Eden 7J **45**
Lichfield Cl. S81: Work 3D **142**
Lichfield Gdns. DN12: New E 5E **80**
Lichfield Rd. DN2: Don 1C **64**
DN7: Dunsc 9C **26**
Lichfield Wlk. S81: Carl L 4B **130**
Lichfield Way S60: Brins 4K **111**
Lichford Rd. S2: Shef 5K **123**
Lidgate Cl. WF9: Sth K 7C **20**
Lidgate Cres. WF9: Sth K 7C **20**
Lidgate La. S72: Shaft 6B **18**
Lidgates, The WF9: Sth K 7C **20**
LIDGET 9C **66**
Lidget Cl. DN4: Bess 8H **65**
S26: Swal 5A **126**
S63: Thurn 9D **40**
Lidget La. DN5: Hick 9D **40**
S63: Thurn 9D **40**
S65: Bram 7J **97**
Lidget La. Ind. Est. S63: Thurn 8E **40**
Lidgett Gdns. DN9: Auck 9C **66**
Lidgett Grange S74: Hoyl 4K **75**
Lidgett La. S25: Din 3D **128**
S75: Pil 1E **74**
Lidgett Way S71: R'ton 5K **17**
Lidster La. S25: Sth A 7C **128**

Lifestyle Ho.—Longford Rd.

Lifestyle Ho. S10: Shef ... 1D 122
Liffey Av. DN2: Don ... 2D 64
Lifford Pl. S74: Els ... 1B 76
Lifford Rd. DN2: Don ... 2C 64
Lifford St. S9: Tins ... 1E 110
LIGHTWOOD
S21 ... 8F 136
S8 ... 1N 135
Lightwood La. S8: Shef ... 1M 135
S21: Midd H ... 9E 136
Lightwood Rd. S21: Mar L ... 9E 136
Lignum Ter. DN6: Ask ... 1L 23
Lilac Av. S36: Stoc ... 6D 72
Lilac Cl. S25: Sth A ... 7B 128
Lilac Cres. DN12: New E ... 5F 80
S74: Hoyl ... 8M 57
Lilac Farm Cl. S66: Wick ... 9G 97
Lilac Gro. DN4: Can ... 7J 65
DN9: Auck ... 2C 84
DN10: Baw ... 6B 102
DN12: Con ... 5M 79
S66: Bram ... 8H 97
S66: Malt ... 8B 98
Lilac Rd. DN3: Arm ... 9M 45
S5: Shef ... 1M 109
S20: Beig ... 8M 125
Lilacs, The S71: R'ton ... 5M 17
Lilac Tree Gro. S81: Carl L ... 4B 130
Lilac Way S72: Brier ... 7G 18
Liley La. S36: Mill G ... 6F 52
Lilian St. S60: Roth ... 8L 95
Lilian St. Sth. S60: Roth ... 8L 95
Lillee Ct. S81: Work ... 5E 142
Lilley St. WF9: Hems ... 3K 19
Lilley Ter. WF9: Sth K ... 7A 20
Lillford Rd. DN3: Brant ... 7A 66
Lilly Hall Cl. S66: Malt ... 7B 98
Lilly Hall Rd. S66: Malt ... 7B 98
Lilydene Av. S72: Grim ... 1F 38
Lily Ter. S74: Jum ... 8N 57
Limb La. S17: Dore ... 2M 133
Limbreck Ct. DN5: Bntly ... 7L 43
Limbrick Cl. S6: Shef ... 5D 108
Limbrick Rd. S6: Shef ... 5D 108
Lime Av. DN9: Auck ... 2C 84
S81: Fir ... 6L 115
Lime Cl. S65: Rav ... 3J 97
Lime Ct. DN5: Sprot ... 6H 63
Lime Cres. WF9: Sth E ... 8D 20
Limedale Vw. DN3: Barn D ... 2K 45
Lime Gro. S35: Chap ... 1H 93
S36: Stoc ... 6D 72
S60: Roth ... 9N 95
S64: Swin ... 4C 78
S66: Malt ... 8F 98
S71: Car ... 8K 17
WF9: Sth E ... 8D 20
Limekiln La. S66: Stain ... 5J 99
(Stainton La.)
S66: Stain ... 3J 99
(Tickhill Bk. La.)
Limekilns S25: Nth A ... 5B 128
Limekiln Way S81: Shire ... 3J 141
Limelands Rd. S25: Din ... 2C 128
Lime Rd. S21: Ecki ... 9H 137
Limes, The S60: Roth ... 9N 95
Limes Av. S75: Barn ... 5C 36
S75: Stain ... 7D 16
Limes Cl. S75: Stain ... 7D 16
Limestone Cl. S81: Woods ... 8J 129
Limestone Cott. La. S6: Shef ... 9C 92
Lime St. S6: Shef ... 6F 108
S20: Beig ... 7M 125
Limesway S66: Malt ... 8D 98
S75: Barn ... 5C 36
Lime Tree Av. DN3: Arm ... 9L 45
DN4: Don ... 5B 64
S21: Killa ... 5B 138
S81: Carl L ... 4B 130
Limetree Av. S26: Kiv P ... 8H 127
S66: Thurc ... 6L 113
Lime Tree Cl. S72: Cud ... 1B 38
Lime Tree Ct. DN4: Don ... 6C 64
WF9: Hems ... 3J 19
Lime Tree Cres. DN10: Baw ... 6B 102
DN11: New R ... 6K 83
Limetree Cres. S62: Rawm ... 8A 78
Lime Tree Gro. DN8: Thorne ... 1K 27
Lime Tree Wlk. DN12: Den M ... 2L 79
Limpool Cl. DN4: Can ... 9J 65
Limpsfield Rd. S9: Shef ... 2A 110
Linaker Rd. S6: Shef ... 6B 108
Linburn Cl. S71: R'ton ... 5H 17
Linburn Rd. S8: Shef ... 9G 122
Linby Rd. S71: Ath ... 9G 16
Lincoln Cl. DN12: Den M ... 4L 79
DN17: Crow ... 8N 29
Lincoln Cres. WF9: Sth E ... 5F 20
Lincoln Gdns. S63: Gol ... 2C 60
Lincoln Rd. DN2: Don ... 1C 64
DN7: Lind ... 9J 47
Lincolnshire Way DN3: Arm ... 9A 46
Lincoln St. DN11: New R ... 4H 83
S9: Shef ... 2B 110
S60: Roth ... 5K 95
S66: Malt ... 9E 98
S80: Work ... 9D 142
Lincoln Vw. S80: Work ... 8D 142
Lincroft S63: Gol ... 3C 60
Lincroft Dr. S62: P'gte ... 2M 95
Lindale Cl. S25: Nth A ... 6D 128
Lindale Gdns. S63: Gol ... 3E 60
Lindale Gro. WF9: Hems ... 4L 19
Lindales, The S75: Barn ... 6D 36
Lindbergh Cl. S80: Work ... 8N 141
Linden Av. S8: Shef ... 9F 122
S18: Dron ... 7J 135
S66: Wick ... 7H 97
Linden Cl. DN7: Hat ... 9D 26
Linden Ct. S10: Shef ... 2C 122
S35: Eccl ... 4J 93
Linden Cres. S36: Stoc ... 5D 72
Linden Gro. DN12: New E ... 5F 80
S66: Malt ... 8B 98
Linden Rd. S35: Eccl ... 4J 93
S63: Wath D ... 9H 59
Linden Wlk. DN5: Bntly ... 4L 43
Lindholme Bank Rd. DN7: Hatf W ... 6L 47
Lindholme Dr. DN11: Ross ... 4L 83
Lindholme Gdns. S20: Mosb ... 9J 125
Lindhurst Lodge S71: Ath ... 9G 17
Lindhurst Rd. S71: Ath ... 9F 16
Lindley Ct. DN9: Finn ... 3G 85
Lindley Cres. S63: Thurn ... 9C 40
Lindley Rd. DN9: Finn ... 3G 84
S5: Shef ... 2L 109
Lindley's Cft. S26: Tod ... 6L 127
Lindley St. S65: Roth ... 5L 95
Lindrick DN11: Tick ... 7C 100
Lindrick Av. S64: Swin ... 4D 78
Lindrick Cl. DN4: Bess ... 9F 64
DN11: Tick ... 7C 100
DN12: Con ... 3C 80
S72: Cud ... 8C 18
S81: Carl L ... 5C 130
S81: Work ... 5C 142
Lindrick Ct. S81: Woods ... 8K 129
Lindrick Dr. DN3: Arm ... 2L 65
Lindrick Golf Course ... 1J 141
Lindrick La. DN11: Tick ... 8C 100
Lindrick Rd. DN7: Hatf W ... 2H 47
S81: Woods ... 8J 129
Lindsay Av. S5: Shef ... 9H 93
Lindsay Cres. S5: Shef ... 8J 93
Lindsay Dr. S5: Shef ... 8J 93
Lindsay Pl. S26: Swal ... 4C 126
Lindsay Rd. S5: Shef ... 8J 93
Lindsey Cl. DN4: Bess ... 1G 83
Lindsey Dr. DN17: Crow ... 7N 29
Lindsey Rd. DN11: H'worth ... 8K 101
Lindum Dr. S66: Wick ... 9H 97
Lindum Gro. DN17: Crow ... 3N 29
Lindum St. DN4: Hex ... 5M 63
Lindum Ter. S65: Roth ... 7L 95
Lindup Rd. S18: Dron W ... 8F 134
Lindwall Ct. S81: Work ... 5E 142
Lineside La. S71: R'ton ... 5M 17
Linfit Ct. HD8: Clay W ... 5B 14
Lingamoor Leys S63: Thurn ... 7C 40
Lingard Ct. S75: Barn ... 6E 36
Lingard La. S35: Ough ... 8M 91
Lingard St. S75: Barn ... 5E 36
Lingfield Cl. S66: Bram ... 9K 97
Lingfield Dr. DN5: Scaws ... 2H 63
Ling Fld. Rd. DN5: Brod, Pick ... 5N 41
Lingfield Wlk. S64: Mexb ... 9H 61
Lingfoot Av. S8: Shef ... 4J 135
Lingfoot Cl. S8: Shef ... 4J 135
Lingfoot Cres. S8: Shef ... 4J 135
Lingfoot Dr. S8: Shef ... 4J 135
Lingfoot Pl. S8: Shef ... 4J 135
Lingfoot Wlk. S8: Shef ... 4K 135
Ling Ho. La. DN7: Stainf ... 7L 25
Ling La. DN5: Brod ... 3M 41
Lingmoor Cl. DN4: Balb ... 9J 63
Lingodell Cl. S25: Laugh M ... 8D 114
Lings, The DN3: Arm ... 2N 65
S66: Bram ... 9J 97
Lings La. DN7: Hat ... 2D 46
S66: Wick ... 9H 97
WF8: Wentb ... 1M 21
Lingthwaite S75: Dod ... 9B 36
Lingwood Cl. HD9: New M ... 1H 31
Link, The S75: Dod ... 1B 56
Link Rd. S65: Thry ... 3F 96
Link Row S2: Shef ... 2K 5
Links Vw. S75: Stain ... 7C 16
Linkswood Av. DN2: Don ... 9F 44
Linkswood Rd. S65: Dalt ... 4C 96
Linkway DN2: Don ... 1E 64
DN6: Nort ... 7H 7
DN7: Hatf W ... 2H 47
Linley La. S12: Shef ... 6D 124
Linnet Mt. S61: Thorpe H ... 9N 75
Linnets, The S81: Gate ... 3A 142
Linscott Rd. S8: Shef ... 9F 122
Linshaws Rd. HD9: Hade E ... 2C 50
Linthwaite La. S62: Wentw ... 2C 76
S74: Els ... 2C 76
Linton Cl. DN10: Baw ... 7B 102
S70: Barn ... 8C 36
Lionel Hill S35: Cran M ... 8L 55
LIPHILL BANK ... 3B 30
Liphill Bank Rd. HD9: Holm ... 3A 30
Lip Hill La. HD9: Holm ... 3A 30
Lipp Av. S21: Killa ... 3B 138
Liquorice La. S81: Wig ... 7D 130
Liskeard Pl. DN6: Adw S ... 3E 42
Lisle Rd. S60: Roth ... 9N 95
Lismore Rd. S8: Shef ... 6J 123
Lister Av. DN4: Balb ... 7M 63
S12: Shef ... 7B 124
S62: Rawm ... 7L 77
Lister Cl. S12: Shef ... 8B 124
Lister Ct. DN2: Don ... 2D 64
Lister Cres. S12: Shef ... 8A 124
LISTERDALE ... 9F 96
Listerdale Shop. Cen. S65: Roth ... 9D 96
Lister Dr. S12: Shef ... 8B 124
Lister Pl. S12: Shef ... 8B 124
Lister Rd. S6: Shef ... 5D 108
Lister Row S72: Gt H ... 5K 39
Lister St. S65: Roth ... 7M 95
Lister Way S12: Shef ... 8B 124
Litherop La. HD8: Clay W ... 3E 14
Litherop Rd. S75: High H ... 5F 14
Lit. Black La. DN11: Tick ... 6G 100
Little Bri. Rd. S60: Roth ... 4L 95
Little Cake HD9: Scho ... 6G 31
Lit. Cockhill La. DN12: Old E ... 7F 80
LITTLE COMMON ... 8B 122
Little Comn. La. DN14: Balne ... 1C 8
S11: Shef ... 8A 122
S60: Whis ... 3D 112
S61: Kimb ... 6D 94
Littledale Rd. S9: Shef ... 1C 124
Lit. Fell Rd. S5: Shef ... 6G 93
Littlefield La. S73: Womb ... 4D 58
(not continuous)
Littlefield Rd. S25: Din ... 2C 128
Lit. Haynooking La. S66: Malt ... 8D 98
LITTLE HEMSWORTH ... 3L 19
Little Hemsworth WF9: Hems ... 3L 19
Littlehey Cl. S66: Malt ... 7B 98
LITTLE HOUGHTON ... 8J 39
Lit. Houghton La. S73: D'fld ... 1H 59
Little La. DN2: Long S ... 7F 44
DN5: Sprot ... 3E 62
HD9: Holm ... 3D 30
(Upperthong La.)
HD9: Holm ... 2G 31
(Woolcroft Dr.)
S4: Shef ... 3M 109
S12: Shef ... 5B 124
S61: Scho ... 1B 94
S61: Thorpe H ... 8M 75
S75: High H ... 8E 14
S80: Thorpe S ... 4F 140
S81: Bly ... 9L 117
WF8: Lit S ... 3E 6
WF9: Sth E ... 6E 20
(Beaumont Av.)
WF9: Sth E ... 6G 20
(Heming's Way)
WF9: Upton ... 2G 20
Little La. Ind. Est. DN2: Long S ... 7E 44
Little Leeds S74: Hoyl ... 9M 57
Lit. London Pl. S8: Shef ... 5G 123
Lit. London Rd. S8: Shef ... 7F 122
Lit. Matlock Gdns. S6: Stan ... 6M 107
Lit. Matlock Way S6: Stan ... 6M 107
Littlemoor S21: Ecki ... 7L 137
Littlemoor Av. S26: Kiv P ... 9H 127
Littlemoor Bus. Cen. S21: Ecki ... 6L 137
Littlemoor La. DN4: Balb ... 6M 63
Littlemoor St. DN4: Balb ... 6M 63
Little New Cl. S75: Barn ... 5C 36
LITTLE NORTON ... 2H 135
Lit. Norton Av. S8: Shef ... 3H 135
Lit. Norton Dr. S8: Shef ... 2H 135
Lit. Norton La. S8: Shef ... 2H 135
Lit. Norton Way S8: Shef ... 3H 135
Little Pear Tree Nature Reserve ... 4H 109
LITTLE SHEFFIELD ... 2G 122
LITTLE SMEATON ... 4C 6
Little Stubbing S73: Womb ... 3B 58
Little Westfields S71: R'ton ... 5H 17
Lit. Wood Dr. S12: Shef ... 8A 124
Lit. Wood La. S80: Thorpe S ... 4C 140
Lit. Wood Rd. S12: Shef ... 8A 124
Littlewood Rd. DN8: Thorne ... 2L 27
Littlewood St. DN4: Hex ... 5M 63
Littlewood Way S66: Malt ... 7F 98
LITTLEWORTH ... 5L 83
Littleworth Av. S71: Lund ... 6M 37
Littleworth Cl. DN11: Ross ... 5L 83
Littleworth La. DN11: Ross ... 4L 83
S71: Lund, Monk B ... 4L 37
Littleworth M. DN11: Ross ... 4L 83
S71: Monk B ... 4L 37
Litton Cl. S72: Shaft ... 6C 18
Littondale S81: Work ... 3D 142
Litton Wlk. S70: Barn ... 6E 36
S72: Shaft ... 6C 18
Liverpool Av. DN2: Don ... 1C 64
Liverpool St. S9: Shef ... 5N 109
Livesey St. S6: Shef ... 4E 108
Livingstone Av. DN2: Don ... 7G 44
Livingstone Cres. S71: Monk B ... 3J 37
Livingstone Rd. S35: Chap ... 9F 74
Livingstone Ter. S70: Barn ... 8F 36
Livingston Rd. S9: Shef ... 6M 109
LivingWell Health Club
Sheffield ... 2H 5
Llewelyn Cres. DN6: Ask ... 2J 23
Lloyds Ter. DN7: Dunsc ... 8B 26
Lloyd St. S4: Shef ... 3L 109
S62: P'gte ... 2M 95
LOAD BROOK ... 6E 106
Load Fld. Rd. S6: Brad ... 4B 90
Loakfield Dr. S5: Shef ... 6G 92
Lobelia Ct. S25: Sth A ... 7B 128
Lobelia Cres. DN3: Kirk Sa ... 5J 45
Lobwood S70: Wors ... 2H 57
Lobwood La. S70: Wors ... 2J 57
Locarno Rd. DN8: Moore ... 7M 11
Lock Av. S70: Wors ... 1G 56
Lockeaflash Cres. S70: Stair ... 9L 37
Lockeaflash Gdns. S70: Stair ... 9L 37
Locke Av. S70: Barn ... 8F 36
Locke Dr. S9: Shef ... 8B 110
Locke Rd. S75: Dod ... 1B 56
Lockesley Av. DN12: Con ... 4M 79
Locke St. S70: Barn ... 9E 36
Lockgate Rd. DN14: Balne ... 2C 8
Lock Hill DN8: Thorne ... 2J 27
Lock Ho. Rd. S9: Tins ... 3C 110
Lock Ho. Wlk. S9: Tins ... 4C 110
Locking Dr. DN3: Arm ... 2M 65
Lock Keepers Vw. DN5: Sprot ... 7G 62
Lock La. DN8: Thorne ... 2J 27
S9: Tins ... 9E 94
Locksley Av. DN3: Eden ... 6J 45
Locksley Dr. S66: Thurc ... 6K 113
Locksley Gdns. *DN6: Camp ... 9G 7*
(off Park Dr.)
S70: Birdw ... 9G 57
Lock St. S6: Shef ... 6F 108
Lockton Cl. S35: High G ... 6D 74
Lockton Way DN12: Con ... 3B 80
Lockwood Av. S25: Sth A ... 7B 128
Lockwood Cl. DN8: Thorne ... 2M 27
S65: Roth ... 6B 96
Lockwood Gdns. S36: H'swne ... 1C 54
Lockwood La. S63: Thurn ... 9D 40
S70: Barn ... 9G 36
Lockwood Rd. DN1: Don ... 2B 64
S63: Gol ... 2D 60
S65: Roth ... 6B 96
Lodge, The S11: Shef ... 6B 122
Lodge Cl. S26: Aston ... 4D 126
Lodge Ct. DN7: Hat ... 1D 46
Lodge Dr. S62: H'ley ... 5L 75
Lodge Farm Cl. S25: Nth A ... 5B 128
Lodge Farm M. S25: Nth A ... 5B 128
Lodge Hill Dr. S26: Wales ... 9G 127
Lodge La. DN7: B'waite ... 2L 25
S6: Shef ... 9J 107
S10: Shef ... 9J 107
S25: Din ... 2F 128
S26: Aston ... 5C 126
S35: Wort ... 9M 73
S61: Thorpe H ... 2N 93
LODGE MOOR ... 2J 121
Lodge Moor Rd. S10: Shef ... 3G 121
Lodge Rd. DN6: Carc, Skell ... 7F 22
Lodge St. WF9: Hems ... 1K 19
Lodge Way S60: Brins ... 3J 111
Lodore Rd. S81: Work ... 3C 142
Loganberry Cl. S66: Sunn ... 6G 96
Logan Rd. S9: Shef ... 8D 110
Loicher La. S35: Eccl ... 4K 93
Lomas Cl. S6: Stan ... 5L 107
Lomas Lea S6: Stan ... 6K 107
Lombard Cl. S75: Barn ... 5F 36
Lombard Cres. S73: D'fld ... 2E 58
London La. DN6: Moss ... 8E 8
London Rd. S2: Shef ... 7D 4 (2G 123)
London Way S61: Thorpe H ... 1M 93
Long Acre S71: Car ... 8J 17
Longacre Cl. S20: Holb ... 1N 137
Long Acre Vw. S20: Holb ... 2N 137
Longacre Way S20: Holb ... 2N 137
Long Brecks La. S81: Bly ... 3M 131
Longcar La. S70: Barn ... 8E 36
Long Causeway S10: Shef ... 6J 119
S32: Bamf ... 6J 119
S71: Monk B ... 4K 37
Long Cliffe Cl. S72: Shaft ... 7C 18
Long Cl. DN4: Bess ... 1G 83
HD8: Shep ... 1N 31
Long Cl. La. HD8: Shep ... 2M 31
HD9: New M ... 2M 31
WF9: Sth E ... 2H 21
Long Cft. S75: Mapp ... 8C 16
Longcroft Av. S18: Dron W ... 8D 134
Longcroft Cres. S18: Dron W ... 8D 134
Longcroft Rd. S18: Dron W ... 8D 134
Longdale Cft. S71: Monk B ... 4J 37
Longdale Dr. WF9: Sth E ... 5D 20
Long Edge La. DN5: Scawt ... 7J 43
Longfellow Dr. S65: Roth ... 8A 96
S81: Work ... 6E 142
Longfellow Fold S65: Roth ... 8A 96
Longfellow Rd. DN4: Balb ... 9N 63
Longfield Cl. S73: Womb ... 3B 58
Longfield Dr. DN3: Eden ... 6K 45
DN4: Bess ... 9G 65
S65: Rav ... 5J 97
S75: Mapp ... 8C 16
Long Fld. Rd. DN3: Eden ... 5K 45
Longfield Rd. S10: Shef ... 7C 108
Longfields Ct. S71: Ath ... 9J 17
Longfields Cres. S74: Hoyl ... 9L 57
Longfields Rd. S71: Car ... 9J 17
Long Fold S63: Wath D ... 9J 59
Longford Cl. S17: Bradw ... 5B 134
Longford Cres. S17: Bradw ... 5B 134
Longford Dr. S17: Bradw ... 6A 134
Longford Rd. S17: Bradw ... 6A 134

Longford Spinney—Maidwell Way

Longford Spinney S17: Bradw 6A **134**
Long Furlong S36: Pen 5A **54**
Long Ga. DN11: Wils 1H **99**
Long Gro. DN7: Stainf 5A **26**
Long Henry Row S2: Shef 3J **5** (9K **109**)
(not continuous)
Longhurst S81: Work 5E **142**
Long Ing HD9: Holm 4B **30**
Long Ing Rd. HD9: Hade E 9E **30**
Longland La.
DN6: Burgh, Camp, Nort 3E **22**
Longlands Av. S26: Kiv P 9H **127**
Longlands Bank HD9: T'bri 1F **30**
Longlands Dr. S65: Thry 2F **96**
S75: Mapp 9C **16**
Long Lands La. DN5: Brod 4B **42**
Long La. DN5: Sprot 3F **62**
HD8: Clay W 6B **14**
S6: Lox 3L **107**
S6: Stan 7E **106**
(Beeton Grn.)
S6: Stan 7M **107**
(Hall Pk. Head)
S10: Shef 8N **107**
S21: Killa 4D **138**
S21: Mar L, West H 9C **136**
S35: Ough 6K **91**
(Jackey La.)
S35: Ough 3L **107**
(Loxley Rd.)
S36: Pen 6B **54**
(Castle La.)
S36: Pen 2L **53**
(Huddersfield Rd.)
S36: Stoc 6N **71**
S60: Tree, Whis 4M **111**
S81: Carl L 5B **130**
WF8: Kirk Sm 1A **22**
LONGLEY 8F **30**
Longley Av. W. S5: Shef 2F **108**
Longley Cl. S5: Shef 2J **109**
S75: Bar G 4N **35**
Longley Cres. S5: Shef 1J **109**
Longley Dr. S5: Shef 2J **109**
Longley Edge La. HD9: Holm 7F **30**
Longley Edge Rd. HD9: Holm 8F **30**
Longley Farm Vw. S5: Shef 2J **109**
Longley Hall Gro. S5: Shef 2K **109**
Longley Hall Ri. S5: Shef 1J **109**
Longley Hall Rd. S5: Shef 1K **109**
Longley Hall Way S5: Shef 2K **109**
Longley Ings S36: Pen 5C **54**
Longley La. HD9: Holm 8E **30**
S5: Shef 2J **109**
Long Leys La. S66: B'well 9E **80**
Longley Spring S74: Hoyl 4K **75**
Longley St. S75: Bar G 4N **35**
Long Line S11: Shef 9J **121**
Longman Rd. S70: Barn 5F **36**
Long Meadows S66: Bram 9J **97**
Long Plantation DN3: Eden 6K **45**
Long Pye Cl. S75: Wool G 6N **15**
Longridge Rd. S71: Monk B 2L **37**
Long Rd. S66: Bramp M 9J **113**
Long Royd S72: Grim 2F **38**
Long Royd La. HD8: Up C 1E **32**
LONG SANDALL 6G **44**
Long Sandall Bri. DN2: Long S 5F **44**
Longshaw Estate Country Pk. 7B **132**
Longshaw Estate Country Pk. Vis. Cen.
.....6C **132**
Longside Gallery 6G **14**
Longside Way S75: Barn 6B **36**
Longsight Rd. S75: Mapp 8B **16**
Long Spring Gro. S75: Tank 1F **74**
Longstone Cres. S12: Shef 7D **124**
Longthwaite Cl. S25: Laugh M 8C **114**
Longton Rd. DN3: Kirk Sa 4K **45**
Longviews WF9: Upton 1F **20**
Long Wlk. S10: Shef 8B **108**
LONG WALLS 5A **30**
Longwood Cl. S66: Sunn 5G **97**
Longworth Rd. WF9: Hems 3K **19**
Lonsborough Way WF9: Sth E 5F **20**
Lonsdale Av. DN2: Don 4E **64**
S71: Ard 8B **38**
Lonsdale Cl. S25: Nth A 5D **128**
Lonsdale Ho. DN2: Don 2F **64**
Lonsdale Rd. S6: Shef 5D **108**
Loosemore Dr. S12: Shef 6N **123**
Lopham Cl. S3: Shef 7J **109**
Lopham St. S3: Shef 6J **109**
(not continuous)
Lordens Hill S25: Din 2E **128**
Lord Porter Av. DN7: Stainf 4B **26**
Lords Cl. DN4: Don 6F **64**
DN12: New E 3G **81**
Lord's Head La. DN4: Warm 1G **81**
Lord St. DN7: Stainf 6A **26**
S65: Roth 6N **95**
S71: Barn 6K **37**
Loretta Cotts. S74: Hoyl 9L **57**
Lorna Rd. S64: Mexb 1F **78**
Lorne Cl. S18: Dron W 8E **134**
Lorne Rd. S63: Thurn 8A **40**
Loscoe Gro. S63: Gol 2B **60**
Lotherton Rd. WF9: Hems 2L **19**
Lothian Rd. DN2: Don 2F **64**
Louden Cl. S61: Scho 3B **94**
Louden Rd. S61: Scho 3B **94**
Lounde Cl. DN5: Sprot 6G **62**
Lound La. DN5: Brod 2L **41**
Lound Rd. S9: Shef 9D **110**
Lound Side S35: Chap 8H **75**
Lousy Busk La. S64: Mexb 9D **60**
Louth Rd. S11: Shef 4C **122**
Love La. DN7: Sth B 7J **25**
Lovell St. S4: Shef 7L **109**
LOVERSALL 4N **81**
Loversall Cl. DN4: Balb 1M **81**
Love St. S3: Shef 1F **5** (8H **109**)
Lovetot Av. S26: Aston 3C **126**
Lovetot Rd. S9: Shef 7M **109**
(Bacon La.)
S9: Shef 7M **109**
(Stoke St.)
S61: Kimb P 3E **94**
LOW BARUGH 2A **36**
LOW BRADFIELD 9D **90**
Lowburn Rd. S13: Shef 4C **124**
Low Common DN11: H'worth 9G **101**
Low Comn. La. DN10: Aust 2E **102**
Low Comn. Rd. S25: Din 2B **128**
Low Cft. S71: R'ton 6L **17**
S73: Womb 4E **58**
Low Cronkhill La. S71: Car 7M **17**
Low Cross St. DN17: Crow 2N **29**
Low Cudworth S72: Cud 3B **38**
Low Cudworth Grn. S72: Cud 3B **38**
Low Deeps La. DN10: Miss 5J **85**
LOWEDGES 4G **134**
Low Edges S8: Shef 4H **135**
Lowedges Cl. S8: Shef 4F **134**
Lowedges Cres. S8: Shef 4G **134**
Lowedges Dr. S8: Shef 4G **135**
Lowedges Pl. S8: Shef 4H **135**
Lowedges Rd. S8: Shef 5E **134**
Lowe La. S75: Hood G, Stainb 4N **55**
Lowell Av. DN4: Balb 9M **63**
LOWER BINNS 3E **30**
Lwr. Boundary Rd. DN5: Bntly 1C **44**
LOWER BRADWAY 4D **134**
Lwr. Castlereagh St. S70: Barn 7F **36**
Lwr. Collier Fold S75: Cawt 3H **35**
Lwr. Common La. HD8: Clay W 9A **14**
LOWER CRABTREE 4K **109**
LOWER CUMBERWORTH 1H **33**
LOWER DENBY 4L **33**
Lwr. Denby La. HD8: Den D 4L **33**
Lwr. Dolcliffe Rd. S64: Mexb 1E **78**
Lwr. Haigh Head S36: H'swne 9B **34**
Lwr. High Royds S75: Dart 9B **16**
Lwr. Kenyon St. DN8: Thorne 1K **27**
Lwr. Kitchen Royd HD8: Den D 1M **33**
LOWER LEWDEN 3L **57**
Lwr. Limes, The S70: Wors 3J **57**
Lwr. Malton Rd. DN5: Scaws 9J **43**
Lwr. Maythorn La. HD9: Hep 8N **31**
Lower Mdws. HD9: U'thng 3B **30**
Lwr. Mill Cl. S63: Gol 3B **60**
Lwr. Mill La. HD9: Holm 4D **30**
Lower Northcroft WF9: Sth E 6F **20**
Lwr. Northfield La.
WF9: Sth K 5B **20**
Lower Pasture DN9: Blax 2G **84**
LOWER PILLEY 1F **74**
Lwr. Putting Mill HD8: Den D 1L **33**
Lwr. Thomas St. S70: Barn 8F **36**
Lwr. Town End Rd. HD9: Holm 1G **30**
Lwr. Unwin St. S36: Pen 5N **53**
LOWER WALKLEY 5D **108**
Lwr. York St. S73: Womb 4D **58**
Low Farm Ct. S71: D'fld 8G **38**
Low Farm Gdns. WF9: Upton 2G **20**
LOWFIELD 3H **123**
Lowfield Av. S12: Ridg 1E **136**
S61: Grea 2J **95**
Lowfield Cl. DN3: Barn D 2L **45**
Lowfield Ct. S2: Shef 4H **123**
Lowfield Cres. WF9: Hems 2L **19**
Lowfield Farm Cl. S63: Bolt D 5D **60**
Lowfield Gro. S63: Bolt D 6D **60**
Low Field La. DN10: Aust 4E **102**
Lowfield La. S63: Bolt D 5D **60**
Lowfield Mdws. S63: Bolt D 6C **60**
Lowfield Rd. DN2: Don 9F **44**
S63: Bolt D 5C **60**
WF9: Hems 2L **19**
Lowfield Wlk. DN12: Den M 2L **79**
Low Fold HD8: Lwr C 1H **33**
Low Fold Ct. HD8: Up D 5K **33**
Low Folds S71: Monk B 3N **37**
Low Ga. HD9: Holm 4F **30**
WF9: Sth E 6F **20**
Lowgate DN5: Scawt 9J **43**
DN14: Balne 1D **8**
Low Golden Smithies S64: Swin 2B **78**
Low Grange Rd. S63: Thurn 8B **40**
Low Grange Sq. S63: Thurn 8B **40**
Lowgreave S65: Roth 5B **96**
Low Hill DN8: Thorne 9H **11**
Lowhouse Rd. S5: Shef 6M **93**
Low Ings Grn. HD8: Clay W 6A **14**
Low Ings La. DN14: Syke 6F **10**
LOW LAITHES 1B **58**
Low Laithes Vw. S73: Womb 3B **58**
Low Laithes Village S71: Low L 1C **58**
Lowland Cl. S71: Monk B 3L **37**
Low Lands Cl. DN5: Bntly 5M **43**
Lowlands Wlk. DN6: Ask 2M **23**
Low La. DN4: Bess 9F **64**
DN7: B'waite, Kirk B, Sth B 4J **25**
S61: Kimb, Roth 5G **94**
S66: Carr, Hoot L 2A **114**
Low Lathe La. S36: Spink 4H **73**
Low Levels Bank DN7: Hat 9M **27**
DN8: Thorne 2C **48**
Low Matlock La. S6: Lox 5M **107**
Low Mdw. Row S81: Shire 3J **141**
Low Moor La. S36: Up M 2F **70**
Low Pasture Cl. S75: Dod 9B **36**
Low Riddings S66: Sunn 7G **97**
Low Rd. DN4: Balb 8L **63**
DN12: Con 3A **80**
S6: Shef 6B **108**
S35: Ough 6M **91**
S36: Oxs 6F **54**
Low Rd. E. DN4: Warm 9H **63**
Low Rd. W. DN4: Warm 1G **81**
Low Rocha Gro. S36: Mill G 4H **53**
Low Row S75: Dart 6N **15**
Lowry Dr. S18: Dron 9G **134**
Low St. S75: Dod 1C **56**
S81: Carl L 6D **130**
LOW STUBBIN 6J **77**
Lowther Rd. DN1: Don 2B **64**
S6: Shef 3E **108**
Lowther Sq. S81: Carl L 4B **130**
Lowton Way S66: Hel 8M **97**
Lowtown Cl. S80: Work 8D **142**
Lowtown St. S80: Work 8D **142**
Lowtown Vw. S80: Work 8D **142**
LOW VALLEY 3F **58**
Low Vw. S75: Dod 9A **36**
LOW WINCOBANK 8A **94**
Low Wood Cl. S64: Swin 5B **78**
Loxdale Gdns. S70: Barn 6E **36**
LOXLEY 4N **107**
Loxley Av. S73: Womb 5C **58**
LOXLEY BOTTOM 4B **108**
Loxley Ct. S6: Shef 3A **108**
(Ben La.)
S6: Shef 5D **108**
(Limbrick Cl.)
S60: Roth 2M **111**
Loxley Mt. DN6: Camp 1G **22**
Loxley New Rd. S6: Shef 5C **108**
Loxley Pk. S6: Shef 5B **108**
Loxley Rd. S6: Brad, Lox, Shef 8D **90**
S60: Wav 9J **111**
S71: Lund 5N **37**
Loxley Vw. Rd. S10: Shef 7C **108**
Loy Cl. S61: Wing 2G **95**
Lucas St. S4: Shef 5K **109**
Lucknow Ct. S7: Shef 5F **122**
Ludgate Cl. DN11: New R 7K **83**
Ludwell Cl. DN5: Barnb 5K **61**
Ludwell Hill DN5: Barnb 5K **61**
Lugano Gro. S73: D'fld 1E **58**
Luke La. S6: Shef 3A **108**
Lulworth Cl. S70: Barn 8J **37**
Lumb La. S6: Brad 6F **90**
S35: Ough 6F **90**
Lumley Cl. S66: Malt 8G **98**
Lumley Cres. S66: Malt 9G **98**
Lumley Dr. DN11: Tick 6E **100**
S66: Malt 9F **98**
Lumley St. S4: Shef 8L **109**
S9: Shef 8N **109**
Lump La. S35: Gren 4D **92**
Luna Cft. S12: Shef 9N **123**
Lunbreck Rd. DN4: Warm 1G **80**
Lund Av. S71: Lund 5N **37**
Lund Cl. S71: Lund 5N **37**
Lund Cres. S71: Lund 5N **37**
Lundhill Cl. S73: Womb 6E **58**
Lundhill Farm M. S73: Hem 7D **58**
Lundhill Gro. S73: Womb 6E **58**
Lund Hill La. S71: R'ton 5N **17**
Lundhill Rd. S73: Womb 7E **58**
Lund La. S71: Lund 5N **37**
Lund Rd. S35: Ough 8M **91**
LUNDWOOD 5M **37**
Lundwood Cl. S20: Mosb 9J **125**
Lundwood Dr. S20: Mosb 9J **125**
Lundwood Gro. S20: Mosb 9J **125**
Lundwood Ho. *DN1: Don 5N 63*
(off Bond Cl.)
Lunn Rd. S72: Cud 2B **38**
Lupton Cres. S8: Shef 4G **135**
Lupton Dr. S8: Shef 4G **135**
Lupton Rd. S8: Shef 4G **134**
Lupton Wlk. S8: Shef 4H **135**
Luterel Dr. S26: Swal 3C **126**
Lutterworth Dr. DN6: Adw S 2E **42**
Lyceum Theatre
Sheffield 4G **5** (9J **109**)
Lych Ga. Cl. DN4: Can 8K **65**
LYDGATE 9B **108**
Lydgate Cl. HD9: New M 2J **31**
Lydgate Ct. S10: Shef 9C **108**
Lydgate Dr. HD9: New M 1H **31**
Lydgate Hall Cres. S10: Shef 9B **108**
Lydgate La. S10: Shef 9B **108**
S33: Bamf 5C **118**
Lydgate Ri. WF9: Sth K 6C **20**
Lydgett Farm Ct. HD9: N'thng 1D **30**
Lydgetts HD9: U'thng 2B **30**
Lyle Cl. S66: Thurc 7L **113**
Lyle M. S66: Thurc 7M **113**
Lymegate S63: Bramp B 9F **58**
Lyme St. S60: Roth 7J **95**
Lyme Ter. DN6: Skell 8C **22**
Lyminster Rd. S6: Shef 8D **92**
Lyminton La. S60: Tree 8L **111**
Lymister Av. S60: Roth 2M **111**
Lynchet La. S81: Work 3A **142**
Lyncroft Cl. S60: Brins 4K **111**
Lyndale Av. DN3: Eden 7H **45**
Lynden Av. DN6: Adw S 3E **42**
Lyndhurst Bank S36: Pen 5N **53**
Lyndhurst Cl. DN6: Nort 7J **7**
DN8: Thorne 1H **27**
S11: Shef 4D **122**
Lyndhurst Ct. DN6: Nort 7H **7**
Lyndhurst Cres. DN3: Eden 5H **45**
Lyndhurst Dr. DN6: Nort 7H **7**
Lyndhurst Ri. DN6: Nort 7J **7**
Lyndhurst Rd. S11: Shef 4D **122**
Lyndhurst Vs. DN6: Nort 7H **7**
Lynham Av. S70: Birdw 9G **57**
Lynmouth Rd. S7: Shef 6F **122**
Lynn Pl. S9: Shef 4B **110**
Lynthwaite Cl. S63: Bramp B 8F **58**
Lynton Av. S60: Roth 1N **111**
Lynton Dr. DN3: Eden 6H **45**
Lynton Pl. S75: Kexb 9M **15**
Lynton Rd. S11: Shef 3E **122**
Lynwood Cl. S18: Dron W 9E **134**
Lynwood Dr. S64: Mexb 9F **60**
S71: Car 8K **17**
Lyons Cl. S4: Shef 5K **109**
Lyons Rd. S4: Shef 5K **109**
Lyons St. S4: Shef 5K **109**
Lysander Way S81: Work 2B **142**
Lytham Av. S25: Din 4D **128**
S71: Monk B 2L **37**
Lytham Cl. DN4: Can 9L **65**
Lyttleton Ct. S36: Cub 7M **53**
Lyttleton Cres. S36: Cub 6M **53**
Lytton Av. S5: Shef 8F **92**
Lytton Cl. DN4: Balb 9M **63**
Lytton Cres. S5: Shef 8F **92**
Lytton Dr. S5: Shef 8F **92**
Lytton Rd. S5: Shef 8F **92**

M

Mabel St. S60: Roth 8M **95**
Mable St. S80: Rhod 6L **141**
Macaulay Cl. S81: Work 6F **142**
Macaulay Cres. DN3: Arm 1M **65**
McConnel Cres. DN11: New R 5G **83**
Machin Dr. S62: Rawm 6J **77**
Machin Gro. S81: Gate 3N **141**
Machin La. S36: Stoc 4N **71**
Machins Ct. S18: Dron 8H **135**
Machon Bank S7: Shef 5F **122**
Machon Bank Rd. S7: Shef 4E **122**
McIntyre Rd. S36: Stoc 5D **72**
Mackenzie Cres.
S10: Shef 6A **4** (1F **122**)
S35: Burn 1E **92**
Mackenzie St. S11: Shef 3F **122**
McKenzie Way S26: Kiv P 9J **127**
Mackey Cres. S72: Brier 6E **18**
Mackey La. S72: Brier 6E **18**
Mackinnon Av. S26: Kiv P 9J **127**
McLaren Av. WF9: Upton 1J **21**
McLaren Cres. S66: Malt 9E **98**
McLintock Way S70: Barn 7E **36**
McLoughlin Way S26: Kiv P 9J **127**
McManus Av. S62: Rawm 6M **77**
Macnaghten Rd. S75: Tank 1G **74**
Macro Rd. S73: Womb 5E **58**
Madam La. DN3: Barn D 9H **25**
Madehurst Gdns. S2: Shef 4J **123**
Madehurst Ri. S2: Shef 4J **123**
Madehurst Rd. S2: Shef 4J **123**
Madehurst Vw. S2: Shef 4J **123**
Madingley Cl. DN4: Balb 1L **81**
Madison Ct. DN9: Finn 3G **85**
Madison Dr. DN10: Baw 7B **102**
Mafeking Pl. S35: Chap 8H **75**
Magdalene Gdns. S63: Gol 2E **60**
S71: Lund 4M **37**
Magellan Dr. S80: Work 8N **141**
Magellan Rd. S66: Malt 7C **98**
Magenta Cres. DN4: Balb 2A **82**
Maggot La. S36: Oxs 4F **54**
Magistrates' Court
Doncaster 5A **64**
Sheffield 2G **5** (8J **109**)
Worksop & Retford 8C **142**
Magna 34 Bus. Pk. S60: Roth 9G **94**
Magna Cl. S66: Flan 7G **96**
Magna Cres. S66: Flan 7F **96**
Magna La. S65: Dalt 4C **96**
Magna Science Adventure Cen. 9F **94**
Magna Way S60: Roth 9F **94**
Magnolia Cl. DN3: Kirk Sa 5J **45**
S25: Sth A 8B **128**
S72: Shaft 7D **18**
Magnolia Ct. S10: Shef 3N **121**
Magpie Cl. S81: Gate 3N **141**
Magpie Gro. S2: Shef 1M **123**
Mahon Av. S62: Rawm 8M **77**
Maidstone Rd. S6: Shef 9E **92**
Maidwell Way DN3: Kirk Sa 4H **45**

178 A-Z South Yorkshire

Main Av. DN12: New E 3F **80**	**Maltkiln Dr.** WF4: W Brett 1H **15**
S17: Tot 6N **133**	**Maltkiln Farm Ct.** S66: B'well 3D **98**
Main Ga. HD9: Hep 6J **31**	**Malt Kiln Row** *S75: Cawt* 3G **35**
Main Rd. S6: Dung 3F **106**	*(off Hill Top)*
S9: Shef 7C **110**	**Maltkiln St.** S60: Roth 8K **95**
S12: Ridg 2E **136**	**Malton Dr.** S26: Aston 4D **126**
S18: Holme 9C **134**	**Malton Pl.** S71: Smi 1F **36**
S21: Mar L 8E **136**	**Malton Rd.** DN2: Don 2E **64**
S21: Reni 9N **137**	DN5: Scaws 9H **43**
S21: West H 9D **136**	WF9: Upton 1J **21**
S33: Bamf 8E **118**	**Malton St.** S4: Shef 5K **109**
S35: Wharn S 2K **91**	**Malton Way** DN6: Woodl 1C **42**
Main St. DN3: Can 6L **65**	**Maltravers Cl.** S2: Shef 1M **123**
DN5: Sprot 7F **62**	**Maltravers Cres.** S2: Shef 9L **109**
DN6: Ham 8N **21**	**Maltravers Pl.** S2: Shef 9M **109**
DN6: Sutt 4J **23**	**Maltravers Rd.** S2: Shef 8L **109**
DN7: Fish 2C **26**	**Maltravers Ter.** S2: Shef 1M **123**
DN7: Hatf W 2G **47**	*(not continuous)*
DN9: Auck 8B **66**	**Maltravers Way** S2: Shef 9M **109**
DN11: H'worth 9H **101**	**Malvern Av.** DN5: Cus 2J **63**
DN11: Sty 3F **116**	**Malvern Cl.** DN8: Thorne 3J **27**
DN11: Wad 7M **81**	S75: Barn 6C **36**
S12: Shef 7H **125**	**Malvern Dr.** S66: Sunn 6G **97**
S25: Nth A 6B **128**	**Malvern Rd.** DN2: Don 3F **64**
S26: Augh 2B **126**	S9: Shef 7B **110**
S26: Swal 4B **126**	**Malvern Way** S66: Sunn 6G **97**
S26: Ull 9D **112**	**Malwood Way** S66: Malt 7F **98**
S35: Gren 4D **92**	**Manchester Rd.** S6: Holl M, Shef . . .1F **120**
S60: Cat 7K **111**	S10: Shef 1F **120**
S60: Roth 7J **95**	S36: Hazl, Mill G, Pen 3A **58**
S61: Grea 1J **95**	S36: Mill G, Thurl 4G **53**
S62: Rawm 8N **77**	S36: Spink, Stoc 3A **72**
S62: Wentw 5A **76**	**Mandale Rd.** DN3: Barn D 9J **25**
S63: Gol 2D **60**	**Mandeville St.** S9: Shef 7C **110**
(not continuous)	**Mangham La.** DN11: Tick 5D **100**
S64: Mexb 1E **78**	**Mangham Rd.** S61: Grea 4K **95**
S65: Rav 2J **97**	S62: P'gte 4K **95**
S66: Bram 8J **97**	**Mangham Way** S61: Grea 4K **95**
S72: Sth H 3D **18**	**Mannering Rd.** DN4: Balb 9J **63**
S73: Womb 4C **58**	**Manners St.** S3: Shef 6G **109**
S81: Oldc 6C **116**	**MANOR** .3A **124**
WF8: Kirk Sm 4B **6**	**Manor App.** S61: Kimb 6E **94**
WF9: Upton 1J **21**	**Manor Av.** S63: Gol 2D **60**
Main St. Shop. Cen. S66: Bram 8J **97**	**Manor Bungs.** S18: Dron 9G **135**
Main Vw. DN7: Stainf 5D **26**	**Manor Cl.** DN3: Barn D 1H **45**
Mair Ct. S60: Roth 3N **111**	DN6: Nort 7G **7**
Mairs Ct. WF9: Kins 1H **19**	DN10: Miss 2L **103**
Maize Maze at Cawthorne, The 4D **34**	S26: Tod 6L **127**
Majestic Ct. S75: Dart 8N **15**	S62: Rawm 6J **77**
Majuba St. S6: Shef 6E **108**	S63: Bramp B 8H **59**
Makin St. S64: Mexb 2H **79**	S66: Malt 8D **98**
Malcolm Cl. S70: Barn 8L **37**	S80: Work 8N **141**
Malham Cl. DN10: Baw 5B **102**	WF8: Kirk Sm 5B **6**
S72: Shaft 6C **18**	**Manor Ct.** DN5: Harl 5H **61**
Malham Ct. S70: Barn 6E **36**	DN12: Den M 3L **79**
Malham Gdns. S20: Half 3K **137**	S65: Roth 5C **96**
Malham Gro. S20: Half 3L **137**	S70: Wors 2G **57**
Malham Pl. S35: Chap 8G **75**	S71: R'ton 6H **17**
Malham Tarn Ct. DN4: Don 7E **64**	S72: Grim 2H **39**
MALINBRIDGE 5C **108**	**Manor Cres.** S18: Dron 9G **135**
Malin Bridge (Park & Ride) 5C **108**	S60: Brins 4H **111**
Malin Bridge Stop (ST) 5C **108**	S72: Grim 9G **18**
Malincroft S75: Mapp 9C **16**	**Manor Cft.** S72: Sth H 3D **18**
Malinda St. S3: Shef 1C **4** (7G **108**)	**Manor Development Cen.** S2: Shef . . .2B **124**
Malin Rd. S6: Shef 5B **108**	**Manor Dr.** DN2: Don 5C **64**
S65: Roth 5C **96**	DN5: Cad 1B **80**
Mallard Av. DN3: Barn D 2J **45**	S25: Din 1C **128**
DN5: Scawt 9K **43**	S26: Tod 6L **127**
Mallard Chase DN7: Hat 9F **26**	S60: Whis 3E **112**
Mallard Cl. DN4: Balb 9K **63**	S71: R'ton 6J **17**
S61: Thorpe H 8A **76**	S72: Sth H 3D **18**
Mallard Ct. DN11: Ross 5K **83**	**Manor End** S70: Wors 2G **56**
Mallard Dr. S21: Killa 3A **138**	**Manor Est.** DN5: Bntly 4K **43**
Mallard M. WF9: Sth E 6F **20**	**Mnr. Farm Cl.** DN6: Adw S 2F **42**
Mallards, The S81: Gate 3N **141**	DN6: Sutt 4J **23**
Mallard Way DN4: Don 9C **64**	S26: Augh 1C **126**
Mallin Cft. S74: Hoyl 9M **57**	S71: Car 9L **17**
Mallinder Cl. S21: Killa 4C **138**	**Mnr. Farm Ct.** DN9: Finn 3G **84**
Mallin Dr. DN12: New E 6F **80**	S20: Beig 8N **125**
Mallory Av. S62: Rawm 8L **77**	S21: Killa 5C **138**
Mallory Dr. S64: Mexb 9J **61**	S65: Thry 1E **96**
S80: Work 8N **141**	*S71: Ard* 8B **38**
Mallory Rd. S65: Roth 5B **96**	*(off Doncaster Rd.)*
Mallory Way S72: Cud 1C **38**	S72: Cud 2B **38**
Malon Way S13: Shef 2H **125**	**Mnr. Farm Cft.** S81: Woods 7J **129**
Malpas Hill DN11: Tick 3C **116**	**Mnr. Farm Ct.** S64: Swin 4B **78**
Malsin Gdns. S73: Womb 6C **58**	**Mnr. Farm Est.** S62: Rawm 7J **77**
Maltas Ct. S70: Wors 2K **57**	WF9: Sth E 6F **20**
MALTBY .8D **98**	**Mnr. Farm Gdns.** S25: Sth A 7B **128**
Maltby Av. S75: Wool G 7N **15**	**Mnr. Farm La.** DN14: Syke 5K **9**
Maltby Ho. *DN1: Don* 5N **63**	**Mnr. Farm M.** S20: Beig 8N **125**
(off Burden Cl.)	**Manor Flds.** S61: Kimb 5E **94**
Maltby La. S66: B'well 4E **98**	S72: Gt H 6L **39**
Maltby Leisure Cen. 8D **98**	**Manor Fields Cl.** S61: Kimb 5E **94**
Maltby Low Common Nature Reserve	**Manor Gdns.** DN5: Sprot 6F **62**
. . . . .1G **115**	DN7: Hat 1E **46**
Maltby Rd. S81: Oldc 6B **116**	DN17: Crow 8M **29**
Maltby St. S9: Shef 5A **110**	S71: Ard 8B **38**
Maltby Vs. DN7: Hat 9E **26**	S72: Shaft 7C **18**
Malthouse Cotts. S26: Kiv S 1N **139**	**Manor Gth.** DN6: Nort 7J **7**
Malthouse Rd. S71: Barn 7G **37**	**Manor Gro.** DN5: Brod 5N **41**
Malting La. S4: Shef 1J **5** (8K **109**)	DN10: Aust 2E **102**
Maltings, The HD9: New M 2J **31**	S71: R'ton 6J **17**
S11: Shef 7C **4**	S72: Grim 9F **18**
S36: Cub 5M **53**	S80: Work 8N **141**
(off Mortimer Rd.)	WF9: Sth K 8N **19**
S60: Roth 8K **95**	**Manor Ho.** S6: Stan 6L **107**
S81: Bly 9L **117**	**Manor Ho. Cl.** S74: Hoyl 9M **57**
Maltings Ct. DN3: Kirk Sa 3J **45**	**Manor Ho. Ct.** DN5: Scawt 7K **43**
Maltkiln Cotts. DN3: Barn D 3J **45**	

Manor Ho. Rd. S61: Kimb 5E **94**	**Maple Cft. Rd.** S9: Shef 1N **109**
Manor Laith Rd. S2: Shef 1L **123**	**Maple Dr.** DN9: Auck 8C **66**
Manor La. S2: Shef 8N **109**	S21: Killa 5B **138**
S36: Din 9E **114**	S66: Flan 7G **97**
S36: Oxs 6E **54**	S81: Work 3C **142**
S64: Mexb 7E **60**	**Maple Est.** S75: Barn 7D **36**
Manor Oaks Cl. S2: Shef 9M **109**	**Maple Gro.** DN3: Arm 9L **45**
Manor Oaks Ct. S2: Shef 3K **5** (9L **109**)	DN10: Baw 6B **102**
Manor Oaks Dr. S2: Shef 3K **5** (9L **109**)	DN12: Con 6L **79**
Manor Oaks Gdns. S2: Shef . .3K **5** (9K **109**)	S9: Shef 9E **110**
Manor Oaks Pl. S2: Shef 1M **123**	S26: Aston 3E **126**
Manor Oaks Rd. S2: Shef 4K **5** (9K **109**)	S36: Stoc 6D **72**
Mnr. Occupation Rd. S71: R'ton 5J **17**	**Maple Leaf Gdns.** S80: Work 8D **142**
MANOR PARK 1A **124**	**Maple Pl.** S35: Chap 1H **93**
Manor Pk. S75: Silk 9H **35**	**Maple Rd.** DN8: Thorne 9L **11**
Manor Pk. Av. S2: Shef 2N **123**	S26: Kiv P 8H **127**
Manor Pk. Cen. S2: Shef 1N **123**	S64: Mexb 1E **78**
Manor Pk. Cl. S2: Shef 2N **123**	S75: Mapp 8B **16**
Manor Pk. Ct. S2: Shef 2N **123**	S75: Tank 3E **74**
Manor Pk. Cres. S2: Shef 2N **123**	**Maplewood Av.** S66: Sunn 5G **97**
Manor Pk. Dr. S2: Shef 2N **123**	**Mapperley Rd.** S18: Dron W 9D **134**
Manor Pk. Ind. Est. S9: Shef 8A **110**	**Mappin Ct.** *S1: Shef* 4C **4**
Manor Pk. Pl. S2: Shef 1N **123**	*(off Mappin St.)*
Manor Pk. Ri. S2: Shef 1N **123**	**Mappin's Rd.** S60: Cat 7J **111**
Manor Pk. Rd. S2: Shef 1N **123**	**Mappin St.** S1: Shef 3C **4** (9G **108**)
Manor Pk. Way S2: Shef 1N **123**	**Mapplebeck Rd.**
Manor Pl. S62: Rawm 9N **77**	S35: High G 7F **74**
S74: Hoyl 9N **57**	**MAPPLEWELL** 9B **16**
Manor Ri. DN11: Wad 8N **81**	**Mapplewell Dr.** S75: Mapp 9D **16**
S73: Womb 3A **58**	**Maran Av.** S73: D'fld 2J **59**
Manor Rd. DN3: Barn D 9H **25**	**Marbeck Cl.** S25: Din 2B **128**
DN5: Bntly 4L **43**	**Marcham Dr.** S20: Beig 7N **125**
DN5: Harl 6H **61**	**March Bank** S65: Thry 2F **96**
DN6: Ask 2K **23**	**March Flatts Rd.** S65: Thry 3F **96**
DN7: Hat 1D **46**	**March Ga.** DN12: Con 5A **80**
DN7: Stainf 4A **26**	**March St.** DN12: Con 4A **80**
DN17: Crow 8M **29**	S9: Shef 5B **110**
HD8: Clay W 5C **14**	*(not continuous)*
S21: Killa 5D **138**	**Marchwood Av.** S6: Shef 6N **107**
S25: Din 9D **114**	**Marchwood Dr.** S6: Shef 5N **107**
S26: Hart, Kiv S 3L **139**	**Marchwood Rd.** S6: Shef 6N **107**
S26: Wales 8G **127**	**Marcliff Cl.** S66: Wick 9E **96**
S60: Brins 4H **111**	**Marcliff Cres.** S66: Wick 9E **96**
S61: Kimb 7E **94**	**Marcliff La.** S66: Wick 9E **96**
S63: Bramp B 8G **59**	**Mardale Wlk.** DN2: Don 1F **64**
S63: Thurn 8B **40**	**Marden Rd.** S7: Shef 5F **122**
S64: Swin 4C **78**	**Margaret Cl.** S26: Aston 5C **126**
S66: Malt 8E **98**	S73: D'fld 2F **58**
S72: Cud 2A **38**	**Margaret Ct.** S73: Womb 5E **58**
Manor Sq. S63: Thurn 8B **40**	**Margaret Rd.** S73: D'fld 2F **58**
Manor St. S71: Car 9L **17**	S73: Womb 5E **58**
Manor Top Stop (ST) 5A **124**	**Margaret St.** S1: Shef 7F **5** (2H **123**)
Manor Vw. S20: Half 3L **137**	S66: Malt 1F **114**
S72: Shaft 7C **18**	**Margate St.** S4: Shef 4L **109**
WF9: Upton 1F **20**	**Margate St.** S4: Shef 4M **109**
Manor Wlk. DN11: Wad 8M **81**	**Margerison St.** S8: Shef 4H **123**
Manor Way DN6: Ask 3K **23**	**Margetson Cres.** S5: Shef 7G **92**
S2: Shef 8M **109**	**Margetson Dr.** S5: Shef 7G **92**
S26: Tod 6L **127**	**Margetson Rd.** S5: Shef 7G **92**
S63: Bolt D 5C **60**	**Marguerite Gdns.** WF9: Upton 1K **21**
S74: Hoyl 9M **57**	**Marian Cres.** DN6: Ask 2J **23**
Manse Cl. DN4: Can 7K **65**	**Marian Rd.** DN3: Eden 5H **45**
Manse Farm M. S72: Cud 1B **38**	**Marigold Cl.** S5: Shef 1M **109**
Mansel Av. S5: Shef 7F **92**	**Marina Ri.** S73: D'fld 2E **58**
Mansel Ct. S5: Shef 7F **92**	**Marina Vw.** DN8: Thorne 4K **27**
Mansel Cres. S5: Shef 7E **92**	**Marion Cl.** WF9: Sth K 7N **19**
Mansel Rd. S5: Shef 7F **92**	**Marion Rd.** S6: Shef 2C **108**
Mansfield Cres. DN3: Arm 9H **45**	**Marjorie St.** S80: Rhod 6L **141**
DN6: Skell 7F **22**	**Mark Bottoms La.** HD9: Holm 2D **30**
Mansfield Dr. S12: Shef 5B **124**	**Markbrook Dr.** S35: High G 6D **74**
Mansfield Rd. DN4: Balb 6M **63**	**Market Cl.** S71: Barn 7H **37**
S12: Shef 5A **124**	**Market Ct.** DN17: Crow 8M **29**
S21: Killa 3E **138**	**Market Hill** S70: Barn 7F **36**
S26: Aston, Swal, Wales B . . .4B **126**	**Market La.** S36: Pen 4M **53**
(not continuous)	**Market Pde.** S70: Barn 7G **36**
S60: Roth 7L **95**	**Market Pl.** DN1: Don 4A **64**
S71: Ath 9G **17**	DN6: Ask 1L **23**
S80: Work 9L **141**	*DN8: Thorne* 2K **27**
Mansfield Vw. S12: Shef 5B **124**	*(off Church St.)*
Mansion Ct. Gdns. DN8: Thorne 1K **27**	DN10: Baw 7C **102**
Manston Way S81: Gate 2N **141**	DN11: Tick 6D **100**
MANTON .9E **142**	DN17: Crow 8M **29**
Manton Cres. S80: Work 9E **142**	S1: Shef 2G **5** (8J **109**)
Manton Dale S80: Work 9E **142**	S25: Din 2D **128**
Manton Ho. *DN1: Don* 5N **63**	S35: Chap 9J **75**
(off Oxford Pl.)	S36: Pen 4N **53**
Manton St. S2: Shef 7G **5** (2J **123**)	S60: Roth 7K **95**
Manton Vs. S80: Work 8F **142**	S63: Gol 2D **60**
Manton Wood Ent. Pk. S80: Work 9J **143**	S72: Cud 1B **38**
Manvers Cl. S25: Nth A 4C **128**	S73: Womb 5E **58**
S26: Swal 4C **126**	S74: Els 1A **76**
Manvers Rd. S6: Shef 5D **108**	WF9: Hems 3L **19**
S20: Beig 7M **125**	**Market Pl. Cvn. Pk.** DN7: Stainf 5A **26**
S26: Swal 4B **126**	**Market Rd.** DN1: Don 4A **64**
S64: Mexb 1D **78**	**Market Sq.** S13: Shef 5J **125**
Manvers St. *S80: Work* 7B **142**	*S60: Roth* 7K **95**
(off Portland St.)	*(off Market Pl.)*
Manvers Waterfront Boat Club 7N **59**	S63: Gol 2D **60**
Manvers Way S63: Wath D 6J **59**	S65: Roth 6L **95**
Maori Av. S63: Bolt D 5N **59**	**Market St.** DN6: Highf 6F **42**
Maple Av. DN4: Can 7J **65**	HD9: Holm 3E **30**
DN9: Auck 2C **84**	S9: Shef 2C **110**
DN17: Crow 9M **29**	S13: Shef 5J **125**
S66: Malt 8B **98**	S21: Ecki 7K **137**
Maplebeck Dr. S9: Tins 2F **110**	S35: Chap 9J **75**
Maplebeck Rd. S9: Tins 2F **110**	S36: Pen 4N **53**
Maple Cl. DN7: Hat 9J **37**	S60: Roth 7K **95**
S62: Rawm 9N **77**	S63: Gol 2D **60**
S75: Tank 3D **74**	S63: Thurn 8B **40**
Maple Cft. Cres. S9: Shef 1N **109**	

Market St.—Melbeck Ct.

Market St. S64: Mexb 2F 78
(Bank St.)
S64: Mexb 2G 78
(Leach La.)
S64: Swin 3D 78
S70: Barn 7F 36
S72: Cud 1B 38
S74: Hoyl 8M 57
S80: Work 7C 142
WF9: Hems 2K 19
Market Wlk. HD9: Holm 3E 30
(off Victoria St.)
Markfield Dr. S66: Flan 7G 96
Mark Gro. S66: Flan 8G 97
Markham Av. DN3: Arm 9K 45
DN6: Carc 8G 23
DN12: Con 4M 79
Markham Cotts. DN12: Con 4M 79
(off Leslie Av.)
Markham Ct. DN12: Con 4M 79
Markham Grange Steam Mus. 4C 42
Markham Ho. DN1: Don 5N 63
(off Burden Cl.)
Markham Rd. DN12: New E 4F 80
S81: L'gld 9B 116
Markham Sq. DN12: New E 4G 80
Markham Ter. DN12: New E 4F 80
S8: Shef 5G 123
Mark La. S10: Shef 5J 121
Mark St. S70: Barn 7F 36
Marlborough Av. DN5: Don 3K 63
Marlborough Cl. S25: Nth A 4B 128
S63: Thurn 8B 40
S81: Gate 2A 142
Marlborough Cres. DN6: Ask 2M 23
Marlborough Cft. WF9: Sth E 5E 20
Marlborough Ri. S26: Aston 5D 126
Marlborough Rd. DN2: Don 3C 64
DN6: Ask 1M 23
DN8: Thorne 3L 27
S10: Shef 9D 108
Marlborough Ter. S70: Barn 8F 36
Marlcliffe Rd. S6: Shef 1B 108
Marles Cl. S73: Womb 6C 58
Marlfield Cft. S35: Eccl 5J 93
Marlow Cl. DN2: Don 2F 64
Marlowe Cl. S66: Bram 9J 97
Marlowe Dr. S65: Roth 8A 96
Marlowe Gdns. S81: Work 6E 142
Marlowe Rd. DN3: Barn D 9J 25
S65: Roth 8A 96
Marlow Rd. DN2: Don 2F 64
Marmion Rd. S11: Shef 3C 122
(Kenilworth Pl.)
S11: Shef 4C 122
(Psalter La.)
Marples Cl. S8: Shef 4G 123
Marples Dr. S8: Shef 4G 123
Marquis Gdns. DN3: Barn D 1J 45
MARR 9A 42
Marr Grange La. DN5: Marr 9C 42
Marrian Av. S66: Thurc 7L 113
Marrick Ct. S35: Chap 9G 75
Marrion Rd. S62: Rawm 8N 77
Marriott La. S7: Shef 8E 122
Marriott Pl. S62: Rawm 7K 77
Marriott Rd. S7: Shef 8E 122
S64: Swin 2D 78
Marrison Dr. S21: Killa 4B 138
Marr Ter. S10: Shef 2A 122
Marsala Wlk. S73: D'fld 1F 58
Marsden Gdns. DN3: Kirk Sa 4H 45
(off Sandall La.)
Marsden Gro. DN8: Thorne 1J 27
Marsden Ind. Est. S13: Shef 1F 124
Marsden La. S3: Shef 2C 4 (8G 108)
Marsden M. WF9: Hems 3K 19
Marsden Rd. S36: Stoc 5E 72
Marsden Row S33: Bamf 7E 118
Marshall Av. DN4: Balb 8L 63
Marshall Cl. S62: P'gte 2M 95
Marshall Dr. WF9: Sth E 6E 20
Marshall Gro. S63: Wath D 1M 77
Marshall Hall S10: Shef 7A 4 (2E 122)
Marshall Mill Ct. HD8: Clay W 8A 14
Marshall Rd. S8: Shef 9F 122
Marsh Av. S18: Dron 7J 135
Marsh Cl. S20: Mosb 4J 137
Marshfield S70: Birdw 6G 56
Marsh Ga. DN5: Don 3M 63
Marsh Hill S66: Mick 4A 98
Marsh Hill La. DN14: Syke 3B 10
Marsh Ho. Rd. S11: Shef 6A 122
Marshland Rd. DN8: Moore 6L 11
MARSH LANE 8E 136
Marsh La. DN3: Barn D 1F 44
DN5: Ark 5A 44
DN5: Bntly 3A 44
DN6: Thorpe B 7F 24
DN8: Thorne 4H 11
DN14: Syke 3B 10
HD8: Shep 2N 31
(not continuous)
S10: Shef 9A 108
Marsh Lea Gro. WF9: Hems 2M 19
Marsh Quarry S21: Ecki 9G 137
Marsh Rd. DN5: Don 2N 63
DN6: Thorpe B, Trum 5F 24
DN17: Crow 4L 29
HD9: Scho 5H 31
Marsh St. S36: Spink 5F 72
S60: Roth 8J 95
S73: Womb 4E 58
Marsh Vw. S21: Ecki 8H 137
Marsh Wlk. S2: Shef 2K 5
Marson Av. DN6: Woodl 3D 42
Marston Cl. S18: Dron W 9E 134
Marston Cres. S71: Smi 2G 36
Marstone Cres. S17: Tot 5N 133
Marston Rd. S10: Shef 8C 108
Martin S6: Shef 1B 4 (7F 108)
Martin Beck La. DN11: Tick 5K 101
Martin Cl. S6: Shef 7F 108
S26: Augh 1B 126
S70: Birdw 7G 57
Martin Ct. S21: Ecki 7J 137
Martin Cres. S5: Shef 7J 93
Martin Cft. S75: Silk 8H 35
Martindale Wlk. DN6: Carc 9G 22
Martin La. DN10: Baw 3M 101
S74: Black H 6L 57
Martin Ri. S21: Ecki 7J 137
S61: Thorpe H 8A 76
Martin's Rd. S71: Lund 5N 37
Martin St. S6: Shef 1A 4 (8F 108)
(not continuous)
Martin Well's Rd.
DN12: New E 5G 80
Martlet Way S80: Work 9D 142
Marton Av. WF9: Hems 3J 19
Marton Gro. DN7: Hat 1D 46
Marton Rd. DN5: Bntly 3K 43
Marvell Rd. DN5: Scaws 1H 63
Marvell Way S63: Wath D 8M 59
Mary Ann Cl. S71: Barn 6L 37
Maryhill Cl. S60: Tree 8M 111
Mary La. S73: D'fld 2H 59
Mary Rd. DN6: Ask 2K 23
Mary's Pl. S75: Barn 6D 36
Mary St. S1: Shef 7F 5 (2H 123)
S21: Ecki 7K 137
S60: Roth 6J 95
S72: Midd 9L 39
S75: Bar G 4M 35
S80: Rhod 5L 141
Marys Wlk. S2: Shef 2K 5
Mary Tozer Ho. S10: Shef 9C 108
MASBROUGH 7G 95
Masbrough St. S60: Roth 7H 95
(not continuous)
Masefield Cl. S25: Din 3E 128
Masefield Flats
S63: Wath D 8J 59
(off Masefield Rd.)
Masefield Pl. S81: Work 6E 142
Masefield Rd. DN2: Don 9F 44
S13: Shef 4C 124
S63: Wath D 8J 59
Masham Ct. DN4: Can 7H 65
Masham Rd. DN4: Can 8H 65
Mason Av. S26: Swal 2C 126
Mason Cres. S13: Shef 4D 124
Mason Dr. S26: Swal 2C 126
Mason Gro. S13: Shef 4D 124
Mason Lathe Rd.
S5: Shef 8M 93
Masons Ct. DN17: Crow 7M 29
Mason St. S63: Gol 2D 60
Masons Way S70: Barn 1K 57
Mason Way S74: Hoyl 8L 57
Massey Rd. S13: Shef 6K 125
Mastall La. DN5: Ark 6B 44
Masters Cres. S5: Shef 8J 93
Masters Rd. S5: Shef 8J 93
Mather Av. S9: Shef 9B 110
Mather Ct. S9: Shef 9B 110
Mather Cres. S9: Shef 9B 110
Mather Dr. S9: Shef 9B 110
Mather Rd. S9: Shef 9B 110
Mather Wlk. S9: Shef 9B 110
(off Mather Rd.)
Matilda La. S1: Shef 6G 5 (1J 123)
Matilda St. S1: Shef 5E 4 (1H 123)
(not continuous)
Matilda Way S1: Shef 5E 4 (1H 123)
Matlock Rd. S6: Shef 7D 108
S71: Ath 2J 37
Matlock Way S60: Wav 9H 111
Mattersey Cl. DN4: Bess 1H 83
Matthew Gap S36: Thurl 3K 53
Matthew Ho. S75: Barn 5E 36
Matthews Av. S63: Wath D 9K 59
Matthews Cl. S63: Wath D 1K 77
Matthews Dr. S66: Wick 1G 112
Matthews Fold S8: Shef 1K 135
Matthews La. S8: Shef 1K 135
Matthew St. S3: Shef 1D 4 (7G 109)
Mauds Ter. S71: Monk B 3K 37
Maugerhay S8: Shef 1K 135
Maulays Ct. DN11: Ross 6L 83
Mauncer Cres. S13: Shef 4H 125
Mauncer Dr. S13: Shef 4H 125
Mauncer La. S13: Shef 5H 125
Maun Way S5: Shef 1K 109
Maurice Dobson Mus. & Heritage Cen., The 2H 59
Maurice St. S62: P'gte 2M 95
Mawfa Av. S14: Shef 9L 123
Mawfa Cres. S14: Shef 9L 123
Mawfa Dr. S14: Shef 9L 123
Mawfa La. S14: Shef 9L 123
(Constable Rd.)
S14: Shef 8L 123
(Ironside Cl.)
Mawfa Rd. S14: Shef 1L 135
Mawfa Wlk. S14: Shef 9L 123
Mawfield Rd. S75: Barn 4A 36
MAWSON GREEN 4B 10
Mawson Grn. La. DN14: Syke 4B 10
Maxey Pl. S8: Shef 5H 123
Maxfield Av. S10: Shef 9D 108
Maxwell St. S4: Shef 6K 109
Maxwell Way S4: Shef 6K 109
May Av. DN4: Balb 9L 63
Mayberry Dr. S75: Silk 8H 35
May Cl. S63: Thurn 8C 40
Maycock Av. S61: Kimb P 3D 94
Maydal Dr. S75: Wool G 6M 15
May Day Grn. S70: Barn 7G 36
May Day Grn. Arc. S70: Barn 7G 36
(off Cheapside)
Mayfair Cl. DN11: H'worth 9J 101
Mayfair Pl. WF9: Hems 2K 19
Mayfield S36: Oxs 7D 54
S71: Monk B 4J 37
Mayfield Alpacas 7H 121
Mayfield Av. DN7: Stainf 4D 26
Mayfield Ct. S10: Shef 3L 121
S36: Oxs 7E 54
S75: Dod 8A 36
Mayfield Cres. DN6: Ask 1L 23
DN11: New R 6J 83
S70: Wors 1F 56
Mayfield Hgts. S10: Shef 4M 121
Mayfield Ri. WF4: Ryh 1A 18
Mayfield Rd. DN5: Don 2L 63
S10: Shef 4H 121
Mayfields DN5: Scawt 7H 43
Mayfields Way WF9: Sth K 8A 20
Mayfield Ter. DN6: Ask 1L 23
Mayfield Vs. DN6: Ask 1L 23
Mayflower Cl. DN10: Baw 5C 102
Mayflower Ct. DN10: Aust 4E 102
S12: Shef 5B 124
Mayflower Cres. DN4: Warm 1G 80
Mayflower Rd. DN4: Warm 1G 80
Mayflower Way S73: Womb 5E 58
Maynard Rd. S32: Neth P 9A 132
S60: Roth 1B 112
May Rd. S6: Shef 4C 108
May Ter. S70: Barn 7D 36
MAYTHORN 8A 32
Maythorne Cl. S75: Stain 9D 16
May Tree Cl. S20: Water 1L 137
Maytree Cl. S73: D'fld 2G 58
May Tree Cft. S20: Water 1L 137
May Tree La. S20: Water 1L 137
Meaburn Cl. DN4: Can 7J 65
Meade Dr. S81: Work 3D 142
Meadow, The DN5: Sprot 6G 62
Meadow Av. S62: Rawm 7K 77
S72: Cud 4D 38
Meadow Bank HD9: Holm 2G 30
Meadow Bank Av. S7: Shef 4E 122
Meadowbank Cl. S61: Kimb 7G 94
Meadow Bank Ind. Est. S61: Kimb 8F 94
Meadow Bank Rd. S11: Shef 4E 122
S61: Kimb 9C 94
Meadow Bank Works S61: Kimb 8D 94
Meadowbrook Ind. Est. S20: Half 2N 137
Meadowbrook Pk. S20: Half 3N 137
Meadow Cl. S18: Coal A 6K 135
S26: Kiv P 8L 127
S65: Dalt 4D 96
WF9: Hems 3J 19
Meadow Ct. DN3: Arm 1M 65
DN6: Adw S 2G 42
DN11: New R 6H 83
S71: Lund 5L 37
S71: R'ton 6L 17
WF9: Sth E 6G 20
Meadowcourt S9: Shef 2B 110
Meadow Court Stadium 7A 26
Meadow Cres. S20: Mosb 3H 137
S71: R'ton 5L 17
S72: Grim 1F 38
Meadow Cft. DN3: Eden 6K 45
DN5: Sprot 7H 63
S63: Bolt D 6C 60
S64: Swin 6B 78
S72: Shaft 6C 18
WF9: Hems 4L 19
Meadowcroft Cl. S60: Whis 4A 112
Meadowcroft Gdns. S20: W'fld 2L 137
Meadowcroft Glade S20: W'fld 2L 137
Meadowcroft Ri. S20: W'fld 2L 137
Meadow Dr. DN11: Tick 7E 100
S35: Chap 9F 74
S64: Swin 4B 78
S71: Monk B 4L 37
S73: D'fld 2H 59
S80: Work 8N 141
Meadowfield Dr. S74: Hoyl 2M 75
Meadow Fld. Rd. DN3: Barn D 2K 45
Meadow Ga. S73: Womb 6G 58
Meadowgate S63: Bramp B 9F 58
Meadow Ga. Av. S20: Sot 8A 126
Meadow Ga. Cl. S20: Sot 9A 126
Meadowgate Lake Nature Reserve 2C 138
Meadow Ga. La. S20: Sot 1A 138
Meadowgate Pk. S21: Killa 3C 138
Meadowgates S63: Bolt D 4B 60
Meadow Gro. S17: Tot 6N 133
Meadow Gro. Rd. S17: Tot 6M 133
MEADOWHALL 1C 110
Meadowhall Cen. S9: Shef 2C 110
Meadowhall Dr. S9: Shef 3B 110
Meadowhall Interchange (Bus) 1C 110
Meadowhall Interchange Stop (ST) 1C 110
Meadowhall (Park & Ride) 9B 94
Meadowhall Retail Pk. S9: Shef 4C 110
Meadowhall Rd. S9: Shef 2B 110
S61: Kimb 8C 94
Meadowhall South Stop (ST) 2D 110
Meadowhall Station (Rail) 1B 110
Meadowhall Way S9: Shef 1C 110
MEADOW HEAD 9G 122
Meadowhead S8: Shef 1G 134
Meadow Head Av. S8: Shef 3F 134
Meadow Head Cl. S8: Shef 3F 134
Meadow Head Dr. S8: Shef 2G 134
Meadow Ho. Dr. S10: Shef 2M 121
Meadowland Ri. S72: Cud 3C 38
Meadow La. DN7: Stainf 4A 26
DN9: Auck 3B 84
DN12: Old D 3F 78
S62: Rawm 6K 77
S66: Malt 9E 98
S75: Dart 1N 35
S81: Bly 8H 117
Meadow Lea S80: Work 8N 141
Meadowpark Cft. S25: Din 3C 128
Meadow Ri. DN3: Barn D 1K 45
DN11: Wad 8N 81
WF9: Hems 2J 19
Meadow Rd. S71: R'ton 6L 17
S80: Work 8N 141
Meadows, The HD8: Den D 3J 33
S21: Killa 4C 138
S26: Tod 6K 127
S75: Bar G 4N 35
S75: Silk C 2H 55
WF9: Sth E 7E 20
Meadows Ct. DN11: Ross 6L 83
Meadows Rd. S63: Wath D 8N 59
Meadow St. S3: Shef 1C 4 (7G 108)
S25: Laugh C 1A 128
(not continuous)
S61: Roth 7G 94
S71: Barn 6G 37
Meadow Ter. S11: Shef 3D 122
MEADOW VIEW 6C 78
Meadow Vw. DN5: Pick 5B 42
DN6: Ask 2N 23
S36: H'swne 1B 54
S70: Wors 2H 57
S71: Lund 6M 37
S80: Work 8D 142
Meadow Vw. Cl. S74: Hoyl 1L 75
Meadow Vw. Dr. S65: Rav 5K 97
Meadow Vw. Rd. S8: Shef 2G 135
S64: Kiln 6C 78
Meadow Wlk. DN3: Eden 5K 45
WF9: Sth E 7E 20
Meadow Way DN11: H'worth 8J 101
S64: Swin 3E 78
Meads, The S8: Shef 2J 135
Meadstead Dr. S71: R'ton 6J 17
Meadstead Fold S71: R'ton 6J 17
Meadway, The S17: Dore 3M 133
Meadway Dr. S17: Dore 3L 133
Meal Hill La. HD9: Jack B 6K 31
Mearhouse Ter. HD9: New M 4J 31
Mears Cl. S36: Pen 4A 54
MEASBOROUGH DIKE 9J 37
Measham Dr. DN7: Stainf 4C 26
Mecca Bingo
Doncaster 4A 64
Rotherham 7K 95
Sheffield, Flat St. 3G 5 (9J 109)
Sheffield, Langsett Rd. 6F 108
Mede, The DN6: Woodl 3D 42
MEDGE HALL 4J 29
Medina Way S75: Bar G 3N 35
Medlar Ct. DN8: Thorne 3L 27
Medlar Cft. S75: Barn 6E 36
Medley Vw. DN12: Con 5B 80
Medlock Cl. S13: Shef 2G 124
Medlock Ct. S25: Din 3D 128
Medlock Cres. S13: Shef 1G 124
Medlock Cft. S13: Shef 1G 124
Medlock Dr. S13: Shef 2G 124
Medlock Rd. S13: Shef 2G 124
Medlock Way S13: Shef 1G 125
Medway Cl. S75: Bar G 3A 36
Medway Pl. S73: Womb 6F 58
MEERSBROOK 6J 123
Meersbrook Av. S8: Shef 6G 122
MEERSBROOK BANK 6G 123
Meersbrook Ent. Cen. S8: Shef 5H 123
Meersbrook Pk. Rd. S8: Shef 5H 123
Meersbrook Rd. S8: Shef 6J 123
Meetinghouse Cft. S13: Shef 5J 125
Meetinghouse La.
S1: Shef 2G 5 (8J 109)
S13: Shef 5J 125
Mekyll Cl. S66: Sunn 7G 97
Melbeck Ct. S35: Chap 9F 74

Melbourne Av.—Minster Rd.

Melbourne Av. S10: Shef 1D 122
S18: Dron W 9C 134
S26: Aston 3D 126
S63: Bolt D 5A 60
Melbourne Ct. WF9: Hems 3H 19
Melbourne Gro. DN11: H'worth 9J 101
Melbourne Rd. DN4: Balb 9J 63
S36: Stoc 5C 72
Melbourne Vs. WF9: Hems 3J 19
Melbourn Rd. S10: Shef 8D 108
Melciss Rd. S66: Wick 9F 96
Meld Cl. DN11: New R 7J 83
Melford Cl. S75: Mapp 8C 16
Melford Dr. DN4: Balb 2L 81
Melfort Glen S10: Shef 9A 108
Melhaven Way S66: Bram 9J 97
Mell Av. S74: Hoyl 9M 57
Mellinder La. DN5: Marr 1A 62
Melling Av. DN5: Don 4K 63
Mellington Cl. S8: Shef 9K 123
Mellish Rd. S81: L'gld 1B 130
Mellor La. HD9: Holm 3A 30
Mellor Lea Farm Chase S35: Eccl 3J 93
Mellor Lea Farm Cl. *S35: Eccl 3J 93*
(off Mellor Lea Farm Dr.)
Mellor Lea Farm Dr. S35: Eccl 3J 93
Mellor Lea Farm Gth. *S35: Eccl 3J 93*
(off Mellor Lea Farm Dr.)
Mellor Rd. S73: Womb 5D 58
Mellow Flds. Rd. S25: Laugh M 8B 114
Mellwood Gro. S73: Hem 7C 58
Mellwood Ho. *WF9: Sth E 6D 20*
(off Little La.)
Mellwood La. WF9: Sth E 6D 20
Melrose Cl. DN4: Balb 8J 63
S66: Thurc 6J 113
Melrose Cotts. S60: Whis 3B 112
Melrose Gro. S60: Roth 2N 111
Melrose M. DN9: Auck 3B 84
Melrose Rd. S3: Shef 5J 109
Melrose Wlk. *S80: Work 8C 142*
(off Pilgrim Way)
Melrose Way S71: Monk B 6L 37
Meltham Ho. La. HD9: New M 4K 31
Melton Av. S63: Gol 2D 60
S73: Bramp 7H 59
MELTON BRAND 4C 62
Melton Cl. DN11: New R 6H 83
WF9: Sth E 4F 20
Melton Ct. DN12: Den M 2L 79
S26: Aston 4F 126
Meltonfield S63: Gol 2E 60
Meltonfield Cl. DN3: Arm 2M 65
Melton Gdns. DN5: Sprot 6F 62
Melton Grn. S63: Wath D 9J 59
Melton Gro. S20: Mosb 9G 124
Melton High St. S63: Wath D 9J 59
Melton Mill La. DN5: High M 6L 61
Melton Rd. DN5: Sprot 6B 62
Melton St. S64: Mexb 2H 79
S73: Bramp 7H 59
Melton Ter. S70: Wors 2K 57
Melton Vw. DN5: Barnb 4H 61
Melton Way S71: R'ton 4K 17
Melton Wood Gro. DN5: Sprot 6F 62
Melville Av. DN4: Balb 8L 63
Melville Dr. S2: Shef 3A 124
Melville St. S73: Womb 4D 58
Melvinia Cres. S75: Barn 4E 36
Melwood Ct. DN3: Arm 3M 65
Memoir Gro. DN11: New R 7H 83
Memorial Av. S80: Work 8C 142
Memory La. S25: Nth A 5B 128
Mendip Cl. DN5: Cus 2J 63
S75: Barn 6C 36
Mendip Ct. *S81: Carl L 4B 130*
(off Salisbury Wlk.)
Mendip Ri. S60: Brins 5K 111
Menson Dr. DN7: Hat 9D 26
Merbeck Dr. S35: High G 5F 74
Merbeck Gro. S35: High G 6F 74
Mercel Av. DN3: Arm 8M 45
Merchant Cft. S71: Monk B 3L 37
Merchants Cres. S2: Shef 2H 5 (8K 109)
Merchant Way DN2: Don 7F 44
Mercia Cl. S81: Work 3D 142
Mercia Dr. S17: Dore 4N 133
Meredith Cres. DN4: Balb 9M 63
Meredith Rd. S6: Shef 4C 108
Mere Gro. DN3: Arm 8K 45
Mere La. DN3: Arm, Eden 9K 45
(not continuous)
Merend Cl. DN8: San 3H 49
Mere Vw. S63: Wath D 8L 59
Merlin Cl. DN6: Adw S 2F 42
S70: Birdw 7G 56
WF9: Sth E 7F 20
Merlin Dr. DN9: Auck 3C 84
Merlin Theatre 4F 122
Merlin Way S5: Shef 1K 109
S61: Thorpe H 8A 76
Merrill Rd. S63: Thurn 8B 40
Merryton Cres. S5: Shef 6H 93
Merton La. S9: Shef 9B 94
Merton Ri. S9: Shef 9B 94
Merton Rd. S9: Shef 9B 94
Metcalfe Av. S21: Killa 4B 138
Methley Cl. S12: Shef 5N 123
Methley Ho. *DN1: Don 5N 63*
(off Grove Pl.)
Methley St. S72: Cud 2B 38
Metrodome Leisure Complex, The 6L 37
Metro Trad. Cen. S75: Bar G 3N 35
Mews, The *DN5: Hick 9H 41*
(off Castle Hill Fold)
S81: Bly 9K 117
Mews Ct. DN3: Arm 9M 45
DN7: Dunsc 9C 26
MEXBOROUGH 2F 78
Mexborough Bus. Cen. S64: Mexb 1G 78
Mexborough Interchange *2F 78*
(off John St.)
Mexborough Rd. S63: Bolt D 6C 60
Mexborough Station (Rail) 2F 78
Meynell Cres. S5: Shef 9E 92
Meynell Rd. S5: Shef 9E 92
Meynell Way *S21: Killa 4B 138*
(off Marrison Dr.)
Meyrick Dr. S75: Dart 1M 35
MFA Bowl
Sheffield 9L 93
Michael Cft. S63: Wath D 9K 59
Michael Rd. S71: Lund 6M 37
Michael's Est. S72: Grim 1G 38
MICKLEBRING 3B 98
Micklebring Gro. DN12: Con 6M 79
Micklebring La. S66: B'well, Mick 3B 98
Micklebring Way S66: Hel 6N 97
Mickleden Way S75: Barn 7B 36
Micklethwaite Gro. DN8: Moore 6L 11
Micklethwaite Rd. DN8: Moore 6L 11
MICKLEY 7C 134
Mickley La. S17: Tot 6N 133
S18: Dron W 6N 133
Middle Av. S62: Rawm 9M 77
Middle Bank DN4: Don 7B 64
Middlebrook La. DN8: Thorne 2K 27
Middleburn Cl. S70: Barn 9H 37
Middlecliff Cl. S20: Water 1L 137
Middlecliff Cotts. S72: Midd 9L 39
Middlecliff Ct. S20: Water 1L 137
MIDDLECLIFFE 9L 39
Middlecliffe Dr. S36: Crow E 2A 52
Middlecliffe La. S36: Mill G 2C 52
Middlecliffe M. S72: Midd 9K 39
Middlecliff La. S72: Lit H, Midd 8J 39
Middlecliff Ri. S20: Water 1L 137
Middle Cl. S75: Kexb 8L 15
Middle Cross La.
DN10: Ever, H'well 9K 103
Middle Dr. S60: Roth 3M 111
Middle Farm Ct. S71: D'fld 8F 38
Middlefield Cl. DN7: Dunsc 8D 26
S17: Dore 3L 133
Middlefield Cft. S17: Dore 3L 133
Middle Fld. La. WF4: Wool 3N 15
Middlefield La. WF8: Kirk Sm 6A 6
Middle Fld. Rd. S75: Silk 8M 35
Middlefield Rd. DN4: Bess 8G 64
S60: Roth 2N 111
Middlefields Dr. S60: Whis 3B 112
Middlegate DN5: Scawt 7J 43
(not continuous)
Middleham Rd. DN4: Can 8H 65
MIDDLE HANDLEY 9F 136
Middle Hay Cl. S14: Shef 6M 123
Middle Hay Pl. S14: Shef 7M 123
Middle Hay Ri. S14: Shef 7M 123
Middle Hay Vw. S14: Shef 7M 123
Middle La. DN4: Warm 2H 81
DN5: Holme 6N 23
S6: Shef 6B 108
S35: Gren 4C 92
S65: Roth 6M 95
Middle La. Sth. S65: Roth 7N 95
Middle Mdw. S81: Shire 3J 141
Middle Ox Cl. S20: Half 4M 137
Middle Ox Gdns. S20: Half 4M 137
Middlepeak Way S13: Shef 1F 124
Middle Pl. S65: Roth 6A 96
Middlesex St. S70: Barn 9G 36
Middle St. DN10: Miss 2L 103
Middleton Av. S25: Din 3C 128
Middleton Gro. S75: Dod 8N 35
Middleton La. S35: Gren 5E 92
Middleton Rd. S65: Roth 7M 95
MIDDLEWOOD 9A 92
Middlewood Chase S6: Shef 1B 108
Middlewood Dr. S6: Shef 1A 108
S61: Scho 3C 94
Middlewood Dr. E. S6: Shef 1A 108
Middle Wood La. DN10: Miss 8J 85
Middlewood Lodge S6: Shef 1B 108
Middlewood (Park & Ride) 1C 108
Middlewood Ri. S6: Shef 1B 108
Middlewood Rd. S6: Shef 9B 92
Middlewood Rd. Nth. S35: Ough 7N 91
Middlewoods S75: Dod 9B 36
Middlewood Stop (ST) 1C 108
Middlewoods Way S71: Ath 9J 17
Midfield Rd. S10: Shef 8B 108
Midhill Cres. S2: Shef 4J 123
Midhill Rd. S2: Shef 4J 123
Midhope Cliff La. S36: Langs, Up M 1F 70
Midhope Hall La. S36: Up M 2H 71
Midhope La. S36: Up M 2G 70
MIDHOPESTONES 3K 71
Midhope Way S75: Barn 7B 36
Midhurst Gro. S75: Bar G 3N 35
Midhurst Rd. S6: Shef 7C 92
Midland Cotts. S71: R'ton 2L 17
Midland Ct. S60: Roth 7H 95
S61: Roth 7G 95
Midland Rd. S61: Roth 7G 95
S64: Swin 3D 78
S71: R'ton 5K 17
Midland St. S1: Shef 7F 5 (2H 123)
S62: P'gte 3M 95
S70: Barn 7G 36
Midvale Av. S6: Shef 6F 108
Midvale Cl. S6: Shef 6F 108
Milano Ri. S73: D'fld 2F 58
Milbanke St. DN1: Don 3A 64
Milburn Ct. S20: Sot 1N 137
Milburn Gro. S20: Sot 1N 137
Milcroft Cres. DN7: Hat 9C 26
Milden Pl. S70: Barn 9H 37
Milden Rd. S6: Shef 2B 108
Mile End Av. DN7: Hat 3C 46
Milefield Ct. S72: Grim 1F 38
Milefield La. S72: Grim, Shaft 1E 38
Milefield Vw. S72: Grim 1F 38
Mile Oak Rd. S60: Roth 1M 111
Miles Cl. S5: Shef 3H 109
Miles Rd. S5: Shef 3G 109
Milestone Ct. DN4: Bess 8H 65
Milestone Dr. DN2: Don 9D 44
Mileswood Cl. S72: Gt H 5K 39
Milethorn La. DN1: Don 2A 64
Milford Av. S74: Els 9B 58
Milford St. S9: Shef 4B 110
Milgate St. S71: R'ton 5L 17
Milgrove Cres. S35: High G 6E 74
Milking La. S73: Bramp 8G 58
Millais Ri. S66: Flan 6G 96
Millard Av. DN7: Hat 9C 26
Millard La. S66: Malt 8E 98
Millard Nook DN7: Hat 1D 46
Millars Wlk. WF9: Sth K 8N 19
Mill Bank HD8: High F 5E 32
Millbank Cl. S35: High G 8E 74
Mill Cl. S25: Brookh 6B 114
S26: Tod 7L 127
S60: Roth 9J 95
WF9: Sth K 7N 19
Mill Ct. DN6: Camp 1G 23
S35: Eccl 4J 93
S70: Wors 2H 57
Mill Cft. DN7: Stainf 6A 26
Millcroft S36: Mill G 5H 53
Millcroft Cl. DN8: Thorne 1J 27
Milldale Rd. S17: Tot 5A 134
Milldyke Cl. S60: Whis 3C 112
Millennium Gallery 4G 5 (9J 109)
Millennium Sq. S1: Shef 4F 5 (9H 109)
Miller Cl. DN8: Thorne 3L 27
Miller Cft. S13: Shef 5G 124
Miller Dale Dr. S60: Brins 5K 111
Miller Hill HD8: Den D 3K 33
Miller Hill Bank HD8: Den D 3K 33
Miller La. DN8: Thorne 3L 27
S36: Midh 2L 71
Miller Rd. S7: Shef 4G 123
Millers Cft. S71: R'ton 5K 17
Millers Dale S70: Wors 3H 57
Miller St. S36: Spink 5H 73
Millfield Cvn. Site DN7: Stainf 6N 25
Mill Fld. Ct. DN3: Barn D 2K 45
Millfield Ind. Est. DN5: Bntly 7N 43
Mill Fld. Rd. DN7: Fish, Fost 1A 26
Millfield Rd. DN5: Bntly 8N 43
DN8: Thorne 1K 27
Mill Flds. S26: Tod 7K 127
Millfield Vw. S80: Work 8N 141
Millfold HD9: H'bri 6A 30
Mill Gdns. S80: Work 8N 141
Mill Ga. DN5: Bntly 8M 43
Mill Haven S25: Nth A 6B 128
Mill Hill S60: Whis 3B 112
S73: Womb 3B 58
Mill Hill Cl. DN5: Don 4K 63
Millhill Cl. DN3: Arm 3M 65
Mill Hill Rd. DN7: Hat 3E 46
Mill Hills S26: Tod 6L 127
Mill Ho. Cvn. Site DN6: Ask 1N 23
Millhouse Ct. S65: Dalt 4B 96
MILLHOUSE GREEN 4G 53
Millhouse La. S36: Mill G 4G 53
Mill Ho. Pk. S80: Work 8A 142
MILLHOUSES
S7 8E 122
S73 1J 59
Millhouses Ct. S11: Shef 7C 122
Millhouses Glen S11: Shef 7C 122
Millhouses La. S7: Shef 6B 122
S11: Shef 6B 122
Millhouses St. S74: Hoyl 1M 75
Millicent Sq. S66: Malt 9E 98
Millindale S66: Malt 9E 98
Mill La. DN3: Brant 7M 65
DN4: Warm 7F 62
DN5: Harl 6H 61
DN6: Adw S 2F 42
DN6: Skell 6D 22
DN10: Baw, Scro 9B 102
S17: Tot 5A 134
S18: Dron 9J 135
S21: Reni 8N 137
S25: Sth A 6B 128
Mill La. S33: Bamf 8E 118
S36: Bolst 1B 90
S36: Ingb 8G 32
S36: Spink 5H 73
S36: Thurl 4J 53
S60: Tree 8K 111
S62: Wentw 4N 75
S63: Wath D 1J 77
S75: Dart 8N 15
WF4: Ryh 1B 18
WF9: Sth E 4F 20
WF9: Sth K 8N 19
Mill Lee La. S6: Brad 1C 106
Mill Lee Rd. S6: Brad, Low B 1C 106
Mill Mdw. Cl. S20: Sot 1A 138
Mill Mdw. Gdns. S20: Sot 1A 138
Mill Mdw. Vw. S81: Bly 9L 117
Millmoor Ct. S73: Womb 3F 58
Millmoor La. S60: Roth 7H 95
Millmoor Rd. DN4: Can 7H 65
S73: Womb 3F 58
Millmount Rd. S8: Shef 6G 122
S74: Hoyl 1N 75
Millrace Dr. S63: Gol 3B 60
Mill Race Fold HD9: T'bri 1G 30
Mill Rd. DN17: Crow 7M 29
S21: Ecki 6K 137
S35: Eccl 4J 93
S60: Tree 8K 111
Mill Rd. Cl. S35: Eccl 4J 93
Millsands S3: Shef 1G 5 (7J 109)
Mills Ct. DN8: Thorne 9L 11
Mills Dr. DN7: Lind 8H 47
Millshaw La. HD9: Hep 7M 31
Millside S72: Shaft 6C 18
Millside Ct. DN5: Bntly 8M 43
Millside Wlk. S72: Shaft 6C 18
Millstone Cl. S18: Dron W 8E 134
Millstone Dr. S26: Aston 3C 126
Millstones S36: Oxs 6E 54
Millstream Cl. DN5: Sprot 6H 63
Mill St. DN3: Arm 1L 65
S60: Roth 8K 95
S61: Grea 1H 95
S80: Work 6B 142
WF9: Sth K 7N 19
Millthorpe Rd. S5: Shef 9L 93
Millua *S3: Shef 7H 109*
(off Kelham Island)
Mill Vw. DN7: Stainf 6A 26
S63: Bolt D 6A 60
WF9: Hems 3J 19
Millwood Rd. DN4: Balb 1K 81
Millwood Vw. S6: Stan 5L 107
Milne Av. DN11: Birc 9M 101
Milne Dr. DN11: Birc 9N 101
Milne Gro. DN11: Birc 9M 101
Milner Av. S36: Pen 3L 53
Milner Cl. S66: Bram 7K 97
Milner Ga. DN12: Con 3C 80
Milner Ga. Ct. DN12: Con 4C 80
Milner Ga. La. DN12: Con 4B 80
Milne Rd. DN11: Birc 9M 101
Milner Rd. DN4: Balb 8K 63
Milnes St. S70: Barn 8H 37
Milne St. S75: Bar G 4N 35
Milnrow Cres. S5: Shef 7G 93
Milnrow Dr. S5: Shef 7G 92
Milnrow Rd. S5: Shef 7G 92
Milnrow Vw. S5: Shef 7G 92
MILTON 2M 75
Milton Av. DN5: Don 3K 63
Milton Cl. S61: Grea 1H 95
S63: Wath D 7H 59
S74: Jum 8N 57
Milton Ct. DN1: Don 5A 64
S64: Swin 3B 78
Milton Cres. S74: Hoyl 1M 75
Milton Cft. S74: Hoyl 8N 57
Milton Dr. S81: Work 6E 142
Milton Gro. DN3: Arm 1L 65
DN3: Eden 6J 45
S73: Womb 5E 58
Milton La. S3: Shef 6D 4 (1G 123)
Milton Rd. DN3: Brant 6A 66
DN6: Carc 8G 22
S7: Shef 4F 122
S25: Din 3E 128
S35: Burn 9E 74
S64: Mexb 1F 78
S65: Roth 5M 95
S74: Hoyl 9M 57
Milton St. S1: Shef 6C 4 (1G 123)
S3: Shef 6C 4 (1G 122)
S60: Roth 5J 95
S64: Swin 3B 78
S66: Malt 9D 98
S72: Gt H 6K 39
Milton Wlk. DN1: Don 5N 63
S81: Work 6E 142
Minden Cl. S66: Wick 9G 97
Minden Ct. DN5: Bntly 7L 43
Miners Cl. S66: Sunn 6G 97
Miners Row S63: Thurn 9D 40
Minna Rd. S3: Shef 5J 109
Minneymoor Hill DN12: Con 3B 80
Minneymoor La. DN12: Con 4B 80
Minster Cl. DN4: Can 8K 65
S35: Eccl 5K 93
Minster Rd. S35: Eccl 5J 93

Minster Way—Mowbray Gdns.

Minster Way S71: Monk B 5L 37
MINSTHORPE .4F 20
Minsthorpe La. WF9: Sth E, Sth K 3F 20
MINSTHORPE LANE RDBT. 3F 20
Minsthorpe M. WF9: Sth E 6D 20
Minsthorpe Swimming Pool 5F 20
Minsthorpe Va. WF9: Sth E 5E 20
Minto Rd. S6: Shef 3C 108
Miry La. HD9: T'bri 1F 30
Mission Ct. S75: Wool G 6N 15
(off Wooley Edge La.)
Mission Fld. S73: Bramp 7G 59
Mission Vw. HD9: Holm 7D 30
MISSON 3K 103
MISSON SPRINGS 7N 85
Mr Straw's House 5D 142
Mitchell Av. S73: Womb 3C 58
Mitchell Cl. DN7: Dunsc 8C 26
S70: Wors .2L 57
S81: Work 2B 142
Mitchell Rd. S8: Shef 9G 122
S73: Womb 2C 58
Mitchells Ct. S73: Womb 3D 58
Mitchells Ent. Cen. S73: Womb 2C 58
Mitchells M. S73: Womb 3C 58
Mitchells Ter. S73: Womb 3C 58
Mitchell St. S3: Shef 2B 4 (8F 108)
S70: Swai .2M 57
Mitchells Way S73: Womb 3C 58
Mitchell Way S60: Wav 8G 111
Mitchelson Av. S75: Dod 9N 35
Moat Cl. S66: Sunn 6H 97
Moat Cft. DN5: Scawt 7K 43
Moat Dr. DN9: Auck 3B 84
Moat Hills Ct. DN5: Bntly 7M 43
Moat Ho. Way DN12: Con 3A 80
Moatlands S66: Wick 2H 113
Moat La. S66: Wick 3H 113
Mobray Dr. S75: Wool G 6N 15
Modd La. HD9: Holm 4D 30
Modena Ct. S73: D'fld 1E 58
Moffat Gdns. DN2: Don 7G 45
Moffatt Rd. S2: Shef 4J 123
Moira Cl. DN7: Stainf 4D 26
Molineaux Cl. S5: Shef 8L 93
Molineaux Rd. S5: Shef 7K 93
Molloy Pl. S8: Shef 5H 123
Molloy St. S8: Shef 5H 123
Molly Hurst La. WF4: Wool 2A 16
Momentum Leisure Cen. 2C 4
Mona Av. S10: Shef 8D 108
Mona Rd. DN4: Balb 7M 63
S10: Shef 8D 108
Mona St. S75: Barn 6E 36
Monckton Rd. DN11: Birc 9M 101
S5: Shef .1N 109
Moncrieffe Rd. S7: Shef 5F 122
MONK BRETTON 4J 37
Monk Bretton Priory (remains) 6M 37
Monksbridge Rd. S25: Laugh C 1A 128
Monksbridge Trad. Est.
S25: Laugh C 1B 128
Monks Cl. DN7: Dunsc 8C 26
S61: Kimb P 3C 94
Monkspring S70: Wors 2K 57
Monks Way S71: Monk B 5L 37
S81: Shire 3K 141
Monk Ter. S71: Monk B 3M 37
Monkton Way S71: R'ton 4K 17
Monkwood Rd. S62: Rawm 7K 77
Monmouth Rd. DN2: Don 1D 64
S81: Work 4D 142
Monmouth St. S3: Shef 5B 4 (1F 122)
Monsal Cres. S71: Ath 1H 37
Monsal St. S63: Thurn 8B 40
Montague Av. DN12: Con 4M 79
Montague St. DN1: Don 3A 64
S6: Shef .5E 108
S11: Shef 2F 122
S72: Cud 9C 18
Montagu Rd. DN5: Don 5J 63
Montagu Sq. S64: Mexb 2F 78
Montagu St. S64: Mexb 2G 79
Monteney Cres. S5: Shef 5H 93
Monteney Gdns. S5: Shef 6H 93
Monteney Rd. S5: Shef 6H 93
Montford Rd. S81: Gate 2N 141
Montfort Dr. S3: Shef 6J 109
Montgomery Av. S7: Shef 4F 122
Montgomery Cl. S60: Tree 9M 111
Montgomery Ct. S11: Shef 6B 122
Montgomery Dr. S7: Shef 4F 122
Montgomery Gdns. DN2: Don 1F 64
Montgomery M. S63: Wath D 9K 59
Montgomery Rd. S7: Shef 5F 122
S63: Wath D 9L 59
Montgomery Sq. S63: Wath D 9M 59
Montgomery Ter. Rd. S6: Shef 7G 108
Montgomery Theatre 4F 5 (9H 109)
Montrose S81: Work 5E 142
Montrose Av. DN2: Don 2E 64
S75: Dart 8A 16
Montrose Ct. S11: Shef 7A 122
Montrose Pl. S18: Dron W 8E 134
Montrose Rd. S7: Shef 6D 122
Mont Wlk. S73: Womb 3A 58
Montys Mdw. S81: Gate 3A 142
Monument Dr. S72: Brier 7F 18
Moonpenny Way S18: Dron 9H 135
Moonshine La. S5: Shef 1G 108
Moonshine Way S5: Shef 2G 109
Moor, The S1: Shef 6E 4 (1H 123)
Moorbank Cl. S10: Shef 1M 121
S73: Womb 3B 58
S75: Barn .4D 36
Moorbank Ct. S10: Shef 9M 107
Moorbank Dr. S10: Shef 9N 107
Moorbank Rd. S10: Shef 9M 107
S73: Womb 2B 58
Moorbank Vw. S73: Womb 2B 58
Moor Bottom Rd. DN17: Crow 2K 29
Moorbridge Cres. S73: Bramp 6H 59
Moorbrook Mill Dr. HD9: New M 2J 31
Moorbrow HD9: Scho 6G 31
Moor Cres. S20: Mosb 3J 137
Moorcrest Ri. S75: Stain 7C 16
Moorcroft Av. S10: Shef 4K 121
Moorcroft Cl. S10: Shef 4K 121
Moorcroft Dr. HD9: New M 1H 31
S10: Shef 4K 121
Moorcroft Pk. Dr. HD9: New M 1J 31
Moorcroft Rd. S10: Shef 4K 121
Moordale Vw. S62: Rawm 7B 78
Moor Dike Rd. DN7: Hatf W 3K 47
MOOREDGES 3N 27
Moor Edges Rd. DN8: Thorne 1M 27
Moor End Ho's. S75: Silk C 2K 55
Moorend La. S75: Silk C 2J 55
Moor End Rd. S10: Shef 8D 108
MOOR ENDS 3L 11
MOORENDS .7L 11
Moorends Rd. DN8: Moore 1K 11
Moore St. S3: Shef 7C 4 (2G 122)
Moor Farm Av. S20: Mosb 2H 137
Moor Farm Gth. S20: Mosb 2J 137
Moor Farm Ri. S20: Mosb 2H 137
Moorfield Av. S65: Rav 6J 97
Moorfield Cl. S65: Rav 6J 97
Moorfield Cres. WF9: Hems 3J 19
Moorfield Dr. DN3: Arm 2L 65
Moorfield Gro. S65: Rav 6J 97
Moorfield Pl. WF9: Hems 3J 19
Moorfields S3: Shef 1E 4 (8H 109)
Moorfields Flats S3: Shef 1E 4
(off Moorfields)
Moor Fold HD9: New M 1J 31
Moor Gap DN3: Brant 7N 65
MOORGATE 2N 111
Moorgate Av. S10: Shef 8E 108
S60: Roth .9L 95
Moorgate Bus. Cen. S60: Roth 8L 95
(off Moorgate Rd.)
Moorgate Chase S60: Roth 8L 95
Moorgate Ct. S60: Roth 8L 95
Moorgate Cres. S18: Dron 9J 135
Moorgate Gro. S60: Roth 9M 95
Moorgate Ho. S60: Roth 9L 95
Moorgate Rd. S60: Roth 8L 95
Moorgate St. S60: Roth 7K 95
Moorgate Vw. S60: Roth 1M 111
Moorgate Wlk. S60: Roth 9L 95
Moor Grn. Cl. S75: Barn 7B 36
Moorhead S1: Shef 5E 4
Moorhead Way S66: Bram 8L 97
MOORHOUSE 8J 21
Moorhouse Cl. S60: Whis 3C 112
MOORHOUSE COMMON 9G 21
Moorhouse Ct. WF9: Sth E 8F 20
Moorhouse Ct. M. WF9: Sth E 8F 20
Moorhouse Dr. S66: Thurc 7L 113
Moorhouse Gap DN6: Moorh 8K 21
Moorhouse La. DN6: Moorh 9H 21
S60: Whis 3B 112
S75: Haigh .4L 15
Moorhouse Vw. WF9: Sth E 7G 20
Moorings, The S64: Swin 3D 78
Moorland Av. S70: Barn 8C 36
S75: Stain .7C 16
Moorland Ct. DN1: Don 4B 64
S71: Lund .6M 37
Moorland Cres. S75: Stain 7C 16
Moorland Dr. S36: Stoc 5C 72
Moorland Gro. DN4: Bess 6F 64
Moorland Pl. S6: Stan 6L 107
S75: Silk C 2J 55
Moorlands HD9: Scho 5G 31
S66: Wick 9E 96
Moorlands Ct. S63: Wath D 7J 59
Moorlands Cres. HD9: Scho 5G 31
S60: Whis 3B 112
Moorlands Vw. HD8: Clay W 7C 14
Moorland Ter. S72: Cud 3C 38
Moorland Vw. S12: Shef 9A 124
S18: App 9A 136
S26: Aston 4D 126
S63: Wath D 7J 59
Moor La. DN3: Kirk Sa 3G 45
DN7: Hatf W 2B 48
DN8: Moore 8L 11
DN14: Syke .2L 9
HD9: N'thng 1A 30
S36: Bolst 1M 89
S66: Mick .4N 97
S70: Birdw 1G 74
S72: Brier, Gt H 8K 19
S81: Bly .1N 131
WF9: Upton 2E 20
Moor La. Nth. S65: Rav 3J 97
Moor La. Sth. S65: Rav 5J 97
Moor Ley S70: Birdw 6G 56
Moor Mkt., The S1: Shef 6E 4 (1H 123)
Moor Oaks Rd. S10: Shef 9D 108
Moor Owners Rd. DN8: Thorne 3N 27
Moor Rd. DN8: Thorne 4N 27
DN17: Crow 1M 29
S6: Brad .1H 107
S63: Wath D 9M 59
(not continuous)
S65: Roth .7A 96
Moorshutt Rd. WF9: Hems 3J 19
Moorside S10: Shef 3J 121
Moorside Av. S36: Cub 5N 53
Moorside Cl. S20: Mosb 2J 137
S75: Mapp .9C 16
Moorside Ct. DN8: Moore 7L 11
Moorsyde Av. S10: Shef 7C 108
Moorsyde Cres. S10: Shef 7C 108
MOORTHORPE 6E 20
Moorthorpe Bank S20: Mosb 9H 125
Moorthorpe Dell S20: Mosb 9H 125
Moorthorpe Gdns. S20: Mosb 9G 124
Moorthorpe Grn. S20: Mosb 9F 124
Moorthorpe Ri. S20: Mosb 1H 137
Moorthorpe Station (Rail) 6D 20
Moorthorpe Vw. S20: Mosb 1G 137
Moorthorpe Way S20: Mosb 9H 125
(Moorthorpe Bank)
S20: Mosb 9F 124
(Sheffield Rd.)
Moor Top Dr. WF9: Hems 4K 19
Moor Top Rd. DN11: H'worth 8J 101
Moortop Rd. S18: App 9B 136
Moortown Av. S25: Din 4E 128
Moor Valley S20: Mosb 9F 124
Moor Valley Cl. S20: Mosb 1G 136
Moor Vw. DN3: Brant 7N 65
Moorview S61: Kimb 7D 94
Moorview Ct. S17: Bradw 5C 134
S61: Kimb .7D 94
Moor Vw. Cft. S10: Shef 9A 108
Moor Vw. Dr. S8: Shef 9F 122
Moor Vw. Rd. S8: Shef 9F 122
Moor Vw. Ter. S11: Shef 6N 121
Moorwinstow Cft. S17: Dore 3N 133
Moorwood La. S6: Stan 8F 106
S17: Tot .8K 133
Moorwoods Av. S35: Chap 9H 75
Moorwoods La. S35: Chap 9H 75
Moray Pl. S18: Dron W 8E 134
Mordaunt Rd. S2: Shef 5N 123
More Hall La. S36: Bolst 9G 73
More Hall Vw. S35: Wharn S 2K 91
Morgan Av. S5: Shef 2G 108
Morgan Cl. S5: Shef 1G 109
Morgan Rd. DN2: Don 3F 64
S5: Shef .2G 108
Morland Bank S14: Shef 8M 123
Morland Cl. S14: Shef 8N 123
Morland Dr. S14: Shef 8N 123
Morland Pl. S14: Shef 8N 123
Morland Rd. S14: Shef 8M 123
Morley Cl. S18: Dron W 9D 134
Morley Fold HD8: Den D 3J 33
Morley Pl. DN12: Con 5N 79
Morley Rd. DN1: Don 2B 64
S61: Kimb P 4E 94
Morley St. S6: Shef 5C 108
S62: P'gte 1M 95
Morpeth Gdns. S3: Shef 1C 4
Morpeth St. S3: Shef 1C 4 (8G 108)
S65: Roth .7L 95
Morrall Rd. S5: Shef 6G 93
Morrell St. S66: Malt 9E 98
Morris Av. S62: Rawm 6M 77
Morrison Av. S66: Malt 7E 98
Morrison Dr. DN11: New R 6K 83
Morrison Pl. S73: D'fld 1G 58
Morrison Rd. S73: D'fld 1F 58
Morse Way S60: Cat, Shef 8G 111
Morston Claycliffe Office Pk.
S75: Barn .4B 36
Mortain Rd. S60: Roth 2M 111
Mortains S26: Tod 5L 127
MORTHEN .5G 112
Morthen Cotts. S66: Mort 5F 112
Morthen Gdns. S66: Wick 9G 97
Morthen Hall La. S66: Mort 5G 112
Morthen La. S60: Up W 6D 112
S66: Mort 4F 112
Morthen Rd. S66: Thurc, Wick 9G 97
Morthen Vw. S66: Wick 3H 113
Mortimer Dr. S36: Cub 6M 53
Mortimer Hgts. S36: Cub 7M 53
Mortimer Rd. S6: Brad 2H 105
S36: Bolst, Midh 2L 71
S36: Cub, Midh, Pen 6M 53
S66: Malt 9G 98
Mortimer St. S1: Shef 6G 5 (1J 123)
Mortlake Rd. S5: Shef 2L 109
MORTOMLEY 7F 74
Mortomley Cl. S35: High G 7F 74
Mortomley Cft. S35: Chap 7G 74
Mortomley Hall Gdns. S35: High G 7F 74
Mortomley La. S35: High G 6F 74
Morton Cl. S71: Monk B 3L 37
Morton Gdns. S20: Half 4M 137
Morton Gro. S81: Work 2B 142
Morton La. S21: West H 9C 136
Morton Mt. S20: Half 3M 137
Morton Pl. S35: Gren 5D 92
Morton Rd. S64: Mexb 1G 79
Morton Wood Gro. HD9: Scho 5H 31
Morven Ho. S80: Work 9D 142
Morvern Mdws. WF9: Hems 2M 19
MOSBOROUGH 3K 137
Mosborough Hall Dr. S20: Half 5L 137
Mosborough Moor S20: Mosb 2H 137
Mosborough Parkway S12: Shef 6F 124
S13: Shef 2D 124
S20: Beig 6L 125
Mosborough Rd. S13: Shef 4B 124
Moscar Cotts. S7: Shef 7E 122
Moscar Cross Rd. S6: Brad, Holl M . . .6J 105
Moscrop Cl. S13: Shef 4J 125
Moses Vw. S81: Shire 2J 141
Mosgrove Cl. S81: Gate 3N 141
Mosham Cl. DN9: Blax 1F 84
Mosham Rd. DN9: Auck, Blax 9C 66
MOSS 9D 8
Moss Beck Ct. S21: Ecki 7J 137
Moss Cl. S66: Wick 9G 97
Mosscroft La. DN7: Hat 4E 46
Mosscroft Way DN7: Hat 3F 46
Mossdale S81: Work 2D 142
Mossdale Av. S20: Mosb 3K 137
Mossdale Cl. DN5: Scawt 9J 43
Moss Dr. S21: Killa 5C 138
Moss Edge Rd. HD9: H'bri 8A 30
Moss Edge Vw. HD9: H'bri 6A 30
Moss Gro. S12: Shef 8K 125
Moss Haven DN6: Moss 9E 8
Moss Ho. Ct. S20: Mosb 4K 137
Moss La. DN6: Trum 4E 24
Mossley Pl. S36: Pen 4A 54
Mossley Rd. S36: Pen 8L 53
Moss Ri. HD9: U'thng 3C 30
Moss Ri. Pl. S21: Ecki 7J 137
Moss Rd. DN6: Ask, Moss 1M 23
DN6: Moss 9E 8
DN7: Kirk G .9H 9
S17: Tot .6J 133
Moss Ter. DN8: Moore 5L 11
Moss Vw. S20: Mosb 4H 137
Moss Way S20: Water, W'fld 8J 125
Moss Way Stop (ST) 8K 125
Motehall Dr. S2: Shef 2A 124
Motehall Pl. S2: Shef 2B 124
Motehall Rd. S2: Shef 2A 124
Motehall Wlk. S2: Shef 2B 124
Motehall Way S2: Shef 2A 124
Motorpoint Arena
Sheffield 5B 110
Motte, The S61: Kimb 5F 94
Mottram St. S71: Barn 6G 36
Mottram Way S71: Barn 6G 37
Moulton Chase WF9: Hems 2L 19
Mount, The DN3: Eden 7K 45
S66: Sunn .6G 97
Mount Av. S72: Grim 9G 18
S72: Gt H 7L 39
S81: Work 5B 142
WF9: Hems .1K 19
Mountbatten Dr. S35: Burn 9E 74
Mount Cl. DN11: H'worth 8J 101
S70: Barn .9G 37
Mount Cres. S74: Hoyl 8L 57
Mountenoy Rd. S60: Roth 8K 95
Mountfields Wlk. WF9: Sth K 8A 20
Mountfield Way S25: Laugh C 1A 128
Mountford Cft. S17: Tot 5N 133
Mount Olive S36: Stoc 5D 72
Mt. Osborne Ind. Pk. S71: Barn 8J 37
Mt. Pleasant DN4: Balb 8L 63
S35: Chap .8H 75
S70: Wors .3J 57
S72: Grim .9G 19
WF8: Lit S 4E 6
Mt. Pleasant Cl. S35: Chap 8H 75
Mt. Pleasant Ct. S35: Cran M 7M 55
Mt. Pleasant Res. Pk. DN8: Moore 7L 11
Mt. Pleasant Rd.
DN8: Moore, Thorne 8J 11
S7: Shef .3G 123
S61: Roth .6H 95
S63: Wath D 2M 77
Mount Prospect DN10: Ever 9L 103
Mount Rd. S3: Shef 5G 108
S35: Chap .9F 74
S72: Grim .9G 19
Mt. Royd Cotts. DN6: Nort 7G 6
(off Ryecroft Rd.)
Mt. Scar Vw. HD9: Scho 4H 31
Mount St. S11: Shef 2G 122
S61: Roth .6H 95
S70: Barn .8F 36
S71: Ard 8N 37
Mount Ter. S63: Wath D 9J 59
S73: Womb 4C 58
Mt. Vernon Av. S70: Barn 9G 36
Mt. Vernon Cres. S70: Barn 1H 57
Mt. Vernon Rd. S70: Barn, Wors 9H 37
Mount Vw. DN12: New E 5F 80
Mount Vw. Av. S8: Shef 8H 123
Mount Vw. Gdns. S8: Shef 8H 123
Mount Vw. Rd. HD9: Hep 6J 31
S8: Shef .9H 123
Mousehole Cl. S65: Dalt 4D 96
Mousehole La. S65: Dalt 4D 96
Mouse Pk. Ga. S35: Gren 4N 91
Mowbray Gdns. S65: Roth 5B 96

Mowbray Pl.—New Rossington

Mowbray Pl. S65: Roth 5B 96
Mowbray Rd. DN8: Thorne 3L 27
Mowbray St. S3: Shef 7H 109
S65: Roth 5A 96
Mowson Cres. S35: Ough 8M 91
Mowson Dr. S35: Ough 8M 91
Mowson Hollow S35: Ough 8M 91
Mowson La. S35: Ough 8M 91
Moxon Cl. S36: Spink 6G 72
Mucky La. S36: Crow E 2A 52
S36: Stoc 2C 72
(Hunshelf Rd.)
S36: Stoc 7B 72
(Lee Ho. La.)
S71: Ard 7A 38
Muglet La. S66: Malt 1F 114
Mugup La. HD9: Hep 7J 31
Muirfield S81: Work 4E 142
Muirfield Av. DN4: Can 9L 65
S64: Swin 4D 78
Muirfield Cl. S72: Cud 8C 18
Muirfields, The S75: Dart 8B 16
Mulberry Av. DN8: Moore 8L 11
WF4: Ryh 1B 18
Mulberry Cl. DN5: Cus 2H 63
S62: P'gte 2M 95
S63: Gol 2B 60
S73: D'fld 2G 59
Mulberry Ct. DN4: Warm 8H 63
DN9: Auck 2C 84
(off Fir Tree Av.)
DN10: Miss 3K 103
Mulberry Cres. S81: Carl L 4C 130
Mulberry Dr. DN17: Crow 9N 29
Mulberry Pl. WF4: Ryh 1B 18
Mulberry Rd. S21: Ecki 8H 137
S25: Nth A 5C 128
Mulberry St. S1: Shef 3G 5 (9J 109)
Mulberry Way DN3: Arm 3L 65
DN11: H'worth 9J 101
S21: Killa 5A 138
Mulehouse Rd. S10: Shef 8B 108
Mundella Pl. S8: Shef 8H 123
Muneeb Ct. S62: Rawm 9M 77
Mungy La. S65: Thry 3C 96
Munro Cl. S21: Killa 4C 138
Munsbrough La. S61: Grea 3H 95
(not continuous)
Munsbrough Ri. S61: Grea 2H 95
Murdoch Pl. S71: Smi 1F 36
Murdock Rd. S5: Shef 9G 92
Murfin Cl. S25: Laugh C 9A 114
Murrayfield Dr. S20: Half 4L 137
Murray Rd. S11: Shef 5C 122
S21: Killa 3D 138
S62: Rawm 8N 77
Musard Way S21: Killa 4B 138
Musgrave Cres. S5: Shef 3H 109
Musgrave Dr. S5: Shef 3H 109
Musgrave Pl. S5: Shef 3H 109
Musgrave Rd. S5: Shef 3G 109
Musgrove Av. S65: Thry 3F 96
Mushroom La. S3: Shef 2A 4 (9E 108)
S10: Shef 2A 4 (9E 108)
Muskoka Av. S11: Shef 6N 121
Muskoka Dr. S11: Shef 5N 121
Mutual St. DN4: Hex 5M 63
Muxlow S11: Shef 5E 122
Myers Av. S35: Ough 5M 91
Myers Gro. La. S6: Shef 5N 107
(not continuous)
Myers La. S6: Lox 1J 107
Mylnhurst Rd. S11: Shef 6C 122
Mylor Ct. S71: Monk B 5K 37
Mylor Rd. S11: Shef 5B 122
Myndon Wlk. DN12: Den M 3M 79
Myrtle Cl. S2: Shef 5K 123
Myrtle Cres. S2: Shef 4K 123
S66: Wick 8H 97
Myrtle Dr. S2: Shef 5K 123
Myrtle Gro. DN9: Auck 8C 66
S26: Kiv P 9H 127
Myrtle Rd. DN7: Dunsc 9B 26
S2: Shef 4H 123
S73: Womb 4C 58
Myrtle Springs S12: Shef 6M 123
(not continuous)
Myrtle Springs Dr. S12: Shef 6N 123
Myrtle St. S75: Barn 6D 36
Mysten Cft. S75: Barn 4E 36
Mytham Bri. S33: Bamf 9E 118
Myton Rd. S9: Shef 8A 110

N

Nabb Vw. HD9: Holm 4F 30
Nabeel Ct. S60: Roth 8L 95
Nab La. DN7: Fish 2B 26
Nairn Dr. S18: Dron W 9E 134
Nairn St. S10: Shef 9C 108
Nancy Cres. S72: Grim 2H 39
Nancy Rd. S72: Grim 2H 39
Nanny Hill S36: Stoc 5E 72
Nanny Marr Rd. S73: D'fld 2G 59
Nan Sampson Bank
DN9: Finn 7M 67
Napier Mt. S70: Wors 2G 56
Napier St. S11: Shef 7C 4 (2F 122)
Narrow Balk DN5: Hoot P 3J 41
Narrow La. DN5: Blk G 4A 24
DN10: Baw 5D 102
DN11: Tick 3B 100
S25: Nth A 6C 128
Narrow Twitchell *S60: Roth 7L 95*
(off Hollowgate)
Narrow Wlk. S10: Shef 9D 108
Nascot Cl. S66: Bram 1L 113
Nascot Gdns. S26: Augh 1B 126
Naseby Av. DN5: Scaws 1H 63
Naseby Cl. DN7: Hat 3C 46
Naseby St. S9: Shef 2A 110
Nash Cl. S81: Work 6F 142
Nasmyth Row *S74: Els 2B 76*
(off Wath Rd.)
Nathan Ct. S20: Water 1M 137
Nathan Dr. S20: Water 9M 125
Nathan Gro. S20: Water 9L 125
National Emergency Services Mus.
. . . . . 1F 5 (8H 109)
Navan Rd. S2: Shef 4A 124
Navigation Way S73: Bramp 6G 59
Navvy La. S71: R'ton 2L 17
Naylor Gro. S35: Ough 7L 91
S75: Dod 9A 36
Naylor Rd. S35: Ough 6L 91
Naylor St. S62: P'gte 2M 95
Neale Rd. DN2: Don 8E 44
Nearcroft Rd. S61: Kimb P 5F 94
Nearfield Rd. DN4: Bess 9G 64
Needham Way S7: Shef 6D 122
Needle's Eye 4D 76
Needlewood S75: Dod 1A 56
NEEPSEND 6G 108
Neepsend Ind. Est. S3: Shef 5F 108
Neepsend La. S3: Shef 6F 108
Neill Rd. S11: Shef 3D 122
Nellie Stagles Way
DN1: Don 5A 64
Nelson Av. S71: Monk B 4H 37
Nelson Cl. S60: Brins 4K 111
Nelson Mandela Wlk. *S2: Shef 2B 124*
(off Castlebeck Av.)
Nelson Pl. S35: Burn 9E 74
Nelson Rd. DN11: New R 5G 83
DN12: New E 4F 80
S6: Shef 6A 108
S66: Malt 8F 98
(not continuous)
Nelson Rd. Flats *DN12: New E 4F 80*
(off Nelson Rd.)
Nelson Sq. DN7: Stainf 6A 26
Nelson St. DN4: Don 6A 64
S65: Roth 6L 95
S70: Barn 7F 36
S72: Sth H 4E 18
Nemesia Cl. S25: Sth A 7A 128
Nene Gro. DN9: Auck 8C 66
Nene Wlk. S81: Work 3B 142
Nesfield Way S5: Shef 9L 93
Nether Av. S21: Killa 4B 138
S35: Gren 4E 92
NETHER CANTLEY 5L 65
Nether Cantley La. DN3: Can 5L 65
Nether Cres. S35: Gren 4E 92
Nethercroft S75: Bar G 3N 35
Nether Dale HD8: Den D 3J 33
Netherdale Ct. HD8: Den D 4N 33
Netherdene Rd. S18: Dron 9H 135
(not continuous)
NETHER EDGE 5F 122
Nether Edge Rd. S7: Shef 5F 122
NETHER END 4N 33
Netherfield S36: Pen 2M 53
S74: Els 9N 57
Netherfield Cl. S36: Spink 6H 73
Netherfield Ct. S65: Roth 5L 95
Netherfield Cft. S72: Shaft 7C 18
Netherfield Dr. HD9: Holm 1E 30
Netherfield Farm Cl. S36: Pen 3M 53
Netherfield La. S62: P'gte 1M 95
Netherfield Rd. S10: Shef 7C 108
Netherfield Vw. S65: Dalt 5C 96
NETHERGATE 7L 107
Nethergate S6: Stan 7K 107
NETHER GREEN 3N 121
Nethergreen Av. S21: Killa 3C 138
Nethergreen Ct. S21: Killa 3C 138
Nethergreen Gdns. S21: Killa 3C 138
Nethergreen Rd. S11: Shef 3A 122
Nether Hall Rd. DN1: Don 4A 64
NETHER HAUGH 8H 77
Nether Ho. La. S6: Brad 9E 90
S36: Pen 8G 52
Netherhouses HD9: U'thng 3B 30
Nether La. S35: Eccl 3J 93
Netherlea Dr. HD9: N'thng 1D 30
Nether Ley Av. S35: Chap 9H 75
Nether Ley Ct. S35: Chap 9H 75
Nether Ley Cft. S35: Chap 9H 75
Nether Ley Gdns. S35: Chap 9H 75
Nethermoor Av. S21: Killa 3C 138
Nethermoor Cl. S21: Killa 3C 138
Nethermoor Dr. S21: Killa 3C 138
S66: Wick 2H 113
Nethermoor La. S21: Killa 3C 138
Nether Oak Cl. S20: Sot 9A 126
Nether Oak Dr. S20: Sot 9A 126
Nether Oak Vw. S20: Sot 9A 126
NETHER PADLEY 9A 132
Nether Rd. S35: Eccl 4J 93
S75: Silk 7J 35
Nether Royd Vw. S75: Silk C 2J 55
Nether Shire La. S5: Shef 6K 93
NETHERTHONG 1D 30
NETHERTHORPE
S21 . . . . . 3B 138
S26 . . . . . 3F 126
S3 . . . . . 2B 4 (8F 108)
S80 . . . . . 5E 140
Netherthorpe Cl. S21: Killa 3B 138
Netherthorpe La. S21: Killa 4A 138
Netherthorpe Pl. S3: Shef 1C 4
Nether Thorpe Rd.
S80: N'thpe, Thorpe S 5E 140
Netherthorpe Rd. S3: Shef 3B 4 (9F 108)
Netherthorpe Road Stop (ST)
. . . . . 2C 4 (8G 108)
Netherthorpe St. S3: Shef 1C 4 (8G 108)
Netherthorpe Wlk. S3: Shef 1C 4
Netherthorpe Way S25: Nth A 4C 128
Netherton Pl. S80: Work 9D 142
Netherton Rd. S80: Work 9D 142
Nether Wheel Row S13: Shef 6F 124
Netherwood Av. S12: Shef 6E 124
Netherwood Country Pk. 2C 58
Netherwood Rd. S73: Womb 2D 58
Nettle Cft. DN11: Tick 6F 100
Nettlecroft S71: Monk B 3N 37
Nettleham Rd. S8: Shef 8G 123
Nettleholme La. DN7: Hat 6F 26
Nettlehome DN7: Hat 9D 26
Nettle Ing La. DN14: Syke 2B 10
Nettleton Ho. *WF9: Hems 3K 19*
(off Lilley St.)
Network Cen. S75: Barn 3B 36
Neville Av. S70: Barn 9L 37
Neville Cl. S3: Shef 7J 109
S70: Barn 9L 37
S73: Womb 3B 58
WF9: Sth K 6B 20
Neville Ct. S73: Womb 3B 58
Neville Cres. S70: Barn 9L 37
Neville Dr. S3: Shef 6J 109
Neville La. DN7: Kirk G 8J 9
Neville Pits La. DN14: Balne 2N 7
Neville Rd. S61: Kimb P 4F 94
Neville St. S60: Roth 6K 95
New Arc. WF9: Sth K 7A 20
Newark *S20: W'fld 2L 137*
(off Shortbrook Rd.)
Newark Cl. S75: Stain 7C 16
Newark Rd. S64: Mexb 1D 78
Newark St. DN11: New R 4H 83
S9: Shef 5A 110
Newbigg DN17: Crow 2N 29
Newbiggin Cl. S62: P'gte 1L 95
Newbiggin Dr. S62: P'gte 1L 95
Newbold Ter. DN5: Cus 2K 63
Newbolt Rd. DN4: Balb 9M 63
Newbould Cres. S20: Beig 8N 125
Newbould La. S10: Shef 1D 122
Newbridge Gro. DN12: New E 4G 81
S71: Monk B 5J 37
New Bri. Rd. DN1: Don 2M 63
DN5: Don 2M 63
New Brighton HD8: Birds E 4E 32
Newburn Dr. S9: Tins 2E 110
Newburn Rd. *S9: Tins 2D 110*
(off Town St.)
Newbury Dr. WF9: Sth E 4F 20
Newbury M. S80: Work 8C 142
Newbury Rd. S10: Shef 8C 108
Newbury Way DN5: Scaws 1H 63
Newby Ct. WF9: Hems 2L 19
Newby Cres. DN4: Balb 1L 81
Newcastle Av. S80: Work 8A 142
Newcastle Cl. S25: Nth A 4C 128
Newcastle St. S1: Shef 3D 4 (9G 109)
S80: Work 8C 142
New Chapel Av. S36: Cub 6M 53
New Cl. S75: Silk 8H 35
New Cl. La. DN6: Skelb 3B 22
Newcomen Rd. DN5: Don 2L 63
Newcroft Cl. S20: Sot 8A 126
New Cross Dr. S13: Shef 5G 124
New Cross Wlk. S13: Shef 5G 124
New Cross Way S13: Shef 5G 124
Newdale Av. S72: Cud 3A 38
New Droppingwell Rd. S61: Kimb 7B 94
NEW EDLINGTON 4F 80
New Edlington Way DN4: Warm 2H 81
Newent La. S10: Shef 8C 108
Newfield Av. S71: Monk B 4L 37
Newfield Cl. DN3: Barn D 1L 45
Newfield Ct. S10: Shef 3M 121
Newfield Cres. S17: Dore 3L 133
S63: Wath D 1K 77
Newfield Cft. S17: Dore 2L 133
Newfield Farm Cl. S14: Shef 6M 123
NEWFIELD GREEN 6L 123
Newfield Grn. Rd. S2: Shef 5L 123
Newfield La. S17: Dore 3L 133
Newfield Pl. S17: Dore 3L 133
Newfields Av. DN8: Moore 8L 11
Newfields Cl. DN8: Moore 8L 11
Newfields Dr. DN8: Moore 8L 11
New Fold HD9: Holm 4E 30
NEW GATE 3F 30
New Ga. HD9: Scho 7G 31
Newgate Cl. S35: High G 7E 74
Newgate Fold HD9: Holm 4F 30
Newgate St. S80: Work 8C 142
New Green DN7: Stainf 5A 26
NEWHALL 4A 110
Newhall Av. S66: Wick 2H 113
New Hall Cres. S36: Stoc 4B 72
Newhall Grange S66: Carr 1M 113
New Hall La. S36: Stoc 5A 72
S71: Ard 9B 38
Newhall La. S66: Carr 1M 113
Newhall Rd. DN3: Kirk Sa 5K 45
S9: Shef 4M 109
New Haven Gdns. S17: Tot 6N 133
NEWHILL 1K 77
New Hill DN12: Con 4A 80
Newhill S63: Wath D 1K 77
WF9: Sth K 8A 20
Newhill Grange S63: Wath D 1K 77
Newhill La. S12: Shef 7F 124
Newhill Rd. S63: Wath D 1K 77
S71: Monk B 3H 37
New Holles Ct. S80: Work 8C 142
Newholme Dr. DN8: Moore 7L 11
New Ho. La. DN7: Fish 8A 10
New Ings DN3: Arm 1K 65
New Ings La. DN7: Sth B 7G 24
NEWINGTON 4G 102
Newington Av. S72: Cud 9B 18
Newington Cl. DN4: Can 8J 65
Newington Dr. S26: Aston 4D 126
Newington Rd. DN10: Aust 5E 102
S11: Shef 3D 122
New Inn La. DN7: Stainf 4A 26
New Laithe Bank HD9: Holm 3E 30
New Laithe La. HD9: Holm 3F 30
Newland Av. S66: Malt 7D 98
S72: Cud 3A 38
Newland Rd. S71: Smi 1F 36
Newlands Av. DN6: Skell 7C 22
HD8: Clay W 7B 14
S12: Shef 5A 124
Newlands Cl. DN4: Can 8J 65
Newlands Dr. DN5: Cus 2K 63
S12: Shef 5A 124
Newlands Gro. S12: Shef 5B 124
Newlands La. HD9: U'thng 3B 30
Newlands Rd. S12: Shef 5A 124
Newlands Way S73: Womb 6G 59
New La. DN5: Sprot 6E 62
DN11: Ross 5K 83
S63: Bolt D 3K 59
(not continuous)
WF9: Upton 3F 20
New La. Cres. WF9: Upton 2F 20
NEW LODGE 1G 36
New Lodge Cres. S71: Smi 1F 36
New Lodge Farm Ct. S36: Pen 7A 54
Newlyn Dr. S71: Monk B 5J 37
Newlyn Pl. S8: Shef 8G 123
Newlyn Rd. S8: Shef 8G 123
Newman Av. S71: Car 8K 17
Newman Cl. S9: Shef 9B 94
Newman Ct. S9: Shef 9B 94
S60: Roth 2N 111
Newman Dr. S9: Shef 9A 94
Newman Rd. S9: Shef 1N 109
S60: Roth 2N 111
Newmarche Dr. DN6: Ask 1M 23
Newmarch St. S9: Tins 1E 110
Newmarket Rd. DN4: Can 5G 65
New Mdws. S62: Rawm 6K 77
NEW MILL 2J 31
New Mill Bank S36: Bolst 9E 72
New Mill Fld. Rd. DN7: Hat 2F 46
(Mosscroft La.)
DN7: Hat 1F 46
(Old Epworth Rd. W.)
New Mill Rd. HD9: Holm 1H 31
HD9: Holm, New M 2F 30
New Orchard La. S66: Thurc 5K 113
New Orchard Rd. S66: Thurc 5K 113
New Oxford Rd. S64: Mexb 2G 78
New Pk. Est. DN7: Stainf 4C 26
New Rd. DN3: Brant 7A 66
DN6: Camp 1E 22
DN6: Nort 7K 7
DN11: Tick 6D 100
DN11: Wad 8N 81
DN14: Swine 3M 13
HD9: Holm, N'thng 1E 30
S6: Brad 9C 90
S18: App 9A 136
S25: Din 3D 128
S25: Nth A 5N 127
S33: Bamf 5D 118
S36: Bolst 9A 72
S36: H'swne 7N 33
S36: Spink 5F 72
S61: Kimb 8B 94
S63: Wath D 9M 59
S66: B'well 2C 98
S73: Hem 8D 58
S75: Cawt 2D 34
S75: Mapp, Stain 7B 16
S75: Pil, Tank 1E 74
S81: Fir 7K 115
WF4: Wool 2B 16
WF8: Lit S 2B 6
NEW ROSSINGTON 5H 83

Nursery St.—Orchard M.

Nursery St. S3: Shef 1G 5 (7J 109)
S70: Barn 8F 36
Nutcroft Way DN10: H'well 9J 103
Nutfields Gro. DN7: Stainf 5B 26
Nuthatch Cres. S81: Gate 1A 142
Nuttall Pl. S2: Shef 9L 109
NUTWELL .3M 65
Nutwell Cl. DN4: Bess 9H 65
Nutwell La. DN3: Arm, Can 1M 65
Nutwood Trad. Est. S6: Shef 8C 92

O

02 Academy
Sheffield 3G 5 (9J 109)
Oak Apple Wlk. S6: Stan 5L 107
Oak Av. S63: Wath D 1N 77
Oakbank Cl. S64: Swin 6C 78
Oakbank Ct. S17: Tot 5N 133
Oakbrook Ct. S10: Shef 3A 122
Oakbrook Rd. S11: Shef 3A 122
Oakbrook Wlk. S65: Roth 5A 96
Oakburn Ct.
S10: Shef 7A 4 (2E 122)
Oak Cl. S21: Killa 5B 138
S63: Wath D 2N 77
S64: Mexb 1D 78
S66: Flan 7G 97
S74: Hoyl 1K 75
S80: Work 9B 142
Oak Ct. DN4: Balb 1N 81
DN5: Sprot 6H 63
S64: Mexb 1D 78
Oak Cres. DN8: Thorne 9K 11
WF4: Hav 1B 18
Oak Crest DN4: Bess 2L 83
Oakdale S70: Wors 2J 57
Oakdale Cl. DN3: Eden 7J 45
S70: Wors 3J 57
Oakdale Dr. WF9: Sth E 8D 20
Oakdale Pl. S61: Kimb 7F 94
Oak Dale Rd. DN4: Warm 2G 80
Oakdale Rd. S7: Shef 5E 122
S25: Nth A 6D 128
S61: Kimb 7F 94
Oakdell S18: Dron 7L 135
Oakdene DN11: New R 6J 83
Oak Dene Way S60: Wav 9J 111
Oakenroyd Cft. S74: Els 9B 58
Oaken Wood Cl. S61: Thorpe H 9A 76
Oaken Wood Rd. S61: Thorpe H 9N 75
Oakes Grn. S9: Shef 6M 109
Oakes Pk. Vw. S14: Shef 1L 135
Oakes St. S9: Shef 9B 94
Oakfern Gro. S35: High G 6E 74
Oakfield Ct. S75: Mapp 8B 16
Oakfield Wlk. S75: Barn 6C 36
Oak Gro. DN3: Arm 8K 45
DN12: Con 5M 79
S66: Thurc 5L 113
Oakham Dr. S3: Shef 6G 109
S81: Carl L 5C 130
Oakham Pl. S75: Barn 5D 36
Oak Haven Av. S72: Gt H 7L 39
Oak Head Cl. S71: Smi 3J 37
Oak Hill Cl. S7: Shef 5F 122
Oakhill Ct. S71: Ard 8N 37
Oak Hill Rd. S7: Shef 5E 122
Oakhill Rd. DN2: Don 1E 64
S18: Dron 8K 135
Oakholme Av. S81: Work 5C 142
Oakholme M. S10: Shef 2D 122
Oakholme Ri. S81: Work 5C 142
Oakholme Rd. S10: Shef 1D 122
Oakland Av. DN7: Hat 1C 46
S71: Monk B 4L 37
Oakland Cl. S81: Woods 6J 129
Oakland Ct. S6: Shef 4C 108
Oakland Rd. S6: Shef 4C 108
Oaklands DN4: Bess 2M 83
S66: Wick 1H 113
Oaklands, The WF9: Hems 4L 19
Oaklands Cl. HD9: Holm 1E 30
Oaklands Dr. DN4: Bess 7G 64
DN11: Sty 2G 116
Oaklands Gdns. DN4: Bess 8G 64
Oaklands Pl. S63: Wath D 1L 77
Oakland Ter. DN12: New E 4F 80
Oak La. DN14: Syke 2E 10
Oak Lea S61: Grea 2H 95
S70: Wors 3K 57
Oaklea S63: Thurn 8D 40
Oak Lea Av. S63: Wath D 8J 59
Oaklea Cl. S75: Stain 7C 16
Oak Leigh S75: Cawt 4G 35
Oakley Rd. S13: Shef 1E 124
Oak Lodge Rd. S35: High G 7D 74
Oak Mdws. S65: Roth 5A 96
Oak M. S66: Bram 8J 97
Oakmoor Gro. DN8: Moore 6M 11
Oakmoor Rd. DN8: Moore 6M 11
Oak Pk. S10: Shef 1C 122
Oak Pk. Ri. S70: Barn 9H 37
Oak Rd. DN3: Arm 8K 45
DN8: Thorne 9K 11
S12: Shef 9A 124
S20: Beig 7M 125
S63: Thurn 8C 40
S63: Wath D 1N 77
Oak Rd. S64: Mexb 1D 78
S66: Malt 8B 98
S72: Shaft 7D 18
Oakroyd Cres. S72: Grim 2G 38
Oaks, The S10: Shef 1C 122
Oaks Av. S36: Stoc 5C 72
Oaks Bus. Pk. S71: Stair 7K 37
Oak Scar La. HD9: Scho 6G 31
Oaks Cres. S70: Barn 8K 37
Oaks Farm Cl. S75: Dart 8A 16
Oaks Farm Dr. S75: Dart 8A 16
Oaks Fold S5: Shef 7M 93
Oaks Fold Av. S5: Shef 8M 93
Oaks Fold Rd. S5: Shef 8M 93
Oaks La. S5: Shef 8M 93
S6: Brad 2E 106
S36: Midh 3L 71
S61: Kimb P 4C 94
S70: Barn 8K 37
S71: Barn, Stair 7K 37
Oak St. S8: Shef 4H 123
S20: Mosb 2J 137
S70: Barn 7E 36
S72: Grim 2H 39
WF9: Sth E 8E 20
Oaks Wood Dr. S75: Dart 9A 16
Oak Ter. DN1: Don 6N 63
S26: Swal 3A 126
Oak Tree Av. DN9: Auck 2B 84
HD9: Scho 5H 31
S72: Cud .1B 38
Oak Tree Cl. S66: Wick 8H 97
S75: Kexb 9M 15
Oak Tree Ct. S60: Roth 1K 111
Oak Tree Gro. WF9: Hems 3M 19
Oak Tree Ri. S81: Carl L 4B 130
Oak Tree Rd. DN3: Brant 6A 66
DN10: Baw 6B 102
Oak Tree Wlk. DN17: Crow 9M 29
Oak Vw. S17: Dore 5N 133
Oakwell 7H 37
Oakwell Bus. & Youth Ent. Cen.
S71: Barn 7J 37
Oakwell Cl. S66: Malt 7E 98
Oakwell Ct. S70: Barn 8H 37
Oakwell Dr. DN6: Ask 1N 23
Oakwell La. S71: Barn 7H 37
Oakwell Ter. S71: Barn 8H 37
Oakwell Vw. S71: Barn 7H 37
Oakwell Vw. S71: Barn 8H 37
Oakwood Av. S5: Shef 6G 92
S71: R'ton 5K 17
Oakwood Cl. S70: Wors 3K 57
Oakwood Cres. S35: Ough 8M 91
S62: Rawm 7L 77
S71: R'ton 5J 17
Oakwood Dr. DN3: Arm 2K 65
DN3: Brant 7N 65
S60: Roth 9N 95
WF9: Hems 4L 19
Oakwood Flats S5: Shef 3J 109
Oakwood Gro. S60: Roth 9N 95
Oakwood Hall Dr. S60: Roth 2M 111
Oakwood M. S80: Work 7N 141
Oakwood Rd. DN4: Balb 8K 63
S71: R'ton 5J 17
Oakwood Rd. E. S60: Roth 1N 111
Oakwood Rd. W. S60: Roth 1M 111
Oakwood Sq. S75: Kexb 9K 15
Oakworth Cl. S20: Half 4L 137
S75: Barn 5C 36
Oakworth Dr. S20: Half 4K 137
Oakworth Gro. S20: Half 4K 137
Oakworth Vw. S20: Half 4K 137
Oasis, The S9: Shef 2C 110
Oates Av. S62: Rawm 9M 77
Oates Cl. S61: Roth 6G 95
Oates Orchard S20: Mosb 4K 137
Oates St. S61: Roth 6G 95
Oberon Cres. S73: D'fld 1F 58
Oborne Cl. S65: Rav 5K 97
Occupation La. S6: Lox 3M 107
S12: Shef 8E 124
Occupation Rd. S62: H'ley 5L 75
S62: P'gte 1L 95
Ochre Dike Cl. S20: Water 9L 125
Ochre Dike La. S20: Water 9K 125
Ochre Dike Wlk. S61: Wing 1F 94
Octagon Cen. S10: Shef 4A 4
Octavia Cl. S60: Brins 2J 111
Oddy La. DN11: Tick 2B 100
Odeon Cinema
Sheffield 3G 5 (9J 109)
Odom Ct. S2: Shef 5J 123
Ogden Pl. S8: Shef 2H 135
Ogden Rd. DN2: Don 8G 45
Oil Mill Fold S60: Roth 7K 95
Old Acre La. DN6: Nort 7E 6
Oldale Cl. S13: Shef 6J 125
Oldale Ct. S13: Shef 5J 125
Oldale Gro. S13: Shef 6J 125
Old Anna La. S36: Thurl 3K 53
Old Bakery Yd. S80: Work 8B 142
Old Bar La. HD9: Hep 8M 31
Old Bawtry Rd. DN9: Finn 5F 84
Old Bowling Grn. S80: Rhod 6M 141
Old Brewery Ct. S6: Shef 6F 108
Old Brewery Yd. S80: Work 7D 142
Old Brick Pl. S9: Shef 6B 110
Old Carpenter's Yd. DN7: Stainf 4A 26
Old Clifton La. S65: Roth 7M 95
Old Coach Rd. S6: Brad 1C 106
Old Colliery Way S20: Swal 5A 126
OLDCOTES .6C 116
Oldcotes Cl. S25: Din 1D 128
Oldcotes Rd. S25: Din 9D 114
Old Cottage Cl. S13: Shef 4K 125
Old Cross La. S63: Wath D 9M 59
Old Crown Gdns. S72: Gt H 6L 39
OLD CUBLEY 7M 53
Old Cubley S36: Cub 7N 53
Old Dairy Cl. DN8: Thorne 2J 27
OLD DENABY 3H 79
Old Denaby Wetlands Nature Reserve
. . . . .3H 79
Old Doncaster Rd.
S63: Wath D 9A 60
OLD EDLINGTON 7E 80
Old Epworth Rd. E. DN7: Hat 1G 46
Old Epworth Rd. W. DN7: Hat 1F 46
Old Farm Ct. S64: Mexb 9D 60
Old Farm La. S71: Low L 1B 58
S73: Low L, Womb 1B 58
Old Farm Way WF9: Upton 2G 20
Oldfield Av. DN12: Con 4L 79
S6: Stan 6M 107
Oldfield Cl. DN3: Barn D 1L 45
DN7: Stainf 6N 25
S6: Stan 6M 107
S74: Hoyl 9M 57
Oldfield Cres. DN7: Stainf 6A 26
Oldfield Gro. S6: Stan 6M 107
Oldfield La. DN7: Stainf 7M 25
HD8: Clay W 7B 14
Oldfield La. Flats DN7: Stainf 6A 26
Oldfield Rd. DN8: Thorne 3L 27
S6: Stan .7K 107
S65: Roth 6C 96
Old Field Shutt La. S65: Dalt M 5E 96
Oldfield Ter. S6: Stan 7M 107
Old Forge Bus. Pk. *S2: Shef* *4H 123*
(off Sark Rd.)
Old Fulwood Rd. S10: Shef 4M 121
Old Garden Dr. S65: Roth 6N 95
Old Gateford Rd. S81: Gate 2N 141
Oldgate La. S65: Thry 4C 96
Old Green La. DN6: Moss 1F 24
Old Guildhall Yd. DN1: Don 4N 63
Old Hall Cl. DN5: Sprot 6G 63
S25: Laugh M 8B 114
S26: Tod 5K 127
S66: Bram 8J 97
Old Hall Cres. DN5: Bntly 8M 43
Old Hall Dr. S66: Bram 8J 97
Old Hall Farm S61: Kimb 6E 94
Old Hall La. HD8: Eml'y 4A 14
S66: Bram 8J 97
(off Old Hall Dr.)
Old Hall M. S8: Shef 3G 134
S66: Bram 8J 97
Old Hall Pl. DN5: Bntly 8M 43
Old Hall Rd. DN5: Bntly 8M 43
DN6: Skell 7E 22
S9: Shef 5A 110
S70: Wors 5F 56
S75: Wors 5E 56
Old Hall Wlk. S72: Gt H 7L 39
Old Hay Cl. S17: Dore 4M 133
Old Hay Gdns. S17: Dore 4L 133
Old Hay La. S17: Dore 5L 133
OLD HAYWOODS 5G 73
Old Hellaby La. S66: Hel 8N 97
Old Hexthorpe DN4: Hex 6K 63
Old Hill DN12: Con 4A 80
Old Hill La. S65: Dalt M 6E 96
Old House Cl. S73: Hem 8C 58
Old House La. DN6: Moss 5D 24
Old Ings La. DN14: Syke 1M 9
OLD KIRK SANDALL 3H 45
Old La. DN6: Moss 9E 8
DN7: Fish 1M 25
S20: Half 3N 137
S35: Ough 7J 91
S36: Midh, Pen 2L 71
Old Manchester Rd. S36: Hazl 7B 52
Old Manor Dr. S36: Oxs 6D 54
Old Market Pl. S73: Womb 5D 58
OLD MILL 5H 37
Old Mill Cl. WF9: Hems 2J 19
Old Mill Ct. HD9: Hep 7J 31
Old Mill La. S35: Thurg 9F 54
S70: Barn 6F 36
S71: Barn 5H 37
Old Mill Rd. DN12: Con 5B 80
Old Moor La. S73: Wath D 6J 59
Old Moor Nature Reserve 6J 59
Old Moor Nature Reserve Vis. Cen. . . .6J 59
Old Mount Farm WF4: Wool 2B 16
Old Nursery Yd., The DN8: Thorne 3L 27
Old Oaks Vw. S70: Barn 8K 37
Old Orchard, The WF9: Hems 2K 19
Old Pk. Av. S8: Shef 3E 134
Old Pk. Rd. S8: Shef 3E 134
Old Quarry Av. S26: Wales 8G 127
Old Retford Rd. S13: Shef 3J 125
Old Rd. DN12: Con 6L 79
HD9: H'bri 6A 30
S71: Smi .3H 37
Old Row S74: Els 1B 76
Oldroyd Av. S72: Grim 2G 39
Oldroyd Row *S75: Dod 1A 56*
(off Stainborough Rd.)
Old Royston Av. S71: R'ton 5K 17
OLD SALLOW 8D 22
Old School Cl. DN3: Arm 1L 65
DN14: Syke 3M 9
S61: Grea 1J 95
S74: Hoyl 8M 57
Old School Ct. S75: Bar G 3N 35
Old School Cft. S35: Wharn S 4K 91
Old School Dr. S5: Shef 8J 93
Old School Ho., The
DN5: Bntly 8M 43
(off Chapel St.)
Old School La. DN11: Wad 7M 81
S60: Cat 6K 111
Old School Pl. S80: Work 8C 142
Old School Rd. DN2: Don 2B 64
Old School Wlk. S25: Din 1D 128
Old Scotch Spring La.
S66: Stain 5J 99
Old Sheffield Rd. S60: Roth 8K 95
Old Stables, The S62: Rawm 7K 77
Old Station Dr. S7: Shef 8E 122
Old St. DN6: Ham 2L 41
S2: Shef 2K 5 (8K 109)
Old Tannery Rd. S71: Barn, Monk B . . .5H 37
Old Thorne Rd. DN7: Hat 9F 26
OLD TOWN .5E 36
Old Town Hall *S60: Roth 6K 95*
(off Effingham St.)
Old Village St. DN6: Burgh 5E 22
Old Warren Vale S62: Rawm 7M 77
Oldwell Cl. S17: Tot 6M 133
OLD WHEEL 3K 107
Old Wortley Rd. S61: Kimb 5E 94
Old Yew Ga. S35: Ough, Wort 2M 91
Old Yew La. HD9: Holm 6C 30
Olive Cl. S26: Swal 4C 126
Olive Cres. S12: Shef 9A 124
Olive Gro. Rd. S2: Shef 4J 123
Olive Rd. S20: Mosb 3K 137
S36: Stoc 5D 72
Oliver Rd. DN4: Balb 8L 63
S7: Shef 7D 122
Olivers Dr. S9: Shef 8D 110
Olivers Mt. S9: Shef 8D 110
Oliver St. S64: Mexb 1E 78
Olivers Way S60: Cat 5H 111
Olive Ter. S6: Lox 5M 107
Olivet Rd. S8: Shef 8G 123
Ollerton Rd. S71: Ath 8G 16
Omega Blvd. DN8: Thorne 2H 27
Onchan Rd. S6: Shef 7N 107
ONESACRE .6K 91
Onesacre S35: Ough 6K 91
Onesacre Rd. S6: Brad 6E 90
Onesmoor Bottom S6: Brad 6G 90
S35: Brad 6G 90
Onesmoor Rd. S6: Brad 4E 90
Onksley La. S6: Holl M 9E 106
Onslow Rd. S11: Shef 4C 122
Onward Way WF9: Sth K 8C 20
Onyx Retail Pk. S63: Wath D 7K 59
Opal One S1: Shef 5D 4 (1G 123)
Orange Cft. DN11: Tick 6E 100
Orange St. S1: Shef 3D 4 (9G 109)
Orchard, The DN6: Camp 1G 22
S25: Nth A 5C 128
S63: Thurn 9B 40
S66: Stain 5J 99
S66: Wick 9H 97
Orchard Av. S25: Nth A 4C 128
Orchard Cl. DN3: Kirk Sa 4H 45
DN6: Nort .7H 7
DN7: Dunsv 3B 46
S5: Shef .6J 93
S25: Laugh M 7C 114
S60: Cat 6K 111
S64: Mexb 1F 78
S71: Monk B 3K 37
S75: Silk C 2J 55
S75: Stain 8C 16
Orchard Cres. S5: Shef 6J 93
Orchard Cft. DN10: Baw 6C 102
S18: Dron 9J 135
S26: Wales 8G 127
S75: Dart 9N 15
S75: Dod 1B 56
Orchard Dr. DN6: Nort 7H 7
DN7: Dunsv 3B 46
S71: R'ton 6H 17
S72: Sth H 3D 18
Orchard Flatts Cres. S61: Wing 3G 94
Orchard Gdns. S25: Sth A 7B 128
Orchard Grange DN17: Crow 8N 29
Orchard Gro. DN7: Dunsc 8C 26
S66: Malt 7B 98
S71: R'ton 5J 17
Orchard La. DN5: Cus 2H 63
DN8: Moore 7M 11
S1: Shef 3E 4 (9H 109)
S20: Beig 9M 125
S26: Wales 9G 126
Orchard Lea Dr. S26: Swal 4C 126
Orchard Lee S26: Hart 4K 139
Orchard M. DN5: Cus 2K 63
S25: Nth A 5C 128
S63: Bolt D 5C 60
S75: Barn 5F 36

Orchard Pl.—Parkhead Rd.

Orchard Pl. HD9: Holm 2G 30
S21: Killa 4C 138
S60: Roth 7J 95
S63: Wath D 9K 59
S72: Cud 3C 38
Orchard Rd. S6: Shef 6D 108
Orchard Sq. S1: Shef 3F 5 (9H 109)
S18: Dron W 8E 134
Orchard Sq. Shop. Cen.
S1: Shef 3F 5 (9H 109)
Orchard St. DN4: Balb 6M 63
DN8: Thorne 2K 27
S1: Shef 3F 5 (9H 109)
S35: Ough 6M 91
S36: Spink 6H 73
S63: Gol 3D 60
S73: Womb 4D 58
Orchard Ter. S75: Cawt 4H 35
Orchard Vw. WF9: Sth K 6A 20
Orchard Vs. S65: Thry 3E 96
Orchard Wlk. DN9: Auck 8C 66
S71: Barn 5G 36
Orchard Way DN11: Tick 6C 100
S60: Brins 5J 111
S63: Thurn 8C 40
Orchard Wells S66: Wick 9H 97
Orchid Cl. WF9: Upton 2F 20
Orchid Cres. S5: Shef 1N 109
Orchid Crest WF9: Upton 2F 20
Orchid Way S25: Sth A 7A 128
Ordnance Ter. *S61: Kimb* 7F 94
(off Up. Clara St.)
ORGREAVE 1H 125
Orgreave Cl. S13: Shef 2J 125
Orgreave Cres. S13: Shef 2J 125
Orgreave Dr. S13: Shef 2J 125
Orgreave Ho. *DN1: Don* 5N 63
(off Burden Cl.)
Orgreave La. S13: Shef 2G 125
Orgreave Pl. S13: Shef 1H 125
Orgreave Ri. S13: Shef 3K 125
Orgreave Rd. S13: Shef 2H 125
S60: Cat 7J 111
Orgreave Way S13: Shef 3J 125
Oriel Mt. S10: Shef 4L 121
Oriel Rd. S10: Shef 4M 121
Oriel Way S71: Monk B 5L 37
Orion Way DN4: Balb 2A 82
Ormesby Cl. S18: Dron W 9D 134
Ormesby Cres. DN5: Cus 2J 63
Ormesby Way S66: Bram 8K 97
Ormes Mdw. S20: Mosb 9J 125
Ormond Cl. S8: Shef 4J 135
Ormond Dr. S8: Shef 4J 135
Ormonde Av. DN12: New E 4G 81
Ormonde Way DN11: New R 6H 83
Ormond Rd. S8: Shef 4J 135
Ormond Way S8: Shef 3J 135
Ormsby Cl. DN4: Balb 2L 81
S35: Thurg 1H 73
Orpen Dr. S14: Shef 9M 123
Orpen Way S14: Shef 9M 123
Orphanage Rd. S3: Shef 4J 109
Orwell Cl. S73: Womb 6F 58
Osbert Dr. S66: Thurc 5K 113
Osberton Pl. S11: Shef 3E 122
Osberton St. DN11: Wad 7N 81
S62: Rawm 8A 78
Oserton Vw. S81: Work 5F 142
Osberton Way S65: Dalt 4B 96
Osbert Rd. S60: Roth 1A 112
Osborne Av. DN6: Woodl 3D 42
S26: Aston 3D 126
Osborne Cl. S11: Shef 4D 122
Osborne Ct. S11: Shef 4D 122
S71: Monk B 4L 37
Osborne Cft. S26: Hart 4L 139
Osborne Dr. S26: Tod 6L 127
Osborne M. S11: Shef 4E 122
S70: Barn 8H 37
Osborne Rd. DN2: Don 3C 64
S11: Shef 4D 122
S26: Kiv P 9L 127
S26: Tod 6L 127
Osborne St. S70: Barn 8H 37
Osborne Wlk. S11: Shef 5E 122
Osgathorpe Cres. S4: Shef 4K 109
Osgathorpe Dr. S4: Shef 4K 109
Osgathorpe Rd. S4: Shef 4K 109
(not continuous)
Osmaston Rd. S8: Shef 9G 122
Osmond Dr. S70: Wors 2H 57
Osmond Pl. S70: Wors 2H 57
Osmond Way S70: Wors 2H 57
Osmund Ct. S21: Ecki 7J 137
Osmund Rd. S21: Ecki 7H 137
Osprey Av. S70: Birdw 7G 56
Osprey Cl. DN6: Adw S 2F 42
Osprey Gdns. S2: Shef 1M 123
Osprey Rd. S26: Aston 5D 126
Oswestry Rd. S5: Shef 9K 93
Oswin Av. DN4: Balb 7K 63
Otley Cl. DN12: Con 4B 80
Otley Wlk. S6: Shef 6E 108
Otter St. S9: Shef 6N 109
OUGHTIBRIDGE 6M 91
Oughtibridge S35: Ough 6M 91
Oughtibridge La. S35: Gren, Ough 6N 91
Oughton Way S4: Shef 5L 109
Oulton Av. S66: Bram 7K 97
Oulton Dr. S72: Cud 1C 38
Oulton Ri. S64: Mexb 9J 61
Ouseburn Cft. S9: Shef 7A 110
Ouseburn Rd. S9: Shef 8A 110
Ouseburn St. S9: Shef 7A 110
Ouse Rd. S9: Shef 7A 110
Ouse Ter. DN12: Con 3A 80
Ouslethwaite Ct. S70: Wors 1F 56
Ouson Gdns. S71: Car 8K 17
Outgang La. S25: Din 1C 128
S25: Din, Laugh C 9A 114
S66: Malt 1F 114
Out La. HD9: N'thng 1D 30
Outram Rd. S2: Shef 1M 123
Oval, The DN4: Bess 6F 64
DN6: Woodl 2D 42
DN7: Dunsc 8B 26
DN11: Tick 5E 100
DN12: Con 3A 80
HD9: Holm 1D 30
S5: Shef 1K 109
S25: Nth A 5C 128
S81: Work 6D 142
WF4: Nott 3J 17
Oval Rd. S65: Roth 6A 96
Overcroft Ri. S17: Tot 6M 133
Overdale Av. S70: Wors 1J 57
Overdale Gdns. S17: Dore 4L 133
Overdale Ri. S17: Dore 4L 133
Overdale Rd. S73: Womb 6E 58
Overend Cl. S14: Shef 7L 123
Overend Dr. S14: Shef 7L 123
Overend Rd. S14: Shef 7L 123
S80: Work 6B 142
Overend Way S14: Shef 7L 123
Oversley Rd. DN2: Don 1C 64
Oversley St. S9: Tins 1E 110
Overton Rd. S6: Shef 2C 108
Owday La. S81: Work 1L 141
Owen Cl. S6: Shef 7E 92
S65: Roth 5L 95
Owen Pl. S6: Shef 7E 92
Owen Wlk. S6: Shef 7E 92
OWLER BAR 9J 133
Owler Bar Rd. S11: Dore 5D 132
Owler Car La. S18: Coal A 6M 135
S21: Trow 5N 135
Owler Cl. S73: Womb 3B 58
Owler Ga. S35: Wharn S 5J 91
Owler La. S4: Shef 3L 109
(Firth Pk. Rd.)
S4: Shef 3M 109
(Upwell St.)
OWLERTON 3E 108
Owlerton Grn. S6: Shef 4E 108
Owlerton Stadium (Greyhound & Speedway)
3E 108
Owlet La. S4: Shef 3M 109
Owlings Pl. S6: Shef 4B 108
Owlings Rd. S6: Shef 3B 108
OWLTHORPE 9H 125
Owlthorpe Av. S20: Mosb 2H 137
Owlthorpe Cl. S20: Mosb 2H 137
Owlthorpe Dr. S20: Mosb 2H 137
Owlthorpe Greenway
S20: Holb, Water 1K 137
Owlthorpe Gro. S20: Mosb 2H 137
Owlthorpe La. S20: Mosb 2H 137
Owlthorpe Ri. S20: Mosb 2H 137
Owram St. S73: D'fld 2G 58
OWSTON 6J 23
Owston La. DN5: Holme 7H 23
DN6: Carc 7H 23
Owston Pk. Golf Course 7J 23
Owston Rd. DN6: Carc 8G 23
Ox Carr DN3: Arm 1K 65
OXCLOSE 4M 137
Ox Cl. Av. S17: Bradw 5B 134
S61: Kimb P 4E 94
Oxclose Dr. S18: Dron W 9D 134
Oxclose La. S18: Dron W 9D 134
Oxclose Pk. Gdns. S20: Half 4M 137
Oxclose Pk. Ri. S20: Half 4M 137
Oxclose Pk. Rd. S20: Half 3M 137
Oxclose Pk. Rd. Nth. S20: Half 3M 137
Oxclose Pk. Vw. S20: Half 4M 137
Oxclose Pk. Way S20: Half 4M 137
Oxford S6: Shef 1A 4 (8F 108)
Oxford Cl. S61: Grea 2J 95
Oxford Dr. DN11: H'worth 8J 101
Oxford M. S63: Wath D 7K 59
Oxford Pl. DN1: Don 5N 63
S71: Stair 8M 37
Oxford Rd. S81: Carl L 5C 130
Oxford St. DN11: New R 5H 83
S6: Shef 1A 4 (8E 108)
S64: Mexb 1D 78
S65: Roth 6N 95
S70: Barn 9H 37
S71: Stair 8M 37
WF9: Sth E 7E 20
Oxford Vs. *S65: Roth* 6N 95
(off Oxford St.)
Ox Hill S20: Half 5N 137
Ox La. HD9: N'thng 1C 30
Ox Lee La. HD9: Hep 8H 31
Oxley Cl. S36: Stoc 5C 72
Oxley Ct. S60: Roth 9M 95
Oxley Gro. S60: Roth 9M 95
OXSPRING 6D 54
Oxspring Bank S5: Shef 2E 108
Oxspring La. S36: Oxs 3C 54
Oxspring Rd. S36: Pen 7N 53
Oxted Rd. S9: Shef 2A 110
Oxton Dr. DN4: Warm 9H 63
Oxton Rd. S71: Ath 9G 17

P

Pack Horse Cl. HD8: Clay W 5C 14
Pack Horse Grn. S75: Silk 8H 35
Pack Horse La. S35: High G 6F 74
Packington Rd. DN4: Can 8K 65
Packman La. S26: Hart, Kiv S 1N 139
Packman Rd. S62: Wentw 5J 77
S63: Wath D 8H 59
(Brampton Rd.)
S63: Wath D 1J 77
(Mill La.)
Packmans Cl. S35: Gren 4D 92
Packmans Way S35: Gren 4D 92
Packman Way S63: Wath D 9H 59
Packwood Cl. S66: Malt 7F 98
Paddington Cl. S25: Laugh C 1A 128
Paddock, The DN3: Barn D 9H 25
DN6: Adw S 2G 42
DN11: Tick 5E 100
S61: Scho 1B 94
S66: Stain 5J 99
S73: D'fld 1G 59
S73: Hem 7C 58
WF4: Wool 2B 16
Paddock Cvn. Site, The
S80: Rhod 5M 141
Paddock Cl. DN5: Cus 2J 63
S75: Stain 8D 16
Paddock Cres. S2: Shef 6M 123
Paddock Cft. S64: Swin 3A 78
Paddock Dr. S66: Sunn 6H 97
Paddock Gro. S72: Cud 1C 38
Paddock La. DN8: Thorne 9H 11
DN11: Wils 9J 81
Paddock Rd. S75: Stain 8D 16
Paddocks, The DN5: Cad 9B 62
DN5: Cus 2H 63
DN9: Auck 9C 66
DN17: Crow 8M 29
S26: Aston 4D 126
S65: Rav 5K 97
S65: Thry 3F 96
S81: Work 3E 142
Paddock Vw. DN1: Don 5A 64
S26: Tod 6K 127
Paddock Way DN7: Hat 1G 46
S18: Dron 7J 135
(Holmesdale Rd.)
S18: Dron 8J 135
(Stonelow Grn.)
Padley Cl. S75: Dod 9N 35
Padley Hill S32: Neth P 9A 132
Padley Rd. S32: Neth P 9A 132
Padley Wlk. S5: Shef 9L 93
Padley Way S5: Shef 9K 93
Padua Ri. S73: D'fld 2F 58
Pagdin Dr. DN11: Sty 2G 117
Page Hall Rd. S4: Shef 3L 109
Pagenall Dr. S26: Swal 3C 126
Paget St. S9: Shef 5N 109
Pagnell Av. S63: Thurn 9A 40
Paitfield La. DN6: Moss 6C 24
Palermo Fold S73: D'fld 1F 58
Palgrave Cres. S5: Shef 9E 92
Palgrave Rd. S5: Shef 9E 92
Palington Gro. DN4: Can 6H 65
Pall Mall S70: Barn 7G 36
Palm Av. DN3: Arm 9M 45
Palmer Cl. S36: Cub 6M 53
Palmer Cres. S18: Dron 9J 135
Palmer La. DN7: B'waite, Kirk G 2J 25
Palmer Rd. S9: Shef 6C 110
Palmer's Av. WF9: Sth E 7G 20
Palmerston Av. S66: Malt 7C 98
Palmerston Rd. S10: Shef 4A 4 (9E 108)
Palmer St. DN4: Don 6B 64
S9: Shef 7N 109
Palmers Way S66: Thurc 6J 113
Palm Gro. DN12: Con 5M 79
Palm Gro. Ct. DN8: Thorne 1L 27
Palm Hollow Cl. S66: Wick 9E 96
Palm La. S6: Shef 6D 108
Palm St. S6: Shef 6D 108
S75: Barn 5E 36
Pamela Dr. DN4: Warm 9G 62
Pangbourne Rd. S63: Thurn 7B 40
Pantry Grn. S70: Wors 3K 57
Pantry Hill S70: Wors 2K 57
Pantry Well S70: Wors 3K 57
Paper Mill La. DN11: Tick 5F 100
Paper Mill Rd. S5: Shef 6M 93
Parade, The S12: Shef 5A 124
S62: Rawm 7L 77
S74: Hoyl 1L 75
Paradise La. S1: Shef 2F 5
Paradise Sq. S1: Shef 2F 5 (8H 109)
Paradise St. S1: Shef 2F 5 (8H 109)
Paramount Cinema
Penistone 4N 53
Paris HD9: Scho 5H 31
Parish Way S71: Monk B 5L 37
Paris M. HD9: Scho 6G 31
Paris Rd. HD9: Scho 4H 31
Park, The DN6: Woodl 5E 42
HD8: Clay W 7C 14
S75: Cawt 4G 34
Park & Ride
Abbeydale 7E 122
Doncaster North 7H 43
Doncaster South 3L 83
Halfway 3M 137
Malin Bridge 5C 108
Meadowhall 9B 94
Middlewood 1C 108
Nunnery Square 8L 109
Valley Centertainment 5B 110
White Rose Way 1B 82
Park Av. DN3: Arm 9J 45
DN5: Sprot 6G 62
DN6: Carc 9G 22
DN12: Con 5A 80
DN17: Crow 9N 29
HD8: Clay W 6B 14
S10: Shef 3C 122
S18: Dron 8J 135
S25: Din, Nth A 4C 128
S35: Chap 1H 93
S35: Wort 3M 73
S36: Pen 4M 53
S60: Tree 8M 111
S60: Whis 2B 112
S64: Mexb 1F 78
S70: Barn 7F 36
S71: Ath 1G 36
S71: R'ton 6L 17
S72: Brier 6H 19
S72: Cud 1B 38
S72: Grim 9G 19
WF9: Sth K 7A 20
Park Cl. DN3: Arm 1L 65
DN5: Sprot 6G 62
S64: Swin 3B 78
S65: Thry 3E 96
S75: Stain 9D 16
Park Cotts. S70: Wors 4H 57
Park Ct. S35: Gren 5D 92
S63: Thurn 8C 40
Park Cres. DN4: Warm 1G 81
DN8: Thorne 3K 27
S10: Shef 6A 4 (1F 122)
S35: Eccl 5J 93
S63: Bolt D 5C 60
S71: R'ton 6L 17
Park Crest WF9: Hems 2K 19
Park Dr. DN5: Sprot 6F 62
DN6: Camp 9G 7
S26: Swal 4A 126
S36: Stoc 5D 72
S75: Stainb 3C 56
S81: Bly 9K 117
Park Dr. Way S36: Stoc 4D 72
(not continuous)
Park End Rd. S63: Gol 3C 60
Parker's La. S10: Shef 9D 108
Parkers La. S17: Dore 2M 133
Parker's Rd. S10: Shef 9D 108
Parker's Ter. S70: Birdw 8F 56
Parker St. S70: Barn 7E 36
Parker Way S9: Shef 8B 110
Park Est. WF9: Sth K 7B 20
Park Farm S18: Dron W 8D 134
Park Farm Gdns. WF9: Sth K 6B 20
Park Farm M. S21: Spink 9C 138
Parkfield Ct. S62: P'gte 2M 95
Parkfield Pl. S2: Shef 3H 123
Parkfield Rd. S65: Roth 7M 95
PARKGATE 2M 95
Parkgate S18: Dron 8K 135
S63: Gol 2E 60
WF9: Sth K 8A 20
Parkgate Av. DN12: Con 4M 79
Parkgate Bus. Pk. S62: P'gte 3M 95
Parkgate Cl. S20: Mosb 2G 137
Parkgate Ct. *S62: P'gte* 3L 95
(off The Gateway)
Parkgate Cft. S20: Mosb 1G 137
Parkgate Dr. S20: Mosb 1G 137
Park Grange Ct. S2: Shef 3L 123
Park Grange Cft. S2: Shef 2K 123
Park Grange Croft Stop (ST) 2K 123
Park Grange Dr. S2: Shef 3K 123
Park Grange Mt. S2: Shef 3K 123
Park Grange Ri. S2: Shef 3K 123
Park Grange Rd. S2: Shef 7J 5 (2K 123)
Park Grange Road Stop (ST) 3K 123
Park Grange Vw. S2: Shef 4L 123
Park Gro. S36: Stoc 4D 72
S62: Rawm 7M 77
S66: Bram 8J 97
S70: Barn 7F 36
Parkhall La. S21: Spink 8C 138
PARK HEAD
HD8 3C 32
S6 7M 107
PARKHEAD 7A 122
Parkhead Cl. S71: R'ton 5H 17
Parkhead Ct. S11: Shef 7A 122
Parkhead Cres. S11: Shef 7A 122
Park Head La. HD8: Birds E, Cumb 3B 32
HD9: Holm 3C 30
Parkhead Rd. S11: Shef 8N 121

Park Hill—Peterfoot Way

PARK HILL .3K 5 (9L 109)
Park Hill DN3: Barn D .3K 45
S21: Ecki .7L 137
S26: Swal .4A 126
S73: D'fld .1H 59
Parkhill Cres. DN3: Barn D .1K 45
Park Hill Dr. S81: Fir .7L 115
Park Hill Gdns. S26: Swal .4A 126
Park Hill Gro. S75: Dod .8A 36
Park Hill Rd. S73: Womb .4E 58
Parkhill Rd. DN3: Barn D .1K 45
Park Hollow S73: Womb .5E 58
Park Homes S64: Mexb .2H 79
Park Ho. Ct. S36: Ingb .8H 33
Parkhouse Ct. S5: Shef .6H 93
Park Ho. La. S9: Tins .3F 110
Parkin Ct. S65: Rav .5L 97
Parkin Ho. La. S36: Mill G .5G 53
Parkinson St. DN1: Don .2A 64
Parkland Cres. DN5: Bntly .5N 43
S12: Shef .9E 124
(not continuous)
Parkland Dr. DN11: Ross .5L 83
Parklands DN3: Eden .7J 45
HD9: Holm .3C 30
S66: Thurc .7M 113
Parklands Av. S25: Din .3C 128
Parklands Cl. DN11: Ross .5K 83
Parklands Vw. S26: Aston .6D 126
Parkland Vw. S71: Lund .3N 37
Parkland Wlk. DN9: Blax .9H 67
Park La. DN4: Bess .5F 64
DN6: Nort .5H 7
DN7: Dunsv, Hat .5A 46
DN9: Blax .9G 67
DN12: Con .7M 79
DN14: Balne .1B 8
HD8: Birds E, Up C .3D 32
S9: Shef .1C 110
S10: Shef .6A 4 (1E 122)
S25: Laugh C .1A 128
S35: High G .5H 75
S36: Pen .4M 53
S36: Rough .8C 54
S36: Spink, Stoc .4E 72
S65: Rav .3M 97
S65: Thry .3E 96
S72: Gt H, Grim .4H 39
WF4: W Brett .2G 15
Park La. Cl. DN7: Dunsv .4B 46
Park La. Ct. S65: Thry .2E 96
Park La. Rd. DN7: Dunsv .4A 46
Park Mdws. S72: Shaft .6D 18
PARK MILL .5B 14
Park Mill Way HD8: Clay W .6B 14
Park Mt. S65: Roth .7L 95
Park Nook S65: Thry .3D 96
Park Pl. S65: Roth .6A 96
S80: Work .9C 142
Park Ri. S18: Holme .9B 134
Park Rd. DN1: Don .4A 64
DN5: Bntly .7L 43
DN6: Ask .2K 23
DN8: Moore .7M 11
DN10: Baw .7B 102
DN12: Con .5N 79
HD8: Clay W .6B 14
S6: Shef .6A 108
S63: Thurn .8B 40
S63: Wath D .1L 77
S64: Mexb .1F 78
S64: Swin .4A 78
S65: Roth .6A 96
S70: Barn .9E 36
S70: Wors .4H 57
S72: Brier .6H 19
S72: Grim .1G 38
PARK SIDE .7L 107
Park Side HD9: Jack B .4J 31
Parkside S21: Reni .9A 138
S71: Car .8L 17
Parkside Cl. S12: Shef .9F 124
Parkside La. S6: Stan .7M 107
Park Side M. S12: Shef .8F 124
Parkside M. S70: Wors .2H 57
Parkside Rd. S6: Shef .3D 108
S74: Hoyl .2J 75
Parkside Shop. Cen. S21: Killa .3C 138
Parkside Way S75: Kexb .8M 15
Parkson Rd. S60: Roth .2A 112
Park Spring Cl. S2: Shef .3K 123
Park Spring Dr. S2: Shef .3K 123
Park Spring Gro. S2: Shef .3K 123
Park Spring Rd.
S72: Grim, Lit H, Midd .2F 38
Park Springs Ind. Est. S72: Grim .2F 38
Park Spring Way S2: Shef .3K 123
Park Sq. S2: Shef .2H 5 (9J 109)
S35: Chap .7H 75
Parks Rd. DN7: Dunsc .9B 26
Parkstone Ct. S25: Sth A .8A 128
Parkstone Cres. S66: Hel .9N 97
Parkstone Delph
S12: Shef .9A 124
Parkstone Gro. DN7: Hat .9D 26
Parkstone Way DN2: Don .9F 44
Park St. S26: Swal .4B 126
S61: Roth .6H 95
S62: Rawm .8M 77
S70: Barn .8F 36
Park St. S73: Womb .5E 58
S80: Work .8B 142
Park Ter. DN1: Don .4A 64
S35: Chap .1J 93
S65: Thry .3D 96
WF9: Sth E .7G 20
Park Va. Dr. S65: Thry .3E 96
Park Vw. DN5: Brod .5A 42
DN6: Adw S .3G 42
DN8: Thorne .3K 27
DN17: Crow .9N 29
HD8: Clay W .7C 14
HD9: Holm .3E 30
S26: Kiv P .8K 127
S61: Grea .2H 95
S61: Thorpe H .1M 93
S64: Mexb .1D 78
S66: Malt .8F 98
(not continuous)
S70: Barn .9E 36
S70: Wors .2J 57
S71: R'ton .5L 17
S72: Brier .6H 19
S72: Shaft .7C 18
S74: Hoyl .1N 75
S75: Dod .9A 36
WF9: Sth K .6C 20
Park Vw. Av. S20: Half .3L 137
Park Vw. Ct. S63: Wath D .8M 59
Parkview Ct. S8: Shef .9H 123
Park Vw. Rd. S6: Shef .3D 108
S35: Chap .1H 93
S61: Kimb .8C 94
S75: Stain .8E 16
Park Wlk. S2: Shef .2K 5
Park Way DN6: Adw S .2F 42
S63: Thurn .8C 40
Parkway DN3: Arm .2L 65
Parkway Av. S9: Shef .8N 109
Parkway Cen. Retail Pk. S2: Shef .8M 109
Parkway Cinema
Barnsley .6G 36
Parkway Cl. S9: Shef .8N 109
Parkway Dr. S9: Shef .9A 110
Parkway Nth. DN2: Don .1C 64
Parkway Ri. S9: Shef .9A 110
Parkways DN7: Hat .1D 46
Parkway Sth. DN2: Don .1C 64
Parkwood Ind. Est. S3: Shef .6H 109
Parkwood Karting .5F 108
Parkwood Ri. DN3: Barn D .3K 45
Parkwood Rd. S3: Shef .5F 108
Parkwood Rd. Nth. S5: Shef .2G 108
PARKWOOD SPRINGS .5G 109
Parliament St. S11: Shef .2F 122
Parma Ri. S73: D'fld .2E 58
Parsley Hay Cl. S13: Shef .2F 124
Parsley Hay Dr. S13: Shef .2F 124
Parsley Hay Gdns. S13: Shef .2F 124
Parsley Hay Rd. S13: Shef .2F 124
Parsonage Cl. S20: Mosb .4K 137
Parsonage Ct. *S6: Shef .6D 108*
(off Parsonage Cres.)
Parsonage Cres. S6: Shef .6D 108
Parsonage St. S6: Shef .6D 108
PARSON CROSS .7G 92
Parson Cross Rd. S6: Shef .9D 92
Parson La. S75: Dod .1M 55
WF4: Wool .1B 16
Parsons Ga. S33: Bamf .5D 118
Parsons La. S33: Aston .9A 118
Partridge Cl. S21: Ecki .7H 137
Partridge Dale S75: Silk C .4K 55
Partridge Flatt Rd. DN4: Bess .9J 65
Partridge Pl. S26: Aston .5D 126
Partridge Ri. DN4: Bess .9J 65
Partridge Rd. DN3: Barn D .1J 45
Partridge Vw. S2: Shef .1M 123
Parwich Ct. S60: Wav .9H 111
Parwich Wlk. S75: Dod .9N 35
Pashley Cft. S73: Womb .5B 58
Pashley Rd. DN8: Thorne .3L 27
Passfield Rd. DN11: New R .6K 83
Passhouses Rd. S4: Shef .4J 109
Pasture Cl. DN3: Arm .2K 65
S80: Work .8N 141
Pasture Cft. S66: Thurc .5L 113
Pasture Gdns. DN6: Nort .6J 7
Pasture Gro. S21: Ecki .7J 137
Pasture La. DN5: Cad .8M 61
DN10: H'well .8G 103
S63: Bolt D .3K 59
WF8: Kirk Sm .4B 6
WF9: Sth E .6J 21
Pastures, The DN10: Baw .7C 102
S26: Tod .6K 127
S71: R'ton .6H 17
Pastures Ct. DN11: Ross .6L 83
S64: Mexb .1J 79
Pastures M. S64: Mexb .1J 79
Pastures Rd. S64: Mexb .1J 79
Pasture Way DN11: Tick .5E 100
Paternoster Row S1: Shef .5G 5 (1J 123)
Paterson Cl. S36: Stoc .4C 72
Paterson Ct. S36: Stoc .4C 72
Paterson Cft. S36: Stoc .4C 72
Paterson Gdns. S36: Stoc .4C 72
Paterson Rd. S25: Din .2E 128
Patmore Rd. S5: Shef .9L 93
Patrick Stirling Ct. DN4: Hex .6L 63
Patrick Tobin Bus. Pk. S63: Wath D .8C 60
Patterdale Cl. DN6: Carc .8G 22
S18: Dron W .9F 134
Patterdale Gro. S66: Wick .9E 96
Patterdale Way S25: Nth A .5D 128
Pavement, The S2: Shef .3J 5 (9K 109)
Pavilion Cl. S72: Brier .6G 19
Pavilion Ct. S10: Shef .3N 121
Pavilion La. S60: Brins .2H 111
Pavilion Way S5: Shef .9L 93
Pavillion Cl. DN12: New E .3G 81
Paw Hill La. S36: Pen .8F 52
Paxton Av. DN6: Carc .8H 23
Paxton Ct. S14: Shef .7N 123
Paxton Cres. DN3: Arm .9J 45
Paxton La. S10: Shef .1E 122
Payler Cl. S2: Shef .3A 124
Payne Cres. S62: Rawm .7L 77
Peace Garden .4F 5
Peacehaven DN3: Barn D .1J 45
Peacock Cl. S21: Killa .4B 138
S61: Thorpe H .8N 75
Peacock La. S25: Nth A .6B 128
Peacock Trad. Est. S6: Shef .4F 108
Pea Flds. La. S35: Brom .4A 74
Peak Chase S72: Brier .7F 18
Peak Cl. S66: Sunn .6G 97
Peakdale Cres. S12: Shef .6E 124
Peak Dale Dr. S60: Wav .9H 111
Peak District National Pk. .4F 118
Peake Av. DN12: Con .4M 79
Peake's Cft. DN10: Baw .6C 102
Peak Hill Cl. S81: Gate .1A 142
Peak La. S66: Hoot L .1C 114
Peak Rd. S71: Ath .1H 37
Peaks Mt. S20: Water .8L 125
Peak Sq. S20: Water .9L 125
Peakstone Cl. DN4: Balb .8K 63
Peakstone M. S62: Rawm .9M 77
Pearce Rd. S9: Shef .9C 110
Pearce Wlk. S9: Shef .8C 110
Pearl St. S11: Shef .3F 122
Pearmain Dr. S66: Malt .7B 98
Pea Royd La. S36: Stoc .4E 72
Pearson Cres. S73: Womb .2B 58
Pearson Pl. S8: Shef .6G 123
Pearson's Cl. S65: Roth .9B 96
Pearson's Fld. S73: Womb .4D 58
Pearson St. S36: Stoc .4D 72
Pear St. S11: Shef .7B 4 (2F 122)
Pear Tree Av. S66: Bram .8J 97
Peartree Av. S63: Thurn .8B 40
Pear Tree Cl. DN7: B'waite .4J 25
S21: Killa .5B 138
S60: Brins .4K 111
S72: Gt H .6K 39
S81: Woods .7J 129
Pear Tree Ct. S63: Thurn .8B 40
Pear Tree La. DN7: Kirk G .2K 25
WF9: Hems .2K 19
Pear Tree M. DN11: Lov .4N 81
Peartree Orchard S71: R'ton .4L 17
Pear Tree Rd. S5: Shef .7L 93
Pearwood Cl. S63: Gol .2F 60
Pearwood Cres. DN4: Balb .1K 81
Peasehill Cl. S70: Barn .8F 36
Peashill St. S62: Rawm .9M 77
Peastack La. DN11: Tick .4C 100
Peat Carr Bank DN9: Finn .9N 67
Peatfield Rd. S21: Killa .3E 138
Peat Pits La. S6: Brad .6E 90
Peck Hall La. S6: Brad .9E 90
Peckham Rd. S35: High G .8G 75
Peck Mill Vw. S26: Kiv S .1N 139
Pedley Av. S20: W'fld .1L 137
Pedley Cl. S20: W'fld .1L 137
Pedley Dr. S20: W'fld .2L 137
Pedley Gro. S20: W'fld .1L 137
Peel Castle Rd. DN8: Thorne .3L 27
Peel Cen. Retail Pk., The S71: Barn .6H 37
Peel Cl. S66: Malt .7C 98
Peel Gdns. S18: Dron .9G 135
Peel Hill Rd. DN8: Thorne .3L 27
Peel Pde. S70: Barn .7F 36
Peel Pl. S71: Barn .5H 37
Peel Sq. S70: Barn .7G 37
Peel St. S10: Shef .1D 122
S70: Barn .9G 37
(Rowan Cl.)
S70: Barn .7F 36
(West Way)
Peel St. Arc. S70: Barn .7F 36
Peel Ter. S10: Shef .4A 4 (9F 108)
Pegasus Way DN4: Balb .2A 82
Peg Folly S36: Stoc .6N 71
Peggy La. S35: Eccl .4M 93
S35: Gren .4E 92
Pelham St. S80: Work .9D 142
Pell Ct. HD9: Holm .1G 30
Pell La. HD9: Holm .2G 30
Pell's Cl. DN1: Don .4N 63
Pemberton Gro. DN10: Baw .7B 102
Pembrey Ct. S20: Sot .9N 125
Pembridge Ct. *S71: R'ton .5K 17*
(off Strawberry Gdns.)
Pembroke Av. DN4: Balb .9L 63
Pembroke Cres. S35: High G .8E 74
Pembroke Dr. S81: Carl L .5B 130
Pembroke Ri. DN5: Scaws .1H 63
S25: Sth A .7B 128
Pembroke Rd. S18: Dron .9H 135
S81: Shire .3K 141
Pembroke St. S11: Shef .2F 122
S61: Kimb .7F 94
Penarth Av. WF9: Upton .2F 20
Penarth Ter. WF9: Upton .2E 20
Pencil La. S25: Din .2D 128
Pendeen Rd. S11: Shef .3A 122
Pendennis Av. WF9: Sth E .5D 20
Pendlebury Gro. S74: Hoyl .1K 75
Pendle Cft. S20: Sot .1A 138
Pendon Ho. S36: Pen .4N 53
Pendragon Pl. WF9: Sth E .7F 20
Pengeston Rd. S36: Pen .4L 53
PENISTONE .4N 53
Penistone Ct. S36: Pen .4A 54
Penistone Ho. *S3: Shef .7G 109*
(off Adelaide La.)
Penistone La. S36: Langs .2G 71
Penistone Rd. HD8: Birds E, High F .2C 32
HD9: Hade E, Hep .8F 30
HD9: New M .2J 31
S6: Brad .3N 89
S6: Shef .2D 108
S35: Chap, Gren .8C 74
Penistone Rd. Nth. S6: Shef .1D 108
Penistone Station (Rail) .4A 54
Penistone St. DN1: Don .3A 64
Penley St. S11: Shef .3G 122
Penlington Cl. WF9: Hems .4K 19
Pennine Cen., The S1: Shef .2E 4
Pennine Cl. HD9: U'thng .3B 30
S75: Dart .7B 16
Pennine Ct. S36: Pen .5B 54
Pennine Dr. HD8: Clay W .7A 14
Pennine Edge S36: Crow E .1A 52
Pennine Gdns. S66: Malt .7B 98
Pennine Rd. DN8: Thorne .4J 27
Pennine Sailing Club .6F 50
Pennine Vw. S36: Stoc .7D 72
S74: Black H .6L 57
S75: Dart .7B 16
WF9: Upton .1F 20
Pennine Way HD8: Clay W .7A 14
S75: Barn .6C 36
WF9: Hems .2M 19
Pennington Ct. S66: Malt .9C 98
Pen Nook Cl. S36: Spink .7F 72
Pen Nook Ct. S36: Spink .7G 72
Pen Nook Dr. S36: Spink .7G 72
Pen Nook Gdns. S36: Spink .7G 72
Pen Nook Glade S36: Spink .7G 72
(Pen Nook Ct.)
S36: Spink .6G 72
(The Greenway)
Penns Rd. S2: Shef .5K 123
Penny Engine La. S21: Ecki .6L 137
Pennyfields S63: Bolt D .5A 60
Penny Hill S81: Fir .8J 115
Penny Hill La. S26: Ull .8E 112
S66: Bramp M .8E 112
Pennyholme Cl. S26: Kiv P .9L 127
Penny La. S17: Tot .6L 133
Penny Piece La. S25: Nth A .5B 128
Penny Piece Pl. S25: Nth A .5B 128
Pennyshaw La. DN7: Fost .6N 9
Penrhyn Rd. S11: Shef .4D 122
Penrhyn Wlk. S71: Ard .8A 38
Penrith Cl. S5: Shef .2F 108
Penrith Cres. S5: Shef .2F 108
Penrith Gro. S71: Ard .8N 37
Penrith Rd. DN2: Don .3F 64
S5: Shef .2F 108
Penrose Pl. S13: Shef .5G 124
Penthorpe Cl. S12: Shef .5B 124
Pentland Chase DN9: Auck .3B 84
Pentland Dr. S81: Carl L .4B 130
Pentland Gdns. S20: Water .9K 125
Pentland Rd. S18: Dron W .9E 134
Penton St. S1: Shef .3E 4 (9H 109)
Penwood Wlk. S66: Sunn .5G 96
Penyghent Cl. S35: Chap .8G 74
Pepper Cl. S61: Kimb P .3D 94
Pepper St. S74: Hoyl .7M 57
Percival St. S81: Work .5B 142
Percy St. S3: Shef .7G 109
S65: Roth .7L 95
Peregrine Ct. S81: Gate .3N 141
Peregrine Dr. S70: Birdw .7G 56
Peregrine Way S26: Hart .5K 139
(not continuous)
Perigree Rd. S8: Shef .8F 122
Periwood Av. S8: Shef .8F 122
Periwood Cl. S8: Shef .8F 122
Periwood Dr. S8: Shef .8F 122
Periwood Gro. S8: Shef .8F 122
Periwood La. S8: Shef .8F 122
Perkyn Rd. S5: Shef .6L 93
Perkyn Ter. S5: Shef .6L 93
Perran Gro. DN5: Cus .2K 63
Perrot Ct. S64: Swin .4D 78
Perseverance Pl. HD9: Holm .4D 30
Perseverance St. S70: Barn .7E 36
Persimmon Cl. DN11: New R .7J 83
Perth Cl. S64: Mexb .9H 61
Petal Cl. S66: Malt .7F 98
Peterborough Cl. S10: Shef .3J 121
Peterborough Dr. S10: Shef .2J 121
Peterborough Rd. S10: Shef .2J 121
Peterfoot Way S71: Car .8J 17

Peters Cl.—Potteries, The

Peters Cl. WF9: Upton .1J **21**
Petersgate DN5: Scawt .7K **43**
Peter's Rd. DN12: New E .5F **80**
Peter St. S61: Kimb .6E **94**
S66: Thurc .5K **113**
Peters Yd. *S61: Kimb .6E 94*
(off Peter St.)
Petre Dr. S4: Shef .4M **109**
Petre St. S4: Shef .5L **109**
Petunia Rd. DN3: Kirk Sa .5J **45**
Petworth Cft. S71: R'ton .5J **17**
Petworth Dr. S11: Shef .9A **122**
Peveril Cl. S26: Kiv P .8K **127**
Peveril Cres. S71: Ath .1H **37**
Peveril Rd. DN4: Balb .9J **63**
S11: Shef .4C **122**
S21: Ecki .6L **137**
Pexton Rd. S4: Shef .4K **109**
Pheasant Bank DN11: Ross .5K **83**
Pheasant La. S36: Bolst .9E **72**
PHILADELPHIA .6G **108**
Philadelphia Dr. S6: Shef .7F **108**
Philadelphia Gdns. S6: Shef .7F **108**
Philadelphia Gro. S6: Shef .7F **108**
Philip La. S35: Howb .6C **74**
Philip Rd. S70: Barn .9L **37**
Phillimore Rd. S9: Shef .6B **110**
Phillips Rd. S6: Lox .3M **107**
Phoenix Ct. S1: Shef .4E **4**
S12: Ridg .1E **136**
Phoenix Dr. DN4: Balb .2A **82**
Phoenix Golf Course .2H **111**
Phoenix Gro. S60: Brins .2H **111**
Phoenix La. S63: Thurn .9D **40**
Phoenix Riverside
S60: Roth .9H **95**
Phoenix Rd. S12: Ridg .1E **136**
PICCADILLY .5C **78**
Piccadilly DN5: Bntly .8L **43**
Piccadilly Rd. S64: Swin .5B **78**
Pickard Cres. S13: Shef .3D **124**
Pickard Dr. S13: Shef .3E **124**
PICKBURN .5A **42**
Pickburn La. DN5: Pick .5A **42**
Pickering Cres. S26: Swal .5A **126**
Pickering Gro. DN8: Thorne .3K **27**
Pickering Rd. DN5: Bntly .5L **43**
S3: Shef .5G **108**
Pickhill's Av. S63: Gol .2F **60**
Pickhills Gro. S63: Gol .3E **60**
Picking La. S35: Eccl .5J **93**
Pickle Gro. DN11: New R .4H **83**
Pickle Wood Ct. DN9: Finn .2G **85**
Pickmere Rd. S10: Shef .8C **108**
Pickup Cres. S73: Womb .6D **58**
Pickwick Dr. S60: Cat .6H **111**
Piece End S35: High G .7E **74**
(Alma Rd.)
S35: High G .6E **74**
(Piece End Cl.)
Piece End Cl. S35: High G .6E **74**
Pieces Nth., The S60: Whis .4A **112**
Pieces Sth., The S60: Whis .4A **112**
Pigeon Bri. Way S26: Aston .5D **126**
Pigginer La. HD9: Holm .3F **30**
Pighills La. S18: Coal A .6J **135**
Pike Lowe Gro. S75: Stain .9E **16**
Pike Rd. S60: Brins .3J **111**
Pilgrim Ct. S81: Shire .3K **141**
Pilgrim Ri. DN10: Aust .4E **102**
Pilgrim St. S3: Shef .5J **109**
Pilgrim Way S80: Work .8C **142**
Pilkingtons Yd. *S21: Ecki .7L 137*
(off Station Rd.)
PILLEY .9E **56**
PILLEY GREEN .1E **74**
Pilley Grn. S75: Pil .1E **74**
PILLEY HILLS .9D **56**
Pilley La. S75: Pil .9E **56**
Pilley La. End S75: Pil .8D **56**
Pilling La. HD8: Clay W, Skel .7A **14**
PINCHEON GREEN .3D **10**
Pincheon Grn. La. DN14: Syke .3C **10**
Pinchfield Ct. S66: Wick .1G **113**
Pinchfield Holt S66: Wick .2G **113**
Pinchfield La. S66: Wick .1G **113**
PINCHMILL .3F **112**
Pinchmill Hollow S66: Wick .2G **113**
Pinch Mill La. S60: Whis .3D **112**
Pinchwell Vw. S66: Wick .1G **113**
Pindar Oaks S70: Barn .9H **37**
Pindar Oaks Cotts.
S70: Barn .8J **37**
Pindar Oaks St. S70: Barn .8H **37**
Pindar St. S70: Barn .8J **37**
Pinder Ct. DN7: Fish .2D **26**
Pine Av. S25: Sth A .8B **128**
Pine Cl. S21: Killa .5B **138**
S66: Sunn .7H **97**
S70: Barn .1K **57**
S74: Hoyl .1M **75**
Pine Cft. S35: Chap .1H **93**
Pinecroft Way S35: Chap .1H **93**
Pinefield Av. DN3: Barn D .2K **45**
Pinefield Rd. DN3: Barn D .2K **45**
Pine Gro. DN12: Con .6M **79**
Pine Hall Dr. S71: Monk B .4L **37**
Pine Hall Rd. DN3: Barn D .2J **45**
Pinehurst Ri. S64: Swin .4C **78**
Pine Rd. DN4: Can .7J **65**
Pines, The S10: Shef .3J **121**
S66: Wick .1H **113**
S80: Work .9C **142**
Pine St. WF9: Sth E .8D **20**
Pine Tree Cl. S80: Work .9B **142**
Pine Wlk. S64: Swin .6C **78**
Pinewood Av. DN3: Arm .8L **45**
DN4: Balb .1J **81**
Pinewood Cl. S65: Dalt .4C **96**
S72: Gt H .5K **39**
Pinfield Cl. S72: Gt H .6L **39**
Pinfold Cl. S63: Wath D .9L **59**
Pinfold, The DN5: Barnb .3H **61**
DN10: Miss .3K **103**
Pinfold Cl. DN9: Finn .3G **85**
DN11: Tick .6D **100**
S64: Swin .4B **78**
S71: Stair .8M **37**
Pinfold Cotts. S72: Cud .2C **38**
Pinfold Ct. DN3: Barn D .2J **45**
Pinfold Dr. S81: Carl L .4C **130**
Pinfold Gdns. DN7: Fish .1C **26**
S72: Cud .3C **38**
Pinfold Hill S70: Wors .1H **57**
Pinfold Lands S64: Mexb .2G **78**
Pinfold La. DN5: Clay .4C **40**
DN6: Moss .1D **24**
DN6: Nort .7H **7**
DN7: Fish, Fost .8C **10**
DN8: Thorne .1J **27**
DN10: H'well .9J **103**
DN11: Sty .2G **117**
(not continuous)
DN11: Tick .7C **100**
S3: Shef .5H **109**
S35: Thurg .6J **55**
S60: Roth .8L **95**
S71: R'ton .6K **17**
S73: D'fld .2H **59**
S75: Silk C .4J **55**
WF8: Kirk Sm .5B **6**
Pinfold Pl. DN11: Tick .6C **100**
Pinfold St. S1: Shef .3E **4** (9H **109**)
S21: Ecki .7K **137**
Pingle Av. S7: Shef .8D **122**
Pingle Cl. S81: Shire .3J **141**
Pingle La. S65: Rav .3H **97**
Pingle Ri. HD8: Den D .1K **33**
Pingle Rd. S7: Shef .8C **122**
S21: Killa .3D **138**
Pingles Cres. S65: Thry .3D **96**
Pinnacles, The S2: Shef .2J **5** (8K **109**)
Pinner Rd. S11: Shef .3D **122**
Pinsent S3: Shef .1G **5**
Pinstone St. S1: Shef .5F **5** (1H **123**)
Pioneer Cl. S63: Wath D .9B **60**
Pipe Ho. La. S62: Rawm .6M **77**
(not continuous)
Piper Cl. S5: Shef .1H **109**
Piper Ct. S5: Shef .1H **109**
Piper Cres. S5: Shef .9H **93**
Pipering La. E. DN5: Scawt .9K **43**
Pipering La. W. DN5: Scawt .9J **43**
Piper La. S26: Aston .4E **126**
Piper Rd. S5: Shef .1J **109**
Piper Wells La. HD8: Cumb, Shep .2B **32**
Pipeyard La. S21: Ecki .7J **137**
Pippin Ct. S66: Malt .7B **98**
Pipworth Gro. S2: Shef .2C **124**
Pipworth La. S21: Ecki .6M **137**
Pipworth Rd. S2: Shef .2B **124**
Pisgah Ho. Rd.
S10: Shef .9D **108**
PISMIRE HILL .9L **93**
Pitchford La. S10: Shef .2M **121**
Pit Fld. Cl. S71: Ath .9G **16**
Pithouse La.
S26: Wales B .1D **138**
Pit La. DN4: Warm .3H **81**
S12: Shef .5A **124**
S60: Tree .8M **111**
S61: Thorpe H .1N **93**
S73: Womb .5A **58**
Pitman Rd. DN12: Den M .3K **79**
Pit Row S73: Hem .9C **58**
PITSMOOR .5J **109**
Pitsmoor Rd. S3: Shef .6H **109**
(not continuous)
Pittam Cl. DN3: Arm .1L **65**
Pitt Cl. S1: Shef .4C **4**
Pitt La. S1: Shef .4C **4**
S75: Mapp .8B **16**
Pitt St. S1: Shef .4C **4** (9G **108**)
S21: Ecki .8J **137**
S61: Kimb .7F **94**
S64: Mexb .1H **79**
S70: Barn .7F **36**
S73: Womb .2E **58**
Pitt St. W. S70: Barn .7E **36**
Plains La. DN8: Thorne .2F **48**
Planation Gro. DN5: Sprot .6G **63**
Plane Cl. DN4: Can .7J **65**
Plane Dr. S66: Wick .8H **97**
Plane Tree Way DN9: Auck .3B **84**
Planet Rd. DN6: Adw S .1G **42**
Plank Ga. S35: Ough .3L **91**
S35: Wort .8K **73**
(Manchester Rd.)
S35: Wort .5K **73**
(Soughley La.)
Plantation Av. DN4: Bess .2L **83**
S25: Din .2D **128**
S25: Nth A .5C **128**
S71: R'ton .6L **17**
Plantation Cl. DN5: Bntly .5N **43**
DN6: Ask .2N **23**
S66: Malt .7D **98**
Plantation Ct. S25: Din .2D **128**
Plantation Hill S81: Work .5E **142**
Plantation La. S81: Bly .4K **131**
Plantation Rd. DN4: Balb .2N **81**
DN5: Bntly .1D **44**
DN8: Thorne .2K **27**
S8: Shef .5H **123**
Plantation Wlk. *S25: Din .2D 128*
(off Plantation Av.)
Plantin, The S20: Half .3L **137**
Plantin Ri. S20: Half .3L **137**
Plants Yd. *S80: Work .8B 142*
(off Bridge St.)
Plaster Pits La. DN5: Sprot .3F **62**
PLATTS COMMON .8M **57**
Platts Comn. Ind. Est. S74: Hoyl .8L **57**
Platts Dr. S20: Beig .7N **125**
Platts La. S6: Brad .3A **106**
S35: Ough .6N **91**
Platt St. S3: Shef .6H **109**
Playford Yd. S74: Hoyl .7L **57**
Plaza Quarter S70: Barn .7F **36**
Pleasance Cl. DN12: New E .6E **80**
Pleasant Av. S72: Gt H .6L **39**
Pleasant Cl. S12: Shef .5B **124**
Pleasant Rd. S12: Shef .5B **124**
Pleasant Vw. S72: Cud .4C **38**
Pleasant Vw. Cft. S71: Barn .4F **36**
Pleasley Rd. S26: Augh .3N **111**
S60: Whis .3N **111**
Plimsoll St. WF9: Hems .2K **19**
Plough Dr. S81: Carl L .4C **130**
Ploughmans Cft. S63: Bramp B .8F **58**
Plover Ct. DN11: Ross .5K **83**
S2: Shef .1M **123**
Plover Cft. S61: Thorpe H .8A **76**
Plover Dene S81: Gate .3N **141**
Plover Dr. S70: Birdw .7G **57**
Plowmans Way S61: Wing .2F **94**
Plowright Cl. S14: Shef .6L **123**
Plowright Dr. S14: Shef .6L **123**
Plowright Mt. S14: Shef .6L **123**
Plowright Way S14: Shef .6L **123**
Plumber St. S70: Barn .7E **36**
PLUMBLEY .4J **137**
Plumbley Hall M. S20: Mosb .4J **137**
Plumbley Hall Rd. S20: Mosb .3J **137**
Plumbley La. S20: Mosb .4H **137**
Plumb Leys S60: Tree .8L **111**
Plumbleywood La. S12: Ridg .4F **136**
S20: Mosb .4F **136**
Plum La. S3: Shef .1F **5** (8H **109**)
Plumpers Rd. S9: Tins .2D **110**
Plumpton Av. S64: Mexb .9H **61**
Plumpton Ct. S36: Thurl .4J **53**
Plumpton Gdns. DN4: Can .9K **65**
Plumpton La. S6: Brad .9B **90**
Plumpton Pk. S72: Shaft .7C **18**
Plumpton Pk. Rd. DN4: Bess, Can .1K **83**
Plum St. S3: Shef .1F **5** (8H **109**)
Plumtree DN11: Birc .8M **101**
Plumtree Cvn. Pk. DN11: Birc .8L **101**
Plumtree Farm Ind. Est.
DN11: Birc .7M **101**
Plumtree Hill Rd. DN7: Fish .3A **26**
Plumtree Rd. DN11: Birc .7M **101**
Plunket Rd. DN2: Don .3C **64**
Plymouth Rd. S7: Shef .6F **122**
Pocket Handkerchief La. S26: Tod .2L **127**
Poffinder Wood Rd. DN7: Stainf .4F **26**
Poggy La. S66: B'well .4F **98**
Pog La. S35: Cran M .9K **55**
POGMOOR .6C **36**
Pogmoor La. S75: Barn .6B **36**
(Farm Ho. La.)
S75: Barn .7B **36**
(The Courtyard)
Pogmoor Rd. S70: Barn .6C **36**
S75: Barn .6C **36**
Pog Well La. S75: High'm .5N **35**
(not continuous)
Point, The S60: Roth .9J **95**
S81: Shire .3L **141**
Polka Ct. S3: Shef .5H **109**
Pollard Av. S5: Shef .1F **108**
Pollard Cres. S5: Shef .1F **108**
Pollard Rd. S5: Shef .1F **108**
Pollard St. S61: Kimb .7E **94**
Pollitt Cl. S9: Shef .8B **110**
Pollitt St. S75: Barn .5E **36**
Pollyfox Way S75: Dod .9A **36**
Polton Cl. DN7: Stainf .4C **26**
Polton Toft DN7: Stainf .4C **26**
Poltontoft La. DN7: Stainf .4C **26**
Pommern Dr. DN12: New E .4G **80**
Pomona St. S11: Shef .7B **4** (2F **122**)
Pond Cl. S6: Stan .6M **107**
Pond Comn. La. S36: Snow H .9D **54**
Ponden Cl. WF9: Hems .2L **19**
Pond Hill S1: Shef .3G **5** (9J **109**)
Pond Rd. S6: Stan .6M **107**
Ponds Forge International Sports Cen.
.3H **5** (9J **109**)
Ponds Forge Stop (ST) .2H **5** (9J **109**)
Pond Sq. S1: Shef .3H **5**
Pond St. S1: Shef .3G **5** (9J **109**)
(not continuous)
S70: Barn .8F **36**
(not continuous)
Pontefract La. WF9: Upton .1F **20**
Pontefract Rd. S70: Barn .7G **37**
S71: Barn, Lund .7G **37**
S72: Cud, Shaft .9B **18**
S73: Bramp .8H **59**
WF9: Hems .1M **19**
Pontefract Ter. WF9: Hems .3L **19**
Pool Av. DN6: Ask .1L **23**
Pool Dr. DN4: Bess .1L **83**
Poole Pl. S9: Shef .8C **110**
Poole Rd. S9: Shef .8B **110**
Pool Hill La. HD8: Den D .3M **33**
Pools La. S71: R'ton .6M **17**
Pool Sq. S1: Shef .4F **5** (9H **109**)
Pope Av. DN12: Con .4L **79**
Pop La. DN12: Con .4A **80**
Poplar Av. S20: Beig .6M **125**
S36: Stoc .6D **72**
S63: Gol .2D **60**
S65: Thry .3D **96**
S72: Shaft .7C **18**
Poplar Cl. DN3: Brant .6N **65**
S21: Killa .5B **138**
S35: Ough .6L **91**
S64: Mexb .9E **60**
S80: Work .9A **142**
Poplar Dr. DN2: Don .1F **64**
S60: Brins .4H **111**
S63: Wath D .2M **77**
Poplar Glade S66: Wick .9G **97**
Poplar Gro. DN4: Warm .2G **81**
DN6: Ask .1L **23**
DN12: Con .6N **79**
S64: Swin .3C **78**
S65: Rav .5K **97**
S71: Lund .4M **37**
Poplar Nook S26: Kiv P .8H **127**
Poplar Pl. DN3: Arm .1L **65**
Poplar Ri. S66: Malt .7B **98**
Poplar Rd. DN6: Skell .8F **22**
DN7: Dunsc .9B **26**
S21: Ecki .8J **137**
S35: Ough .6L **91**
S73: Womb .5E **58**
Poplars, The DN5: Barnb .4H **61**
DN8: Thorne .9L 11
(off King Edward Rd.)
DN9: Epw .9N **49**
DN12: Con .5N **79**
S25: Laugh C .9A **114**
Poplars Ind. Est., The S60: Cat .7H **111**
Poplars Rd. S70: Barn .9J **37**
Poplar St. S72: Grim .2H **39**
Poplar Ter. DN5: Bntly .8M **43**
S71: R'ton .5L **17**
WF9: Sth E .7F **20**
Poplar Vw. S25: Nth A .5B **128**
Poplar Way DN9: Auck .1C **84**
S60: Cat .7G **111**
Popple St. S4: Shef .3L **109**
Poppyfields Way DN3: Brant .8M **65**
Poppy Pl. S5: Shef .1N **109**
Porter Av. S75: Barn .6D **36**
Porter Brook Vw. S11: Shef .3E **122**
(not continuous)
Porter Ter. S11: Shef .3D **122**
S75: Barn .6C **36**
Portland Av. S26: Aston .4D **126**
Portland Bldgs. *S6: Shef .7F 108*
(off Portland St.)
Portland Bus. Pk. S13: Shef .1E **124**
Portland Cl. S25: Nth A .3C **128**
Portland Ct. S6: Shef .6F **108**
Portland La. S1: Shef .4C **4** (9G **108**)
Portland Pl. DN1: Don .4N **63**
S66: Malt .8E **98**
S80: Work .6C **142**
WF9: Upton .2F **20**
Portland Rd. DN4: Bess .1J **83**
DN11: New R .7J **83**
S20: Beig .9N **125**
Portland St. S6: Shef .7F **108**
(Cross Bedford St.)
S6: Shef .7F **108**
(Straw La.)
S64: Swin .3C **78**
S70: Barn .8J **37**
S80: Work .7B **142**
Portman Ct. DN10: Baw .6B **102**
Portobello S1: Shef .3C **4** (9G **108**)
Portobello La. S1: Shef .3C **4** (9G **108**)
Portobello St. S1: Shef .3D **4** (9G **109**)
Portsea Rd. S6: Shef .4C **108**
Portway Cl. S12: Shef .6E **124**
Post Office Row *HD8: Clay W .7A 14*
(off Chapel Hill)
Pothill La. WF9: Upton .1G **20**
Pot House La. S36: Stoc .5D **72**
Potterdyke Av. S62: Rawm .6M **77**
POTTER HILL .7D **74**
Potter Hill S61: Grea .2J **95**
Potter Hill La. S35: High G .7D **74**
Potteric Carr Nature Reserve .1E **82**
Potteries, The DN11: New R .5J **83**

Potteries Acre—Rainford Dr.

Potteries Acre S64: Swin ... 3C **78**
Potters Ga. HD8: Cumb ... 8A **32**
S35: High G ... 7D **74**
(not continuous)
Potters Nook S81: Shire ... 3K **141**
Potter St. S80: Work ... 8C **142**
Potters Way S64: Kiln ... 5D **78**
Pottery Cl. S62: Rawm ... 9M **77**
Pottery La. S62: Rawm ... 9A **78**
Pottery Row S61: Roth ... 8G **94**
Potts Ct. DN17: Crow ... 8M **29**
Potts Cres. S72: Gt H ... 6L **39**
Potts La. DN17: Crow ... 8M **29**
Poucher St. S61: Kimb ... 7D **94**
Poulton St. S71: Monk B ... 2L **37**
Powder Mill La. S70: Wors ... 4K **57**
Powell Dr. S21: Killa ... 4B **138**
Powell Gdns. S81: Gate ... 2A **142**
Powell St. S3: Shef ... 2A **4** (8F **108**)
S70: Wors ... 3J **57**
WF9: Sth K ... 6C **20**
Powerhouse Sq. *S74: Els ... 2B 76*
(off Wath Rd.)
Powerleague Soccer Cen.
Sheffield ... 7N **109**
Power Sta. Rd. DN5: Don ... 3M **63**
Powley Rd. S6: Shef ... 8E **92**
Poxton Gro. WF9: Sth E ... 8D **20**
Poynton Av. S26: Ull ... 9D **112**
Poynton Dr. S25: Din ... 1D **128**
Poynton Way S26: Ull ... 9D **112**
Poynton Wood Cres. S17: Bradw ... 4B **134**
Poynton Wood Glade S17: Bradw ... 4B **134**
Prefect Cl. S70: Barn ... 8D **36**
Prescott Gro. DN7: Dunsc ... 9C **26**
Prescott Rd. S6: Shef ... 2B **108**
President Way S4: Shef ... 6L **109**
Preston Av. S74: Jum ... 8A **58**
Preston St. S8: Shef ... 4H **123**
Preston Way S71: Monk B ... 2L **37**
Prestwich St. S9: Shef ... 9B **94**
Prestwood Gdns. S35: Chap ... 9F **74**
PRICKLEDEN ... **4D 30**
Priest Cft. La. S71: D'fld ... 8F **38**
Priestley Av. S62: Rawm ... 7A **78**
S75: Kexb ... 9L **15**
Priestley Cl. DN4: Balb ... 1K **81**
Priestley St. S2: Shef ... 7G **5** (2J **123**)
Priest Royd S75: Dart ... 8B **16**
Primrose Av. S5: Shef ... 9M **93**
S60: Brins ... 5K **111**
S73: D'fld ... 2F **58**
Primrose Bank S71: Smi ... 2G **37**
Primrose Circ. DN11: New R ... 6K **83**
Primrose Cl. S21: Killa ... 3D **138**
S63: Bolt D ... 4A **60**
Primrose Cres. S20: Beig ... 8M **125**
Primrose Dr. S35: Eccl ... 5J **93**
Primrose Hill S6: Shef ... 6E **108**
(not continuous)
S60: Roth ... 5J **95**
S74: Hoyl ... 1M **75**
Primrose La. S21: Killa ... 2D **138**
Primrose Pk. S60: Roth ... 5J **95**
Primrose Pl. DN4: Bess ... 7E **64**
Primrose View Stop (ST) ... **6F 108**
Primrose Wlk. S8: Shef ... 5G **123**
Primrose Way S74: Hoyl ... 2M **75**
S81: Work ... 4D **142**
Primulas Cl. S25: Sth A ... 7A **128**
Prince Arthur St. S75: Barn ... 6E **36**
Prince Charles Rd. S81: Work ... 3A **142**
Princegate DN1: Don ... 4A **64**
Prince of Wales Rd. S2: Shef ... 4A **124**
S9: Shef ... 1C **124**
Prince's Cres. DN12: New E ... 3F **80**
Prince's Rd. DN4: Bess ... 6E **64**
Princess Anne Rd. S81: Work ... 4B **142**
Princess Av. DN7: Stainf ... 5A **26**
WF9: Sth E ... 7E **20**
Princess Cl. S63: Bolt D ... 5A **60**
Princess Ct. S2: Shef ... 3B **124**
Princess Dr. S36: Spink ... 6E **72**
S63: Thurn ... 9D **40**
Princess Gdns. S73: Womb ... 5D **58**
Princess Gro. S75: Pil ... 1D **74**
Prince's Sq. DN3: Kirk Sa ... 4J **45**
Princess Rd. S18: Dron ... 8H **135**
S63: Gol ... 2D **60**
S64: Mexb ... 1G **78**
Princess St. DN6: Woodl ... 4F **42**
S4: Shef ... 7L **109**
S25: Laugh C ... 1A **128**
S63: Wath D ... 8K **59**
S70: Barn ... 7F **36**
S72: Cud ... 8C **18**
S72: Grim ... 2G **39**
S73: Womb ... 4C **58**
S74: Hoyl ... 1J **75**
S75: Mapp ... 8B **16**
Prince's St. DN1: Don ... 4A **64**
Princes St. S60: Roth ... 7H **95**
Prince St. S64: Swin ... 2C **78**
Pringle Rd. S60: Brins ... 3H **111**
Printing Office La. DN17: Crow ... 7M **29**
Printing Office St. DN1: Don ... 4N **63**
Prior Cft. S63: Bolt D ... 6C **60**
Prior Rd. DN12: Con ... 5N **79**
Priorswell Rd. S80: Work ... 8C **142**
Prior Way S63: Bolt D ... 6C **60**
Priory, The S18: Dron ... 8H **135**
Priory Av. S7: Shef ... 3G **122**
Priory Cen., The S80: Work ... 7B **142**
Priory Cl. DN12: Con ... 3A **80**
S35: Eccl ... 4H **93**
S64: Mexb ... 2H **79**
S70: Wors ... 5G **57**
S81: Bly ... 9K **117**
Priory Ct. S26: Hart ... 5K **139**
S71: Monk B ... 3L **37**
Priory Cres. S71: Lund ... 5M **37**
Priory Est. WF9: Sth E ... 6G **21**
Priory Gdns. DN7: Hat ... 9D **26**
Priory Gro. DN9: Finn ... 3G **84**
Priory Pl. DN1: Don ... 4N **63**
S7: Shef ... 3G **122**
S71: Lund ... 4M **37**
Priory Rd. DN6: Nort ... 7H **7**
(High St.)
DN6: Nort ... 6G **7**
(Walden Stubbs Rd.)
S7: Shef ... 4F **122**
S35: Eccl ... 4H **93**
S63: Bolt D ... 5B **60**
S71: Lund ... 4M **37**
(not continuous)
Priory Ter. S7: Shef ... 3G **122**
Priory Vw. S80: Work ... 8D **142**
Priory Wlk. *DN1: Don ... 4A 64*
(off High St.)
Priory Way S26: Aston ... 4D **126**
Pritchard Cl. S12: Shef ... 8H **125**
Probert Av. S63: Gol ... 2C **60**
Proctor Pl. S6: Shef ... 4D **108**
Progress Dr. S66: Bram ... 9J **97**
Prominence Way S66: Sunn ... 5G **96**
Prospect S36: Thurl ... 4K **53**
Prospect Cl. S66: Bram ... 9J **97**
Prospect Cotts. WF9: Sth E ... 6D **20**
Prospect Ct. S17: Bradw ... 5B **134**
S62: P'gte ... 1M **95**
Prospect Dr. S17: Bradw ... 5A **134**
S81: Work ... 4C **142**
Prospect Pl. DN1: Don ... 5N **63**
HD9: Holm ... 4E **30**
S17: Bradw ... 4B **134**
S74: Hoyl ... 1L **75**
Prospect Pct. S81: Work ... 4D **142**
Prospect Rd. DN5: Bntly ... 4L **43**
S2: Shef ... 4H **123**
S17: Bradw ... 5B **134**
S18: Dron ... 7K **135**
S63: Bolt D ... 4B **60**
S72: Cud ... 2B **38**
Prospect St. DN6: Nort ... 7G **6**
S70: Barn ... 7E **36**
S72: Cud ... 1B **38**
Prospect Ter. WF9: Sth K ... 7A **20**
Prospect Vw. DN6: Nort ... 7G **6**
Providence Ct. S70: Barn ... 8F **36**
S73: Womb ... 3F 58
(off Providence St.)
Providence Rd. S6: Shef ... 6C **108**
Providence St. S60: Roth ... 7J **95**
S61: Grea ... 2J **95**
S73: Womb ... 3F **58**
Provincial Ho. S1: Shef ... 2D **4** (8G **109**)
Pryor Mede S26: Hart ... 5K **139**
Pryor Nook S26: Hart ... 5K **139**
Psalter Ct. S11: Shef ... 4D **122**
Psalter Cft. S11: Shef ... 4C **122**
Psalter La. S11: Shef ... 4C **122**
Psalters Dr. S36: Oxs ... 6D **54**
Psalters La. S61: Kimb ... 6F **94**
Pudding and Dip La. DN7: Hat ... 9D **26**
Pudding Poke S6: Dung ... 4G **106**
Pumping Sta. Way S80: Work ... 7E **142**
Pump Riding DN12: New E ... 5H **81**
Pump St. HD8: High F ... 5E **32**
Purbeck Ct. S20: Water ... 9K **125**
Purbeck Gro. S20: Water ... 9K **125**
Purbeck Rd. S20: Water ... 9K **125**
Purcell Cl. S66: Malt ... 9G **98**
PureGym
Millhouses ... 8F **122**
Sheffield City Cen. ... 7G **5** (2J **123**)
Sheffield North ... 7K **109**
Purslove Cl. S66: Bram ... 9K **97**
Putting Mill Wlk. HD8: Den D ... 2L **33**
Pye Av. S75: Mapp ... 9B **16**
Pye Bank Cl. S3: Shef ... 6H **109**
Pye Bank Dr. S3: Shef ... 6H **109**
Pye Bank Rd. S3: Shef ... 7H **109**
Pym Rd. S64: Mexb ... 1F **78**

Q

Quadrant, The S17: Tot ... 5N **133**
Quail Ri. S2: Shef ... 1M **123**
Quaker Cl. S63: Wath D ... 1K **77**
Quaker La. DN4: Warm ... 9H **63**
S71: Ard ... 8N **37**
(Crown Well Hill)
S71: Ard ... 8A **38**
(Top Fold)
S71: Monk B ... 4J **37**
Quantock Cl. DN8: Thorne ... 4J **27**
Quantum Ct. DN6: Adw S ... 1G **43**
Quarry Bank S63: Wath D ... 9H **59**
Quarry Bank Cl. S72: Cud ... 3B **38**
Quarry Bank Ho. S70: Barn ... 5F **36**
Quarry Cl. S60: Brins ... 4G **111**
S75: Kexb ... 9M **15**
Quarry Fld. La. S66: Wick ... 1G **113**
(not continuous)
Quarryfield La. S66: Malt ... 7D **98**
Quarryfield Rd. S9: Shef ... 6B **110**
Quarry Flds. S66: Wick ... 1G **113**
Quarry Gro. S81: Gate ... 3N **141**
Quarry Hill S20: Mosb ... 2G **136**
S21: Trow ... 7C **136**
S60: Roth ... 7K **95**
Quarry Hill Ct. S63: Wath D ... 2L **77**
Quarry Hill Rd. S63: Wath D ... 2L **77**
QUARRY HILLS ... **2J 59**
Quarry La. DN3: Brant ... 7N **65**
DN6: Woodl ... 4E **42**
S11: Shef ... 5D **122**
S25: Nth A ... 5B **128**
S61: Grea ... 5J **95**
S64: Mexb ... 8E **60**
S73: D'fld ... 2J **59**
WF8: Lit S ... 4C **6**
WF9: Upton ... 1F **20**
Quarry Mt. HD9: Holm ... 3E **30**
WF4: Ryh ... 1B **18**
Quarry Pl. S71: Monk B ... 3H **37**
Quarry Rd. DN6: Nort ... 7K **7**
S13: Shef ... 1F **124**
S17: Tot ... 5N **133**
S18: App ... 9A **136**
S21: Killa ... 3B **138**
S74: Black H ... 6L **57**
Quarry St. S62: Rawm ... 8M **77**
S64: Mexb ... 2G **79**
S70: Barn ... 8G **37**
S71: Smi ... 3H **37**
S72: Cud ... 1B **38**
Quarry Va. S72: Cud ... 2B **38**
Quarry Va. Gro. S12: Shef ... 7C **124**
Quarry Va. Rd. S12: Shef ... 7C **124**
Quay La. DN14: Swine ... 1N **13**
Quay Rd. DN8: Thorne ... 9H **11**
Quayside DN8: Thorne ... 9H **11**
Quayside, The S2: Shef ... 1J **5** (8K **109**)
Queen Av. DN11: New R ... 5H **83**
S66: Malt ... 9E **98**
Queen Elizabeth Ct. *DN8: Thorne ... 2K 27*
(off Queen St.)
Queen Elizabeth Cres. S80: Rhod ... 6L **141**
Queen Mary Cl. S2: Shef ... 4A **124**
Queen Mary Cres. DN3: Kirk Sa ... 4J **45**
S2: Shef ... 3A **124**
Queen Mary Gro. S2: Shef ... 4N **123**
Queen Mary M. S2: Shef ... 4A **124**
Queen Mary Ri. S2: Shef ... 3A **124**
Queen Mary Rd. S2: Shef ... 3N **123**
(not continuous)
Queen Mary's Rd. DN11: New R ... 5H **83**
Queen Mary St. S66: Malt ... 1F **114**
Queen Rd. S72: Grim ... 2H **39**
Queen's Av. S64: Swin ... 2C **78**
S72: Midd ... 9K **39**
S75: Barn ... 6E **36**
Queens Av. S26: Kiv P ... 9H **127**
Queensberry Rd. DN2: Don ... 2F **64**
Queen's Ct. DN5: Don ... 1L **63**
Queens Ct. DN8: Thorne ... 2J **27**
Queen's Cres. DN7: Stainf ... 6A **26**
DN10: Baw ... 6C **102**
DN12: New E ... 3F **80**
Queens Cres. S74: Hoyl ... 1H **75**
Queen's Dr. DN5: Don ... 1L **63**
S72: Cud ... 8C **18**
S72: Shaft ... 6B **18**
S75: Dod ... 9A **36**
Queens Dr. DN17: Crow ... 8M **29**
S75: Barn ... 5D **36**
Queens Gdns. S2: Shef ... 3K **123**
S73: Womb ... 5D **58**
S74: Hoyl ... 1J **75**
S75: Barn ... 5D **36**
Queensgate DN1: Don ... 4A **64**
S35: Gren ... 5E **92**
Queens Ho. S71: Barn ... 6H **37**
Queens M. S2: Shef ... 3K **123**
Queens Pk. DN12: New E ... 3F **80**
Queens Retail Pk. S2: Shef ... 3J **123**
Queen's Rd. DN1: Don ... 3B **64**
DN6: Ask ... 1M **23**
DN6: Carc ... 9G **23**
S26: Swal ... 4B **126**
S71: Barn ... 7G **37**
S72: Cud ... 8C **18**
Queens Rd. S2: Shef ... 7H **5** (4H **123**)
S20: Beig ... 7M **125**
S81: Carl L ... 4C **130**
Queen's Row S3: Shef ... 1D **4** (8G **109**)
Queens Stables S2: Shef ... 3K **123**
Queen's Ter. S64: Mexb ... 1F **78**
Queen St. DN4: Balb ... 7M **63**
(not continuous)
DN8: Thorne ... 2J **27**
S1: Shef ... 2F **5** (8H **109**)
S20: Mosb ... 3J **137**
S21: Ecki ... 7L **137**
S25: Din ... 1D **128**
S35: Chap ... 9H **75**
S36: Pen ... 4A **54**
Queen St. S62: Rawm ... 7N **77**
S63: Gol ... 2D **60**
S63: Thurn ... 9D **40**
S64: Swin ... 3C **78**
S65: Roth ... 6N **95**
S70: Barn ... 7F **36**
S73: D'fld ... 1H **59**
S74: Hoyl ... 1H **75**
S80: Work ... 8C **142**
WF9: Sth E ... 7E **20**
Queen St. M. S20: Mosb ... 3J **137**
Queen St. Sth. S70: Barn ... 7G **36**
Queens Vw. S2: Shef ... 3K **123**
Queensway S60: Roth ... 2M **111**
S70: Wors ... 2J **57**
S71: R'ton ... 5K **17**
S72: Grim ... 2G **38**
S74: Hoyl ... 9N **57**
S75: Barn ... 5D **36**
S81: Work ... 6C **142**
Queensway Ct. S60: Roth ... 2M **111**
Queenswood Cl. S6: Shef ... 1B **108**
Queenswood Ct. S6: Shef ... 1A **108**
Queenswood Dr. S6: Shef ... 1A **108**
Queenswood Ga. S6: Shef ... 1A **108**
Queenswood Rd. S6: Shef ... 1A **108**
Queen Victoria Rd. S17: Bradw ... 6A **134**
Quern Way S73: D'fld ... 1G **58**
Quest Av. S73: Hem ... 7C **58**
Quiet La. S10: Shef ... 5K **121**
Quilter Rd. S66: Malt ... 9G **98**
Quintec Ct. S61: Grea ... 4L **95**
QUOIT GREEN ... **9J 135**
Quoit Grn. S18: Dron ... 9J **135**

R

Rabbit La. S21: Spink ... 8N **137**
Raby Rd. DN2: Don ... 2C **64**
Raby St. S9: Tins ... 1E **110**
Race Comn. Av. S36: Cub ... 7M **53**
Racecommon La. S70: Barn ... 9E **36**
(not continuous)
Racecommon Rd. S70: Barn ... 9E **36**
Racecourse Cl. S64: Swin ... 3N **77**
Racecourse Rd. S64: Swin ... 3N **77**
Race La. S36: Bolst ... 9E **72**
Race St. S70: Barn ... 7F **36**
Racker Way S6: Shef ... 5C **108**
Rackford La. S25: Nth A ... 7D **128**
S81: Work ... 7E **128**
Rackford Rd. S25: Nth A ... 6C **128**
Radbourne Comn. S18: Dron W ... 9E **134**
Radburn Rd. DN11: New R ... 6H **83**
Radcliffe Cl. DN5: Scawt ... 7J **43**
Radcliffe La. DN5: Scawt ... 7J **43**
Radcliffe Mt. DN5: Bntly ... 6L **43**
Radcliffe Rd. DN5: Bntly ... 6L **43**
S71: Ath ... 9G **17**
Radford Cl. S65: Rav ... 5K **97**
Radford Pk. Av. WF9: Sth K ... 8A **20**
Radford St. S3: Shef ... 2C **4** (8G **108**)
S80: Work ... 9D **142**
Radiance Rd. DN1: Don ... 2B **64**
Radley Av. S66: Wick ... 8G **96**
Radnor Cl. S20: Sot ... 9N **125**
Radnor Way DN2: Don ... 2F **64**
Raeburn Cl. S14: Shef ... 9M **123**
Raeburn Pl. S14: Shef ... 8M **123**
Raeburn Rd. S14: Shef ... 9M **123**
Raeburn Way S14: Shef ... 9M **123**
Rag La. S35: Thurg ... 7G **55**
Ragusa Dr. DN11: New R ... 7J **83**
Raikes St. S64: Mexb ... 2E **78**
Rail Mill Way S62: P'gte ... 3M **95**
RAILS ... **8J 107**
Rails Rd. S6: Shef, Stan ... 8J **107**
Railway Av. S60: Cat ... 7J **111**
Railway Cotts. S36: Dunf B ... 5K **51**
S60: Cat ... 6J **111**
S75: Dod ... 9N **35**
WF9: Sth E ... 6F **20**
WF9: Upton ... 2K **21**
Railway Ct. DN4: Don ... 6A **64**
DN5: Scawt ... 9L **43**
HD8: Clay W ... 6B **14**
S71: R'ton ... 5H 17
(off High St.)
Railway Ter. S60: Roth ... 7J **95**
S63: Gol ... 2C **60**
Railway Vw. S63: Gol ... 2D **60**
Rainborough Ct. S63: Bramp B ... 9F **58**
Rainborough M. S63: Bramp B ... 8H **59**
Rainborough Rd. S63: Wath D ... 9H **59**
Rainboro Vw. S73: Hem ... 8C **58**
Rainbow Av. S12: Shef ... 7H **125**
Rainbow Cl. DN8: Thorne ... 2K **27**
S12: Shef ... 7H **125**
Rainbow Cres. S12: Shef ... 7J **125**
Rainbow Dr. S12: Shef ... 7J **125**
Rainbow Gro. S12: Shef ... 7J **125**
Rainbow Pl. S12: Shef ... 7J **125**
Rainbow Rd. S12: Shef ... 7J **125**
Rainbow Wlk. *S12: Shef ... 7H 125*
(off Carter Lodge Dr.)
Rainbow Way S12: Shef ... 7H **125**
Raines Av. S81: Work ... 4B **142**
Raines Pk. Rd. S81: Work ... 3B **142**
Rainford Dr. S71: Monk B ... 2L **37**

Rainford Sq.—Ridgehill Gro.

Rainford Sq. DN3: Kirk Sa 3J **45**
Rainsbutt Rd. DN17: Crow 1N **29**
RAINSTORTH 3M **93**
Rainton Gro. S75: Barn 5C **36**
Rainton Rd. DN1: Don 5B **64**
Raintree Ct. DN5: Cus 2K **63**
Raisen Hall Pl. S5: Shef 2H **109**
Raisen Hall Rd. S5: Shef 1G **109**
Rake Bri. Bank DN7: Hat 5D **46**
Rake Bri. Rd. DN7: Hat 7B **46**
Rakes La. DN11: Lov 4N **81**
DN12: Old E 2G **98**
Raleigh Ct. DN2: Don 4E **64**
Raleigh Dr. S35: Burn 9E **74**
Raleigh Rd. S2: Shef 5J **123**
Raleigh Ter. DN4: Balb 9J **63**
Raley St. S70: Barn 9E **36**
(not continuous)
Ralph Ellis Dr. S36: Stoc 6D **72**
Ralston Ct. S20: Half 4K **137**
Ralston Cft. S20: Half 4L **137**
Ralston Gro. S20: Half 4K **137**
Ralston Pl. S20: Half 4K **137**
Ramper La. DN3: Barn D 1H **45**
Ramper Rd. S66: Carr 3N **113**
S81: Letw 9L **115**
Rampton Rd. S7: Shef 4G **122**
Ramsay Cres. DN5: Don 1K **63**
Ramsden Av. S81: L'gld 9B **116**
Ramsden Cres. S81: Carl L 4C **130**
Ramsden Rd. DN4: Hex 5L **63**
HD9: H'bri 9A **30**
S60: Roth 8L **95**
Ramsey Rd. S10: Shef 8D **108**
Ramsker Dr. DN3: Arm 2L **65**
Ramskir La. DN7: Stainf 4B **26**
Ramskir Vw. DN7: Stainf 5B **26**
Ranby Rd. S11: Shef 4C **122**
Randall Pl. S2: Shef 3G **123**
Randall St. S2: Shef 2H **123**
S21: Ecki 8H **137**
Randerson Dr. S64: Kiln 5D **78**
Rands La. DN3: Arm 9M **45**
Rands La. Ind. Est. DN3: Arm 9N **45**
Ranelagh Dr. S11: Shef 6C **122**
Ranfield Ct. S65: Rav 5K **97**
Rangeley Rd. S6: Shef 7B **108**
Range Rd. S4: Shef 3N **109**
RANMOOR 2A **122**
Ranmoor Chase S10: Shef 2C **122**
Ranmoor Cliffe Rd. S10: Shef 2N **121**
Ranmoor Ct. S10: Shef 3B **122**
Ranmoor Cres. S10: Shef 2A **122**
Ranmoor Gdns. S10: Shef 2B **122**
Ranmoor Pk. Rd. S10: Shef 2A **122**
Ranmoor Ri. S10: Shef 2A **122**
Ranmoor Rd. S10: Shef 2A **122**
Ranmoor Vw. S10: Shef 2A **122**
Ranmoor Village, The S10: Shef 1B **122**
Ranskill Ct. S9: Shef 5C **110**
Ranskill Rd. S81: Bly 1N **131**
Ranulf Ct. S7: Shef 8D **122**
Ranworth Cl. DN5: Cus 2J **63**
Ranworth Rd. S66: Bram 8K **97**
Ranyard Rd. DN4: Balb 8K **63**
Raseby Av. S20: Water 9L **125**
Raseby Cl. S20: Water 9L **125**
Raseby Pl. S20: Water 9L **125**
Rasen Cl. S64: Mexb 9H **61**
Ratcliffe Rd. S11: Shef 3E **122**
Ratten Row DN11: Wad 7N **81**
S75: Dod 1N **55**
Rattigan Ho. *DN2: Don 1D* ***64***
(off Parkway Nth.)
Rattle Row *HD9: Holm 3E* ***30***
(off Bunkers Hill)
Ravencar Rd. S21: Ecki 7H **137**
Ravencarr Pl. S2: Shef 2A **124**
Ravencarr Rd. S2: Shef 2A **124**
Raven Dr. S61: Thorpe H 8A **76**
Raven Edge S65: Rav 7J **97**
RAVENFIELD 2J **97**
Ravenfield Cl. S20: Mosb 9G **125**
RAVENFIELD COMMON 5J **97**
Ravenfield Ct. DN12: Con 5L **79**
Ravenfield Dr. S71: Smi 2H **37**
Ravenfield La. S65: Hoot R, Rav 8H **79**
Ravenfield Rd. DN3: Arm 2M **65**
Ravenfield St. DN12: Den M 2L **79**
Ravenholt S70: Wors 3H **57**
Raven La. S72: Sth H 3A **18**
Raven Mdws. S64: Swin 5B **78**
Ravenna Cl. S70: Barn 8J **37**
Raven Rd. S7: Shef 5E **122**
Raven Royd S71: Ath 8G **16**
Ravenscar Cl. DN12: Den M 3K **79**
Ravens Cl. S75: Mapp 9C **16**
Ravenscourt S70: Wors 3J **57**
S81: Work 4D **142**
Ravenscroft Av. S13: Shef 3E **124**
Ravenscroft Cl. S13: Shef 3E **124**
Ravenscroft Ct. S13: Shef 3E **124**
Ravenscroft Cres. S13: Shef 3E **124**
Ravenscroft Dr. S13: Shef 3E **124**
Ravenscroft Oval S13: Shef 3E **124**
Ravenscroft Pl. S13: Shef 3E **124**
Ravenscroft Rd. S13: Shef 3D **124**
Ravenscroft Way S13: Shef 3E **124**
Ravensdale Rd. S18: Dron W 9D **134**
Ravenshaw Cl. S75: Barn 5C **36**
Ravenshorn Way S21: Reni 9B **138**
Ravensmead Ct. S63: Bolt D 6B **60**
Ravens Wlk. DN12: Con 4C **80**
Ravens Way HD9: Scho 4J **31**
Ravenswood Dr. DN9: Auck 8C **66**
S66: Sunn 5G **97**
Ravensworth Rd. DN1: Don 5B **64**
Ravine, The S5: Shef 6M **93**
RAW GREEN 5F **34**
Raw La. S66: Stain 4J **99**
Rawlins Ct. S18: Coal A 6K **135**
RAWMARSH 9M **77**
Rawmarsh Hill S62: P'gte 1M **95**
Rawmarsh Ho. *S62: P'gte 1M* ***95***
(off Ryan Pl.)
Rawmarsh Rd. S60: Roth 6K **95**
Rawmarsh Shop. Cen. S62: Rawm 9M **77**
Rawson Cl. DN4: Can 6J **65**
Rawson Rd. DN11: Tick 6C **100**
S65: Roth 6L **95**
Rawsons Bank S35: Eccl 5J **93**
Rawson Spring Av. S6: Shef 2E **108**
Rawson Spring Rd. S6: Shef 2E **108**
Rawson Spring Way S6: Shef 2E **108**
Rawson St. S6: Shef 5F **108**
Raybould Rd. S61: Kimb P 4F **94**
Ray Ga. HD9: New M 1H **31**
Rayls Ri. S26: Tod 6L **127**
Rayls Rd. S26: Tod 6L **127**
Raymond Av. S72: Grim 2G **39**
Raymond Rd. DN5: Scawt 1K **63**
S70: Barn 3F **36**
Raymoth La. S81: Work 3A **142**
Raynald Rd. S2: Shef 2A **124**
Raynor Sike La. S35: Ough 5J **91**
Rayton Ct. DN11: Birc 9K **101**
Rayton La. S81: Work 7E **142**
Rayton Spur S81: Work 7E **142**
Reader Cres. S64: Swin 2C **78**
Reading Room La. S35: Wort 3M **73**
Reaper Cres. S35: High G 8F **74**
Reasbeck Ter. S71: Smi 3G **37**
Reasby Av. S65: Rav 5J **97**
Reaton M. S75: Barn 5C **36**
Reavill Cl. S25: Din 1D **128**
Rebecca M. S70: Barn 8G **36**
Rebecca Row S70: Barn 8G **36**
Recreation Av. S66: Thurc 6L **113**
S71: Ath 9F **16**
Recreation La. DN11: New R 5H **83**
Recreation Rd. DN6: Woodl 4F **42**
S63: Wath D 8M **59**
Rectory Cl. DN6: Skelb 4N **21**
S21: Ecki 6L **137**
S36: Stoc 5E **72**
S63: Thurn 8A **40**
S71: Car 8L **17**
S73: Womb 5D **58**
Rectory Ct. S25: Laugh M 7B **114**
WF8: Kirk Sm 4B **6**
Rectory Dr. S60: Whis 4B **112**
Rectory Farm La. HD8: Up C 2F **32**
Rectory Gdns. DN1: Don 3B **64**
DN12: Old E 7E **80**
S21: Killa 4C **138**
S26: Hart 4K **139**
S26: Tod 7L **127**
Rectory Gth. WF9: Hems 2K **19**
Rectory La. DN9: Finn 3F **84**
S63: Thurn 8A **40**
Rectory M. DN5: Sprot 7F **62**
Rectory Rd. S21: Killa 4C **138**
Rectory St. S62: Rawm 1M **95**
Rectory Way S71: Monk B 5L **37**
Redbourne Rd. DN5: Bntly 7M **43**
REDBROOK 3C **36**
Redbrook Bus. Pk. S75: Barn 3C **36**
Redbrook Ct. S75: Barn 4D **36**
Redbrook Cft. S20: Mosb 8G **125**
Redbrook Gro. S20: Mosb 8G **125**
Redbrook Mill Cl. S75: Barn 4B **36**
Redbrook Rd. S75: Barn 4B **36**
Redbrook Vw. S75: Barn 4D **36**
Redbrook Wlk. S75: Barn 4D **36**
Redcar Cl. DN12: Den M 4K **79**
Redcar Rd. S10: Shef 9D **108**
Redcliffe Cl. S75: Barn 4C **36**
Red Dike La. DN11: Wils 2J **99**
Redfearn St. S71: Barn 6G **37**
Redfern Av. S20: Water 1K **137**
Redfern Ct. S20: Water 1K **137**
Redfern Dr. S20: Water 1K **137**
Red Fern Gro. S36: Stoc 6D **72**
Redfern Gro. S20: Water 1K **137**
Redgrave S3: Shef 1G **5**
Redgrave Pl. S66: Flan 7G **97**
Redhall Cl. DN3: Kirk Sa 4K **45**
Red Hill S1: Shef 2D **4** (9G **109**)
S26: Kiv P, Kiv S 9L **127**
Redhill Av. S70: Barn 9K **37**
Redhill Ct. DN11: Wad 7M **81**
S75: Barn 4B **36**
Red Hill La. DN5: Hick 9H **41**
Redholme S10: Shef 1N **121**
Redholme Cl. S81: Carl L 4C **130**
Redhouse Cvn. Pk. DN7: Hatf W 6H **47**
REDHOUSE INTERCHANGE 1C **42**
Red Ho. La. DN5: Pick 5A **42**
DN6: Adw S 1D **42**
DN6: Ham 5A **42**
Red Kite Av. S63: Wath D 7L **59**
Red Kite Cl. S81: Gate 3N **141**
Red Kite M. S63: Wath D 7L **59**
Redland Cres. DN8: Thorne 9L **11**
Redland Gro. S75: Stain 7C **16**
Redland La. S7: Shef 8E **122**
Redland Way S66: Malt 7C **98**
Red La. S10: Shef 2D **122**
S81: Work 9D **130**
Red Lion Yd. *S60: Roth 7K* ***95***
(off Effingham St.)
Redmarsh Av. S62: Rawm 7L **77**
Redmires La. S10: Shef 2F **120**
Redmires Rd. S10: Shef 4B **120**
Redmires Way S10: Shef 2H **121**
Red Oak La. S6: Stan 5L **107**
Red Quarry La. S25: Din 3H **129**
S81: Gild 3H **129**
Redrock Rd. S60: Roth 2N **111**
Redscope Cres.
S61: Kimb P 3D **94**
Redscope Rd. S61: Kimb 4D **94**
Redshank Pl. S73: Bramp 6H **59**
Redshank Rd. S63: Wath D 7K **59**
Redthorne Way S72: Shaft 6B **18**
Redthorn Rd. S13: Shef 3F **124**
Redthorpe Crest S75: Barn 4B **36**
Redwall Cl. S25: Laugh C 1A **128**
Redwing Cl. S81: Gate 4N **141**
Redwood Av. S21: Killa 5B **138**
S71: R'ton 6K **17**
Redwood Cl. S74: Hoyl 1L **75**
Redwood Ct. S25: Din 1C **128**
Redwood Dr. S66: Malt 8A **98**
Redwood Glen S35: Chap 1G **93**
Reed Cl. S73: D'fld 2G **58**
Reedham Dr. S66: Bram 8K **97**
Reedholme La.
DN8: Moore, Thorne 2G **10**
(not continuous)
Reed Wlk. S63: Wath D 7K **59**
Reeves Way DN3: Arm 1J **65**
Regal Ct. S80: Work 8E **142**
Regency Rd. S63: Wath D 8H **59**
Regent Av. DN3: Arm 2M **65**
Regent Ct. DN1: Don 4B **64**
S1: Shef 3C **4**
S6: Shef 4E **108**
S74: Hoyl 1H **75**
S75: Barn 4D **36**
Regent Cres. S71: Ath 1G **36**
S72: Sth H 4E **18**
Regent Dr. DN17: Crow 8N **29**
Regent Gdns. S70: Barn 5F **36**
Regent Gro. DN5: Cus 2K **63**
DN11: New R 6K **83**
Regent Sq. DN1: Don 4B **64**
Regent St. DN4: Balb 8L **63**
S1: Shef 3C **4** (9G **108**)
S61: Kimb 7F **94**
S70: Barn 6F **36**
S72: Sth H 4E **18**
S74: Hoyl 1H **75**
WF9: Hems 2J **19**
WF9: Sth E 6D **20**
Regent St. Sth. S70: Barn 6G **36**
Regents Way S26: Aston 4D **126**
Regent Ter. DN1: Don 4B **64**
S3: Shef 3C **4** (9G **108**)
Regina Cres. S72: Brier 7E **18**
WF4: Hav 1C **18**
Reginald Rd. S70: Barn 9L **37**
S73: Womb 5F **58**
Rembrandt Dr. S18: Dron 9F **134**
Remington Av. S5: Shef 6G **92**
Remington Dr. S5: Shef 6G **92**
Remington Rd. S5: Shef 7G **92**
Remount Rd. S61: Kimb P 3D **94**
Remount Way S61: Kimb P 3D **94**
Remple Av. DN7: Hatf W 2J **47**
Remple Comn. Rd. DN7: Hatf W 4H **47**
Remple Hole Rd. DN7: Hatf W 3H **47**
Remple La. DN7: Hatf W 2J **47**
Renald La. S36: H'swne 1A **54**
Renathorpe Rd. S5: Shef 7L **93**
Rencliffe Av. S60: Roth 1M **111**
Reneville Cl. S5: Shef 5H **93**
S60: Roth 9L **95**
Reneville Ct. S60: Roth 9K **95**
Reneville Cres. S5: Shef 5H **93**
Reneville Dr. S5: Shef 5H **93**
Reneville Rd. S60: Roth 9K **95**
Reney Av. S8: Shef 4E **134**
Reney Cres. S8: Shef 4E **134**
Reney Dr. S8: Shef 4E **134**
Reney Rd. S8: Shef 3F **134**
Reney Wlk. S8: Shef 4E **134**
RENISHAW 9A **138**
Renishaw Av. S60: Roth 2A **112**
Renishaw Hall & Gdns. 8M **137**
Renishaw Pk. 9M **137**
Renishaw Pk. Golf Course 8N **137**
Renshaw Cl. S35: High G 6D **74**
Renshaw Rd. S11: Shef 5B **122**
Renville Cl. S62: Rawm 7L **77**
Renway Rd. S60: Roth 1N **111**
Repton Pl. S18: Dron W 9D **134**
Repton Rd. DN6: Skell 9F **22**
Reresby Cres. S60: Whis 2B **112**
Reresby Dr. S60: Whis 2B **112**
Reresby Rd. S60: Whis 2A **112**
S65: Thry 3F **96**
Reresby Wlk.
DN12: Den M 2L **79**
Reservoir Rd. S10: Shef 9D **108**
S26: Ull 8B **112**
Retail World S60: Roth 3M **95**
Retford Rd. S13: Shef 2H **125**
S80: Work 8E **142**
S81: Bly 9L **117**
S81: Work 7L **143**
Retford Wlk. DN11: Ross 5L **83**
Revel Gth. HD8: Den D 3K **33**
Revell Cl. S65: Roth 6C **96**
Revill Cl. S66: Malt 7D **98**
Revill La. S13: Shef 5J **125**
Rex Av. S7: Shef 7C **122**
Reynard La. S6: Stan 7K **107**
Reynolds Cl. S18: Dron 9F **134**
S66: Flan 7G **97**
Rhodes Av. S61: Kimb P 3D **94**
Rhodes Dr. S60: Whis 2B **112**
RHODESIA 5L **141**
Rhodesia Ct. DN4: Bess 7G **65**
Rhodes St. S2: Shef 4J **5** (9K **109**)
Rhodes Ter. S70: Barn 8H **37**
Rialto *S3: Shef 7H* ***109***
(off Kelham Island)
Ribble Cft. S35: Chap 8H **75**
Ribblesdale S81: Work 3D **142**
Ribblesdale Dr. S12: Ridg 1F **136**
Ribble Way S5: Shef 1K **109**
Riber Av. S71: Ath 1H **37**
Riber Cl. S6: Stan 6M **107**
Ribston Ct. S9: Shef 7A **110**
Ribston M. S9: Shef 8B **110**
Ribston Pl. S9: Shef 8B **110**
Ribston Rd. S9: Shef 8A **110**
Ribston Wlk. S9: Shef 8B **110**
Richard Av. S71: Smi 2H **37**
Richard La. DN11: New R 5H **83**
Richard Rd. S60: Roth 8L **95**
S71: Smi 2H **37**
S75: Dart 9M **15**
Richards Ct. S2: Shef 5J **123**
Richardson Wlk. S73: Womb 3B **58**
Richards Rd. S2: Shef 4H **123**
(not continuous)
Richard St. S70: Barn 7E **36**
Richards Way S62: Rawm 8N **77**
Rich Farm Cl. DN5: Ark 5A **44**
RICHMOND 4D **124**
Richmond Av. S13: Shef 3E **124**
S75: Dart 1M **35**
Richmond Bus. Pk. DN4: Don 7B **64**
Richmond Ct. S13: Shef 4D **124**
Richmond Dr. DN6: Ask 1N **23**
Richmond Farm M. S13: Shef 4D **124**
Richmond Gro. S13: Shef 3E **124**
Richmond Hall Av. S13: Shef 3D **124**
Richmond Hall Cres. S13: Shef 3D **124**
Richmond Hall Dr. S13: Shef 3D **124**
Richmond Hall Rd. S13: Shef 3D **124**
Richmond Hall Way S13: Shef 4D **124**
Richmond Hill Ho. S13: Shef 4D **124**
Richmond Hill Rd. DN5: Don 5J **63**
S13: Shef 4E **124**
Richmond La. DN10: Baw 7B **102**
RICHMOND PARK 7D **94**
Richmond Pk. Av. S13: Shef 1E **124**
S61: Kimb 7D **94**
Richmond Pk. Cl. S13: Shef 2E **124**
Richmond Pk. Cres. S13: Shef 1E **124**
Richmond Pk. Cft. S13: Shef 1E **124**
Richmond Pk. Dr. S13: Shef 2E **124**
Richmond Pk. Gro. S13: Shef 2E **124**
Richmond Pk. Ri. S13: Shef 1D **124**
Richmond Pk. Rd. S13: Shef 1E **124**
Richmond Pk. Vw. S13: Shef 2E **124**
Richmond Pk. Way S13: Shef 2E **124**
Richmond Pl. S13: Shef 4D **124**
Richmond Rd. DN5: Scaws 9H **43**
DN8: Moore 6M **11**
S13: Shef 5C **124**
S61: Kimb 7E **94**
S63: Thurn 8B **40**
S80: Work 9D **142**
S81: Carl L 5C **130**
WF9: Upton 2F **20**
Richmond St. S3: Shef 6J **109**
S70: Barn 7E **36**
Richmond Way S61: Kimb 7E **94**
Richworth Rd. S13: Shef 3F **124**
Ricknald Cl. S26: Augh 2C **126**
Ridal Av. S36: Stoc 4C **72**
Ridal Cl. S36: Stoc 4C **72**
Ridal Cft. S36: Stoc 4C **72**
Riddell Av. S81: L'gld 9B **116**
Riddings Cl. S2: Shef 4A **124**
S66: Thurc 6L **113**
WF9: Hems 4K **19**
Riddings La. DN10: Aust 1C **102**
Rider Rd. S6: Shef 4D **108**
Ridge, The DN6: Woodl 4D **42**
S10: Shef 2L **121**
Ridge Balk La. DN6: Woodl 3D **42**
Ridge Ct. S10: Shef 1L **121**
S65: Roth 6M **95**
Ridgehill Av. S12: Shef 5A **124**
Ridgehill Gro. S12: Shef 6B **124**

Ridge Rd.—Rose Way

Ridge Rd. DN6: Highf .6F 42
S21: Mar L .8E 136
S65: Roth .6L 95
Ridgestone Av. WF9: Hems .2L 19
Ridge Vw. Cl. S9: Shef .1A 110
Ridge Vw. Dr. S9: Shef .1A 110
Ridgewalk Way S70: Wors .1G 56
RIDGEWAY .2E 136
Ridgeway S65: Roth .6B 96
S81: Work .4D 142
Ridgeway, The S18: Coal A .7L 135
Ridgeway Cl. S65: Roth .6C 96
Ridgeway Cott. Industry Cen.
S12: Ridg .2E 136
Ridgeway Cres. S12: Shef .6A 124
S71: Car .8K 17
Ridgeway Dr. S12: Shef .5A 124
RIDGEWAY MOOR .4E 136
Ridgeway Moor S12: Ridg .4E 136
Ridgeway Moor Farm Ct.
S12: Ridg .4E 136
Ridgeway Rd. S12: Shef .5A 124
S60: Brins .4J 111
Ridgewood Av. DN3: Eden .7J 45
Ridgill Av. DN6: Skell .8E 22
Ridgway Av. S73: D'fld .1G 58
Ridgway Cl. S66: Hel .8M 97
Riding Cl. DN4: Bess .9L 65
S66: Flan .8F 96
Riding La. DN10: Aust .1C 102
Ridings, The S71: Monk B .3J 37
Ridings Av. S71: Smi .3J 37
Ridings La. HD9: T'bri .1G 30
Ridingwood Ri.
HD8: Clay W .7A 14
Rig Cl. S61: Kimb P .4F 94
Rig Dr. S64: Swin .3N 77
Riggs High Rd. S6: Stan .7G 107
Riggs Low La. S6: Stan .7H 107
Riggs Low Rd. S6: Stan .7J 107
Rig La. S62: Neth Hau .8J 77
Riley Av. DN4: Balb .9K 63
Riley Ct. DN3: Arm .9K 45
Riley Rd. S63: Wath D .1M 77
Rill Ct. WF9: Hems .2K 19
Rimington Rd. S73: Womb .4D 58
Rimini Ri. S73: D'fld .2E 58
RINGINGLOW .7J 121
Ringinglow Cl. S11: Shef .6N 121
Ringinglow Gdns. S11: Shef .6N 121
Ringinglow Rd. S11: Shef .8E 120
S32: Hath .8B 120
Ringstead Av. S10: Shef .1N 121
Ringstead Cres. S10: Shef .1N 121
Ringstone Gro. S72: Brier .6G 19
Ringway S63: Bolt D .5A 60
Ringwood S81: Work .4D 142
Ringwood Cres. S20: Sot .9N 125
Ringwood Dr. S20: Sot .9N 125
Ringwood Gro. S20: Sot .9N 125
Ringwood La. S6: Dung .4F 106
Ringwood Rd. S20: Sot .9N 125
Ringwood Way WF9: Hems .2L 19
Ripley Gro. S75: Barn .4C 36
Ripley St. S6: Shef .5D 108
Ripon Av. DN2: Don .1C 64
Ripon St. S9: Shef .7N 109
(not continuous)
Ripon Way S26: Swal .4B 126
Rippon Ct. S62: Rawm .7M 77
Rippon Cres. S6: Shef .4C 108
Rippon Rd. S6: Shef .4C 108
Rise, The DN4: Warm .2H 81
S25: Nth A .6C 128
S64: Swin .4A 78
S72: Brier .7G 18
Risedale Rd. S63: Gol .3E 60
Rising St. S3: Shef .6J 109
Rivelin Bank S6: Shef .5C 108
Rivelin Ct. S6: Shef .9K 107
Rivelin Glen S6: Shef .8N 107
Rivelin Glen Cotts. S6: Shef .8N 107
Rivelin Pk. Cl. S6: Shef .6B 108
Rivelin Pk. Cres. S6: Shef .6B 108
Rivelin Pk. Dr. S6: Shef .6A 108
Rivelin Pk. Rd. S6: Shef .7B 108
Rivelin Rd. S6: Shef .6B 108
Rivelin St. S6: Shef .6C 108
Rivelin Ter. S6: Shef .6B 108
Rivelin Valley Rd. S6: Shef .9H 107
Rivelin Way S60: Wav .9J 111
River Bank S35: Ough .6N 91
River Ct. *S17: Dore* .3B 134
(off Ladies Spring Dr.)
Riverdale Av. S10: Shef .3B 122
Riverdale Dr. S10: Shef .3B 122
Riverdale M. S10: Shef .3A 122
Riverdale Rd. DN5: Scawt .8J 43
S10: Shef .2B 122
Riverhead DN5: Sprot .6F 62
River La. DN7: Fish .2D 26
DN10: Miss .3L 103
Riverside HD8: Clay W .7A 14
S6: Shef .5B 108
Riverside, The S60: Roth .8J 95
Riverside Cvn. Pk. S80: Work .7B 142
Riverside Cl. DN4: Hex .6K 63
DN12: Con .3A 80
S6: Shef .4A 108
S73: D'fld .2J 59
Riverside Ct. HD8: Den D .2K 33
HD9: H'bri .6A 30
S9: Shef .5N 109
S25: Laugh C .9A 114
S64: Mexb .2H 79
Riverside Dr. DN5: Sprot .7G 63
Riverside Fishery
Bawtry .9A 102
Riverside Gdns. DN9: Auck .8B 66
S63: Bolt D .6C 60
Riverside Ho. S60: Roth .7J 95
Riverside M. *S6: Shef* .4D 108
(off off Rudyard Rd.)
Riverside Pk. DN7: Kirk G .1K 25
S2: Shef .7G 5 (2J 123)
Riverside Pct. *S60: Roth* .7K 95
(off Corporation St.)
Riverside Way S60: Roth .8J 95
River Ter. S6: Shef .4D 108
River Valley Vw.
HD8: Den D .2K 33
(off Miller Hill)
River Vw. S75: Wool G .6N 15
River Vw. Rd. S35: Ough .6M 91
River Way DN9: Auck .8B 66
Riviera Mt. DN5: Don .2M 63
Riviera Pde. DN5: Don .2M 63
Rix Ct. S64: Kiln .6C 78
Rix Rd. S64: Kiln .6C 78
Roache Dr. S63: Gol .3B 60
Roach Rd. S11: Shef .4D 122
Roadways, The S80: Work .7B 142
Roaine Dr. HD9: Holm .4F 30
Robert Av. S71: Barn .6L 37
Robert La. HD9: Holm .1G 31
Robert Rd. S8: Shef .3G 135
Roberts Av. DN12: Con .5B 80
Roberts Gro. S26: Aston .4D 126
Robertshaw S3: Shef .2B 4
Robertshaw Cres. S36: Spink .5F 72
Robertson Dr. S6: Shef .6B 108
Robertson Rd. S6: Shef .7B 108
Robertson Sq. DN7: Stainf .5A 26
Roberts Rd. DN4: Balb .6M 63
DN12: New E .5G 80
Roberts St. S72: Cud .1B 38
S73: Womb .5C 58
Robert St. S60: Roth .7H 95
Robey St. S4: Shef .3L 109
Robinbrook La. S12: Shef .2C 136
Robinets Rd. S61: Wing .2G 94
ROBIN HOOD AIRPORT
DONCASTER SHEFFIELD .4D 84
Robin Hood Av. S71: R'ton .5L 17
Robin Hood Chase S6: Stan .5L 107
Robin Hood Cres. DN3: Eden .7K 45
Robin Hood Golf Course
Doncaster .7G 23
Robin Hood Rd. DN3: Eden .7K 45
S9: Shef .9A 94
Robin La. S20: Beig .6M 125
S71: R'ton .5L 17
WF9: Hems .4F 18
Robin Pl. S26: Aston .5D 126
Robins Cl. S26: Aston .4D 126
Robinson Av. S9: Shef .8B 110
Robinson Ct. S61: Kimb .6F 94
Robinson Dr. S80: Work .9B 142
Robinson Rd. S2: Shef .5K 5 (1K 123)
Robinson's Sq. S70: Birdw .8F 56
Robinson St. S60: Roth .9K 95
Robinson Way S21: Killa .4B 138
Rob Royd S70: Wors .2D 56
S75: Dod .1A 56
Rob Royd La. S70: Barn, Wors .2E 56
(not continuous)
Roche *S20: W'fld* .2L 137
(off Shortbrook Dr.)
Roche Abbey .4G 115
Roche Cl. S71: Monk B .5J 37
Roche End S26: Tod .6K 127
Rocher Av. S35: Gren .6F 92
Rocher Cl. S35: Gren .6F 92
Rocher Gro. S35: Gren .6F 92
Rocher La. S36: Bolst .2E 90
Rochester Cl. S10: Shef .2J 121
S81: Work .3D 142
Rochester Dr. S10: Shef .2J 121
Rochester Rd. S10: Shef .2J 121
S25: Sth A .8B 128
S71: Monk B .4J 37
Rochester Row DN5: Scaws .2H 63
Rockcliffe Cl. DN11: Wad .7M 81
Rockcliffe Dr. DN11: Wad .7M 81
Rockcliffe Ho's. *S62: Rawm* .1M 95
(off High St.)
Rockcliffe Rd. S62: Rawm .1M 95
Rock Cotts. HD9: New M .1J 31
Rockfield Dr. S81: Woods .8J 129
ROCKINGHAM .2F 94
Rockingham *S20: W'fld* .2L 137
(off Shortbrook Dr.)
Rockingham Bus. Pk. S70: Birdw .9G 57
Rockingham Cl. S1: Shef .6E 4
S18: Dron W .9D 134
S70: Birdw .9G 56
Rockingham Ct. S64: Swin .3A 78
S71: Barn .7H 37
Rockingham Gdns. S60: Roth .2N 111
Rockingham Ga. S1: Shef .5E 4 (1H 123)
Rockingham Ho. *DN1: Don* .5N 63
(off Elsworth Cl.)
DN2: Don .5B 64
(off Bennetthorpe)
S1: Shef .3D 4
S62: Rawm .8N 77
Rockingham La. S1: Shef .4E 4 (9H 109)
Rockingham Mausoleum .7G 77
Rockingham M. S70: Birdw .9F 56
Rockingham Rd. DN2: Don .2B 64
S62: Rawm .8N 77
S64: Swin .4N 77
S75: Dod .1B 56
Rockingham Row S70: Birdw .9G 56
Rockingham Station
Elsecar Heritage Railway .2B 76
Rockingham St. S1: Shef .3D 4 (9G 109)
S70: Birdw .9G 56
S71: Barn .4F 36
S74: Hoyl .9J 57
Rockingham Way
DN6: Woodl .2C 42
S61: Wing .2F 94
Rockland Dr. *S65: Thry* .3D 96
(off Poplar Av.)
Rockland Vs. S65: Thry .3D 96
Rocklea Cl. S64: Swin .4B 78
Rockley Av. S70: Birdw .7F 56
S73: Womb .6B 58
Rockley Cres. S70: Birdw .8F 56
Rockley La. DN5: Holme .6K 23
S70: Birdw .7E 56
S75: Wors .4D 56
Rockley Mdws. S70: Barn .9D 36
Rockley Nook DN2: Don .9E 44
Rockley Rd. S6: Shef .2C 108
Rockleys S75: Dod .1B 56
Rockley Vw. S75: Pil .9E 56
Rockley Vw. Ct. S70: Birdw .9F 56
Rockliffe Av. DN4: Balb .9J 63
Rock Mt. S74: Hoyl .9N 57
Rockmount Rd. S9: Shef .9B 94
Rock Pl. S36: Spink .5F 72
Rocksand Dr. DN12: New E .4G 81
Rockside Rd. S36: Thurl .4K 53
Rock St. S3: Shef .7H 109
S70: Barn .6E 36
Rock Ter. DN12: Con .5N 79
Rockwood Cl. S35: Chap .9F 74
S75: Dart .8A 16
Rockwood Ri. HD8: Den D .1K 33
Roddis Cl. S25: Din .2B 128
Roden Way S62: Rawm .6J 77
Rodes Av. S72: Gt H .6L 39
Rodger Rd. S13: Shef .4K 125
Rodger St. S61: Roth .6H 95
Rodman Dr. S13: Shef .3K 125
Rodman St. S13: Shef .3K 125
Rod Moor Rd. S18: Dron W .6C 134
Rodney Hill S6: Lox .4M 107
Rod Side S6: Holl M, Stan .7C 106
Rodwell Cl. S60: Tree .8L 111
Roebuck Chase S63: Wath D .8K 59
Roebuck Hill S74: Jum .7N 57
Roebuck Ridge S74: Jum .7N 57
Roebuck Rd. S6: Shef .1A 4 (8E 108)
Roebuck St. S73: Womb .5E 58
Roebuck Way S80: Work .9L 143
Roeburn Cl. S75: Mapp .7B 16
Roe Cft. Cl. DN5: Sprot .5F 62
Roehampton Ri. DN5: Scaws .2H 63
S60: Brins .3G 110
S71: Ard .8N 37
Roe La. DN10: Ever .9L 103
S3: Shef .4J 109
Roewood Ct. *S3: Shef* .4J 109
(off Orphanage Rd.)
Roger La. S6: Brad .1M 105
Roger Rd. S71: Lund .6M 37
Rojean Rd. S35: Gren .5E 92
Rokeby Dr. S5: Shef .7H 93
Rokeby Rd. S5: Shef .7H 93
Rolands Cl. S61: Kimb .6E 94
Rolleston Av. S66: Malt .9C 98
ROLLESTONE .7L 123
Rolleston Rd. DN6: Carc .9F 22
S5: Shef .9K 93
Rollin Dr. S6: Shef .3C 108
Rolling Dales Cl. S66: Malt .7C 98
Rolls Cres. S62: Rawm .6J 77
Roman Bank La. DN10: Ser .7N 117
DN22: Rans .9N 117
S81: Bly .9N 117
Roman Ct. S61: Kimb .7E 94
Roman Cres. S60: Brins .2J 111
S62: Rawm .8L 77
Romandale Gdns. S2: Shef .2C 124
Roman Ridge DN5: Scaws .9J 43
S5: Shef .1N 109
Roman Ridge Rd. S9: Shef .1B 110
Roman Rd. DN4: Don .5B 64
S75: Kexb .1M 35
S81: Work .3A 142
Roman St. S63: Thurn .7D 40
ROMAN TERRACE .2D 78
Romney Cl. S66: Flan .7G 96
Romney Dr. S18: Dron .9F 134
Romney Gdns. S2: Shef .5J 123
Romsdal Rd. S10: Shef .8C 108
Romwood Av. S64: Swin .3N 77
Ronald Rd. DN4: Balb .8L 63
S9: Shef .8C 110
Ronksley Cres. S5: Shef .7L 93
Ronksley Rd. S5: Shef .6L 93
Rookdale Cl. S75: Barn .4C 36
Rookery, The S36: Spink .6H 73
Rookery Bank S36: Spink .6H 73
Rookery Chase S36: Spink .6H 73
Rookery Cl. S26: Wales .8H 127
S36: Spink .6H 73
Rookery Dell S36: Spink .6H 73
Rookery Ri. S36: Spink .7H 73
Rookery Rd. S64: Swin .4A 78
Rookery Va. S36: Spink .6H 73
Rookery Vw. S70: Barn .9H 37
Rookery Way S35: Thurg .9J 55
Rook Hill S70: Wors .2K 57
Roper Hill S10: Shef .4F 120
Roper Ho. La. S35: Thurg .9G 54
Roper La. S35: Thurg .8H 55
Rope Wlk. DN8: Thorne .2J 27
(not continuous)
Rosamond Av. S17: Bradw .4B 134
Rosamond Cl. S17: Bradw .4B 134
Rosamond Ct. S17: Bradw .4B 134
Rosamond Dr. S17: Bradw .4B 134
Rosamond Glade S17: Bradw .4B 134
Rosamond Pl. S17: Bradw .4B 134
Rosa Rd. S10: Shef .8D 108
Roscoe Bank S6: Shef .8M 107
Roscoe Ct. S6: Shef .6A 108
Roscoe Dr. S6: Shef .7A 108
Roscoe Mt. S6: Shef .7A 108
Roscoe Rd. S3: Shef .7G 108
Roscoe Vw. S6: Shef .8M 107
Rose Av. DN4: Balb .7M 63
S20: Beig .8M 125
S73: D'fld .9F 38
WF9: Upton .2E 20
Roseberry Av. DN7: Hat .1D 46
Roseberry Cl. S74: Hoyl .2M 75
Rosebery Cl. S80: Work .7B 142
Rosebery St. S61: Roth .7G 94
S70: Stair .8L 37
Rosebery Ter. S70: Barn .8G 37
Rose Cl. S60: Brins .5K 111
WF9: Upton .2F 20
Rose Cott. DN3: Barn D .9J 25
Rose Ct. DN4: Balb .7L 63
S66: Wick .9F 96
Rose Cres. DN5: Scawt .9J 43
S62: Rawm .8A 78
Rosedale S81: Work .2D 142
Rosedale Av. S62: Rawm .8M 77
Rosedale Cl. S26: Aston .3D 126
WF9: Upton .2G 21
Rosedale Gdns. S11: Shef .3E 122
S70: Barn .7D 36
Rosedale Rd. DN5: Bntly .6L 43
DN5: Scaws .9H 43
S11: Shef .3E 122
S26: Aston .3C 126
Rosedale Way S66: Sunn .7H 97
Rosedene Cl. S70: Stair .8L 37
Rose Dr. S66: Wick .8H 97
Rosefield Av. S75: Wool G .6N 15
Rose Gdns. S80: Work .8B 142
Rosegarth Av. HD9: Holm .1G 30
S26: Aston .3C 126
Rosegarth Cl. DN5: Scawt .9K 43
Rosegarth Ct. DN7: Stainf .4B 26
Rosegreave S63: Gol .2C 60
Rose Gro. DN3: Arm .1K 65
S73: Womb .3B 58
WF9: Upton .2F 20
Rose Hill DN4: Bess .6F 64
S20: Mosb .2H 137
Rosehill S62: Rawm .7M 77
Rose Hill Av. S20: Mosb .2H 137
S62: Rawm .7N 77
Rosehill Av. WF9: Hems .3J 19
Rose Hill Cl. S20: Mosb .2H 137
S36: Cub .5N 53
Rosehill Cotts. S62: H'ley .5M 75
Rose Hill Ct. DN4: Bess .5F 64
Rosehill Ct. S70: Barn .6F 36
Rose Hill Crematorium DN4: Can .6H 65
Rose Hill Dr. S20: Mosb .2H 137
S75: Dod .9A 36
Rose Hill M. S20: Mosb .2H 137
Rose Hill Ri. DN4: Bess .6F 64
Rosehill Rd. S62: Rawm .8M 77
Rose Hill Vw. S20: Mosb .2H 137
Rose Ho. DN3: Arm .1K 65
Rose La. DN6: Ask .3J 23
DN11: Tick .2D 100
S25: Brookh .7N 113
Roselle St. S6: Shef .4D 108
Rosemary Cl. DN4: Can .8H 65
Rosemary Ct. *S10: Shef* .7D 108
(off Bank Ho. Rd.)
Rosemary Gro. DN5: Cad .1B 80
Rosemary Rd. S20: Beig .7M 125
S66: Wick .8F 96
Rose Mead S26: Swal .3B 126
Rosemead S36: Ingb .8J 33
Rose Pl. S73: Womb .3C 58
Rose Tree Av. S72: Cud .1B 38
Rose Tree Ct. S72: Cud .1B 38
Rose Way S21: Killa .5C 138

Rosewell Ct.—St Ann's

Rosewell Ct. S65: Roth 5A 96
Rosewood Cl. S81: Gate 1A 142
Rosewood Dr. DN3: Barn D 1H 45
S60: Wav 8J 111
Roslin Rd. S10: Shef 9D 108
Ross Ct. S21: Killa 6C 138
Rosser Av. S12: Shef 9N 123
Rossetti Gdns. S81: Work 7F 142
Rossetti Mt. S66: Flan 7G 96
ROSSINGTON 5K 83
Rossington Community Sports Village 7J 83
Rossington Ho. DN1: Don 6N 63 (off Elsworth Cl.)
Rossington Leisure Cen. 5J 83
Rossington Rd. S11: Shef 3D 122
Rossington St. DN12: Den M 2L 79
Rossiter Rd. S61: Grea 1J 95
Rosslyn Av. S26: Aston 3D 126
Rosslyn Cres. DN5: Bntly 6M 43
Rossmoor Cl. DN9: Auck 8C 66
Ross St. S9: Shef 8D 110
Rosston Rd. S66: Malt 8F 98
Rossyde DN6: Nort 7H 7
ROSTHOLME 6L 43
Rostholme Sq. DN5: Bntly 6M 43
Roston Cl. S18: Dron W 9E 134
Rotary Dr. S63: Wath D 7K 59
Rotcher Rd. HD9: Holm 3E 30
Rothay Cl. S18: Dron W 9F 134
Rothay Rd. S4: Shef 3N 109
Rothbury Cl. S20: Sot 9N 125
Rothbury Ct. S20: Sot 9N 125
Rothbury Way S60: Brins 3J 111
Rother Ct. S62: P'gte 3L 95
Rother Cres. S60: Tree 8L 111
Rother Cft. S74: Hoyl 9M 57
Rother Gth. WF9: Sth E 7G 20
ROTHERHAM 7K 95
Rotherham Baulk S81: Carl L 4K 129
S81: Gild 4K 129
Rotherham Central Station (Rail) 7K 95
Rotherham Cl. S21: Killa 2E 138
Rotherham College of Arts & Technology 7K 95 (off Howard St.)
Rotherham Crematorium S65: Roth 7B 96
Rotherham Gateway S60: Cat 6H 111
Rotherham Golf Course 9E 78
Rotherham Health Village 7L 95
Rotherham Interchange 6K 95
Rotherham La. S25: Laugh M 7N 113
Rotherham Leisure Complex 5L 95
Rotherham Minster 7K 95
Rotherham Pl. S13: Shef 2H 125
Rotherham Rd. DN11: Tick 7B 100
S13: Shef 1H 125
S20: Beig 7N 125
S20: Half 3M 137
S21: Ecki 6L 137
S21: Killa 3E 138
S21: Killa, Barl 6F 138
S25: Laugh C 1A 128
S26: Swal 4B 126
S43: Barl 7G 139
S60: Cat 6K 111
S60: Roth 4L 95
S62: P'gte 4L 95
S63: Wath D 9H 59
S66: Malt 8A 98
S71: Ath, Barn, Monk B, Smi 2H 37
S72: Gt H, Midd 6L 39
Rotherham Rd. Nth. S20: W'fld 3M 137
Rotherham Sailing Club 5J 139
Rotherham St. S9: Shef 5A 110
Rotherham Titans RUFC 8M 95
Rotherham United 7J 95
Rotherhill Cl. S65: Roth 6N 95
Rother M. S74: Hoyl 9M 57
WF9: Sth E 7G 20
Rothermoor Av. S26: Kiv P 9H 127
Rother Rd. S60: Roth 1K 111
Rotherside Ct. S21: Ecki 6M 137
Rotherside Rd. S21: Ecki 6M 137
Rotherstoke Cl. S60: Roth 9L 95
Rother St. S73: Bramp 7G 59
Rother Ter. S60: Roth 1K 111
Rothervale Cl. S20: Beig 7N 125
Rother Valley Country Pk. 8C 126
Rother Valley Country Pk. Visitors Cen. 9B 126
Rother Valley Golf Course 1E 138
Rother Valley Way S20: Holb 3A 138
Rother Vw. Cl. S26: Swal 4N 125
Rother Vw. Gdns. S26: Swal 4N 125
Rother Vw. Rd. S60: Roth 1K 111
Rother Way S66: Hel 7M 97
Rotherway S60: Roth 4L 111
Rotherwood Av. S13: Shef 3K 125
Rotherwood Cl. DN5: Scaws 1H 63
Rotherwood Cres. S66: Thurc 6K 113
Rotherwood Rd. S21: Killa 2D 138
Rothesay Cl. DN5: Cus 2K 63
Rotunda Bus. Cen. S35: Chap 7H 75
ROUGHBIRCHWORTH 7B 54
Roughbirchworth S36: Oxs 7D 54
Roughbirchworth La. S36: Rough 7B 54
Rough La. S35: Gren 4C 92
S35: Wort 5L 73
Roughwood Grn. S61: Wing 2G 94
Roughwood Rd. S61: Kimb P, Wing 3E 94
Roughwood Way
S61: Kimb P, Wing 3E 94
Roundacre S75: Barn 4E 36
Round Cl. Rd. HD9: Hade E 2E 50
Roundel St. S9: Shef 7N 109
Round Grn. La. S75: Stainb, Wors 3C 56
Round Hill S75: Dart 8B 16
Roundhill Ct. DN4: Don 7E 64
Roundhouse Cres. S81: Work 3A 142
Roundwood Ct. S70: Wors 3H 57
Roundwood Golf Course 1N 95
Roundwood Gro. S62: Rawm 9N 77
Roundwood Way S73: D'fld 1F 58
Row, The DN3: Can 6L 65
Rowan Cl. DN8: Moore 7L 11
DN9: Auck 2C 84
S35: Chap 1H 93
S63: Gol 2B 60
S70: Barn 9G 37
Rowan Ct. DN2: Don 1F 64
Rowan Cres. S80: Work 9B 142
Rowan Dr. S66: Bram 8H 97
S75: Barn 5C 36
Rowan Gth. DN5: Don 1L 63
Rowan La. S72: Sth H 3E 18
Rowan Mt. DN2: Don 1E 64
Rowan Ri. S66: Malt 8B 98
Rowan Rd. S21: Ecki 9J 137
Rowan Tree Cl. S21: Killa 5B 138
Rowan Tree Dell S17: Tot 7N 133
Rowan Tree Rd. S21: Killa 4B 138
Rowborn Dr. S35: Ough 9A 92
Rowdale Cres. S12: Shef 6D 124
Rowe Cl. WF9: Sth E 5F 20
Rowell La. S6: Lox 4K 107
Rowena Av. DN3: Eden 7J 45
Rowena Dr. DN5: Scaws 1H 63
S66: Thurc 5K 113
Rowena Rd. DN12: Con 4N 79
Rowernfields S25: Din 4F 128
Row Ga. HD8: Shep 1A 32
Rowgate HD8: Up C 2D 32
Rowland Pl. DN1: Don 5N 63
Rowland Rd. S2: Shef 3H 123
S75: Barn 5D 36
Rowlands Av. WF9: Upton 2F 20
Rowland St. S3: Shef 7H 109
S71: R'ton 5L 17
Rowley Cft. WF9: Sth E 7F 20
Rowley La. WF9: Sth E 8F 20
Rowley Way S66: Sunn 5G 97
Rowms La. S64: Swin 3D 78
Rowsley Dr. S60: Wav 9H 111
Rowsley St. S2: Shef 7G 5 (2J 123)
Roxby Cl. DN4: Bess 9G 64
Roxton Av. S8: Shef 2G 134
Roxton Rd. S8: Shef 1F 134
Royal Av. DN1: Don 3B 64
Royal Ct. S74: Hoyl 9N 57
S75: Bar G 2N 35
S80: Work 8C 142 (off Newcastle St.)
Royal Cres. S81: Work 4B 142
Royale Cl. S21: Ecki 7L 137
Royal Plaza S1: Shef 4D 4
Royal St. S70: Barn 7F 36
Royalty La. DN3: Barn D 1E 44
ROYD 7G 72
Royd, The S36: Spink 7F 72
Royd Av. S36: Mill G 4G 53
S72: Cud 2B 38
S75: Mapp 8C 16
Royd Cl. S70: Wors 3G 57
Royd Ct. S36: Spink 7F 72
Roydfield Cl. S20: Water 9K 125
Roydfield Dr. S20: Water 9K 125
Roydfield Gro. S20: Water 9K 125
Royd Fld. La. S36: Cub 7N 53
Royd La. HD9: Holm 6C 30
S36: Mill G 3G 52
S36: Spink 7F 72
S75: High'm, Silk 5L 35
ROYD MOOR 2A 20
Royd Moor Ct. S36: Thurl 3K 53
Royd Moor La. WF9: Bads, Hems 1M 19 (not continuous)
Royd Moor Rd. S36: Thurl 2G 53
Royd Mt. HD9: Holm 4E 30
Royds, The HD8: Clay W 6C 14
HD9: Holm 4E 30
Royds Av. HD9: New M 2H 31
S60: Whis 2B 112
Royds Cl. HD9: New M 2H 31
Royds Cl. Cres. S65: Thry 3D 96
Royds Cres. S80: Rhod 5L 141
Royds Dr. HD9: New M 2H 31
Royds La. S74: Els 1C 76
ROYDS MOOR 3E 112
Royds Moor Hill S60: Whis 3E 112
Royds Pk. HD8: Den D 2K 33
Royd Vw. S72: Brier 6G 19
Roy Kilner Rd. S73: Womb 3B 58
Royles Cl. WF9: Sth K 7B 20
ROYSTON 6K 17
Royston Av. DN5: Don 9L 43
S20: Mosb 9G 124
Royston Cl. S20: Mosb 9G 124
Royston Cotts. S74: Hoyl 9L 57
Royston Cft. S20: Mosb 9G 124
Royston Gro. S20: Mosb 9G 124 (off Royston Cl.)
Royston Hill S74: Hoyl 9L 57
Royston La. S71: Car, R'ton 7K 17
Royston Leisure Cen.
Barnsley 5K 17
Royston Rd. S72: Cud 8A 18
Rubens Cl. S18: Dron 9G 134
Rubens Row S2: Shef 3K 5
Ruby La. WF9: Upton 2E 20
Rud Broom Cl. S36: Pen 5M 53
Rud Broom La. S36: Pen 4L 53
Ruddle La. S66: Clftn, Mick 3B 98
Ruddle Mill La. S66: Stain 4G 99 (not continuous)
Rudgate La. DN14: Syke 3E 10
Rudyard M. S6: Shef 4D 108
Rudyard Rd. S6: Shef 4D 108
Rufford Av. S71: Ath 9H 17
Rufford Cl. WF4: Ryh 1A 18
Rufford Ct. S20: Sot 9N 125
Rufford Gro. S64: Swin 4D 78
Rufford Ri. S20: Sot 9N 125
S63: Gol 3B 60
Rufford Rd. DN4: Don 6C 64
Rufford St. S80: Work 9E 142
Rufus La. DN11: New R 5G 83
Rugby St. S3: Shef 6H 109
Rugged Butts La.
DN10: Miss 9J 85
Rundle Dr. S7: Shef 4F 122
Rundle Rd. S7: Shef 4F 122
S36: Stoc 5D 72
Runnymede Rd. DN2: Don 3E 64
Rupert Rd. S7: Shef 6F 122
Rural Cres. DN3: Brant 7N 65
Rural La. S6: Shef 2A 108
Ruscombe Pl. S71: Car 8K 17
Rushby St. S4: Shef 3L 109
Rushdale Av. S8: Shef 6H 123
Rushdale Mt. S8: Shef 6H 123
Rushdale Rd. S8: Shef 6H 123
Rushdale Ter. S8: Shef 6H 123
Rushey Cl. S62: Rawm 6L 77
S80: Work 8E 142
Rushleigh Ct. S17: Dore 3M 133
Rushley Av. S17: Dore 2M 133
Rushley Cl. DN9: Auck 9C 66
S17: Dore 2M 133
Rushley Dr. S17: Dore 2M 133
Rushley Rd. S17: Dore 2M 133
Rushworth Cl. S75: Kexb 9L 15
Rushy La. DN7: Fish 1L 25
S36: Bolst 1A 90
Rushy Moor Av. DN6: Ask 2M 23
Rushy Moor La. DN6: Ask 1M 23
Rushy Moor Rd. DN5: Hayw 3N 23
Ruskin Av. S64: Mexb 9G 61
Ruskin Cl. S63: Wath D 8J 59
Ruskin Dr. DN3: Arm 1M 65
Ruskin Rd. DN4: Balb 9L 63
Ruskin Sq. S8: Shef 5H 123
Russell Av. DN11: H'worth 9J 101
Russell Cl. S26: Swal 4A 126
S71: Monk B 3J 37
Russell Ct. S11: Shef 9B 122
Russell Ho. S25: Sth A 6B 128
Russell Pl. S66: Malt 7E 98
Russell Rd. S64: Kiln 7D 78
Russell St. S3: Shef 1E 4 (7H 109)
S65: Roth 5L 95
Russet Gro. DN10: Baw 6C 102
Russett Cl. S66: Malt 7B 98
Rustic Ct. S9: Shef 6B 110
Rustic Dr. WF9: Hems 4L 19
Rustlings Ct. S10: Shef 3A 122
Rustlings Rd. S11: Shef 3B 122
Ruston Dr. S71: R'ton 5K 17
Ruthin St. S4: Shef 4M 109
Ruth Sq. S10: Shef 5A 4 (1F 122)
Ruthven Dr. DN4: Warm 8H 63
Rutland Av. S25: Nth A 4B 128
Rutland Cres.
DN11: H'worth 8J 101
Rutland Dr. DN11: H'worth 8J 101
Rutland Ho. S3: Shef 7G 109 (off Adelaide La.)
Rutland La. DN11: New R 5G 83
Rutland Pk. S10: Shef 1D 122
Rutland Pl. S73: Womb 5B 58
Rutland Rd. S3: Shef 7G 108
Rutland St. DN1: Don 3B 64
S3: Shef 6H 109
Rutland Way S3: Shef 6G 108
S75: Barn 5D 36
Ryan Dr. S13: Shef 4L 125
Ryan Pl. S62: P'gte 1M 95
Ryburn Rd. S60: Wav 9J 111
Rydal Cl. S18: Dron W 9E 134
S25: Din 4D 128
S36: Pen 3N 53
S63: Bolt D 6B 60
Rydal Ct. DN4: Balb 2L 81
Rydal Cres. S8: Shef 6F 122 (off Langdale Rd.)
Rydal Dr. DN4: Don 6E 64
S81: Work 2B 142
Rydale Gdns. DN10: Baw 4C 102
Rydalhurst Av. S6: Shef 2B 108
Rydall Pl. DN5: Scawt 8K 43
Rydal Rd. DN6: Carc 8G 22
S8: Shef 6F 122
S25: Din 4D 128
Rydal Ter. S71: Barn 7H 37
Rydal Way S64: Mexb 9H 61
Ryder M. WF9: Hems 3K 19
Rye Bank S60: Whis 3C 112
Ryebank HD9: Holm 4F 30
RYECROFT 8A 78
Rye Cft. DN11: Tick 5D 100
DN12: Con 4C 80
S71: Smi 2H 37
Ryecroft Av. DN6: Nort 7G 6
Ryecroft Bank S74: Hoyl 8L 57
Ryecroft Farm Cl.
S72: Sth H 2D 18
Ryecroft Glen Rd. S17: Dore 2B 134
Ryecroft La. HD9: Scho 5G 30
Ryecroft Rd. DN6: Nort 7F 6
S62: Rawm 8B 78
Ryecroft Vw. S17: Dore 2M 133
Ryedale Wlk. DN5: Scaws 9G 43
Ryefield Gdns. S11: Shef 6B 122
Ryefields HD9: Scho 4H 31
Ryegate Cres. S10: Shef 9C 108
Ryegate Rd. S10: Shef 1C 122
Rye La. S6: Stan 5G 107
Ryeview Gdns. S61: Grea 3H 95
RYHILL 1B 18
Ryhill Dr. S20: Mosb 9G 124
Ryhill Ind. Est. WF4: Ryh 1B 18
Ryhill Pits La. WF4: Cold H 1L 17, 1M 17
Ryle Rd. S7: Shef 4F 122
Rylstone Ct. S12: Shef 8H 125
Rylstone Gro. S12: Shef 9H 125
Rylstone Wlk. S70: Stair 1L 57
Ryton Av. S73: Womb 6F 58
Ryton Cl. S66: Malt 8E 98
S81: Bly 1L 131
Ryton Flds. S81: Bly 1L 131
Ryton Pl. S80: Work 7C 142
Ryton Rd. S25: Nth A, Sth A 7B 128
Ryton St. S80: Work 7C 142
Ryton Way DN4: Can 9K 65

S

Sackerville Ter. S21: Killa 4A 138
Sackup La. S75: Dart, Stain 8A 16
Sackville Hgts. S70: Barn 6F 36 (off Sackville St.)
Sackville Rd. S10: Shef 8C 108
Sackville St. S70: Barn 6E 36
Saddler Av. S20: Water 1K 137
Saddler Cl. S20: Water 1K 137
Saddler Grn. S20: Water 1K 137
Saddler Gro. S20: Water 1K 137
Saddlers Courtyard DN10: Baw 7C 102 (off South Pde.)
Sadler Ga. S70: Barn 6F 36
Sadler's Ga. S73: Womb 3C 58
Saffron Cl. DN11: Tick 6C 100
Saffron Ct. S73: Womb 5E 58
Saffron Cres. DN11: Tick 6C 100
Saffron Dr. DN4: Balb 2A 82
Saffron Rd. DN11: Tick 6C 100
Saffron Way DN17: Crow 8M 29
St Agnes' Rd. DN4: Don 5D 64
St Aidan's Av. S2: Shef 3L 123
St Aidan's Dr. S2: Shef 2M 123
St Aidan's Pl. S2: Shef 3M 123
St Aidan's Ri. S2: Shef 2M 123
St Aidan's Rd. S2: Shef 2L 123
St Aidan's Way S2: Shef 3M 123
St Albans Cl. S10: Shef 2L 121
St Alban's Ct. S66: Wick 9G 96
St Albans Dr. S10: Shef 2K 121
St Albans Rd. S10: Shef 2K 121
St Alban's Way S66: Wick 9F 96
St Andrew Rd. S36: Spink 6G 73
St Andrew's Cl. S11: Shef 4E 122
S64: Swin 5C 78
S66: Sunn 6H 97
St Andrews Cl. DN4: Can 9L 65
S25: Din 3D 128
St Andrews Cres. S74: Hoyl 9M 57
St Andrews Dr. S75: Dart 8B 16
St Andrews Gro. DN7: Hat 1D 46
St Andrew's Rd. DN12: Con 5N 79
S11: Shef 4E 122
St Andrews Rd. S74: Hoyl 9M 57
St Andrew's Sq. S63: Bolt D 5B 60
St Andrew's Ter. DN4: Don 6A 64
St Andrew's Wlk. S60: Brins 3G 111
St Andrew's Way DN3: Barn D 2K 45
St Andrews Way S71: Ard 9A 38
St Annes Cl. S80: Work 7N 141
St Anne's Dr. S71: Monk B 1L 37
St Annes Dr. S80: Work 8M 141
St Annes M. S80: Work 7N 141 (off St Annes Way)
St Anne's Rd. DN4: Don 5D 64
St Anne's Sq. HD9: Holm 3E 30 (off Holmfirth Town Ga.)
St Annes Sq. HD9: N'thng 1D 30 (off Out La.)
St Annes Vw. S80: Work 7N 141
St Annes Way S80: Work 7N 141
ST ANN'S 5L 95

St Ann's Rd.—Sandy Acres Cl.

St Ann's Rd. S36: Spink 5F **72**
S65: Roth 5L **95**
ST ANN'S RDBT. 6L **95**
St Anthony Rd. S10: Shef 8B **108**
St Augustine's Rd. DN4: Bess 6F **64**
St Austell Dr. S75: Bar G 4N **35**
St Barbara's Cl. S66: Hoot L 9C **98**
St Barbara's Rd. S73: D'fld 2F **58**
St Barnabas La. S2: Shef 3H **123**
St Barnabas Rd. S2: Shef 3H **123**
St Bartholomew's Cl. S66: Malt 9C **98**
St Bartholomews Ri. DN4: Bess 7G **65**
St Bart's Ter. *S70: Barn* *8G **37***
(*off Dobie St.*)
St Bede's Rd. S60: Roth 7J **95**
St Benedicts Ct. S2: Shef 3L **123**
St Catherine's Av. DN4: Balb 7M **63**
St Catherine's Dr. DN7: Dunsv 4A **46**
St Catherine's Way S75: Barn 7C **36**
St Cecilia's Rd. DN4: Don 6D **64**
St Chad's Sq. DN12: Den M 2L **79**
St Chad's Way DN5: Sprot 6G **63**
St Charles St. S9: Shef 6M **109**
St Christophers Cl. S71: Ard 9A **38**
St Christopher's Cres. DN5: Scaws 1J **63**
St Christopher's Flats *DN4: Balb* *8L **63***
(*off Ashfield Rd.*)
St Clement's Cl. DN5: Scaws 1H **63**
St Clements Cl. S71: Ard 9A **38**
St Clements Cl. WF9: Sth K 6A **20**
St Cuthbert St. S80: Work 8C **142**
St David Rd. S36: Spink 6G **73**
St David's Cl. S81: Work 4D **142**
St David's Dr. DN5: Scaws 1H **63**
S25: Sth A 8B **128**
S60: Brins 3G **111**
S71: Ard 8N **37**
St David's Rd. DN12: Con 4N **79**
St Dominic's Cl. DN5: Sprot 7F **62**
St Edmund's Av. S66: Thurc 7K **113**
St Edward's Av. S70: Barn 8E **36**
St Edwin Reach DN7: Dunsc 8B **26**
St Edwins Cl. DN7: Dunsc 9C **26**
St Edwins Dr. DN7: Dunsc 1C **46**
St Elizabeth Cl. S2: Shef 3J **123**
St Eric's Rd. DN4: Bess 7G **64**
St Francis Blvd. S71: Monk B 1L **37**
St Francis Cl. S10: Shef 1N **121**
S66: Sunn 6H **97**
St George Ga. DN1: Don 4N **63**
St George Rd. S36: Spink 6G **73**
St George's Av. DN7: Dunsv 4B **46**
S64: Swin 3A **78**
St George's Cl. S3: Shef 2B **4** (8F **108**)
St Georges Cl. DN8: Thorne 4M **27**
S81: Woods 7J **129**
St George's Ct. S3: Shef 3C **4**
St George's Dr. S60: Brins 3G **111**
St George's Rd. DN4: Bess 6E **64**
HD9: Scho 4H **31**
S70: Barn 7F **36**
St Georges Rd. DN8: Thorne 4M **27**
St George's Ter. S1: Shef 3C **4** (9G **108**)
St George's Wlk. S3: Shef 2C **4** (8G **108**)
St Giles Ga. DN5: Scaws 2H **63**
St Giles Sq. S35: Chap 9G **75**
St Helen Rd. S36: Spink 7G **73**
ST HELEN'S 3L **37**
St Helen's Av. S71: Smi 3J **37**
WF9: Hems 2J **19**
St Helen's Blvd. S71: Smi 2J **37**
St Helen's Cl. S60: Tree 9M **111**
St Helens Cl. S63: Thurn 8A **40**
St Helens Ct. S74: Els 9A **58**
St Helen's La. DN5: Barnb 5K **61**
St Helens Pl. S71: Smi 3J **37**
St Helen's Rd. DN4: Don 5D **64**
St Helen's Sq. DN3: Kirk Sa 4J **45**
St Helen's St. S74: Els 9A **58**
St Helen's Way S71: Monk B 3L **37**
St Helier Dr. S75: Barn 6C **36**
St Hilda Av. S70: Barn 7D **36**
St Hilda Cl. S36: Spink 7G **73**
St Hildas Cl. S63: Thurn 7D **40**
St Hilda's Rd. DN4: Don 5D **64**
St James Av. DN7: Dunsv 3A **46**
S25: Sth A 7B **128**
St James Cl. DN3: Kirk Sa 4J **45**
DN17: Crow 9N **29**
S63: Wath D 9N **59**
St James' Cl. S70: Wors 3H **57**
St James Ct. DN1: Don 5A **64**
S8: Shef 1K **135**
St James Dr. S65: Rav 2J **97**
St James' Gdns. DN4: Balb 6M **63**
St James' Row
S1: Shef 2F **5** (8H **109**)
St James's Bri. DN4: Don 5N **63**
St James Sq. *S74: Hoyl* *9M **57***
(*off West St.*)
St James St. DN1: Don 5N **63**
St James' St. S1: Shef 3F **5** (9H **109**)
St James' Vw. S65: Rav 2J **97**
St James Wlk. S13: Shef 3K **125**
St Joan Av. S36: Spink 7G **73**
St Johns S36: H'swne 1B **54**
S81: Bly 1L **131**
St John's Av. S60: Roth 7H **95**
S66: Sunn 7H **97**
S75: Bar G 4N **35**
St John's Cl. S2: Shef 2K **5** (8K **109**)
S36: Pen 5M **53**
S65: Roth 5N **95**
S75: Dod 9N **35**
St Johns Cl. S33: Bamf 8E **118**
St John's Ct. HD9: Holm 4C **30**
S25: Laugh M 8C **114**
S66: Sunn 7H **97**
S80: Work 7C **142**
St Johns Ct. S60: Roth 6H **95**
St John's Cft. DN11: Wad 8M **81**
St Johns Grn. S61: Kimb P 4E **94**
St John's Rd. DN4: Balb 7L **63**
DN12: New E 4F **80**
S2: Shef 2K **5** (8L **109**)
S25: Laugh M 8C **114**
S36: Spink 5H **73**
S64: Swin 3B **78**
S65: Roth 5N **95**
S70: Barn 8F **36**
S72: Cud 2B **38**
St John's Row S25: Din 2E **128**
St John's Wlk. S64: Mexb 7F **60**
S71: R'ton 6L **17**
St Joseph's Ct. S25: Din 2D **128**
St Joseph's Gdns. S70: Barn 8J **37**
St Joseph's Rd. S13: Shef 1F **124**
St Julien's Mt. S75: Cawt 4G **35**
St Julien's Way S75: Cawt 4G **34**
St Laurence Ct. DN6: Adw S 2E **42**
St Lawrence Glebe S9: Tins 2E **110**
St Lawrence Rd. DN7: Dunsc 1B **46**
S9: Tins 1E **110**
St Lawrence's Ter. DN6: Adw S 2G **42**
St Leger Cl. S25: Laugh C 1A **128**
St Leger Way S25: Din 1D **128**
St Leonards DN11: Tick 6D **100**
St Leonard's Av. S65: Thry 3E **96**
St Leonard's Cl. S25: Din 3C **128**
St Leonards Ct. S5: Shef 1J **109**
St Leonard's Cft. S65: Thry 2E **96**
St Leonard's La. S65: Roth 6M **95**
St Leonard's Lea DN5: Scaws 1J **63**
St Leonard's Pl. S65: Roth 6M **95**
St Leonard's Rd. S65: Roth 6L **95**
St Leonards Way S71: Ard 9A **38**
St Luke's Cl. DN7: Dunsv 4A **46**
St Lukes Rd. S72: Grim 2G **39**
St Lukes Vw. S81: Shire 3K **141**
St Lukes Way S71: Monk B 5K **37**
St Margaret Av. S36: Spink 6G **72**
St Margaret's Av. DN5: Barnb 4H **61**
St Margaret's Ct. WF9: Sth E 3F **20**
St Margaret's Dr. S64: Swin 3A **78**
St Margaret's Rd. DN4: Don 5D **64**
St Margarets Rd. S35: Eccl 6J **93**
St Marie's RC Cathedral 3F **5** (9H **109**)
St Mark Rd. S36: Spink 6G **73**
St Mark's Cl. S81: Gate 2A **142**
St Marks Ct. HD8: Shep 2B **32**
St Mark's Cres. S10: Shef 1E **122**
St Martin Cl. S36: Spink 6G **72**
St Martin's Av. DN5: Cus 1J **63**
St Martins Av. DN10: Baw 5B **102**
St Martin's Cl. S75: Barn 7C **36**
S81: Fir 6L **115**
St Martins Cl. S81: Bly 1L **131**
St Mary and St Martin's Priory Church 9K **117**
St Mary Cres. S36: Spink 7G **73**
St Mary's S71: Lund 6M **37**
St Mary's Cl. S72: Cud 1B **38**
WF9: Sth E 7F **20**
St Marys Cl. S35: Eccl 4H **93**
St Mary's Ct. DN11: Tick 6D **100**
S81: Bly 9K **117**
St Marys Ct. DN1: Don 3B **64**
St Mary's Cres. DN1: Don 3B **64**
DN11: Tick 6C **100**
S64: Swin 2B **78**
St Mary's Dr. DN3: Arm 1M **65**
DN7: Dunsv 4A **46**
S60: Cat 6J **111**
St Marys Gdn. S70: Wors 5H **57**
St Mary's Ga. DN11: Tick 6D **100**
S2: Shef 7D **4** (2G **123**)
S70: Barn 6F **36**
S80: Work 9C **142**
St Marys La. S35: Eccl 4H **93**
St Mary's M. DN11: Tick 6D **100**
St Mary's Pl. S70: Barn 6F **36**
St Mary's Rd. DN1: Don 2B **64**
DN7: Dunsv 3A **46**
DN11: Tick 5D **100**
DN12: New E 5G **80**
S2: Shef 7E **4** (2H **123**)
S62: Rawm 9N **77**
S63: Gol 1E **60**
S73: D'fld 2H **59**
S73: Womb 5C **58**
St Mary's Sq. S1: Shef 7D **4** (2G **123**)
St Mary's St. S36: Pen 4N **53**
St Mary's Ter. *S36: Bolst* *8E **72***
(*off Heads La.*)
St Mary's Vw. S61: Grea 2H **95**
St Mary's Wlk. DN5: Sprot 7F **62**
St Matthew's Cl. S21: Reni 9A **138**
St Matthew's Cl. S73: Womb 2F **58**
St Matthews Way S71: Monk B 5K **37**
St Matthias Rd. S36: Spink 7G **73**
St Michael's Av. S64: Swin 2C **78**
S71: Monk B 2L **37**
St Michaels Av. DN11: Ross 4K **83**
St Michael's Cl. DN8: Thorne 3M **27**
St Michaels Cl. S35: Eccl 5J **93**
S63: Gol 2C **60**
St Michaels Cres. S35: Eccl 5J **93**
St Michael's Dr. DN8: Thorne 3M **27**
St Michael's Rd. DN4: Bess 6E **64**
St Michaels Rd. S35: Eccl 5J **93**
St Nicholas Cl. DN3: Eden 6H **45**
St Nicholas M. DN8: Thorne 2L **27**
St Nicholas Rd. DN8: Thorne 1K **27**
St Nicholas Way DN10: Baw 6C **102**
St Nicolas Rd. S62: Rawm 8N **77**
St Nicolas Wlk. S62: Rawm 8A **78**
St Oswald Ct. *WF9: Hems* *3L **19***
(*off Baylee St.*)
St Oswalds Cl. DN9: Finn 3F **84**
St Oswald's Dr. DN3: Eden 6J **45**
DN9: Finn 3G **84**
St Owens Dr. S75: Barn 6C **36**
St Pancras Ct. S25: Laugh C 1N **127**
St Patrick Rd. S36: Spink 6G **73**
St Patrick's Rd. DN2: Don 2D **64**
St Patrick's Way DN5: Scaws 1H **63**
St Paul Cl. S26: Tod 6K **127**
S36: Spink 6G **73**
St Paul's Cl. WF9: Upton 1J **21**
St Pauls Cl. S25: Laugh C 9A **114**
St Paul's Pde. DN5: Scaws 2H **63**
S1: Shef 4F **5**
S71: Ard 8N **37**
St Paul's Rd. S80: Work 9D **142**
St Pauls Rd. S75: Barn 5D **36**
St Paul's Sq. S1: Shef 4F **5**
St Peter & St Paul's Cathedral 2F **5** (8H **109**)
St Peter Av. S36: Spink 6H **73**
St Peter's Cl. DN3: Barn D 9H **25**
DN5: Barnb 3H **61**
S1: Shef 2F **5** (8H **109**)
S60: Brins 4G **111**
St Peter's Dr. DN12: Con 5N **79**
St Peters Ga. S63: Thurn 7B **40**
St Peters Hgts. DN12: New E 6F **80**
St Peters Pl. S65: Thry 3D **96**
St Peter's Rd. DN4: Balb 8J **63**
DN12: Con 5N **79**
S80: Thorpe S 3C **140**
St Peter's Ter. DN6: Ask 1K **23**
S70: Barn 8H **37**
St Philip's Cl. S66: Malt 9C **98**
St Philip's La. S3: Shef 7G **108**
St Philip's Rd. S3: Shef 2B **4** (8F **108**)
(not continuous)
St Quentin Cl. S17: Bradw 5C **134**
St Quentin Dr. S17: Bradw 5C **134**
St Quentin Mt. S17: Bradw 5C **134**
St Quentin Ri. S17: Bradw 5C **134**
St Quentin Vw. S17: Bradw 5C **134**
St Ronan's Rd. S7: Shef 4G **122**
St Sepulchre Ga. DN1: Don 4N **63**
St Sepulchre Ga. W. DN1: Don 5N **63**
DN4: Don 5N **63**
St Stephens Dr. S26: Aston 3C **126**
St Stephen's Rd. S3: Shef 1B **4** (8F **108**)
S65: Roth 6L **95**
St Stephen's Wlk. S3: Shef 2A **4** (8F **108**)
St Stephens Wlk. DN5: Scaws 2J **63**
St Thomas a Becket's Church 2D **134**
St Thomas' Ct. DN4: Bess 9G **64**
St Thomas Rd. S10: Shef 9C **108**
St Thomas's Cl. DN4: Balb 9J **63**
St Thomas's Rd. S75: Barn 6C **36**
St Thomas St. S1: Shef 3D **4** (9G **109**)
St Ursula's Rd. DN4: Don 5D **64**
St Veronica Rd. S36: Spink 6H **73**
St Vincent Av. DN1: Don 3B **64**
DN6: Woodl 2D **42**
St Vincent Rd. DN1: Don 3B **64**
St Vincent's Av. DN3: Brant 8M **65**
St Wandrilles Cl. S35: Eccl 4J **93**
St Wilfrids Ct. *DN4: Can* *8H **65***
(*off Middleham Rd.*)
St Wilfrid's Rd. DN4: Bess, Can 6F **64**
S2: Shef 3H **123**
St Withold Av. S66: Thurc 6K **113**
St Withold Ct. S66: Thurc 6K **113**
Salcombe Cl. S75: Mapp 9D **16**
Salcombe Gro. DN10: Baw 5B **102**
Sale Hill S10: Shef 1C **122**
Salerno Way S73: D'fld 1E **58**
Sales La. DN14: Syke 5N **9**
Sale St. S74: Hoyl 1H **75**
Salisbury Cl. S80: Work 6B **142**
Salisbury Rd. DN4: Hex 6L **63**
S10: Shef 8C **108**
S66: Malt 7D **98**
Salisbury St. S75: Barn 5E **36**
Salisbury Wlk. S81: Carl L 4B **130**
Salmon Pastures Nature Reserve 7M **109**
Salmon St. S11: Shef 3G **123**
Salt Box Gro. S35: Gren 5D **92**
Salt Box La. S35: Gren 6D **92**
Saltergate La. S33: Bamf 9E **118**
Salter Hill La. S36: Snow H 9A **54**
Salter Oak Cft. S71: Car 8K **17**
Saltersbrook S63: Gol 2C **60**
Saltersbrook Rd. S73: D'fld 9F **38**
Salters Ri. S70: Barn 7D **36**
Salters Way S36: Cub 5A **54**
Salt Hill S81: Fir 6L **115**
Salt Hill Rd. S81: Fir 8N **115**
Salutations Gdns. S35: High G 6E **74**
Samian Cl. S81: Work 3A **142**
Samson St. S2: Shef 5K **5** (1K **123**)
Samuel Cl. S2: Shef 4L **123**
Samuel Ct. S72: Cud 9C **18**
Samuel Dr. S2: Shef 4L **123**
Samuel Fox Av. S36: Stoc 4E **72**
Samuel Pl. S2: Shef 3L **123**
Samuel Rd. S2: Shef 4L **123**
S75: Barn 5C **36**
Samuel Sq. S75: Barn 5C **36**
Samuel St. DN4: Balb 9K **63**
Sanctuary Flds. S25: Nth A 4B **128**
Sandal Ct. S61: Roth 6H **95**
Sandall Beat La. DN2: Don 1G **65**
Sandall Beat Rd. DN2: Don 4E **64**
Sandall Beat Vis. Cen. 3H **65**
Sandall Beat Wood (Nature Reserve) 3H **65**
Sandall Carr Rd. DN3: Kirk Sa 5H **45**
Sandall La. DN3: Kirk Sa 3G **45**
Sandall Pk. Dr. DN2: Don 9F **44**
Sandall Ri. DN2: Don 1E **64**
Sandall Stones Rd. DN3: Kirk Sa 5G **45**
Sandall Vw. S25: Laugh C 9A **114**
Sandal Rd. DN12: Con 5M **79**
Sandalwood Cl. DN2: Don 8F **44**
Sandalwood Ri. S64: Swin 6C **78**
Sandbeck Cl. S71: Barn 5G **36**
Sandbeck Ct. DN10: Baw 5C **102**
DN11: Ross 6K **83**
DN12: Den M 3L **79**
Sandbeck Ho. *DN1: Don* *5N **63***
(*off Grove Pl.*)
Sandbeck La. DN11: Tick 1M **115**
S66: Malt 1K **115**
Sandbeck Park 4L **115**
Sandbeck Pl. S11: Shef 3E **122**
Sandbeck Rd. DN4: Don 5C **64**
Sandbeck Way S66: Hel 8M **97**
Sandbed Rd. S3: Shef 5F **108**
Sandbergh Rd. S61: Kimb P 3E **94**
Sandby Ct. S14: Shef 9M **123**
Sandby Cft. S14: Shef 9M **123**
Sandby Dr. S14: Shef 9M **123**
Sandcliffe Rd. DN2: Don 1E **64**
Sandcroft Cl. S74: Hoyl 1K **75**
Sandeby Dr. S65: Rav 6J **97**
Sanderling Rd. S81: Gate 4N **141**
Sanderson St. S9: Shef 5N **109**
Sanderson Way S64: Swin 4D **78**
Sanders Way S25: Laugh C 1A **128**
Sandford Ct. DN4: Balb 8L **63**
S70: Barn 7E **36**
Sandford Gro. Rd. S7: Shef 6F **122**
(not continuous)
Sandford Rd. DN4: Balb 9L **63**
WF9: Sth E 4F **20**
SANDHILL
S62 7A **78**
S72 7M **39**
Sandhill Adventure Base 7B **142**
Sandhill Cl. S62: Rawm 7A **78**
Sandhill Ct. S72: Gt H 7M **39**
Sandhill Golf Course 8K **39**
Sandhill Gro. S72: Grim 8G **18**
Sandhill Ho. *S80: Work* *7B **142***
(*off Sandhill St.*)
Sandhill M. S72: Gt H 7M **39**
Sandhill Ri. DN9: Auck 8B **66**
Sandhill Rd. S62: Rawm 7A **78**
Sandhill St. S80: Work 7B **142**
Sandhills Way DN3: Brant 7N **65**
Sandhurst Pl. S10: Shef 8D **108**
Sandhurst Rd. DN4: Can 8K **65**
Sandiron Ho. S7: Shef 1C **134**
Sand La. WF9: Upton 2G **20**
Sandmartins S81: Gate 3N **141**
Sandon Vw. S10: Shef 6B **4**
Sandown Cl. S21: Ecki 7H **137**
Sandown Gdns. DN4: Can 5G **65**
Sandown Rd. S64: Mexb 9G **60**
Sandpiper Rd. S61: Thorpe H 8N **75**
Sandpit Hill DN3: Brant 7N **65**
Sandringham Av. S60: Whis 3A **112**
Sandringham Cl. S36: Thurl 3K **53**
Sandringham Ct. DN11: Birc 8K **101**
Sandringham Cres. S81: Work 3B **142**
Sandringham Pl. S10: Shef 2H **121**
S65: Rav 5J **97**
Sandringham Rd. DN2: Don 4D **64**
S9: Shef 9A **94**
Sandrock Dr. DN4: Bess 8H **65**
Sandrock Rd. DN11: H'worth 8J **101**
Sands, The S6: Low B 8C **90**
Sands Cl. S14: Shef 7M **123**
Sandstone Av. S9: Shef 2N **109**
Sandstone Cl. S9: Shef 1A **110**
Sandstone Dr. S9: Shef 2N **109**
Sandstone Rd. S9: Shef 2N **109**
SANDTOFT 3H **49**
Sandtoft Ind. Est. DN9: Belt 3L **49**
Sandtoft Rd. DN7: Hat 9J **27**
DN9: Belt 4L **49**
Sandwith Rd. S26: Tod 6K **127**
Sandy Acres Cl. S20: Water 1M **137**

Sandy Acres Dr.—Sheaf Ct.

Sandy Acres Dr. S20: Water 1M **137**
Sandybridge La. S72: Shaft 4A **18**
Sandybridge La. Ind. Est.
S72: Shaft 5B **18**
Sandycroft Cres. DN4: Balb 8J **63**
Sandyfields Vw. DN6: Skell 8F **22**
Sandy Flat La. S66: Wick 3F **112**
SANDYGATE 1M **121**
Sandy Ga. HD9: Scho 4G **31**
Sandygate S63: Wath D 9M **59**
(not continuous)
Sandygate Ct. S10: Shef 1M **121**
Sandygate Cres. S63: Wath D 2M **77**
Sandygate Grange Dr. S10: Shef 1N **121**
Sandygate Gro. S10: Shef 1M **121**
Sandygate La. S10: Shef 1N **121**
S71: Stair 8M **37**
WF9: Hems 2J **19**
Sandygate Pk. S10: Shef 1L **121**
Sandygate Pk. Cres. S10: Shef 1M **121**
Sandygate Pk. Rd. S10: Shef 1M **121**
Sandygate Rd. S10: Shef 1M **121**
Sandy Hill La. S25: Din 4E **128**
Sandy La. DN4: Don 6D **64**
DN10: Baw 6C **102**
S35: Chap 1D **92**
S66: Bram 1K **113**
S66: Thurc 5L **113**
S73: Womb 5M **57**
S80: Work 6N **141**
Sandy La. Ind. Est. S80: Work 6A **142**
Sandy La. Retail Pk. S80: Work 6B **142**
Sandymount DN11: H'worth 8K **101**
Sandymount E. DN11: H'worth 9K **101**
Sandymount Rd. S63: Wath D 1N **77**
Sandymount W. DN11: H'worth 9K **101**
Sankey Sq. S63: Gol 2C **60**
Sarah Ct. DN3: Arm 9A **46**
Sarah St. S61: Roth 7H **95**
S64: Mexb 2F **78**
Sargeson Rd. DN3: Arm 1J **65**
Sark Rd. S2: Shef 4H **123**
Sarrius Ct. DN4: Can 7H **65**
Saundby Cl. DN4: Bess 8F **64**
Saunderson Rd. S36: Pen 3L **53**
Saunders Pl. S2: Shef 9M **109**
Saunders Rd. S2: Shef 9M **109**
Saunder's Row S73: Womb 5C **58**
Savage La. S17: Dore 3M **133**
Savile St. S3: Shef 7J **109**
S4: Shef 7J **109**
Savile St. E. S4: Shef 7L **109**
Savile Wlk. S72: Brier 6H **19**
Saville Ct. S74: Hoyl 1J **75**
Saville Hall La. S75: Dod 1A **56**
Saville La. S36: Thurl 4K **53**
Saville Rd. S60: Whis 3A **112**
S63: Wath D 9L **59**
S75: Dod 1A **56**
Saville St. HD8: Clay W 8A **14**
S65: Dalt 4B **96**
S72: Cud 1C **38**
Saville Ter. S70: Barn 8F **36**
Savoy Cinema
Worksop 8C **142**
Sawdon Rd. S11: Shef 2F **122**
Sawmill Ct. S36: Pen 5N **53**
Sawn Moor Av. S66: Thurc 6L **113**
Sawn Moor Rd. S66: Thurc 7L **113**
Sawston Cl. DN4: Balb 2L **81**
Saxon Av. WF9: Sth K 7M **19**
Saxon Cl. WF9: Upton 2K **21**
Saxon Ct. DN3: Eden 6H **45**
DN4: Bess 9J **65**
DN5: Scawt 9K **43**
Saxon Cres. S70: Wors 2H **57**
Saxon Gro. WF9: Sth K 8N **19**
Saxon La. DN9: Belt 5N **49**
Saxonlea Av. S2: Shef 2C **124**
Saxonlea Ct. S2: Shef 2C **124**
Saxonlea Cres. S2: Shef 2C **124**
Saxonlea Dr. S2: Shef 2B **124**
Saxon M. DN3: Barn D 1J **45**
Saxon Mt. WF9: Sth K 7M **19**
Saxon Rd. S8: Shef 5H **123**
S26: Kiv P 9L **127**
S61: Kimb 7D **94**
Saxon Row DN12: Con 5C **80**
Saxon St. S63: Thurn 8D **40**
S72: Cud 2B **38**
Saxon Way DN11: H'worth 9J **101**
Saxton Av. DN4: Bess 7F **64**
Saxton Cl. S74: Els 9B **58**
S80: Work 8A **142**
Saxton Dr. S60: Roth 3M **111**
Sayers Cl. DN5: Harl 5H **61**
Scafell Pl. S25: Nth A 5D **128**
SCAFTWORTH 9F **102**
Scaftworth Cl. DN4: Bess 8F **64**
Scaly Ga. HD9: Jack B 6L **31**
HD9: New M 3L **31**
Scammadine Cl. S60: Brins 4K **111**
Scamming La. S25: Laugh M 7D **114**
Scampton Lodge S5: Shef 2J **109**
Scampton Rd. S81: Gate 2A **142**
Scarborough Cl. DN11: Tick 6D **100**
S25: Nth A 4C **128**
Scarborough La. DN11: New R 5G **83**
Scarborough Rd. S9: Shef 7C **110**
S66: Wick 8G **96**
Scarbrough Cres. S66: Malt 9E **98**
Scarbrough Farm Ct.
S66: Malt 8D **98**
Scar End La. HD9: New M 4L **31**
Scarfield Cl. S71: Ard 8N **37**
Scar Fold HD9: Holm 3E **30**
Scargill Cft. S1: Shef 2F **5** (8H **109**)
Scar Hole La. HD8: Cumb 4K **31**
HD9: New M 4K **31**
Scar La. S71: Ard 8N **37**
Scarlett Oak Mdw. S6: Stan 6L **107**
Scarll Rd. DN4: Hex 6L **63**
Scarsdale Cl. S18: Dron 9J **135**
Scarsdale Cross S18: Dron 9J **135**
Scarsdale Rd. S8: Shef 8G **123**
S18: Dron 9H **135**
Scarsdale St. S25: Din 2E **128**
Scarth Av. DN4: Balb 7M **63**
SCAWCETT 9K **49**
Scawcett La. DN9: Epw 7H **49**
SCAWSBY 1H **63**
Scawsby La. DN5: Scaws 8F **42**
SCAWTHORPE 8J **43**
Scawthorpe Av. DN5: Scawt 8H **43**
Scawthorpe Cotts. DN5: Scawt 8G **43**
Sceptone Gro. S72: Shaft 6C **18**
Sceptre Av. DN4: Bess 1J **83**
Sceptre Gro. DN11: New R 7H **83**
Schofield Dr. S73: D'fld 1G **59**
Schofield Pl. S73: D'fld 1G **58**
Schofield Rd. S36: Spink 5F **72**
S73: D'fld 1G **58**
Schofield St. S64: Mexb 1E **78**
Scholar's Ga. S72: Cud 9B **18**
Schole Av. S36: Pen 4M **53**
Schole Hill La. S36: Cub 5L **53**
(not continuous)
SCHOLES
HD9 5H **31**
S61 2C **94**
Scholes Fld. Cl. S61: Scho 3C **94**
Scholes Grn. S61: Scho 2C **94**
Scholes La. S61: Scho 2A **94**
Scholes Moor Rd. HD9: Scho 8F **30**
Scholes Ri. S35: Eccl 5J **93**
Scholes Rd. HD9: Jack B 4J **31**
Scholes Vw. S35: Eccl 4J **93**
S61: Thorpe H 2A **94**
S74: Hoyl 1M **75**
S74: Jum 8N **57**
Scholes Village S61: Scho 8B **76**
Scholey Av. S81: Woods 8J **129**
Scholey Rd. S66: Wick 8G **96**
Scholey St. S3: Shef 7J **109**
Scholfield Cres. S66: Malt 9F **98**
School Av. S20: Half 3L **137**
School Cl. S20: Half 3M **137**
S26: Wales 8G **126**
S63: Wath D 1L **77**
School Ct. *DN1: Don 3A 64*
(off Dockin Hill Rd.)
Schoolfield Dr. S62: Rawm 7M **77**
School Gdns. S70: Barn 8D **36**
School Grn. La. S10: Shef 4K **121**
School Gro. S26: Aston 4D **126**
School Hill S60: Whis 3B **112**
S72: Cud 1B **38**
School Ho. M. DN1: Don 5A **64**
School La. DN3: Can 7L **65**
DN9: Auck 9C **66**
HD8: Den D 2K **33**
S2: Shef 4K **5** (9K **109**)
S6: Low B 9C **90**
S6: Stan 7L **107**
S8: Shef 3G **134**
(James Andrew Cft.)
S8: Shef 1K **135**
(School La. Cl.)
S18: Dron 9H **135**
S21: Mar L 7E **136**
S35: Gren 4D **92**
S35: Wharn S 3K **91**
(not continuous)
S62: P'gte 2L **95**
S65: Thry 2E **96**
S66: Stain 5J **99**
School La. Cl. S8: Shef 1K **135**
School Rd. S10: Shef 9C **108**
S20: Beig 8N **125**
S25: Laugh M 8B **114**
S26: Wales 9F **126**
S35: High G 7F **74**
S66: Thurc 6L **113**
S81: L'gld 9B **116**
School St. HD9: Holm 3E **30**
S20: Mosb 3K **137**
S21: Ecki 7K **137**
S25: Din 2D **128**
S26: Swal 4B **126**
S63: Bolt D 5B **60**
S63: Thurn 8C **40**
S65: Thry 3D **96**
S70: Stair 8L **37**
S72: Cud 9B **18**
S72: Gt H 6K **39**
S73: D'fld 1H **59**
S73: Hem 8C **58**
S73: Womb 4D **58**
S75: Barn 5E **36**
S75: Dart 8N **15**
School St. S75: Stain 8D **16**
WF9: Upton 1J **21**
School Ter. DN12: Con 4N **79**
HD8: Clay W 7B 14
(off Holmfield)
School Wlk. DN10: Baw 6C **102**
DN12: Den M 2L **79**
DN12: Old E 7E **80**
S66: Malt 8D **98**
SCISSETT 8A **14**
Scissett Baths 7A **14**
SCOFTON 4L **143**
Scofton Cl. S81: Gate 2N **141**
Scorah's La. S64: Swin 3N **77**
Scorcher Hills La. DN6: Burgh 4B **22**
Scotch Spring La. S66: Malt 6J **99**
Scotia Cl. S2: Shef 3N **123**
Scotia Dr. S2: Shef 3N **123**
Scotland St. S3: Shef 1D **4** (8G **109**)
Scot La. DN1: Don 4A **64**
DN10: Baw 6C **102**
Scotsman Dr. DN5: Scawt 9K **43**
Scott Av. DN5: Barnb 5H **61**
DN12: Con 4M **79**
Scott Cl. S66: Thurc 6K **113**
S81: Work 6F **142**
Scott Cres. DN3: Eden 5H **45**
Scott Hill DN5: Sprot 7F **62**
HD8: Clay W 6B **14**
Scott Rd. S4: Shef 4J **109**
Scott's Cotts. HD8: Clay W 6B **14**
Scott Wlk. S66: Malt 7B **98**
Scott Way S35: Chap 1G **93**
SCOUT DIKE 1L **53**
Scovell Av. S62: Rawm 7K **77**
Scovell Ho. S62: Rawm 7K **77**
Scowerdons Cl. S12: Shef 6F **124**
Scowerdons Dr. S12: Shef 6F **124**
Scraith Wood Dr. S5: Shef 2E **108**
Scratta La. S80: Work 7F **140**
Scrooby Cl. DN11: H'worth 9K **101**
Scrooby Dr. S61: Grea 2J **95**
Scrooby La. S62: P'gte 2K **95**
Scrooby Pl. S61: Grea 2J **95**
Scrooby Rd. DN11: Birc, H'worth 1J **117**
(not continuous)
Scrooby St. S61: Grea 2J **95**
Scunthorpe Rd. DN17: Crow 9H **29**
Sea Breeze Ter. S13: Shef 3D **124**
Seabrook Rd. S2: Shef 1L **123**
Sea Dike Bank Rd. DN8: Thorne 4H **27**
Seagrave Av. S12: Shef 7B **124**
Seagrave Cres. S12: Shef 8A **124**
Seagrave Dr. S12: Shef 7B **124**
Seagrave Rd. S12: Shef 7A **124**
Sea King Dr. DN9: Finn 2D **84**
Searby Rd. S66: Bram 6J **97**
Seaton Cl. S2: Shef 1N **123**
Seaton Cres. S2: Shef 1N **123**
Seaton Gdns. DN11: New R 7J **83**
Seaton Pl. S2: Shef 1N **123**
Seaton Way S2: Shef 1N **123**
Sebastian Vw. S60: Brins 2J **111**
Seckar La. WF4: Wool 1B **16**
Seckar Wood Local Nature Reserve
1C **16**
Second Av. DN6: Woodl 4G **42**
DN9: Finn 2D **84**
WF9: Sth K 8M **19**
WF9: Upton 1F **20**
Second La. S25: Sth A 8C **128**
S66: Wick 2H **113**
Second Sq. DN7: Stainf 5A **26**
Sedan St. S4: Shef 5K **109**
Sedge Cl. S66: Bram 9K **97**
Sedgefield Way S64: Mexb 9G **60**
Sedgley Rd. S6: Shef 4E **108**
Sefton Ct. S10: Shef 4N **121**
Sefton Rd. S10: Shef 4M **121**
Selborne Rd. S10: Shef 1B **122**
Selborne St. S65: Roth 5L **95**
Selbourne Cl. S75: Bar G 3N **35**
Selby Cl. S26: Swal 4B **126**
Selby Rd. DN2: Don 2D **64**
DN6: Ask 1L **23**
DN8: Thorne 5G **10**
DN14: E Cor 1F **10**
DN14: Whit 4M **7**
S4: Shef 3L **109**
S71: Smi 1G **36**
Selhurst Cres. DN4: Bess 8H **65**
Selig Pde. *S12: Shef 9C 124*
(off White La.)
Selkirk Av. DN4: Warm 9H **63**
Selkirk Rd. DN2: Don 1F **64**
Sellars Rd. S61: Kimb P 4E **94**
Sellars Row S35: High G 6E **74**
Sellers St. S8: Shef 4G **123**
Selly Oak Gro. S8: Shef 4K **135**
Selly Oak Rd. S8: Shef 4K **135**
Selwood Flats S65: Roth 6M **95**
Selwyn St. S65: Roth 5L **95**
Senior Rd. DN4: Hex 5L **63**
S9: Shef 8D **110**
Seniors Pl. S35: Chap 8G **75**
Sennen Cft. S71: Monk B 5J **37**
SERLBY 4N **117**
Serlby Dr. S26: Hart 5L **139**
Serlby Ho. *DN1: Don 5N 63*
(off Grove Pl.)
Serlby La. S26: Hart 4K **139**
Serlby Pk. Golf Course 5N **117**
Serlby Rd. DN11: Sty 2G **117**
Serpentine Wlk. S8: Shef 2H **135**
Setcup La. S21: Ecki 8J **137**
Seth Ter. S70: Barn 8H **37**
Set La. S6: Low B 8B **90**
Sevenairs Fold S20: Beig 8L **125**
Sevenairs Rd. S20: Beig 8L **125**
Sevenairs Vw. S20: Beig 8L **125**
Sevenfields Ct. S6: Shef 3B **108**
Sevenfields La. S6: Shef 3B **108**
Seven Yards Rd. DN3: Can 5N **65**
Severn Ct. S10: Shef 9E **108**
Severn Rd. S10: Shef 9E **108**
Severnside Dr. S13: Shef 4G **124**
Severnside Gdns. S13: Shef 4G **124**
Severnside Pl. S13: Shef 4G **124**
Severnside Wlk. S13: Shef 4G **125**
Sewell Rd. S20: Half 4M **137**
Sexton Dr. S66: Bram 9J **97**
Seymore Rd. S26: Aston 5C **126**
Seymour Rd. S66: Malt 8F **98**
Shackleton Rd. DN2: Don 7G **44**
Shackleton Vw. S36: Cub 5N **53**
Shady Side DN4: Hex 5M **63**
Shadyside DN4: Hex 6L **63**
Shaftesbury Av. DN2: Don 4E **64**
Shaftesbury Dr. S74: Hoyl 1L **75**
Shaftesbury Ho. DN2: Don 2F **64**
Shaftesbury Sq. S65: Roth 6L **95**
Shaftesbury St. S70: Stair 8M **37**
SHAFTHOLME 3A **44**
Shaftholme La. DN5: Bntly 2M **43**
Shaftholme Rd. DN5: Bntly 3A **44**
SHAFTON 6C **18**
Shafton Ga. S63: Gol 2E **60**
Shafton Hall Dr. S72: Shaft 6B **18**
Shafton Rd. S60: Roth 2A **112**
SHAFTON TWO GATES 8C **18**
Shaftsbury Av. DN6: Woodl 2D **42**
Shakespeare Av. DN5: Don 3K **63**
DN6: Camp 9G **6**
Shakespeare Dr. S25: Din 3E **128**
Shakespeare Rd. DN5: Bntly 7M **43**
S63: Wath D 8K **59**
S65: Roth 5M **95**
Shakespeare St. S81: Work 6E **142**
Shaldon Gro. S26: Aston 4C **126**
Shalesmoor S3: Shef 1E **4** (8H **109**)
(Gibraltar St.)
S3: Shef 1D **4** (7G **109**)
(Hoyle St.)
SHALESMOOR RDBT. *7G 109*
(off Shalesmoor)
Shalesmoor Stop (ST) 7G **109**
Shaley Wood HD9: Holm 3H **31**
Shambles St. S70: Barn 7F **36**
Shardlow Ct. DN4: Bess 9J **65**
Shardlow Gdns. DN4: Bess 9J **65**
Sharlston Gdns. DN11: Ross 5L **83**
Sharman Cl. S18: App 9A **136**
Sharman Wlk. S18: App 9A **136**
Sharpe Av. S8: Shef 2F **134**
Sharpfield Av. S62: Rawm 6L **77**
Sharp Royd Nook S36: Snow H 1D **72**
Sharrard Cl. S12: Shef 6B **124**
Sharrard Dr. S12: Shef 6B **124**
Sharrard Gro. S12: Shef 5B **124**
Sharrard Rd. S12: Shef 6B **124**
SHARROW 4E **122**
SHARROW HEAD 3F **122**
Sharrow La. S11: Shef 3F **122**
Sharrow Mt. S11: Shef 4E **122**
Sharrow St. S11: Shef 3G **123**
SHARROW VALE 3E **122**
Sharrow Va. Rd. S11: Shef 3D **122**
Sharrow Vw. S7: Shef 3F **122**
SHATTON 9C **118**
Shatton La. S33: Shatt 9C **118**
Shaw Cl. WF9: Sth E 5F **20**
Shaw Ct. DN3: Arm 2M **65**
Shawfield Av. HD9: Holm 4B **30**
Shawfield Cl. DN3: Barn D 2K **45**
Shawfield Rd. S71: Car 1L **37**
SHAW LANDS 7D **36**
Shawlands Ct. S63: Wath D 8J **59**
Shaw La. DN2: Don 8G **44**
DN6: Fen 5D **8**
HD9: Holm 4B **30**
S36: Up M 3G **71**
S70: Barn 7D **36**
S71: Car 8L **17**
S75: Stain 7D **16**
Shaw La. Ind. Est. DN2: Don 8H **45**
Shaw Rd. DN12: New E 3G **80**
S65: Roth 5N **95**
Shawsfield Rd. S60: Roth 1M **111**
Shaw St. S18: Coal A 6K **135**
S70: Barn 7E **36**
S80: Work 7B **142**
Shaw Wood Way DN2: Don 9G **44**
Shay, The DN4: Bess 8H **65**
SHAY HOUSE 5E **72**
Shay Ho. La. S36: Stoc 6D **72**
Shay Rd. S36: Stoc 5D **72**
Sheaf Av. S7: Shef 5F **122**
Sheaf Bank S2: Shef 4H **123**
Sheaf Cl. DN12: Con 5B **80**
Sheaf Ct. S70: Barn 9L **37**

Sheaf Cres.—Sledmere Rd.

Sheaf Cres. S63: Bolt D 6C 60
Sheaf Gdns. S2: Shef 7G 5 (2J 123)
Sheaf Gdns. Ter.
S2: Shef 7G 5 (2J 123)
Sheaf Pl. S81: Work 3B 142
Sheaf Sq. S1: Shef 5H 5 (1J 123)
Sheaf St. S1: Shef 5G 5 (1J 123)
Sheardown St. DN4: Hex 5M 63
Sheards Cl. S18: Dron W 8G 134
Sheards Dr. S18: Dron W 9F 134
Sheards Way S18: Dron W 9G 134
Shearman Av. S61: Kimb P 3D 94
Shearwood Rd. S10: Shef 4A 4 (9E 108)
Shed La. S75: Stainb 4A 56
Sheep Bri. La. DN11: Ross 5K 83
Sheepcote Hill S21: Killa 4C 138
Sheep Cote La. DN7: Hat 4E 46
Sheep Cote Rd. S60: Roth 1C 112
Sheepcote Rd. S21: Killa 4B 138
Sheepcote Wlk. S70: Stair 8L 37
Sheep Dike La. S66: Mort 4H 113
Sheep Dip La. DN7: Dunsc 1C 46
Sheephill Rd. S11: Shef 7J 121
Sheep La. DN5: High M 6A 62
Sheep Wlk. La. DN5: Scaws 9F 42
Sheepwalk La. WF9: Upton 1K 21
Sheepwash La. DN11: Tick 4F 100
Sheerien Cl. S71: Ath 9F 16
SHEFFIELD 9J 109
Sheffield Airport Bus. Pk.
S9: Shef 5D 110
(Europa Link)
S9: Shef 6F 110
(Europa Vw.)
S9: Tins 4D 110
Sheffield Botanical Gdns. 2D 122
Sheffield College Stop, The
(ST) 7H 5 (2J 123)
Sheffield Hallam University
City Campus 4G 5 (9J 109)
Collegiate Crescent Campus
7A 4 (2E 122)
Sheffield Hallam University Stop
(ST) 5H 5 (9J 109)
Sheffield Interchange 4G 5 (9J 109)
Sheffield La. S60: Cat 7J 111
SHEFFIELD LANE TOP 9K 93
Sheffield Manor Lodge 1N 123
Sheffield Outer Ring Rd. S8: Shef 2J 135
SHEFFIELD PARK 2M 123
Sheffield Pk. Academy Leisure Cen.
1B 124
(off Beaumont Rd. Nth.)
Sheffield Parkway S2: Shef 2J 5 (8K 109)
S9: Shef 8K 109
Sheffield Rd. DN4: Warm 2F 80
DN12: Con 6L 79
HD9: Hep, Jack B, New M 2J 31
S9: Tins 3C 110
(not continuous)
S12: Shef 9F 124
S13: Shef 3L 125
(Furnace La.)
S13: Shef 5G 124
(Wolverley Rd.)
S18: Dron 7G 135
(Bowshaw)
S18: Dron 5H 135
(Jordanthorpe Parkway)
S21: Ecki 5L 137
S21: Killa 3A 138
S25: Sth A 6A 128
S26: Sth A, Tod 4J 127
S26: Swal 3N 125
S35: Wort 6B 74
S36: Oxs, Pen 4A 54
S60: Roth 9H 95
S70: Barn 8G 37
S70: Birdw, Wors 6F 56
S74: Hoyl 7F 56
S81: Bly 9K 117
Sheffield Station (Rail) 5H 5 (1J 123)
Sheffield Station Stop (ST) 5H 5 (9J 109)
Sheffield Technology Pk. S9: Shef 6A 110
Sheffield Transport Sports Club 3G 135
Sheffield United FC 2H 123
Sheffield United FC Academy 4J 109
Sheffield Wednesday FC 2D 108
Sheldon Av. DN12: Con 5B 80
Sheldon La. S6: Stan 6L 107
Sheldon Rd. S7: Shef 5F 122
S36: Stoc 5E 72
Sheldon Row S3: Shef 1H 5 (8J 109)
Sheldon St. S2: Shef 7E 4 (2H 123)
Sheldrake Cl. S61: Thorpe H 8N 75
Shelley Av. DN4: Balb 9M 63
Shelley Cl. S36: Pen 3N 53
Shelley Dr. DN3: Arm 1M 65
S25: Din 3F 128
S65: Roth 8A 96
S71: Monk B 5H 37
Shelley Gro. DN5: Don 4K 63
Shelley Ri. DN6: Adw S 3E 42
Shelley Rd. S65: Roth 7A 96
Shelley St. S80: Work 7D 142
Shelley Way S63: Wath D 8J 59
Shelley Woodhouse La.
HD8: Lwr C, Shel 1H 33
Shenley Cl. DN7: Dunsc 2C 46
Shenstone Dr. S65: Roth 9A 96
Shenstone Rd. S6: Shef 2D 108
S65: Roth 9A 96
Shepcote Bus. Village S9: Shef 5C 110
Shepcote Ent. Pk. 1 S9: Shef 5D 110
Shepcote Ent. Pk. 2 S9: Tins 4D 110
Shepcote La. S9: Shef, Tins 5C 110
Shepcote Way S9: Shef 5C 110
Shephard's Cl. DN12: Den M 3L 79
Shepherd Dr. S35: Chap 8F 74
Shepherd La. S63: Thurn 9C 40
Shepherd's Av. S81: Work 5C 142
Shepherds Cft. DN9: Blax 9H 67
Shepherd St. S3: Shef 1D 4 (8G 109)
Shepherd Way S71: R'ton 5K 17
Shepherd Wheel (Water Wheel) 4A 122
Shepley Cft. S35: High G 8F 74
Sheppard Rd. DN4: Balb 8L 63
Shepperson Rd. S6: Shef 3C 108
Sherbourne Av. S66: Bram 1K 113
Sherburn Cl. DN6: Skell 7C 22
Sherburn Ga. S35: Chap 8G 75
Sherburn Rd. S71: Smi 1F 36
Sherde Rd. S6: Shef 7F 108
Sheridan Av. DN4: Balb 9N 63
Sheridan Ct. S71: Monk B 5J 37
Sheridan Dr. S65: Roth 7B 96
Sheridan Rd. DN3: Barn D 9J 25
Sheringham Cl. S35: High G 7E 74
Sheringham Gdns. *S35: High G 7E 74*
(off Sheringham Cl.)
Sherwood Av. DN3: Eden 6J 45
DN5: Scaws 1H 63
DN6: Ask 2J 23
DN12: Con 5M 79
Sherwood Chase S17: Dore 5N 133
Sherwood Cl. DN6: Camp 9G 6
Sherwood Cres. S60: Roth 7L 95
S81: Bly 1K 131
Sherwood Dr. DN4: Balb 1J 81
DN6: Skell 7C 22
Sherwood Glen S7: Shef 1C 134
Sherwood Pl. S18: Dron W 9E 134
Sherwood Rd. DN11: H'worth 8J 101
DN11: New R 6K 83
S18: Dron W 9E 134
S21: Killa 3D 138
S80: Work 6C 142
Sherwood St. S71: Barn 7G 37
Sherwood Way S72: Cud 8A 18
Shetland Gdns. DN2: Don 2E 64
Shield Av. S70: Wors 2H 57
Shildon Gro. DN8: Moore 7N 11
Shining Bank S13: Shef 1F 124
Shining Cliff Ct. DN10: Baw 5B 102
Shinwell Dr. WF9: Upton 1J 21
Shipcroft Cl. S73: Womb 5E 58
Ship Hill S60: Roth 7K 95
Shipman Balk S66: Clftn 9C 80
Shipman Ct. S20: Mosb 3K 137
Shipton St. S6: Shef 7F 108
Shirburn Gdns. DN4: Can 6J 65
Shirebrook Rd. S8: Shef 5H 123
Shire Brook Valley Nature Reserve
6G 125
Shire Brook Vis. Cen. 6G 125
SHIRECLIFFE 2H 109
Shirecliffe Cl. S3: Shef 4J 109
Shirecliffe La. S3: Shef 5H 109
Shirecliffe Rd. S5: Shef 2H 109
Shire Cl. S81: Carl L 4D 130
SHIREGREEN 7L 93
Shiregreen La. S5: Shef 9M 93
Shiregreen Ter. S5: Shef 8L 93
Shirehall Cres. S5: Shef 6L 93
Shirehall Rd. S5: Shef 7L 93
Shire Oak Dr. S74: Els 1B 76
SHIREOAKS 3K 141
Shireoaks Bus. Cen. S81: Shire 4L 141
Shireoaks Comn. S81: Shire 4J 141
Shireoaks Marina S81: Shire 4K 141
Shireoaks Rd. S18: Dron 8K 135
S80: Rhod, Work 5M 141
S81: Shire 4J 141
Shireoaks Row S81: Shire 4J 141
Shireoaks Station (Rail) 3J 141
Shireoaks Triangle S81: Shire 3L 141
Shireoaks Way S72: Grim 1F 38
Shires Cl. DN5: Sprot 6F 62
Shirewood Cl. S63: Bramp B 9G 58
Shirland Av. S71: Ath 2H 37
Shirland Cl. S9: Shef 6N 109
Shirland Ct. S9: Shef 7B 110
Shirland La. S9: Shef 6N 109
Shirland M. S9: Shef 7A 110
Shirland Pl. S9: Shef 7B 110
Shirle Hill S11: Shef 4E 122
Shirley La. DN5: Hayw 4N 23
Shirley Rd. DN4: Hex 6L 63
S3: Shef 5J 109
Shooters Hill Dr. DN11: Ross 6L 83
Shop. Mall, The S36: Stoc 5E 72
Shore Ct. S10: Shef 1B 122
Shore Hall La. S36: Thurl 5H 53
Shoreham Av. S60: Roth 3N 111
Shoreham Dr. S60: Roth 3M 111
Shoreham Rd. S60: Roth 3M 111
Shoreham St. S1: Shef 6G 5 (1J 123)
S2: Shef 7F 5 (3H 123)
(not continuous)
Shore La. S10: Shef 1B 122
Shorelark Way S81: Gate 3N 141
Shorland Dr. S60: Tree 8M 111
Shortbrook Bank S20: W'fld 2L 137
Shortbrook Cl. S20: W'fld 2L 137
Shortbrook Ct. S20: W'fld 2L 137
Shortbrook Dr. S20: W'fld 2L 137
Shortbrook Rd. S20: W'fld 2L 137
Shortbrook Wlk. *S20: W'fld 2M 137*
(off Eastcroft Way)
Shortbrook Way S20: W'fld 2L 137
Shortfield Ct. S71: Ath 9F 16
Short Ga. DN11: Wils 8K 81
Short La. DN4: Don 8E 64
S6: Stan 7G 106
Shortridge St. S9: Shef 6N 109
Short Rd. DN2: Don 3F 64
Short Row S71: Smi 3G 37
Shorts La. S17: Dore 4K 133
Short St. S74: Hoyl 1J 75
Shortwood Bus. Pk. S74: Hoyl 8H 57
Short Wood Cl. S70: Birdw 6G 57
Shortwood Ct. S74: Hoyl 8J 57
Shortwood La. DN5: Clay 4N 39
Shortwood Vs. S74: Hoyl 8H 57
Shortwood Way S74: Hoyl 7J 57
Shotton Wlk. DN1: Don 5N 63
Showroom Cinema, The 5G 5 (1J 123)
Shrewsbury Almshouses
S2: Shef 5K 5 (1K 123)
Shrewsbury Cl. S36: Pen 4N 53
S64: Mexb 1E 78
Shrewsbury Rd. DN11: Birc 9L 101
S2: Shef 6H 5 (1J 123)
S36: Pen 4N 53
S80: Work 8E 142
Shrewsbury Ter. S17: Tot 6M 133
S61: Kimb 8F 94
Shroggs Head Cl. S73: D'fld 1H 59
Shrogswood Rd. S60: Roth 1C 112
Shubert Cl. S13: Shef 3H 125
Shude Hill S1: Shef 2H 5 (8J 109)
Shuttle Cl. DN11: Ross 6L 83
Shuttleworth Cl. DN11: Ross 6K 83
Sibbering Row S36: Spink 6H 73
Sicey Av. S5: Shef 5L 93
Sicey La. S5: Shef 7L 93
Sicklebrook La. S18: Coal A 6M 135
Sickleholme S33: Bamf 9E 118
Sickleholme Golf Course 9E 118
Sickleworks Cl. DN12: Con 5N 79
Sidcop Rd. S72: Cud 8A 18
Siddall St. S1: Shef 3C 4 (9G 108)
Sidings, The S73: Womb 5H 59
Sidings Ct. DN4: Don 7B 64
Sidling Hollow S6: Dung 4E 106
Sidney Rd. DN2: Don 3E 64
Sidney St. S1: Shef 6F 5 (1H 123)
S64: Swin 3C 78
Sidons Cl. S61: Kimb P 3E 94
Sid's Café 3E 30
Siemens Cl. S9: Tins 2E 110
Siena Cl. S73: D'fld 1E 58
Sike Cl. HD9: Holm 3H 31
S75: Kexb 8L 15
Sike La. HD9: Holm 4G 31
S36: Cub 6K 53
Sikes Rd. S25: Nth A 6B 128
Silk Rd. DN2: Don 1B 64
SILKSTONE 8H 35
Silkstone Cl. S12: Shef 7E 124
S75: Pil 1E 74
SILKSTONE COMMON 2J 55
Silkstone Common Station (Rail) 2H 55
Silkstone Cres. S12: Shef 7E 124
SILKSTONE CROSS 9H 35
Silkstone Dr. S12: Shef 7D 124
Silkstone Golf Course 8L 35
Silkstone La. S75: Cawt, Silk 4H 35
Silkstone Oval DN8: Moore 7M 11
Silkstone Pl. S12: Shef 7E 124
Silkstone Rd. S12: Shef 7D 124
Silkstone Vw. S74: Hoyl 7M 57
Silver Birch Av. S10: Shef 4L 121
Silver Birch Gro. DN9: Finn 3H 85
Silverdale Cl. DN3: Brant 7A 66
S11: Shef 7B 122
Silverdale Ct. *S11: Shef 6C 122*
(off Silverdale Rd.)
Silverdale Cres. S11: Shef 6B 122
Silverdale Cft. S11: Shef 7B 122
Silverdale Dr. S71: Monk B 3L 37
Silverdale Gdns. S11: Shef 7C 122
Silverdale Glade S11: Shef 7C 122
Silverdale Rd. S11: Shef 7B 122
Silverdales S25: Din 2E 128
Silver Hill Rd. S11: Shef 6C 122
Silver Jubilee Cl. DN2: Don 1F 64
Silver Mill Rd. S2: Shef 3H 123
Silvermoor Dr. S65: Rav 5J 97
Silverstone Av. S72: Cud 1C 38
Silver St. DN1: Don 4A 64
DN7: Stainf 5A 26
DN8: Thorne 2K 27
S1: Shef 2F 5 (8H 109)
S65: Thry 3D 96
S70: Barn 8F 36
S75: Dod 1A 56
Silver St. Head S1: Shef 2E 4 (8H 109)
Silverwood Cl. S66: Sunn 6G 97
Silverwood Ct. S63: Wath D 9A 60
Silverwood Ho. *DN1: Don 6N 63*
(off St James St.)
Silverwood Rd. S75: Wool G 6M 15
Silverwood Vw. DN12: Con 4N 79
Silverwood Wlk. S66: Flan 7G 97
Simcrest Av. S21: Killa 5C 138
Sime St. S80: Work 6B 142
SIM HILL 7K 55
Simmonite Rd. S61: Kimb P 3E 94
Simon Ct. S10: Shef 3A 122
Simons Ct. S73: Womb 2B 58
Simons Way S73: Womb 2B 58
Simpson Pl. S64: Mexb 1E 78
Simpson Rd. WF9: Sth E 5G 20
Sim Royd La. HD8: Den D, Pen 5N 33
Sims St. S1: Shef 2E 4 (8H 109)
Sincil Way DN4: Can 8H 65
Singleton Cres. S6: Shef 5D 108
Singleton Gro. S6: Shef 5D 108
Singleton Rd. S6: Shef 5D 108
Siskin Ct. S81: Gate 3N 141
Site Gallery 5G 5 (1J 123)
Sitka Cl. S71: R'ton 7J 17
Sitwell *S20: W'fld 2L 137*
(off Shortbrook Way)
Sitwell Av. S36: Stoc 5C 72
Sitwell Cl. S81: Work 6E 142
Sitwell Dr. S60: Roth 1N 111
Sitwell Gro. S60: Roth 2N 111
S64: Swin 4C 78
Sitwell La. S66: Wick 1G 113
Sitwell Mus. 8M 137
Sitwell Pk. Golf Course 1D 112
Sitwell Pk. Rd. S60: Roth 1C 112
Sitwell Pl. S7: Shef 3G 123
Sitwell Rd. S7: Shef 3G 123
(not continuous)
S81: Work 6E 142
Sitwell St. S21: Ecki 8H 137
Sitwell Ter. S66: Wick 1G 113
Sitwell Va. S60: Roth 1M 111
Sitwell Vw. S60: Whis 3C 112
Sivilla Rd. S64: Kiln 6C 78
Sixrood La. DN6: Burgh 3D 22
Sixth Av. DN9: Finn 3D 84
Skate Central 7H 5 (2J 123)
SKELBROOKE 5N 21
SKELLOW 8E 22
Skellow Hall Gdns. DN6: Skell 8D 22
Skellow Rd. DN6: Carc, Skell 8D 22
Skelton Av. S75: Mapp 8C 16
Skelton Cl. S13: Shef 6H 125
Skelton Dr. S13: Shef 5H 125
Skelton Gro. S13: Shef 5H 125
Skelton La. S13: Shef 5H 125
S20: Beig 8M 125
Skelton Ri. S35: Ough 7M 91
Skelton Rd. S8: Shef 6H 123
Skelton Wlk. S13: Shef 5J 125
Skelton Way S13: Shef 5H 125
Skelwith Cl. S4: Shef 3N 109
Skelwith Dr. S4: Shef 2N 109
Skelwith Rd. S4: Shef 3N 109
Skew Hill S35: Gren 6D 92
Skew Hill La. S35: Gren 5C 92
Skiers Vw. Rd. S74: Hoyl 1K 75
Skiers Way S74: Hoyl 1K 75
Skinnerthorpe Rd. S4: Shef 3L 109
Skinpit La. S36: H'swne 1C 54
(not continuous)
Skipton Cl. DN12: Den M 3K 79
Skipton Rd. S4: Shef 4K 109
S26: Swal 4B 126
Skipwith Cl. DN11: Lov 4N 81
Skipwith Gdns. DN11: New R 6H 83
Sky Bus. Pk. DN9: Finn 2D 84
Skye Cft. S71: R'ton 4K 17
Skye Edge Av. S2: Shef 1L 123
Skye Edge Rd. S2: Shef 1L 123
Skylark Vw. S63: Wath D 8K 59
Slack, The DN17: Crow 7M 29
Slackfields La. S35: Wharn S 4K 91
Slack La. HD9: Holm 3F 30
S33: Thorn 7B 118
S72: Sth H 4B 18
Slacks La. S66: Bram 1K 113
Slack Ter. HD8: Cumb 6M 31
Slack Top La. HD8: Cumb 7N 31
Slack Wlk. S80: Work 9B 142
SLADE HOTON 5C 114
Slade Rd. S64: Swin 4B 78
Slade Vw. S25: Slade H 5C 114
Slaidburn Av. S35: Chap 8G 75
Slant Ga. S36: Mill G 3G 53
Slate St. S2: Shef 4J 123
Slayleigh Av. S10: Shef 3L 121
Slayleigh Delph S10: Shef 3M 121
Slayleigh Dr. S10: Shef 3M 121
Slayleigh La. S10: Shef 3L 121
Slaynes La. DN10: Miss, N'tn 5H 103
Slay Pit Cl. DN7: Hat 1G 47
Slay Pit La. DN7: Hat 2G 47
Slaypit La. S80: Thorpe S 4B 140
SLAY PITS 1G 47
Sleaford St. S9: Shef 6N 109
Sledbrook Cres.
S36: Crow E 1N 51
Sledgate Dr. S66: Wick 1E 112
Sledgate La. S66: Wick 1E 112
Sledmere Rd. DN5: Scaws 1J 63

Sleep Hill La.—Springbank

Sleep Hill La. DN6: Skelb .3M 21
WF9: Upton .2K 21
Slinn St. S10: Shef .8D 108
Slippery Gap La. DN6: Trum .5E 24
Slitting Mill La. S9: Shef .6N 109
Sloade La. S12: Ridg .3D 136
SLOADLANE .3D 136
Smallage La. S13: Shef .2M 125
SMALL BRIDGE .6F 64
Smallbridge Cl. S71: Monk B .2N 37
Smalldale Rd. S12: Shef .7D 124
Smallfield La. S6: Brad .5A 90
Small Gro. DN7: Stainf .5A 26
Smallhedge La. DN7: Fost .7M 9
DN14: Syke .6M 9
(not continuous)
Smallhedge Rd. DN7: Fost .8N 9
Small La. S75: Cawt .8D 34
Smawell La. WF4: Nott .2H 17
Smeatley's La. WF8: Lit S .3C 6
Smeaton Cl. S65: Rav .5J 97
Smeaton Rd. WF9: Upton .1J 21
Smeaton St. S7: Shef .3G 122
SMEE Model Railway .2B 134
Smelter Wood Av. S13: Shef .4E 124
Smelter Wood Cl. S13: Shef .4E 124
Smelter Wood Ct. *S13: Shef .4E 124*
(off Smelter Wood Way)
Smelter Wood Cres. S13: Shef .4F 124
Smelter Wood Dr. S13: Shef .4E 124
Smelter Wood La. S13: Shef .4E 124
Smelter Wood Pl. S13: Shef .4F 124
Smelter Wood Ri. S13: Shef .4F 124
Smelter Wood Rd. S13: Shef .4E 124
Smelter Wood Way S13: Shef .4E 124
Smillie Rd. DN11: New R .6K 83
Smithey Cl. S35: High G .8E 74
Smithfield S3: Shef .1E 4 (8H 109)
Smithfield Apartments S1: Shef .4D 4
Smithfield Rd. S12: Shef .9A 124
SMITHIES .3H 37
Smithies La. S71: Barn, Smi .4F 36
S75: Barn .4F 36
Smithies Rd. S64: Swin .2C 78
Smithies St. S71: Barn .4F 36
SMITHLEY .4N 57
Smithley La. S73: Womb .4N 57
Smith Rd. S36: Stoc .5D 72
Smith Sq. DN4: Balb .8K 63
DN11: H'worth .8J 101
Smith St. DN4: Balb .8K 63
S35: Chap .9H 75
S73: Womb .4E 58
Smith Wlk. WF9: Sth E .5F 20
Smithy Bri. La. S63: Bramp B .8E 58
S73: Hem .8D 58
(not continuous)
Smithy Bri. Rd. S6: Low B .9C 90
Smithy Brook Rd. S21: Reni .9B 138
Smithy Carr Av. S35: Chap .9G 74
Smithy Carr Cl. S35: Chap .9G 74
Smithy Cl. S35: Wort .3M 73
S61: Kimb P .4F 94
Smithy Cft. S18: Dron W .8D 134
S63: Bolt D .5C 60
Smithy Fold HD8: Clay W .7B 14
Smithy Fold La. S35: Wort .7N 73
SMITHY GREEN .3G 36
Smithy Grn. Rd. S71: Smi .3G 36
Smithy Hill HD8: Up D .5J 33
S35: Thurg .8J 55
Smithy La. HD9: H'bri .6A 30
SMITHY MOOR .4B 72
Smithy Moor Av. S36: Stoc .3A 72
Smithy Moor La. S36: Stoc .4A 72
Smithy Wood Bus. Pk. S35: Eccl .2K 93
Smithy Wood Cres. S8: Shef .7F 122
(not continuous)
Smithy Wood Dr. S35: Eccl .2K 93
Smithy Wood La. S75: Dod .1A 56
Smithy Wood Rd. S8: Shef .7F 122
S61: Thorpe H .1L 93
Snail Hill S60: Roth .7K 95
Snailsden Way S75: Stain .9E 16
Snaithing La. S10: Shef .2N 121
Snaithing Pk. Cl. S10: Shef .2N 121
Snaithing Pk. Rd. S10: Shef .2N 121
Snake La. DN8: Thorne .3J 27
DN12: Con .5B 80
Snake Rd. S33: Bamf .2A 118
SNAPE HILL
S18 .8H 135
S73 .2F 58
Snape Hill S18: Dron .8H 135
Snape Hill Cl. S18: Dron .7H 135
Snape Hill Cres. S18: Dron .7H 135
Snape Hill Dr. S18: Dron .7H 135
Snape Hill Gdns. S18: Dron .7J 135
Snape Hill La. S18: Dron .8H 135
Snape Hill Rd. S73: D'fld .2F 58
Snape La. DN11: H'worth .2J 117
Snatchells La. DN7: Fost .6A 10
Snelsholme La. DN7: Fost .8E 10
Snelston Cl. S18: Dron W .9D 134
Snetterton Cl. S72: Cud .1C 38
Snig Hill S3: Shef .2G 5 (8J 109)
Snipe Pk. Rd. DN11: Birc .9L 101
Snittle Rd. HD9: Hade E .9F 30
Snowberry Cl. S64: Swin .6B 78
SNOWDEN HILL .9B 54
Snowden Ter. S73: Womb .4D 58
Snowdon La. S18: Coal A .6N 135
S21: Mar L, Trow .6N 135
Snowdon Way S60: Brins .5K 111
SNOWGATE HEAD .2M 31
Snow Hill S75: Dod .1A 56
Snow La. S3: Shef .1E 4 (8H 109)
Snow Rd. S36: Hazl .1J 69
Snuff Mill La. S11: Shef .3E 122
Snug La. HD9: Hep .7L 31
Snydale Rd. S72: Cud .1B 38
Soaper La. S18: Dron .8H 135
Soap Ho. La. S13: Shef .4L 125
(not continuous)
Society St. DN1: Don .4A 64
Sokell Av. S73: Womb .5C 58
Solario Way DN11: New R .7H 83
Solly St. S1: Shef .3C 4 (9G 108)
Solway Ri. S18: Dron W .8E 134
Somercotes Rd. S12: Shef .6D 124
Somersby Av. DN5: Don .3K 63
Somerset Ct. S72: Cud .2B 38
Somerset Rd. DN1: Don .5A 64
S3: Shef .6J 109
Somerset St. S3: Shef .6J 109
S66: Malt .9F 98
S70: Barn .6E 36
S72: Cud .2B 38
Somerton Dr. DN4: Bess .8H 65
DN7: Hatf W .2H 47
Somerton Rd. S81: Gate .2N 141
Somerville Ter. S6: Shef .6E 108
Somin Ct. DN4: Balb .1N 81
Songthrush Way S63: Wath D .8K 59
Sopewell Rd. S61: Kimb .7D 94
Sorby Hall S10: Shef .2C 122
Sorby Rd. S26: Swal .4A 126
Sorby St. S4: Shef .7K 109
Sorby Way S66: Wick .1F 112
Sorrell La. DN7: Fost .8C 10
Sorrel Rd. S66: Sunn .7H 97
Sorrelsykes Cl. S60: Whis .4A 112
Sorrento Way S73: D'fld .9F 38
SOTHALL .9N 125
Sothall Cl. S20: Beig .8M 125
Sothall Ct. S20: Beig .8M 125
Sothall Grn. S20: Beig .8M 125
Sothall M. S20: Beig .8M 125
Sough Hall Av. S61: Thorpe H .9N 75
Sough Hall Cl. S61: Thorpe H .9N 75
Sough Hall Cres. S61: Thorpe H .9N 75
Sough Hall Rd. S61: Thorpe H .1N 93
Soughley La. S10: Shef .3E 120
S35: Wort .4J 73
S36: Hazl .5A 52
Soundwave Art of Life Cen., The .7C 142
Sour La. DN7: Fish .2D 26
DN8: Thorne .2D 26
Sousa St. S66: Malt .9G 98
Southall St. S8: Shef .5H 123
SOUTH ANSTON .7B 128
Southard's La. S80: Thorpe S .6C 140
South Av. DN10: Baw .5C 102
S64: Swin .4A 78
S80: Work .9E 142
WF9: Sth E .7E 20
South Bank *DN7: Stainf .4A 26*
(off Water La.)
Southbourne Ct. S17: Dore .4M 133
Southbourne Hall S10: Shef .1E 122
Southbourne M. S10: Shef .2D 122
Southbourne Rd. S10: Shef .1D 122
SOUTH BRAMWITH .6K 25
Southbreck Ri. S80: Work .9E 142
SOUTH CARLTON .7C 130
South Cl. S71: R'ton .7K 17
Southcote Dr. S18: Dron W .9E 134
South Ct. S17: Dore .3N 133
South Cres. S21: Killa .3D 138
S65: Roth .6A 96
S75: Dod .9A 36
WF9: Sth E .5G 21
South Cft. HD8: Up D .5J 33
S72: Shaft .6C 18
Southcroft Gdns. S7: Shef .5G 122
Southcroft Wlk. *S7: Shef .5G 122*
(off Southcroft Gdns.)
Southdene S81: Work .4D 142
South Dr. S63: Bolt D .6A 60
S71: R'ton .7K 17
South Dr. Vw. S63: Bolt D .6A 60
SOUTH ELMSALL .6F 20
South Elmsall Station (Rail) .6F 20
SOUTH END .2B 8
South End DN7: Dunsc .8B 26
DN8: Thorne .3K 27
South End La. DN14: Balne .3A 8
Southend Pl. S2: Shef .1M 123
Southend Rd. S2: Shef .1M 123
Southey Av. S5: Shef .1H 109
Southey Cl. S5: Shef .1G 109
(not continuous)
Southey Cres. S5: Shef .1G 109
S66: Malt .8E 98
Southey Dr. S5: Shef .1H 109
SOUTHEY GREEN .9F 92
Southey Grn. Cl. S5: Shef .1G 108
Southey Grn. Rd. S5: Shef .9E 92
Southey Hall Dr. S5: Shef .1H 109
Southey Hall Rd. S5: Shef .1G 109
Southey Hill S5: Shef .9F 92
Southey Pl. S5: Shef .1G 109
Southey Ri. S5: Shef .1G 109
Southey Rd. S66: Malt .8E 98
Southey Wlk. S5: Shef .1G 109
Sth. Farm Av. S26: Hart .4K 139
Sth. Farm Dr. DN6: Skell .8E 22
Southfield Cl. DN8: Thorne .4L 27
Southfield Cotts. S71: Car .8K 17
Southfield Cres.
S63: Thurn .9A 40
Southfield La. S63: Thurn .1A 60
(not continuous)
Southfield Rd. DN3: Arm .1K 65
DN6: Nort .7E 6
DN8: Thorne .2L 27
DN17: Crow .8M 29
S72: Cud .4C 38
Southgate S21: Ecki .7L 137
S36: Pen .5A 54
S72: Shaft .7D 18
S72: Sth H .3E 18
S74: Hoyl .9M 57
S75: Barn .5D 36
Southgate Ct. S21: Ecki .7L 137
South Gro. S60: Roth .8K 95
South Gro. Dr. S74: Hoyl .1L 75
Southgrove Rd. S10: Shef .2E 122
SOUTH HIENDLEY .3E 18
Sth. Ings La. DN14: Syke .2B 10
SOUTH KIRKBY .7A 20
Sth. Kirkby Bus. Pk. WF9: Hems .4A 20
Sth. Kirkby Ind. Est. WF9: Sth K .5N 19
Southlands Way S26: Aston .4D 126
South La. HD9: Holm .3E 30
S1: Shef .7D 4 (2G 123)
S36: Cawt .8C 34
S75: Cawt .8C 34
Southlea Av. S74: Hoyl .1N 75
Southlea Cl. S74: Hoyl .1N 75
Southlea Dr. S74: Hoyl .1M 75
Southlea Rd. S74: Hoyl .1N 75
South Mall DN1: Don .4N 63
Southmoor Av. DN3: Arm .1K 65
Southmoor La. DN3: Arm .2K 65
Southmoor Rd. DN17: Crow .1M 29
S72: Brier .7K 19
S80: Work .9E 142
WF9: Hems .4K 19
SOUTH MOOR RDBT. .4K 19
South Pde. DN1: Don .4A 64
DN8: Thorne .3K 27
(not continuous)
DN10: Baw .7C 102
S3: Shef .1E 4 (7H 109)
S81: Work .6C 142
South Pl. S73: Womb .4B 58
S75: Barn .6C 36
Sth. Quay Dr. S2: Shef .1K 5 (8K 109)
South Rd. DN3: Barn D .1F 44
DN8: Moore .7M 11
S6: Shef .6D 108
S35: High G .7E 74
S61: Kimb .6E 94
S75: Dod .9A 36
Southsea Rd. S13: Shef .5G 124
South St. DN4: Don .6A 64
DN6: Highf .6F 42
HD9: Holm .2G 31
S2: Shef .3J 5 (9K 109)
S20: Mosb .4K 137
S25: Din .2D 128
S61: Grea .2J 95
S61: Kimb .8E 94
S62: Rawm .8N 77
S66: Thurc .5L 113
S70: Barn .7E 36
S73: D'fld .2G 59
S75: Dod .1A 56
WF4: Hav .1D 18
WF9: Hems .3L 19
South Ter. S26: Wales B .8E 126
S60: Roth .7K 95
(off Moorgate St.)
South Va. Dr. S65: Thry .3E 96
South Vw. DN10: Aust .4E 102
DN12: New E .5E 80
HD8: Clay W .7A 14
(off Chapel Hill)
HD9: Jack B .5K 31
S20: Holb .3N 137
S26: Kiv P .9J 127
S33: Bamf .7E 118
S35: Cran M .8L 55
S72: Grim .2F 38
S73: D'fld .2G 58
S81: Oldc .6C 116
S81: Work .5C 142
South Vw. Cl. S6: Lox .3N 107
South Vw. Cres. S7: Shef .4G 122
South Vw. Fold S36: Ingb .8H 33
South Vw. Ri. S6: Lox .3N 107
South Vw. Rd. S7: Shef .3G 122
S74: Hoyl .1L 75
South Vw. Ter. S60: Cat .7J 111
Southwell Cl. S80: Work .8D 142
Southwell Gdns.
S26: Swal .4N 125
(not continuous)
Southwell Ri. S64: Mexb .9G 61
Southwell Rd. DN2: Don .1C 64
S4: Shef .3N 109
S62: Rawm .8A 78
Southwell St. S75: Barn .6E 36
Southwood S6: Shef .1B 108
Southwood Dr. DN8: Thorne .4K 27
Southwood Gro. S6: Shef .1B 108
Southworth Pl. S9: Shef .6B 110
Sth. Yorkshire Bldgs. S75: Silk C .2J 55
Sth. Yorkshire Fresh Produce & Flower Cen.
S9: Shef .8B 110
Sth. Yorkshire (Redbrook) Ind. Est.
S75: Barn .3B 36
South Yorkshire Transport Mus. .3N 95
Sovereign Ct. DN5: Don .4K 63
Sovereign Ind. Est. HD8: Shep .2C 32
Spa Brook Cl. S12: Shef .7F 124
Spa Brook Dr. S12: Shef .6F 124
(not continuous)
SPA HOUSES .7M 111
Spa La. S13: Shef .6J 125
Spa La. Cft. S13: Shef .5J 125
Spalton Rd. S62: P'gte .1M 95
Spansyke St. DN4: Hex .5M 63
Spa Pool Rd. DN6: Ask .1L 23
Sparken Cl. S80: Work .9B 142
Sparken Dale S80: Work .9B 142
Sparken Hill S80: Work .9C 142
Sparkfields S75: Mapp .9C 16
Spark La. S75: Mapp .1B 36
Sparrowhawk Way S63: Wath D .8L 59
Spartan Vw. S66: Malt .6B 98
Spa Ter. DN6: Ask .1L 23
Spa Vw. Av. S12: Shef .8F 124
Spa Vw. Dr. S12: Shef .8F 124
Spa Vw. Pl. S12: Shef .8F 124
Spa Vw. Rd. S12: Shef .8F 124
Spa Vw. Ter. S12: Shef .8F 124
Spa Vw. Way S12: Shef .8F 124
Spa Well Cres. S60: Tree .7L 111
Spa Well Gro. S72: Brier .6G 18
Spa Well Ter. S71: Barn .6G 37
Speedwell Pl. S80: Work .6B 142
Speeton Rd. S6: Shef .5D 108
Spencer Av. DN1: Don .3B 64
Spencer Ct. S60: Whis .3C 112
Spencer Cft. S75: Cawt .3H 35
Spencer Dr. S65: Rav .5J 97
Spencer Grn. S60: Whis .3C 112
Spencer La. DN7: Sth B .7J 25
Spencer Pk. S60: Roth .5J 95
Spencer Rd. S2: Shef .4H 123
Spencer St. S64: Mexb .2D 78
S70: Barn .8F 36
Spennithorne Rd. DN6: Skell .7D 22
Spenser Rd. S65: Roth .8A 96
Spey Cl. S75: Mapp .1D 36
Spey Dr. DN9: Auck .8C 66
Spicer Ho. La. S36: Ingb, Mill G .8D 32
Spilsby Cl. DN4: Can .9K 65
SPINK HALL .6D 72
Spink Hall Cl. S36: Stoc .6E 72
Spink Hall La. S36: Stoc .6D 72
SPINKHILL .8C 138
Spinkhill Av. S13: Shef .3C 124
Spinkhill Dr. S13: Shef .3D 124
Spinkhill La. S21: Reni, Spink .9N 137
Spinkhill Rd. S13: Shef .4C 124
S21: Killa .7C 138
Spinkhill Vw. S21: Reni .9A 138
Spinners Rd. DN2: Don .1B 64
Spinners Wlk. *S60: Roth .8L 95*
(off Warwick St.)
Spinney, The DN3: Barn D .2K 45
DN4: Balb .1K 81
S17: Dore .3L 133
Spinney Cl. DN5: Bntly .5N 43
S60: Roth .1N 111
Spinneyfield S60: Roth .2N 111
Spinney Hill DN5: Sprot .7F 62
Spinney Wlk. DN8: Thorne .2M 27
Spitalfields S3: Shef .7J 109
S81: Bly .1L 131
Spital Gro. DN11: New R .7K 83
Spital Hill S4: Shef .7K 109
Spital La. S3: Shef .7K 109
Spital Rd. S81: Bly .1L 131
Spital St. S3: Shef .7J 109
S4: Shef .7K 109
Spitfire Way DN9: Auck .2D 84
Spittlerush La. DN6: Nort .6E 6
Spofforth Rd. S9: Shef .7A 110
Spooner Dr. S21: Killa .4B 138
Spooner Rd. S10: Shef .1D 122
Spoon Glade S6: Stan .6L 107
Spoonhill Rd. S6: Shef .6A 108
Spoon La. S6: Stan .6J 107
Spoon M. S6: Stan .6L 107
Spoon Oak Lea S6: Stan .6L 107
Spoon Way S6: Stan .6L 107
Spotswood Cl. S14: Shef .7M 123
Spotswood Dr. S14: Shef .6M 123
Spotswood Mt. S14: Shef .7L 123
Spotswood Pl. S14: Shef .7L 123
Spotswood Rd. S14: Shef .7L 123
Spout Copse S6: Stan .6K 107
Spout La. S6: Stan .5K 107
Spout Spinney S6: Stan .6K 107
Spring Bank HD9: Holm .4B 30
Springbank S73: D'fld .2H 59

196 A-Z South Yorkshire

Springbank Cl.—Stewart St.

Springbank Cl. DN9: Blax 9G **67**
S71: Car 9K **17**
Spring Bank Cft. HD9: Holm 4B **30**
Spring Bank Rd. DN12: Con 6N **79**
Springbrook Cl. S63: Thurn 7C **40**
Spring Cl. S60: Whis 3B **112**
Spring Cl. Ct. S14: Shef 7N **123**
Spring Cl. Dell S14: Shef 7N **123**
Spring Cl. Dr. S14: Shef 7N **123**
Spring Cl. Mt. S14: Shef 7N **123**
Spring Cl. Vw. S14: Shef 7M **123**
Spring Cres. DN5: Sprot 6F **62**
Spring Cft. S61: Kimb P 4F **94**
Springcroft Dr. DN5: Scawt 8J **43**
Spring Dr. S73: Bramp 7G **58**
Spring Farm WF4: Nott 3H **17**
Springfield S63: Bolt D 5N **59**
Springfield Av. DN7: Hat 1E **46**
HD8: Clay W 7A **14**
S7: Shef 6D **122**
WF9: Hems 3L **19**
Springfield Cl. DN3: Arm 2M **65**
HD8: Clay W 7A **14**
S7: Shef 7D **122**
S21: Ecki 7J **137**
S61: Grea 4K **95**
S73: D'fld 2H **59**
S81: Woods 7J **129**
Springfield Ct. DN5: Cus 2J **63**
Springfield Cres. S73: D'fld 2H **59**
S74: Hoyl 1K **75**
WF8: Kirk Sm 5C **6**
Springfield Dr. HD8: Birds E 4D **32**
S65: Thry 3F **96**
Springfield Glen S7: Shef 7C **122**
Springfield Mt. WF9: Sth E 8D **20**
Springfield Path S64: Mexb 2F **78**
Springfield Pl. S70: Barn 7E **36**
Springfield Rd. S7: Shef 7C **122**
S64: Kiln 7D **78**
S66: Wick 8F **96**
S72: Grim 1F **38**
S74: Hoyl 1J **75**
Springfields S75: Barn 4B **36**
Springfield St. S70: Barn 7D **36**
Springfield Ter. S25: Nth A 4A **128**
S70: Barn 7E **36**
Springfield Way S35: Burn 9E **74**
S36: Mill G 4H **53**
Spring Gdn. Rd. DN17: Crow 9M **13**
Spring Gdns. DN1: Don 4N **63**
DN3: Can 6M **65**
DN10: Baw 5C **102**
HD9: U'thng 3C **30**
S70: Barn 8E **36**
S71: Monk B 4K **37**
S74: Hoyl 9M **57**
Spring Gro. HD8: Clay W 7A **14**
S71: Car 8L **17**
Spring Gro. Gdns. S35: Wharn S 4K **91**
Spring Hill S10: Shef 8D **108**
S75: Wool G 6N **15**
Springhill Av. S73: Bramp 7G **58**
Spring Hill Cl. DN5: Sprot 6F **62**
Spring Hill Rd. S10: Shef 8D **108**
S72: Grim 3F **38**
Spring Ho. Rd. S10: Shef 8D **108**
Springhouses *HD8: Den D 3J* ***33***
(off Dearneside Rd.)
Spring La. DN5: Sprot 3F **62**
HD9: H'bri 6B **30**
HD9: Holm 4C **30**
HD9: New M 3J **31**
S2: Shef 3M **123**
S71: Car 9L **17**
S81: Shire 4K **141**
WF4: Wool 5D **16**
Spring La. Mills HD9: Holm 4C **30**
Spring Lane Stop (ST) 3M **123**
Spring Ram Bus. Pk. S75: Kexb 7L **15**
Springs Leisure Cen. 5N **123**
Springs Rd. DN9: Westw 5N **85**
DN10: Miss 7M **85**
Springstone Av. WF9: Hems 2L **19**
Spring St. S3: Shef 1F **5** (8H **109**)
S65: Roth 6L **95**
S70: Barn 8F **36**
Spring Ter. WF9: Sth E 7E **20**
SPRING VALE 4A **54**
Spring Va. Av. S70: Wors 3G **57**
Springvale Cl. S66: Malt 7D **98**
S66: Wick 2H **113**
Springvale Gro. S36: Pen 4A **54**
Springvale Ri. WF9: Hems 1K **19**
Springvale Rd. S6: Shef 8E **108**
S10: Shef 8C **108**
S72: Grim 3F **38**
S72: Gt H 6L **39**
WF9: Sth K 6B **20**
Springvale Wlk. S6: Shef 7E **108**
Spring Vw. Rd. S10: Shef 8D **108**
Springville Gdns. WF9: Upton 2G **20**
Spring Wlk. *S65: Roth 6L* ***95***
(off Carlisle St.)
S73: Womb 3B **58**
S80: Work 9B **142**
Spring Water Av. S12: Shef 8G **124**
Spring Water Cl. S12: Shef 8F **124**
Spring Water Dr. S12: Shef 8G **124**
Springwell S20: Beig 7L **125**
Springwell Av. S20: Beig 7L **125**
Springwell Cl. S66: Malt 7F **98**
Springwell Ct. WF9: Hems 3L **19**
Springwell Cres. S20: Beig 7L **125**
Springwell Dr. S20: Beig 7L **125**
Springwell Gdns. DN4: Balb 9K **63**
Springwell Gro. S20: Beig 7L **125**
Springwell La. DN4: Balb 9K **63**
DN11: A'ley 9K **63**
Springwood S5: Shef 2F **108**
Springwood Av. S26: Augh 2B **126**
Springwood Cl. DN3: Brant 8N **65**
S35: Thurg 9J **55**
Springwood Ct. S26: Aston 2C **126**
Springwood Gro. S63: Thurn 9B **40**
Springwood Ho. *DN1: Don 5N* ***63***
(off Elsworth Cl.)
Springwood La. S35: High G 7D **74**
Springwood Rd. DN5: Scawt 8J **43**
HD9: T'bri 1G **31**
S8: Shef 5H **123**
S74: Hoyl 1K **75**
Springwood Vw. S36: Pen 4B **54**
SPROTBROUGH 6F **62**
Sprotbrough Flash Nature Reserve 9E **62**
Sprotbrough La. DN5: Marr 9B **42**
SPROTBROUGH PARK 6H **63**
Sprotbrough Rd. DN5: Don 4K **63**
Spruce Av. S66: Wick 8H **97**
S71: R'ton 6J **17**
Spruce Ct. S80: Work 8M **141**
Spruce Cres. DN9: Auck 3C **84**
Spruce Ri. S21: Killa 5B **138**
Spry La. DN5: Clay 4N **39**
Spur Cres. S80: Work 9E **142**
Spurley Hey Gro. S36: Stoc 6E **72**
Spurr St. S2: Shef 3J **123**
Square, The S26: Wales 9G **127**
S62: H'ley 5L **75**
S70: Barn 8E **36**
S72: Grim 2H **39**
Square E., The S66: Sunn 6H **97**
Square W., The S66: Sunn 6G **97**
Squirrel Cft. S61: Wing 1F **94**
Stable Cl. S81: Work 3D **142**
Stable Gdns. DN5: Sprot 7G **62**
Stables, The S64: Swin 3A **78**
Stables La. DN5: Barnb 3H **61**
Stables Way S63: Wath D 8M **59**
Stacey Bank S6: Lox 2H **107**
Stacey Cres. S72: Grim 1F **38**
Stacey Dr. S65: Thry 2E **96**
Stacey La. S6: Lox 2H **107**
Stackyard, The S71: Ard 8B **38**
Stacye Av. S13: Shef 5K **125**
Stacye Ri. S13: Shef 5K **125**
Stadium Cl. S81: Work 4N **141**
Stadium Ct. S62: P'gte 3L **95**
Stadium Way DN4: Don 6B **64**
S9: Shef 7N **109**
S60: Roth 4M **95**
WF9: Sth E 4G **20**
Stafford Cl. S18: Dron W 8D **134**
Stafford Cres. S60: Roth 3M **111**
Stafford Dr. S60: Roth 3M **111**
Stafford La. S2: Shef 6K **5** (1L **123**)
Stafford M. S2: Shef 1L **123**
Stafford Pl. DN12: Den M 3L **79**
Stafford Rd. DN6: Woodl 4G **42**
S2: Shef 5K **5** (1L **123**)
Staffordshire Cl. S66: Malt 8F **98**
Stafford St. S2: Shef 5K **5** (1K **123**)
Stafford Way S35: Chap 9G **74**
Stag Cl. S60: Roth 1B **112**
Stag Cres. S60: Roth 1B **112**
Stag La. S60: Roth 1A **112**
Stag Willow Cl. S60: Roth 1A **112**
STAINBOROUGH 3B **56**
Stainborough Cl. S75: Dod 1A **56**
Stainborough La. S75: Hood G 5N **55**
Stainborough Rd. S75: Dod 1A **56**
Stainborough Vw. S70: Wors 2G **57**
S75: Pil 9E **56**
STAINCROSS 7C **16**
Staincross Comn. S75: Stain 6C **16**
Staindrop Cl. S35: Chap 8G **75**
Staindrop Vw. S35: Chap 8H **75**
STAINFORTH 5A **26**
Stainforth Moor Rd. DN7: Hatf W 3K **47**
DN8: Thorne 3K **47**
Stainforth Rd. DN3: Barn D 1J **45**
Stainley Cl. S75: Barn 4C **36**
Stainmore Av. S20: Sot 9N **125**
Stainmore Cl. S75: Silk 8H **35**
STAINTON 5J **99**
Stainton Cl. S71: Smi 2F **36**
Stainton La. DN11: Wils 3J **99**
S66: Malt, Stain 6F **98**
Stainton Rd. S11: Shef 3C **122**
Stainton St. DN12: Den M 3L **79**
STAIRFOOT 8M **37**
Stairfoot Bus. Pk. S70: Stair 9M **37**
Stairfoot Way S70: Stair 9M **37**
Stair Rd. S4: Shef 4K **109**
Staithes Wlk. DN12: Den M 2M **79**
Stake Hill Rd. S6: Brad, Holl M 7K **105**
Stake La. Bank HD9: Holm 3F **30**
Stalker Lees Rd. S11: Shef 3E **122**
Stalker Wlk. S11: Shef 2F **122**
Stalley Royd La. HD9: Jack B 4K **31**
Stambers Cl. S81: Woods 8J **129**
Stamford Rd. S66: Sunn 5G **97**
Stamford St. S9: Shef 5N **109**
Stamford Way S75: Stain 7C **16**
Stanage Ri. S12: Shef 6E **124**
Stanbury Cl. S75: Barn 4C **36**
Stancil La. DN11: Tick 1D **100**
DN11: Wad 7D **82**
Standall Cl. S18: Dron W 7C **134**
Standhill Cres. S71: Smi 1F **36**
Standish Av. S5: Shef 4H **109**
Standish Bank S5: Shef 4H **109**
Standish Cl. S5: Shef 3H **109**
Standish Cres. WF9: Sth K 5B **20**
Standish Dr. S5: Shef 3H **109**
Standish Gdns. S5: Shef 3H **109**
Standish Rd. S5: Shef 3H **109**
Standish Way S5: Shef 4H **109**
Standon Cres. S9: Shef 8A **94**
Standon Dr. S9: Shef 8A **94**
Standon Rd. S9: Shef 8A **94**
Staneford Ct. S20: Water 1K **137**
Stanford Cl. S66: Malt 9G **98**
Stanford Rd. S18: Dron W 9D **134**
Stanhope Av. S75: Cawt 3H **35**
Stanhope Gdns. S75: Barn 5D **36**
Stanhope Mdws. S75: Cawt 3H **35**
Stanhope Rd. DN1: Don 2B **64**
S12: Shef 6C **124**
Stanhope St. HD8: Clay W 8A **14**
S70: Barn 7E **36**
Stanhurst La. DN7: Hat 7J **27**
Stanier Way S21: Reni 9A **138**
Staniforth Av. S21: Ecki 7H **137**
Staniforth Cres. S26: Tod 6K **127**
Staniforth Rd. S9: Shef 7N **109**
Stanley Ct. *S66: Malt 8B* ***98***
(off Leslie Av.)
Stanley Gdns. DN4: Balb 6M **63**
DN7: Stainf 6A **26**
Stanley Gro. DN7: Dunsc 8C **26**
S26: Aston 3D **126**
(not continuous)
Stanley La. S3: Shef 1H **5** (7J **109**)
Stanley Rd. DN5: Scaws 9H **43**
DN7: Stainf 6A **26**
S8: Shef 6J **123**
S35: Chap 8E **74**
S36: Stoc 6E **72**
S70: Stair 8M **37**
Stanley Sq. DN3: Kirk Sa 4J **45**
Stanley St. HD9: H'bri 6B **30**
S3: Shef 1G **5** (7J **109**)
S21: Killa 3C **138**
S60: Roth 7K **95**
S70: Barn 7E **36**
S72: Cud 3C **38**
S81: Work 6B **142**
Stanley Ter. S66: Malt 8B **98**
Stanley Vs. DN8: Thorne 1K **27**
STANNINGTON 6L **107**
Stannington Glen S6: Stan 6N **107**
Stannington Ri. S6: Shef 5B **108**
Stannington Rd. S6: Shef, Stan 6K **107**
Stannington Vw. Rd. S10: Shef 8B **108**
Stanton Cres. S12: Shef 7D **124**
Stan Valley WF8: Lit S 4C **6**
Stanwell Av. S9: Shef 9A **94**
Stanwell Cl. S9: Shef 9A **94**
Stanwell La. DN6: Ham, Moorh 8K **21**
(not continuous)
Stanwell St. S9: Shef 9A **94**
Stanwell Wlk. S9: Shef 9A **94**
Stanwood Av. S6: Shef 6A **108**
Stanwood Cres. S6: Shef 6A **108**
Stanwood Dr. S6: Shef 6A **108**
Stanwood M. S6: Shef 6A **108**
Stanwood Rd. S6: Shef 6A **108**
Staple Grn. S65: Thry 3F **96**
Stapleton Rd. DN4: Warm 1H **81**
Starkbridge La. DN14: Syke 4L **9**
Star La. DN12: Con 4A **80**
S70: Barn 7F **36**
Starling Bri. Way S36: Mill G 4H **53**
Starling Cl. S63: Wath D 7L **59**
Starling Gro. S81: Gate 4N **141**
Starling Ho. *WF9: Hems 3K* ***19***
(off Lilley St.)
Starling Mead S2: Shef 1L **123**
Starnhill Cl. S35: Eccl 4K **93**
Statham Ct. S81: Work 5E **142**
Station App. *DN1: Don 4N* ***63***
(off Factory La.)
Station Cl. DN9: Blax 2F **84**
Station Cotts. S75: Dart 8N **15**
Station Ct. DN1: Don 4N **63**
DN7: Hat 9D **26**
DN8: Thorne 1J **27**
HD8: Clay W 6B **14**
S25: Sth A 6B **128**
Station La. DN9: Blax 2G **84**
S9: Shef 2A **110**
S18: App 9A **136**
S35: Ough 6M **91**
Station Rd. DN3: Barn D 2J **45**
DN5: Ark 7A **44**
DN6: Adw S, Carc 9H **23**
DN6: Ask 1L **23**
DN6: Nort 7J **7**
DN7: Dunsc, Hat 8C **26**
Station Rd. DN7: Dunsc, Stainf 7A **26**
DN9: Blax 3G **84**
DN10: Baw 6C **102**
DN10: Miss 2K **103**
DN11: Ross 5K **83**
DN12: Con 3A **80**
HD9: Holm 3E **30**
S9: Shef 8C **110**
S13: Shef 5J **125**
S20: Half, Mosb 3K **137**
S21: Ecki, Reni 7L **137**
S21: Killa 4A **138**
S21: Spink 8C **138**
S25: Laugh C 9A **114**
S26: Kiv P 9J **127**
S33: Bamf 9E **118**
S35: Chap 9J **75**
S35: Eccl 4K **93**
S36: Spink 5H **73**
S60: Cat 6J **111**
S60: Roth 7H **95**
S60: Tree 8L **111**
S63: Bolt D 5B **60**
S63: Thurn 8C **40**
S63: Wath D 9M **59**
S64: Mexb 2F **78**
(not continuous)
S70: Barn 6E **36**
S70: Wors 3K **57**
S71: Lund 3N **37**
S71: R'ton 4J **17**
S73: Womb 4E **58**
(not continuous)
S75: Dart 8N **15**
S75: Dod 9N **35**
WF9: Hems 2K **19**
WF9: Sth E 6F **20**
Station Rd. Ind. Est. S73: Womb 3E **58**
Station St. S64: Swin 3C **78**
Station Ter. S71: R'ton 5M **17**
Station Way S25: Laugh C 9A **114**
Station Yd. DN10: Baw 5D **102**
Staton Av. S20: Beig 7N **125**
Statutes, The S60: Roth 7K **95**
Staunton Rd. DN4: Can 8K **65**
Staveley La. S21: Ecki 8L **137**
Staveley Rd. S8: Shef 4H **123**
Staveley St. DN12: New E 3F **80**
Stayers Rd. DN4: Bess 2J **83**
Steade Rd. S7: Shef 4G **122**
Steadfield Rd. S74: Hoyl 2J **75**
Steadfolds Cl. S66: Thurc 6M **113**
Steadfolds Gdns. S66: Thurc 6M **113**
Steadfolds La. S66: Thurc 5L **113**
Steadfolds Ri. S66: Thurc 6M **113**
Steadlands, The S62: Rawm 6K **77**
Stead La. S74: Hoyl 1J **75**
Stead M. S21: Ecki 7K **137**
Stead St. S21: Ecki 7K **137**
Steed Ct. Bus. Pk. WF9: Upton 2H **21**
STEEL BANK 7D **108**
Steel City Plaza S1: Shef 3E **4** (9H **109**)
Steele St. S74: Hoyl 1H **75**
Steelhouse La. S3: Shef 1F **5**
Steel Rd. S11: Shef 3D **122**
Steel St. S61: Roth 8G **94**
Steep La. S36: H'swne 3B **54**
Steetley La. S80: Rhod, Work 7H **141**
S80: Work 9G **141**
Steeton Ct. S74: Els 9A **58**
Stella Ho. S65: Dalt 4B **96**
Stemp St. S11: Shef 3G **122**
Stenson Ct. DN4: Balb 7L **63**
Stenton Rd. S8: Shef 3G **135**
Stentons Ter. S64: Mexb 2G **78**
Stephen Dr. S10: Shef 9A **108**
S35: Gren 5C **92**
STEPHEN HILL 9A **108**
Stephen Hill S10: Shef 9A **108**
Stephen Hill Rd. S10: Shef 9A **108**
Stephen La. S35: Gren 5C **92**
Stephenson Hall of Residence
S10: Shef 2D **122**
Stephenson Pl. S64: Swin 2C **78**
Stephenson Way S60: Wav 9H **111**
Stepney St. S2: Shef 2J **5** (8K **109**)
Stepping La. S35: Gren 4C **92**
Sterndale Rd. S7: Shef 8D **122**
Steven Cl. S35: Chap 1G **93**
Steven Cres. S35: Chap 9G **75**
Steven Mangle Cl. S12: Shef 9E **124**
Steven Pl. S35: Chap 1G **93**
Stevenson Dr. S65: Roth 8A **96**
S75: High'm 4N **35**
Stevenson Rd. DN4: Balb 9M **63**
S9: Shef 5N **109**
(Alfred Rd.)
S9: Shef 6M **109**
(St Charles St.)
S81: Work 6E **142**
Stevenson Way S9: Shef 6N **109**
Stevens Rd. DN4: Balb 6M **63**
Steventon Rd. S65: Thry 3F **96**
Steward Ga. S33: Bamf 5D **118**
Steward's Ings La. DN8: Thorne 8F **10**
Stewart Cl. S81: Carl L 5B **130**
Stewart Rd. S11: Shef 3E **122**
S81: Carl L 5B **130**
Stewarts Rd. S62: Rawm 8A **78**
Stewart St. DN1: Don 5N **63**

Sticking Hill—Surrey Cl.

STICKING HILL 8D 60
Sticking La. S64: Mexb 8C 60
Stillwell Gdns. S81: Gate 2B 142
Stirling Av. DN10: Baw 5C 102
Stirling Cl. S74: Els 9A 58
S81: Work 2B 142
Stirling Dr. S81: Carl L 5B 130
Stirling La. DN5: Scawt 9K 43
Stirling St. DN1: Don 5N 63
Stirling Way S2: Shef 3A 124
Stockarth La. S35: Ough 8N 91
Stockarth Pl. S35: Ough 9A 92
STOCKBRIDGE 7N 43
Stockbridge Av. DN5: Don 9L 43
Stockbridge Cvn. Site DN5: Bntly 7N 43
Stockbridge La. DN5: Bntly 7N 43
DN6: Owst 6J 23
Stockil Rd. DN4: Don 5B 64
Stockingate WF9: Sth K 8N 19
Stock Rd. S2: Shef 2M 123
STOCKSBRIDGE 5E 72
Stocksbridge & District Golf Course 7F 72
Stocksbridge Leisure Cen. 5C 72
Stocks Grn. Ct. S17: Tot 6M 133
Stocks Grn. Dr. S17: Tot 6M 133
Stocks Hill S35: Eccl 4H 93
Stockshill Cl. S71: Car 8K 17
Stock's La. S62: Rawm 9M 77
S75: Barn 6D 36
Stocks La. S36: Up M 2F 70
Stockton Cl. S3: Shef 7J 109
Stockwell Av. S26: Kiv P 1H 139
Stockwell Ct. S75: Wool G 6M 15
Stockwell Grn. S71: Monk B 3J 37
Stockwell La. S26: Wales 1G 138
Stockwith La. S74: Hoyl 7J 57
Stocthorn Gap S35: Ough 3L 91
Stoddart Way S62: P'gte 3M 95
Stokes Ho. S18: Dron 8F 134
Stoke St. S9: Shef 7M 109
Stoket La. S26: Ull 7E 112
Stokewell Rd. S63: Wath D 8J 59
STONE 4J 115
Stoneacre Av. S12: Shef 8H 125
Stoneacre Cl. S12: Shef 8H 125
Stoneacre Dr. S12: Shef 9H 125
Stoneacre Ri. S12: Shef 8H 125
Stone Bank Ct. S18: Dron 9J 135
Stonebridge La. S72: Gt H 7L 39
Stonechat Mead S63: Wath D 7L 59
Stonecliffe Cl. S2: Shef 2A 124
Stonecliffe Dr. S36: Stoc 7D 72
Stonecliffe Pl. S2: Shef 2A 124
Stonecliffe Rd. S2: Shef 2A 124
Stonecliffe Wlk. S2: Shef 2B 124
Stonecliff Wlk. DN12: Den M 2M 79
Stone Cl. S18: Coal A 7K 135
S26: Kiv P 9K 127
S65: Rav 6J 97
Stone Cl. Av. DN4: Hex 5M 63
Stone Cotts. DN5: Bntly 3K 43
Stone Ct. S72: Sth H 4E 18
Stone Cres. S66: Wick 8G 96
Stonecrest Ri. S35: Thurg 8H 55
Stone Cft. DN4: Bess 9J 65
S70: Barn 8C 36
Stonecroft Ct. S75: Silk C 2H 55
Stonecroft Gdns. HD8: Shep 1C 32
Stonecroft M. S66: B'well 4E 98
Stonecroft Rd. S17: Tot 5A 134
Stone Cross Dr. DN5: Sprot 5F 62
Stonecross Gdns. DN4: Can 7K 65
Stone Delf S10: Shef 2L 121
Stone Font Gro. DN4: Can 8J 65
Stonefont Gro. S72: Grim 1G 38
Stonegarth Cl. S72: Cud 2B 38
Stonegate DN8: Thorne 2K 27
Stonegate Cl. DN9: Blax 9G 67
Stonegate M. DN4: Balb 7M 63
Stonegravels Cft. S20: Half 4L 137
Stonegravels Way S20: Half 4M 137
Stone Gro. S10: Shef 9E 108
STONE HILL 1J 47
Stone Hill DN7: Hatf W 2J 47
Stonehill Cl. S74: Hoyl 8K 57
Stone Hill Dr. S26: Swal 4C 126
Stonehill Ri. DN5: Scawt 8J 43
S36: Cub 6M 53
S72: Cud 2B 38
Stone Hill Rd. DN7: Hatf W 1J 47
Stone La. S13: Shef 6G 124
Stonelea Cl. S75: Silk 8H 35
Stone Lea Gro. WF9: Sth E 7F 20
Stone Leigh S75: Pil 1E 74
Stoneleigh Cl. S25: Din 4F 128
Stoneleigh Cft. S70: Barn 9G 37
Stoneley Cl. S12: Shef 1B 136
Stoneley Cres. S12: Shef 1B 136
Stoneley Dell S12: Shef 1B 136
Stoneley Dr. S12: Shef 1B 136
Stonelow Ct. *S18: Dron 8J 135*
(off Stonelow Rd.)
Stonelow Cres. S18: Dron 8K 135
Stonelow Grn. S18: Dron 8J 135
Stonelow Rd. S18: Dron 8J 135
Stonely Brook S65: Rav 7J 97
Stone Moor Rd. S36: Bolst, Stoc 6C 72
Stone Pk. Cl. S66: Malt 8F 98
Stone Riding DN12: New E 7H 81
Stone Ridings DN12: New E 5E 80
Stone Rd. S18: Coal A 6K 135
Stone Row Ct. S75: Pil 2E 74
Stonerow Way S60: Roth 4L 95
Stonesdale Cl. S20: Mosb 3K 137
Stones Inge S35: High G 7E 74
Stone St. S20: Mosb 3K 137
S71: Barn 4F 36
Stoneway M. S35: Green M 3G 72
Stonewood Ct. S10: Shef 1M 121
Stonewood Gro. S10: Shef 1M 121
S74: Hoyl 2M 75
Stoney Bank Dr. S26: Kiv P 9K 127
Stoney Bank La. HD9: New M 1H 31
Stoney Bank Rd. HD9: New M, T'bri 1G 31
Stoneybrook Cl. WF4: W Brett 1H 15
Stoney Cft. S74: Hoyl 1J 75
Stoneycroft Rd. S13: Shef 1F 124
Stoney Ga. S35: High G 6E 74
Stoney La. DN11: Tick 7C 100
Stoney Royd S71: Ath 8G 16
Stoney Well La. S66: Malt 9J 99
Stony Cl. DN7: Stainf 4B 26
Stony Cft. La. DN6: Burgh, Skell 6E 22
S36: Up M 3K 71
Stonyford Dr. DN7: Stainf 7A 26
Stonyford Rd. S73: Womb 3F 58
Stony Ga. HD9: Holm 6C 30
Stony La. DN7: Fish 2C 26
DN7: Fost 8M 9
DN11: Tick 3B 100
DN14: Syke 8L 9
(not continuous)
HD8: Clay W 9A 14
S6: Brad 1H 107
Stony Ridge Rd. S11: Dore 6D 132
Stony Wlk. S6: Shef 5D 108
Stoops La. DN4: Bess 8E 64
Stoops Rd. DN4: Bess 8G 64
Stops Rd. S6: Stan 6H 107
Store St. S2: Shef 7G 5 (2J 123)
Storey's Ga. S73: Womb 4B 58
Storey St. S64: Swin 3B 78
STORRS 5J 107
Storrs Bri. La. S6: Lox 3J 107
Storrs Carr S6: Stan 4H 107
Storrs Grn. S6: Stan 4H 107
Storrs Hall Rd. S6: Shef 6C 108
Storrs La. DN5: Blk G, Holme 5N 23
S6: Stan 5J 107
S35: Brom 4C 74
S36: Oxs 4E 54
Storrs Mill La. S72: Cud 6E 38
Storrs Wood Vw. S72: Cud 4D 38
Storth Av. S10: Shef 3N 121
Storth Hollow Cft. S10: Shef 2N 121
Storth La. S10: Shef 2N 121
S26: Kiv P, Tod 8G 127
S35: Wharn S 3J 91
Stortholme M. S10: Shef 2N 121
Storth Pk. S10: Shef 4M 121
Storthwood Ct. S10: Shef 2N 121
Stotfold Dr. S63: Thurn 8B 40
Stotfold Rd. DN5: Clay, Hoot P 5C 40
Stothard Ct. S10: Shef 8C 108
Stothard Rd. S10: Shef 8C 108
Stottercliffe Rd. S36: Pen, Thurl 4L 53
Stour La. S6: Shef 2A 108
Stovin Cl. S9: Shef 5B 110
Stovin Dr. S9: Shef 6B 110
Stovin Gdns. S9: Shef 6B 110
Stow Bri. La. S60: Up W 6D 112
Stowe Av. S7: Shef 7D 122
Stradbroke Av. S13: Shef 4D 124
Stradbroke Cl. S13: Shef 4E 124
Stradbroke Cres. S13: Shef 4E 124
Stradbroke Dr. S13: Shef 4E 124
Stradbroke Pl. S13: Shef 4E 124
Stradbroke Rd. S13: Shef 4D 124
Stradbroke Wlk. S13: Shef 4D 124
Stradbroke Way S13: Shef 4E 124
Strafford Av. S70: Wors 1G 56
S74: Els 9A 58
Strafford Gro. S70: Birdw 1G 74
Strafford Ind. Pk. S75: Dod 2B 56
Strafford Pl. S61: Thorpe H 9M 75
Strafford Rd. DN2: Don 2B 64
S61: Kimb P 3E 94
Strafford St. S75: Kexb 9L 15
Strafford Wlk. S75: Dod 1A 56
Strafforth Ho. *DN12: Den M 3K 79*
(off Ravenscar Cl.)
Straight La. DN6: Skelb 6M 21
S63: Gol 2D 60
Straight Riding DN12: New E 6G 81
Strait La. S63: Wath D 9L 59
Stratford Rd. S10: Shef 2M 121
Stratford Way S66: Bram 9K 97
Strathaven Rd. S81: Carl L 5C 130
Strathmore Ct. DN11: Birc 8K 101
Strathmore Dr. S81: Carl L 5C 130
Strathmore Gdns. WF9: Sth E 5G 20
Strathmore Gro. S63: Wath D 9M 59
Strathmore Rd. DN2: Don 4D 64
Strathtay Rd. S11: Shef 4C 122
Strauss Cres. S66: Malt 9F 98
Strawberry Av. S5: Shef 7J 93
Strawberry Gdns. S71: R'ton 5K 17
Strawberry Lee La. S17: Tot 5K 133
Straw La. S6: Shef 7F 108
Streatfield Cres. DN11: New R 6H 83
STREET 4E 76
Street Balk DN5: Hoot P 6D 40
Street Farm Cl. S26: Hart 4K 139
Streetfield Cres. S20: Mosb 4K 137
Streetfield La. S20: Half 4L 137
Streetfields S20: Half 4L 137
Street La. DN5: Brod 6L 41
S62: Wentw 4D 76
Strelley Av. S8: Shef 1F 134
Strelley Rd. S8: Shef 1F 134
S71: Ath 9F 16
Stretfield Rd. S33: Brou 9A 118
Stretton Cl. DN4: Can 7K 65
Stretton Rd. S11: Shef 4D 122
S71: Monk B 3H 37
Strickland Rd. WF9: Upton 1J 21
STRINES 2H 105
Strines Ho. *S10: Shef 2H 121*
(off Holyrood Av.)
Strines Moor Rd. HD9: Hade E 9G 30
Stringer La. DN14: Syke 5L 9
Stringers Cft. S60: Whis 3C 112
Stripe Rd.
DN11: New R, Ross, Tick 5K 83
Struan Rd. S7: Shef 6D 122
Strunns La. DN7: Fost 7C 10
Strutt Rd. S3: Shef 5H 109
Stuart Gro. S35: Chap 1J 93
Stuart Rd. S35: Chap 1J 93
Stuart St. S63: Thurn 8D 40
STUBBIN 5G 72
Stubbin Cl. S62: Rawm 7K 77
Stubbin Fold HD9: H'bri 5A 30
STUBBING 1L 107
Stubbing Ct. S80: Work 7A 142
Stubbing Ho. La. S6: Shef 6B 92
Stubbing La. S35: Ough 1L 107
S80: Work 6N 141
Stubbing Riding DN12: New E 5G 80
Stubbin La. HD8: Den D 2L 33
HD9: H'bri 5A 30
S5: Shef 9K 93
S62: Rawm 6J 77
(not continuous)
Stubbin Rd. S62: Neth Hau, Rawm 7H 77
Stubbins Hill DN12: New E 4F 80
Stubbs Cres. S61: Kimb P 4F 94
Stubbs La. DN6: Nort 5H 7
Stubbs Rd. DN6: Wald S 4E 6
S73: Womb 5C 58
WF8: Wald S 4E 6
Stubbs Wlk. S61: Kimb P 4F 94
Stubley Cl. S18: Dron W 7F 134
Stubley Cft. S18: Dron W 8E 134
Stubley Dr. S18: Dron W 8F 134
Stubley Hollow S18: Dron 7F 134
Stubley La. S18: Dron, Dron W 8E 134
Stubley Pl. S18: Dron 8F 134
Studfield Cres. S6: Shef 4A 108
Studfield Dr. S6: Shef 3A 108
Studfield Gro. S6: Shef 4A 108
STUDFIELD HILL 4A 108
Studfield Hill S6: Lox, Shef 4N 107
Studfield Ri. S6: Shef 3A 108
Studfield Rd. S6: Shef 3A 108
Studley Ct. S9: Shef 8C 110
Studley Gdns. DN3: Kirk Sa 4H 45
Studmoor Rd. S61: Kimb P 3D 94
Studmoor Wlk. S61: Kimb P 3D 94
STUMP CROSS 4D 76
Stump Cross Ct. *S63: Wath D 1L 77*
(off Stump Cross Rd.)
Stump Cross Gdns. S63: Bolt D 5A 60
Stump Cross La. DN11: Tick 1N 115
Stump Cross Rd. S63: Wath D 1L 77
STUMPERLOWE 3M 121
Stumperlowe Av. S10: Shef 3N 121
Stumperlowe Cl. S10: Shef 3N 121
Stumperlowe Cres. Rd. S10: Shef 3M 121
Stumperlowe Cft. S10: Shef 2M 121
Stumperlowe Hall Chase
S10: Shef 2M 121
Stumperlowe Hall Rd. S10: Shef 3M 121
Stumperlowe La. S10: Shef 3M 121
Stumperlowe Mans. S10: Shef 3M 121
Stumperlowe Pk. Rd. S10: Shef 3M 121
Stumperlowe Vw. S10: Shef 2M 121
Stupton Rd. S9: Shef 2A 110
Sturge Cft. S2: Shef 5J 123
Sturton Cl. DN4: Bess 9F 64
Sturton Cft. S65: Dalt 4D 96
Sturton Rd. S4: Shef 4K 109
Stygate La. DN6: Nort 8G 6
STYRRUP 3G 117
Styrrup Ct. DN11: Sty 3G 116
Styrrup Hall Golf Course 2G 117
Styrrup La. DN11: Sty 3C 116
Styrrup Rd. DN11: H'worth 2G 117
DN11: Sty 3F 116
S81: Oldc 6D 116
Sudbury Dr. S26: Aston 4D 126
Sudbury St. S3: Shef 1C 4 (7G 108)
Sude Hill HD9: New M 2J 31
Sude Hill Ter. HD9: New M 2K 31
Suffolk Av. DN11: Birc 9N 101
Suffolk Cl. S25: Nth A 5C 128
Suffolk Gro. DN11: Birc 9N 101
Suffolk La. S2: Shef 6H 5 (1J 123)
Suffolk Rd. DN4: Balb 9M 63
DN11: Birc 9M 101
S2: Shef 5G 5 (1J 123)
Suffolk Vw. DN12: Den M 4L 79
SUGWORTH 5K 105
Sugworth Rd. S6: Brad 6J 105
Sulby Gro. S70: Stair 1L 57
Sulcarr Ct. DN6: Nort 7G 6
Sulis Gdns. S81: Work 3B 142
Sullivan Gro. WF9: Sth K 8A 20
Summerdale Rd. S72: Cud 2A 38
SUMMERFIELD 1D 122
Summerfield S10: Shef 1D 122
S65: Roth 7L 95
Summerfield Rd. S18: Dron 7J 135
Summerfields Dr. DN9: Blax 9G 67
Summerfield St. S11: Shef 7B 4 (2F 122)
Summerford S36: Ingb 7G 32
Summer Ford Cft. S36: Ingb 7G 33
Summer Grn. Way DN17: Crow 8N 29
Summer La. HD8: Eml'y 3A 14
S17: Tot 6M 133
S70: Barn 6D 36
S71: R'ton 5J 17
S73: Womb 4B 58
S75: Barn 6D 36
SUMMERLEY 8M 135
Summerley Lwr. Rd. S18: App 8M 135
Summerley Rd. S18: App 8M 135
Summer Rd. S71: R'ton 5J 17
Summer St. S3: Shef 2A 4 (8F 108)
S70: Barn 6E 36
(not continuous)
Summervale HD9: Holm 2E 30
Summer Vw. S71: R'ton 6J 17
Summer Wine Exhibition 3E 30
Summerwood Cft. S18: Dron 8G 134
Summerwood La. S18: Dron 7G 134
Summerwood Pl. S18: Dron 8G 134
Summit Dr. DN4: Bess 2J 83
Sumner Rd. S65: Roth 5M 95
Sunbury Ct. S10: Shef 1D 122
Sunderland Farm Cl. DN11: Tick 6F 100
Sunderland Gro. DN11: Tick 6E 100
Sunderland Pl. DN11: Tick 6E 100
Sunderland St. DN11: Tick 6D 100
S11: Shef 2F 122
Sunderland Ter. S70: Barn 8H 37
Sundew Cft. S35: High G 6E 74
Sundew Gdns. S35: High G 6E 74
Sundown Pl. S13: Shef 3F 124
Sundown Rd. S13: Shef 3F 124
Sunfield Av. S81: Work 6D 142
Sunflower Gdns. DN4: Bess 7E 64
Sunflower Gro. S5: Shef 1N 109
Sunlea Flats *S65: Roth 6M 95*
(off Ridge Rd.)
Sunningdale Av. S75: Dart 8B 16
Sunningdale Cl. DN4: Can 9L 65
S64: Swin 5C 78
S81 5D 142
Sunningdale Dr. DN12: New E 5E 80
S72: Cud 9C 18
Sunningdale Mt. S11: Shef 6C 122
Sunningdale Rd. DN2: Don 2D 64
DN4: Balb 8M 63
DN7: Hatf W 2H 47
S25: Din 3D 128
Sunny Av. WF9: Sth E 7G 20
WF9: Upton 2F 20
Sunny Bank S10: Shef 7B 4 (2F 122)
S35: High G 7E 74
S74: Jum 8N 57
S81: Work 6C 142
WF4: Ryh 1A 18
Sunnybank DN3: Eden 7K 45
HD8: Den D 3J 33
Sunnybank Cres. S60: Brins 4J 111
Sunny Bank Dr. S72: Cud 3B 38
Sunnybank Nature Reserve 7B 4 (2F 122)
Sunny Bank Ri. S74: Els 9A 58
Sunny Bank Rd. S36: Bolst 8E 72
S75: Silk 8H 35
Sunny Bar DN1: Don 4A 64
Sunnybrook Cl. S74: Hoyl 2M 75
SUNNYFIELDS 9H 43
Sunnymead HD8: Clay W 7A 14
Sunnymead Bungs. HD8: Clay W 7A 14
Sunnymede S81: Work 4D 142
Sunnymede Av. DN6: Ask 1M 23
Sunnymede Cres. DN6: Ask 1M 23
Sunnymede Ter. DN6: Ask 1M 23
Sunnymede Vw. DN6: Ask 1M 23
SUNNYSIDE
DN3 5J 45
S66 5G 97
S81 4D 142
Sunnyside DN3: Brant 7A 66
DN3: Eden 5H 45
S81: Work 4C 142
Sunnyside Cl. S25: Nth A 5C 128
Sunnyvale Av. S17: Tot 6M 133
Sunnyvale Mt. WF9: Sth E 6D 20
Sunnyvale Rd. S17: Tot 6M 133
Sunnyview Pk. DN11: A'ley 2K 81
Sunrise Mnr. S74: Hoyl 8M 57
Superbowl 2000
Rotherham 5E 94
Superflex Ultimate Fitness 1H 21
Surbiton St. S9: Shef 4B 110
Surrey Cl. S70: Barn 9G 36

Surrey La.—Thorne North Station (Rail)

Surrey La. S1: Shef 5G 5 (1J **123**)
Surrey Pl. S1: Shef 4G 5 (9J **109**)
Surrey St. DN4: Balb 8M **63**
S1: Shef 4F 5 (9H **109**)
Surtees Cl. S66: Malt 6C **98**
Sussex Cl. WF9: Hems 1K **19**
Sussex Gdns. DN12: Den M 3L **79**
Sussex Rd. S4: Shef 1K 5 (7K **109**)
S35: Chap 9H **75**
Sussex St. DN4: Balb 8M **63**
S4: Shef 1J 5 (7K **109**)
Suthard Cross Rd.
S10: Shef 8C **108**
Sutherland Cl. S81: Cos 3B **130**
Sutherland Ho. DN2: Don 1D **64**
Sutherland Rd. S4: Shef 6K **109**
Sutherland St. S4: Shef 6L **109**
SUTTON 4J 23
Sutton Av. S71: Ath 9G **16**
Suttonfield Rd. DN6: Sutt 2G **23**
Sutton Rd. DN3: Kirk Sa 3K **45**
DN6: Ask, Sutt 4J **23**
(not continuous)
DN6: Camp 1G **22**
Sutton St. DN4: Hex 6L **63**
S3: Shef 3B 4 (9F **108**)
Suzanne Cres. WF9: Sth E 6D **20**
Swaith Av. DN5: Scawt 9K **43**
SWAITHE 2M 57
Swaithedale S70: Wors 2K **57**
Swaithe Vw. S70: Wors 2L **57**
S75: Wool G 7N **15**
Swale Cl. S63: Bolt D 5C **60**
Swale Ct. S60: Roth 2M **111**
Swaledale S81: Work 3D **142**
Swaledale Dr. S73: Womb 4E **58**
Swaledale Rd. S7: Shef 6E **122**
Swale Dr. S35: Chap 9F **74**
Swale Gdns. S9: Shef 8C **110**
Swale Rd. S61: Wing 2G **94**
Swallow Cl. S70: Birdw 7G **56**
S75: Kexb .9M **15**
Swallow Ct. DN11: Ross 5K **83**
Swallow Cres. S62: Rawm 8A **78**
Swallow Dale DN12: New E 4F **80**
Swallow Gro. S81: Gate 3A **142**
SWALLOW HILL 1B 36
Swallow Hill Rd. S75: Bar G 1B **36**
Swallow Holme Cvn. Pk.
S33: Bamf 9E **118**
Swallow La. S26: Aston 5D **126**
SWALLOWNEST 4B 126
Swallownest Ct. S26: Swal 3B **126**
Swallowood Ct. S63: Bramp B 9F **58**
Swallow's La. S20: Mosb 2J **137**
Swallow Wood Cl. S60: Tree 8L **111**
Swallow Wood Ct. S13: Shef 5G **125**
Swallow Wood Rd. S26: Swal 4N **125**
Swamp Wlk. S6: Shef 5E **108**
Swan Bank Ct. HD9: Holm 4E **30**
Swan Bank La. HD9: Holm 4E **30**
Swanbourne Pl. S5: Shef 9K **93**
Swanbourne Rd. S5: Shef 8K **93**
Swan Ct. DN6: Ask 1L **23**
S81: Gate .3N **141**
Swanee Rd. S70: Barn 9J **37**
Swangate S63: Bramp B 8F **58**
Swanland Cl. DN8: Thorne 4M **27**
Swanland Ct. DN8: Thorne 4L **27**
Swannington Cl. DN4: Can 8L **65**
Swan Rd. S26: Aston 5D **126**
Swan St. DN5: Bntly 7M **43**
DN10: Baw 7C **102**
S60: Roth .8K **95**
Swan Syke Dr. DN6: Nort 7J **7**
Swarcliffe Rd. S9: Shef 7A **110**
Sweeney Ho. S36: Stoc 5C **72**
Sweep La. HD9: Holm 5F **30**
Sweet La. DN11: Wad 7N **81**
Sweyn Cft. S70: Wors 2H **57**
Swifte Rd. S60: Roth 1N **111**
Swift Ri. S61: Thorpe H 8A **76**
Swift Rd. S35: Gren 5E **92**
Swift St. S75: Barn 5E **36**
Swift Way S2: Shef 2M **123**
Swinburne Av. DN4: Balb 9M **63**
(not continuous)
DN6: Adw S 3E **42**
Swinburne Cl. DN3: Barn D 9J **25**
Swinburne Pl. S65: Roth 8A **96**
Swinburne Rd. S65: Roth 8A **96**
Swinden La. S36: Hazl 9N **51**
Swinderby Cl. S81: Gate 2N **141**
Swinnock La. S35: Bright 3H **91**
Swinnow Rd. DN11: Birc 9M **101**
Swinston Hill Gdns. S25: Din 3E **128**
Swinston Hill Mdws. S25: Din 4E **128**
Swinston Hill Rd.
S25: Din, Nth A 3D **128**
SWINTON 3C 78
SWINTON BRIDGE 3E 78
Swinton Mdws. Bus. Pk.
S64: Swin .3E **78**
Swinton Mdws. Ind. Est.
S64: Swin .3E **78**
Swinton Rd. S64: Mexb 2E **78**
(not continuous)
Swinton Station (Rail) 3D 78
Swinton St. S3: Shef 7H **109**
Swithen Farm S75: Haigh 6K **15**
Sycamore Av. DN3: Arm 9M **45**
S18: Dron 7H **135**
S26: Kiv P 9G **127**
S66: Wick .8H **97**
S72: Cud 1B **38**
S72: Grim .3H **39**
Sycamore Cen. S65: Roth 4A **96**
Sycamore Cl. S80: Work 9B **142**
Sycamore Ct. S11: Shef 4D **122**
S35: Ough 6M **91**
S64: Mexb 1D **78**
S71: R'ton .5H **17**
WF4: W Brett 1H **15**
Sycamore Cres. DN10: Baw 6B **102**
S63: Wath D 1N **77**
Sycamore Dr. DN9: Auck 1C **84**
S21: Killa 5B **138**
S66: Thurc 5L **113**
S71: R'ton .6H **17**
Sycamore Farm Cl. S66: Wick 1G **113**
Sycamore Grn. HD8: Lwr C 1H **33**
Sycamore Gro. DN4: Can 7J **65**
DN12: Con 5M **79**
Sycamore Ho. Rd. S5: Shef 7M **93**
Sycamore La. HD9: Holm 1G **31**
S36: H'swne 1C **54**
WF4: W Brett 1H **15**
Sycamore Ri. HD9: Holm 1H **31**
Sycamore Rd. DN3: Barn D 1J **45**
S35: Eccl .5J **93**
S36: Stoc .6C **72**
S64: Mexb 1D **78**
S65: Roth .4A **96**
S81: Carl L 4B **130**
WF9: Hems 3J **19**
Sycamores, The DN5: Scawt 8H **43**
Sycamore St. S20: Beig 7M **125**
S20: Mosb 2J **137**
S75: Barn .6D **36**
Sycamore Vw. DN5: Sprot 6H **63**
Sycamore Wlk. S36: Pen 4N **53**
S63: Thurn 8C **40**
Syday La. S21: Spink, Reni 9C **138**
Sydney Rd. S6: Shef 8E **108**
Syke Bottom HD9: Shep 2N **31**
SYKEHOUSE .3M 9
Syke Ho. La. S6: Dung 4F **106**
Sykehouse Rd. DN14: Syke 3N **9**
Sykes Av. S75: Barn 6E **36**
Sykes Ct. S64: Swin 5C **78**
Sykes St. S70: Barn 9E **36**
Sylvan Cl. S66: Malt 7F **98**
Sylvester Av. DN4: Balb 6N **63**
Sylvester Gdns. S1: Shef 6F 5 (1H **123**)
Sylvester St. S1: Shef 7E 4 (1H **123**)
Sylvestria Ct. DN11: Ross 5K **83**
Sylvia Cl. S13: Shef 4K **125**
Symes Gdns. DN4: Can 6J **65**
Symonds Av. S62: Rawm 6J **77**
Symons Cres. S5: Shef 9G **93**

T

Tadcaster Cl. DN12: Den M 4K **79**
Tadcaster Cres. S8: Shef 7G **122**
Tadcaster Rd. S8: Shef 7G **122**
Tadcaster Way S8: Shef 7G **122**
Taggs Knoll S33: Bamf 7E **118**
Taining La. DN7: Fish 2B **26**
Tait Av. DN12: New E 6F **80**
Talbot Av. DN3: Barn D 1J **45**
Talbot Circ. DN3: Barn D 1K **45**
Talbot Cres. S2: Shef 5J 5 (1K **123**)
Talbot Gdns. S2: Shef 5J 5 (1K **123**)
Talbot Pl. S2: Shef 5J 5 (1K **123**)
Talbot Rd. DN11: Birc 9L **101**
S2: Shef 4K 5 (1K **123**)
S36: Pen .3M **53**
S64: Swin .3E **78**
S80: Work 8D **142**
Talbot St. S2: Shef 5J 5 (1K **123**)
Talmont Rd. S11: Shef 5C **122**
Tamar Cl. S75: High'm 5N **35**
Tanfield Cl. S71: R'ton 5H **17**
Tanfield Rd. S6: Shef 3E **108**
Tanfield Way S66: Wick 9G **96**
TANKERSLEY 2G 75
Tankersley La. S74: Hoyl 2G **75**
Tankersley Pk. Golf Course 5H 75
Tank Row S71: Stair 7L **37**
Tannery Cl. S13: Shef 5H **125**
Tannery Ct. S75: Dod 9A **36**
Tannery St. S13: Shef 5H **125**
Tan Pit Cl. DN5: Clay 4C **40**
Tan Pit La. DN5: Clay 4C **40**
S63: Gol 4C **60**
Tanpit La. DN6: Wald S 5H **7**
Tansley Dr. S9: Shef 9B **94**
Tansley St. S9: Shef 9B **94**
Tanyard S75: Dod 1N **55**
Tanyard Cft. S72: Brier 6G **19**
Taplin Rd. S6: Shef 4C **108**
Tapton Bank S10: Shef 1B **122**
Tapton Ct. S10: Shef 1C **122**
Tapton Cres. Rd. S10: Shef 1B **122**
Tapton Hall of Residence
S10: Shef .9D **108**
TAPTON HILL 1B 122
Tapton Hill Rd. S10: Shef 9B **108**
Tapton Ho. Rd. S10: Shef 1C **122**
Tapton M. S10: Shef 9C **108**
Tapton Mt. Cl. S10: Shef 1C **122**
Tapton Pk. Gdns. S10: Shef 2B **122**
Tapton Pk. Mt. S10: Shef 2B **122**
Tapton Pk. Rd. S10: Shef 2A **122**
Taptonville Cres. S10: Shef 1D **122**
Taptonville Head S10: Shef 9D **108**
Taptonville Rd. S10: Shef 9D **108**
Tapton Wlk. S10: Shef 1C **122**
Target Health & Fitness Club
New Mill .2J **31**
Tarleton Cl. DN3: Kirk Sa 4K **45**
Tarn Ho. *S70: Barn* *8G 36*
(off Union St.)
Tasker Rd. S10: Shef 8C **108**
Tasman Gro. S66: Malt 7C **98**
Tatenhill Gdns. DN4: Can 8K **65**
Taunton Av. S9: Shef 1B **110**
Taunton Gdns. S64: Mexb 9H **61**
Taunton Gro. S9: Shef 9B **94**
Taverner Cl. S35: High G 5E **74**
Taverner Cft. S35: High G 6F **74**
Taverner Way S35: High G 6E **74**
Tavistock Rd. S7: Shef 5G **122**
Tavy Cl. S75: Bar G 3N **35**
Tay Cl. S18: Dron W 8E **134**
S75: Mapp 1D **36**
Taylor Cres. S72: Grim 2H **39**
S81: Woods 8J **129**
Taylor Dr. S81: Woods 8J **129**
Taylor Hill S75: Cawt 4G **35**
Taylor Row S63: Wath D 2K **77**
S70: Barn .8G **37**
Taylor's Cl. S62: P'gte 3L **95**
Taylor's Ct. S62: P'gte 3M **95**
Taylor's La. S62: P'gte 3L **95**
Taylor St. DN12: Con 4B **80**
Tay St. S6: Shef 1A 4 (8E **108**)
Teague Pl. S80: Work 7A **142**
Teal Cl. S73: Bramp 6G **59**
Teal Ct. S81: Gate 3A **142**
Teal Dr. DN4: Balb 2A **82**
Teapot Cnr. DN5: Clay 4C **40**
Tedgness Rd. S32: Neth P 8A **132**
Teesdale Rd. S12: Ridg 2F **136**
S61: Wing .2F **94**
Teeside Cl. DN5: Scaws 2H **63**
Telford Rd. DN5: Don 2L **63**
Telson Cl. S64: Swin 3N **77**
Temperance St. S64: Swin 3C **78**
Tempest Av. S73: D'fld 9G **38**
Tempest Rd. WF9: Sth K 5B **20**
Templar Cl. S66: Thurc 6J **113**
TEMPLEBOROUGH 1G 110
Templeborough Bus. Cen.
S60: Roth .9J **95**
Temple Cl. S60: Roth 9G **95**
Temple Cres. S66: Bram 9J **97**
Temple Gdns. DN4: Can 8K **65**
Temple Rd. S60: Roth 1F **110**
Templestowe Ga. DN12: Con 4C **80**
Temple Way S71: Monk B 5L **37**
Templing Cl. S70: Barn 9H **37**
Ten Acre Rd. S61: Kimb P 5F **94**
Tenby Gdns. DN4: Balb 8L **63**
Tenby Gro. S80: Work 8D **142**
Ten Lands La. WF4: Hav 2N **17**
Tennyson Av. DN3: Arm 1L **65**
DN5: Don .3K **63**
DN6: Camp .9G **6**
DN8: Thorne 2L **27**
S64: Mexb 9G **60**
Tennyson Cl. S25: Din 3E **128**
S36: Pen .3N **53**
Tennyson Dr. S81: Work 6E **142**
Tennyson Ri. S63: Wath D 7J **59**
Tennyson Rd. DN5: Bntly 7M **43**
S6: Shef .6E **108**
S65: Roth .8N **95**
S66: Malt .9E **98**
S71: Monk B 4J **37**
Ten Pound Wlk. DN4: Don 7N **63**
Ten Row HD8: Birds E 4D **32**
Tenter Balk La. DN6: Adw S 3E **42**
Tenterden Rd. S5: Shef 9N **93**
Tenter Hill HD9: New M 4K **31**
S36: Thurl 3K **53**
Tenter Hill Rd. HD9: Holm 1H **31**
Tenter Ho. Ct. HD8: Den D 3L **33**
Tenter La. DN4: Warm 9G **62**
S36: Snow H 9C **54**
Tenter Rd. DN4: Warm 9G **63**
Tenters Grn. S70: Wors 3G **57**
Tenter St. S1: Shef 2E 4 (8H **109**)
S60: Roth .6J **95**
Terminus Rd. S7: Shef 8D **122**
Terrace, The HD9: Hade E 8F **30**
HD9: Holm 3E **30**
S5: Shef .1M **109**
Terrace Rd. S62: P'gte 1M **95**
Terrace Wlk. S11: Shef 3D **122**
Terrey Rd. S17: Tot 5N **133**
Terry St. S9: Shef 4B **110**
Tethering La. DN10: Ever 9N **103**
Tetney Rd. S10: Shef 1A **122**
Tewitt Rd. DN5: Bntly 4L **43**
Teynham Dr. S5: Shef 2G **108**
Teynham Rd. S5: Shef 2F **108**
Thackeray Av. S62: Rawm 7A **78**
Thackeray Cl. S81: Work 6E **142**
Thacker La. DN7: Fish 2B **26**
Thames St. S60: Roth 6J **95**
Thatch Pl. S61: Wing 2G **95**
The . . . .
Names prefixed with 'The' for example 'The Abbe's Cl.' are indexed under the main name such as 'Abbe's Cl., The'
Theaker La. DN10: Scaf 9F **102**
Thealby Gdns. DN4: Bess 8F **64**
Thellusson Av. DN5: Scaws 1G **63**
Theobald Av. DN4: Don 6C **64**
Theobald Cl. DN4: Don 6B **64**
Theodore Rd. DN6: Ask 2J **23**
Thicket Dr. S66: Malt 7F **98**
Thicket La. S70: Wors 3K **57**
Thickett La. S36: Pen 7A **54**
Thickwoods La. S36: Up M 2D **70**
Thievesdale Av. S81: Work 3C **142**
Thievesdale Cl. S81: Work 3D **142**
Thievesdale La. DN22: Ranb 2M **143**
S81: Work 3C **142**
Third Av. DN6: Woodl 4G **42**
DN9: Finn .2D **84**
WF9: Upton 1F **20**
Third Sq. DN7: Stainf 5A **26**
Thirlmere Ct. S64: Mexb 9J **61**
Thirlmere Dr. S18: Dron 8H **135**
S25: Nth A 5D **128**
Thirlmere Gdns. DN3: Kirk Sa 5J **45**
Thirlmere Rd. S8: Shef 6F **122**
S71: Barn .7H **37**
Thirlwall Av. DN12: Con 4M **79**
Thirlwell Rd. S8: Shef 5H **123**
Thirsk Cl. DN12: Den M 4K **79**
Thistle Dr. WF9: Upton 2E **20**
Thistley Ct. S72: Grim 9F **18**
Thomas Rd. DN7: Stainf 6B **26**
Thomas St. DN12: New E 5F **80**
S1: Shef 5D 4 (1G **123**)
S26: Kiv P 9J **127**
S64: Kiln 7E **78**
S64: Swin .2C **78**
S70: Barn .8G **36**
S70: Wors .2H **57**
S73: D'fld .2H **59**
WF9: Hems .3L **19**
Thomas Way WF9: Sth E 5F **20**
Thompson Av. DN11: H'worth 8J **101**
DN12: New E 4F **80**
Thompson Cl. S62: Rawm 6J **77**
S66: Malt .6C **98**
Thompson Dr. DN7: Hat 1D **46**
S64: Swin .5B **78**
Thompson Gdns. S35: High G 6D **74**
Thompson Hill S35: High G 7D **74**
Thompson Ho. Grn. S6: Brad 9L **89**
Thompson Nook DN7: Hat 9D **26**
Thompson Rd. S11: Shef 2E **122**
S73: Womb 5D **58**
Thompson Ter. DN6: Ask 1L **23**
Thomson Av. DN4: Balb 8K **63**
Thomson Cl. S63: Wath D 9M **59**
Thongsbridge Mills HD9: T'bri 1F **30**
Thoren Rd. Retail Pk. DN2: Don 8H **45**
Thoresby Av. DN4: Don 6C **64**
S71: Monk B 5K **37**
Thoresby Cl. DN11: Birc 8L **101**
S26: Aston 4E **126**
Thoresby Rd. S6: Shef 5D **108**
Thorlby Dr. S81: Gate 3L **141**
Thornborough Cl. S2: Shef 4K **123**
Thornborough Pl. S2: Shef 4K **123**
Thornborough Rd. S2: Shef 4J **123**
Thornbridge Av. S12: Shef 8D **124**
Thornbridge Cl. S12: Shef 8D **124**
Thornbridge Cres. S12: Shef 8E **124**
Thornbridge Dr. S12: Shef 8D **124**
Thornbridge Gro. S12: Shef 8D **124**
Thornbridge La. S12: Shef 8E **124**
Thornbridge Pl. S12: Shef 8D **124**
Thornbridge Ri. S12: Shef 8E **124**
Thornbridge Rd. S12: Shef 9D **124**
Thornbridge Way S12: Shef 8E **124**
Thornbrook Cl. S35: Chap 8J **75**
Thornbrook Gdns. S35: Chap 8J **75**
Thornbrook M. S35: Chap 8H **75**
Thornbury Hill La. S81: Fir, Oldc 5M **115**
Thorncliffe Cl. S26: Swal 5A **126**
Thorncliffe Gdns. DN9: Auck 8C **66**
Thorncliffe Ind. Est. S35: Chap 6G **75**
Thorncliffe La. HD8: Eml'y 2A **14**
S35: Chap 7G **74**
Thorncliffe Pk. Est. S35: Chap 7H **75**
Thorncliffe Rd. S35: Chap 6H **75**
Thorncliffe Vw. S35: Chap 7G **75**
Thorncliffe Vs. S35: Chap 7G **74**
Thorncliffe Way S75: Tank 1F **74**
Thorndale Ri. S60: Brins 4K **111**
THORNE 2K 27
Thorne & Dikesmarsh Rd.
DN8: Thorne 7J **11**
Thorne Cl. DN11: H'worth 9G **101**
S71: Smi 1F **36**
Thorne End Rd. S75: Stain 7C **16**
Thorne Golf Course 4H 27
Thorne Leisure Cen. 2L 27
Thornely Av. S75: Dod 8A **36**
Thornely Sq. S75: Dod 9A **36**
Thorne North Station (Rail) 1J 27

Thorne Rd.—Trinity Dr.

Thorne Rd. DN1: Don .4A 64
DN2: Don .3C 64
DN3: Eden .7H 45
DN7: Hat .9G 26
DN7: Stainf .5B 26
DN8: San .3H 49
DN9: Blax .9G 66
DN10: Aust .9E 84
DN10: Aust, Baw .5D 102
S7: Shef .6F 122
Thorne South Station (Rail) .4L 27
Thorne Waste Drain Rd.
DN8: Thorne .8B 12
Thorn Gth. DN5: Don .1L 63
Thornham Cl. DN3: Arm .2L 65
Thornham La. DN3: Arm .1B 66
Thornham Mdws. S63: Gol .2E 60
THORN HILL .5J 95
THORNHILL .8C 118
Thornhill Av. DN2: Don .1E 64
S60: Brins .5H 111
Thornhill Dr. S70: Barn .9G 37
Thornhill Edge S60: Roth .6J 95
Thornhill La. S33: Aston, Thorn .7A 118
Thornhill Pl. S63: Wath D .9L 59
Thornhill Rd. DN11: H'worth .9G 101
Thorn Ho. La. S35: Bright .2H 91
Thornhurst Pk. Golf Course .8L 23
Thorn La. DN2: Long S .6G 44
Thornlea Ct. DN12: New E .5E 80
Thornley Brook S63: Thurn .8A 40
Thornley Cotts. S75: Dod .9A 36
Thornley Sq. S63: Thurn .8A 40
Thornley Vs. S70: Birdw .8F 56
Thorn Rd. S64: Kiln .5C 78
THORNSEAT .8M 89
Thornseat Rd. S6: Brad .8K 89
Thornsett Ct. S11: Shef .3F 122
Thornsett Gdns. S17: Dore .3A 134
Thornsett Rd. S7: Shef .3F 122
Thornton Cl. WF9: Hems .4K 19
Thornton Ct. WF9: Upton .1J 21
Thornton Dale S81: Work .3E 142
Thorntondale Rd. DN5: Scaws .9H 43
Thornton Pl. S18: Dron W .9D 134
Thornton Rd. S70: Barn .9K 37
Thornton St. S61: Kimb .8E 94
Thornton Ter. S61: Kimb .8E 94
S70: Barn .9K 37
Thorntree Cl. S61: Thorpe H .1N 93
Thorntree La. S75: Barn .5E 36
Thorntree Rd. S61: Thorpe H .2N 93
Thornwell Gro. S72: Cud .2A 38
Thornwell La. S61: Thorpe H .8N 75
Thornwood Cl. S63: Thurn .7B 40
Thornwood Ct. S63: Thurn .7C 40
Thorogate S62: Rawm .7L 77
Thorold Pl. DN3: Kirk Sa .3J 45
Thorp Av. HD9: Holm .4F 30
Thorp Cl. S2: Shef .3H 123
Thorpe Av. S18: Coal A .6K 135
Thorpe Bank DN3: Barn D .9G 25
DN6: Thorpe B .7F 24
Thorpe Bridle Rd. S25: Sth A .2B 140
S26: Kiv S .2B 140
THORPE COMMON .2N 93
Thorpe Dr. S20: Water .1L 137
Thorpefield Cl. S61: Thorpe H .9N 75
Thorpefield Dr. S61: Thorpe H .9N 75
Thorpe Fld. M. S61: Thorpe H .9N 75
Thorpe Grange La. DN5: Blk G .5A 24
Thorpe Grn. S20: Water .1K 137
Thorpehall Rd. DN3: Kirk Sa .5K 45
THORPE HESLEY .9N 75
Thorpe Ho. Av. S8: Shef .7J 123
Thorpe Ho. Ri. S8: Shef .7H 123
Thorpe Ho. Rd. S8: Shef .7H 123
THORPE IN BALNE .6D 24
Thorpe La. DN5: Sprot .6F 62
DN6: Thorpe B .8D 24
HD8: Den D, Skel .1K 33
S80: N'thpe .4G 140
THORPE MARSH .9F 24
Thorpe Marsh Nature Reserve .1C 44
Thorpe Mere Rd. DN5: Bntly .1D 44
Thorpe Mere Vw. DN5: Bntly .9D 24
Thorpe Rd. S26: Hart .3K 139
THORPE SALVIN .3C 140
Thorpes Av. HD8: Den D .1K 33
Thorpe St. S61: Thorpe H .9M 75
Three Hills Cl. S65: Thry .2E 96
Three Nooks La. S72: Cud .8B 18
Threshfield Way S12: Shef .8H 125
Threshold La. DN7: Fost .7D 10
Thrislington Sq. DN8: Moore .6M 11
THROAPHAM .9D 114
Thrush Av. S60: Brins .4K 111
Thrush St. S6: Shef .6C 108
Thruxton Cl. S72: Cud .9C 18
THRYBERGH .3E 96
Thrybergh Country Pk. & Reservoir .1G 96
Thrybergh Country Pk. Visitors Cen. .9F 78
Thrybergh Ct. DN12: Den M .3N 79
Thrybergh Hall Rd. S62: Rawm .8A 78
Thrybergh La. S65: Thry .2F 96
Thrybergh Sports Cen. .3E 96
Thrybergh Vw. S65: Thry .3D 96
Thundercliffe Rd. S61: Kimb .6B 94
Thurbrook Gdns. S66: Thurc .5M 113
THURCROFT .5K 113
Thurcroft Ho. *DN1: Don .5N 63*
(off St James St.)
Thurcroft Ind. Est. S66: Thurc .4K 113
THURGOLAND .8H 55
Thurgoland Bank S35: Thurg .7F 54
Thurgoland Hall Fold S35: Thurg .8H 55
Thurgoland Hall La. S35: Thurg .8H 55
THURLSTONE .3K 53
Thurlstone Rd. S36: Pen .4L 53
THURNSCOE .9B 40
Thurnscoe Bri. La. S63: Thurn .1C 60
Thurnscoe Bus. Cen. S63: Thurn .9D 40
Thurnscoe Bus. Pk. S63: Thurn .9D 40
THURNSCOE EAST .8D 40
Thurnscoe Hall M. S63: Thurn .9B 40
Thurnscoe La. S72: Gt H .7L 39
Thurnscoe Rd. S63: Bolt D .5B 60
Thurnscoe Station (Rail) .8C 40
Thurstan Av. S8: Shef .2F 134
Thurstan Way S80: Work .8D 142
Tiber Vw. S60: Brins .3J 111
TICKHILL .6D 100
Tickhill Bk. La. DN11: Wils .3J 99
Tickhill Castle .7D 100
Tickhill Rd. DN4: Balb .8L 63
DN10: Baw .7N 101
DN11: H'worth .7H 101
DN11: Lov .9L 63
DN11: Tick .8F 98
S66: Malt .8F 98
Tickhill Sq. DN12: Den M .3L 79
Tickhill St. DN12: Den M .2L 79
Tickhill Way DN11: Ross .6L 83
Tideswell Ct. S5: Shef .1K 109
Tideswell Rd. S5: Shef .1K 109
Tideswell Wlk. S60: Wav .9H 111
Tideworth Hague La. DN14: Syke .4A 10
Tideworth La. DN14: Syke .4A 10
Tiercel M. S25: Din .2C 128
Tilford Rd. S13: Shef .5J 125
Tillotson Cl. S8: Shef .5H 123
Tillotson Ri. S8: Shef .5H 123
Tillotson Rd. S8: Shef .5H 123
TILTS .1N 43
TILTS HILLS .1L 43
Tiltshills La. DN5: Bntly .1L 43
Tilts La. DN5: Bntly .1N 43
(not continuous)
Timothy Wood Av. S70: Birdw .7G 56
Tinglebridge S73: Hem .8C 58
Tingle Bri. Av. S73: Hem .8C 58
Tingle Bri. Cres. S73: Hem .8C 58
Tingle Bri. La. S73: Hem .8C 58
Tingle Cl. S73: Hem .8C 58
Tinker Bottom S6: Brad, Dung .3B 106
Tinker La. S6: Shef .7C 108
S10: Shef .7C 108
S74: Hoyl .9H 57
Tinker Rd. S62: Rawm .8N 77
Tinker's Hill S81: Carl L .6D 130
TINSLEY .2E 110
Tinsley Ind. Est. S9: Shef .6C 110
Tinsley Link Rd. S9: Shef .1D 110
Tinsley Pk. Cl. S9: Shef .5C 110
Tinsley Pk. Golf Course .8D 110
Tinsley Pk. Rd. S9: Shef .6B 110
(not continuous)
Tinsley Rd. S74: Hoyl .8L 57
Tinsley Stop (ST) .2D 110
Tipping La. HD8: Eml'y .2A 14
Tippit La. S72: Cud .2C 38
Tipsey Ct. S75: Stain .8E 16
Tipsey Hill S75: Stain .8E 16
Tipton St. S9: Shef .1A 110
Tissington Dr. S60: Wav .9H 111
Tithe Barn Av. S13: Shef .4H 125
Tithe Barn Cl. S13: Shef .4J 125
Tithe Barn Ct. S64: Mexb .7E 60
Tithe Barn La. S13: Shef .5H 125
Tithebarn La. DN8: Thorne .2L 27
Tithe Barn Way S13: Shef .4H 125
Tithe Laithe S74: Hoyl .9M 57
Tithes La. DN11: Tick .6D 100
Titterton Cl. S9: Shef .6A 110
Titterton St. S9: Shef .6A 110
Tiverton Cl. S64: Swin .4C 78
TIVY DALE .4G 34
Tivy Dale S75: Cawt .4G 34
Tivy Dale Cl. S75: Cawt .4G 34
Tivy Dale Dr. S75: Cawt .4G 34
Tivydale Dr. S75: Dart .1N 35
Toadham La. DN14: Balne .1B 8
Toad Holes La. DN11: Ross .3J 83
Toad La. S66: Bramp M .7J 113
Toby Wood La. HD8: Den D .4G 32
Tockwith Rd. S9: Shef .7B 110
Todmorden Cl. DN12: Den M .3K 79
TODWICK .6K 127
Todwick Grange S26: Tod .4K 127
Todwick Ho. Gdns. S26: Tod .5K 127
Todwick Rd. S8: Shef .8F 122
S25: Din, Nth A .3M 127
S26: Tod .3M 127
Todwick Rd. Ind. Est. S25: Din .2N 127
Todwick Vs. S26: Tod .6K 127
Toecroft La. DN5: Sprot .6D 62
Tofield Rd. DN11: Wad .6L 81
Toft Hill La. DN10: H'well .6K 103
TOFTS .8L 107
Tofts La. S6: Stan .8L 107
S36: Snow H .1B 72
Toftstead DN3: Arm .2L 65
Toftwood Av. S10: Shef .8B 108
Toftwood Rd. S10: Shef .8C 108
Togo Bldgs. S63: Thurn .9B 40
Togo St. S63: Thurn .9B 40
TOLL BAR .4L 43
Toll Bar Av. S12: Shef .6M 123
Toll Bar Cl. S12: Shef .6M 123
Tollbar Cl. S36: Oxs .7D 54
Toll Bar Dr. S12: Shef .6N 123
Toll Bar Rd. S12: Shef .6M 123
S64: Swin .4A 78
S65: Roth .8D 96
Tollgate Cl. S72: Shaft .7D 18
Tollgate Ct. S3: Shef .5J 109
Toll Ho. Mead S20: Mosb .3J 137
Tollsby La. DN7: Hat .1D 46
Tolson Wlk. S63: Wath D .8M 59
Tombridge Cres. WF9: Kins .1G 19
Tom La. S10: Shef .2M 121
Tomlinson Rd. S74: Els .9A 58
Tom Wood Ash La. WF9: Upton .2J 21
Tooker Rd. S60: Roth .8L 95
Topcliffe Rd. S71: Monk B .3H 37
Top Farm Ct. *DN10: Baw .6C 102*
(off Top St.)
Top Fld. La. S65: Roth .5C 96
Top Fold S71: Ard .8A 38
Top Fold Cotts. DN12: Old D .4H 79
Top Hall Rd. DN4: Bess .9J 65
TOPHAM .3K 9
Topham Ferry La. DN14: Syke .3K 9
Top Ho. Ct. WF8: Kirk Sm .4B 6
Top La. DN4: Bess .8E 64
DN5: Clay .4A 40
DN7: B'waite, Kirk B .3K 25
S66: B'well .5G 98
WF4: Midg .1F 14
Top Orchard WF4: Ryh .1B 18
Toppham Dr. S8: Shef .4G 134
Toppham Rd. S8: Shef .4G 135
Toppham Way S8: Shef .4G 134
Top Rd. DN3: Barn D .1J 45
DN10: Miss .2K 103
HD8: Lwr C .1H 33
S35: Ough .8M 91
Top Row S75: Dart .6N 15
Tops, The
S62: Neth Hau, Rawm .8J 77
Top Side S35: Gren .4C 92
Top St. DN10: Baw .6C 102
WF9: Hems .2J 19
Top Ter. *S10: Shef .9D 108*
(off Parker's La.)
Top Tree Way S65: Thry .2E 96
Top Vw. Cres. DN12: New E .6F 80
Top Warren S35: Chap .6J 75
Torbay Rd. S4: Shef .5L 109
Tor Cl. S71: Monk B .3J 37
Torksey Cl. DN4: Bess .1H 83
Torksey Rd. S5: Shef .9L 93
Torksey Rd. W. S5: Shef .9L 93
Torne Cl. DN4: Can .9K 65
Torne Vw. DN9: Auck .7C 66
Torrington Cl. DN6: Adw S .2E 42
Torry Ct. S13: Shef .5J 125
Tortmayns S26: Tod .6K 127
Torver Dr. S63: Bolt D .6B 60
Tor Way S60: Brins .4K 111
Torwood Dr. S8: Shef .3F 134
TOTLEY .6M 133
TOTLEY BROOK .5N 133
Totley Brook Cl. S17: Dore .5M 133
Totley Brook Cft. S17: Dore .5M 133
Totley Brook Glen S17: Dore .4M 133
Totley Brook Gro. S17: Dore .5M 133
Totley Brook Rd. S17: Dore .5M 133
Totley Brook Way S17: Dore .5M 133
Totley Cl. S71: Ath .1J 37
Totley Grange Cl. S17: Tot .6M 133
Totley Grange Dr. S17: Tot .6M 133
Totley Grange Rd. S17: Tot .6M 133
Totley Hall Cft. S17: Tot .7M 133
Totley Hall Dr. S17: Tot .6M 133
Totley Hall La. S17: Tot .6M 133
Totley Hall Mead
S17: Tot .7M 133
Totley La. S17: Bradw .6B 134
S17: Tot .6A 134
(not continuous)
Totley M. S17: Tot .6M 133
TOTLEY RISE .5A 134
TOTTIES .3H 31
Totties La. HD9: Holm .3H 31
Tourist Info. Cen.
Doncaster .4N 63
Holmfirth .3E 30
Rotherham .7K 95
Sheffield .4G 5 (9H 109)
Worksop .8C 142
Towcester Way S64: Mexb .9H 61
Tower Av. WF9: Upton .1F 20
Tower Cl. DN5: Scawt .7H 43
Tower Gdns. DN7: Hat .3C 46
Tower Ho. S2: Shef .3K 123
Tower Ri. S2: Shef .3K 123
Tower St. S70: Barn .9F 36
TOWN END
HD9 .2G 31
S36 .6H 73
S6 .7N 107
Town End DN5: Don .3M 63
S18: App .9N 135
Town End Av. HD9: Holm .1G 30
S26: Aston .3D 126
Townend Av. S65: Dalt .4D 96
Townend Cl. S60: Tree .8L 111
Town End Cotts. S6: Brad .8D 90
Town End Cres. HD9: Holm .1G 30
Town End Ind. Est. DN5: Don .3L 63
Townend La. S36: Spink .7G 72
Town End Rd. HD9: Holm .2F 30
S35: Eccl .5G 93
Townend St. S10: Shef .7D 108
Town End Vw. HD9: Holm .2F 30
Town Fld. La. S35: Bright .2H 91
Townfield La. S33: Shatt .9B 118
Town Flds. DN1: Don .4B 64
Town Flds. Av. S35: Eccl .5K 93
Town Fld. Vs. DN1: Don .4B 64
Town Ga. HD9: Hep .6J 31
HD9: N'thng .1D 30
Towngate DN10: Baw .6C 102
HD9: U'thng .3B 30
S6: Brad .7D 90
S36: Thurl .3K 53
S75: Mapp .8C 16
S75: Silk .8H 35
Towngate Gro. S35: Ough .8M 91
Towngate Rd. S35: Ough .8L 91
Town Hall St. HD9: Holm .3E 30
TOWN HEAD .1A 108
TOWNHEAD
S17 .3L 133
S36 .5K 51
Townhead La. S33: Thorn .7C 118
Townhead Rd. S17: Dore .3L 133
Townhead St. S1: Shef .3E 4 (9H 109)
Town Ing Rd. DN7: Fish .1E 26
Town Lands Cl. S73: Womb .3F 58
Town La. S61: Kimb P, Wing .3D 94
Town Moor Av. DN2: Don .3C 64
Town St. S9: Tins .1D 110
S60: Roth .9K 95
WF9: Hems .2J 19
Town Vw. Av. DN5: Scaws .8F 42
Town Wells Ct. S25: Nth A .6B 128
Toyne St. S10: Shef .8C 108
Trafalgar Ct. S1: Shef .5D 4 (1G 123)
Trafalgar Rd. S6: Shef .9D 92
Trafalgar St. DN6: Carc .8G 22
S1: Shef .4D 4 (9G 109)
Trafalgar Way DN6: Carc .8G 22
Trafford Apartments S61: Kimb .7E 94
Trafford Ct. DN1: Don .4N 63
Trafford Rd. DN6: Nort .7H 7
Trafford Way DN1: Don .4N 63
Tranker La. S80: Rhod .4M 141
S81: Rhod, Shire .3L 141
(not continuous)
Tranmoor Av. DN4: Bess .8H 65
Tranmoor Ct. S74: Hoyl .1J 75
Tranmoor La. DN3: Arm .2L 65
Tranquil Wlk. DN11: New R .6G 83
Trap La. S11: Shef .5N 121
Traso Bus. Pk. S18: Dron .9L 135
Travey Rd. S2: Shef .4A 124
Travis Av. DN8: Thorne .2L 27
Travis Cl. DN7: Hat .9E 26
DN8: Thorne .2L 27
Travis Gdns. DN4: Hex .6K 63
Travis Gro. DN8: Thorne .2M 27
Travis Pl. S10: Shef .6B 4 (1F 122)
Tredis Cl. S71: Monk B .5J 37
Treecrest Ri. S75: Barn .4F 36
Treefield Cl. S61: Wing .2G 95
Treelands S75: Barn .5C 36
Tree La. S35: Wort .8A 74
Tree Root Wlk. S10: Shef .9E 108
TREETON .8L 111
Treeton Ent. Cen. S60: Tree .9M 111
Treeton Ho. *DN1: Don .5N 63*
(off Oxford Pl.)
Treeton La. S26: Augh .9B 112
S60: Tree .7K 111
Treetown Cres. S60: Tree .7L 111
Treherne Rd. S60: Roth .8M 95
Trelawney Wlk. S70: Wors .2G 57
Trenchard Cl. S72: Grim .1G 39
Trent Cl. DN12: New E .3G 80
Trent Gdns. DN3: Kirk Sa .3J 45
Trent Gro. S18: Dron .7J 135
Trentham Cl. S60: Brins .4K 111
Trenton Cl. S13: Shef .5K 125
Trenton Ri. S13: Shef .5K 125
Trent St. S9: Shef .6M 109
S80: Work .6B 142
Trent Ter. DN12: Con .3A 80
Trent Vs. S26: Kiv P .9J 127
Treswell Cres. S6: Shef .4D 108
Trewan Ct. S71: Monk B .5J 37
Trickett Rd. S6: Shef .5D 108
S35: High G .6D 74
Trigon, The S1: Shef .6G 5
Trigot Ct. WF9: Sth K .6B 20
Trinity Ct. WF9: Sth E .5F 20
Trinity Dr. HD8: Den D .3J 33

200 A-Z South Yorkshire

Trinity Mdws.—Victoria

Trinity Mdws. S35: Thurg 8H 55
Trinity Rd. S26: Kiv P 9L 127
Trinity St. S3: Shef 1E 4 (8H 109)
Trinity Wlk. WF9: Sth E 5F 20
Trippet Ct. S10: Shef 3A 122
Trippet La. S1: Shef 3D 4 (9G 109)
Tristford Cl. S60: Cat 6K 111
Trolleybus Mus., The 3J 49
Troon Rd. DN7: Hat 1E 46
Troon Wlk. S25: Din 3D 128
Tropical Butterfly House,
 Wildlife and Falconry Cen. 5E 128
Trouble Wood La. S6: Brad 9E 90
Trough Dr. S65: Thry 3F 96
Trough La. WF9: Sth E 6H 21
Troutbeck Cl. S63: Thurn 9B 40
Troutbeck Rd. S7: Shef 7F 122
Troutbeck Way DN11: New R 7H 83
TROWAY 6B 136
Trowell Way S71: Ath 9G 17
Trueman Ct. S81: Work 5E 142
Trueman Dr. S62: Rawm 6J 77
Trueman Grn. S66: Malt 7C 98
Trueman Ter. S71: Lund 6M 37
Trueman Way WF9: Sth E 5F 20
Truman Gro. S36: Spink 5H 73
Truman St. DN5: Bntly 7L 43
TRUMFLEET 5F 24
Trumfleet La. DN6: Moss 9E 8
Trundle La. DN7: Fish 1A 26
Truro Av. DN2: Don 8E 44
Truro Ct. S71: Monk B 5J 37
Truswell Av. S10: Shef 8B 108
Truswell Rd. S10: Shef 9B 108
Tudor Cl. S9: Shef 6B 110
Tudor Ct. DN3: Barn D 2J 45
 S72: Grim 2G 38
 WF9: Sth E 6E 20
Tudor Rd. DN2: Don 3D 64
 DN6: Woodl 5G 42
Tudor Sq. S1: Shef 4G 5 (9J 109)
Tudor St. DN11: New R 6J 83
 S63: Thurn 8D 40
Tudor Way S70: Wors 2H 57
Tudworth Fld. Rd. DN7: Hat 7K 27
Tudworth Rd. DN7: Hat 9K 27
 DN8: Thorne 5J 27
Tuffolds Cl. S2: Shef 4A 124
Tulip Tree Cl. S20: Beig 6N 125
Tullibardine Rd. S11: Shef 5C 122
Tulyar Cl. DN11: New R 7J 83
Tumbling La. S71: Monk B 2N 37
Tummon Rd. S2: Shef 1M 123
Tummon St. S61: Roth 7H 95
Tune St. S70: Barn 8H 37
 S73: Womb 5C 58
Tun La. S72: Sth H 3D 18
Tunstall Cl. S73: Womb 6C 58
Tunwell Av. S5: Shef 6J 93
Tunwell Dr. S5: Shef 6J 93
Tunwell Greave S5: Shef 6J 93
Tunwell Rd. S66: Carr 3A 114
Tup La. WF4: Hav 1C 18
Turf Moor Rd. DN7: Hatf W 3K 47
Turham Ct. DN11: Ross 6L 83
Turie Av. S5: Shef 7H 93
Turie Cres. S5: Shef 7H 93
Turnberry S81: Work 5E 142
Turnberry Ct. DN5: Bntly 8L 43
Turnberry Gro. S72: Cud 9C 18
Turnberry M. DN7: Stainf 5A 26
Turnberry Way S25: Din 4D 128
Turner Av. S73: Womb 4B 58
Turner Bus. Pk. S13: Shef 1E 124
Turner Cl. S18: Dron 9G 134
 S62: P'gte 1N 95
Turner Dr. S81: Work 6C 142
Turner La. S60: Whis 3A 112
Turner Mus. of Glass 3D 4 (9G 109)
Turner Rd. S81: Work 6B 142
Turner Rd. Ind. Est. S81: Work 6B 142
Turners Cl. S74: Jum 8N 57
Turners La. S10: Shef 1D 122
Turner St. S2: Shef 5G 5 (1J 123)
 S72: Gt H 7L 39
TURNERWOOD 3G 141
Turnesc Gro. S63: Thurn 9C 40
Turnpike Cft. S35: Gren 4D 92
Turnshaw Av. S26: Augh 2B 126
Turnshaw M. S70: Barn 9H 37
Turnshaw Rd. S26: Ull 2D 126
Turton Rd. S65: Rav 5L 97
Turvill Syke Rd. DN14: Syke 3M 9
Tuscany Gdns. S70: Barn 8J 37
Tuscany Vs. S70: Barn 8J 37
Tutbury Gdns. DN4: Can 8K 65
Tuxford Cres. S71: Barn 6L 37
Tween Woods La. DN11: Wad 5K 81
Twelve Lands Cl. S75: Tank 1F 74
Twelve O'Clock Ct. S4: Shef 7K 109
Twentylands, The S60: Tree 9L 111
Twentywell Ct. *S17: Dore 3B 134*
 (off Ladies Spring Dr.)
Twentywell Dr. S17: Bradw 4C 134
Twentywell La. S17: Dore, Bradw 3B 134
Twentywell Ri. S17: Bradw 4C 134
Twentywell Rd. S17: Bradw 5C 134
Twentywell Vw. S17: Bradw 5C 134
Twibell St. S71: Barn 5H 37
Twickenham Cl. S20: Half 4L 137
Twickenham Ct. S20: Half 4L 137
Twickenham Cres. S20: Half 4L 137
Twickenham Glade S20: Half 4L 137
Twickenham Glen S20: Half 5M 137
Twickenham Gro. S20: Half 4L 137
Twigg Ct. S64: Kiln 5D 78
Twigg Cres. DN3: Arm 1J 65
Twitchill Dr. S13: Shef 5H 125
TWI Technology Cen. S60: Cat 7G 111
Two Acres S81: Bly 1L 131
Two Gates Way S72: Shaft 7C 18
Twyford Cl. S64: Swin 3N 77
Tyas Pl. S64: Mexb 1H 79
Tyas Rd. S5: Shef 6H 93
Tye Rd. S20: Beig 8N 125
TYERS HILL 7D 38
Tylden Rd. S80: Rhod 5L 141
Tylden Way S80: Rhod 5L 141
Tyler St. S9: Shef 2B 110
Tyler Way S9: Shef 1B 110
Tylney Rd. S2: Shef 1L 123
Tynedale Ct. DN3: Kirk Sa 4K 45
Tynker Av. S20: Beig 8N 125
Tyzack Rd. S8: Shef 9F 122

U

UGHILL 2B 106
Ughill Rd. S6: Brad 2B 106
Uldale Wlk. DN6: Carc 8G 23
ULLEY 9D 112
Ulley Activity Cen. 9F 78
Ulley Beeches S66: Bramp M 9G 113
Ulley Country Pk. 9B 112
Ulley Country Pk. Visitor Cen. 9B 112
Ulley Cres. S13: Shef 4B 124
Ulley La. S26: Aston 2D 126
 S26: Ull 1C 126
Ulley Rd. S13: Shef 4B 124
Ulley Vw. S26: Augh 1C 126
Ullswater Av. S20: Half 4L 137
Ullswater Cl. S18: Dron W 8F 134
 S20: Half 4L 137
 S25: Nth A 4C 128
 S63: Bolt D 6B 60
Ullswater Dr. S18: Dron W 9F 134
Ullswater Gdns. DN4: Don 6E 64
Ullswater Pk. S18: Dron W 8F 134
Ullswater Pl. S18: Dron W 8F 134
Ullswater Rd. S64: Mexb 9J 61
 S71: Ard 8B 38
Ullswater Wlk. DN5: Scaws 9G 43
Ulrica Dr. S66: Thurc 6K 113
Ulverston Av. DN6: Ask 1N 23
Ulverston Rd. S8: Shef 7F 122
Uncle Eddies Motocross Pk. 1K 43
UNDER BANK 4E 30
UNDERBANK 6K 107
Underbank End Rd. HD9: Holm 5F 30
Underbank La. S36: Stoc 3B 72
Underbank Old Rd. HD9: Holm 4F 30
Underbank Outdoor Activities Cen. 3M 71
Undercliffe Rd. S6: Shef 7A 108
Undergate Rd. S25: Din 1C 128
Underhill S70: Wors 3J 57
Underhill La. S6: Shef 8C 92
UNDER TOFTS 8M 107
Underwood Av. S70: Wors 1J 57
Underwood Gdns. S80: Work 7N 141
Underwood Rd. S8: Shef 7G 122
Union Ct. S70: Barn 8G 37
Union Dr. S11: Shef 5E 122
Union La. S1: Shef 5F 5 (1H 123)
Union Rd. DN8: Thorne 2J 27
 S11: Shef 5E 122
Union St. DN1: Don 5N 63
 S1: Shef 5F 5 (1H 123)
 S26: Hart 3K 139
 S61: Roth 7H 95
 S70: Barn 8G 36
 WF9: Hems 3L 19
Unity Pl. S60: Roth 7K 95
Universal Cl. S25: Nth A 3N 127
Universal Cres. S25: Nth A 3N 127
University off Huddersfield
 Barnsley Campus 6F 36
University of Sheffield
 Bolsover Street 3A 4 (9F 108)
 Crookesmoor Building 9D 108
 Dorset Street 5A 4 (1E 122)
 Drama Studio 4A 4 (9F 108)
 Jessops Building 9F 108
 Mushroom Lane 2A 4
 North Campus 3D 4 (9G 109)
 Northumberland Road 9E 108
 The Diamond 9G 108
 Western Bank 9E 108
University of Sheffield Stop
 (ST) 4B 4 (9F 108)
Unsliven Rd. S36: Stoc 3A 72
Unstone Dronfield By-Pass
 S18: Dron, Uns 9G 134
Unstone St. S2: Shef 7E 4 (2H 123)
Unwin Cres. S36: Pen 5N 53
Unwin St. S36: Pen 5N 53
Uplands Av. S75: Kexb 9L 15
Uplands Rd. DN3: Arm 1M 65
Uplands Way S62: Rawm 8L 77
Up. Albert Rd. S8: Shef 7H 123
Up. Allen St. S3: Shef 2C 4 (8G 108)
Up. Ash Gro. WF9: Sth E 6F 20
Up. Bank End Rd. HD9: Holm 5F 30
UPPER BRADWAY 6C 134
Upper Chambers S35: Chap 6G 74
Up. Clara St. S61: Kimb 7F 94
Up. Cliffe Rd. S75: Dod 8N 35
UPPER COMMON 9A 14
Upper Comn. La. HD8: Clay W 9B 14
UPPER CRABTREE 3K 109
UPPER CUDWORTH 9B 18
UPPER CUMBERWORTH 2E 32
UPPER DENBY 5J 33
Upperfield Cl. S66: Malt 7D 98
Upperfield La. S75: High H, Kexb 8E 14
Upperfield Rd. S66: Malt 6C 98
Upper Fold HD9: New M 2J 31
Upper Folderings S75: Dod 9A 36
Up. Forest Rd. S71: Ath 9G 16
UPPER GATE 6K 107
Upper Ga. HD9: Hep 6J 31
Uppergate Rd. S6: Stan 7K 107
Up. Hanover St. S3: Shef 5B 4 (1F 122)
 (not continuous)
UPPER HAUGH 7K 77
Up. High Royds S75: Dart 9B 16
Up. House Fold HD8: Up D 5J 33
Up. House Rd. HD9: Hade E 8G 31
UPPER HOYLAND 8K 57
Up. Hoyland Rd. S74: Hoyl 7J 57
Up. Kenyon St. DN8: Thorne 1K 27
Upper La. HD8: Eml'y 3A 14
Upper Langley HD8: Clay W 6A 14
Up. Ley Ct. S35: Chap 1H 93
Up. Ley Dell S35: Chap 9H 75
Up. Lunns Cl. S71: R'ton 6M 17
Up. Maythorn La. HD9: Hep 8A 32
Upper Mdws. HD9: U'thng 3B 30
UPPER MIDHOPE 2G 70
Upper Mill Ga. S60: Roth 7K 95
Up. New St. S70: Barn 8G 36
Up. Putting Hill HD8: Den D 1L 33
Upper Row *HD9: H'bri 6A 30*
 (off Old Rd.)
Up. Rye Cl. S60: Whis 3C 112
Up. School La. S18: Dron 9H 135
Up. Sheffield Rd. S70: Barn, Wors 9H 37
Up. Stubbin HD9: H'bri 5A 30
UPPER SWITHEN 6K 15
UPPER TANKERSLEY 3E 74
UPPERTHONG 3B 30
Upperthong La. HD9: U'thng, Holm 3C 30
 (not continuous)
UPPERTHORPE
 S21 5C 138
 S6 1B 4 (7F 108)
Upperthorpe S6: Shef 7E 108
Upperthorpe Glen S6: Shef 7E 108
Upperthorpe Rd. S6: Shef 1C 4 (7F 108)
 S21: Killa 5C 138
Upperthorpe Vs. S21: Killa 5C 138
Up. Valley Rd. S8: Shef 6H 123
UPPER WHISTON 5C 112
Up. Whiston Cl. S60: Whis 5B 112
Up. Whiston La. S60: Up W, Whis 5B 112
Upperwood Rd. S73: D'fld 1E 58
Up. Wortley Rd.
 S61: Kimb, Scho, Thorpe H 1M 93
UPTON 2G 20
UPTON BEACON 1F 20
Upton Cl. S66: Malt 6C 98
 S73: Womb 3B 58
 (not continuous)
Upwell Hill S4: Shef 3M 109
Upwell La. S4: Shef 3M 109
Upwell St. S4: Shef 3M 109
Upwood Rd. S6: Shef 3C 108
Urban Rd. DN4: Hex 6L 63
Urch Cl. DN12: Con 5A 80
Usker Cl. S36: Pen 5A 54
Utah Ter. S12: Shef 8J 125
Utleys Cft. S63: Wath D 7K 59
Uttley Cl. S9: Shef 6B 110
Uttley Cft. S9: Shef 6B 110
Uttley Dr. S9: Shef 6B 110
Uttoxeter Av. S64: Mexb 9H 61

V

Vaal St. S70: Barn 8J 37
Vainor Rd. S6: Shef 2B 108
Vale Av. S65: Thry 3E 96
Vale Cl. S18: Dron 9J 135
Vale Ct. S65: Thry 3E 96
Vale Cres. S65: Thry 3E 96
Vale Gro. S6: Lox 4N 107
Vale Head Pk. Golf Course 1J 19
Valentine Cl. S5: Shef 8K 93
Valentine Cres. S5: Shef 8K 93
 (not continuous)
Valentine Rd. S5: Shef 8K 93
Vale Rd. S3: Shef 5G 108
 S65: Thry 3E 96
Valestone Av. WF9: Hems 2L 19
Valetta Ho. *S62: P'gte 1M 95*
 (off Allt St.)
Vale Vw. S36: Oxs 7D 54
Valiant Gdns. DN5: Sprot 4J 63
Valley Av. WF9: Sth E 6G 21
Valley Centertainment S9: Shef 4C 110
Valley Centertainment
 (Park & Ride) 5B 110
Valley Centertainment Stop (ST) 4C 110
Valley Dr. DN3: Brant 7N 65
 S21: Killa 3C 138
 S63: Wath D 9K 59
 S72: Grim 1G 38
 S74: Hoyl 1M 75
Valley Gro. S71: Lund 3N 37
Valley Pk. Ind. Est. S73: Womb 6G 59
Valley Rd. S8: Shef 5H 123
 S12: Shef 8J 125
 S21: Killa 3C 138
 S35: High G 8F 74
 S64: Swin 4A 78
 S73: Womb 3E 58
 S75: Mapp 8B 16
 S81: Work 3B 142
Valley St. WF9: Sth E 7E 20
Valley Vw. DN12: Con 3C 80
 S36: Pen 4A 54
 WF9: Sth E 6G 21
Valley Vw. Cl. S21: Ecki 8J 137
Valley Way S73: Womb 5E 58
 S74: Hoyl 9M 57
Vancouver Dr. S63: Bolt D 5A 60
Vantage Cl. S9: Tins 9E 94
Vantage Dr. S9: Tins 1D 110
Varley Gdns. S66: Flan 7G 97
Varney Rd. S63: Wath D 1L 77
Varsity Cl. DN7: Lind 9J 47
Vaughan Av. DN1: Don 3A 64
 DN6: Camp 9H 7
Vaughan Rd. S75: Barn 5C 36
Vaughan Ter. *S72: Gt H 6L 39*
 (off School St.)
Vaughton Hill S36: Spink 6H 73
Vauxhall Cl. S9: Shef 9B 94
Vauxhall Rd. S9: Shef 9B 94
Velocity Twr. S1: Shef 7D 4 (2G 123)
Velvet Wood Cl. S75: Barn 5B 36
Venetian Cres. S73: D'fld 2F 58
Ventnor Cl. DN4: Balb 8K 63
Ventnor Ct. S7: Shef 3G 122
Ventnor Pl. S7: Shef 3G 122
Venture One Bus. Pk. S20: Holb 1N 137
Venus Ct. S60: Brins 2J 111
Verdant Way S5: Shef 8L 93
Verdon St. S3: Shef 6J 109
Verdon Street Recreation Cen. 7J 109
Verelst Av. S26: Aston 2C 126
Vere Rd. S6: Shef 2D 108
Verger Cl. DN11: Ross 5K 83
Vermuyden Rd. DN8: Moore 7M 11
Vermuyden Vs. DN8: San 3H 49
Vernon Cl. S70: Barn 9G 37
Vernon Cres. S70: Wors 2G 56
Vernon Delph S10: Shef 9A 108
Vernon Dr. S35: Chap 9H 75
Vernon Rd. S17: Dore 4N 133
 S60: Roth 1A 112
 S70: Wors 2G 57
Vernon St. S70: Birdw 9G 56
 S71: Barn 6G 37
 S74: Hoyl 1K 75
Vernon St. Nth. S71: Barn 6G 37
Vernon Ter. S10: Shef 1B 122
Vernon Way S66: Malt 7C 98
 S75: Barn 5C 36
Verona Ri. S73: D'fld 2G 58
Vesey St. S62: Rawm 1M 95
Vessey Rd. S81: Work 3B 142
Viaduct Cotts. HD8: Den D 3J 33
Vicarage Cl. DN4: Can 8K 65
 DN7: Hat 9E 26
 S18: Holme 9B 134
 S35: Gren 5D 92
 S64: Mexb 2H 79
 S65: Roth 5C 96
 S74: Hoyl 9M 57
 WF9: Sth K 6B 20
Vicarage Ct. S60: Brins 5K 111
Vicarage Cres. S35: Gren 5D 92
Vicarage Dr. DN11: Wad 7M 81
Vicarage Farm Ct. S75: Silk 8J 35
Vicarage La. S17: Dore 3M 133
 S65: Roth 7K 95
 S71: R'ton 6K 17
Vicarage Mdws. HD9: Holm 4F 30
Vicarage M. WF4: Wool 2B 16
Vicarage Rd. S9: Shef 5N 109
 S35: Gren 5D 92
Vicarage Wlk. S36: Pen 4N 53
Vicarage Way DN5: Ark 6B 44
Vicar Cres. S73: D'fld 2H 59
Vicar La. DN10: Miss 2L 103
 S1: Shef 3F 5 (9H 109)
 S13: Shef 4H 125
Vicar Rd. S63: Wath D 8K 59
 S73: D'fld 2H 59
Vicar's Wlk. DN17: Crow 8M 29
 S80: Work 8C 142
Vickers Av. WF9: Sth E 8D 20
Vickers Dr. S5: Shef 1L 109
Vickers Rd. S5: Shef 2L 109
 S35: High G 7E 74
VICTORIA
 HD9, Hepworth 9M 31
 HD9, Holmfirth 4C 30

Victoria Av.—Waterhouse Cl.

Victoria Av. DN7: Hat 9D 26
S65: Roth 7M 95
S70: Barn 6F 36
Victoria Cl. DN7: Stainf 7B 26
DN8: Thorne 4L 27
S26: Kiv P 9K 127
S36: Stoc 5D 72
Victoria Ct. DN5: Bntly 5M 43
S11: Shef 5E 122
S26: Kiv P 9K 127
WF9: Upton 2F 20
Victoria Cres. S70: Birdw 8F 56
S75: Barn 6E 36
Victoria Cres. W. S75: Barn 6E 36
Victoria Gdns. S72: Brier 1K 39
Victoria Hall S1: Shef 4D 4 (9G 109)
Victoria Ho. S3: Shef 4C 4
Victoria Jubilee Mus. 4G 35
Victoria La. DN11: New R 5H 83
Victoria M. S64: Kiln 7D 78
Victoria Mills HD9: Holm 4C 30
Victorian Cres. DN2: Don 3C 64
Victoria Quays S2: Shef 2J 5 (8K 109)
Victoria Rd. DN4: Balb 7M 63
DN5: Bntly 6M 43
DN6: Adw S 2H 43
DN6: Ask 3K 23
DN6: Nort 7G 6
DN12: New E 3F 80
S10: Shef 7A 4 (2F 122)
S20: Beig 7M 125
S33: Bamf 8E 118
S36: Stoc 5D 72
S62: P'gte 1M 95
(not continuous)
S64: Mexb 1F 78
S70: Barn 6F 36
S71: R'ton 5L 17
S73: Womb 4D 58
S80: Work 8C 142
Victoria Rd. E. S63: Wath D 8K 59
Victoria Rd. W. S63: Wath D 8K 59
Victoria Springs HD9: Holm 4C 30
Victoria Sq. HD9: Holm 3E 30
S80: Work 7C 142
Victoria Sta. Rd. S4: Shef 2H 5 (8J 109)
Victoria St. HD8: Clay W 7A 14
HD9: Holm 3E 30
S3: Shef 4C 4 (9G 108)
S18: Dron 8G 135
S25: Din 2E 128
S36: Pen 4N 53
S36: Stoc 5D 72
S60: Cat 6K 111
S60: Roth 7H 95
(not continuous)
S63: Gol 2D 60
S64: Kiln 7D 78
S64: Mexb 1D 78
S66: Malt 1E 114
S70: Barn 6F 36
S70: Stair 8L 37
S72: Cud 1B 38
S73: D'fld 1H 59
S74: Hoyl 9N 57
WF9: Hems 3L 19
Victoria Ter. HD8: Clay W 7B 14
S70: Barn 8H 37
Victoria Vs. *S6: Shef 7F 108*
(off Upperthorpe)
S75: Pil 1F 74
Victoria Way S66: Malt 7B 98
Victor Rd. S17: Dore 3A 134
WF9: Sth K 7B 20
Victor St. DN6: Carc 9F 22
S6: Shef 5E 108
WF9: Sth E 7E 20
Victor Ter. S70: Barn 8H 37
Viewland Cl. S72: Cud 3C 38
Viewlands S75: Silk C 2J 55
WF8: Lit S 3C 6
Viewlands Cl. S36: Pen 2N 53
S66: Bram 9K 97
View Rd. S2: Shef 4H 123
S65: Roth 5N 95
Views, The S75: Mapp 8C 16
Viewtree Cl. S62: H'ley 5L 75
Vikinglea Cl. S2: Shef 3B 124
Vikinglea Dr. S2: Shef 3B 124
(not continuous)
Vikinglea Glade S2: Shef 2B 124
Vikinglea Rd. S2: Shef 2B 124
Viking Way S26: Kiv P 8L 127
Villa Gdns. DN5: Bntly 3L 43
Village Ct. S72: Cud 1C 38
Village St. DN5: Cus 2H 63
DN6: Adw S 2F 42
Villa Pk. Rd. DN4: Can 7H 65
Villa Rd. DN6: Woodl 3F 42
Villiers Cl. S2: Shef 5M 123
Villiers Dr. S2: Shef 5M 123
Vincent Ho. S1: Shef 2D 4 (8G 109)
Vincent Rd. S7: Shef 3G 123
S65: Rav 6J 97
S71: Lund 5N 37
Vincent Ter. S63: Thurn 9E 40
Vine Cl. S60: Roth 7J 95
S71: Monk B 4K 37
Vine Gro. Ct. S20: Mosb 3K 137
Vine Gro. Gdns. S20: Mosb 3K 137
Vine Rd. DN11: Tick 6F 100
Vinery Cl. HD8: Clay W 7B 14
Vineyard Cl. DN11: Tick 5C 100
Vineyard La. DN11: Tick 5C 100
Viola Bank S36: Stoc 5D 72
Violet Av. DN12: New E 5F 80
S20: Beig 8L 125
Violet Bank Rd. S7: Shef 5F 122
Violet Farm Ct. S72: Brier 7G 18
Virgin Active
Millhouses 7F 122
Sheffield 5G 123
Vissett Cl. WF9: Hems 3H 19
Vissitt La. WF9: Hems 3G 19
Vista S60: Roth 8K 95
Vivian Rd. S5: Shef 2L 109
Vizard Rd. S74: Els 9A 58
Voce Ct. *S81: Work 4E 142*
(off Larwood Av.)
Vue Cinema
Doncaster 6D 64
Sheffield 1C 110
Vulcan Ho. S65: Roth 6N 95
Vulcan M. DN9: Auck 2D 84
Vulcan Pl. S80: Work 7C 142
Vulcan Rd. S9: Shef 2B 110
(Meadowhall Way)
S9: Shef 2C 110
(Sheffield Rd.)
Vulcan Way DN7: Lind 7J 47

W

Wadbrough Rd. S11: Shef 2E 122
Waddington Rd. S75: Barn 6C 36
Waddington Ter. S64: Mexb 2G 78
Waddington Way S65: Ald 4N 95
Wade Cl. S60: Roth 9M 95
S72: Grim 2H 39
Wade Mdw. S6: Shef 3B 108
Wade St. S4: Shef 3M 109
S75: Barn 6C 36
Wadman Rd. HD9: Scho 5H 31
WADSLEY 3A 108
WADSLEY BRIDGE 1D 108
Wadsley La. S6: Shef 2B 108
Wadsley Pk. Cres. S6: Shef 3B 108
Wadsworth Av. S12: Shef 6C 124
Wadsworth Cl. S12: Shef 5D 124
Wadsworth Dr. S12: Shef 5D 124
S62: Rawm 6J 77
Wadsworth Rd. S12: Shef 6C 124
S66: Bram 9J 97
WADWORTH 7M 81
Wadworth Av. DN11: Ross 5L 83
Wadworth Cl. DN5: Barnb 4H 61
Wadworth Hall DN11: Wad 7M 81
Wadworth Hall La. DN11: Wad 7L 81
Wadworth Hill DN11: Wad 7M 81
Wadworth Riding DN12: New E 4H 81
Wadworth Ri. S65: Dalt 4D 96
Wadworth St. DN12: Den M 3M 79
Wager La. S72: Brier 6G 18
Wagg La. S10: Shef 5F 120
Waggon La. WF9: Upton 2G 21
Waggons Way DN7: Stainf 7B 26
Wagon Rd. S61: Grea 2H 95
Wain Ct. S81: Work 3E 142
Waingate S3: Shef 2G 5 (8J 109)
Wainscot Pl. DN6: Skell 7E 22
Wainscott Cl. S71: Monk B 3K 37
Wainwright Av. S13: Shef 3D 124
S73: Womb 4B 58
Wainwright Cres. S13: Shef 3C 124
Wainwright Pl. S73: Womb 4B 58
Wainwright Rd. DN4: Don 5B 64
S61: Kimb P 4F 94
Wakefield Rd. DN6: Ham 5K 21
HD8: Clay W, Den D, Eml'y
....3H 33, 7A 14
S71: Ath, Smi 6D 16
(not continuous)
S75: Stain 6D 16
WF9: Hems, Kins 1J 19
Wakelam Dr. DN3: Arm 1J 65
Wake Rd. S7: Shef 4F 122
Walbank Rd. DN3: Arm 1M 65
Walbert Av. S63: Thurn 9B 40
Walbrook S70: Wors 3J 57
Walden Av. DN5: Scawt 7J 43
Walden Rd. S2: Shef 4J 123
WALDEN STUBBS 4J 7
Walden Stubbs Rd. DN6: Nort 6H 7
Walders Av. S6: Shef 2B 108
Walders La. S36: Bolst 8E 72
WALES 9G 127
WALES BAR 8E 126
Wales Ct. S26: Wales 7G 127
Walesmoor Av. S26: Kiv P 9G 127
Wales Pl. S6: Shef 6E 108
Wales Rd. S26: Kiv P, Wales 9G 127
WALESWOOD 8C 126
Waleswood Ind. Est. S26: Wales B 7E 126
Waleswood Rd. S26: Wales B 7E 126
(Delves La.)
S26: Wales B 7E 126
(Waleswood Ind. Est.)
Waleswood Vw. S26: Aston 5C 126
Waleswood Vs. S26: Wales B 8E 126
Waleswood Way S26: Wales B 8E 126
Walford Rd. S21: Killa 4B 138
Walk, The S65: Roth 6A 96
S70: Birdw 9F 56
Walker Cl. S35: Gren 5D 92
Walker Edge S36: Bolst 2C 90
Walker La. S65: Roth 6L 95
Walker Rd. S61: Kimb P 4F 94
S75: Tank 1G 74
Walker's La. S21: Killa 4C 138
Walkers Ter. S71: Monk B 3K 37
Walker St. S3: Shef 1H 5 (7J 109)
S62: Rawm 8A 78
S64: Swin 3D 78
Walker Vw. S62: Rawm 8A 78
WALKLEY 6D 108
WALKLEY BANK 7C 108
Walkley Bank Cl. S6: Shef 5D 108
Walkley Bank Rd. S6: Shef 6B 108
Walkley Cres. Rd. S6: Shef 6C 108
Walkley La. S6: Shef 4D 108
Walkley Rd. S6: Shef 6D 108
Walkley St. S6: Shef 6D 108
Walkley Ter. S6: Shef 6B 108
Wallace Rd. DN4: Balb 9J 63
S3: Shef 5G 108
Walled Gdn., The WF4: Wool 2B 16
Waller Rd. S6: Shef 6B 108
Wallingbrook Ri. S80: Work 8M 141
Walling Cl. S9: Shef 2B 110
Wallingfield Ct. S26: Wales B 8E 126
Walling Rd. S9: Shef 2B 110
WALLINGWELLS 6N 129
Wallingwells La. S81: Gild 5K 129
S81: Wall 6N 129
Wallis Way S60: Cat 7H 111
Wall Nook La. HD8: Cumb 2A 32
Wallroyds HD8: Den D 3H 33
Walls La. S43: Barl 9K 139
Wall St. S70: Barn 8F 36
Walmsley Dr. WF9: Upton 2G 21
Walney Fold S71: Monk B 2L 37
Walnut Av. DN9: Auck 2B 84
DN11: Tick 6E 100
S81: Shire 3K 141
Walnut Cl. S70: Barn 9G 37
Walnut Dr. S21: Killa 5B 138
S25: Din 3D 128
Walnut Gro. S64: Mexb 9E 60
Walnut Pl. S35: Chap 1G 93
(not continuous)
Walnut Rd. DN8: Thorne 9K 11
Walnut St. WF9: Sth E 8E 20
Walnut Tree Hill DN11: Wad 7N 81
Walpole Cl. DN4: Balb 1K 81
Walpole Gro. S26: Swal 2C 126
Walseker La. S26: Wooda 2H 139
Walsham Dr. DN5: Cus 2J 63
Walshaw Gro. S35: Ough 8L 91
Walshaw Rd. S35: Ough 8M 91
Walstow Cres. DN3: Arm 1J 65
Walters Rd. S66: Malt 8F 98
Walter St. S6: Shef 5E 108
S60: Roth 6J 95
Waltham Dr. DN6: Skell 7C 22
Waltham Gdns. S20: Sot 9N 125
Waltham St. S70: Barn 8G 37
Waltheof Rd. S2: Shef 3A 124
Waltin Rd. HD9: Holm 7D 30
Walton Cl. S18: Dron W 8D 134
S35: High G 6D 74
Walton Ct. S8: Shef 2F 134
Walton Ho. *DN1: Don 5N 63*
(off Grove Pl.)
Walton Rd. S11: Shef 2E 122
WF9: Upton 1J 21
Walton St. S75: Barn 5D 36
Walton St. Nth. S75: Barn 5D 36
Wannop St. S62: P'gte 2M 95
Wansfell Rd. S4: Shef 3N 109
Wansfell Ter. S71: Barn 7H 37
Wapping, The S65: Hoot R 7J 79
Warburton Cl. S2: Shef 4K 123
Warburton Gdns. S2: Shef 4K 123
Warburton Rd. S2: Shef 4K 123
Ward Bank Rd. HD9: Holm 5D 30
Ward Cl. S36: Pen 5N 53
Warde Aldam Cres. S66: Wick 8F 96
Warde Av. DN4: Balb 9K 63
Warden Cl. DN4: Can 7K 65
Warden St. S60: Roth 1K 111
WARD GREEN 2G 57
Wardlow Rd. S12: Shef 6D 124
Ward Pl. S7: Shef 3G 123
Ward Pl. La. HD9: Holm 5D 30
Wards Ct. S11: Shef 7C 4
Wardsend Rd. S6: Shef 2E 108
Wardsend Rd. Nth. S6: Shef 1D 108
Ward St. S3: Shef 1E 4 (7H 109)
S36: Pen 5N 53
Wards Yd. S18: Dron 9H 135
Wareham Ct. S20: Sot 9N 125
Wareham Gro. S75: Dod 8B 36
Warehouse La. S63: Wath D 9L 59
Warley Rd. S2: Shef 2M 123
Warminster Cl. S8: Shef 7H 123
Warminster Cres. S8: Shef 7J 123
Warminster Dr. S8: Shef 8J 123
Warminster Gdns. S8: Shef 8H 123
Warminster Pl. S8: Shef 9J 123
Warminster Rd. S8: Shef 7H 123
WARMSWORTH 1G 81
Warmsworth Ct. DN4: Warm 9H 63
Warmsworth Halt DN4: Warm 2F 80
Warmsworth Halt Ind. Est.
DN4: Warm 2G 80
Warmsworth Rd. DN4: Balb 9J 63
Warner Av. S75: Barn 6C 36
Warner Pl. S75: Barn 6D 36
Warner Rd. S6: Shef 3C 108
S75: Barn 6C 36
Warnington Dr. DN4: Bess 1K 83
Warning Tongue La. DN3: Can 7L 65
DN4: Bess, Can 7L 65
WARREN 6H 75
Warren, The DN11: Ross 4K 83
S26: Aston 4E 126
Warren Av. S62: Rawm 7L 77
Warren Cl. DN2: Don 3D 64
DN4: Warm 9G 63
S71: R'ton 4L 17
S81: Woods 7J 129
Warren Cres. S21: Mar L 8E 136
S70: Barn 9G 36
Warren Dr. S61: Kimb 5F 94
Warreners Dr. S65: Thry 3E 96
Warren Gdns. S35: Chap 6J 75
Warren Hill S61: Kimb P 5F 94
Warren Ho. Cl. S66: Bram 8J 97
Warren La. DN4: Bess 1J 83
DN11: Ross 2K 83
S35: Chap 5H 75
(not continuous)
S35: High G 5G 74
(not continuous)
S75: Stain 6C 16
WF4: Wool 6C 16
Warren Mt. S61: Kimb 5F 94
Warrenne Cl. DN7: Dunsc 1C 46
Warrenne Rd. DN7: Dunsc 1C 46
Warren Pl. S70: Barn 9G 36
Warren Quarry La. S70: Barn 9G 36
Warren Ri. S18: Dron 7K 135
Warren Rd. DN8: Thorne 3L 27
DN12: Con 5N 79
S66: Wick 8G 97
Warren St. S4: Shef 7L 109
(not continuous)
WARREN VALE 6N 77
Warren Va. S62: Rawm 7N 77
S64: Swin 5N 77
Warren Va. Rd. S64: Swin 3N 77
Warren Vw. S70: Barn 9G 36
S74: Hoyl 2K 75
Warren Wlk. S21: Mar L 8E 136
S71: R'ton 5K 17
(Queensway)
S71: R'ton 4L 17
(Warren Cl.)
Warrington Rd. S10: Shef 8E 108
Warris Cl. S61: Kimb P 4E 94
Warris Pl. S2: Shef 9L 109
Warsop Rd. S71: Ath 8F 16
Warwick Av. S81: Carl L 5C 130
Warwick Cl. DN7: Hatf W 2H 47
Warwick M. S63: Wath D 7K 59
Warwick Rd. DN2: Don 2E 64
S66: Malt 8A 98
S71: Monk B 5J 37
Warwick St. S10: Shef 8D 108
S60: Roth 8L 95
Warwick St. Sth. S60: Roth 8L 95
Warwick Ter. S10: Shef 8D 108
Warwick Way S25: Nth A 5C 128
Wasdale Av. S20: Half 4L 137
Wasdale Cl. S20: Half 4L 137
Washfield Cres. S60: Tree 8L 111
Washfield La. S60: Tree 8L 111
Washford Rd. S9: Shef 6M 109
Washington Av. DN12: Con 4L 79
S73: Womb 5B 58
Washington Cl. S25: Din 3B 128
Washington Gro. DN5: Don 9L 43
Washington Rd. DN6: Woodl 3F 42
S11: Shef 3G 122
S35: Eccl 4J 93
S63: Gol 3C 60
Washington St. S64: Mexb 1G 78
WASHPIT 6E 30
Washpit New Rd. HD9: Holm 6F 30
Wasteneys Rd. S26: Tod 6L 127
Watch Ho. La. DN5: Don 1K 63
Watchley Gdns. S63: Gol 2B 60
Watchley La. DN5: Hoot P 6F 40
Watch St. S13: Shef 3L 125
Waterdale DN1: Don 5A 64
Waterdale Cl. DN5: Sprot 7H 63
Waterdale Rd. S70: Wors 3G 56
Waterdale Shop. Cen. DN1: Don 4A 64
Waterfield M. S20: W'fld 1L 137
Waterfield Pl. S70: Stair 8M 37
Water Fir Dr. DN11: H'worth 9J 101
Waterfront Driving Range 7N 59
Waterfront Golf Course 7N 59
Water Hall Ct. *HD9: New M 2J 31*
(off Sheffield Rd.)
Water Hall La. S36: Pen 3N 53
(not continuous)
Waterhall Vw. S36: Pen 3N 53
Waterhouse Cl. S65: Dalt 4D 96

Westfield Gro.—White Wells Rd.

Westfield Gro. S12: Shef .8H **125**
S36: Ingb .7G **33**
Westfield Ho. S1: Shef .4D **4**
Westfield Lane .8E **20**
Westfield La. DN5: Barnb .4F **60**
DN7: Fish .9M **9**
HD9: Holm .3F **30**
S21: Midd H .9D **136**
S36: Thurl .3J **53**
S75: Bar G .3M **35**
WF8: Kirk Sm .7C **6**
WF9: Sth E .8E **20**
Westfield Northway S20: W'fld .1L **137**
(not continuous)
Westfield Rd. DN3: Arm .1K **65**
DN4: Balb .7M **63**
DN7: Fish .1L **25**
DN7: Hat .9E **26**
DN11: Tick .6C **100**
S21: Killa .5B **138**
S62: P'gte .2L **95**
S63: Bramp B .9G **58**
S66: Bram .8J **97**
S73: Bramp .9G **58**
WF9: Hems .2J **19**
Westfields S70: Wors .3H **57**
S71: R'ton .5H **17**
Westfield Southway S20: W'fld .2L **137**
Westfield Sports Cen. .9M **125**
Westfield Stop (ST) .2M **137**
Westfield St. S70: Barn .7E **36**
Westfield Ter. DN6: Ask .1K **23**
S1: Shef .4D **4** (9G **109**)
Westfield Vs. DN7: Hat .9E **26**
Westgarth Cl. S25: Din .2D **128**
WESTGATE .5N **49**
West Ga. DN11: Tick .7C **100**
HD9: Holm .8D **30**
S64: Mexb .1H **79**
Westgate S36: Pen .5A **54**
S60: Roth .7K **95**
S63: Bramp B .9G **58**
S70: Barn .7F **36**
S71: Monk B .4J **37**
S80: Work .8B **142**
WF9: Hems .2J **19**
Westgate Rd. DN9: Belt .5N **49**
Westgate Vw. S80: Work .8B **142**
WEST GREEN .2N **37**
West Grn. Av. S71: Monk B .2N **37**
West Grn. Dr. DN3: Kirk Sa .4H **45**
West Grn. Way S71: Monk B .1L **37**
West Gro. DN2: Don .2D **64**
S71: R'ton .5H **17**
West Hall Fold S62: Wentw .5A **76**
Westhaven S72: Cud .3C **38**
West Hill S61: Kimb .7C **94**
Westhill La. S3: Shef .4C **4** (9G **108**)
Westholme Rd. DN4: Balb .6M **63**
West Ho. S8: Shef .7H **123**
W. Kirk La. S72: Bill, Midd .9L **39**
W. Laith Ga. DN1: Don .4N **63**
Westland Cl. S20: W'fld .1L **137**
Westland Gdns. S20: W'fld .1K **137**
Westland Gro. S20: W'fld .2L **137**
Westland Rd. S20: W'fld .2L **137**
West La. DN14: Syke .6J **9**
S6: Brad .3B **106**
S6: Lox .2H **107**
S26: Augh .2A **126**
S66: Carr .3N **113**
W. Lees Rd. S33: Bamf .7E **118**
West Mall DN1: Don .4N **63**
S20: Water .9L **125**
Westmeads S71: R'ton .6J **17**
WEST MELTON .8K **59**
Westminster Av. S10: Shef .2K **121**
Westminster Cl. S10: Shef .2K **121**
S66: Bram .9K **97**
S81: Work .3D **142**
Westminster Cres. DN2: Don .2E **64**
S10: Shef .2K **121**
Westminster Dr. DN7: Dunsv .4A **46**
Westminster Ho. DN2: Don .2F **64**
Westmoor Cl. S63: Gol .2B **60**
W. Moor Cres. S75: Barn .7B **36**
W. Moor Cft. S63: Gol .3E **60**
W. Moor La. DN3: Arm .9N **45**
(not continuous)
DN5: Harl .5E **60**
S63: Bolt D .5E **60**
W. Moor Link DN3: Eden .7H **45**
W. Moor Pk. DN3: Arm .1A **66**
Westmoreland St. S6: Shef .7F **108**
Westmorland Ct. DN11: Birc .9N **101**
Westmorland Dr. S81: Cos .4B **130**
Westmorland Ho. DN11: Birc .9N **101**
Westmorland La. DN12: Den M .3L **79**
Westmorland St. DN4: Balb .9K **63**
Westmorland Way DN5: Sprot .6E **62**
West Mt. Av. S63: Wath D .7J **59**
Westnall Ho. *S35: Ough .6M 91*
(off Glossop Row)
Westnall Rd. S5: Shef .6L **93**
Westnall Ter. S5: Shef .6L **93**
Westoff La. S72: Sth H .1C **18**
West One Aspect S3: Shef .4C **4**
West One Central S1: Shef .4C **4**
West One City S1: Shef .4C **4**
West One Cube S3: Shef .5C **4**
West One Panorama S1: Shef .4C **4**
West One Peak S3: Shef .4C **4**
West One Plaza S3: Shef .4C **4** (9G **108**)
West One Reflect S3: Shef .5C **4**
West One Space S3: Shef .5C **4**
West One Twr. S3: Shef .4C **4**
Westongales Way DN5: Bntly .8L **43**
Weston Park Mus. .3A **4** (9E **108**)
Weston Rd. DN4: Balb .9L **63**
Weston St. S3: Shef .2A **4** (8F **108**)
Weston Vw. S10: Shef .9D **108**
Westover Rd. S10: Shef .1N **121**
West Pk. Dr. S26: Swal .4A **126**
West Pinfold S71: R'ton .6K **17**
Westpit Hill S63: Bramp B .8G **59**
West Pl. DN5: Bntly .7M **43**
West Quadrant S5: Shef .1L **109**
West Rd. DN8: Moore .7M **11**
S64: Mexb .1E **78**
S75: Barn .6C **36**
Westside Grange DN4: Balb .7K **63**
West St. DN1: Don .4N **63**
DN8: Thorne .3K **27**
DN10: Miss .3K **103**
DN11: H'worth .8K **101**
DN12: Con .4A **80**
S1: Shef .4C **4** (9G **108**)
S18: Dron .8G **135**
S20: Beig .8M **125**
S21: Ecki .8J **137**
S25: Sth A .7B **128**
S63: Gol .1D **60**
S63: Wath D .9L **59**
(not continuous)
S64: Mexb .2F **78**
S66: Thurc .5L **113**
S70: Wors .3H **57**
S71: R'ton .5L **17**
S72: Sth H .4E **18**
S73: D'fld .2G **58**
S73: Womb .4C **58**
S74: Hoyl .9K **57**
S80: Work .8B **142**
WF4: Hav .1C **18**
WF9: Hems .2J **19**
WF9: Sth E .5G **20**
WF9: Sth K .8M **19**
West St. La. S1: Shef .3E **4** (9H **109**)
West Street Stop (ST) .4D **4** (9G **109**)
West Ter. St. DN17: Crow .8M **29**
WESTTHORPE .5C **138**
Westthorpe Bus. Innovation Cen.
S21: Killa .6B **138**
Westthorpe Flds. Rd. S21: Killa .6B **138**
Westthorpe Grn. S21: Killa .6C **138**
Westthorpe Rd. S21: Killa .5C **138**
West Va. Gro. S65: Thry .3E **96**
West Vw. HD8: Den D .2K **33**
S70: Barn .9F **36**
S70: Wors .3J **57**
S72: Cud .3C **38**
S75: Silk C .1J **55**
S81: Cos .3C **130**
West Vw. Cl. S17: Tot .4A **134**
West Vw. Cres. S63: Gol .3B **60**
West Vw. La. S17: Tot .4A **134**
West Vw. Rd. S61: Kimb .7C **94**
S64: Mexb .2F **78**
West Vw. Ter. *S70: Wors .3J 57*
(off West St.)
Westville Rd. S75: Barn .5E **36**
West Way S70: Barn .7F **36**
Westway S81: Work .3D **142**
Westwell Pl. S20: Mosb .4K **137**
Westwick Cres. S8: Shef .3E **134**
Westwick Gro. S8: Shef .3F **134**
Westwick Rd. S8: Shef .4E **134**
WESTWOOD .5E **74**
Westwood S35: High G .5E **74**
Westwood Av. S6: Shef .1A **108**
Westwood Cl. S6: Shef .1A **108**
Westwood Country Pk. .5E **74**
Westwood Ct. S35: High G .6E **74**
S70: Barn .6F **36**
Westwood Dr. S80: Work .7M **141**
West Wood Est. DN10: Baw .7A **102**
Westwood La. S35: Brom .2C **74**
Westwood New Rd. S35: High G .7C **74**
S75: Tank .3E **74**
Westwood Rd. DN10: Baw .7B **102**
S11: Shef .3A **122**
S35: High G .6E **74**
Wetherby Cl. DN5: Scaws .2H **63**
Wetherby Ct. S9: Shef .8C **110**
Wetherby Dr. S26: Swal .4B **126**
S64: Mexb .9G **61**
Wet Moor La. S63: Wath D .8K **59**
(Norton Rd.)
S63: Wath D .8M **59**
(Stables Way)
Wet Shaw La. S6: Brad .3N **105**
Whaley Rd. S75: Barn .3A **36**
Whams Rd. S36: Hazl .4B **52**
Wharf Cl. S64: Swin .3D **78**
Wharfedale S81: Work .2D **142**
Wharfedale Dr. S35: Chap .9F **74**
Wharfedale Rd. S75: Barn .6C **36**
Wharf Rd. DN1: Don .2A **64**
DN17: Crow, Eal .9M **29**
(not continuous)
Wharf Rd. S9: Tins .1D **110**
S64: Kiln .7D **78**
Wharf St. DN10: Baw .6C **102**
S2: Shef .2H **5** (8K **109**)
S64: Swin .3D **78**
S71: Barn .5H **37**
Wharncliffe S75: Dod .1B **56**
Wharncliffe Av. S26: Aston .3D **126**
S35: Wharn S .2K **91**
S63: Wath D .9M 59
(off Moor Rd.)
Wharncliffe Bus. Pk. S71: Ath .9J **17**
Wharncliffe Cl. S62: Rawm .6K **77**
S74: Hoyl .2L **75**
Wharncliffe Cotts. S75: Pil .1F **74**
Wharncliffe Ct. S75: Pil .1D **74**
Wharncliffe Hill S65: Roth .6L **95**
Wharncliffe Ind. Complex
S36: Spink .5J **73**
Wharncliffe Rd. S10: Shef .6B **4** (1F **122**)
S35: High G .7E **74**
WHARNCLIFFE SIDE .3K **91**
Wharncliffe St. DN4: Hex .5L **63**
S65: Roth .6L **95**
S70: Barn .7E **36**
S71: Car .9L **17**
Wharton Av. S26: Swal .2C **126**
Wheat Acre La. DN11: Tick .4B **100**
Wheatacre Rd. S36: Stoc .5E **72**
Wheata Dr. S5: Shef .6J **93**
Wheata Pl. S5: Shef .6H **93**
Wheata Rd. S5: Shef .7H **93**
Wheat Cft. DN12: Con .4C **80**
S81: Work .3E **142**
Wheatcroft Gdns. S36: Pen .5A **54**
Wheatcroft Rd. S62: Rawm .8A **78**
Wheatcrofts S70: Barn .7E **36**
Wheatfield Cl. DN3: Barn D .2K **45**
Wheatfield Cres. S5: Shef .7L **93**
Wheatfield Dr. DN11: Tick .5E **100**
S63: Thurn .9C **40**
Wheatfields DN8: Thorne .2K **27**
Wheathill St. S60: Roth .8K **95**
Wheat Holme La.
DN5: Bntly, Holme .8A **24**
WHEATLEY .2B **64**
Wheatley Cl. S71: Barn .4G **36**
Wheatley Dr. S75: Wool G .6N **15**
Wheatley Golf Course .1G **64**
Wheatley Gro. S13: Shef .2E **124**
Wheatley Hall Rd. DN2: Don .1B **64**
Wheatley Hall Trade Pk. DN2: Don .8E **44**
Wheatley Hill La. HD8: Clay W .9A **14**
WHEATLEY HILLS .1F **64**
Wheatley La. DN1: Don .3B **64**
WHEATLEY PARK .9E **44**
Wheatley Pk. Rd. DN5: Bntly .6L **43**
Wheatley Pl. DN12: Den M .3L **79**
Wheatley Retail Pk. DN2: Don .8E **44**
Wheatley Ri. S75: Stain .7C **16**
Wheatley Rd. S61: Kimb P .4E **94**
S64: Kiln .7D **78**
S70: Stair .9M **37**
Wheatley St. DN12: Den M .3L **79**
Wheats La. S1: Shef .2F **5**
Wheel, The S35: Eccl .5F **92**
Wheeldon St. S1: Shef .3C **4** (9G **108**)
Wheel La. S35: Gren .5E **92**
S35: Ough .6K **91**
Wheldrake Rd. S5: Shef .2L **109**
Whernside Av. S35: Chap .8G **74**
Whinacre Cl. S8: Shef .4J **135**
Whinacre Pl. S8: Shef .4H **135**
Whinacre Wlk. S8: Shef .4H **135**
Whinby Cft. S75: Dod .9A **36**
Whinby Rd. S75: Dod, High'm .8N **35**
Whin Cl. WF9: Hems .4K **19**
Whin Cnr. S72: Shaft .5B **18**
Whin Covert La. WF8: Kirk Sm .8C **6**
Whincover Vw. S71: R'ton .5M **17**
Whinfell Cl. DN6: Adw S .2F **42**
Whinfell Ct. S11: Shef .9N **121**
Whin Gdns. S63: Thurn .7C **40**
Whin Hill Rd. DN4: Bess .7G **64**
Whin La. S75: Silk .9F **34**
Whinmoor Cl. S75: Silk .7H **35**
Whinmoor Ct. S75: Silk .7H **35**
Whinmoor Dr. HD8: Clay W .5C **14**
S75: Silk .7H **35**
Whin Moor La. S75: Silk .8E **34**
Whinmoor Rd. S5: Shef .1N **109**
S35: High G .7D **74**
Whinmoor Vw. S75: Silk .7H **35**
Whinmoor Way S75: Silk .8H **35**
Whinney Bank La. HD9: Holm .3F **30**
WHINNEY HILL .3D **96**
Whinny Haugh La. DN11: Tick .8E **100**
Whins, The S62: Neth Hau .8J **77**
Whinside Cres. S63: Thurn .7B **40**
Whiphill Cl. DN4: Bess .8H **65**
Whiphill La. DN3: Arm .2M **65**
Whiphill Top La. DN3: Brant .6A **66**
(not continuous)
WHIRLOW .9A **122**
Whirlow Chapel Rd. S60: Wav .9H **111**
Whirlow Ct. Rd. S11: Shef .9A **122**
Whirlow Cft. S11: Shef .8A **122**
Whirlowdale Cl. S11: Shef .9N **121**
Whirlowdale Cres. S7: Shef .8C **122**
Whirlowdale Ri. S11: Shef .9A **122**
Whirlowdale Rd. S7: Shef .8D **122**
S11: Shef .9N **121**
Whirlow Elms Chase S11: Shef .7A **122**
Whirlow Farm M. S11: Shef .8N **121**
Whirlow Grange Av. S11: Shef .9N **121**
Whirlow Grange Dr. S11: Shef .9N **121**
Whirlow Grn. S11: Shef .9N **121**
Whirlow Gro. S11: Shef .9A **122**
Whirlow La. S11: Shef .8N **121**
Whirlow M. S11: Shef .8A **122**
Whirlow Pk. Rd. S11: Shef .9A **122**
Whispering Mdws. DN14: Syke .3M **9**
Whisperwood Dr. DN4: Balb .2M **81**
WHISTON .3A **112**
Whiston Brook Vw. S60: Whis .3B **112**
Whiston Grange S60: Roth .3N **111**
Whiston Grn. S60: Whis .4A **112**
Whiston Gro. S60: Roth .9M **95**
Whiston Va. S60: Whis .4A **112**
Whitaker Cl. DN11: New R .7J **83**
Whitaker Sq. DN11: New R .6H **83**
Whitbeck Cl. DN11: Wad .7M **81**
Whitbourne Cl. S71: Smi .3G **37**
Whitburn Rd. DN1: Don .5B **64**
Whitby Rd. DN11: H'worth .8K **101**
DN11: New R .6H **83**
S9: Shef .7C **110**
Whitcomb Dr. DN11: New R .7J **83**
White Apron St. WF9: Sth K .7A **20**
White Av. S81: L'gld .9B **116**
Whitecedar La. S71: Lund .5M **37**
White Cl. La. HD8: Den D .2K **33**
White Cft. S1: Shef .2D **4** (8H **109**)
Whitecroft Cres. S60: Brins .4J **111**
White Cross Av. S72: Cud .3B **38**
White Cross Ct. S72: Cud .3C **38**
White Cross Gdns. S72: Sth H .2D **18**
White Cross La. DN11: Wad .5L **81**
S70: Swai, Wors .2L **57**
White Cross Mt. S72: Cud .3C **38**
Whitecross Ri. S70: Wors .2L **57**
White Cross Rd. S72: Cud .3B **38**
White Cross Vw. S70: Wors .2L **57**
White Ga. S25: Nth A .5D **128**
Whitegate Rd. HD9: H'bri, Holm .7B **30**
Whitegate Wlk. S61: Wing .2E **94**
Whitehall Rd. S61: Wing .1F **94**
Whitehall Way S61: Wing .2G **94**
White Hart Cnr. S21: Ecki .6L **137**
White Hart Fold WF9: Sth E .3G **20**
White Hart Yd. *S80: Work .8B 142*
(off Bridge St.)
Whitehead Av. S36: Spink .5F **72**
Whitehead Cl. S25: Din .2C **128**
White Hill Av. S70: Barn .7B **36**
Whitehill Av. S60: Brins .4J **111**
Whitehill Dr. S60: Brins .5J **111**
White Hill Gro. S70: Barn .7C **36**
Whitehill La. S60: Brins .3J **111**
Whitehill Rd. S60: Brins .4H **111**
Whitehill Ter. S70: Barn .7B **36**
Whitehill Willow S60: Brins .5J **111**
White Ho. Cl. DN7: Hat .1C **46**
DN7: Stainf .4A **26**
Whitehouse Ct. DN11: Birc .9M **101**
Whitehouse Dr. DN11: Birc .9M **101**
Whitehouse La. S6: Shef .6E **108**
Whitehouse M. *S81: Bly .9L 117*
(off Retford Rd.)
White Ho. Rd. DN11: Birc .9M **101**
Whitehouse Rd. S6: Shef .6E **108**
White Ho. Vw. DN3: Barn D .9H **25**
White La. DN5: Hoot P .4K **41**
DN8: Thorne .2H **27**
S12: Shef .8B **124**
S35: Chap .7J **75**
White Lane Stop (ST) .8B **124**
Whitelea Gro. S64: Mexb .2E **78**
Whitelea Gro. Trad. Est.
S64: Mexb .2E **78**
White Lee La. S36: Bolst .3D **90**
Whitelee Rd. S64: Swin .3D **78**
White Ley Bank HD9: New M .1L **31**
Whiteley La. S10: Shef .4L **121**
White Ley Rd. DN6: Nort .1B **22**
WF8: Wentb .1B **22**
Whiteleys Av. S62: Rawm .7L **77**
Whiteley Wood Cl. S11: Shef .4A **122**
WHITELEY WOOD GREEN .6K **121**
Whiteley Wood Rd. S11: Shef .5M **121**
WHITELEY WOODS .4A **122**
Whitelow La. S17: Dore .2H **133**
White Rose Ct. DN5: Bntly .7N **43**
White Rose Ho. S60: Roth .8K **95**
White Rose Way DN4: Don .6A **64**
White Rose Way (Park & Ride) .1B **82**
White's La. S2: Shef .9L **109**
White Thorns Cl. S8: Shef .4J **135**
White Thorns Dr. S8: Shef .5J **135**
White Thorns Vw. S8: Shef .4J **135**
White Towers Cvn. Site DN2: Don .1H **65**
Whitewater La. DN11: Sty .4F **116**
S81: Bly .6H **117**
Whiteways Cl. S4: Shef .4L **109**
Whiteways Dr. S4: Shef .4L **109**
Whiteways Gro. S4: Shef .4L **109**
Whiteways Rd. S4: Shef .4L **109**
White Wells Ct. HD9: Scho .5H **31**
White Wells Gdns. HD9: Scho .5H **31**
White Wells Rd. HD9: Scho .5H **31**

Whitewood Cl.—Withyside

Whitewood Cl. S71: R'ton 7J **17**
Whitfield Gdns. S81: Woods 7H **129**
Whitfield Rd. S10: Shef 4L **121**
S62: Rawm 7K **77**
Whitham Rd. S10: Shef 1D **122**
Whiting St. S8: Shef 5H **123**
WHITLEY 3G **92**
Whitley Carr S35: Gren 3F **92**
Whitley Cft. S35: Eccl 3J **93**
Whitley La. S35: Gren, Eccl 4E **92**
Whitley Rd. S36: Mill G 9B **32**
Whitley Vw. S35: Eccl 3J **93**
Whitley Vw. Rd. S61: Kimb 8B **94**
Whitmoore Dr. DN9: Auck 3B **84**
Whitmore St. WF9: Sth E 6F **20**
Whitney Cl. DN4: Balb 1J **81**
Whitsun Dale S81: Work 3E **142**
Whittier Rd. DN4: Balb 9L **63**
Whittington St. DN1: Don 2A **64**
Whittle Way S60: Shef 8G **110**
Whitton Cl. DN4: Bess 9F **64**
Whitwell Cres. S36: Stoc 5D **72**
Whitwell La. S36: Stoc 6C **72**
Whitwell Rd. S80: Whit 8E **140**
Whitwell St. S9: Shef 8D **110**
Whitwell Vw. DN11: Ross 5L **83**
Whitworth Ct. DN9: Finn 3D **84**
Whitworth Cft. S10: Shef 1A **122**
Whitworth La. S9: Shef 5A **110**
S63: Wath D 7K **59**
Whitworth Rd. S10: Shef 2N **121**
Whitworth St. S63: Gol 2D **60**
Whitworth Way S63: Wath D 8L **59**
Whybourne Gro. S60: Roth 8L **95**
Whybourne Ter. S60: Roth 7L **95**
Whyn Vw. S63: Thurn 8B **40**
Wicker S3: Shef 1H **5** (8J **109**)
Wicker La. S3: Shef 1G **5** (8J **109**)
(not continuous)
WICKERSLEY 9G **97**
Wickersley Ct. S66: Wick 9E **96**
Wickersley Rd. S60: Roth 9N **95**
Wickett Hern Rd. DN3: Arm 1M **65**
Wicket Way DN12: New E 3G **81**
Wickfield Cl. S12: Shef 6F **124**
Wickfield Dr. S12: Shef 6F **124**
Wickfield Gro. S12: Shef 7E **124**
Wickfield Rd. S12: Shef 7F **124**
Wickins La. HD9: Holm 2A **30**
Wickleden Ga. HD9: Scho 5H **31**
Wicklow Rd. DN2: Don 2D **64**
Wickstone Dr. S72: Cud 1C **38**
Widdop Cl. S13: Shef 3D **124**
Widdop Cft. S13: Shef 3D **124**
Widford Grn. DN7: Dunsc 2C **46**
Wigfield Dr. S70: Wors 2G **56**
Wigfield Farm 3F **56**
Wigfull Rd. S11: Shef 2D **122**
Wignall Av. S66: Wick 9E **96**
WIGTHORPE 8D **130**
Wigthorpe La. S81: Wig 7D **130**
Wike Ga. Cl. DN8: Thorne 3M **27**
Wike Ga. Gro. DN8: Thorne 3M **27**
Wike Ga. Rd. DN8: Thorne 2M **27**
Wike Rd. S71: Lund 6M **37**
WIKE WELL END 3L **27**
Wilberforce Ct. S25: Sth A 6B **128**
Wilberforce Rd. DN2: Don 7G **45**
S25: Sth A 6B **128**
Wilbrook Ri. S75: Barn 4B **36**
Wilby Carr Gdns. DN4: Can 6H **65**
Wilby La. S70: Barn 8H **37**
Wilcox Cl. S6: Shef 8E **92**
Wilcox Grn. S61: Wing 1G **94**
Wilcox Rd. S6: Shef 8D **92**
Wild Av. S62: Rawm 7J **77**
Wild Bank Pl. S5: Shef 6H **93**
Wildene Dr. S64: Mexb 9F **60**
Wilder M. S61: Kimb 6F **94**
Wildflower Cl. DN11: New R 7H **83**
Wild Geese Way S64: Mexb 1K **79**
Wilding Cl. S61: Kimb 5E **94**
Wilding Way S61: Kimb 5E **94**
Wildspur Gro. HD9: New M 4J **31**
Wildspur Mills HD9: New M 3J **31**
Wilford Rd. S71: Ath 8F **16**
Wilfred Cl. S9: Shef 7A **110**
Wilfred Dr. S9: Shef 7A **110**
Wilfred St. S60: Roth 7K **95**
Wilfrid Rd. S9: Shef 7A **110**
Wilkinson Av. DN8: Moore 8L **11**
DN11: New R 6K **83**
Wilkinson La. S10: Shef 4B **4** (9F **108**)
(not continuous)
Wilkinson Rd. S74: Els 1A **76**
Wilkinson St. S10: Shef 4A **4** (9F **108**)
(not continuous)
S70: Barn 8G **37**
Willan Dr. S60: Cat 7J **111**
Willbury Dr. S12: Shef 5A **124**
Willey St. S3: Shef 1H **5** (8J **109**)
William Bradford Cl. DN10: Aust 4E **102**
William Cl. S20: Mosb 4K **137**
William Ct. WF9: Sth K 7A **20**
William Cres. S20: Mosb 3K **137**
William La. DN11: New R 4G **83**
William Nuttall Cott. Homes
DN4: Don 5C **64**
Williamson Rd. S11: Shef 4E **122**
Williams Rd. DN5: Cus 1K **63**
Williams St. S62: P'gte 1N **95**
S81: L'gld 9B **116**
William Straw Gdns. S80: Work 9C **142**
William St. S10: Shef 6B **4** (1F **122**)
S21: Ecki 7K **137**
S60: Roth 7L **95**
S63: Gol 2B **60**
S63: Wath D 9M **59**
S64: Swin 3D **78**
S70: Wors 2H **57**
S73: Womb 4C **58**
Willingham Cl. S20: Sot 1N **137**
Willingham Gdns. S20: Sot 1N **137**
Willington Rd. DN6: Skell 8E **22**
S5: Shef 9K **93**
Willis Rd. S6: Shef 3C **108**
Willman Rd. S71: Lund 5N **37**
Willoughby St. S4: Shef 2M **109**
Willow Av. DN4: Can 7J **65**
DN8: Thorne 9K **11**
S62: Rawm 9N **77**
S81: Carl L 4B **130**
Willow Bank S71: Barn 3E **36**
S75: Barn 4F **36**
Willow Beck S65: Roth 5A **96**
WF4: Nott 3H **17**
Willow Bri. Cvn. Site DN5: Don 2M **63**
Willow Bri. La. DN6: Moss 3F **24**
DN7: B'waite 3F **24**
Willowbridge Rd.
WF8: Kirk Sm, Lit S 6D **6**
Willowbrook DN6: Skell 7D **22**
Willow Brook Cl. S75: Dart 9B **16**
Willow Chase S25: Nth A 6C **128**
Willow Cl. S25: Sth A 8B **128**
S60: Brins 5K **111**
S66: Flan 7H **97**
S72: Cud 1B **38**
S74: Hoyl 1K **75**
S80: Work 9B **142**
Willow Ct. S62: Rawm 8N **77**
S63: Wath D 1L **77**
S66: Wick 9G **96**
S73: D'fld 2G **58**
Willow Cres. DN8: Thorne 9K **11**
DN9: Auck 2B **84**
S35: Chap 1H **93**
S66: B'well 3E **98**
Willowcroft S63: Bolt D 6A **60**
Willowdale Cl. DN5: Sprot 7G **63**
Willowdale Ri. S61: Scho 3B **94**
Willow Dene Rd. S72: Grim 1G **39**
Willow Dr. DN12: New E 3G **80**
S9: Shef 9E **110**
S64: Mexb 1E **78**
S66: Flan 7H **97**
WF4: Hav 1B **18**
WF9: Hems 4K **19**
Willow Gdns. S73: Womb 4E **58**
Willow Gth. S73: Womb 3B **58**
WF9: Sth E 7G **20**
Willowgarth S62: Rawm 8N **77**
Willowgarth Av. S60: Brins 4J **111**
Willowgarth Cl. WF4: Ryh 1A **18**
Willow Gth. La. DN6: Ask 9M **7**
Willow Glen DN3: Brant 7A **66**
Willow Gro. DN8: Thorne 8L **11**
DN11: H'worth 9J **101**
S26: Aston 3E **126**
Willow La. DN11: Ross 5K **83**
S36: Oxs 5D **54**
S63: Bolt D 6C **60**
Willowlees Ct. DN4: Bess 8H **65**
Willow Pl. S66: B'well 3E **98**
Willow Rd. DN3: Arm 9M **45**
DN6: Camp 9H **7**
DN8: Thorne 9K **11**
S21: Killa 5B **138**
S36: Stoc 7D **72**
S63: Thurn 7C **40**
S63: Wath D 2N **77**
S66: Malt 8B **98**
Willows, The S36: Oxs 6D **54**
S61: Kimb P 3D **94**
*S65: Roth 8M **95***
(off Johnson St.)
S73: D'fld 2G **58**
S80: Work 8B **142**
Willow St. DN12: Con 4B **80**
S70: Barn 8E **36**
Willow Tree Way S66: Wick 9G **96**
Willow Wlk. DN5: Bntly 5L **43**
S70: Barn 9H **37**
Wilmington Dr. DN4: Don 8C **64**
Wilmot Way S81: Work 7F **142**
Wilsden Gro. S75: Barn 5C **36**
WILSHAW 1A **30**
Wilshaw Mill Rd. HD9: Melt 1A **30**
Wilshaw Rd. HD9: Melt 1A **30**
WILSIC 1M **99**
Wilsic Ho. *DN1: Don 5N **63***
(off Grove Pl.)
Wilsic La. DN11: Tick, Wils 1M **99**
Wilsic Rd. DN11: Tick 5C **100**
DN11: Wils 8L **81**
Wilson Av. S36: Pen 5N **53**
S62: Rawm 8L **77**
Wilson Ct. S73: Womb 3C **58**
Wilson Dr. S65: Dalt 4D **96**
Wilson Gro. S71: Lund 4M **37**
Wilson Pl. S8: Shef 5H **123**
Wilson Rd. S11: Shef 3D **122**
S18: Coal A 6K **135**
S36: Spink 6H **73**
Wilson St. S3: Shef 6H **109**
S18: Dron 9J **135**
S73: Womb 4B **58**
Wilson Wlk. S75: Dod 1B **56**
Wilstrop Rd. S9: Shef 7B **110**
WILTHORPE 4D **36**
Wilthorpe Av. S75: Barn 4D **36**
Wilthorpe Cres. S75: Barn 4D **36**
Wilthorpe Farm Rd.
S75: Barn 4D **36**
Wilthorpe Gdns. S20: Mosb 8G **124**
Wilthorpe Grn. S75: Barn 4D **36**
Wilthorpe La. S75: Barn 4C **36**
Wilthorpe Rd. S75: Barn 4B **36**
Wilton Cl. S62: Rawm 9M **77**
Wilton Ct. S61: Kimb 6G **94**
Wilton Gdns. S61: Roth 6G **94**
Wilton La. S61: Roth 7G **94**
Wilton Pl. S10: Shef 6A **4** (1F **122**)
Wiltshire Av. DN12: Den M 3L **79**
Wiltshire Rd. DN2: Don 3F **64**
Wimberry Av. S25: Nth A 6C **128**
Wincanton Cl. S64: Mexb 9G **61**
Winchester Av. DN2: Don 1D **64**
S10: Shef 3K **121**
Winchester Cl. S81: Work 3D **142**
Winchester Ct. *S65: Roth 6L **95***
(off Nottingham St.)
Winchester Cres. S10: Shef 3K **121**
Winchester Dr. S10: Shef 3K **121**
Winchester Flats DN7: Dunsc 9C **26**
Winchester Ho. DN5: Scaws 1H **63**
Winchester M. DN11: Birc 9M **101**
Winchester Rd. DN7: Dunsc 9C **26**
S10: Shef 3K **121**
Winchester Way DN5: Scaws 1J **63**
S60: Brins 3G **111**
S71: Ard 9A **38**
WF9: Sth E 5F **20**
WINCOBANK 1N **109**
Wincobank Av. S5: Shef 1M **109**
Wincobank Cl. S5: Shef 1N **109**
Wincobank La. S4: Shef 3N **109**
Wincobank Rd. S5: Shef 1N **109**
Winco Rd. S4: Shef 3N **109**
Winco Wood La. S5: Shef 1N **109**
Windam Dr. DN3: Barn D 9J **25**
Windermere Av. DN2: Don 2F **64**
DN11: H'worth 9J **101**
S18: Dron W 9F **134**
S63: Gol 3D **60**
Windermere Cl. DN6: Skell 8E **22**
S64: Mexb 9J **61**
S81: Work 2B **142**
Windermere Ct. S25: Nth A 5C **128**
Windermere Cres. DN3: Kirk Sa 4J **45**
Windermere Dr. DN4: Don 6E **64**
Windermere Grange DN12: New E 5F **80**
Windermere Rd. S8: Shef 6F **122**
S36: Pen 3N **53**
S71: Barn 7H **37**
Winders Pl. S73: Womb 5D **58**
Windgate Hill DN12: Con 3B **80**
Windham Cl. S71: Barn 5G **36**
WINDHILL 9H **61**
Windhill Av. S64: Mexb 1H **79**
S75: Stain 6B **16**
Windhill Cres. S64: Mexb 9H **61**
S75: Stain 6B **16**
Windhill Dr. S75: Stain 6B **16**
Wind Hill La. S36: Bolst 6L **71**
Windhill La. S75: Stain 6B **16**
Windhill Mt. S75: Stain 6B **16**
Windhill Ri. S75: Wool G 6N **15**
Windhill Ter. S64: Mexb 9H **61**
Windings, The S63: Thurn 9E **40**
Windlass Cl. DN8: Thorne 2J **27**
Windle Ct. S60: Tree 8M **111**
Windle Edge S36: Dunf B 9E **50**
Windle Rd. DN4: Hex 6L **63**
Windle Sq. DN3: Kirk Sa 4J **45**
Windlestone Sq. DN8: Moore 7M **11**
Windmill Av. DN12: Con 5B **80**
S72: Grim 9F **18**
Windmill Balk La.
DN6: Adw S, Woodl 4E **42**
Windmill Cl. S70: Barn 9H **37**
Windmill Ct. DN6: Woodl 3F **42**
S61: Thorpe H 2A **94**
S73: Womb 5B **58**
Windmill Dr. DN11: Wad 8M **81**
Windmill Est. DN12: Con 5B **80**
Windmill Greenway S20: Half 5L **137**
WINDMILL HILL 8M **81**
Windmill Hill La. S35: Burn 1F **92**
Windmill La. DN6: Nort 8F **6**
HD8: Cumb, Birds E, High F 5M **31**
S5: Shef 9M **93**
S36: Thurl 4K **53**
Windmill Mdw. DN6: Nort 7G **7**
Windmill Rd. S25: Nth A 5C **128**
S73: Womb 5B **58**
Windmill Ter. S71: R'ton 4J **17**
Windmill Vw. HD9: Scho 5G **31**
Windses Est. S32: Up P 8A **132**
WINDSOR 3N **29**
Windsor Av. S36: Thurl 3K **53**
S75: Kexb 9L **15**
Windsor Cl. DN5: Harl 5H **61**
DN6: Ask 1N **23**
S66: Bram 7J **97**
S81: Carl L 5C **130**
Windsor Ct. DN7: Dunsv 4A **46**
DN11: Birc 8L **101**
S11: Shef 7A **122**
S70: Barn 6F **36**
Windsor Cres. DN17: Crow 3N **29**
S71: Monk B 5J **37**
S72: Midd 9K **39**
Windsor Dr. DN5: Barnb 4H **61**
S18: Dron W 9D **134**
S64: Mexb 9H **61**
S75: Dod 9A **36**
Windsor Gdns. S63: Thurn 8D **40**
S81: Carl L 5B **130**
Windsor La. DN17: Crow 4N **29**
Windsor Ri. S26: Aston 5D **126**
Windsor Rd. DN2: Don 3C **64**
DN7: Stainf 6A **26**
DN12: Con 3N **79**
DN17: Crow 3N **29**
S8: Shef 5G **123**
S61: Thorpe H 1N **93**
S81: Carl L 5B **130**
S81: Work 3A **142**
WF9: Hems 3M **19**
Windsor Sq. DN7: Stainf 6A **26**
S63: Thurn 8D **40**
Windsor St. S4: Shef 6L **109**
(not continuous)
S63: Thurn 8D **40**
S74: Hoyl 8L **57**
WF9: Sth E 7G **20**
Windsor Vw. DN11: New R 6G **83**
Windsor Wlk. DN5: Scaws 1J **63**
S25: Sth A 8A **128**
S72: Grim 2G **38**
Windy Bank S6: Low B 7N **89**
Windy Ho. La. S2: Shef 4N **123**
Windy Ridge S26: Augh 2B **126**
WF8: Lit S 4D **6**
Windyridge DN10: Ever 9L **103**
Winfield Rd. S63: Wath D 1M **77**
Wingerworth Av. S8: Shef 2E **134**
WINGFIELD 2G **94**
Wingfield Av. S81: Work 4C **142**
Wingfield Cl. S18: Dron W 9D **134**
S61: Wing 2G **95**
Wingfield Ct. S61: Wing 3F **94**
Wingfield Cres. S12: Shef 6C **124**
Wingfield Rd. S61: Wing 2F **94**
S71: Ath 2H **37**
Winholme DN3: Arm 1L **65**
Winifred St. S60: Roth 7J **95**
S80: Rhod 6L **141**
Winkley Ter. S5: Shef 8M **93**
Winlea Av. S65: Roth 9D **96**
Winmarith Ct. S71: R'ton 6J **17**
Winnats Way S10: Shef 2B **122**
Winn Cl. S6: Shef 1C **108**
Winn Dr. S6: Shef 1C **108**
Winnery Cl. DN11: Tick 5D **100**
Winney Hill S26: Hart 5K **139**
Winney La. S26: Hart 8K **139**
Winn Gdns. S6: Shef 1C **108**
(not continuous)
Winn Gro. S6: Shef 9B **92**
Winnipeg Rd. DN5: Bntly 7M **43**
Winscar Rd. DN4: Don 8E **64**
Winsford Rd. S6: Shef 8D **92**
Winster Cl. S70: Birdw 7G **56**
Winster Gro. S81: Work 2C **142**
Winster Rd. S6: Shef 3D **108**
Winston Av. S36: Stoc 4B **72**
Winter Av. S71: R'ton 4K **17**
S75: Barn 6D **36**
Winter Garden 4F **5** (9H **109**)
Winter Hill La. S61: Kimb 6E **94**
Winterhill Rd. S61: Kimb 7D **94**
Winterhill Youth Cen. 6D **94**
Winter Rd. S75: Barn 6D **36**
Wintersett Cl. WF4: Ryh 1A **18**
Wintersett Dr. DN4: Don 7E **64**
Winter St. S3: Shef 2A **4** (8F **108**)
Winter Ter. S75: Barn 6D **36**
Winterton Cl. DN4: Bess 9G **64**
Winterton Gdns. S12: Shef 8J **125**
Winterwell Rd. S63: Wath D 8J **59**
(not continuous)
Winthorpe Rd. S81: Gate 2N **141**
Winton Cl. S70: Barn 9H **37**
Winton Rd. DN2: Don 3E **64**
Wisconsin Dr. DN4: Don 8D **64**
Wiseley Cft. S72: Grim 9G **18**
Wiseton Rd. S11: Shef 3D **122**
WISEWOOD 4A **108**
Wisewood Av. S6: Shef 4B **108**
Wisewood La. S6: Shef 4B **108**
Wisewood Pl. S6: Shef 4B **108**
Wisewood Rd. S6: Shef 4B **108**
Wishing Well Grn. S26: Swal 4A **126**
Witham Ct. S75: High'm 5N **35**
Witham Way S63: Bramp B 8G **58**
Withens Av. S6: Shef 2C **108**
Withens Ct. S75: Mapp 8B **16**
Withyside HD8: Den D 2K **33**

Witney St.—Wortley Av.

Witney St. S8: Shef 3H 123
Wittsend Pk. Cvn. Site
DN5: Ark 5B 44
Wivelsfield Rd. DN4: Balb 8J 63
Woburn Cl. DN4: Balb 1J 81
Woburn Pl. S11: Shef 9A 122
S75: Dod 1A 56
Wolds Cl. DN17: Crow 8N 29
Wolfe Dr. S6: Shef 8E 92
Wolfe Rd. S6: Shef 8E 92
Wolfstones Rd. HD9: Holm 1A 30
Wollaton Av. S17: Bradw 5B 134
Wollaton Cl. S71: Ath 9F 16
Wollaton Dr. S17: Bradw 5B 134
Wollaton Rd. S17: Bradw 6A 134
Wolseley Rd. S8: Shef 4H 123
Wolsey Av. DN2: Don 4D 64
Wolverley Rd. S13: Shef 5G 124
WOMBWELL 4D 58
Wombwell Av. S63: Wath D 1L 77
Wombwell Hillies Golf Course 6D 58
Wombwell La. S70: Stair 9M 37
S73: Womb 9M 37
S74: Black H 5L 57
Wombwell Race Circuit Go-Kart Track
3E 58
Wombwell Rd. S74: Hoyl 8M 57
Wombwell Station (Rail) 5B 58
Wong La. DN11: Tick 7C 100
Wood Acres S75: Barn 4B 36
WOODALL 5H 139
Woodall La. S26: Hart, Wooda 4H 139
Woodall Rd. S21: Killa 5E 138
S65: Roth 8B 96
Woodall Rd. Sth. S65: Roth 8B 96
WOODALL SERVICE AREA 5G 139
Woodbank Ct. *S17: Dore* 3B 134
(off Ladies Spring Dr.)
Woodbank Cres. S8: Shef 6G 122
Woodbank Rd. S6: Stan 9G 107
Woodbine Ter. HD8: Clay W 6B 14
Woodbourne Gdns. S75: Tank 1F 74
Woodbourn Gdns. S73: Womb 2B 58
Woodbourn Hill S9: Shef 7N 109
Woodbourn Rd. S9: Shef 8N 109
Woodbourn Road Stop (ST) 7N 109
Woodburn Ct. *S61: Roth* 6H 95
(off Alice Rd.)
Woodburn Dr. S35: Chap 9J 75
Woodbury Cl. S9: Shef 8A 94
Woodbury Rd. S9: Shef 8A 94
Wood Carr La. DN9: Belt 4M 49
Woodcarr Pk. DN9: Belt 4M 49
Woodchurch Vw. HD9: T'bri 1F 30
Wood Cliffe S10: Shef 5K 121
Wood Cl. S35: Chap 1K 93
S62: Rawm 7L 77
S65: Rav 5H 97
Woodcock Cl. S61: Kimb P 3F 94
Woodcock Pl. S2: Shef 9L 109
Woodcock Rd. S74: Hoyl 1M 75
Woodcock Way
DN6: Adw S 1F 42
WF9: Sth E 5F 20
Wood Ct. DN3: Arm 9K 45
Wood Cft. S61: Kimb P 4F 94
Woodcross Av. DN4: Can 8K 65
S72: Grim 1G 38
Wooddle Hole La.
WF8: Kirk Sm, Nort 8A 6
WOOD END 1N 31
Wood End S35: Gren 3F 92
Woodend S80: Rhod 5M 141
Wood End Av. S36: Cub 6M 53
Woodend Cl. S6: Shef 5B 108
Wood End Ct. S75: Dod 1B 56
Woodend Dr. S6: Shef 5B 108
Wood End La. HD8: Shep 1N 31
Woodfall La.
S6: Brad, Low B 9C 90
Woodfarm Av. S6: Shef 6A 108
Woodfarm Cl. S6: Shef 6N 107
Woodfarm Dr. S6: Shef 6N 107
Woodfarm Pl. S6: Shef 6N 107
Woodfield Av. S64: Mexb 1G 78
Woodfield Cl. S73: D'fld 1G 58
Woodfield Gdns. S81: Work 4B 142
Woodfield Rd. DN3: Arm 2M 65
DN4: Balb 8L 63
(not continuous)
DN6: Camp 1A 22
S10: Shef 7C 108
S63: Wath D 9H 59
WF8: Wentb 1A 22
Wood Flds. S66: Bram 9K 97
Woodfield Vs. S60: Roth 9L 95
Woodfield Way DN4: Balb 2M 81
Wood Fold S3: Shef 5H 109
Woodfoot Rd. S60: Roth 3M 111
Woodford Rd. DN3: Barn D 9J 25
Woodgarth Ct. DN6: Camp 1G 23
Woodgrove Rd. S9: Shef 9B 94
S65: Roth 6B 96
Woodhall Cl. S73: D'fld 1G 58
Woodhall Flats S73: D'fld 1G 58
Woodhall Ri. S64: Swin 4C 78
Woodhall Rd. S73: D'fld 1G 58
Woodhead Dr. S74: Black H 6L 57
Woodhead La. S74: Hoyl 5M 57
Woodhead M. S74: Black H 6L 57
Woodhead Rd.
HD9: H'bri, Holme, Holm 6A 30
S2: Shef 3H 123
S35: Gren 7N 73
S35: Wort 4M 73
Woodhead Vw. S74: Jum 7A 58
Woodhead Way S10: Shef 2B 122
WOOD HILL 4L 109
Woodholm Pl. S11: Shef 6C 122
Woodholm Rd. S11: Shef 6C 122
WOODHOUSE
S13 5H 125
S81 5M 141
Woodhouse Av. S20: Beig 7M 125
Woodhouse Cl. S62: Rawm 6K 77
S80: Rhod 5M 141
Woodhouse Ct. S20: Beig 7L 125
Woodhouse Cres. S20: Beig 7M 125
Woodhouse Fld. La. DN7: Fish 3N 25
Woodhouse Gdns. S13: Shef 5J 125
WOODHOUSE GREEN 2N 25
Woodhouse Grn. S66: Thurc 5K 113
(not continuous)
Woodhouse Grn. Rd. DN7: Fish 2N 25
Wood Ho. La. DN11: Wad 7K 81
Woodhouse La. DN7: Hat 4C 46
DN10: Baw 2B 102
HD8: Eml'y 2B 14
HD9: H'bri 7B 30
S20: Beig 6L 125
(not continuous)
S81: Carl L, Hods 3D 130
WF4: Wool 3B 16
WOODHOUSE MILL 3K 125
Woodhouse Rd. DN2: Don 1B 64
S12: Shef 5B 124
S74: Hoyl 1L 75
Woodhouse Station (Rail) 4K 125
Woodhouse Washlands Nature Reserve
4M 125
Woodkirk Cl. S36: Pen 5B 54
Woodknot M. DN4: Balb 2M 81
WOODLAITHES 6G 97
Woodlaithes Rd. S66: Sunn 5H 97
Woodland Av. DN17: Crow 7M 29
S25: Nth A 6C 128
S80: Work 9E 142
Woodland Cl. S60: Cat 7J 111
S66: Wick 1H 113
Woodland Ct. S35: Chap 9E 74
S81: Work 4C 142
Woodland Dr. S12: Shef 9B 124
S25: Nth A 6C 128
S70: Barn 8C 36
S81: Work 4B 142
Woodland Gdns. S66: Malt 8F 98
Woodland Gro. S63: Wath D 2M 77
Woodland Pl. S17: Bradw 5A 134
Woodland Ri. S75: Silk C 2J 55
Woodland Rd. S8: Shef 8J 123
S63: Wath D 2M 77
WOODLANDS 3F 42
Woodlands S60: Roth 1B 112
Woodlands, The DN3: Arm 9M 45
S10: Shef 1B 122
S81: Bly 6L 117
Woodlands Av. S20: Beig 6M 125
Woodlands Chase S61: Kimb P 3F 94
Woodlands Cl. HD8: Den D 2K 33
S26: Swal 2C 126
Woodlands Ct. S75: Wool G 6N 15
Woodlands Cres. S64: Swin 4N 77
WF9: Hems 1L 19
WOODLANDS EAST 5G 43
Woodlands Farm S60: Tree 8L 111
Woodlands Gdns. DN3: Eden 7H 45
Woodlands Ri. DN6: Camp 9G 6
Woodlands Rd. DN6: Woodl 4F 42
S74: Hoyl 7M 57
Woodlands Ter. DN12: New E 5F 80
Woodlands Vw. DN6: Woodl 4E 42
S72: Gt H 6L 39
S73: Womb 7A 58
S74: Hoyl 8M 57
Woodlands Way DN12: Den M 3L 79
Woodland Ter. S72: Grim 3H 39
WOODLAND VIEW 6B 108
Woodland Vw. HD9: Holm 1F 30
S12: Shef 9B 124
S17: Dore 3B 134
S64: Mexb 2H 79
S71: Barn 7L 37
S72: Cud 3B 38
S75: Silk C 2J 55
WF9: Sth E 6D 20
(off Minsthorpe La.)
Woodland Vw. Rd. S6: Shef 6B 108
Woodland Vs. S72: Grim 2H 39
S75: Pil 1F 74
Woodland Way S65: Roth 8B 96
WF9: Upton 1J 21
Wood La. DN7: Fish 1D 26
DN7: Fost 8A 10
DN8: Thorne 9E 10
DN11: Wad 4J 81
DN12: Old E 7F 80
HD8: Den D 2H 33
HD9: Holm 2E 30
S6: Shef 6N 107
S12: Shef 8N 123
Wood La. S60: Cat 5G 111
S60: Roth 1K 111
(not continuous)
S60: Tree 8L 111
S66: Bram, Wick 1H 113
S66: Bramp M 7H 113
S66: Stain 4J 99
S71: Car 7H 17
(Ruscombe Pl.)
S71: Car 8K 17
(Woodroyd Av.)
S71: Stain 7F 16
Wood La. Cl. S6: Shef 6N 107
Woodlark Cl. S81: Gate 4N 141
Woodlea WF9: Sth E 7E 20
Woodlea Cl. DN7: Hat 4C 46
Woodlea Gdns. DN4: Can 8J 65
Woodlea Gro. DN3: Arm 1L 65
Woodlea Way DN2: Don 9F 44
WOOD LEE 1E 114
Woodleys Av. S62: Rawm 6L 77
Woodman Dr. S64: Swin 4N 77
Wood Moor Rd. WF9: Hems 2M 19
Woodmoor St. S71: Car 9L 17
Wood Nook HD8: Den D 2J 33
S35: Gren 4D 92
Woodnook Gro. S21: Mar L 8E 136
Wood Pk. Vw. S71: Ath 8G 16
Woodpecker Cl. S26: Aston 5D 126
S81: Gate 1A 142
Wood Rd. S6: Shef 4C 108
S61: Kimb P 4F 94
Woodrove Av. S13: Shef 3B 124
Woodrove Cl. S13: Shef 4B 124
WOOD ROYD 6G 73
Woodroyd Av. S71: Car 8K 17
Woodroyd Cl. S71: Car 8K 17
Woodroyd Gdns. S73: Womb 6A 58
Woodroyd Hill La. HD9: Hep 9M 31
Wood Royd Rd. S36: Spink 5G 72
WOOD SEATS 2E 92
WOODSEATS 8G 123
Woodseats S35: Gren 2E 92
Woodseats Cl. S8: Shef 7F 122
Woodseats Ho. Rd. S8: Shef 9G 123
Woodseats M. S8: Shef 7F 122
Woodseats Rd. S8: Shef 7F 122
WOODSETTS 7J 129
Woodsetts La. S81: Work 1L 141
Woodsetts Rd. S25: Nth A 5C 128
S81: Gild 5K 129
Woodsett Wlk. DN12: Con 4C 80
WOODSIDE 6H 109
Woodside HD8: Den D 2K 33
Woodside Av. S18: Holme 9B 134
S21: Killa 3E 138
S63: Wath D 9M 59
Woodside Cl. S66: Malt 8F 98
Woodside Cotts. DN6: Woodl 5E 42
Woodside Ct. DN6: Woodl 4E 42
S66: Malt 9G 98
(off Woodside Cl.)
S66: Wick 1H 113
Woodside La. S3: Shef 6H 109
(not continuous)
S35: Gren 4D 92
Woodside Rd. DN5: Scawt 8J 43
DN6: Woodl 4E 42
S81: Shire 3K 141
Woodside Vw. DN11: Birc 9L 101
HD9: Holm 4B 30
S18: Holme 9B 134
S63: Bolt D 5C 60
Woodside Wlk. S61: Grea 2H 95
Woodspring Ct. S4: Shef 4M 109
Woodstock Gdns. S75: Barn 4E 36
Woodstock Rd. DN4: Balb 8J 63
S6: Lox 4N 107
S7: Shef 5F 122
S75: Barn 4E 36
Wood St. DN1: Don 4A 64
HD9: Holm 2E 30
S6: Shef 6F 108
S64: Mexb 1E 78
S64: Swin 3D 78
S65: Thry 3D 96
S70: Barn 8F 36
S72: Sth H 3E 18
S73: Womb 5C 58
Wood Syke S75: Dod 9B 36
Woodthorpe Cres. S13: Shef 3C 124
Woodthorpe Est. S13: Shef 4C 124
Woodthorpe Rd. S13: Shef 3C 124
(not continuous)
Woodvale Cl. S75: High'm 4N 35
Woodvale Flats S10: Shef 1C 122
Woodvale Rd. S10: Shef 2C 122
Wood Vw. DN3: Brant 6A 66
DN7: B'waite 4J 25
DN12: Con 5C 80
DN12: New E 3G 81
S66: Malt 8F 98
S70: Birdw 9G 57
S74: Els 1A 76
(not continuous)
Woodview DN5: Sprot 6F 62
Woodview Ho. *S21: Ecki* 7J 137
(off West St.)
Wood Vw. La. S75: Barn 5B 36
Woodview Rd. S6: Shef 5D 108
Wood Vw. Ter. S11: Shef 3N 121
Woodville Hall S10: Shef 7A 4 (2F 122)
Wood Wlk. S64: Mexb 9E 60
S71: R'ton 4K 17
S73: Womb 7N 57
S74: Hoyl 7M 57
Woodway, The S66: Sunn 6G 97
WOOD WILLOWS 5F 72
Woofindin Av. S11: Shef 4N 121
Woofindin Rd. S10: Shef 4M 121
Woolcroft Dr. HD9: Holm 2G 31
WOOLDALE 1H 31
Wooldale Cliff Rd. HD9: Holm 3F 30
(not continuous)
Wooldale Cl. S20: Mosb 9G 125
Wooldale Cft. S20: Mosb 9G 125
Wooldale Dr. S20: Mosb 9G 125
Wooldale Gdns. S20: Mosb 9G 125
Wooldale Rd. HD9: Holm 1G 30
Wooley Av. S73: Womb 5C 58
Wooley Edge La. S75: Wool G 6N 15
Woollen La. S6: Shef 7F 108
WOOLLEY 2B 16
Woolley Colliery Rd. S75: Dart 8N 15
Woolley Edge La. WF4: Wool 1M 15
WOOLLEY EDGE SERVICE AREA 1K 15
WOOLLEY GRANGE 6N 15
Woolley Hall Gdns. WF4: Wool 2B 16
Woolley Ho. *DN1: Don* 6N 63
(off Elsworth Cl.)
Woolley Low Moor La. WF4: Wool 1M 15
Woolley Mill La. WF4: Nott 1E 16
Woolley Pk. 2C 16
Woolley Pk. Gdns. WF4: Wool 2B 16
Woolley Pk. Golf Course 3C 16
Woolley Rd. S36: Stoc 5C 72
Woolley Wood Rd. S5: Shef 6M 93
Woolscroft Vw. S73: Hem 8C 58
Woolstocks La. S75: Cawt 5G 34
Wootton Ct. S65: Thry 3D 96
Worcester Av. DN2: Don 9C 44
Worcester Cl. S10: Shef 2K 121
S81: Work 3D 142
Worcester Dr. S10: Shef 2K 121
Worcester Rd. S10: Shef 2J 121
Wordsworth Av. DN4: Balb 9L 63
DN6: Camp 9G 7
S5: Shef 1F 108
S25: Din 3E 128
S36: Pen 5M 53
Wordsworth Cl. S5: Shef 7F 92
Wordsworth Ct. S5: Shef 1F 108
S36: Pen 3N 53
Wordsworth Cres. S5: Shef 9F 92
Wordsworth Dr. DN5: Don 3K 63
S5: Shef 9F 92
S65: Roth 7N 95
Wordsworth Rd. S63: Wath D 8J 59
S71: Monk B 4J 37
Work Bank La. S36: Pen, Thurl 3K 53
WORKHOUSE GREEN 5H 121
Workhouse La. S3: Shef 1F 5 (8H 109)
WORKSOP 8B 142
Worksop Leisure Cen. 5B 142
Worksop Mnr. S80: Work 9M 141
Worksop Priory Church 8D 142
Worksop Rd. DN11: Tick 8C 100
S9: Shef 6A 110
S25: Sth A 7B 128
S26: Aston, Swal 4C 126
S80: Darf, Whit, Work 9F 140
S80: Thorpe S 3C 140
S81: Bly 1K 131
S81: Woods 7J 129
S81: Work 9F 128
Worksop Station (Rail) 6C 142
Worksop Town FC
Windsor Food Service Stadium
6A 142
WORMLEY HILL 5F 10
Wormley Hill La. DN14: Syke 6F 10
Worral Av. S60: Tree 7L 111
Worral Cl. S70: Wors 1G 56
Worral Ct. DN3: Eden 6K 45
WORRALL 8M 91
Worrall Dr. S35: Ough 8M 91
Worrall Rd. S6: Ough, Shef 9M 91
S35: High G 8F 74
S35: Ough 9M 91
Worry Goose La. S60: Whis 2B 112
Worsborough Vw. S75: Pil 9E 56
WORSBROUGH 3H 57
WORSBROUGH BRIDGE 3J 57
WORSBROUGH COMMON 9G 37
Worsbrough Country Pk.
Doe Lane 4F 56
Park Road 4H 57
WORSBROUGH DALE 2K 57
Worsbrough Mill (Mus.) 4G 57
Worsbrough Rd. S70: Birdw, Wors 7G 56
S74: Black H 6L 57
WORSBROUGH VILLAGE 5H 57
Worsley Cl. S70: Barn 1J 57
Worsley Pl. DN6: Skell 7D 22
Worthing Cres. DN12: Con 4B 80
Worthing Rd. S9: Shef 8M 109
WORTLEY 3M 73
Wortley Av. DN12: Con 4M 79
S64: Swin 3C 78
S73: Womb 2B 58

HOSPITALS, HOSPICES and selected HEALTHCARE FACILITIES covered by this atlas.

N.B. Where it is not possible to name these facilities on the map,
the reference given is for the road in which they are situated.

ALPHA HOSPITAL, SHEFFIELD 3K **123**
83 East Bank Road
SHEFFIELD
S2 3PX
Tel: 0114 279 3350

BARNSLEY DISTRICT GENERAL HOSPITAL 5D **36**
Pogmoor Road
BARNSLEY
S75 2EP
Tel: 01226 730000

BARNSLEY HOSPICE 5B **36**
104 Church Street
Gawber
BARNSLEY
S75 2RL
Tel: 01226 244244

BASSETLAW HOSPITAL 5D **142**
Kilton Hill
WORKSOP
S81 0BD
Tel: 01909 500990

BECTON CENTRE 8L **125**
Sevenairs Road
Beighton
SHEFFIELD
S20 1NZ
Tel: 0114 305 3106

BIRKDALE CLINIC 7M **95**
2 Clifton Lane
ROTHERHAM
S65 2AJ
Tel: 01709 828928

BLUEBELL WOOD CHILDREN'S HOSPICE 3A **128**
Cramfit Road
North Anston
SHEFFIELD
S25 4AJ
Tel: 01909 517369

CHARLES CLIFFORD DENTAL HOSPITAL 9E **108**
76 Wellesley Road
SHEFFIELD
S10 2SZ
Tel: 0114 271 7800

CHESWOLD PARK HOSPITAL 3L **63**
Cheswold Lane
DONCASTER
DN5 8AR
Tel: 01302 762862

CLAREMONT HOSPITAL 1M **121**
401 Sandygate Road
SHEFFIELD
S10 5UB
Tel: 0114 263 0330

DONCASTER ROYAL INFIRMARY 2D **64**
Thorne Road
DONCASTER
DN2 5LT
Tel: 01302 366666

GRENOSIDE GRANGE HOSPITAL 6E **92**
Salt Box Lane
Grenoside
SHEFFIELD
S35 8QS
Tel: 0114 271 8445

HOLME VALLEY MEMORIAL HOSPITAL 1E **30**
Huddersfield Road
HUDDERSFIELD
HD9 3TS
Tel: 01484 345627

KENDRAY HOSPITAL 8K **37**
Doncaster Road
BARNSLEY
S70 3RD
Tel: 01226 730000

KERESFORTH CENTRE 8E **36**
Keresforth Close
BARNSLEY
S70 6RS
Tel: 01226 730000

MICHAEL CARLISLE CENTRE 4D **122**
Osborne Road
SHEFFIELD
S11 9BF
Tel: 0114 271 8004

MONTAGU HOSPITAL 9F **60**
Adwick Road
MEXBOROUGH
S64 0AZ
Tel: 01709 585171

MOUNT VERNON HOSPITAL 1G **57**
Mount Vernon Road
BARNSLEY
S70 4DP
Tel: 01226 433209

NHS WALK-IN CENTRE (ROTHERHAM) 6K **95**
Greasbrough Road
ROTHERHAM
S60 1RY
Tel: 0333 200 4055

NHS WALK-IN CENTRE (SHEFFIELD) 3D **4**
Rockingham House
Broad Lane
SHEFFIELD
S1 3PB
Tel: 0114 241 2700

NORTHERN GENERAL HOSPITAL 3K **109**
Herries Road
SHEFFIELD
S5 7AU
Tel: 0114 243 4343

PARK HILL PRIVATE HOSPITAL 2C **64**
Thorne Road
DONCASTER
DN2 5TH
Tel: 01302 730300

ROTHERHAM HOSPICE 8N **95**
Broom Road
ROTHERHAM
S60 2SW
Tel: 01709 308900

ROTHERHAM HOSPITAL 2M **111**
Moorgate Road
ROTHERHAM
S60 2UD
Tel: 01709 820000

ROYAL HALLAMSHIRE HOSPITAL 5A **4** (1E **122**)
Glossop Road
SHEFFIELD
S10 2JF
Tel: 0114 271 1900

ST JOHN'S HOSPICE 9L **63**
Weston Road
DONCASTER
DN4 8JS
Tel: 01302 796666

ST LUKE'S HOSPICE 8A **122**
Little Common Lane
SHEFFIELD
S11 9NE
Tel: 0114 236 9911

THORNBURY BMI HOSPITAL....................2B **122**
312 Fulwood Road
SHEFFIELD
S10 3BR
Tel: 0114 266 1133

TICKHILL ROAD HOSPITAL 1M **81**
Weston Road
DONCASTER
DN4 8QL
Tel: 01302 796000

WATHWOOD HOSPITAL 3M **77**
Gipsy Green Lane
Wath-Upon-Dearne
ROTHERHAM
S63 7TQ
Tel: 01709 870800

WESTON PARK HOSPITAL 9E **108**
Whitham Road
SHEFFIELD
S10 2SJ
Tel: 0114 226 5000